ISBN 978-0-266-29208-1
PIBN 11026780

Centralblatt

für

die gesammte Unterrichts-Verwaltung in Preußen.

Herausgegeben in dem Ministerium der geistlichen, Unterrichts- und Medizinal-Angelegenheiten.

Jahrgang 1896.

Berlin.
Verlag von Wilhelm Hertz.
(Bessersche Buchhandlung.)

Centralblatt
für
die gesammte Unterrichts-Verwaltung in Preußen.

Herausgegeben in dem Ministerium der geistlichen, Unterrichts- und Medizinal-Angelegenheiten.

№ 1. Berlin, den 20. Januar 1896.

A. Ministerium der geistlichen, Unterrichts- und Medizinal-Angelegenheiten.

Chef:

Seine Excellenz D. Dr. Bosse, Staatsminister, Mitglied des Herrenhauses. (W. Unter den Linden 4.)

Unter-Staatssekretär:

D. Dr. von Weyrauch. (W. Lutherstr. 5.)

Abtheilungen des Ministeriums.

I. Abtheilung für die geistlichen Angelegenheiten.

Direktoren:

D. Dr. von Weyrauch, Unter-Staatssekretär (s. vorher).

Dr. von Bartsch, Wirklicher Geheimer Ober-Regierungsrath, Mitglied des Disciplinarhofes für nichtrichterliche Beamte. (W. Derfflingerstr. 26.)

Vortragende Räthe:

D. Richter, Evang. Feldpropst der Armee, Ober-Konsistorialrath und Mitglied des Evang. Ober-Kirchenraths. (C. Neue Friedrichstr. 1. Hinter der Garnisonkirche.)

D. Dr. Weiß, Wirklicher Ober-Konsistorialrath und Professor. (W. Landgrafenstr. 8.)

Dr. Wehrenpfennig, Geheimer Ober-Regierungsrath. (W. Magdeburgerstr. 82.)

Winter, dsgl. (W. Lützowstr. 41.)

Löwenberg, dsgl. (W. Kurfürstendamm 189.)

Graf von Bernstorff-Stintenburg, dsgl., Kammerherr. (W. Rauchstraße 5.)

Weyer, Geheimer Ober-Regierungsrath. (W. Passauerstr. 37a.)
Dr. Renvers, dsgl. (W. Joachimsthalerstraße 12.)
Dr. Förster, dsgl., Mitglied der Prüfungs-Kommission für höhere Verwaltungsbeamte. (W. Rankestraße 2.)
Hinckeldeyn, Geheimer Baurath. (W. Hohenzollernstraße 7.)
Steinhausen, Geheimer Regierungsrath, Mitglied des Dom-Kirchen-Kollegiums. (W. Potsdamerstraße 78.)
Schwartzkopff, Geheimer Regierungsrath. (SW. Schönebergerstraße 18.)

Hilfsarbeiter:

Altmann, Konsistorialrath. (SW. Friedrichstraße 40.)

II. Erste Abtheilung für die Unterrichts-Angelegenheiten.

Direktor:

Seine Excellenz Dr. de la Croix, Wirklicher Geheimer Rath, Mitglied des Staatsrathes und des Gerichtshofes zur Entscheidung der Kompetenz-Konflikte, sowie Vorsitzender des Kuratoriums der Königlichen Bibliothek zu Berlin. (W. Karlsbad 6.)

Vortragende Räthe:

Dr. Schöne, Wirklicher Geheimer Ober-Regierungsrath, General-Direktor der Königlichen Museen. (W. Thiergartenstr. 27, im Garten.)
Dr. Schneider, Wirklicher Geheimer Ober-Regierungsrath. (SW. Tempelhofer Ufer 32.)
Dr. Stauder, dsgl. (W. Burggrafenstraße 19.)
Dr. Wehrenpfennig, Geheimer Ober-Regierungsrath. — s. Abth. I.
Bohtz, dsgl. (W. Hohenzollernstraße 14.)
Dr. Althoff, dsgl. (Steglitz, Lindenstraße 30.)
Persius, dsgl., Konservator der Kunstdenkmäler. (NW. Brückenallee 5.)
Dr. Naumann, Geheimer Ober-Regierungsrath. (W. Burggrafenstraße 4.)
Weyer, dsgl. — s. Abth. I.
Dr. Renvers, dsgl. — s. Abth. I.
Dr. Köpke, dsgl., Direktor der Turnlehrer-Bildungsanstalt. (W. Kleiststraße 4.)
Müller, Geheimer Ober-Regierungsrath. (W. Kaiserin-Augustastraße 68.)
von Moltke, Geheimer Regierungsrath. (NW. Händelstraße 15.)
Hinckeldeyn, Geheimer Baurath. — s. Abth. I.

Gruhl, Geheimer Regierungsrath. (W. Frobenstraße 88.)
Dr. Schmidt, dsgl. (W. Gleditschstraße 48.)

Hilfsarbeiter:

Dr. Peters, Gerichts-Assessor. (W. Corneliusstraße 7.)

III. Zweite Abtheilung für die Unterrichts-Angelegenheiten.

Direktor:

Dr. Kügler, Wirklicher Geheimer Ober-Regierungsrath, Mitglied der Ansiedelungs-Kommission für Westpreußen und Posen. (W. Flottwellstraße 4.)

Vortragende Räthe:

Dr. Schneider, Wirklicher Geheimer Ober-Regierungsrath. — s. Abth. II.
Dr. Wehrenpfennig, Geheimer Ober-Regierungsrath. — s. Abth. I. u. II.
Winter, dsgl. — s. Abth. I.
von Bremen, dsgl. (W. Derfflingerstraße 25.)
Wever, dsgl. — s. Abth. I. u. II.
Dr. Köpke, dsgl. — s. Abth. II.
Müller, dsgl. — s. Abth. II.
von Chappuis, dsgl. — (W. Kurfürstendamm 22.)
Brandi, dsgl. (W. Kurfürstenstraße 108.)
Vater, Geheimer Regierungsrath. (W. Zietenstraße 5.)
von Moltke, dsgl. — s. Abth. II.
Hinckeldeyn, Geheimer Baurath. — s. Abth. I. u. II.

IV. Abtheilung für die Medizinal-Angelegenheiten.

Direktor:

Dr. von Bartsch, Wirkl. Geheimer Ober-Regierungsrath. — s. Abth. I.

Vortragende Räthe:

Seine Excellenz Dr. von Coler, General-Stabsarzt der Armee (mit dem Range eines Generallieutenants), Chef des Sanitätskorps, Direktor der Militärärztlichen Bildungsanstalten, Wirkl. Geheimer Ober-Medizinalrath und ordentlicher Honorar-Professor.
Dr. Skrzeczka, Geheimer Ober-Medizinalrath und ordentlicher Honorar-Professor. (Steglitz, Filandastraße 5.)

Weyer, Geh. Ober-Regierungsrath. — s. Abth. I. u. II. u. III.
Dr. Förster, dsgl. — s. Abth. I.
Dr. Pistor, Geheimer Medizinalrath. (W. Lutherstraße 4.)
Hinckeldeyn, Geheimer Baurath. — s. Abth. I. u. II. u. III.
Dr. Schmidtmann, Geheimer Medizinalrath. (W. Kantstraße 151.)

Hilfsarbeiter:

Dr. Moeli, Professor, Direktor der Städtischen Irrenanstalt zu Herzberge bei Berlin.

Konservator der Kunstdenkmäler.

Persius, Geheimer Ober-Regierungsrath. — s. Abth. II.

Vorsteher der Meßbildanstalt für Denkmalaufnahmen.

Dr. Meydenbauer, Regierungsrath, Geheimer Baurath. (W. Magdeburgerstraße 5.)

Central-Bureau.
(Unter den Linden 4.)

Schulze, Geh. Rechn. Rath, Vorsteher.

Baubeamte:

Ditmar, Baurath, Landbauinspektor. (W. Friedrich-Wilhelmstraße 10.)
Körber, Landbauinspektor. (NW. Luisenstraße 45.)

Geheime Expedition und Geheime Kalkulatur.

Willmann, Geh. Rechn. Rath, Vorsteher. (W. Kurfürstenstraße 15/16.

Geheime Registratur der Abtheilungen für die geistlichen und die Unterrichts-Angelegenheiten.

Wille, Geh. Rechn. Rath, Vorsteher. (Zehlendorf, Seehofstraße 5.)

Geheime Registratur der Abtheilung für die Medizinal-Angelegenheiten.

Klipfel, Geh. Kanzl. Rath. (W. von der Heydtstraße 6.)

Geheime Kanzlei.

Reich, Geh. Kanzl. Rath, Geh. Kanzleidirektor. (C. Linienstr. 69/70.)

Generalkasse des Ministeriums. (W. Behrenstraße 72.)

Rendant: Hasselbach, Geh. Rechn. Rath. (Friedenau, Am Maybach-Platz 12.)

Ministerial-Bibliothek.

Schindler, Geh. Kanzl. Rath, Bibliothekar. (Steglitz, Fichtestraße 24.)

Die Sachverständigen-Vereine.

I. Litterarischer Sachverständigen-Verein.

Vorsitzender: Dr. Dambach, Wirklicher Geheimer Ober-Postrath, vortragender Rath und Justitiar im Reichs-Postamte, außerordentlicher Professor in der Juristischen Fakultät der Universität Berlin, Mitglied des Herrenhauses und Kronsyndikus.

Mitglieder:

Dr. Hinschius, Geheimer Justizrath und ordentlicher Professor in der Juristischen Fakultät der Universität Berlin, Mitglied des Herrenhauses, zugleich Stellvertreter des Vorsitzenden.

Dr. Dernburg, Geheimer Justizrath und ordentlicher Professor in der Juristischen Fakultät der Universität Berlin, Mitglied des Herrenhauses.

Dr. Töche-Mittler, Königlicher Hof-Buchhändler und Hof-Buchdrucker zu Berlin.

Mühlbrecht, Verlagsbuchhändler zu Berlin.

Höfer, Verlagsbuchhändler zu Berlin.

Dr. Daude, Geheimer Regierungsrath, Universitätsrichter zu Berlin.

Stellvertreter:

Dr. Hübler, Geheimer Ober-Regierungsrath und ordentlicher Professor in der Juristischen Fakultät der Universität Berlin.

Dr. Rodenberg, Schriftsteller zu Berlin.

Reimer, Verlagsbuchhändler zu Berlin.

Dr. Hübner, ordentlicher Professor in der Philosophischen Fakultät der Universität Berlin.

Dr. Oppermann, Staatsanwalt zu Berlin.

Dr. Waldeyer, Geheimer Medizinalrath, ordentlicher Professor in der Medizinischen Fakultät der Universität Berlin und Mitglied der Akademie der Wissenschaften.

II. Musikalischer Sachverständigen-Verein.

Vorsitzender: Dr. Dambach (siehe unter I).

Mitglieder:

Die Stelle des Stellvertreters des Vorsitzenden z. Zt. erledigt.

Bahn, Königlicher Hof-Buch- und Musikalienhändler zu Berlin.
Löschhorn, Professor zu Berlin.
Bock, Königlicher Hof-Musikalienhändler zu Berlin.
Dr. Blumner, Professor, Mitglied und Senator der Akademie der Künste, Vorsteher einer akademischen Meisterschule für musikalische Komposition, sowie Direktor der Sing-Akademie zu Berlin.
Radecke, Professor, Mitglied und Senator der Akademie der Künste, Direktor des Akademischen Instituts für Kirchenmusik.

Stellvertreter:

Becker, Albert, Professor, Mitglied und Senator der Akademie der Künste, Komponist zu Berlin.
Klingner, Geheimer Justizrath, Kammergerichtsrath a. D. zu Berlin.
Challier, Musikalienhändler zu Berlin.
Dr. M. Friedländer, Musikhistoriker und Privatdozent in der Philosophischen Fakultät der Universität Berlin.

III. Künstlerischer Sachverständigen-Verein.

Vorsitzender: Dr. Dambach (siehe unter I).

Mitglieder:

Dr. Daude, Geheimer Regierungsrath, zugleich Stellvertreter des Vorsitzenden (siehe unter I).
Sußmann-Hellborn, Professor und Bildhauer zu Berlin.
Duncker, Hof-Buchhändler zu Berlin.
Meyerheim, Professor, Mitglied der Akademie der Künste, Genremaler zu Berlin.
Jacoby, Professor, technischer Beirath für die artistischen Publikationen bei den Museen zu Berlin, Mitglied der Akademie der Künste.

Stellvertreter:

Schaper, Bildhauer, Professor, Mitglied und Senator der Akad. der Künste zu Berlin.
Manzel, Bildhauer zu Charlottenburg, Mitglied der Akademie der Künste zu Berlin.
Thumann, Professor, Geschichtsmaler zu Berlin, Mitglied der Akademie der Künste.
Ernst, Verlags-Buch- und Kunsthändler zu Berlin.
Schmieden, Baurath zu Berlin.

IV. Photographischer Sachverständigen-Verein.

Vorsitzender: Dr. Dambach (siehe unter I).

Mitglieder:

Dr. Daube, Geheimer Regierungsrath, zugleich Stellvertreter des Vorsitzenden (siehe unter I).
Duncker, Hof-Buchhändler (siehe unter III).
Dr. Vogel, Professor an der Technischen Hochschule zu Berlin.
Feckert, Professor, Maler und Lithograph, Mitglied der Akad. der Künste zu Berlin.
Hartmann, Architekturmaler zu Steglitz.

Stellvertreter:

Dr. Stolze, Redakteur des Photographischen Wochenblattes zu Charlottenburg.
Fechner, Photograph zu Berlin.
Ernst, Verlags-Buch- und Kunsthändler (siehe unter III).

V. Gewerblicher Sachverständigen-Verein.

Vorsitzender: Dr. Dambach (siehe unter I).

Mitglieder:

Lüders, Wirkl. Geheimer Ober-Regierungsrath, zugleich Stellvertreter des Vorsitzenden, zu Berlin.
Dr. Hinschius, Geheimer Justizrath und ordentlicher Professor (siehe unter I).
Dr. Weigert, Stadtrath, Fabrikbesitzer zu Berlin.
Sußmann-Hellborn, Professor ꝛc. (siehe unter III).
March, Kommerzienrath zu Charlottenburg.
Heyden, Baurath, Mitglied und Senator der Akad. der Künste zu Berlin.
Dr. Lessing, Geheimer Regierungsrath, Professor und Direktor der Sammlungen des Kunstgewerbe-Museums zu Berlin.
Dr. Siemering, Professor, Bildhauer, Senator und Mitglied der Akad. der Künste und Vorsteher des Rauch-Museums zu Berlin.
Lieck, Tapetenfabrikant zu Berlin.

Stellvertreter:

Heese, Kommerzienrath zu Berlin.
Puls, Fabrikant schmiedeeiserner Ornamente ꝛc. zu Berlin.
Ihne, Hofbaurath, Königlicher Hof-Architekt zu Berlin.
Dr. Daube (siehe unter I).
Spdnnagel, Kaufmann zu Berlin.
Schaper, Hofgoldschmied zu Berlin.
Dr. Oppermann (siehe unter I).

Kraetke, Direktor der Aktiengesellschaft für Fabrikation von Bronzewaaren und Zinkguß zu Berlin.

Dr. Jessen, Direktor der Bibliothek des Königlichen Kunstgewerbe-Museums zu Berlin.

Landes-Kommission zur Berathung über die Verwendung der Fonds für Kunstzwecke.

Ordentliche Mitglieder:

Becker, Professor, Geschichtsmaler, Ehren-Präsident der Akademie der Künste zu Berlin.

Ende, Geh. Reg. Rath, Professor, Senator und Vorsteher eines Meister-Ateliers, sowie z. Z. Präsident der Akademie der Künste zu Berlin.

von Gebhardt, Professor, Geschichtsmaler und Lehrer an der Kunstakademie zu Düsseldorf, Mitglied der Akademie der Künste zu Berlin.

Geselschap, Professor, Geschichtsmaler, Senator und Mitglied der Akademie der Künste zu Berlin.

Janssen, Professor, Geschichtsmaler, Direktor der Kunstakademie zu Düsseldorf, Mitglied der Akademie der Künste zu Berlin.

von Kameke, Prof., Landschaftsmaler, Mitglied der Akademie der Künste zu Berlin.

von Keudell, Kaiserl. Botschafter z. D., Wirkl. Geheimer Rath, Excellenz, auf Hohenlübbichow i. d. N. M.

Knille, Professor, Geschichtsmaler, Senator und Mitglied, sowie Vorsteher eines Meister-Ateliers bei der Akademie der Künste zu Berlin.

Köpping, Professor, Kupferstecher, Senator, Mitglied, sowie Vorsteher des Akademischen Meister-Ateliers für Kupferstich bei der Akademie der Künste zu Berlin.

Kröner, Professor, Maler zu Düsseldorf, Mitglied der Akademie der Künste zu Berlin.

Schaper, Professor, Bildhauer, Senator und Mitglied der Akademie der Künste zu Berlin.

Dr. Schmidt, Professor, Landschaftsmaler, Lehrer an der Kunstakademie zu Königsberg, Mitglied der Akademie der Künste zu Berlin.

Schwechten, Baurath, Senator und Mitglied der Akademie der Künste zu Berlin.

Dr. Siemering, Professor, Bildhauer, Senator und Mitglied der Akad. der Künste und Vorsteher des Rauch-Museums zu Berlin.

von Werner, Professor, Geschichtsmaler, Senator und Mitglied, sowie Vorsteher eines Meister-Ateliers bei der Akademie der Künste, Direktor der Akademischen Hochschule für die bildenden Künste zu Berlin.

Königliche Turnlehrer-Bildungsanstalt zu Berlin.
(SW. Friedrichstr. 229.)

Direktor:

Dr. Köpke, Geheimer Ober-Regierungsrath.

Unterrichts-Dirigenten:

Dr. Euler, Professor, Schulrath.
" Küppers, Schulrath.

Lehrer:

Eckler, Professor, Oberlehrer, zugleich Bibliothekar.
Dr. Brösike, Lehrer für Anatomie.

Königliches evangelisches Lehrerinnen-Seminar, Gouvernanten-Institut und Pensionat zu Droyßig bei Zeitz.

Direktor: Dr. vom Berg.

B. Die Königlichen Provinzialbehörden für die Unterrichts-Verwaltung.

Anmerkungen:

1. Bei den Regierungskollegien, bezw. den betreffenden Abtheilungen derselben werden nachstehend außer dem Dirigenten nur die schulkundigen Mitglieder aufgeführt.
2. Die bei den Regierungen angestellten Regierungs- und Schulräthe sind nach Maßgabe ihrer Funktionen auch Mitglieder des Provinzial-Schulkollegiums.

I. Provinz Ostpreußen.

1. Ober-Präsident zu Königsberg.

Se. Exc. Graf von Bismarck-Schönhausen.

2. Provinzial-Schulkollegium zu Königsberg.

Präsident: Se. Exc. Graf von Bismarck-Schönhausen, Ober-Präsident.

Direktor im Nebenamte: Dr. Maubach, Oberpräsidialrath.

Mitglieder: Dr. Carnuth, Prov. Schulrath.
Bode, dsgl.

Dr. Ernst, Reg. Rath, Verwalt. Rath und Justitiar im Nebenamte.

3. Regierung zu Königsberg.

a. Präsident.

Tieschowitz von Tieschowa.

b. Abtheilung für Kirchen- und Schulwesen.

Dirigent: von Steinau-Steinrück, Ob. Reg. Rath.
Reg. Räthe: Schellong, Reg. und Schulrath.
Tarony, dsgl.
Kloesel, dsgl.

4. Regierung zu Gumbinnen.

a. Präsident.

Hegel.

b. Abtheilung für Kirchen- und Schulwesen.

Dirigent: Rotzoll, Ob. Reg. Rath.
Reg. Räthe: Meinke, Reg. und Schulrath.
Snoy, dsgl.

II. Provinz Westpreußen.

1. Ober-Präsident zu Danzig.

Se. Exc. D. Dr. von Goßler, Staatsminister.

2. Provinzial-Schulkollegium zu Danzig.

Präsident: Se. Exc. D. Dr. von Goßler, Staatsminister, Ober-Präsident.
Direktor: von Holwede, Reg. Präsident.
Mitglieder: Dr. Kruse, Provinz. Schulrath, Geh. Reg. Rath.
„ Kretschmer, Provinz. Schulrath.
Foerster, Reg. Assessor, Verwalt. Rath und Justitiar im Nebenamte.

3. Regierung zu Danzig.

a. Präsident.

von Holwede.

b. Abtheilung für Kirchen- und Schulwesen.

Dirigent: Moehrs, Ob. Reg. Rath.
Reg. Räthe: Dr. Rohrer, Reg. und Schulrath.
Plischke, dsgl.

4. Regierung zu Marienwerder.

a. Präsident.

von Horn.

b. Abtheilung für Kirchen- und Schulwesen.

Dirigent: Schweder, Ob. Reg. Rath.
Reg. Räthe: Triebel, Reg. und Schulrath.
Pfennig, dsgl.
Dr. Protzen, dsgl.

III. Provinz Brandenburg.

1. Ober-Präsident zu Potsdam.

Se. Exc. Dr. von Achenbach, Staatsminister, zugleich Ober-Präsident des Stadtkreises Berlin.

2. Provinzial-Schulkollegium zu Berlin

für die Provinz Brandenburg und den Stadtkreis Berlin. Demselben ist außer den Angelegenheiten der höheren Unterrichtsanstalten und der Seminare auch das Elementarschulwesen der Stadt Berlin übertragen.

Präsident: Se. Exc. Dr. von Achenbach, Staatsminister, Ober-Präsident zu Potsdam.
Vice-Präsident: Tappen, Geh. Ob. Reg. Rath.
Mitglieder: Dr. Pilger, Provinz. Schulrath, Geh. Reg. Rath.
Skrodzki, Provinz. Schulrath, Geh. Reg. Rath.
Herrmann, Provinz. Schulrath.
Schuster, Reg. Rath, Verwalt. Rath u. Justitiar.
Dr. Genz, Provinz. Schulrath.
= Hochheim, Provinz. Schulrath.
= Kapler, Gerichts-Assessor, Verwalt. Rath und Justitiar im Nebenamte.

3. Regierung zu Potsdam.

a. Präsident.

Graf Hue de Grais.

b. Abtheilung für Kirchen- und Schulwesen.

Dirigent: Heidfeld, Ob. und Geh. Reg. Rath.
Reg. Räthe: Dr. Dittmar, Reg. und Schulrath, Geh. Reg. Rath.
Böckler, Reg. und Schulrath.
Trinius, dsgl.

4. Regierung zu Frankfurt a. O.

a. Präsident.

von Puttkamer.

b. Abtheilung für Kirchen- und Schulwesen.

Dirigent: von Schrötter, Ob. Reg. Rath.
Reg. Räthe: Schumann, Reg. u. Schulrath, Geh. Reg. Rath.
Heiber, Reg. und Schulrath.

Außerdem bei der
Abtheilung beschäftigt: Ruete, Schulrath, Seminar-Direktor.

IV. Provinz Pommern.

1. Ober-Präsident zu Stettin.

Se. Exc. von Puttkamer, Staatsminister.

2. Provinzial-Schulkollegium zu Stettin.

Präsident: Se. Exc. von Puttkamer, Staatsminister, Ober-Präsident.
Direktor: von Sommerfeld, Reg. Präsident, Wirkl. Geh. Ob. Reg. Rath.
Mitglieder: Bethe, Provinz. Schulrath, Geh. Reg. Rath.
Dr. Bouterwek, Provinz. Schulrath.
von Strantz, Reg. Rath, Verwalt. Rath und Justitiar im Nebenamte.

3. Regierung zu Stettin.

a. Präsident.

von Sommerfeld, Wirkl. Geh. Ob. Reg. Rath.

b. Abtheilung für Kirchen- und Schulwesen.

Dirigent: Schreiber, Ob. Reg. Rath.
Reg. Räthe: Königk, Reg. und Schulrath, Geh. Reg. Rath.
Hauffe, Reg. und Schulrath.

4. Regierung zu Cöslin.

a. Präsident.

Freiherr von der Reck.

b. Abtheilung für Kirchen- und Schulwesen.

Dirigent: Röhrig, Ob. Reg. Rath.
Reg. Räthe: Weise, Reg. und Schulrath.
Trieschmann, dsgl.

5. Regierung zu Stralsund.

a. Präsident.

Dr. von Arnim.

b. Kollegium.

Dirigent: von Gruben, Ob. Reg. Rath, Stellvertreter des Präsidenten.
Reg. Rath: Maaß, Reg. und Schulrath.

V. Provinz Posen.

1. Ober-Präsident zu Posen.

Se. Exc. Freiherr von Wilamowitz-Möllendorff.

2. Provinzial-Schulkollegium zu Posen.

Präsident: Se. Exc. Freiherr von Wilamowitz-Möllendorff, Ober-Präsident.

Direktor: von Jagow, Reg. Präsident.

Mitglieder: Polte, Provinz. Schulrath, Geh. Reg. Rath.
Luke, dsgl., dsgl.
Gisevius, Reg. Rath, Verwalt. Rath u. Justitiar.

3. Regierung zu Posen.

a. Präsident.

von Jagow.

b. Abtheilung für Kirchen- und Schulwesen.

Dirigent: Krahmer, Ob. Reg. Rath.

Reg. Räthe: Skladny, Reg. und Schulrath, Geh. Reg. Rath.
Gabriel, Reg. und Schulrath.
Dr. Franke, dsgl.

Außerdem bei der Abtheilung beschäftigt: Roßmann, Schulrath, Seminar-Direktor.

4. Regierung zu Bromberg.

a. Präsident.

von Tiedemann, Wirkl. Geh. Ob. Reg. Rath, Mitglied des Staatsrathes.

b. Abtheilung für Kirchen- und Schulwesen.

Dirigent: Frhr. von Maltzahn, Ob. Reg. Rath.

Reg. Räthe: Dr. Waschow, Reg. und Schulrath.
Heckert, dsgl.

Außerdem bei der Abtheilung beschäftigt: Scheuermann, Schulrath, Kreis-Schulinspektor.

VI. Provinz Schlesien.

1. Ober-Präsident zu Breslau.

Se. Durchlaucht Fürst von Hatzfeldt-Trachenberg.

2. Provinzial-Schulkollegium zu Breslau.

Präsident: Se. Durchlaucht Fürst von Hatzfeldt-Trachenberg, Ober-Präsident.

Direktor: Dr. Willdenow, Ob. Reg. Rath, Verw. Rath und Justitiar.
Mitglieder: Hoppe, Provinz. Schulrath.
Dr. Montag, dsgl.
" Preische, Reg. und Schulrath.
Lic. Dr. Leimbach, Provinz. Schulrath.
Dr. Meinertz, dsgl.
von Gizycki, Reg. Rath, Verw. Rath u. Justitiar im Nebenamte.

3. Regierung zu Breslau.

a. Präsident.

Dr. von Heydebrand und der Lasa.

b. Abtheilung für Kirchen- und Schulwesen.

Dirigent: von Wallenberg, Ob. Reg. Rath.
Reg. Räthe: Sperber, Reg. und Schulrath.
Thaitz, dsgl.
Dr. Ohlert, dsgl.
" Preische, dsgl.

4. Regierung zu Liegnitz.

a. Präsident.

Dr. von Heyer.

b. Abtheilung für Kirchen- und Schulwesen.

Dirigent: von Dallwitz, Ob. Reg. Rath.
Reg. Räthe: Jüttner, Reg. und Schulrath, Geh. Reg. Rath.
Schönwälder, Reg. und Schulrath.
Altenburg, dsgl.

5. Regierung zu Oppeln.

a. Präsident.

Dr. von Bitter.

b. Abtheilung für Kirchen- und Schulwesen.

Dirigent: Glasewald, Ob. Reg. Rath.
Reg. Räthe: Kupfer, Reg. und Schulrath.
Dr. Wende, dsgl.
Plagge, dsgl.

VII. Provinz Sachsen.

1. Ober-Präsident zu Magdeburg.

Se. Exc. von Pommer Esche.

2. Provinzial-Schulkollegium zu Magdeburg.

Präsident: Se. Exc. von Pommer Esche, Ober-Präsident.
Direktor: Graf Baudissin, Reg. Präsident.
Mitglieder: Trosien, Provinz. Schulrath, Geh. Reg. Rath.
Nitze, Ob. Konsist. Rath, Justitiar.
Friese, Provinz. Schulrath.
Dr. Kramer, Provinz. Schulrath.
Dr. Lübeke, Reg. Rath, Verw. Rath u. Justitiar.
Zacher, Gerichts-Assessor, Hilfsarbeiter.

3. Regierung zu Magdeburg.

a. Präsident.

Graf Baudissin.

b. Abtheilung für Kirchen- und Schulwesen.

Dirigent: Kuhnow, Ob. Reg. Rath.
Reg. Räthe: Dr. Schumann, Reg. und Schulrath.
Jenetzky, dsgl.
Dr. Waetzoldt, Prof., Reg. und Schulrath.

4. Regierung zu Merseburg.

a. Präsident.

Graf zu Stolberg-Wernigerode.

b. Abtheilung für Kirchen- und Schulwesen.

Dirigent: Hoppe, Ob. Reg. Rath.
Reg. Räthe: Dr. Treibel, Reg. und Schulrath.
„ Schulze, dsgl.
Mühlmann, dsgl.

5. Regierung zu Erfurt.

a. Präsident.

von Brauchitsch.

b. Abtheilung für Kirchen- und Schulwesen.

Dirigent: Lucanus, Ob. Reg. Rath, Stellv. des Präsid.
Reg. Rath: Hardt, Reg. und Schulrath.
Außerdem bei der
Abtheilung beschäftigt: Dr. Weiß, Schulrath, Seminar-Direktor.

VIII. Provinz Schleswig-Holstein.

1. Ober-Präsident zu Schleswig.

Se. Exc. von Steinmann, Wirkl. Geh. Rath.

2. Provinzial-Schulkollegium zu Schleswig.

Präsident: Se. Exc. von Steinmann, Ober-Präsident, Wirkl. Geh. Rath.

Mitglieder: Dr. Kammer, Provinz. Schulrath.
Kuntze, Geh. Reg. Rath, Verwalt. Rath und Justitiar im Nebenamte.
Schöppa, Reg. und Schulrath.

3. Regierung zu Schleswig.

a. Präsident.

Zimmermann.

b. Abtheilung für Kirchen- und Schulwesen.

Dirigent: Schow, Ob. Reg. Rath.

Reg. Räthe: Saß, Reg. und Schulrath.
Dr. Butzky, dsgl.
Schöppa, dsgl.

Außerdem bei der Abtheilung beschäftigt: Ullmann, Seminar-Oberlehrer.

IX. Provinz Hannover.

1. Ober-Präsident zu Hannover.

Se. Exc. Dr. von Bennigsen, Wirkl. Geh. Rath.

2. Provinzial-Schulkollegium zu Hannover.

Präsident: Se. Exc. Dr. von Bennigsen, Ober-Präsident, Wirkl. Geh. Rath.

Direktor: Dr. Biedenweg, Ob. Reg. Rath, Verwalt. Rath und Justitiar.

Mitglieder: Dr. Breiter, Prov. Schulrath, Geh. Reg. Rath.
= Häckermann, dsgl., dsgl.
Wendland, dsgl., dsgl.
Schieffer, Reg. und Schulrath zu Osnabrück, im Nebenamte.

3. Regierung zu Hannover.

a. Präsident.

von Brandenstein.

b. Abtheilung für Kirchen- und Schulwesen.

Dirigent: Frhr. von Funck, Ob. Reg. Rath.

Reg. Rath: Pabst, Reg. und Schulrath, Geh. Reg. Rath.

4. Regierung zu Hildesheim.

a. Präsident.

Dr. Schultz.

b. Abtheilung für Kirchen- und Schulwesen.

Dirigent: Dr. Mejer, Ob. und Geh. Reg. Rath, Stellvert. des Präsidenten.
Reg. Rath: Leverkühn, Reg. und Schulrath, Geh. Reg. Rath.
Dr. Loegel, Seminar-Oberlehrer, auftragsw.

5. Regierung zu Lüneburg.

a. Präsident.

von Colmar-Meyenburg.

b. Abtheilung für Kirchen- und Schulwesen.

Dirigent: von Natzmer, Ob. Reg. Rath, Stellv. d. Präsid.
Reg. Rath: Dr. Plath, Reg. und Schulrath.

6. Regierung zu Stade.

a. Präsident.

Himly.

b. Abtheilung für Kirchen- und Schulwesen.

Dirigent: Naumann, Ob. Reg. Rath, Stellv. des Präsid.
Reg. Rath: Dr. Lauer, Reg. und Schulrath, Geh. Reg. Rath.

7. Regierung zu Osnabrück.

a. Präsident.

Dr. Stüve, Wirkl. Geh. Ob. Reg. Rath.

b. Abtheilung für Kirchen- und Schulwesen.

Dirigent: Herr, Ob. Reg. Rath, Stellv. des Präsidenten.
Reg. Räthe: Schieffer, Reg. und Schulrath.
Diercke, Reg. und Schulrath, Seminar-Direktor.

8. Regierung zu Aurich.

a. Präsident.

von Estorff.

b. Kollegium.

Dirigent: Lempfert, Ob. Reg. Rath, Stellvertreter des Präsidenten.
Reg. Rath: Pfähler, Reg. und Schulrath.

X. Provinz Westfalen.

1. Ober-Präsident zu Münster.

Se. Exc. Studt, Wirkl. Geh. Rath.

2. Provinzial-Schulkollegium zu Münster.

Präsident: Se. Exc. Studt, Ober-Präsident, Wirkl. Geh. Rath.
Direktor: Schwarzenberg, Reg. Präsident.
Mitglieder: Dr. Schulz, Reg. und Schulrath, Geh. Reg. Rath.
" Rothfuchs, Prov. Schulrath, Geh. Reg. Rath.
Flies, Konsist. Rath, Justitiar im Nebenamte.
Friedrich, Reg. und Schulrath.
Dr. Fleischer, Reg. Rath, Verwalt. Rath im Nebenamte.
Dr. Hechelmann, Prov. Schulrath.

3. Regierung zu Münster.

a. Präsident.

Schwarzenberg.

b. Abtheilung für Kirchen- und Schulwesen.

Dirigent: Rolshoven, Ob. Reg. Rath, Stellvertreter des Präsidenten.
Reg. Räthe: Dr. Schulz, Reg. und Schulrath, Geh. Reg. Rath.
Friedrich, Reg. und Schulrath.

4. Regierung zu Minden.

a. Präsident.

von Arnstedt.

b. Abtheilung für Kirchen- und Schulwesen.

Dirigent: von Lüpke, Ob. Reg. Rath, Stellvertreter des Präsidenten.
Reg. Räthe: Hechtenberg, Reg. und Schulrath.
Vandenesch, dsgl.

5. Regierung zu Arnsberg.

a. Präsident.

Winzer.

b. Abtheilung für Kirchen- und Schulwesen.

Dirigent: Schreiber, Ob. Reg. Rath.
Reg. Räthe: Dr. Sachse, Reg. und Schulrath.
Riemenschneider, dsgl.
Freundgen, dsgl.

XI. Provinz Hessen-Nassau.

1. Ober-Präsident zu Cassel.

Se. Exc. Magdeburg, Wirkl. Geh. Rath.

2. Provinzial-Schulkollegium zu Cassel.

Präsident: Se. Exc. Magdeburg, Ober-Präsident, Wirkl. Geh. Rath.

Direktor: Graf Clairon d'Haussonville, Wirkl. Geh. Ob. Reg. Rath, Reg. Präsident.

Mitglieder: Dr. Lahmeyer, Prov. Schulrath, Geh. Reg. Rath.
Kannegießer, Prov. Schulrath, Geh. Reg. Rath.
Dr. Paehler, Prov. Schulrath.
Mölle, Reg. Rath, Verw. Rath und Justitiar im Nebenamte.

3. Regierung zu Cassel.

a. Präsident.

Graf Clairon d'Haussonville, Wirkl. Geh. Ob. Reg. Rath.

b. Abtheilung für Kirchen- und Schulwesen.

Dirigent: Fliedner, Ob. Reg. Rath.

Reg. Räthe: Sternkopf, Reg. und Schulrath.
Dr. Otto, dsgl.

Außerdem bei der Abtheilung beschäftigt: Dr. Paehler, Prov. Schulrath, auftragsw.

4. Regierung zu Wiesbaden.

a. Präsident.

von Tepper-Laski.

b. Abtheilung für Kirchen- und Schulwesen.

Dirigent: Dr. Stockmann, Ob. Reg. Rath, auftragsw. Direktor des Konsistoriums.

Reg. Räthe: Dr. Roß, Reg. und Schulrath.
Hildebrandt, dsgl. und Konsist. Rath.

XII. Rheinprovinz.

1. Ober-Präsident zu Coblenz.

Se. Exc. Nasse, Wirkl. Geh. Rath, Mitglied des Staatsrathes.

2. Provinzial-Schulkollegium zu Coblenz.

Präsident: Se. Exc. Nasse, Ober-Präsident, Wirkl. Geh. Rath.

Direktor: Dr. Wentzel, Reg. Präsident.
Mitglieder: Linnig, Provinz. Schulrath, Geh. Reg. Rath.
Dr. Deiters, dsgl., dsgl.
= Mager, Reg. Rath, Verwalt. Rath und Justitiar.
= Münch, Provinz. Schulrath, Geh. Reg. Rath.
Henning, Provinz. Schulrath.
Dr. Buschmann, dsgl.

3. Regierung zu Coblenz.

a. Präsident.

Dr. Wentzel.

b. Abtheilung für Kirchen- und Schulwesen.

Dirigent: Koch, Ob. Reg. Rath, Stellvertr. d. Präsidenten.
Reg. Räthe: Dr. Breuer, Geh. Reg. Rath, Reg. u. Schulrath.
Anderson, Reg. und Schulrath.

4. Regierung zu Düsseldorf.

a. Präsident.

z. Zt. unbesetzt.

b. Abtheilung für Kirchen- und Schulwesen.

Dirigent: Czirn von Terpitz, Ob. Reg. Rath.
Reg. Räthe: Dr. Rovenhagen, Reg. und Schulrath, Professor.
Klewe, Reg. und Schulrath.
Lünenborg, dsgl.

5. Regierung zu Cöln.

a. Präsident.

Frhr. von Richthofen.

b. Abtheilung für Kirchen- und Schulwesen.

Dirigent: Fink, Ob. Reg. Rath, Stellvertr. des Präsidenten.
Reg. Räthe: Florschütz, Geh. Reg. Rath, Reg. u. Schulrath.
Bauer, Reg. und Schulrath.

6. Regierung zu Trier.

a. Präsident.

von Heppe.

b. Abtheilung für Kirchen- und Schulwesen.

Dirigent: von Rosenberg-Gruszczynski, Ob. Reg. Rath, Stellvertr. des Präsidenten.
Reg. Räthe: Cremer, Reg. und Schulrath.
Dr. Flügel, dsgl.

7. Regierung zu Aachen.

a. Präsident.

von Hartmann.

b. Abtheilung für Kirchen- und Schulwesen.

Dirigent: von Bremer, Ob. Reg. Rath, Stellv. d. Präsid.
Reg. Räthe: Dr. Nagel, Reg. und Schulrath.
" Gausen, dsgl.

XIII. Hohenzollernsche Lande.

Regierung zu Sigmaringen.

a. Präsident.

von Schwartz.

b. Kollegium.

Dirigent: Drolshagen, Geh. Reg. Rath, Verwaltungsger. Direkt., Stellvertr. des Präsidenten.
Reg. Rath: Schellhammer, Reg. und Schulrath.

Fürstenthümer Waldeck und Pyrmont.

Landesdirektor.

von Salbern zu Arolsen.

C. Kreis-Schulinspektoren.

I. Provinz Ostpreußen.

Aufsichtsbezirke:

1. Regierungsbezirk Königsberg.

a. Ständige Kreis-Schulinspektoren.

1. Allenstein. Spohn, Schulrath, zu Allenstein.
2. Braunsberg. Seemann, Schulrath, zu Braunsberg.
3. Guttstadt. Wacker zu Guttstadt.
4. Heilsberg. Dr. Kreisel zu Heilsberg.
5. Hohenstein. Sakobielski zu Hohenstein, Kreis Osterode, auftragsw.
6. Memel I. Orisch zu Memel.
7. Neidenburg. Czypulowski zu Neidenburg.
8. Ortelsburg I. Buhrow zu Ortelsburg, auftragsw.
9. Ortelsburg II. Dr. Komorowsky daselbst.

Aufsichtsbezirke:

10. Osterode.	Blümel zu Osterode.
11. Rössel.	Schlicht zu Rössel.
12. Soldau.	Moslehner zu Soldau, Kr. Neidenburg, auftragsweise.
13. Wartenburg.	Schmidt zu Wartenburg, Kr. Allenstein.

b. Kreis-Schulinspektoren im Nebenamte.

1. Pr. Eylau I.	Bourwieg, Superint. zu Pr. Eylau.
2. Pr. Eylau II.	Mulert, Pfarrer in Kanditten, Kr. Pr. Eylau.
3. Pr. Eylau III.	Schmidt, dsgl. zu Creuzburg, Kr. Pr. Eylau.
4. Fischhausen I.	Dr. Steinwender, Superint. zu Germau, Kr. Fischhausen.
5. Fischhausen II.	Frölke, Pfarrer zu Wargen, Kr. Fischhausen.
6. Fischhausen III.	Derselbe.
7. Friedland I.	Mück, Pfarrer zu Domnau, Kr. Friedland.
8. Friedland II.	Henschke, Superint. zu Bartenstein, Kr. Friedland.
9. Gerdauen I.	Lic. Gemmel, Pfarrer zu Assaunen, Kr. Gerdauen.
10. Gerdauen II.	Derselbe.
11. Gerdauen III.	Messerschmidt, Superint. Verw. zu Nordenburg, Kr. Gerdauen.
12. Heiligenbeil I.	Zimmermann, Superint. zu Heiligenbeil.
13. Heiligenbeil II.	Bordt, Pfarrer zu Hermsdorf, Kr. Heiligenbeil.
14. Heilsberg III.	Borrmann, dsgl. zu Rössel.
15. Pr. Holland I.	Krukenberg, Superint. zu Pr. Holland.
16. Pr. Holland II.	Gorsall, Pfarrer zu Döbern, Kr. Pr. Holland.
17. Königsberg, Stadt.	Dr. Tribukait, Stadtschulrath zu Königsberg.
18. Königsberg, Land I.	Ebel, Prediger zu Laptau, Kr. Fischhausen.
19. Königsberg, Land II.	Lackner, Superint. zu Königsberg.
20. Königsberg, Land III.	Besch, Pfarrer zu Neuhausen, Kr. Königsberg.
21. Labiau I.	Kühn, Superint. zu Laukischken, Kr. Labiau.

Aufsichtsbezirke:

22. Labiau II.	Dengel, Pfarrer zu Popelken, Kr. Labiau.
23. Memel II.	Oloff, Superint. zu Memel.
24. Mohrungen I.	Fischer, dsgl. zu Saalfeld, Kr. Mohrungen.
25. Mohrungen II.	Schimmelpfennig, Pfarrer zu Sonnenborn, Kr. Mohrungen.
26. Rastenburg I.	Sterz, dsgl. zu Bäslack, Kreis Rastenburg.
27. Rastenburg II.	Malletke, dsgl. zu Wenden, Kreis Rastenburg.
28. Wehlau I.	Schwanbeck, dsgl. zu Wehlau.
29. Wehlau II.	Dittmar, Superint. Verw. zu Tapiau, Kr. Wehlau.

2. Regierungsbezirk Gumbinnen.

a. Ständige Kreis-Schulinspektoren.

1. Darkehmen.	Dr. Schmidt zu Darkehmen.
2. Heydekrug.	Kukat zu Heydekrug.
3. Insterburg.	Krantz zu Insterburg.
4. Johannisburg.	Molter zu Johannisburg.
5. Lötzen.	Anders zu Lötzen.
6. Lyck.	von Drygalski zu Lyck.
7. Oletzko.	Dr. Korpjuhn zu Marggrabowa, Kr. Oletzko.
8. Pillkallen.	Kurpiun zu Pillkallen.
9. Tilsit.	Dembowski zu Tilsit, auftragsw.

b. Kreis-Schulinspektoren im Nebenamte.

1. Angerburg I.	Braun, Superint. zu Angerburg.
2. Angerburg II.	Derselbe.
3. Goldap I.	Wodaege, Superint. zu Goldap.
4. Goldap II.	Derselbe.
5. Gumbinnen I.	Rosseck, Superint. zu Gumbinnen.
6. Gumbinnen II.	Kroehnke, Pfarrer zu Szirgupönen, Kr. Gumbinnen.
7. Niederung I.	Konopacki, Pfarrer zu Lappienen, Kr. Niederung.
8. Niederung II.	Dennukat, Superint. zu Kaukehmen, Kr. Niederung.
9. Ragnit I.	Hammer, Pfarrer zu Ragnit.
10. Ragnit II.	Friedemann, Superint. zu Kraupischken, Kr. Ragnit.

Aufsichtsbezirke:

11. Ragnit III.	Hammer, Pfarrer zu Wischwill, Kr. Ragnit.
12. Sensburg I.	Rimarski, Pfarrer und Superint. Verw. zu Sensburg.
13. Sensburg II.	Casper, Pfarrer zu Seehesten, Kr. Sensburg.
14. Stallupönen I.	Pohl, Superint. zu Kattenau, Kr. Stallupönen.
15. Stallupönen II.	Glodkowski, Pfarrer zu Stallupönen.

II. Provinz Westpreußen.

1. Regierungsbezirk Danzig.

a. Ständige Kreis-Schulinspektoren.

1. Berent.	Nitsch zu Berent.
2. Carthaus I.	Bauer zu Carthaus.
3. Carthaus II.	Altmann zu Carthaus.
4. Danzig, Höhe.	Dr. Scharfe zu Danzig.
5. Dirschau.	Dr. Hippel zu Dirschau.
6. Neustadt i. Westpr.	Wernicke zu Neustadt in Westpr.
7. Putzig.	Pudor zu Putzig.
8. Pr. Stargard I.	Friedrich zu Pr. Stargard.
9. Pr. Stargard II.	Werner daselbst.
10. Schöneck.	Ritter zu Schöneck, Kr. Berent.
11. Sullenschin.	Scholz zu Sullenschin, Kr. Carthaus.
12. Zoppot.	Witt zu Zoppot, Kr. Neustadt i. Westpr.

b. Kreis-Schulinspektoren im Nebenamte.

1. Danziger Nehrung, westlicher Theil.	Stengel, Pfarrer zu Danzig.
2. Danziger Nehrung, mittlerer Theil.	Michalick, dsgl. zu Steegen, Kr. Danzig Niederung.
3. Danziger Nehrung, östlicher Theil.	Burg, dsgl. zu Elbing.
4. Danzig, Werder.	Schaper, Konsistorialrath zu Wotzlaff, Kr. Danzig Niederung.
5. Danzig, Stadt.	Dr. Damus, Stadtschulrath zu Danzig.
6. Elbing, Höhe, östl.	Sensfuß, Pfarrer zu Trunz, Landkr. Elbing.
7. Elbing, Niederung, wstl.	Bury, dsgl. zu Elbing.
8. Elbing.	Jagermann, Propst zu Elbing.
9. Marienburg, Gr. Werder.	Kähler, Superint. zu Neuteich, Kr. Marienburg.

Aufsichtsbezirke:
10. Marienburg,
 Kl. Werder. Schultze, Pfarrer zu Fischau, Kr. Marienburg.
11. Marienburg. Nitsch, Dekan zu Marienburg.
12. Tiegenhof I. Thrun, Pfarrer zu Tiegenhof, Kr. Marienburg.
13. Tiegenhof II. z. Zt. unbesetzt.

2. Regierungsbezirk Marienwerder.
a. Ständige Kreis-Schulinspektoren.

1. Briesen. Dr. Seehausen zu Briesen, auftragsw.
2. Bruß. Block zu Bruß, Kr. Konitz.
3. Dt. Eylau. Skrzeczka zu Dt. Eylau, Kr. Rosenberg.
4. Flatow. Bennewitz zu Flatow.
5. Pr. Friedland. Gerner zu Pr. Friedland, Kr. Schlochau.
6. Graudenz. Dr. Kaphahn, Schulrath, zu Graudenz.
7. Konitz. Dr. Hoffmann zu Konitz.
8. Dt. Krone I. Dr. Hatwig zu Dt. Krone.
9. Dt. Krone II. Bartsch daselbst.
10. Kulm. Dr. Cunerth zu Kulm.
11. Kulmsee. Dr. Hubrich zu Kulmsee, Kr. Thorn.
12. Lautenburg. Sermond zu Strasburg.
13. Lessen. Voigt zu Lessen, Kr. Graudenz.
14. Löbau. Streibel zu Löbau.
15. Marienwerder. Dr. Otto, Schulrath, zu Marienwerder.
16. Mewe. von Homeyer zu Mewe, Kr. Marienwerder.
17. Neuenburg. Engelien zu Neuenburg, Kr. Schwetz.
18. Neumark. Lange zu Neumark, Kr. Löbau.
19. Prechlau. Katluhn zu Prechlau, Kr. Schlochau.
20. Rosenberg. Engel zu Riesenburg, Kr. Rosenberg.
21. Schlochau. Lettau zu Schlochau.
22. Schwetz I. Kießner zu Schwetz.
23. Schwetz II. Treichel daselbst.
24. Schönsee. Neidel zu Schönsee, Kr. Briesen, auftragsw.
25. Strasburg. Eichhorn zu Strasburg.
26. Stuhm. Dr. Zint zu Marienburg.
27. Thorn. Richter zu Thorn.
28. Tuchel I. Dr. Knorr zu Tuchel.
29. Tuchel II. Menge daselbst.
30. Zempelburg. Rohde zu Zempelburg, Kr. Flatow.

Aufsichtsbezirke:

b. Kreis-Schulinspektoren im Nebenamte.

Keine.

III. Provinz Brandenburg.

I. Stadt Berlin.

a. Ständige Kreis-Schulinspektoren.

Keine.

b. Kreis-Schulinspektoren im Nebenamte.

1.	Berlin I.	Dr. Lorenz, städtischer Schulinspektor.
2.	Berlin II.	Haase, dsgl.
3.	Berlin III.	Stier, dsgl.
4.	Berlin IV.	Dr. Pohle, dsgl.
5.	Berlin V.	Dr. Kaute, dsgl.
6.	Berlin VI.	Dr. Hennig, dsgl.
7.	Berlin VII.	Dr. Fischer, dsgl.
8.	Berlin VIII.	Dr. Zwick, dsgl.
9.	Berlin IX.	Dr. von Giżycki, dsgl.
10.	Berlin X.	Dr. Jonas, dsgl.

2. Regierungsbezirk Potsdam.

a. Ständige Kreis-Schulinspektoren.

1.	Landkreis Berlin-Niederbarnim.	Bandtke, Schulrath, zu Berlin.
2.	„ Berlin-Teltow.	Kob, Schulrath, daselbst.

b. Kreis-Schulinspektoren im Nebenamte.

1.	Angermünde I.	Haehnelt, Superint. zu Angermünde.
2.	Angermünde II.	Röser, Pfarrer zu Crussow, Kr. Angermünde.
3.	Baruth.	Dr. Dieben, Superint. zu Baruth, Kr. Jüterbog-Luckenwalde.
4.	Beelitz.	Miething, dsgl. zu Beelitz, Kr. Zauch-Belzig.
5.	Beeskow.	Winter, Oberprediger zu Beeskow, Kr. Beeskow-Storkow.
6.	Belzig I.	Meyer, Superint. zu Belzig, Kr. Zauch-Belzig.
7.	Belzig II.	z. Zt. unbesetzt.
8.	Berlin, Land I.	Hosemann, Superint. zu Biesdorf, Kr. Niederbarnim.

Aufsichtsbezirke:

9. Berlin, Land II.	Schelck, Superint. zu Rosenthal, Kr. Niederbarnim.
10. Berlin, Land III.	Ganse, Pfarrer zu Eberswalde, Kr. Oberbarnim.
11. Bernau I.	Thiemann, Superint. zu Biesenthal, Kr. Oberbarnim.
12. Bernau II.	Reichardt, Pastor zu Zehlendorf bei Oranienburg, Kr. Niederbarnim.
13. Brandenburg I.	Spieß, Superint. zu Brandenburg a. H.
14. Brandenburg II.	Golling, dsgl. zu Brandenburg a. H.
15. Brandenburg III.	Rascher, Superint. a. D., Pastor zu Schmergow, Kr. Zauch-Belzig.
16. Brandenburg IV.	Funke, Superint. zu Brandenburg a. H.
17. Charlottenburg.	Müller, Oberpred. zu Charlottenburg.
18. Cöln, Land I.	Lange, Superint. zu Teltow, Kr. Teltow.
19. Cöln, Land II.	Vorberg, dsgl. zu Schöneberg, Kr. Teltow.
20. Cöln, Land III.	Görnandt, Pastor zu Friedenau, Kr. Teltow.
21. Dahme.	Scheele, Superint. zu Dahme, Kr. Jüterbog-Luckenwalde.
22. Eberswalde I.	Bartusch, dsgl. zu Niederfinow, Kr. Angermünde.
23. Eberswalde II.	Jonas, Oberprediger zu Eberswalde, Kr. Oberbarnim.
24. Fehrbellin.	Zitzlaff, Superint. zu Fehrbellin, Kr. Osthavelland.
25. Gramzow.	Hanse, Pastor zu Briest, Kr. Angermünde.
26. Havelberg, Stadt.	Jacob, Oberprediger zu Havelberg, Kr. Westprignitz.
27. Havelberg, (Dom)-Wilsnack.	Sior, Superint. daselbst.
28. Jüterbog.	Pfitzner, dsgl. zu Bocho, Kr. Jüterbog-Luckenwalde.
29. Kyritz.	Niemann, dsgl. zu Kyritz, Kr. Ostprignitz.
30. Lenzen.	Netzker, dsgl. zu Möblich, Kr. Westprignitz.
31. Lindow-Gransee.	Breithaupt, dsgl. zu Gransee, Kr. Ruppin.

Aufsichtsbezirke:	
32. Luckenwalde I.	Zauder, Superint. zu Luckenwalde, Kr. Jüterbog-Luckenwalde.
33. Luckenwalde II.	Großmann, Superint. a. D., Pastor zu Dorf Zinna, Kr. Jüterbog-Luckenwalde.
34. Nauen.	Dr. Stürzebein, Superint. zu Nauen, Kr. Osthavelland.
35. Perleberg I.	Riegel, Superint. zu Perleberg, Kr. Westprignitz.
36. Perleberg II.	Drescher, Pastor zu Uenze, Kr. Westprignitz.
37. Potsdam I.	Persius, dsgl. zu Potsdam.
38. Potsdam II.	z. Zt. unbesetzt.
39. Potsdam III.	Lic. Mellin, Superint. a. D., Pastor zu Ahrensdorf, Kr. Teltow.
40. Potsdam IV.	Reisenrath, Superint. zu Bornim, Kr. Osthavelland.
41. Potsdam V.	Kleineidam, Pfarrer zu Charlottenburg.
42. Prenzlau I.	Block, Pastor zu Prenzlau.
43. Prenzlau II.	Baltzer, dsgl. zu Wichmannsdorf, Kr. Templin.
44. Prenzlau III.	Hoehne, dsgl. zu Fahrenwalde, Kr. Prenzlau.
45. Pritzwalk I.	Klügel, Superint. zu Pritzwalk, Kr. Ostprignitz.
46. Pritzwalk II.	Seehaus, Pastor zu Meyenburg, Kr. Ostprignitz.
47. Putlitz.	Crusius, Superint. zu Kletzke, Kr. Westprignitz.
48. Rathenow I.	Glokke, dsgl. zu Rathenow, Kr. Westhavelland.
49. Rathenow II.	Curds, Pastor zu Liepe, Kr. Westhavelland.
50. Rheinsberg.	Stobwasser, dsgl. zu Zühlen, Kr. Ruppin.
51. Ruppin I.	Schmidt, Superint. zu Neu-Ruppin, Kr. Ruppin.
52. Ruppin II.	Wackernagel, Pastor zu Wustrau, Kr. Ruppin.
53. Schwedt.	Niedergesässe, Superint. zu Schwedt, Kr. Angermünde.
54. Spandau.	Hensel, dsgl. zu Spandau.

Aufsichtsbezirke:

55. Storkow I.	von Hoff, Superint. zu Storkow, Kr. Beeskow-Storkow.
56. Storkow II.	Asmis, Pastor zu Neu-Zittau, Kr. Beeskow-Storkow.
57. Strasburg.	Gentzcke, Pastor zu Strasburg U. M., Kr. Prenzlau.
58. Strausberg I.	Bäthge, Superint. zu Alt-Landsberg, Kr. Niederbarnim.
59. Strausberg II.	Cramer, Pastor, Superint. a. D., zu Prädikow, Kr. Oberbarnim.
60. Templin I.	Müller, Superint. zu Templin.
61. Templin II.	Schiebeck, Pastor zu Hammelspring, Kr. Templin.
62. Treuenbrietzen.	Klehmet, Superint. zu Treuenbrietzen, Kr. Zauch-Belzig.
63. Wittenberge.	z. Zt. unbesetzt.
64. Wittstock.	Kanitz, Superint. zu Wittstock, Kr. Ostprignitz.
65. Wriezen I.	Wilke, dsgl. zu Freienwalde a. O., Kr. Oberbarnim.
66. Wriezen II.	Böse, Pastor zu Lüdersdorf, Kreis Oberbarnim.
67. Wusterhausen a. Dosse.	Büchsel, Superint. zu Wusterhausen a. D., Kr. Ruppin.
68. Kön. Wusterhausen I.	Schumann, dsgl. zu Königs-Wusterhausen, Kr. Teltow.
69. Kön. Wusterhausen II.	Wernicke, Oberprediger zu Wendisch-Buchholz, Kr. Beeskow-Storkow.
70. Zehdenick.	Kikebusch, Superint. zu Zehdenick, Kr. Templin.
71. Zossen I.	Sandmann, Propst zu Mittenwalde, Kr. Teltow.
72. Zossen II.	Schmidt, Superint. zu Zossen, Kr. Teltow.

3. Regierungsbezirk Frankfurt a. O.

a. Ständige Kreis-Schulinspektoren.

Keine.

b. Kreis-Schulinspektoren im Nebenamte.

1. Arnswalde I.	Kuhnert, Superint. zu Arnswalde.
2. Arnswalde II.	Priepke, Diakonus zu Neuwedell, Kr. Arnswalde.

Aufsichtsbezirke:

3. Arnswalde III.	Schmidt, Pfarrer zu Granow, Kr. Arnswalde.
4. Dobrilugk I.	Stockmann, Superint. zu Finsterwalde, Kr. Luckau.
5. Dobrilugk II.	Schmidt, Schloßprediger zu Dobrilugk, Kr. Luckau.
6. Forst.	Stange, Superint. zu Eulo, Kr. Sorau.
7. Frankfurt I. (Stadt).	Röhricht, dsgl. zu Frankfurt a. O.
8. Frankfurt I. (Land).	Schirlitz, Pfarrer zu Booßen, Kr. Lebus.
9. Frankfurt II.	Riegmann, dsgl. zu Kl. Rade, Kr. West-Sternberg.
10. Frankfurt III.	Gutbier, dsgl. zu Mallnow, Kr. Lebus.
11. Frankfurt IV.	Feldhahn, Superint. zu Seelow, Kr. Lebus.
12. Frankfurt V.	Ganse, Pfarrer zu Eberswalde.
13. Friedeberg N. M. I.	Koeppel, Archidiakonus zu Friedeberg N. M.
14. Friedeberg N. M. II.	Stanke, Oberpfarrer zu Woldenberg, Kr. Friedeberg N. M.
15. Fürstenwalde.	Marschhausen, Superint. zu Buchholz, Kr. Lebus.
16. Guben I.	Senckel, Pfarrer zu Wellmitz, Kr. Guben.
17. Guben II.	Rothe, Superint. zu Gr. Breesen, Kr. Guben.
18. Kalau I.	Lützen, dsgl. zu Kalau.
19. Kalau II.	Schmidt, Pfarrer zu Pritzen, Kreis Kalau.
20. Königsberg N. M. I.	Braune, Superint. z. Königsberg N. M.
21. Königsberg N. M. II.	Dortschy, Pfarrer zu Wrechow, Kr. Königsberg N. M.
22. Königsberg N. M. III.	Grunow, dsgl. zu Neu-Lietzegöricke, Kr. Königsberg N. M.
23. Königsberg N. M. IV.	Tillich, Superint. zu Schönfließ, Kr. Königsberg N. M.
24. Königsberg N. M. V.	Müller, Pfarrer zu Rosenthal, Kr. Soldin.
25. Kottbus I.	Boettcher, Superint. zu Kottbus.
26. Kottbus II.	Frick, Pfarrer zu Gr. Lieskow, Kr. Kottbus.
27. Kottbus III.	Korreng, dsgl. zu Burg, Kr. Kottbus.
28. Krossen a. O. I.	z. Z. unbesetzt.

Aufsichtsbezirke:

29.	Krossen a. O. II.	Fliegenschmidt, Superint. zu Bobersberg, Kr. Krossen.
30.	Küstrin.	Pfeiffer, dsgl. zu Küstrin, Kr. Königsberg N. M.
31.	Landsberg a. W. I.	Dr. Rolke, dsgl. zu Landsberg a. W.
32.	Landsberg a. W. II.	Schmock, Pfarrer zu Stennewitz, Kr. Landsberg a. W.
33.	Landsberg a. W. III.	Stäglich, dsgl. zu Landsberg a. W.
34.	Luckau I.	Schippel, Oberpfarrer zu Luckau.
35.	Luckau II.	Fricke, Superint. zu Drahnsdorf, Kr. Luckau.
36.	Lübben I.	Wex, Pfarrer zu Neuzauche, Kr. Lübben.
37.	Lübben II.	Janke, Oberpfarrer zu Friedland, Kr. Lübben.
38.	Müncheberg.	Lic. Sauer, Superint. zu Müncheberg, Kr. Lebus.
39.	Neuzelle.	Frenzel, Erzpriester zu Seitwann, Kr. Guben.
40.	Schwiebus.	Gutsche, dsgl. zu Liebenau, Kr. Züllichau-Schwiebus.
41.	Soldin I.	Gloatz, Superint. zu Soldin.
42.	Soldin II.	Schmidt, Oberpfarrer zu Berlinchen, Kr. Soldin.
43.	Sonnenburg.	Klingebeil, Superint. zu Sonnenburg, Kr. Ost-Sternberg.
44.	Sonnewalde.	Splittgerber, dsgl. zu Sonnewalde, Kr. Luckau.
45.	Sorau I.	Petri, Superint. zu Sorau.
46.	Sorau II.	Göttling, Archidiakonus daselbst.
47.	Spremberg I.	Tietze, Superint. zu Spremberg.
48.	Spremberg II.	Hintersatz, Oberpfarrer zu Senftenberg, Kr. Kalau.
49.	Sternberg I.	Petri, Superint. zu Drossen, Kr. West-Sternberg.
50.	Sternberg II.	Dr. Hoffmann, Oberpfarrer zu Zielenzig, Kr. Ost-Sternberg.
51.	Sternberg III.	Bartz, Superint. zu Reppen, Kr. West-Sternberg.
52.	Sternberg IV.	Schenk, Pfarrer zu Lindow, Kr. Ost-Sternberg.
53.	Züllichau I.	Röhricht, Superint. zu Züllichau, Kr. Züllichau-Schwiebus.
54.	Züllichau II.	Kopp, Pfarrer zu Schwiebus, Kreis Züllichau-Schwiebus.

Aufsichtsbezirke:

IV. Provinz Pommern.

1. Regierungsbezirk Stettin.

a. Ständige Kreis-Schulinspektoren.

1. Stettin, Stadt I.	Schwede, Schulrath, zu Stettin, auftragsweise.

b. Kreis-Schulinspektoren im Nebenamte.

1. Anclam I.	Brandin, Superint. zu Anclam.
2. Anclam II.	Köhn, Pfarrer zu Ducherow.
3. Bahn.	Krüger, Superint. zu Bahn.
4. Cammin I.	Freyer, Pfarrer zu Cammin i. P., auftragsw.
5. Cammin II.	Freyer, Pfarrer daselbst.
6. Colbatz I.	Rutzen, Superint. zu Neumark i. P.
7. Colbatz II.	Dieterich, Pastor zu Wartenberg i. P.
8. Daber.	Wegner, Superint. zu Daber.
9. Demmin I.	Thym, dsgl. zu Demmin.
10. Demmin II.	Sellin, Pfarrer zu Jarmen.
11. Demmin III.	Moeller, dsgl. zu Cummerow.
12. Freienwalde I.	Meinhold, Superint. zu Freienwalde i. P.
13. Freienwalde II.	Schmidt, Pastor zu Schöneheck.
14. Gartz a. O.	Petrich, Superint. zu Gartz a. O.
15. Gollnow I.	Dr. Schultze, dsgl. zu Gollnow.
16. Gollnow II.	Nobiling, Pastor zu Rosenow.
17. Greifenberg I.	Friedemann, Superint. zu Greifenberg i. P.
18. Greifenberg II.	Kühl, Archidiakonus daselbst.
19. Greifenhagen.	Gehrke, Superint. zu Greifenhagen.
20. Jacobshagen I.	Krypke, Pastor zu Rehwinkel b. Ball, auftragsw.
21. Jacobshagen II.	Brinckmann, dsgl. zu Cremmin.
22. Jacobshagen III.	Karow, dsgl. zu Zachau.
23. Labes.	Körner, Superint. zu Wangerin.
24. Naugard I.	Oelgarte, dsgl. zu Naugard.
25. Naugard II.	Walter, Pfarrer zu Gülzow.
26. Pasewalk I.	Wolfgramm, Superint. zu Pasewalk.
27. Pasewalk II.	Wegener, Diakonus daselbst.
28. Pencun.	Hildebrandt, Superint. zu Pencun.
29. Pyritz I.	z. Zt. unbesetzt.
30. Pyritz II.	Schmidt, Superint. zu Beyersdorf.
31. Regenwalde.	Diewitz, dsgl. zu Labbuhn.
32. Stargard.	Haupt, dsgl. zu Stargard i. P.

Aufsichtsbezirke:

33. Stettin, Stadt II.	Mans, Pfarrer zu Gradow a. O.
34. Stettin, Stadt III.	Deicke, dsgl. zu Bredow.
35. Stettin, Land I.	Hoffmann, Superint. zu Frauendorf.
36. Stettin, Land II.	z. Zt. unbesetzt.
37. Stettin, Archipresbyteriat.	Kraetzig, Erzpriester zu Pasewalk.
38. Treptow a. Rega.	Mittelhausen, Superint. zu Treptow a. Rega.
39. Treptow a. Toll. I.	z. Zt. unbesetzt.
40. Treptow a. Toll. II.	Plath, Pastor zu Siebenbollentin.
41. Ueckermünde I.	Görcke, Superint. zu Ueckermünde.
42. Ueckermünde II.	Wegener, Pfarrer zu Jasenitz.
43, Usedom I.	Gercke, Superint. zu Usedom.
44. Usedom II.	Wiesener, Pfarrer zu Swinemünde.
45. Werben I.	Müllensiefen, Superint. zu Werben, Kr. Pyritz.
46. Werben II.	Wetzel, Pfarrer zu Sandow.
47. Wollin I.	Vogel, Superint. zu Wollin i. P.
48. Wollin II.	Hintze, Pfarrer zu Martentin.

2. Regierungsbezirk Cöslin.

a. Ständige Kreis-Schulinspektoren.

Keine.

b. Kreis-Schulinspektoren im Nebenamte.

1. Belgard I.	Klar, Superint. zu Belgard.
2. Belgard II.	Osterwald, Pastor zu Muttrin, Kr. Belgard, auftragsw.
3. Bernsdorf.	von Gierszewski, Dekan zu Bernsdorf, Kr. Bütow.
4. Bublitz I.	Herwig, Superint. zu Bublitz.
5. Bublitz II.	Splittgerber, Pastor zu Goldbeck, Kr. Bublitz.
6. Bütow.	Neumann, Superint. zu Bütow.
7. Cörlin.	Lohoff, Superint. zu Cörlin, Kreis Kolberg.
8. Cöslin I.	Wagner, Oberpfarrer zu Cöslin.
9. Cöslin II.	Causse, Superint. zu Sohrenbohm, Kr. Cöslin.
10. Cöslin III.	Richert, Pastor zu Alt-Belz, Kr. Cöslin.
11. Kolberg I.	Hasenjaeger, Archidiak. zu Kolberg, auftragsw.
12. Kolberg II.	Mahlendorff, Pastor zu Degow, Kr. Kolberg.

Aufsichtsbezirke:

13. Dramburg I.	Möhr, Superint. zu Dramburg.
14. Dramburg II.	Medow, Pastor zu Gr. Spiegel, Kr. Dramburg.
15. Lauenburg I.	Kasischke, Superint. zu Lauenburg i. P.
16. Lauenburg II.	Bogdan, Pastor zu Garzigar, Kreis Lauenburg i. P.
17. Lauenburg III.	Brenske, dsgl. zu Saulin, Kr. Lauenburg i. P.
18. Neustettin I.	Lübecke, Superint. zu Neustettin.
19. Neustettin II.	Rohloff, Oberpfarrer zu Bärwalde, Kr. Neustettin.
20. Ratzebuhr.	Schmidt, Superint. zu Ratzebuhr, Kr. Neustettin.
21. Rügenwalde I.	Leesch, dsgl. zu Rügenwalde, Kr. Schlawe.
22. Rügenwalde II.	Heberlein, Pfarrer zu Grupenhagen, Kr. Schlawe.
23. Rummelsburg I.	Rewald, Superint. zu Rummelsburg.
24. Rummelsburg II.	Quandt, Pastor zu Treten, Kreis Rummelsburg.
25. Rummelsburg III.	Eitner, dsgl. zu Alt-Colziglow, Kr. Rummelsburg.
26. Schivelbein.	Wetzel, Superint. zu Schivelbein.
27. Schlawe I.	Blänsdorf, dsgl. zu Schlawe.
28. Schlawe II.	Wenzel, Pastor zu Pollnow, Kr. Schlawe.
29. Stolp I.	Hentschel, Superint. zu Weitenhagen, Kr. Stolp.
30. Stolp II.	Derselbe.
31. Stolp III.	Görcke, Pastor zu Groß-Garde, Kr. Stolp.
32. Stolp IV.	Wegeli, dsgl. zu Glowitz, Kr. Stolp.
33. Stolp V.	Kloß, Superint. zu Stolp.
34. Stolp VI.	Rathke, Pastor zu Symbow, Kreis Schlawe.
35. Stolp VII.	Meibauer, dsgl. zu Stojentin, Kr. Stolp.
36. Stolp VIII.	Hermanni, dsgl. zu Budow, Kreis Stolp.
37. Tempelburg I.	Schröder, Superint. zu Tempelburg, Kr. Neustettin.
38. Tempelburg II.	Hedtke, Pastor zu Virchow, Kreis Dramburg.

Aufsichtsbezirke:

3. Regierungsbezirk Stralsund.

a. Ständige Kreis-Schulinspektoren.

Keine.

b. Kreis-Schulinspektoren im Nebenamte.

1.	Altenkirchen a. Rügen.	Schultz, Superint. zu Altenkirchen, Kr. Rügen.
2.	Barth I.	Baudach, dsgl. zu Barth, Kr. Franzburg.
3.	Barth II.	Treichel, Pastor zu Damgarten, Kr. Franzburg.
4.	Barth III.	Fabricius, dsgl. zu Prohn, Kreis Franzburg.
5.	Bergen a. Rügen.	von Unruh, Superint. zu Gingst, Kr. Rügen.
6.	Demmin.	Thym, dsgl. zu Demmin.
7.	Franzburg.	Wartchow, Superint. zu Franzburg.
8.	Garz a. Rügen.	Ahlborn, dsgl. zu Garz, Kr. Rügen.
9.	Greifswald, Stadt.	Harder, dsgl. zu Greifswald.
10.	Greifswald, Land.	Hoppe, dsgl. zu Hanshagen, Kreis Greifswald.
11.	Grimmen.	Knust, dsgl. zu Grimmen.
12.	Loitz.	Aebert, dsgl. zu Loitz, Kr. Grimmen.
13.	Stralsund I.	Fretzdorff, dsgl. zu Stralsund.
14.	Stralsund II.	Dr. Hornburg, Pastor daselbst.
15.	Wolgast I.	Schwarz, dsgl. zu Hohendorf, Kreis Greifswald.
16.	Wolgast II.	Klopsch, dsgl. zu Lassan, Kr. Greifswald.

V. Provinz Posen.

1. Regierungsbezirk Posen.

a. Ständige Kreis-Schulinspektoren.

1.	Adelnau.	Lepke zu Adelnau.
2.	Birnbaum.	Tietz zu Birnbaum.
3.	Fraustadt.	Grubel zu Fraustadt.
4.	Gostyn.	Streich zu Gostyn.
5.	Grätz.	Hübner zu Grätz.
6.	Jarotschin.	Dr. Rubenick zu Jarotschin.
7.	Kempen.	Dr. Hilser zu Kempen.
8.	Koschmin.	Brückner zu Koschmin.

Aufsichtsbezirke:

9. Kosten.	Hesse zu Kosten.
10. Krotoschin.	Dr. Baier zu Krotoschin.
11. Lissa.	Fehlberg, Schulrath, zu Lissa.
12. Meseritz.	Tecklenburg, Schulrath, zu Meseritz.
13. Neutomischel.	Fengler zu Neutomischel.
14. Ostrowo.	Platsch, Schulrath, zu Ostrowo.
15. Pleschen.	Rohde zu Pleschen.
16. Posen I.	Schwalbe, Schulrath, zu Posen.
17. Posen II.	z. Zt. unbesetzt.
18. Posen III.	Casper daselbst.
19. Pudewitz.	Albrecht zu Pudewitz, Kr. Schroda.
20. Rawitsch.	Wenzel, Schulrath, zu Rawitsch.
21. Rogasen.	Lust, Schulrath, zu Rogasen, Kreis Obornik.
22. Samter.	z. Zt. unbesetzt.
23. Schildberg.	Eberhardt zu Schildberg.
24. Schmiegel.	Hasemann zu Schmiegel.
25. Schrimm I.	Holtz zu Schrimm.
26. Schrimm II.	Baumhauer zu Schrimm.
27. Schroda.	Brandenburger zu Schroda.
28. Wollstein.	Hoche zu Wollstein, Kr. Bomst.
29. Wreschen.	Dr. Remitz zu Wreschen.

b. Kreis-Schulinspektoren im Nebenamte.

1. Birnbaum I.	z. Zt. unbesetzt.
2. Birnbaum II.	Radtke, Superint. zu Birnbaum.
3. Borek.	Esche, dsgl. zu Borek, Kr. Koschmin.
4. Buk.	Jäkel, Pfarrer zu Buk.
5. Fraustadt.	Zarnack, Superint. zu Heyersdorf, Kr. Fraustadt.
6. Grätz.	Haedrich, Pfarrer zu Grätz.
7. Karge.	Jakobielski, Oberpfarrer zu Karge, Kr. Bomst.
8. Kempen.	Than, Superint. a. D. zu Kempen.
9. Kobylin.	Baumgart, Pfarrer zu Kobylin, Kr. Krotoschin.
10. Kosten.	Hirschfelder, Schloßprediger zu Racot, Kr. Kosten.
11. Krotoschin.	Füllkrug, Superint. zu Krotoschin.
12. Lissa.	Linke, dsgl. zu Lissa.
13. Meseritz.	Müller, dsgl. zu Meseritz.
14. Neutomischel.	Böttcher, dsgl. zu Neutomischel.
15. Neustadt bei Pinne.	z. Zt. unbesetzt.

Aufsichtsbezirke:

16. Obornik.	Warnitz, Superint. zu Obornik.
17. Ostrowo.	Harhausen, Pfarrer zu Ostrowo.
18. Pleschen.	Rabbatz, dsgl. zu Pleschen.
19. Posen I.	Zehn, Superint. zu Posen.
20. Posen II.	Dr. Borgius, Konsist. Rath daselbst.
21. Punitz.	Günther, Pfarrer zu Punitz, Kr. Gostyn.
22. Rackwitz.	Flatau, dsgl. zu Jablone, Kr. Bomst.
23. Rawitsch.	Kaiser, Superint. zu Rawitsch.
24. Rogasen.	Wagler, Pfarrer zu Rogasen, Kr. Obornik.
25. Samter I.	Schammer, dsgl. zu Pinne, Kreis Samter.
26. Samter II.	Reylaender, Superint. zu Samter.
27. Schroda.	Pickert, Pfarrer zu Schroda.
28. Wollstein.	Lierse, Superint. zu Wollstein, Kr. Bomst.
29. Wreschen.	Bock, Pfarrer zu Wreschen.

2. Regierungsbezirk Bromberg.

a. Ständige Kreis-Schulinspektoren.

1. Bromberg I.	Dr. Gradow, Schulrath, zu Bromberg.
2. Bromberg II.	Ortlieb daselbst.
3. Czarnikau.	Schick zu Czarnikau.
4. Exin.	Dr. Volkmann zu Exin.
5. Gnesen.	Dr. Schlegel zu Gnesen.
6. Inowrazlaw.	Winter zu Inowrazlaw.
7. Kolmar i. P.	z. Zt. unbesetzt.
8. Mogilno.	Storz zu Mogilno.
9. Schubin.	Heisig zu Schubin.
10. Strelno.	Waschke zu Strelno.
11. Wirsitz.	Sachse zu Nakel, Kr. Wirsitz.
12. Witkowo.	Folz zu Witkowo.
13. Wongrowitz.	Biedermann zu Wongrowitz.
14. Znin.	Kiesel zu Znin.

b. Kreis-Schulinspektoren im Nebenamte.

1. Bromberg, Stadt I.	Lic. Saran, Superint. zu Bromberg.
2. Bromberg, Stadt II.	Reichert, Pfarrer daselbst.
3. Bromberg, Land.	von Zychlinski, dsgl. daselbst.
4. Ciele.	Hahn, dsgl. zu Ciele, Kr. Bromberg.
5. Crone a. B.	Osterburg, dsgl. zu Crone a. B., Kr. Bromberg.
6. Czarnikau.	Höhne, Superint. zu Czarnikau.

Aufsichtsbezirke:

7. Exin.	Braune, Pfarrer zu Exin, Kr. Schubin.
8. Filehne.	Beyer, Superint. zu Filehne.
9. Fordon.	Fuß, Pfarrer zu Fordon, Kr. Bromberg.
10. Friedheim.	Weckwarth, dsgl. zu Friedheim, Kr. Wirsitz.
11. Gnesen.	Kaulbach, Superint. zu Gnesen.
12. Inowrazlaw.	Hildt, dsgl. zu Inowrazlaw.
13. Kolmar i. P.	Münnich, dsgl. zu Kolmar i. P.
14. Kreuz.	Angermann, Pfarrer zu Alt-Sorge, Kr. Filehne.
15. Labischin.	Renovanz, dsgl. zu Bartschin, Kr. Schubin.
16. Mogilno.	Roennecke, dsgl. zu Mogilno.
17. Nakel.	Wenzlaff, dsgl. zu Nakel, Kr. Wirsitz.
18. Schönlanke.	Kritzinger, dsgl. zu Grünfier, Kreis Filehne.
19. Strelno.	Naatz, dsgl. zu Strelno.
20. Weißenhöhe.	Schönfeld, Superint. zu Weißenhöhe, Kr. Wirsitz.
21. Wirsitz.	Wätzmann, Pfarrer zu Wirsitz.
22. Witkowo.	Frischbier, dsgl. zu Witkowo.
23. Wongrowitz.	Schulz, Superint. zu Wongrowitz.

VI. **Provinz Schlesien.**

1. Regierungsbezirk Breslau.

a. Ständige Kreis-Schulinspektoren.

1. Breslau, Land.	Heyse, Schulrath, zu Breslau.
2. Brieg.	Pöhlmann zu Brieg.
3. Frankenstein.	Dr. Starke zu Frankenstein.
4. Glatz.	Illgner zu Glatz.
5. Habelschwerdt.	Vogt zu Habelschwerdt.
6. Militsch.	Zopf zu Militsch.
7. Münsterberg-Nimptsch.	Spilling zu Nimptsch.
8. Namslau.	Dr. Hippauf, Schulrath, zu Namslau.
9. Neurode.	Dr. Springer zu Neurode.
10. Ohlau.	Rusin zu Ohlau.
11. Reichenbach.	Tamm zu Reichenbach.
12. Schweidnitz.	Lochmann zu Schweidnitz.
13. Waldenburg I.	Dr. Heidingsfeld zu Waldenburg.
14. Waldenburg II.	Vigouroux, Schulrath, daselbst.
15. Gr. Wartenberg.	Grensemann zu Gr. Wartenberg.

Aufsichtsbezirke:

b. Kreis-Schulinspektoren im Nebenamte.

1. Breslau, Stadt. — Dr. Pfundtner, Stadtschulrath zu Breslau.
2. Guhrau I. — Krebs, Superint. zu Herrnstadt, Kr. Guhrau.
3. Guhrau II. — Runge, Pastor zu Rützen, Kr. Guhrau.
4. Guhrau III. — Olowinsky, Pfarrer zu Guhrau.
5. Neumarkt I. — Reymann, Superintendent zu Ober-Stephansdorf, Kr. Neumarkt.
6. Neumarkt II. — Stelzer, Pastor zu Rackschütz, Kreis Neumarkt.
7. Neumarkt III. — Linke, Erzpriester zu Peicherwitz, Kr. Neumarkt.
8. Neumarkt IV. — z. Zt. unbesetzt.
9. Oels I. — Ueberschär, Superint. zu Oels.
10. Oels II. — Schneider, Pastor zu Stampen, Kr. Oels.
11. Oels III. — Berthold, Superint. zu Pontwitz, Kr. Oels.
12. Oels IV. — Grimm, Pfarrer zu Kl. Zöllnig, Kr. Oels.
13. Steinau I. — Lauschner, Superint. zu Steinau.
14. Steinau II. — Nürnberger, Pastor zu Urschkau, Kr. Steinau.
15. Steinau III. — Thamm, Pfarrer zu Köben, Kreis Steinau.
16. Strehlen. — z. Zt. unbesetzt.
17. Striegau I. — Wiese, Superint. zu Conradswaldau, Kr. Striegau.
18. Striegau II. — Dohm, Erzpriester und Stadtpfarrer zu Striegau.
19. Trebnitz I. — von Cichański, Pastor zu Ober-Glauche, Kr. Trebnitz.
20. Trebnitz II. — Adam, dsgl. zu Hochkirch, Kr. Trebnitz.
21. Trebnitz III. — Obst, Erzpriester zu Zirkwitz, Kr. Trebnitz.
22. Wohlau I. und II. — Fromm, Pastor zu Piskorsine, Kreis Wohlau.
23. Wohlau III. — Hauke, Pfarrer zu Wohlau.

2. Regierungsbezirk Liegnitz.

a. Ständige Kreis-Schulinspektoren.

1. Sagan. — z. Zt. unbesetzt.

Aufsichtsbezirke:

b. Kreis-Schulinspektoren im Nebenamte.

1. Bolkenhain I.	Hillberg, Superint. zu Rohnstock, Kr. Bolkenhain.
2. Bolkenhain II.	Wolff, Pfarrer zu Hohenfriedeberg, Kr. Bolkenhain.
3. Bunzlau I.	Straßmann, Superint. zu Bunzlau.
4. Bunzlau II.	Dehmel, dsgl. zu Waldau O. L., Kr. Bunzlau.
5. Bunzlau III.	Hubrich, Pfarrer zu Alt-Warthau, Kr. Bunzlau.
6. Freystadt I.	Dumrese, Pastor prim. zu Freystadt.
7. Freystadt II.	Kolbe, Pastor sec. daselbst.
8. Freystadt III.	Ginella, Pfarrer zu Beuthen a. O., Kr. Freystadt.
9. Glogau I.	Rosemann, Pastor zu Jacobskirch, Kr. Glogau.
10. Glogau II.	Ender, Superint. zu Glogau.
11. Glogau III.	Himmel, Dompfarrer und Regierungs- und Schulrath a. D. zu Glogau.
12. Görlitz I.	Braune, Pastor zu Görlitz.
13. Görlitz II.	Brückner, dsgl. zu Gersdorf O. L., Landkr. Görlitz.
14. Görlitz III.	Kolbe, dsgl. zu Lissa, Landkr. Görlitz.
15. Goldberg.	Hasper, dsgl. zu Pilgramsdorf, Kr. Goldberg-Haynau, auftragsw.
16. Grünberg I.	Lonicer, Superint. zu Grünberg.
17. Grünberg II.	Sappelt, Pfarrer daselbst.
18. Haynau.	Grießdorf, Superint. zu Steudnitz, Kr. Goldberg-Haynau.
19. Hirschberg I.	Prox, dsgl. zu Stonsdorf, Kr. Hirschberg.
20. Hirschberg II.	Haym, Pastor zu Hermsdorf u. K., Kr. Hirschberg.
21. Hirschberg III.	Hitschfeld, Pfarrer zu Arnsdorf, Kr. Hirschberg.
22. Hoyerswerda I.	Kuring, Superint. zu Hoyerswerda.
23. Hoyerswerda II.	Wahn, Oberpfarrer zu Ruhland, Kr. Hoyerswerda.
24. Jauer I.	Fischer, Pastor prim. zu Jauer.
25. Jauer II.	Buchmann, Pfarrer zu Prosen, Kr. Jauer.
26. Landeshut I.	Förster, Pastor prim. zu Landeshut.

Aufsichtsbezirke:	
27. Landeshut II.	Töpler, Pfarrer zu Neuen, Kr. Landeshut.
28. Lauban I.	Thusius, Superint. zu Lauban.
29. Lauban II.	Ritter, dsgl. zu Marklissa, Kr. Lauban.
30. Ober-Lausitz I.	Algermissen, Pfarrer zu Pfaffendorf, Kr. Lauban.
31. Ober-Lausitz II.	Bienau, dsgl. zu Muskau, Kreis Rothenburg O. L.
32. Liegnitz, Stadt.	Schröder, Stadtschulrath zu Liegnitz.
33. Liegnitz, Land I.	Struve, Pastor zu Neudorf, Landkr. Liegnitz.
34. Liegnitz, Land II.	Aumann, Superint. zu Groß-Tinz, Landkr. Liegnitz.
35. Liegnitz, Land III.	Zalder, Pfarrer zu Liegnitz.
36. Löwenberg I.	Fiedler, Superint. zu Löwenberg.
37. Löwenberg II.	Berger, Pastor zu Lähn, Kr. Löwenberg.
38. Löwenberg III.	Fricke, Pastor prim. zu Giehren, Kr. Löwenberg.
39. Löwenberg IV.	Renner, Pfarrer zu Zobten, Kr. Löwenberg.
40. Löwenberg V.	Dr. Dziatzko, dsgl. zu Langwasser, Kr. Löwenberg.
41. Lüben I.	Stosch, Superint. zu Seebnitz, Kr. Lüben.
42. Lüben II.	Kräusel, Pastor zu Gr. Krichen, Kr. Lüben.
43. Rothenburg I.	Schulze, Superint. zu See, Kr. Rothenburg O. L.
44. Rothenburg II.	Lehmann-Raschik, Pastor zu Klitten O. L., Kr. Rothenburg O. L.
45. Rothenburg III.	Neumann, dsgl. zu Gablenz, Kr. Rothenburg O. L.
46. Sagan.	Fengler, Pfarrer zu Sagan.
47. Schönau I.	Daerr, Superint. zu Jannowitz, Kr. Schönau.
48. Schönau II.	Gröhling, Pfarrer zu Schönau.
49. Sprottau I.	Schönfeld, Pastor zu Mallmitz, Kr. Sprottau.
50. Sprottau II.	Staude, Erzpriester zu Sprottau.

Aufsichtsbezirke:

3. Regierungsbezirk Oppeln.

a. Ständige Kreis-Schulinspektoren.

1.	Beuthen I.	Arlt, Schulrath, zu Beuthen.
2.	Beuthen II.	Dr. Mikulla daselbst.
3.	Falkenberg.	Czygan, Schulrath, zu Falkenberg.
4.	Gleiwitz.	Schink zu Gleiwitz.
5.	Ober-Glogau.	Dr. Kolbe zu Ober-Glogau, Kreis Neustadt.
6.	Grottkau.	Keihl zu Grottkau.
7.	Hultschin.	Dr. Jonas zu Hultschin, Kr. Ratibor.
8.	Karlsruhe.	Jeron zu Karlsruhe, Kr. Oppeln.
9.	Kattowitz I.	Dr. Körnig zu Kattowitz.
10.	Kattowitz II.	Kolbe daselbst.
11.	Königshütte.	Hoffmann zu Königshütte, Kreis Beuthen, auftragsw.
12.	Kosel I.	Dr. Hüppe, Schulrath, zu Kosel.
13.	Kosel II.	Dr. Ruske daselbst.
14.	Kreuzburg I.	Neuendorff zu Kreuzburg.
15.	Kreuzburg II.	Dr. Werner daselbst.
16.	Leobschütz I.	Elsner, Schulrath, zu Leobschütz.
17.	Leobschütz II.	Heisig daselbst.
18.	Leschnitz.	Weichert zu Leschnitz, Kr. Gr. Strehlitz.
19.	Loslau.	Polatzeck zu Rybnik.
20.	Lublinitz I.	Hennig zu Lublinitz.
21.	Lublinitz II.	Müller daselbst.
22.	Neiße I.	Faust, Schulrath, zu Neiße.
23.	Neiße II.	Musolff daselbst.
24.	Neustadt.	Dr. Schäffer zu Neustadt.
25.	Nicolai.	Rzesnitzek zu Nicolai, Kr. Pleß.
26.	Oppeln I.	Dr. Böhm zu Oppeln.
27.	Oppeln II.	Zacher daselbst.
28.	Peiskretscham.	Stein zu Peiskretscham, Kr. Tost-Gleiwitz.
29.	Pleß I.	Pastuszyk zu Pleß.
30.	Ratibor I.	z. Zt. unbesetzt.
31.	Ratibor II.	Hauer, Schulrath, zu Ratibor.
32.	Rosenberg O. S.	Waschow zu Rosenberg O. S.
33.	Rybnik.	Wedig zu Rybnik, auftragsw.
34.	Groß-Strehlitz.	Dr. Hahn zu Groß-Strehlitz.
35.	Tarnowitz.	Woitylak, Schulrath, zu Tarnowitz.
36.	Zabrze.	Buchholz zu Zabrze.

Aufsichtsbezirke:

b. Kreis-Schulinspektoren im Nebenamte.

1.	Leobschütz-Kosel.	Schultz-Evler, Superint. zu Leobschütz.
2.	Oppeln III.	Geisler, Konsistorialrath u. Superint. zu Oppeln.
3.	Pleß II.-Rybnik.	D. Kölling, Superint. zu Pleß.

VII. Provinz Sachsen.

1. Regierungsbezirk Magdeburg.

a. Ständige Kreis-Schulinspektoren.

Keine.

b. Kreis-Schulinspektoren im Nebenamte.

1.	Altenplathow.	Pfau, Superint. zu Altenplathow, Kr. Jerichow II.
2.	Anderbeck.	Dr. Oelze, dsgl. zu Anderbeck, Kreis Oschersleben.
3.	Arendsee.	Deuticke, Superint.-Vikar zu Arendsee, Kr. Osterburg, auftragsw.
4.	Aschersleben, Stadt.	Heimerdinger, Oberpfarrer z. Aschersleben.
5.	Aschersleben, Land.	Koch, Superint. zu Cochstedt, Kreis Aschersleben.
6.	Atzendorf I.	Dr. Rathmann, Oberprediger zu Schönebeck, Kr. Calbe a. S.
7.	Atzendorf II.	Kögel, Pastor zu Staßfurt, Kreis Calbe a. S.
8.	Bahrendorf.	Schmeißer, Superint. zu Bahrendorf, Kr. Wanzleben.
9.	Barleben.	Raabe, dsgl. zu Irxleben, Kr. Wolmirstedt.
10.	Beetzendorf.	Wernecke, dsgl. zu Beetzendorf, Kr. Salzwedel.
11.	Bornstedt.	Krause, dsgl. zu Nord-Germersleben, Kr. Neuhaldensleben.
12.	Brandenburg a. H.	Funke, dsgl. zu Brandenburg a. H.
13.	Burg I.	Bauermeister, Oberprediger zu Burg, Kr. Jerichow I.
14.	Burg II.	Wilcke, Pastor zu Grabow, Kreis Jerichow I.
15.	Calbe a. S. I.	Hundt, Superint. zu Calbe a. S.
16.	Calbe a. S. II.	Dr. Zehlke, Pastor zu Gr. Rosenburg, Kr. Calbe a. S.

Aufsichtsbezirke:	
17. Clötze I.	Müller, Superint. zu Calbe a. M., Kr. Salzwedel.
18. Clötze II.	Wolff, Pastor zu Clötze, Kr. Gardelegen.
19. Cracau.	Pfeiffer, Superint. zu Cracau, Kr. Jerichow I.
20. Egeln.	Heims, Pastor zu Bleckendorf, Kreis Wanzleben.
21. Eilsleben I.	Dittmar, Superint. zu Eilsleben, Kr. Neuhaldensleben.
22. Eilsleben II.	Völker, Pastor zu Hardke, Kr. Neuhaldensleben.
23. Gardelegen I.	Feiertag, Superint. zu Mieste, Kr. Gardelegen.
24. Gardelegen II.	Fritze, Pastor zu Kloster-Neuendorf, Kr. Gardelegen.
25. Gommern.	Lic. Rönneke, Superint. zu Gommern, Kr. Jerichow I.
26. Gröningen.	von Puttkamer, dsgl. zu Gröningen' Kr. Oschersleben.
27. Gr. Apenburg.	Gucinzius, Pfarrer zu Winterfeld, Kr. Salzwedel.
28. Halberstadt, Stadt.	Bärthold, Oberprediger zu Halberstadt.
29. Halberstadt, Land.	Allihn, Pastor zu Athenstedt, Kreis Halberstadt.
30. Loburg.	Dransfeld, Superint. zu Leitzkau, Kr. Jerichow I.
31. Magdeburg, Stadt.	Städt. Schuldeputation zu Magdeburg.
32. Magdeburg.	Brieden, Propst zu Magdeburg.
33. Neuhaldensleben I.	Meischeider, Superint. Vikar zu Neuhaldensleben.
34. Neuhaldensleben II.	Dominik, Pastor zu Emden, Kr. Neuhaldensleben.
35. Oschersleben.	Gaudig, Superint. zu Oschersleben.
36. Osterburg.	Palmié, dsgl. zu Osterburg.
37. Osterwieck.	Borchert, Pfarrer zu Göddeckenrode, Kr. Halberstadt.
38. Quedlinburg, Stadt.	Erbstein, Oberpfarrer zu Quedlinburg, Kr. Aschersleben.
39. Quedlinburg, Land.	Busch, Superint. zu Quedlinburg, Kr. Aschersleben.
40. Salzwedel I.	Scholtz, dsgl. zu Salzwedel.

Aufsichtsbezirke:

41. Salzwedel II.	Dienemann, Pastor zu Jübar, Kreis Salzwedel.
24. Sandau I.	Schütze, Oberpfarrer zu Sandau, Kr. Jerichow II.
43. Sandau II.	Hoffmann, Superint. z. Großmangelsdorf, Kr. Jerichow II.
44. Seehausen.	Seipke, Pastor zu Crüden, Kr. Osterburg.
45. Stendal I.	z. Zt. unbesetzt.
46. Stendal II.	Pflanz, Pastor zu Kläden, Kr. Stendal.
47. Tangermünde I.	Fenger, Superint. zu Tangermünde.
48. Tangermünde II.	Lessier, Pastor zu Lüderitz, Kr. Stendal.
49. Wanzleben.	Meyer, dsgl. zu Remkersleben, Kr. Wanzleben.
50. Weferlingen.	Lic. Holtzheuer, Superint. zu Weferlingen, Kr. Gardelegen.
51. Werben.	Lüders, Oberpfarrer zu Werben, Kr. Osterburg, auftragsw.
52. Grafschaft Stolberg-Wernigerode.	Dr. Renner, Konsist. Rath, Superint. und Hofprediger zu Wernigerode.
53. Wolfsburg.	Reichsgraf von der Schulenburg zu Wolfsburg, Kr. Gardelegen.
54. Wolmirstedt I.	Schellert, Pastor zu Farsleben, Kr. Wolmirstedt.
55. Wolmirstedt II.	Schindler, Superint. zu Loitsche, Kr. Wolmirstedt.
56. Ziesar.	Oelze, dsgl. zu Ziesar, Kr. Jerichow I.

2. Regierungsbezirk Merseburg.

a. Ständige Kreis-Schulinspektoren.

Keine.

b. Kreis-Schulinspektoren im Nebenamte.

1. Artern.	Jahr, Superint. zu Artern, Kr. Sangerhausen.
2. Barnstädt.	Wettler, Pfarrer zu Barnstädt, Kr. Querfurt.
3. Beichlingen.	Allihn, Superint. zu Leubingen, Kr. Eckartsberga.
4. Belgern.	Mackenrodt, dsgl. zu Belgern, Kr. Torgau.
5. Bitterfeld.	Dreyhaupt, dsgl. zu Bitterfeld.

Aufsichtsbezirke:	
6. Brehna.	Hahn, dsgl. zu Zörbig, Kr. Bitterfeld.
7. Cönnern.	Taube, Pfarrer zu Lebendorf, Saalkr.
8. Delitzsch.	Schulle, dsgl. zu Schenkenberg, Kr. Delitzsch, auftragsw.
9. Düben.	Thon, Pfarrer zu Großwölkau, Kr. Delitzsch.
10. Eckartsberga.	Naumann, Superint. zu Eckartsberga.
11. Eilenburg.	Wurm, dsgl. zu Eilenburg, Kr. Delitzsch.
12. Eisleben.	Rothe, dsgl. zu Eisleben, Mansfelder Seekreis.
13. Elsterwerda.	Hoffmann, Superint. zu Elsterwerda, Kr. Liebenwerda.
14. Ermsleben.	Anz, Superint., Konsist. Rath, zu Ermsleben, Mansfelder Gebirgskr.
15. Freyburg.	Holzhausen, Superint. zu Freyburg a. U., Kr. Querfurt.
16. Gerbstedt.	Perschmann, dsgl. zu Gerbstedt, Mansfelder Seekreis.
17. Giebichenstein.	Bethge, dsgl. zu Giebichenstein, Saalkr.
18. Gollme.	Opitz, dsgl. zu Gollme, Kr. Delitzsch.
19. Gräfenhainichen.	Salau, Oberpfarrer zu Gräfenhainichen, Kr. Bitterfeld.
20. Halle, Stadt I.	D. Förster, Superint. zu Halle a. S.
21. Halle, Stadt II.	Schwermer, Pfarrer daselbst.
22. Halle, Land I.	Thiel, Superint. zu Reideburg, Saalkr.
23. Halle, Land II.	Franke, Pfarrer zu Trotha, Saalkr.
24. Heldrungen.	Dr. Reineck, Superint. zu Heldrungen, Kr. Eckartsberga.
25. Herzberg.	Gisevius, Superint. zu Herzberg, Kr. Schweinitz.
26. Hohenmölsen I.	Kabis, dsgl. zu Hohenmölsen, Kr. Weißenfels.
27. Hohenmölsen II.	Topf, Pastor zu Köttichau, Kr. Weißenfels.
28. Kemberg.	Schütz, Superint. zu Kemberg, Kr. Wittenberg.
29. Lauchstädt.	Philler, dsgl. zu Lauchstädt, Kr. Merseburg.
30. Liebenwerda.	Uhle, dsgl. zu Liebenwerda.
31. Lissen.	Schlemmer, dsgl. zu Lissen, Kr. Weißenfels.
32. Lützen.	Begrich, dsgl. zu Lützen, Kr. Merseburg.

Aufsichtsbezirke:

33. Mansfeld I.	Behrens, Super. Vikar zu Mansfeld.
34. Mansfeld II.	Happich, Pfarrer zu Braunschwende, Mansfelder Gebirgskr.
35. Merseburg, Stadt.	Martius, Superint. zu Merseburg.
36. Merseburg, Land.	Stöcke, dsgl. zu Niederbeuna, Kr. Merseburg.
37. Mücheln.	Möller, dsgl. zu Mücheln, Kr. Querfurt.
38. Naumburg.	Dr. Zschimmer, dsgl. zu Naumburg a. S.
39. Pforta.	Witte, Professor, Geistlicher Inspektor an der Landesschule zu Pforta, Kr. Naumburg a. S.
40. Prettin.	Köstler, Pfarrer zu Zwethau, Kr. Torgau.
41. Querfurt.	Reichold, Pfarrer zu Lodersleben, Kr. Querfurt.
42. Radewell.	Seidler, dsgl. zu Radewell, Saalkr.
43. Sangerhausen.	Höhndorf, Superint. zu Sangerhausen.
44. Schkeuditz.	Lüttke, dsgl. zu Schkeuditz, Kr. Merseburg.
45. Schlieben.	Kegel, dsgl. zu Schlieben, Kr. Schweinitz.
46. Schraplau.	Thiele, dsgl. zu Oberröblingen a. S., Mansfelder Seekr.
47. Schweinitz.	Tischer, Oberpfarrer zu Schweinitz.
48. Torgau I.	Kühlmann, Superint. zu Torgau.
49. Torgau II.	Dieckmann, Pfarrer zu Audenhain, Kr. Torgau.
50. Weißenfels.	Ehrhardt, Pfarrer a. D. zu Weißenfels, auftragsw.
51. Wittenberg.	D. Dr. Reinicke, Zweiter Direkt. u. Prof. am Prediger-Seminare zu Wittenberg.
52. Zahna.	Vogel, Superint. zu Zahna, Kr. Wittenberg.
53. Zeitz, Stadt.	Neubert, Superint. zu Zeitz.
54. Zeitz, Land I.	Wintzer, Pfarrer zu Profen, Kr. Zeitz.
55. Zeitz, Land II.	Luther, Superint. zu Wittgendorf, Kr. Zeitz.
56. Grafschaft Stolberg-Roßla.	Paulus, Konsist. Rath, Superint. und Pastor zu Roßla, Kr. Sangerhausen.
57. Grafschaft Stolberg-Stolberg.	Pfitzner, Konsist. Rath, Superint. u.

Aufsichtsbezirke:

Oberpfarrer zu Stolberg, Kreis Sangerhausen.

3. Regierungsbezirk Erfurt.

a. Ständige Kreis-Schulinspektoren.

1. Heiligenstadt II. Sachse zu Heiligenstadt.
2. Nordhausen I. Gaertner, Schulrath, zu Nordhausen, auftragsw.
3. Worbis. Polack, Schulrath, zu Worbis.

b. Kreis-Schulinspektoren im Nebenamte.

1. Bleicherode. Gaudig, Superint. zu Bleicherode, Kr. Grafschaft Hohenstein.
2. Dachrieden. Iber, Archidiakonus zu Mühlhausen i. Th.
3. Erfurt I. Der Magistrat zu Erfurt.
4. Erfurt II. Feldkamm, Pfarrer zu Erfurt.
5. Ermstedt. Schache, Pfarrer zu Schmira, Landkr. Erfurt.
6. Gebesee. Cramer, dsgl. zu Großballhausen, Kr. Weißensee.
7. Gefell. Rathmann, Oberpfarrer zu Gefell, Kr. Ziegenrück, auftragsw.
8. Günstedt. Güldenberg, Pfarrer zu Günstedt, Kr. Weißensee.
9. Heiligenstadt I. Kulisch, Superint. zu Heiligenstadt.
10. Klein-Furra. Pape, Pfarrer zu Klein-Furra, Kr. Grafschaft Hohenstein.
11. Langensalza. Schaefer, Archidiakonus zu Langensalza.
12. Mühlhausen i. Th. Clüver, Oberpfarrer zu Mühlhausen i. Th., auftragsw.
13. Nordhausen II. Horn, Pfarrer zu Nordhausen, auftragsw.
14. Nordhausen III. Hellwig, Dechant zu Nordhausen.
15. Oberdorla. Ludwig, Pfarrer zu Niederdorla, Landkr. Mühlhausen i. Th.
16. Ranis. Ullrich, Oberpfarrer zu Ranis, Kr. Ziegenrück.
17. Salza. Zippel, Superint. zu Salza, Grafschaft Hohenstein.
18. Schleusingen. Göbel, dsgl. zu Schleusiugen.

Aufsichtsbezirke:

19. Sömmerda.	Wegner, Pfarrer zu Sömmerda, Kr. Weißensee.
20. Suhl.	Gerlach, Superint. zu Suhl, Kr. Schleusingen.
21. Tennstedt.	Spigaht, dsgl. zu Tennstedt, Kr. Langensalza.
22. Treffurt.	Hesse, Pfarrer zu Großburschla, Landkr. Mühlhausen i. Th.
23. Walschleben.	Dr. Müller, dsgl. zu Kühnhausen, Landkr. Erfurt.
24. Weißensee i. Th.	Baarts, Superint. zu Weißensee i. Th.
25. Ziegenrück.	Hahmann, dsgl. zu Wernburg, Kr. Ziegenrück.

VIII. Provinz Schleswig-Holstein.

a. Ständige Kreis-Schulinspektoren.

1. Apenrade.	Moschuns zu Apenrade.
2. Hadersleben I.	Landt zu Hadersleben, auftragsw.
3. Hadersleben II.	Schlichting zu Hadersleben.
4. Herzogth. Lauenburg.	Dr. Schütt zu Ratzeburg, Kr. Herzogthum Lauenburg.
5. Sonderburg.	Todsen zu Sonderburg.
6. Tondern I.	Franzen zu Tondern.
7. Tondern II.	Burgdorf, Schulrath, daselbst.
8. Wandsbeck.	Dr. Holst zu Wandsbeck, Kr. Stormarn.

b. Kreis-Schulinspektoren im Nebenamte.

1. Altona.	Wagner, Stadtschulrath zu Altona.
2. Norder-Dithmarschen I.	z. Zt. unbesetzt.
3. = II.	Landt, Pastor zu Neuenkirchen, Kreis Norder-Dithmarschen.
4. = III.	z. Zt. unbesetzt.
5. Süder-Dithmarschen I.	Petersen, Kirchenpropst zu Meldorf, Kr. Süder-Dithmarschen.
6. = II.	Hinrichs, Pastor zu Burg i. D., Kr. Süder-Dithmarschen.
7. = III.	Mau, Hauptpastor zu Marne, Kreis Süder-Dithmarschen.
8. Eckernförde I.	Holm, Kirchenpropst zu Hütten, Kreis Eckernförde.
9. = II.	Hornbostel, Pastor zu Krusendorf, Kr. Eckernförde.
10. Eiderstedt.	Hansen, Kirchenpropst zu Garding, Kr. Eiderstedt.

Aufsichtsbezirke:	
11. Flensburg I.	Peters, Kirchenpropst zu Flensburg.
12. Flensburg II.	Thomsen, Pastor zu Sterup, Landkr. Flensburg.
13. Husum I.	Deisting, dsgl. zu Schwabstedt, Kr. Husum.
14. " II.	Reuter, dsgl. zu Viöl, Kr. Husum.
15. Kiel, Stadtkreis.	Kuhlgatz, Stadtschulrath zu Kiel.
16. Kiel, Land I.	Becker, Kirchenpropst zu Kiel.
17. " II.	Sörensen, Kirchenpropst a. D. zu Kiel, auftragsw.
18. Oldenburg I.	Martens, Kirchenpropst zu Neustadt, Kr. Oldenburg.
19. " II.	Reimers, Hauptpastor zu Grube, Kr. Oldenburg.
20. " Fehmarn, Insel.	Michler, Kirchenpropst zu Burg a. F., Kr. Oldenburg.
21. Pinneberg I.	Paulsen, dsgl. zu Nienstedten, Kreis Pinneberg.
22. " II.	Derselbe.
23. " III.	Matz, Hauptpastor zu Elmshorn, Kr. Pinneberg.
24. " IV.	Alberti, Pastor zu Quickborn, Kreis Pinneberg.
25. Plön I.	Nissen, dsgl. zu Giekau, Kr. Plön.
26. " II.	Beckmann, Kirchenpropst zu Schönberg, Kr. Plön.
27. " III.	Genzken, Hauptpastor zu Preetz, Kr. Plön.
28. Rendsburg I.	Hausen, dsgl. zu Rendsburg.
29. " II.	Derselbe, auftragsw.
30. " III.	Treplin, Kirchenpropst zu Hademarschen, Kr. Rendsburg.
31. Schleswig I.	z. Zt. unbesetzt.
32. " II.	Hansen, Kirchenpropst zu Toestrup, Kr. Schleswig.
33. " III.	Grönning, Pastor zu Hollingstedt, Kr. Schleswig.
34. Segeberg I.	David, Hauptpastor zu Segeberg.
35. " II.	Jansen, Pastor zu Henstedt, Kreis Segeberg.
36. " III.	Bruhn, dsgl. zu Schlamersdorf, Kr. Segeberg.

Aufsichtsbezirke:

37. Steinburg I. — Buchholz, Kirchenpropst zu Itzehoe, Kr. Steinburg.
38. " II. — Lilie, dsgl. zu Horst, Kr. Steinburg.
39. " III. — Fiensch, Hauptpastor zu St. Margarethen, Kr. Steinburg.
40 Stormarn I. — Chalybaeus, Kirchenpropst zu Alt-Rahlstedt, Kr. Stormarn.
41. " II. — Peters, Pastor zu Bergstedt, Kreis Stormarn.
42. " III. — Baetz, Hauptpastor zu Oldesloe, Kreis Stormarn.

IX. Provinz Hannover.

1. Regierungsbezirk Hannover.

a. Ständige Kreis-Schulinspektoren.

1. Linden. — Renner zu Linden.

b. Kreis-Schulinspektoren im Nebenamte.

1. Bassum. — Mehliß, Superint. zu Bassum, Kr. Syke.
2. Gr. Berkel. — Pätz, dsgl. zu Gr. Berkel, Kr. Hameln.
3. Börry. — Rauterberg, dsgl. zu Börry, Kreis Hameln.
. Diepholz. — Stölting, dsgl. zu Diepholz.
4 Hameln, Stadt. — Hornkohl, sen. min. a. D. zu Hameln.
6. Hannover I. — Dr. Wehrhahn, Stadtschulrath zu Hannover.
7. Hannover II. — Köchy, Schulrath, Seminar-Direktor zu Hannover.
8. Hannover III. — Henniges, Pastor zu Linden.
9. Hoya. — Cordes, Superint. zu Hoya.
10. Jeinsen. — Mauersberg, dsgl., Konsist. Rath zu Jeinsen, Kr. Springe.
11. Limmer. — Wendland, Superint. zu Limmer, Landkr. Linden.
12. Linden. — Wecken, Pastor prim. zu Linden.
13. Loccum. — Ihmels, Konventual-Studien-Direktor zu Loccum, Kr. Stolzenau.
14. Lohe. — Giesecke, Pastor zu Lohe, Kr. Nienburg.
15. Neustadt a. R. — Bunnemann, Superint. und Pastor prim. zu Neustadt a. R.
16. Nienburg. — Lührs, dsgl. und dsgl. zu Nienburg.

Aufsichtsbezirke:

17. Oldendorf. Suffert, Superint. zu Oldendorf bei Elze, Kr. Hameln.
18. Pattensen im Calenbergschen. Fraatz, Superint. und Pastor prim. zu Pattensen, Kr. Springe.
19. Ronnenberg. Petz, dsgl. und dsgl. zu Ronnenberg, Landkr. Linden.
20. Springe. Pramann, dsgl. und dsgl. zu Springe.
21. Stolzenau. Firnhaber, Superint. zu Stolzenau.
22. Sulingen. Jahns, dsgl. zu Sulingen.
23. Twistringen. Gronheid, Pastor zu Twistringen, Kr. Syke.
24. Vilsen. z. Zt. unbesetzt.
25. Warmsen. Junge, Pastor zu Warmsen, Kreis Stolzenau.
26. Weyhe. Landsberg, Superint. zu Kirchweihe, Kr. Syke.
27. Wunstorf. Freyde, dsgl. und Pastor prim. zu Wunstorf, Kr. Neustadt a. R.

2. Regierungsbezirk Hildesheim.

a. Ständige Kreis-Schulinspektoren.

Keine.

b. Kreis-Schulinspektoren im Nebenamte.

1. Alfeld. Krüger, Superint. und erster Pastor zu Alfeld.
2. Bockenem I. Rotermund, dsgl. und dsgl. zu Bockenem, Kr. Marienburg.
3. Bockenem II. Bank, Pfarrer zu Ringelheim, Kreis Goslar.
4. Borsum. Graën, dsgl. zu Hildesheim.
5. Bovenden. Arnold, Superint. und Pastor zu Bovenden, Landkr. Göttingen.
6. Clausthal. Rothert, dsgl. und erster Pastor zu Clausthal, Kr. Zellerfeld.
7. Detfurth. Peters, Dechant und Pfarrer zu Gr. Düngen, Kr. Marienburg.
8. Dransfeld. Quantz, Superint. und Pastor zu Dransfeld, Kr. Münden.
9. Duderstadt. Bank, Propst und Stadtpfarrer zu Duderstadt.
10. Einbeck I. Firnhaber, Pastor zu Einbeck.

Aufsichtsbezirke:

11. Einbeck II.	Bordemann, Superint. und erster Pastor daselbst.
12. Elze.	Bückmann, dsgl. und dsgl. zu Elze, Kr. Gronau.
13. Gieboldehausen.	Sievers, Pfarrer zu Gieboldehausen, Kr. Duderstadt.
14. Göttingen I.	Brügmann, Superint. und Pastor zu Göttingen.
15. Göttingen II.	Kaiser, dsgl. und dsgl. daselbst.
16. Göttingen III.	Dr. Steinmetz, dsgl. u. dsgl. daselbst.
17. Goslar.	Stübe, Pfarrer zu Wiedelah, Kreis Goslar.
18. Gronau.	Rappe, Dechant und Pfarrer zu Emmerke, Landkr. Hildesheim.
19. Hardegsen.	Ubbelohde, Superint. u. erster Pastor zu Hardegsen, Kr. Northeim.
20. Hedemünden.	Schumann, dsgl. u. dsgl. zu Hedemünden, Kr. Münden.
21. Herzberg.	Knoche, Superint. und Pastor zu Herzberg, Kr. Osterode.
22. Hildesheim I.	D. Hahn, Konsist. Rath, Generalsup. und Pastor zu Hildesheim.
23. Hildesheim II.	Edelmann, Dechant und Pfarrer daselbst.
24. Hohnstedt.	Wolter, Superint. und Pastor zu Hohnstedt, Kr. Northeim.
25. Hohnstein.	Gerlach, Konsist. Rath, Superint. u. Pastor zu Niedersachswerfen, Kreis Ilfeld.
26. Lindau.	Wippermann, Dechant und Pfarrer zu Lindau, Kr. Duderstadt.
27. Markoldendorf.	Dr. Hoppe, Superint. und Pastor zu Markoldendorf, Kr. Einbeck.
28. Münden.	Prof. Dr. Bahrdt, Schulrath, zu Münden.
29. Nettlingen.	Busse, Superint. und Pastor zu Nettlingen, Kr. Marienburg.
30. Norten.	Plathner, Pfarrer zu Winzenburg, Kr. Alfeld.
31. Northeim.	Tölke, erster Pastor und Senior Ministerii zu Northeim.
32. Okerthal.	Twele, Superint. und Pastor zu Vienenburg, Kr. Goslar.

Aufsichtsbezirke:	
33. Osterode.	Baustädt, Superint. und Pastor zu Osterode.
34. Peine I.	Küster, Superint. und erster Pastor zu Peine.
35. Peine II.	Engelke, Dechant zu Hohenhameln, Kr. Peine.
36. Salzgitter.	Kleuker, Superint. und erster Pastor zu Salzgitter, Kr. Goslar.
37. Sarstedt.	Borchers, dsgl. und dsgl. zu Sarstedt, Landkr. Hildesheim.
38. Sehlde.	Rasch, Superint. und Pastor zu Sehlde, Kr. Marienburg.
39. Solschen.	Redepenning, dsgl. und dsgl. zu Gr. Solschen, Kr. Peine.
40. Uslar.	Lamberti, Superint. u. erster Pastor zu Uslar.
41. Börste.	Mellin, Pastor zu Harsum, Landkr. Hildesheim.
42. Willershausen.	Remmers, Superint. und Pastor zu Willershausen, Kr. Osterode.
43. Wrisbergholzen.	Höpfner, Superint. und Pastor zu Wrisbergholzen, Kr. Alfeld.
44. Zellerfeld.	Petri, dsgl. und erster Pastor zu Zellerfeld.

3. Regierungsbezirk Lüneburg.

a. Ständige Kreis-Schulinspektoren.

Keine.

b. Kreis-Schulinspektoren im Nebenamte.

1. Ahlden.	Cölle, Superint. zu Ahlden, Kr. Fallingbostel.
2. Beedenbostel.	Woltmann, dsgl. zu Beedenbostel, Landkr. Celle.
3. Bergen b. Celle.	Tiesemann, Pastor prim. zu Bergen, Landkr. Celle.
4. Bevensen.	Bode, Superint. zu Bevensen, Kr. Uelzen.
5. Bleckede I.	Jakobshagen, dsgl. zu Bleckede.
6. Bleckede II.	Dittrich, Pastor zu Barscamp, Kr. Bleckede.
7. Burgdorf.	Meyer, Superint. zu Burgdorf.

Aufsichtsbezirke:	
8. Burgwedel.	Maseberg, Superint. zu Burgwedel, Kr. Burgdorf.
9. Celle I.	Kreusler, Pastor zu Celle.
10. Celle II.	Röbbelen, dsgl. daselbst.
11. Dannenberg I.	Alpers, dsgl. zu Dannenberg.
12. Dannenberg II.	Loose, Pastor prim. zu Hitzacker.
13. Ebstorf.	Biedenweg, Superint. zu Ebstorf, Kr. Uelzen.
14. Fallersleben.	Seebohm, dsgl. zu Fallersleben, Kr. Gifhorn.
15. Gartow.	Seevers, Superint. zu Gartow, Kr. Lüchow.
16. Gifhorn.	Schuster, dsgl. zu Gifhorn.
17. Harburg I.	Schünhoff, Generalsuperint., Konsist. Rath zu Harburg.
18. Harburg II.	Sietz, Pastor zu Sinstorf, Landkr. Harburg.
19. Harburg III.	Derselbe.
20. Harburg IV.	Meyer, Pfarrer zu Harburg.
21. Hoya.	Cordes, Superint. zu Hoya.
22. Limmer.	Wendland, dsgl. zu Limmer, Kr. Linden.
23. Lüchow.	Taube, Propst zu Lüchow.
24. Lüne I.	Meyer, Superint. zu Lüne.
25. Lüne II.	Ahlert, Pastor zu Amelinghausen, Landkr. Lüneburg, auftragsw.
26. Lüne III.	Derselbe.
27. Lüneburg.	Beyer, Stadtsuperint. zu Lüneburg.
28. Pattensen I.	Ubbelohde, Superint. zu Pattensen.
29. Pattensen II.	Bode, Pastor zu Egestorf, Kr. Winsen a. d. L.
30. Sarstedt.	Borchers, Superint. zu Sarstedt, Landkr. Hildesheim.
31. Sievershausen.	Schwane, dsgl. zu Sievershausen, Kr. Burgdorf.
32. Soltau I.	Stalmann, dsgl. zu Soltau.
33. Soltau II.	Speckmann, Pastor zu Schneverdingen, Kr. Soltau.
34. Uelzen.	Beer, Propst zu Uelzen.
35. Walsrode I.	Knoke, Superint. zu Walsrode, Kr. Fallingbostel.
36. Walsrode II.	Schwerdtmann, Pastor zu Dorfmark, Kr. Fallingbostel.

Aufsichtsbezirke:

37. Winsen a. d. L.	z. Zt. unbesetzt.
38. Wittingen I.	Berkenbusch, Superint. zu Wittingen, Kr. Isenhagen.
39. Wittingen II.	Eicke, Pastor zu Brome, Kr. Isenhagen.
40. Wittingen III.	Bernstorf, dsgl. zu Groß-Oesingen, Kr. Isenhagen.

4. Regierungsbezirk Stade.

a. Ständige Kreis-Schulinspektoren.

Keine.

b. Kreis-Schulinspektoren im Nebenamte.

1. Achim.	Hartmann, Pastor zu Arbergen, Kr. Achim.
2. Altes Land.	Havemann, Superint. zu Jork.
3. Bargstedt.	Vogelsang, dsgl. zu Bargstedt, Kr. Stade.
4. Blumenthal I.	Müller, dsgl. zu Blumenthal.
5. Blumenthal II.	Keller, Pastor daselbst.
6. Bremervörde.	von Hanffstengel, Superint. zu Bremervörde.
7. Buxtehude.	Magistrat zu Buxtehude, Kr. Jork.
8. Hadeln.	Wolff, Pastor zu Nordleda, Kr. Hadeln.
9. Himmelpforten.	Arfken, dsgl. zu Himmelpforten, Kr. Stade.
10. Horneburg.	Rost, dsgl. zu Buxtehude, Kr. Jork.
11. Kehdingen.	Kahrs, dsgl. zu Freiburg, Kr. Kehdingen.
12. Lehe.	Rechtern, Superint. zu Lehe.
13. Lesum.	Rakenius, dsgl. zu Lesum, Kr. Blumenthal.
14. Lilienthal.	Krull, dsgl. zu Lilienthal, Kr. Osterholz.
15. Neuhaus.	Böker, Pastor zu Oberndorf, Kr. Neuhaus a. O.
16. Osten.	von Hanffstengel, Superint. zu Osten, Kr. Neuhaus a. O.
17. Osterholz.	Degener, Pastor zu Ritterhude, Kr. Osterholz.
18. Rotenburg	Kottmeier, Superint. zu Rotenburg.
19. Sandstedt.	Ohnesorg, dsgl. zu Sandstedt, Kr. Geestemünde.
20. Scheessel.	Willenbrock, Pastor zu Scheessel, Kr. Rotenburg.

Aufsichtsbezirke:

21. Selsingen.	Dreyer, Pastor zu Selsingen, Kreis Bremervörde.
22. Sittensen.	Vogelsang, dsgl. zu Heeslingen, Kr. Zeven.
23. Stade, Stadt.	Magistrat zu Stade.
24. Verden I., Stadt.	Schulvorstand zu Verden.
25. Verden II., Andreas.	Wolff, Pastor zu Verden.
26. Verden, Dom.	Dieckmann, Superint. zu Verden.
27. Worpswede.	Fitschen, Pastor zu Worpswede, Kr. Osterholz.
28. Wulsdorf.	Tovote, dsgl. zu Geestemünde.
29. Wursten.	Schröder, dsgl. zu Spieka, Kr. Lehe.
30. Zeven.	Meyer, Superint. zu Zeven.

5. Regierungsbezirk Osnabrück.

a. Ständige Kreis-Schulinspektoren.

1. Osnabrück-Bersenbrück-Wittlage.	Koop zu Osnabrück.
2. Osnabrück-Iburg.	Flebbe daselbst.

b. Kreis-Schulinspektoren im Nebenamte.

1. Aschendorf.	Gattmann, Pastor zu Aschendorf.
2. Bentheim, Grafschaft.	Mense, dsgl. zu Bentheim.
3. Bentheim, Niedergrafschaft.	Nyhuis, dsgl. zu Arkel, Kr. Grafschaft Bentheim.
4. Bentheim, Obergrafschaft.	Oppen, dsgl. zu Gildehaus, Kreis Grafschaft Bentheim.
5. Bersenbrück.	von Steuber, Superint. zu Badbergen, Kr. Bersenbrück.
6. Bersenbrück-Bramsche.	Meyer, Superint. zu Bramsche, Kr. Bersenbrück.
7. Haselünne.	Schniers, Pastor zu Haselünne, Kr. Meppen.
8. Hümmling.	Fiebelden, dsgl. zu Sögel, Kreis Hümmling.
9. Iburg-Melle.	Heilmann, dsgl. zu Iburg.
10. Lingen I.	Botterschulte, dsgl. zu Plantlünne.
11. Lingen II.	Raydt, Superint. zu Lingen.
12. Freren.	Dingmann, Pastor zu Schapen.
13. Melle-Wittlage.	Lauenstein, Superint. zu Buer, Kr. Melle.

Aufsichtsbezirke:

14. Meppen.	Nölker, Pastor zu Wesuwe.
15. Meppen-Papenburg.	Graßhoff, Superint. u. Konsist. Rath daselbst.

6. Regierungsbezirk Aurich.

a. Ständige Kreis-Schulinspektoren.

Keine.

b. Kreis-Schulinspektoren im Nebenamte.

1. Amdorf.	Reimers, Pfarrer zu Amdorf, Kreis Leer.
2. Aurich I.	Kirchhoff, Konsist. Rath zu Aurich.
3. Aurich II.	Augener, Superint. zu Aurich.
4. Aurich-Oldendorf.	Siemens, Pastor zu Timmel, Kreis Aurich, auftragsw.
5. Bingum.	Müller, Superint. zu Bingum, Kreis Weener.
6. Eilsum.	Wübbena, dsgl. zu Eilsum, Landkr. Emden.
7. Emden I.	Buck, Pastor zu Emden, auftragsw.
8. Emden II.	Middendorf, dsgl. daselbst.
9. Esclum.	Riedlin, Superint. zu Esclum, Kreis Leer.
10. Esens.	Voß, dsgl. zu Esens, Kr. Wittmund.
11. Jemgum.	Pannenborg, Pastor zu Klein-Midlum, Kr. Weener.
12. Leer I.	Warnke, dsgl. zu Leer.
13. Leer II.	Tholens, dsgl. daselbst.
14. Marienhafe.	Gossel, Superint. zu Marienhafe, Kr. Norden.
15. Nesse.	Köppen, dsgl. zu Nesse, Kr. Norden.
16. Norden I.	Strate, Pastor zu Norden.
17. Norden II.	Kerstiens, Dechant daselbst.
18. Reepsholt.	de Boer, Superint. zu Reepsholt, Kr. Wittmund.
19. Riepe.	Elster, dsgl. zu Riepe, Kr. Aurich.
20. Weener.	Smidt, dsgl. zu Weener.
21. Westeraccum.	Taaks, Pastor zu Westeraccum.
22. Westerhusen.	Sanders, Superint. zu Westerhusen, Kr. Emden.
23. Wilhelmshaven.	Rajewski, Rektor zu Wilhelmshaven.
24. Wittmund.	Stracke, Pastor zu Wittmund.

Aufsichtsbezirke:

X. Provinz Westfalen.

1. Regierungsbezirk Münster.

a. Ständige Kreis-Schulinspektoren.

1. Ahaus.	Koch zu Ahaus.
2. Beckum.	Feldhaar zu Beckum.
3. Borken.	Stork zu Borken.
4. Coesfeld.	Schmitz zu Coesfeld.
5. Lüdinghausen.	Wallbaum zu Lüdinghausen.
6. Münster.	Schürholz, Schulrath, zu Münster.
7. Recklinghausen I.	Schneider zu Dorsten, auftragsw.
8. Recklinghausen II.	Witte zu Recklinghausen.
9. Steinfurt.	Schürhoff zu Burgsteinfurt, Kreis Steinfurt.
10. Tecklenburg-Münster-Steinfurt-Warendorf.	Gehrig zu Tecklenburg.
11. Warendorf.	Schunck zu Warendorf.

b. Kreis-Schulinspektoren im Nebenamte.

1. Ahaus-Borken-Coesfeld.	Evers, Pfarrer zu Werth, Kr. Borken.
2. Beckum-Lüdinghausen-Recklinghausen.	Arning, dsgl. zu Recklinghausen.

2. Regierungsbezirk Minden.

a. Ständige Kreis-Schulinspektoren.

1. Bielefeld.	Stegelmann, Schulrath, zu Bielefeld.
2. Büren.	Brand zu Büren.
3. Höxter I.	Dr. Laureck zu Höxter.
4. Minden.	Kindermann zu Minden.
5. Paderborn.	Dr. Winter, Schulrath, zu Paderborn.
6. Warburg.	Sierp zu Warburg.
7. Wiedenbrück.	Rasche zu Wiedenbrück.

b. Kreis-Schulinspektoren im Nebenamte.

1. Alswede.	Kunsemüller, Pfarrer zu Alswede, Kr. Lübbecke.
2. Bünde.	Baumann, dsgl. zu Bünde, Kr. Herford.
3. Enger.	Niemöller, dsgl. zu Enger, Kr. Herford.
4. Gütersloh.	Siebold, dsgl. zu Gütersloh, Kr. Wiedenbrück.
5. Herford.	Sander, dsgl. zu Herford.
6. Höxter II.	Dufft, dsgl. zu Bruchhausen, Kr. Höxter.

Aufsichtsbezirke:

7. Kirchlengern.	Höpker, Pfarrer zu Kirchlengern, Kr. Höxter.
8. Lübbecke.	Priester, dsgl. zu Lübbecke.
9. Steinhagen.	Stegelmann, Schulrath, Kreis-Schulinspektor zu Bielefeld, auftragsw.
10. Werther.	Derselbe.

3. Regierungsbezirk Arnsberg.

a. Ständige Kreis-Schulinspektoren.

1. Altena-Olpe-Siegen.	Schräder, Schulrath, zu Attendorn.
2. Arnsberg-Iserlohn.	Hüser, Schulrath, zu Arnsberg.
3. Bochum.	Lindner zu Bochum.
4. Bochum-Hagen.	Dr. Robels, Schulrath, zu Bochum.
5. Brilon-Wittgenstein.	Schallau, Schulrath, zu Brilon.
6. Dortmund.	Schreff zu Dortmund.
7. Dortmund-Hörde.	Dr. Grosse-Bohle daselbst.
8. Gelsenkirchen-Bochum.	Fernickel zu Bochum.
9. Gelsenkirchen-Hattingen-Schwelm.	Völcker zu Gelsenkirchen.
10. Hagen.	Nickell zu Hagen.
11. Hamm-Soest.	Wolff, Schulrath, zu Soest.
12. Lippstadt.	Rhein zu Lippstadt.
13. Meschede.	Dr. Besta zu Meschede.
14. Schwelm-Hattingen.	Stordeur zu Schwelm.

b. Kreis-Schulinspektoren im Nebenamte.

1. Altena.	Husselmann, Pfarrer zu Neuenrade.
2. Aplerbeck.	Strathmann, dsgl. zu Opherdicke.
3. Arnsberg-Brilon-Meschede.	Klöne, dsgl. zu Arnsberg.
4. Barop.	Rottmann, dsgl. zu Hacheney.
5. Berleburg.	Dickel, Superint. zu Arfeld.
6. Freudenberg.	Stein, Pfarrer zu Krombach.
7. Gelsenkirchen.	Deutelmoser, dsgl. zu Gelsenkirchen.
8. Hamm.	zur Nieden, dsgl. zu Drechen.
9. Hattingen.	Meier-Peter, dsgl. zu Hattingen.
10. Hemer-Menden.	Pake, dsgl. zu Hemer.
11. Hohenlimburg-Letmathe.	von der Kuhlen, dsgl. zu Letmathe.
12. Iserlohn.	Pickert, Superint. zu Iserlohn.
13. Laasphe.	z. Zt. unbesetzt.
14. Lüdenscheid.	z. Zt. unbesetzt.
15. Lünen-Brechten.	Schlett, Superint. zu Brechten.

Aufsichtsbezirke:

16. Meinerzhagen.	Geck, Pfarrer zu Meinerzhagen.
17. Netphen.	Köhne, Superint. zu Netphen.
18. Schwerte.	Gräve, Pfarrer zu Schwerte.
19. Siegen.	Winterhager, desgl. zu Siegen.
20. Soest-Lippstadt.	Frahne, desgl. zu Soest.
21. Unna.	Bornscheuer, desgl. zu Dellwig.
22. Wilnsdorf-Weidenau.	Reuter, desgl. zu Weidenau.
23. Witten.	König, Superint. zu Witten.

XI. Provinz Hessen-Nassau.

1. Regierungsbezirk Cassel.

a. Ständige Kreis-Schulinspektoren.

1. Fulda.	Bottermann zu Fulda.

b. Kreis-Schulinspektoren im Nebenamte.

1. Ahna.	Riebeling, Pfarrer zu Wolfsanger, Landkr. Cassel.
2. Allendorf a. W.	Most, Metropolitan zu Allendorf a. W.
3. Amöneburg.	Schick, Pfarrer zu Anzefahr, Kr. Kirchhain.
4. Bergen.	Hufnagel, desgl. zu Kesselstadt, Landkr. Hanau.
5. Borken.	Kröger, desgl. zu Wabern, Kr. Fritzlar.
6. Bücherthal.	Schmincke, Metropolitan zu Bruchköbel, Landkr. Hanau.
7. Cassel, Stadt.	Bornmann, Stadtschulrath, Stadtschulinspizient zu Cassel.
8. Eiterfeld.	Herbener, Pfarrer zu Oberufhausen, Kr. Hünfeld.
9. Eschwege, Stadt.	Wolff Superint. zu Eschwege.
10. Eschwege, Land I.	Derselbe.
11. Eschwege, Land II.	Voigt, Pfarrer zu Rambach, Kreis Eschwege.
12. Felsberg.	Faulhaber, desgl. zu Gensungen, Kr. Melsungen.
13. Frankenberg.	Wessel, Metropolitan zu Frankenberg.
14. Fritzlar.	Kreisler, Dechant zu Fritzlar.
15. Fronhausen.	Ursprung, Pfarrer zu Fronhausen, Kr. Marburg.
16. Fulda.	Schäfer, Superint. zu Fulda.
17. Gelnhausen, Stadt.	Schäfer, Pfarrer, Stadtschulinspizient zu Gelnhausen.

Aufsichtsbezirke:

18. Gelnhausen, Land I.	Schäfer, Pfarrer, Stadtschulinspizient zu Gelnhausen.
19. Gelnhausen, Land II.	Kausel, Pfarrer zu Birstein, Kreis Gelnhausen.
20. Gersfeld.	Baumann, Oberpfarrer zu Tann, Kr. Gersfeld.
21. Gottsbüren.	Biskamp, Metropolitan zu Baake, Kr. Hofgeismar.
22. Grebenstein.	Vilmar, Pfarrer zu Immenhausen, Kr. Hofgeismar.
23. Gudensberg.	Stolzenbach, dsgl. zu Obervorschütz, Kr. Fritzlar.
24. Hanau, Stadt.	Junghenn, Schuldirektor, Stadtschulinspizient zu Hanau.
25. Hersfeld, Stadt.	Dr. Vial, Superint., Stadtschulinspizient zu Hersfeld.
26. Hersfeld, Land I.	Bötte, Pfarrer zu Friedewald, Kreis Hersfeld.
27. Hersfeld, Land II.	Barchfeld, Superint. zu Schenklengsfeld, Kr. Hersfeld.
28. Hilders.	Kiel, dsgl. zu Lahrbach, Kr. Gersfeld.
29. Hofgeismar, Stadt.	Fuldner, dsgl., Stadtschulinspizient zu Hofgeismar.
30. Hofgeismar, Land.	Klingender, Studiendirektor des Predigerseminars zu Hofgeismar.
31. Homberg, Stadt.	Schotte, Metropolitan, Stadtschulinspizient zu Homberg.
32. Homberg, Land.	Derselbe.
33. Hünfeld I.	Bode, Pfarrer zu Buchenau, Kreis Hünfeld.
34. Hünfeld II.	Koch, Dechant zu Hünfeld.
35. Kaufungen.	Schüler, Superint. zu Oberkaufungen, Landkr. Cassel.
36. Kirchhain.	Fett, Pfarrer zu Kirchhain.
37. Lichtenau (Hess.).	Ritter, Metropolitan zu Lichtenau, Kr. Witzenhausen.
38. Marburg, Stadt.	Dr. Seehaußen, Schuldirektor zu Marburg.
39. Melsungen, Stadt.	Endemann, Metropolitan, Stadtschulinspizient zu Melsungen.
40. Melsungen, Land.	Adam, Pfarrer zu Dagobertshausen, Kr. Melsungen.
41. Neukirchen I.	Gleim, Metropolitan zu Neukirchen, Kr. Ziegenhain.

Aufsichtsbezirke:

42. Neukirchen II. — Brauns, Pfarrer zu Schrecksbach, Kr. Ziegenhain.
43. Obernkirchen. — Diedelmeier, Metropolitan zu Rodenberg, Kr. Rinteln.
44. Rauschenberg. — Seßler, Pfarrer zu Schönstadt, Kr. Marburg.
45. Rinteln. — Bürgener, dsgl. zu Fuhlen, Kreis Rinteln.
46. Rotenburg. — Nothnagel, Metropolitan zu Rotenburg.
47. Schlüchtern, Stadt. — Dr. Renisch, Seminar-Direktor zu Schlüchtern.
48. Schlüchtern, Land. — Heck, Superint. zu Schlüchtern.
49. Schmalkalden, Stadt. — Vilmar, Pfarrer zu Schmalkalden.
50. Schmalkalden, Land I. — Derselbe.
51. Schmalkalden, Land II. — Obstfelder, Superint. zu Schmalkalden.
52. Schwarzenfels. — Orth, Metropolitan zu Ramholz, Kr. Schlüchtern.
53. Sontra. — Brauns, dsgl. zu Sontra, Kr. Rotenburg.
54. Spangenberg. — Rothfuchs, dsgl. zu Spangenberg, Kr. Melsungen.
55. Trendelburg. — Gnaß, Pfarrer zu Carlshafen, Kreis Hofgeismar.
56. Treysa. — Schweinsberg, dsgl. zu Treysa, Kr. Ziegenhain.
57. Vöhl. — Meyer, Dekan zu Höringhausen, Kr. Frankenberg.
58. Waldkappel. — Wepler, Metropolitan zu Waldkappel, Kr. Eschwege.
59. Wetter. — Loberhose, Oberpfarrer zu Wetter, Kr. Marburg.
60. Weyhers. — Helfrich, Pfarrer zu Poppenhausen, Kr. Gersfeld.
61. Wilhelmshöhe. — Zinn, ds l. zu Kirchbauna, Landkr. Cassel. g
62. Windecken. — Limbert, Metropolitan zu Ostheim, Landkr. Hanau.
63. Witzenhausen. — Reimann, dsgl. zu Witzenhausen.
64. Wolfhagen. — Jacobi, dsgl. zu Wolfhagen.
65. Ziegenhain. — Schenk, Pfarrer zu Ziegenhain.
66. Zierenberg. — Peter, Metropolitan zu Zierenberg, Kr. Wolfshagen.

Aufsichtsbezirke:

2. Regierungsbezirk Wiesbaden.

a. Ständige Kreis-Schulinspektoren.

Keine.

b. Kreis-Schulinspektoren im Nebenamte.

1. Arnstein. — Kunz, Pfarrer zu Nassau, Unterlahnkr.
2. Battenberg. — Schellenberg, dsgl. zu Battenberg, Kr. Biedenkopf.
3. Bergebersbach. — Grünschlag, dsgl. zu Bergebersbach, Dillkr.
4. Berod. — Ehrlich, dsgl. zu Hundsangen, Kr. Westerburg.
5. Biebrich. — Wilhelmi, Konsist. Rath zu Biebrich, Landkr. Wiesbaden.
6. Bockenheim. — Weidemann, Pfarrer daselbst.
7. Braubach. — Wilhelmi, Dekan zu Braubach, Kr. St. Goarshausen.
8. Buchenau. — Schneider, dsgl. zu Buchenau, Kr. Biedenkopf.
9. Eubach. — Deißmann, Pfarrer zu Eubach, Oberlahnkr.
10. Diethardt. — Schmidt, dsgl. zu Miehlen, Kr. St. Goarshausen.
11. Diez. — Wilhelmi, dsgl. zu Diez, Unterlahnkr.
12. Dillenburg. — Loß, Seminar-Direktor zu Dillenburg, Dillkr.
13. Dornholzhausen. — Höser, Pfarrer zu Dornholzhausen, Kr. Obertaunus.
14. Dörsdorf. — Radecke, dsgl. zu Rettert, Unterlahnkr.
15. Ems. — Heydeman, dsgl. zu Ems, Unterlahnkr.
16. Erbach a. Rhein. — Kilb, dsgl. zu Neudorf, Kr. Rheingau.
17. Fischbach. — Horn, dsgl. zu Fischbach, Kr. Obertaunus.
18. Frankfurt a. M. — Die städtische Schuldeputation.
19. Gladenbach. — Korndörfer, Pfarrer zu Gladenbach, Kr. Biedenkopf.
20. Grävenwiesbach. — Schmidtborn, dsgl. zu Espa, Kr. Usingen.
21. Grenzhausen. — Bingel, dsgl. zu Nordhofen, Kr. Unterwesterwald.
22. Griesheim. — Fabricius, dsgl. zu Griesheim, Kr. Höchst.

Aufsichtsbezirke:	
23. Hachenburg.	Naumann, Dekan zu Hachenburg, Kr. Oberwesterwald.
24. Hadamar.	Franz, Pfarrer zu Hadamar, Kr. Limburg.
25. Heddernheim.	Brühl, dsgl. zu Nied, Kr. Höchst.
26. Herborn I.	Büren, Rektor zu Herborn, Dillkr.
27. Herborn II.	Haußen, Pfarrer daselbst.
28. Holzappel.	Stahl, dsgl. zu Holzappel, Unterlahnkr.
29. Homburg v. d. H.	Vömel, Dekan zu Homburg v. d. H., Kr. Obertaunus.
30. Idstein I.	Cuntz, dsgl. zu Idstein, Kr. Untertaunus.
31. Idstein II.	Eichhorn, Benefiziat zu Camberg, Kr. Limburg.
32. Idstein III.	Oppermann, Rektor daselbst.
33. Kettenbach.	Wißmann, Dekan zu Kettenbach, Kr. Untertaunus.
34. Kirdorf.	Zirvas, Pfarrer zu Kirdorf, Kr. Obertaunus.
35. Langenschwalbach.	Gieße, Dekan zu Langenschwalbach, Kr. Untertaunus.
36. Limburg I.	Tripp, Stadtpfarrer zu Limburg.
37. Limburg II.	Krücke, Pfarrer daselbst.
38. Marienberg.	Heyn, dsgl. zu Marienberg, Kr. Oberwesterwald.
39. Massenheim.	Idelberger, dsgl. zu Hochheim, Landkr. Wiesbaden.
40. Meudt.	Buus, dsgl. zu Möllingen, Kreis Westerburg.
41. Montabaur I.	Dr. Schaefer, Seminar-Direktor zu Montabaur, Kr. Unterwesterwald.
42. Montabaur II.	Quirmbach, Pfarrer zu Holler, Kr. Unterwesterwald.
43. Nassau I.	Dr. Buddeberg, Rektor zu Nassau, Unterlahnkr.
44. Nassau II.	Müller, Pfarrer zu Dausenau, Unterlahnkr.
45. Nastätten.	Michels, dsgl. zu Oberlahnstein, Kr. St. Goarshausen.
46. Nenderoth.	Encke, dsgl. zu Schönebach, Dillkr.
47. Oberrad.	Dr. Enders, dsgl. zu Oberrad, Landkr. Frankfurt a. M.

Aufsichtsbezirke:

48. Ransbach.	Stähler, Dekan zu Ransbach, Kr. Unterwesterwald.
49. Rennerod.	Müller, Pfarrer zu Seck, Kr. Westerburg.
50. Rodheim.	Schmidt, Dekan zu Rodheim, Kr. Biedenkopf.
51. Rotzenhahn.	Schneider, Pfarrer zu Rotzenhahn, Kr. Oberwesterwald.
52. Rüdesheim.	Feldmann, dsgl. zu Geisenheim, Kr. Rheingau.
53. Runkel.	Cäsar, Dekan zu Runkel, Oberlahnkr.
54. St. Goarshausen.	Wolff, dsgl. zu Weyer, Kr. St. Goarshausen.
55. Sonnenberg.	Schupp, Pfarrer zu Sonnenberg, Landkr. Wiesbaden.
56. Usingen I.	Dr. Heilmann, Seminar-Direktor zu Usingen.
57. Usingen II.	Breuers, Dekan zu Pfaffenwiesbach, Kr. Usingen.
58. Villmar.	Ibach, Dekan zu Villmar, Oberlahnkr.
59. Wallau.	Neff, Pfarrer zu Wallau, Kr. Biedenkopf.
60. Wicker.	Spring, dsgl. zu Flörsheim, Landkr. Wiesbaden.
61. Weilburg.	Moser, Dekan zu Weilburg, Oberlahnkr.
62. Westerburg.	Schmidt, Pfarrer zu Westerburg.
63. Wiesbaden.	Die städtische Schuldeputation zu Wiesbaden.

XII. Rheinprovinz.

1. Regierungsbezirk Coblenz.

a. Ständige Kreis-Schulinspektoren.

1. Adenau.	Dr. Nebling zu Altenahr, Kr. Ahrweiler.
2. Ahrweiler.	Kollbach zu Remagen, Kr. Ahrweiler.
3. Altenkirchen.	Röhricht zu Altenkirchen.
4. Coblenz.	Dr. Kley, Reg. und Schulrath, zu Coblenz.
5. Cochem.	Hermans zu Cochem.
6. St. Goar.	Klein, Schulrath, zu Boppard, Kr. St. Goar.

Aufsichtsbezirke:

7. Kreuznach.	Dr. Brabänder zu Kreuznach.
8. Mayen.	Kelleter, Schulrath, zu Mayen.
9. Neuwied.	Diestelkamp zu Neuwied.
10. Simmern.	Liese zu Simmern.
11. Sobernheim.	Richter zu Sobernheim, Kr. Kreuznach.
12. Zell.	Schmetz zu Zell.

b. Kreis-Schulinspektoren im Nebenamte.

1. Braunfels.	Bingel, Pfarrer zu Braunfels, Kr. Wetzlar.
2. Greifenstein.	Rinn, dsgl. zu Dillheim, Kr. Wetzlar.
3. Wetzlar.	Schöler, dsgl. zu Wetzlar.

2. Regierungsbezirk Düsseldorf.

a. Ständige Kreis-Schulinspektoren.

1. Burscheid.	Dr. Lipkau zu Burscheid, Kr. Solingen.
2. Cleve.	Dr. Wessig, Schulrath, zu Cleve.
3. Düsseldorf, Land.	Kreutz, Schulrath, zu Düsseldorf.
4. Essen I.	Dr. D'ham zu Essen.
5. Essen II.	Dr. Fuchte, Schulrath, daselbst.
6. Essen III.	Timm daselbst.
7. Geldern.	Dr. Fenger zu Geldern.
8. M. Gladbach.	Kentenich, Schulrath, zu M. Gladbach.
9. Grevenbroich.	Dr. Schäfer zu Rheydt, Landkr. M. Gladbach.
10. Kempen.	Dr. Ruland, Schulrath, zu Crefeld.
11. Lennep-Remscheid.	Dr. Witte, Professor zu Lennep.
12. Mettmann.	Dr. Jeltsch, Schulrath, zu Elberfeld.
13. Mörs.	Riemer zu Mörs, auftragsw.
14. Mülheim a. d. R.	Dr. Block zu Mülheim a. d. R.
15. Neuß u. Crefeld, Land.	Dr. Finkenbrink zu Neuß.
16. Rees.	Mülhoff zu Wesel, Kr. Rees.
17. Ruhrort.	Gehrig zu Ruhrort.
18. Solingen.	Dr. Geis zu Solingen.

b. Kreis-Schulinspektoren im Nebenamte.

1. Barmen, Stadt.	Windrath, Stadtschulinsp. zu Barmen.
2. Crefeld, dsgl.	z. Zt. unbesetzt.
3. Düsseldorf, dsgl.	Keßler, Stadtschulinsp. zu Düsseldorf.
4. Duisburg, dsgl.	Die Stadtschulinspektion.
5. Elberfeld, dsgl. I.	Dr. Boodstein, Beigeordneter und Stadtschulinspektor zu Elberfeld.
6. Elberfeld, dsgl. II.	Jaesche, Stadtschulinspektor daselbst.

Aufsichtsbezirke:

3. Regierungsbezirk Cöln.

a. Ständige Kreis-Schulinspektoren.

1.	Bergheim.	Fraune zu Bergheim.
2.	Bonn-Rheinbach.	Reinckens, Schulrath, zu Bonn.
3.	Euskirchen-Rheinbach.	Hopstein, dsgl. zu Euskirchen.
4.	Gummersbach-Waldbröl.	Prosch zu Gummersbach.
5.	Cöln, Land.	Löhe zu Cöln.
6.	Mülheim a. Rh.-Wipperfürth.	Dr. Burkardt zu Mülheim a. Rh.
7.	Siegkreis.	Göstrich zu Siegburg.

b. Kreis-Schulinspektoren im Nebenamte.

1.	Cöln, Altstadt.	Dr. Brandenberg, Schulrath, zu Cöln.
2.	Cöln, Neustadt und eingemeindete Orte.	Dr. Blumberger zu Cöln.

4. Regierungsbezirk Trier.

a. Ständige Kreis-Schulinspektoren.

1.	Berncastel.	Hecking zu Berncastel.
2.	Bitburg.	Dr. Krembs zu Bitburg, auftragsw.
3.	Daun.	Gürten zu Daun.
4.	Merzig.	Dr. Berief zu Merzig.
5.	Neuerburg i. E.	Grimm zu Neuerburg, Kr. Bitburg.
6.	Ottweiler.	Erdmann zu Ottweiler.
7.	Prüm.	Klauke zu Prüm.
8.	Saarbrücken.	Ewald zu Saarbrücken.
9.	Saarburg.	Werners zu Saarburg.
10.	Saarlouis.	Dr. Kallen zu Saarlouis.
11.	Trier I.	Esch, Schulrath, zu Trier.
12.	Trier II.	Schroeder, dsgl. daselbst.
13.	St. Wendel.	Mennicken zu St. Wendel.
14.	Wittlich.	Simon zu Wittlich.

b. Kreis-Schulinspektoren im Nebenamte.

1.	Baumholder.	Heß, Pfarrer zu Baumholder, Kr. St. Wendel.
2.	Dudweiler.	Lichnock, dsgl. zu St. Johann, Kr. Saarbrücken.
3.	Hottenbach.	Hackenberg, dsgl. zu Hottenbach, Kr. Berncastel.
4.	Neunkirchen.	Pieper, dsgl. zu Evelsberg, Kr. Ottweiler.

Aufsichtsbezirke:

5. Offenbach.	Metz, Pfarrer zu Offenbach, Kr. St. Wendel.
6. Ottweiler.	Simon, Oberpfarrer zu Ottweiler.
7. St. Arnual.	Ilse, Pfarrer zu St. Johann, Kreis Saarbrücken.
8. Trier-Merzig-Saarlouis.	Cremer, Reg. und Schulrath zu Trier.
9. Veldenz.	Spies, Superint. und Pfarrer zu Mühlheim, Kr. Berncastel.
10. St. Wendel.	Beck, Pfarrer zu St. Wendel.

5. Regierungsbezirk Aachen.

a. Ständige Kreis-Schulinspektoren.

1. Aachen I.	Dr. Pick zu Aachen.
2. Aachen II.	Dr. Keller, Schulrath, zu Aachen.
3. Düren.	Kallen, dsgl., zu Düren.
4. Eupen.	Zillikens, dsgl., zu Eupen.
5. Heinsberg.	Dr. Stark zu Heinsberg.
6. Jülich.	Mundt zu Jülich.
7. Malmedy.	Dr. Esser zu Malmedy.
8. Schleiden.	Dr. Schaffrath zu Schleiden.

b. Kreis-Schulinspektoren im Nebenamte.

1. Aachen.	Kuester, Pfarrer zu Aachen.
2. Düren-Jülich.	Demmer, dsgl. zu Eschweiler, Landkr. Aachen.
3. Erkelenz-Geilenkirchen-Heinsberg.	Haberkamp, dsgl. zu Hückelhoven, Kr. Erkelenz.
4. Schleiden-Malmedy-Montjoie.	Angermünde, dsgl. zu Roggendorf, Kr. Schleiden.

XIII. Hohenzollernsche Lande.

Regierungsbezirk Sigmaringen.

a. Ständige Kreis-Schulinspektoren.

1. Hechingen.	Dr. Straubinger, Schulrath, zu Hechingen.
2. Sigmaringen.	Dr. Schmitz, dsgl., zu Sigmaringen.

b. Kreis-Schulinspektoren im Nebenamte.

Keine.

D. Königl. Akademie der Wissenschaften zu Berlin.

(NW. Unter den Linden 38.)

Protektor:

Seine Majestät der Kaiser und König.

Beständige Sekretare.

(Die mit einem * Bezeichneten sind Professoren an der Universität zu Berlin.)

a. für die physikalisch-mathematische Klasse.

*Dr. Waldeyer, Geh. Med. Rath, Prof.
 " Auwers, Geh. Reg. Rath, Prof.

b. für die philosophisch-historische Klasse.

*Dr. Vahlen, Geh. Reg. Rath, Prof.
* " Diehls, Prof.

1. Ordentliche Mitglieder.

a. Physikalisch-mathematische Klasse.

*Dr. du Bois-Reymond, Geh. Ob. Med. Rath, Prof.
* " Beyrich, Geh. Bergrath, Prof.
* " Rammelsberg, Geh. Reg. Rath, Prof.
* " Weierstraß, Prof.
 " Auwers, Geh. Reg. Rath, Prof.
* " Virchow, Geh. Med. Rath, Prof.
* " Schwendener, Geh. Reg. Rath, Prof.
* " Munk, Prof.
* " Landolt, Geh. Reg. Rath, Prof.
* " Waldeyer, Geh. Med. Rath, Prof.
* " Fuchs, Prof.
* " Schulze, Franz Eilhard, Geh. Reg. Rath, Prof.
* " von Bezold, Geh. Reg. Rath, Prof.
* " Klein, Karl, Geh. Bergrath, Prof.
* " Möbius, Geh. Reg. Rath, Prof.
* " Engler, Adolf, Geh. Reg. Rath, Prof.
 " Vogel, Geh. Reg. Rath, Prof.
* " Dames, Prof.
* " Schwarz, Prof.
* " Frobenius, Prof.
* " Fischer, Prof.
* " Hertwig, Prof.
* " Planck, Prof.
 " Kohlrausch, Prof.
* " Warburg, Prof.

b. Philosophisch-historische Klasse.

*Dr. Kiepert, Prof.
* „ Weber, Albr., Prof.
* „ Mommsen, Prof.
* „ Kirchhoff, Ad., Geh. Reg. Rath, Prof.
* „ Curtius, Wirkl. Geh. Rath, Exc., Prof.
* „ Vahlen, Geh. Reg. Rath, Prof.
D. Dr. Schrader, dsgl., dsgl.
Dr. Conze, Prof., Generalsekretar der Central-Direktion des Kaiserlichen Archäologischen Institutes.
* „ Tobler, Prof.
* „ Wattenbach, Geh. Reg. Rath, Prof.
* „ Diels, Prof.
* „ Pernice, Geh. Justizrath, Prof.
* „ Brunner, dsgl., dsgl.
* „ Schmidt, Joh., Prof.
* „ Hirschfeld, dsgl.
* „ Sachau, Geh. Reg. Rath, Prof.
* „ Schmoller, dsgl., Historiograph der Brandenburgischen Geschichte.
* „ Dilthey, Geh. Reg. Rath, Prof.
„ Dümmler, Geh. Reg. Rath, Prof., Vorsitzender der Central-Direktion der Monumenta Germaniae historica.
* „ Köhler, Prof.
* „ Weinhold, Geh. Reg. Rath, Prof.
*D. et Dr. phil. Harnack, Prof.
*Dr. Stumpf, Prof.
* „ Schmidt, Erich, Prof.
* „ Erman, Prof.
* „ von Treitschke, Geh. Reg. Rath, Prof.

2. Auswärtige Mitglieder.

a. Physikalisch-mathematische Klasse.

Dr. Bunsen, Geh. Rath und Prof. zu Heidelberg.
Hermite, Mitg. d. Akad. der Wissensch. zu Paris.
Dr. phil. et med. Kekule von Stradonitz, Geh. Reg. Rath und Prof. an der Universität zu Bonn.
„ von Kölliker, Geheimer Rath, ordentlicher Professor an der Universität zu Würzburg.

b. Philosophisch-historische Klasse.

Dr. von Böhtlingk, Kais. Russischer Geh. Staatsrath a. D., Prof., z. Z. in Leipzig.

3. Ehrenmitglieder der Gesammt-Akademie.

Zeller, Wirkl. Geh. Rath, Exc., Prof., zu Stuttgart.
Earl of Crawford and Balcarres zu Dunecht, Aberdeen.
Dr. Lehmann, ordentl. Prof. an der Universität zu Göttingen.
" Boltzmann zu München.

E. Königliche Akademie der Künste zu Berlin.

(NW. Unter den Linden 38. Bureau: NW. Universitätsstraße 6.)

Protektor:

Seine Majestät der Kaiser und König.

Kurator:

Se. Exc. D. Dr. Bosse, Staatsminister und Minister der geistlichen 2c. Angelegenheiten.

Ehrenpräsident:

Becker, Carl, Professor, Geschichtsmaler.

Präsidium und Sekretariat:

Präsident
für 1. Oktober 1895/96: Ende, Geh. Reg. Rath, Prof., Vorsteher eines akademischen Meisterateliers für Architektur.
Stellvertreter des Präsidenten: Dr. Blumner, Prof., Vorsteher einer Meisterschule für musikalische Komposition und Direktor der Singakademie.
Erster ständiger Sekretär: Dr. Hans Müller, Prof.
Zweiter ständiger Sekretär: z. Zt. unbesetzt.
Inspektor: Schwerdtfeger, Rechnungsrath.

1. Senat.

a. Sektion für die bildenden Künste:

Vorsitzender: Ende, Geh. Reg. Rath, Prof., siehe vorher.
Stellvertreter: Geselschap, Friedrich, Prof., Maler.

Mitglieder:

Amberg, Prof., Maler.
Becker, K., Prof., Maler.
Begas, Reinh., Prof., Bildhauer, Vorsteher des akademischen Meisterateliers für Bildhauerkunst.
Dr. Bode, Geh. Reg. Rath, Direktor der Gemäldegalerie der Königl. Museen.

Calandrelli, Prof., Bildhauer.
Dr. Dobbert, Prof. an der Technischen Hochschule und Lehrer an der akademischen Hochschule für die bildenden Künste.
Encke, Prof., Bildhauer.
Ende, Geh. Reg. Rath, Prof., Architekt, siehe vorher.
Ewald, E., Prof., Direktor der Unterrichtsanstalt des Kunstgewerbe-Museums und auftragsw. Direktor der Königl. Kunstschule.
Geselschap, Prof., Maler.
Gude, Prof., Maler, Vorsteher des akademischen Meisterateliers für Landschaftsmalerei.
Graf Harrach, Prof., Maler.
Heyden, Ad., Baurath, Architekt.
Knaus, L., Prof., Maler.
Knille, O., Prof., Maler, Vorsteher eines akademischen Meisterateliers für Malerei.
Köpping, Prof., Maler und Radirer, Vorsteher des akademischen Meisterateliers für Kupferstich.
Dr. Menzel, Ad., Wirkl. Geh. Rath, Exc., Prof., Maler.
von Moltke, Geh. Reg. Rath.
Otzen, J., Geh. Reg. Rath, Prof., Architekt, Vorsteher eines akademischen Meisterateliers für Architektur.
Raschdorff, Geh. Reg. Rath, Prof. an der Technischen Hochschule, Architekt.
Schaper, F., Prof., Bildhauer.
Schrader, Jul., Prof., Maler.
Schwechten, F., Baurath.
Dr. Siemering, R., Prof., Bildhauer.
" Hans Müller, Prof.
von Werner, A., Prof., Direktor der akademischen Hochschule für die bildenden Künste, Vorsteher eines akademischen Meisterateliers für Malerei, Maler.

b. Sektion für Musik.

Vorsitzender: Dr. Blumner, Prof., siehe vorher.
Stellvertreter: Bargiel, Prof., Musikdirektor, Vorsteher einer Meisterschule für musikalische Komposition.

Mitglieder:

Bargiel, Prof., siehe vorher.
Becker, Albert, Prof.
Dr. Blumner, Prof., siehe vorher.
" Bruch, Max, Prof., Vorsteher einer Meisterschule für musikalische Komposition.
Frhr. von Herzogenberg, Prof.

Dr. Joachim, J., Prof., Kapellmeister d. Königl. Akad. d. Künste rc.
von Moltke, Geh. Reg. Rath.
Dr. Hans Müller, Prof., siehe vorher.
Radecke, Prof., Direktor des akademischen Institutes für Kirchenmusik.
Rudorff, E., Prof.
Schulze, Ad., Prof.
Succo, Prof.
Vierling, Musikdirektor, Prof.

2. Hiesige ordentliche Mitglieder.

a. Sektion für die bildenden Künste.

Vorsitzender: Becker, K., Prof., siehe vorher.
Stellvertreter: Dr. Siemering, R., Prof., Bildhauer.
Adler, Geh. Ober-Baurath, Prof.
Amberg, Prof., Maler.
Begas, Reinh., Prof., Bildhauer.
Biermann, G., Prof., Maler.
Bracht, Prof., Maler.
Brausewetter, Prof., Maler.
Brütt, Bildhauer.
Calandrelli, Prof., Bildhauer.
Cretius, Prof., Maler.
Eberlein, Prof., Bildhauer.
Eilers, Prof., Kupferstecher.
Encke, Prof., Bildhauer.
Falat, Maler.
Feckert, Prof., Maler und Lithograph.
Flickel, Prof., Maler.
Friedrich, Prof., Maler.
Friese, Maler.
Geiger, Nicol., Bildhauer,
Geselschap, Prof., Maler.
Grisebach, Architekt.
von Großheim, Baurath.
Gude, Prof., Maler.
Graf Harrach, Prof., Maler.
Henning, Prof., Maler.
Herter, Prof., Bildhauer.
Heyden, Baurath.
Hildebrand, Prof., Maler.
Hopfgarten, Prof., Maler.
Hundrieser, Prof., Bildhauer.
Jacobsthal, Geh. Reg. Rath, Prof., Architekt.

Jacobi, Prof., Kupferstecher.
von Kameke, Prof., Maler.
Kayser, Baurath.
Kiesel, Maler.
Knaus, Prof., Maler.
Knille, Prof., Maler.
Köpping, Prof., Maler und Radirer.
Koner, Prof., Maler.
Lessing, Otto, Prof., Bildhauer.
Ludwig, Prof., Maler.
Manzel, L., Bildhauer.
Dr. Menzel, Wirkl. Geh. Rath. Exc., Prof., Maler.
Meyer, Hans, Prof., Kupferstecher.
Meyerheim, Paul, Prof., Maler.
Orth, A., Geh. Baurath.
Otzen, Joh., Geh. Reg. Rath, Prof., Architekt.
Pape, E., Prof., Maler.
Raschdorff, Geh. Reg. Rath, Prof., Architekt.
Saltzmann, Maler.
Schaper, Prof., Bildhauer.
Scheurenberg, Prof., Maler.
Schmieden, Baurath.
Schmitz, Architekt.
Schrader, Jul., Prof., Maler.
Schwechten, Baurath.
Dr. Siemering, Prof., Bildhauer.
Skarbina, Prof., Maler.
Thumann, Prof., Maler.
Vogel, Prof., Maler.
von Werner, Prof., Direktor, Maler.
Werner, F., Prof., Maler.

b. Sektion für Musik.

Vorsitzender: Dr. Blumner, Prof., siehe vorher.
Stellvertreter: Bargiel, Prof.
Becker, Alb., Prof.
Dr. Bellermann, Prof.
= Bruch, Max, Prof., siehe oben.
Gernsheim, Prof.
Freiherr von Herzogenberg, Prof.
Hofmann, H., Prof.
Dr. Joachim, Prof., Kapellmeister d. Königl. Akad. d. Künste.
Moszkowski.
Radecke, Prof., Direktor des akademischen Institutes für Kirchenmusik.

Rudorff, E., Prof.
Succo, R., Prof.
Vierling, Prof.

3. Ehrenmitglieder der Gesammt-Akademie.

Ihre Majestät die Kaiserin und Königin Friedrich.
Se. Exc. D. Dr. Falk, Staatsminister.
Se. Exc. D. Dr. jur. und Dr. med. von Goßler, Staatsminister.
Dr. jur. Carl Zöllner, Geheimer Regierungsrath.
Fürst Bismarck, Herzog von Lauenburg.

4. Akademische Hochschule für die bildenden Künste.

(NW. Unter den Linden 38.)

Direktor: von Werner, Prof.
Direktorial-Assistent: Dr. Seeger, Prof., auftragsw.

5. Akademische Meisterateliers.

a. für Maler:

Gude, Professor für Landschaftsmalerei.
Knille, Prof. für Geschichtsmalerei.
von Werner, Prof. für Geschichtsmalerei.

b. für Bildhauer:

Begas, R., Prof., Bildhauer.

c. für Baukunst:

Ende, Geh. Reg. Rath, Prof.
Otzen, Geh. Reg. Rath, Prof.

d. für Kupferstecher:

Köpping, Prof., Maler und Radirer.

6. Akademische Hochschule für Musik.

(W. Potsdamerstr. 120.)

a. Direktorium.

Vorsitzender: Dr. Joachim, Prof.

Mitglieder:

Dr. Joachim, Prof. und Kapellmeister der Akademie, Vorsteher der Abtheilung für Orchester-Instrumente.
Bargiel, Prof., Vorsteher der Kompositions-Abtheilung.
Rudorff, Prof., Vorsteher der Abtheilung für Klavier und Orgel.
Schulze, Ad., Prof., Vorsteher der Abtheilung für Gesang.
Vorsteher der Verwaltung: z. Z. unbesetzt.

b. Abtheilungen.

Vorsteher der Abtheilung
1. für Komposition und Theorie der Musik: Bargiel.

2. für Gesang: Schulze, Ad., Prof.
3. für Orchester-Instrumente: Dr. Joachim, Direktor, Prof., Kapellmeister der Akademie der Künste.
4. für Klavier und Orgel: Rudorff, Prof.

Dirigent der Aufführungen: Dr. Joachim, Prof.

7. Akademische Meisterschulen für musikalische Komposition.

(NW. Universitätsstr. 6.)

Vorsteher:

Bargiel, Prof., Musikdirektor.
Dr. Blumner, Prof.
" Bruch, Max, Prof.

8. Akademisches Institut für Kirchenmusik.

(W. Potsdamerstr. 120.)

Direktor: Radecke, Prof.

F. Königliche Museen zu Berlin.

(Geschäftslokal: C. Gebäude des älteren Museums am Lustgarten, Eingang zunächst der Friedrichsbrücke.)

General-Direktor:

Dr. Schöne, Wirkl. Geheimer Ober-Regierungs- u. vortrag. Rath im Ministerium der geistlichen ꝛc. Angelegenheiten.

Beamte der Generalverwaltung.

Dr. Schauenburg, Reg. Rath, Justitiar und Verwaltungsrath.
Walther, Rechn. Rath, Bureau-Vorsteher und erster Sekretär.

Dr. Humann, Geh. Reg. Rath, Direktor, wohnhaft zu Smyrna.
Jacoby, L., Prof., technischer Beirath für artistische Publikationen, Mitglied der Königlichen Akademie der Künste.
Merzenich, Prof., Baurath, Architekt der Museen.
Dr. Rathgen, Chemiker.
Dr. Laban, Bibliothekar.
Siecke, technischer Inspektor der Gipsformerei.

Abtheilungen und Sachverständigen-Kommissionen.*)

1. Gemälde-Galerie.

Direktor: Dr. Bode, Geh. Reg. Rath, Direktor der

---

*) Die Mitglieder ꝛc. der Sachverständigen-Kommissionen sind für die Zeit bis zum 31. März 1897 ernannt.

Sammlung von Bildwerken und Abgüssen des christlichen Zeitalters und Mitglied des Senates der Königlichen Akademie der Künste.

Assistent: Dr. von Tschudi, Prof.
Erster Restaurator: Hauser I.
Zweiter Restaurator und Inspektor: z. Zeit unbesetzt.

Sachverständigen-Kommission.

Mitglieder: Dr. Bode, Geh. Reg. Rath, Direktor.
Dr. Grimm, Geh. Reg. Rath, o. Prof. a. d. Univers.
Knaus, Prof., Geschichtsmaler, Mitglied des Senates der Akademie der Künste.
Graf Harrach, Prof., Geschichtsmaler, Mitglied des Senates der Akademie der Künste.
Stellvertreter: von Beckerath, Kaufmann.
Geselschap, Prof., Geschichtsmaler, Mitglied des Senates der Akademie der Künste.

2. Sammlung der Bildwerke und Abgüsse des christlichen Zeitalters.

Direktor: Dr. Bode, Direktor, Geh. Reg. Rath, auftragsw., s. o.

Sachverständigen-Kommission.

Mitglieder: Dr. Bode, Geh. Reg. Rath, Direktor.
von Beckerath, Kaufmann.
Sußmann-Hellborn, Prof., Bildhauer.
Stellvertreter: Begas, Prof., Bildhauer, Mitglied des Senates der Akademie der Künste.
Dr. Dobbert, Prof. an der Techn. Hochschule, Mitglied des Senates der Akademie der Künste.

3. Sammlung der antiken Bildwerke und Gipsabgüsse.

Direktor: Dr. Kekule von Stradonitz, Geh. Reg. Rath, o. Prof. a. d. Universität.
Assistent: Dr. Puchstein, Privatdozent an der Universität.

Sachverständigen-Kommission.

Mitglieder: Dr. Kekule von Stradonitz, Geh. Reg. Rath, Direktor.
Dr. Hübner, o. Prof. a. d. Univers.
Dr. Conze, Prof., Generalsekretar des deutschen Archäologischen Institutes, Mitglied der Akademie der Wissenschaften.
Stellvertreter: Dr. Trendelenburg, Prof., Oberlehrer am Askanischen Gymnasium.

Schwechten, Baurath, Mitglied des Senates der Akademie der Künste.

Janensch, Bildhauer, ordentlicher Lehrer an der Akademie der Künste.

4. Antiquarium.

Direktor: Dr. Curtius, Wirkl. Geh. Rath, Exc., o. Prof. a. d. Univers., Mitglied d. Akademie d. Wissenschaften.

Assistent: Dr. Winter, Privatdozent a. d. Universität.

Sachverständigen-Kommission.

Mitglieder: Dr. Curtius, Wirkl. Geh. Rath, Exc., Direktor.
= Hübner, o. Prof. a. d. Univers.
= Lessing, Geh. Reg. Rath, Prof., Direkt. der Samml. des Kunstgewerbe-Museums.

Stellvertreter: Dr. Trendelenburg, Prof., s. o.
= Dressel, Direktorial-Assistent bei dem Münz-Kabinet der Königlichen Museen.

5. Münz-Kabinet.

Direktor: Dr. von Sallet, Prof.

Assistenten: = Menadier.
= Dressel.

Sachverständigen-Kommission.

Mitglieder: Dr. von Sallet, Prof., Direktor.
Dannenberg, Landgerichtsrath a. D.
Dr. Mommsen, o. Prof. a. d. Univers., Mitglied und beständiger Sekretar der Akademie der Wissenschaften.
Dr. Sachau, Geh. Reg. Rath, o. Prof. a. d. Univers., kommiss. Direktor des Seminars für orientalische Sprachen und Mitglied der Akademie der Wissenschaften.

Stellvertreter: Dr. Wattenbach, Geh. Reg. Rath, o. Prof. a. d. Univers., Mitglied der Akademie d. Wissenschaften.
Dr. Koehler, o. Prof. a. d. Univers., Mitglied der Akademie der Wissenschaften.

6. Kupferstich-Kabinet.

Direktor: Dr. Lippmann, Geh. Reg. Rath.

Assistenten: = Springer.
= von Loga.
= Kämmerer.

Restaurator: Hauser II.

Sachverständigen-Kommission.

Mitglieder: Dr. Lippmann, Geh. Reg. Rath, Direktor.
von Beckerath, Kaufmann.
Dr. Grimm, Geh. Reg. Rath, o. Prof. a. d. Univers.
Stellvertreter: Grisebach, Architekt, Mitglied der Akademie der Künste.

7. Sammlung der ägyptischen Alterthümer.

Direktor: Dr. Erman, o. Prof. a. d. Univers.
Assistenten: " Krebs.
" Schäfer.

Sachverständigen-Kommission.

Mitglieder: Dr. Erman, o. Prof. a. d. Univers., Direktor.
" Sachau, Geh. Reg. Rath, s. o.
D. Dr. Schrader, Geh. Reg. Rath, o. Prof. a. d. Univers., Mitglied der Akademie der Wissenschaften.
Stellvertreter: Dr. Conze, Prof., s. o.
" Belger, Prof., Oberlehrer am Friedrichs-Gymnasium.

8. Museum für Völkerkunde.
(SW. Königgrätzerstraße 120.)

Direktoren: Dr. Bastian, Geh. Reg. Rath, Direktor der ethnologischen Abtheilung, a. o. Prof. a. d. Univers.
Dr. Voß, Direktor d. vorgeschichtlichen Abtheilung.
Assistenten: " Grünwedel, Prof.
" Grube, a. o. Prof. a. d. Univers.
" von Luschan, Privatdozent a. d. Univers.
" Seler, dsgl.
" Götze.
Konservator: Krause.

Sachverständigen-Kommissionen.

a. Ethnologische Abtheilung des Museums für Völkerkunde.

Mitglieder: Dr. Bastian, Geh. Reg. Rath, Direktor.
" Virchow, Geh. Med. Rath, o. Prof. an der Univers., Mitglied der Akademie d. Wissenschaften.
Dr. Jagor.
" Freiherr von Richthofen, Geh. Reg. Rath, o. Prof. an der Universität.

Schönlank, Generalkonsul der Republiken San Salvador und Haiti.

Stellvertreter: Dr. Wetzstein, Konsul a. D.
" med. Bartels, Sanitätsrath.
" Joest, Prof.
Künne, Buchhändler in Charlottenburg.
Dr. von den Steinen, Prof., in Neu-Babelsberg.

b. Vorgeschichtliche Abtheilung des Museums für Völkerkunde.

Mitglieder: Dr. Voß, Direktor.
" Virchow, s. o.
" Schwartz, Geh. Reg. Rath, Prof., Gymnas. Direktor a. D.

Stellvertreter: Dr. med. Bartels, Sanitätsrath.
von Heyden, Prof., Geschichtsmaler, Mitglied des Staatsraths.
Künne, Buchhändler in Charlottenburg.

9. Kunstgewerbe-Museum.

(SW. Königgrätzerstraße 120.)

Direktoren: Dr. Lessing, Geh. Reg. Rath, Prof., Direktor der Sammlungen.
Ewald, Prof., Direktor d. Unterrichtsanstalt, Mitglied des Senates der Königlichen Akademie der Künste.
Dr. Jessen, Direktor der Bibliothek.

Assistenten: Fendler.
Borrmann, Reg. Baumeister.
Dr. von Falke.

Bibliotheks-Assistent: Dr. Back.

Bureauvorsteher u. Rendant: Scheringer.

Mitglieder des Beirathes.*)

Dr. Bertram, Geh. Reg. Rath, Prof., Stadtschulrath.
" Bode, Geh. Reg. Rath, s. o.
Graf von Dönhoff-Friedrichstein, Legationsrath und Kammerherr.
Eilers, Hof-Zimmer-Maler.
Ewald, Prof., Direktor der Unterrichtsanstalt des Kunstgewerbe-Museums.

*) Die Mitglieder des Beirathes sind für die Zeit bis zum 81. März 1898 ernannt.

Graf Harrach, Geschichtsmaler, Prof., Mitglied des Senates der Königlichen Akademie der Künste.
von Heyden, dsgl., dsgl., dsgl.
Heyden, Königlicher Baurath.
Jessen, Direktor der städtischen Handwerker- und Baugewerks-Schule.
Dr. Jessen, Direktor der Bibliothek des Kunstgewerbe-Museums.
Ihne, Königlicher Hof-Architekt, Hof-Baurath.
Krätke, Direktor der Aktiengesellschaft für Fabrikation von Bronzewaaren und Zinkguß.
Dr. Langerhans, Stadtverordnetenvorsteher.
Dr. Lessing, Geh. Reg. Rath, Prof., s. o.
Lessing, Bildhauer, Professor.
Dr. Lippmann, Geh. Reg. Rath, s. o.
Lüdtke, Tischlermeister.
March, Königlicher Kommerzienrath.
Puls, Kunstschlossermeister.
Dr. Reuleaux, Geh. Reg. Rath, Prof. a. d. Techn. Hochschule.
Dr. Seidel, Dirigent der Kunstsammlungen in den Königlichen Schlössern.
Sußmann-Hellborn, Bildhauer, Professor.
Dr. Weigert, Max, Stadtrath und Fabrikbesitzer.
Zelle, Oberbürgermeister.

G. National-Galerie zu Berlin.

(C. Hinter dem Packhof 8.)

Direktion:

Direktor: z. Zt. nicht vorhanden.
Dr. von Donop, Prof., Direktorial-Assistent.

H. Rauch-Museum zu Berlin.

(C. Klosterstraße 75.)

Vorsteher: Dr. Siemering, Prof., Senator und Mitglied der Akademie der Künste.

J. Königliche wissenschaftliche Anstalten zu Berlin. (Potsdam.)

1. Königliche Bibliothek.
(W. Platz am Opernhause.)

a. Kuratorium.

Se. Exc. Dr. de la Croix, Wirkl. Geh. Rath und Ministerial-Direktor, Vorsitzender.
Dr. Wilmanns, Geh. Ob. Reg. Rath, General-Direktor der Königl. Bibliothek.
= Schöne, General-Direktor der Königl. Museen und Wirkl. Geh. Ob. Reg. Rath.
= Althoff, Geheimer Ob. Reg. Rath und vortrag. Rath im Ministerium der geistlichen 2c. Angelegenheiten.
= Foerster, Geh. Reg. Rath, Prof., Direktor der Sternwarte zu Berlin.
= Wattenbach, Geh. Reg. Rath, ordentl. Prof., Mitglied der Königl. Akademie der Wissenschaften zu Berlin.
= Dziatzko, Geh. Reg. Rath, Prof. und Direktor der Universitäts-Bibliothek zu Göttingen.
= Ponfick, Geh. Med. Rath, Prof. zu Breslau.

b. General-Direktor.

Dr. Wilmanns, Geh. Ob. Reg. Rath.

c. Justitiar.

Dr. Daube, Geh. Reg. Rath, Univers. Richter.

d. Abtheilungs-Direktoren.

Dr. Rose, Geh. Reg. Rath, bei der Abtheilung für Handschriften.
= Gerhard, bei der Abtheilung für Druckschriften.

e. Bibliothekare.

Dr. Söchting, Ob. Bibliothekar.
= Stern, dsgl., Prof.
= Meisner, Ob. Bibliothekar.
= Boysen, dsgl.
= Ippel, dsgl.
= Valentin, dsgl.
= Kopfermann, dsgl.
= Gleiniger, dsgl.
= Weil, Bibliothekar.
= Krause, dsgl.
= Gaedertz, dsgl.
= Blumenthal, dsgl.
= Kossinna, dsgl.
Dr. Blau, Bibliothekar.
= Paalzow, dsgl.
= Schulze, dsgl.
= Frantz, dsgl.
= Preuß, dsgl.
= Reimann, dsgl.
= Peter, dsgl.
= Dorsch, dsgl.
= Jahr, dsgl.
= Hortzschansky, dsgl.
= Kopp, dsgl.
= Hamann, dsgl., Prof.
= Kukula, Bibliothekar.

f. Bureau.

Jochens, Kanzleirath, Ober-Sekretär.

2. Königliche Sternwarte.

(SW. Enckeplatz 3 A.)

Direktor: Dr. Foerster, Geh. Reg. Rath, o. Prof. a. d. Univers.

3. Königlicher Botanischer Garten.

(W. Potsdamerstraße 75.)

Direktor: Dr. Engler, Geh. Reg. Rath, o. Prof. a. d. Univers., Mitglied der Akademie der Wissenschaften.
Unter-Direktor: Dr. Urban, Prof.
Inspektor: Perring.

4. Königliches Geodätisches Institut und Centralbureau der Internationalen Erdmessung auf dem Telegraphenberge bei Potsdam.

Direktor.

Dr. Helmert, Geh. Reg. Rath, Prof. a. d. Universität.

Sektionschefs.

Dr. Albrecht, Prof. Dr. Löw, Prof.

Bureau.

Mendelson, Sekretär und Kalkulator.

5. Königliches Meteorologisches Institut zu Berlin nebst Observatorien auf dem Telegraphenberge bei Potsdam.

I. Centralstelle.

(Berlin W., Schinkelplatz 6.)

Direktor.

Dr. von Bezold, Geh. Reg. Rath, Prof. an der Universität, Mitglied der Akademie der Wissenschaften zu Berlin.

Wissenschaftliche Oberbeamte.

Dr. Hellmann, Prof.
„ Aßmann, dsgl., Privatdozent a. d. Universität.
„ Kremser, Prof.

Bureau.

von Büttner, Sekretär.

II. Meteorologisches und Magnetisches Observatorium bei Potsdam.

Wissenschaftliche Oberbeamte.

Dr. Sprung, Prof., Vorsteher.
" Eschenhagen, Prof., Observator.

6. Königliches Astrophysikalisches Observatorium auf dem Telegraphenberge bei Potsdam.

Direktor.

Dr. Vogel, Geh. Reg. Rath, Prof., Mitglied der Akademie der Wissenschaften zu Berlin.

Observatoren.

Dr. Lohse, Erster Observator und Stellvertreter des Direktors in Behinderungsfällen.
" Müller, G., Prof.
" Kempf, desgl.

K. Die Königlichen Universitäten.

1. Albertus-Universität zu Königsberg i. Pr.

Kurator.

Se. Exc. Graf von Bismarck-Schönhausen, Ober-Präsident.

Kuratorialrath und Stellvertreter des Kurators in Behinderungsfällen.

Dr. Maubach, Oberpräsidialrath.

Zeitiger Rektor.

Prof. Dr. Fleischmann, Geh. Reg. Rath.

Universitäts-Richter.

Dr. von der Trenck, Oberlandesgerichtsrath.

Zeitige Dekane

der Theologischen Fakultät: Prof. D. Jacoby,
der Juristischen Fakultät: Prof. Dr. Güterbock,
der Medizinischen Fakultät: Prof. Dr. Lichtheim,
der Philosophischen Fakultät: Prof. Dr. Lürssen.

Der akademische Senat besteht aus

dem zeitigen Rektor Prof. Dr. Fleischmann, Geh. Reg. Rath,

dem zeitigen Prorektor (Derselbe),
dem zeitigen Stipendien-Kurator, Prof. Dr. Güterbock, Geh. Just. Rath,
dem Universitätsrichter, Oberlandesgerichtsrath Dr. von der Trenck,
den Dekanen der Theologischen, Medizinischen und Philosophischen Fakultät und folgenden Senatoren:

Prof. Dr. Prutz.
" " Schirmer, Geh. Just. Rath.
Prof. Dr. Dohrn, Geh. Med. Rath.
" " Ludwich.
" " Cornill.

Fakultäten.

1. Theologische Fakultät.

a. Ordentliche Professoren.

D. Sommer, Konsist. Rath.
" Jacoby, Konsist. Rath und Mitglied des Konsistoriums der Provinz Ostpreußen.
D. et Dr. phil. Cornill.
" Benrath.
" Dorner.
Dr. phil. Kühl.

b. Außerordentliche Professoren.

D. Klöpper.
" Link.
Lic. theol. Voigt.

2. Juristische Fakultät.

a. Ordentliche Professoren.

Dr. Schirmer, Geh. Just. Rath.
" Güterbock, dsgl., Mitglied des Herrenhauses.
Dr. Gareis, Geh. Just. Rath.
" Zorn, dsgl.
" Salkowsky.

b. Außerordentlicher Professor.

Dr. Gradenwitz.

c. Privatdozenten.

Dr. Weyl, Gerichts-Assessor.
" Schön, Reg. Assessor.
Dr. Hubrich, Gerichts-Assessor.

3. Medizinische Fakultät.

a. Ordentliche Professoren.

Dr. Dohrn, Geh. Med. Rath, Mitglied des Medizinal-Kollegiums der Provinz Ostpreußen.
" Neumann, Geh. Med. Rath.
" Jaffe, dsgl.
" Kuhnt.
Dr. Hermann, Geh. Med. Rath.
" Stieda, dsgl.
" Lichtheim, Med. Rath, Mitglied des Medizinal-Kollegiums der Provinz Ostpreußen.
" Frhr. von Eiselsberg.

b. Außerordentliche Professoren.

Dr. Grünhagen, Geh. Med. Rath.
„ Samuel.
„ Berthold.
„ Schneider.
„ Caspary.
„ Schreiber.

Dr. Seydel, Stadtphysikus u. Med. Assessor.
„ von Esmarch.
„ Zander.
„ Nauwerck.
„ Meschede, Direkt. d. städt. Krankenanstalt.

c. Privatdozenten.

Dr. Münster, Prof.
„ Stetter, Prof.
„ Falkenheim.
„ Samter.
„ Valentini.
„ Hilbert.
„ Kafemann.

Dr. von Krzywicki.
„ Cohn, Rud.
„ Rosinski.
„ Askanazy.
„ Czaplewski.
„ Gerber.

4. Philosophische Fakultät.

a. Ordentliche Professoren.

Dr. Friedländer, Geh. Reg. Rath.
„ Schade, dsgl.
„ Umpfenbach, dsgl.
„ Spirgatis.
„ Ritthausen.
„ Kißner.
„ Rühl.
„ Walter.
„ Prutz.
„ Lossen, Geh. Reg. Rath.
„ Pape.
„ Ludwich.
„ Bezzenberger.
„ Thiele.

Dr. Fleischmann, Geh. Reg. Rath.
„ Hahn.
„ Braun.
„ Luerssen.
„ Jahn.
„ Baumgart.
„ Erler.
„ Jeep.
„ Volkmann.
„ Minkowski.
„ Struve.
„ Roßbach.
„ Mügge.

b. Außerordentliche Professoren.

Dr. Lohmeyer.
„ Saalschütz.
„ Marek.
„ Schubert.
„ Blochmann,
„ Franz.
„ Kaluza.

Dr. Gerlach.
„ Haendcke.
„ Stäckel.
„ Klinger, außerord. Prof. an der Universität Bonn.
„ Franke.

c. Privatdozenten.

Dr. Merguet, Gymnasial-Oberlehrer a. D.
= Jentzsch, Prof.
= Rahts.
= Lassar-Cohn, Prof.
= Hoffmann.
= Wiechert.
Dr. Cohn, Fritz.
= Uhl.
= Peiser.
= Ehrenberg.
= Schellwien.
= Tolbiehn.

Beamte.

Kirstein, Rechnungsrath, Universitäts-Kassen-Rendant und Quästor.
Stürtz, Universitäts-Sekretär.

---

2. Friedrich-Wilhelms-Universität zu Berlin.

Kuratorium.

Stellvertreter.

Der zeitige Rektor, Geh. Reg. Rath, Prof. Dr. Wagner, und der Universitätsrichter, Geh. Reg. Rath Dr. Daude.

Zeitiger Rektor.

Geh. Reg. Rath, Prof. Dr. Wagner.

Universitäts-Richter.

Dr. Daude, Geh. Reg. Rath.

Zeitige Dekane

der Theologischen Fakultät: ord. Prof. D. Dr. Schlatter,
der Juristischen Fakultät: ord. Prof. Dr. Brunner, Geh. Just. Rath,
der Medizinischen Fakultät: ord. Prof. Dr. Rubner,
der Philosophischen Fakultät: ord. Prof. Dr. Scheffer-Boichorst.

Der akademische Senat

besteht aus dem Rektor. dem Universitäts-Richter, dem Prorektor ord. Prof. D. Pfleiderer,
den Dekanen der vier Fakultäten und den Senatoren:
ord. Prof. Dr. Sachau, Geh. Reg. Rath.
= = = Diels.
= = = Moebius, Geh. Reg. Rath.
= = = Hinschius, Geh. Just. Rath.
= = = Kleinert, Ober-Konsist. Rath.

Fakultäten.

1. Theologische Fakultät.

a. Ordentliche Professoren.

D. Steinmeyer.
„ Weiß, Wirkl. Ober-Konsistorialrath und vortragender Rath im Ministerium der geistlichen zc. Angelegenheiten.
„ Frhr. von der Goltz, Wirkl. Ober-Konsistorialrath, geistlicher Vice-Präsident des Evang. Ober-Kirchenrathes und Propst bei St. Petri zu Kölln-Berlin.
„ Pfleiderer.
„ Kleinert, Ob. Konsistorialrath, Mitglied des Evang. Ober-Kirchenrathes.
„ Dr. phil. Harnack, Mitglied der Akad. der Wissenschaften.
D. Kaftan.
„ Schlatter.
„ et Dr. phil. Baethgen, Konsistorialrath.

b. Ordentlicher Honorar-Professor.

D. Dr. jur. Brückner, Wirkl. Ober-Konsistorialrath, Mitglied des Staatsrathes und Propst zu Berlin.

c. Außerordentliche Professoren.

D. Strack.
„ Lommatzsch.
„ Deutsch, Konsistorialrath und Mitglied des Konsistoriums der Provinz Brandenburg.
Lic. Dr. Müller.
„ „ Runze.
„ „ Frhr. von Soden.
„ Gunkel.

d. Privatdozent.

Lic. Plath, Prof.

2. Juristische Fakultät.

a. Ordentliche Professoren.

Dr. Dernburg, Geh. Just. Rath, Mitglied des Herrenhauses.
„ Berner, Geh. Just. Rath.
„ Goldschmidt, dsgl.
„ Hinschius, dsgl., Mitglied des Herrenhauses.
„ Brunner, dsgl., Mitglied der Akademie der Wissenschaften.
„ Hübler, Geh. Ob. Reg. Rath.
„ Pernice, Geh. Just. Rath, Mitglied der Akademie der Wissenschaften.
„ Gierke, Geh. Just. Rath.
„ Eck, dsgl.

Dr. Kohler.
D. Dr. Kahl, Geh. Just. Rath.

b. Ordentliche Honorar-Professoren.

Dr. Aegidi, Geh. Legationsrath z. D.
" Stölzel, Präsident der Justiz-Prüfungs-Kommission und vortragender Rath im Justizministerium, Kronsyndikus und Mitglied des Herrenhauses.
" von Cuny, Geh. Just. Rath, Mitglied der Hauptverwaltung der Staatsschulden.

c. Außerordentliche Professoren.

Dr. Dambach, Wirkl. Geh. Ober-Postrath, vortrag. Rath und Justitiar im Reichs-Postamte, Kronsyndikus und Mitglied des Herrenhauses.
" Zeumer.
" Crome.
" Biermann.
" Oertmann.

d. Privatdozenten.

Dr. Jacoby, Prof., Just. Rath, Rechtsanwalt u. Notar.
" Bornhak, Amtsrichter.
" Preuß.
" Heilborn.
Dr. Laß, Kaiserl. Reg. Rath.
" Kaufmann, Ger. Assess.
" Burchard.
" Seckel.

3. Medizinische Fakultät.

a. Ordentliche Professoren.

Dr. Virchow, Geh. Medizinalrath, Mitglied der Akademie der Wissenschaften.
" du Bois-Reymond, Geh. Ob. Med. Rath, Mitglied der Akademie der Wissenschaften.
" Gerhardt, Geh. Med. Rath.
" Olshausen, dsgl.
" Leyden, dsgl.
" Gusserow, dsgl.
" Waldeyer, dsgl., Mitglied und beständiger Sekretar der Akademie der Wissenschaften.
" von Bergmann, dsgl. und Generalarzt I. Kl. à la suite des Sanitätskorps mit dem Range als Generalmajor.
" Liebreich, Geh. Med. Rath.
" Schweigger, dsgl., Generalarzt.
" Jolly, Geh. Med. Rath.
" Hertwig, Mitglied der Akademie der Wissenschaften.
" Rubner.

Dr. Heubner, Geh. Med. Rath.
= König, dsgl.

b. Ordentliche Honorar-Professoren.

Dr. Rose, Geh Med. Rath, dirigirender Arzt der chirurgischen Station des Krankenhauses Bethanien.
= Koch, Geh. Med. Rath, Generalarzt I. Kl. à la suite des Sanitätskorps, Mitglied des Staatsrathes, Direktor des Institutes für Infektionskrankheiten.
= Skrzeczka, Geh. Ob. Med. Rath und vortrag. Rath im Ministerium der geistlichen 2c. Angelegenheiten.
= von Coler, Exc., General-Stabsarzt der Armee mit dem Range als General-Lieutenant, Abth. Chef im Kriegsministerium, Wirkl. Geh. Ob. Med. Rath, Chef des Sanitätskorps, Direktor der Militärärztlichen Bildungsanstalten und Präses der Prüfungs-Kommission für Ober-Militärärzte.

c. Außerordentliche Professoren.

Dr. Henoch, Geh. Med. Rath.
= Gurlt, dsgl.
= Lewin, Georg Rich., dsgl.
= Munk, Herm., Mitglied d. Akad. d. Wissenschaften.
= Lucae, Geh. Med. Rath.
= Salkowski.
= Fritsch, Geh. Med. Rath.
= Senator, dsgl.
= Busch.
= Fasbender.
= Schöler, Geh. Med. Rath.
= Hirschberg, dsgl.
= Ewald.
= Bernhardt.
= Sonnenburg.
= Schweninger, Geh. Med. Rath.

Dr. Wolff, Julius.
= Mendel.
= Fränkel, Bernh., Geh. Med. Rath.
= Trautmann, dsgl., Generalarzt a. D.
= Virchow, Hans.
= Wolff, Max.
= Brieger.
= Ehrlich.
= Moeli, Direktor der städtischen Irrenanstalt zu Lichtenberg.
= Baginsky.
= Israel.
= Winter.
= Miller.
= Straßmann.

d. Privatdozenten.

Dr. Kristeller, Geh. Sanitätsrath.
= Mitscherlich, Prof.
= Schelske.
= Tobold, Prof., Geh. Sanitätsrath.

Dr. Eulenburg, früh. ordentl. Prof. in Greifswald.
= Burchardt, Prof., Ober-Stabsarzt I. Kl. und Erster Garnisonarzt von Berlin.

Dr. Rieß, Sanitätsrath, Prof.
" Güterbock, Prof., Med. R.
" Perl, Sanitätsrath.
" Guttstadt, Prof., Dezernent für Medizinalstatistik im Königl. Statist. Bureau.
" Landau, Prof.
" Martin, dsgl.
" Litten, dsgl.
" Fränkel, Albert, dsgl.
" Remak, dsgl.
" Veit, dsgl.
" Horstmann, dsgl.
" Salomon.
" Lassar, Prof.
" Lewinski.
" Lewin, Louis, Prof.
" Herter.
" Rabl-Rückhard, Prof. u. Ob. Stabsarzt I. Kl. a. D.
" Behrend.
" Gluck, Prof.
" Schüller, dsgl.
" Munk, Immanuel, dsgl.
" Grunmach, dsgl.
" Baginsky, Benno.
" Krause, Herm., Prof.
" Oppenheim, dsgl.
" Benda.
" Jacobson.
" Krönig, Prof.
" Dührssen, dsgl.
" Preyer, früh. ord. Prof. in Jena, Grßhzgl. Sächs. Hofrath.
" Langgard, Prof.

Dr. Rawitz.
" Nagel.
" Rosenheim.
" Klemperer.
" Nitze.
" Siler.
" Langerhans, Prof.
" Hansemann.
" Posner, Prof.
" Pfeiffer, dsgl.
" du Bois-Reymond.
" Goldscheider, Professor, Stabsarzt.
" de Ruyter.
" Köppen.
" Günther.
" Pagel.
" Thierfelder.
" Casper.
" Krause, Joh. Friedr. Wilh., Prof.
" Katz.
" Hirschfeld.
" Grawitz.
" Heymann.
" Neumann.
" Nasse.
" Ohlmüller.
" Westphal.
" Greeff.
" Gebhard.
" Wernicke.
" Mendelsohn.
" Loewy.
" Bonhoff.

4. Philosophische Fakultät.

a. Ordentliche Professoren.

Dr. Zeller, Wirkl. Geh. Rath, Exc., Ehrenmitglied der Gesammtakademie der Wissenschaften.
" Weinhold, Geh. Reg. Rath, Mitglied der Akademie der Wissenschaften.

Dr. Mommsen, Mitglied der Akademie der Wissenschaften, Vicekanzler der Friedensklasse des Ordens pour le mérite.
" Curtius, Wirkl. Geh. Rath, Exc., Mitglied der Akad. der Wissenschaften.
" Vahlen, Geh. Reg. Rath, Mitglied und beständiger Sekretar der Akad. der Wissenschaften.
" Wattenbach, dsgl., Mitglied der Akad. der Wissenschaften.
D. Dr. Schrader, dsgl., dsgl.
Dr. Weierstraß, Mitglied der Akademie der Wissenschaften.
" Wagner, Adolf, Geh. Reg. Rath.
" Beyrich, Geh. Bergrath, Verwaltungs-Direktor d. Museums für Naturkunde, Mitglied der Akademie der Wissenschaften.
" Kirchhoff, Geh. Reg. Rath, Mitglied der Akademie der Wissenschaften.
" Schmoller, Mitglied des Staatsrathes und der Akademie der Wissenschaften, Historiograph der Brandenburgischen Geschichte.
" von Treitschke, Geh. Reg. Rath, Historiograph des Preußischen Staates, Mitglied der Akademie der Wissenschaften.
" Dilthey, Geh. Reg. Rath, Mitglied der Akademie der Wissenschaften.
" Schwendener, dsgl., dsgl.
" Weber, Albr., Mitglied der Akademie der Wissenschaften.
" Landolt, Geh. Reg. Rath, dsgl.
" Möbius, Karl, dsgl., dsgl.
" Fuchs, Mitglied der Akad. der Wissenschaften.
" Hübner.
" Tobler, Mitglied der Akademie der Wissenschaften.
" Schulze, Franz Eilhard, Geh. Reg. Rath, dsgl.
" Köhler, Mitglied der Akademie der Wissenschaften.
" Sachau, Geh. Reg. Rath, dsgl.
" Hirschfeld, Mitglied der Akademie der Wissenschaften.
" Grimm, Geh. Reg. Rath.
" Schmidt, Joh., Mitglied der Akademie der Wissenschaften.
" Kekule von Stradonitz, Geh. Reg. Rath, Direktor der Sammlung der antiken Bildwerke und Gipsabgüsse der Königl. Museen.
" Stumpf, Mitglied der Akademie der Wissenschaften.
" Kiepert, dsgl.
" Rammelsberg, Geh. Reg. Rath, dsgl.
" Foerster, Geh. Reg. Rath.
" Schwarz, Mitglied der Akademie der Wissenschaften.
" Frhr. von Richthofen, Geh. Reg. Rath.

Dr. Warburg, Mitglied der Akademie der Wissenschaften.
" Scheffer-Boichorst.
" Klein, Geh. Bergrath, Mitglied der Akademie der Wissenschaften.
" Engler, Geh. Reg. Rath, Mitglied der Akademie der Wissenschaften.
" Schmidt, Erich, Mitglied der Akademie der Wissenschaften.
" Fischer, dsgl.
" Lenz.
" von Bezold, Geh. Reg. Rath, Mitglied der Akademie der Wissenschaften.
" Diels, Mitglied und beständiger Sekretar der Akademie der Wissenschaften.
" Helmert, Geh. Reg. Rath.
" Brandl.
" Dames, Mitglied der Akademie der Wissenschaften.
" Frobenius, dsgl.
" Brückner, Alex.
" Erman, Direktor der ägyptischen Abtheilung der Königlichen Museen, Mitglied der Akademie der Wissenschaften.
" Planck, Mitglied der Akademie der Wissenschaften.
" Paulsen.

b. Ordentliche Honorar-Professoren.

Dr. Lazarus, Geh. Reg. Rath.
" Tiemann.
" Meitzen, Geh. Reg. Rath.
" Böckh, Geh. Reg. Rath, Direktor des statist. Bureaus der Stadt Berlin.

c. Außerordentliche Professoren.

Dr. Dieterici, Friedrich, Geh. Reg. Rath.
" Schneider, Ernst Robert, dsgl.
" Steinthal.
" Bellermann, Mitglied der Akademie der Künste.
" Wichelhaus, Geh. Reg. Rath.
" Orth, dsgl.
" Garcke.
" Bastian, Geh. Reg. Rath, Direktor des Museums für Völkerkunde.
Dr. Kny.
" Ascherson, Paul.
" von Martens.
" Sell, Geh. Reg. Rath.
" Berendt, Landesgeologe.
" Pinner.
" Liebermann.
" Geiger.
" Wittmack, Geh. Reg. Rath.
" Magnus.
" Barth.
" Hettner.
" Roediger.
" Delbrück.

Dr. Sering.
" Biedermann.
" Gabriel.
" Hoffory.
" Frey.
" Reesen.
" Knoblauch.
" König.
" Geldner.
" Lehmann-Filhés.
" Grube.
" Will, Mitglied der Königl. Versuchsstelle f. Sprengstoffe.

Dr. Hensel.
" Schiemann.
" Heusler.
" Scheiner, im Nebenamte, wissensch. Assistent am Astrophysikal. Observatorium zu Potsdam.
" Blasius.
" Fleischer.

d. Privatdozenten.

Dr. Hoppe, Prof.
" Glan, dsgl.
" Aron, Geh. Reg. Rath, Prof.
" Lasson, Prof.
" Droysen.
" von Kaufmann, Geh. Reg. Rath, Prof. der Staatswissensch. an der Technischen Hochschule zu Berlin.
" Karsch, Prof.
" Thiesen, Prof. bei der Physikalisch-Technischen Reichsanstalt.
" Klebs.
" Schotten, Prof., Kaiserl. Reg. Rath.
" Dessau.
" Simmel.
" Höniger, Prof.
" Döring, dsgl., Gymnas. Dir. a. D.
" Kalkmann.
" Fock.
" Jastrow.
" Hayduck, Prof.
" Pringsheim.
" Weinstein, Prof., Reg. Rath.

Dr. Meyer, Rich.
" Seeliger.
" Wahnschaffe, Landesgeologe, Prof. an der Bergakademie.
" Tenne, Prof.
" Wesendonk.
" Aßmann, Prof.
" Kötter, dsgl.
" Volkens, dsgl.
" Rothstein.
" Friedheim.
" Freund.
" Reissert.
" Sternfeld.
" von Luschan.
" Schlesinger, Prof.
" Jahn, dsgl.
" Traube.
" Marckwald.
" Dove.
" Graef.
" Puchstein.
" Arons.
" Reinhardt.
" Jaekel, Prof.
" Liesegang.
" Oldenberg.
" Winckler.
" Herrmann.

Dr. Kretschmer.
= Wohl.
= Kübler.
= Huth.
= Warburg.
= Dessoir.
= Wien.
= Rubens, Prof.
= Köpp.
= Breisig.
= du Bois
= Rimbach.
= Thomas.
= Spannagel.
= Goldschmidt.
= Froehde.
= Schumann, Prof.
= Raps.
= Schultz, Oskar.

Dr. Lehmann, Carl.
= Kretschmer.
= Schmekel.
= Krigar=Menzel.
= Winter.
= Seler.
= Gilg.
= Kern.
= Schumann.
= Friedländer.
= Thoms.
= Oppert.
= Lindau.
= Schöpff.
= Heymons.
= Sethe.
= Plate.
= Hintze.

Beamte.

Claus, Rechnungsrath, Rendant und Quästor.
Schmidt, Rechnungsrath, Universitäts=Kuratorial=Sekretär und Kalkulator.
Wetzel, Kanzleirath, Universitäts=Sekretär.
Entzian, Universitäts=Rektorats=Sekretär.

---

3. Universität zu Greifswald.

Kurator.

von Hausen, Geheimer Regierungsrath.

Zeitiger Rektor.

Prof. D. Schultze.

Universitäts=Richter.

Dr. Gesterding, Polizei=Direktor.

Zeitige Dekane

der Theologischen Fakultät: Prof. D. theol. et Dr. phil. Zöckler, Konsist. Rath,
der Juristischen Fakultät: Prof. Dr. Stoerk,
der Medizinischen Fakultät: Prof. Dr. Schulz,
der Philosophischen Fakultät: Prof. Dr. Bernheim.

Der akademische Senat

besteht außer dem zeitigen Rektor, dem Universitäts-Richter und den Dekanen der vier Fakultäten, z. Zt. aus
dem zeitigen Prorektor Prof. Dr. Koschwitz,
" " Minnigerode,
" " Grawitz,
" " Pescatore,
" " Ulmann.

Das akademische Konzil

besteht aus dem Rektor, als Vorsitzenden, und allen ordentlichen Professoren.

Fakultäten.

1. Theologische Fakultät.

a. Ordentliche Professoren.

D. et Dr. phil. Zöckler, Konsist. Rath.
" et Dr. jur. Cremer, dsgl.
" Schultze.
" von Nathusius.
" et Dr. phil. Haußleiter.
" Oettli.

b. Ordentlicher Honorar-Professor.

D. et Dr. phil. Giesebrecht.

c. Außerordentlicher Professor.

Lic. theol. Lütgert.

d. Privatdozenten.

Lic. theol. Dalmer, Prof.
" " Lezius.

2. Juristische Fakultät.

a. Ordentliche Professoren.

Dr. Häberlin, Geh. Justizrath.
D. et Dr. jur. Bierling, dsgl., Mitglied des Herrenhauses.
Dr. Pescatore.
Dr. Weismann.
" Stoerk.
" Stampe.
" Frommhold.

b. Privatdozent.

Dr. Medem, Prof., Landgerichtsrath.

3. Medizinische Fakultät.

a. Ordentliche Professoren.

Dr. Pernice, Geh. Med. Rath.
" Mosler, dsgl.
" Landois, dsgl.
" Schirmer, dsgl.
" Schulz.
" Sommer, Geh. Med. Rath.
Dr. Helferich, dsgl., Generalarzt I. Kl. à la suite.
" Grawitz.
" Löffler, Geh. Med. Rath.
" Bonnet.

b. Außerordentliche Professoren.

Dr. Arndt.
" Krabler.
" Solger.
" Frhr. von Preuschen von und zu Liebenstein.
" Beumer, Kreisphysikus.
Dr. Strübing.
" Heidenhain.
" Peiper.
" Schirmer.
" Ballowitz.

c. Privatdozenten.

Dr. Hoffmann.
" Stöwer.
Dr. Abel.
" Enderlen.

4. Philosophische Fakultät.

a. Ordentliche Professoren.

Dr. med. et phil. Limprecht, Geh. Reg. Rath.
" Ahlwardt, dsgl.
" Susemihl, dsgl.
" Preuner, dsgl.
" phil. et jur. Schuppe, dsgl.
" Ulmann, dsgl.
" Thomé.
" Schwanert.
" Reifferscheid.
" Zimmer.
" Cohen.
Dr. Minnigerode.
" Seeck.
" Rehmke.
" Bernheim.
" Struck.
" Credner.
" Fuchs.
" Norden.
" Schütt.
" Richarz.
" Müller, Wilh.
" Stengel.
" Gercke.

b. Außerordentliche Professoren.

Dr. Pyl.
" Konrath.
" Holtz.
Dr. Pietsch, z. Z. beurlaubt.
Lic. theol. et Dr. phil. Keßler.
Dr. Deecke.

c. Privatdozenten.

Dr. Möller, Prof.
" Schmitt, dsgl.
Dr. Siebs, Prof.
" Semmler.

Dr. Biltz.	Dr. Wellmann.
" Jacob.	" Pernice.
" Brendel.	" Rost.
" Bruinier.	" Schreber.
" Altmann.	" Schmöle.

Universitäts-Beamte.

Ballowitz, Rechnungsrath, Universitätskassen-Rendant.
Räder, Rechnungsrath, Universitäts-Quästor.
Otto, Kuratorial-Sekretär.
Weichhold, dsgl.
Bohn, Universitäts-Sekretär.

Akademischer Forstmeister.

Wagner, Forstmeister.

Akademischer Baumeister.

Brinkmann, Land-Bauinspektor.

---

4. Universität zu Breslau.

Se. Durchlaucht Fürst von Hatzfeldt-Trachenberg, Ober-Präsident.
Kuratorialrath: von Frankenberg-Proschlitz, Geh. Reg. Rath, Vertreter des Kurators in Behinderungsfällen.

Rektor und Senat.

Rektor: Prof. Dr. Dahn, Geh. Just. Rath.
Exrektor: Prof. Dr. O. E. Meyer, Geh. Reg. Rath.
Universitäts-Richter: Dr. Willdenow, Ob. Reg. Rath.
Dekane
der Evang. theol. Fakultät: Prof. D. Kawerau,
der Kathol. theol. Fakultät: Prof. Dr. Schaefer,
der Jurist. Fakultät: Prof. Dr. Brie, Geh. Just. Rath,
der Mediz. Fakultät: Prof. Dr. Wernicke, Med. Rath.
der Philosoph. Fakultät: Prof. Dr. Partsch.
Erwählte Senatoren:

Prof. Dr. Heidenhain, Geh. Med. Rath.	Prof. Dr. Freudenthal.
" " Schott.	" " Kaufmann.
" " Müller.	" " Marx.

Fakultäten.

1. Evangelisch-theologische Fakultät.

a. Ordentliche Professoren.

D. Hahn.	D. Kawerau.

D. Dr. phil. Müller.
" Kittel.
" Schmidt.
D. Lic. theol. Wrede.
" Dr. phil. Arnold.

b. Ordentlicher Honorar-Professor.

D. Dr. phil. Erdmann, Wirklicher Ober-Konsistorialrath und Generalsuperint. von Schlesien.

c. Außerordentlicher Professor.

Lic. theol. Dr. phil. Löhr.

d. Privatdozent.

Lic. theol. Schulze.

2. Katholisch-theologische Fakultät.

a. Ordentliche Professoren.

Dr. Friedlieb.
" Laemmer, Prälat, Protonotar.
" Probst, Päpstl. Hausprälat, Domherr.
" Scholz, Fürsterzbisch. Geistl. Rath.
Dr. Koenig.
" Krawutzcky.
" Commer.
" Schaefer.

b. Ordentlicher Honorar-Professor.

Dr. Frantz.

c. Außerordentliche Professoren.

Dr. Müller.
Dr. Nürnberger.

d. Privatdozent.

Lic. theol. von Tessen-Wesierski.

3. Juristische Fakultät.

a. Ordentliche Professoren.

Dr. Dahn, Geh. Justizrath.
" Brie, dsgl.
" Leonhard.
" Fischer, Oberlandesgerichtsrath.
Dr. Bennecke.
" Jörs.

b. Außerordentlicher Professor.

Dr. Bruck.

c. Privatdozenten.

Dr. Eger, Reg. Rath (beurlaubt).
" Beling, Gerichts-Assessor.

4. Medizinische Fakultät.

a. Ordentliche Professoren.

Dr. Heidenhain, Geh. Med. Rath.
" Fischer, dsgl.
" Förster, dsgl., Mitglied des Herrenhauses.
" Hasse, Geh. Med. Rath.
" Ponfick, dsgl.
" Mikulicz, dsgl., Mitglied des Medizinalkollegiums der Provinz Schlesien.

Dr. Flügge, Geh. Med. Rath.
" Filehne.
" Küstner, Med. Rath, Mitglied des Medizinalkollegiums der Provinz Schlesien.
" Wernicke, Med. Rath.
" Kast.

b. Außerordentliche Professoren.

Dr. Auerbach.
" Cohn, Herm.
" Richter, Med. Rath.
" Hirt.
" Neisser, Geh. Med. Rath.
" Magnus.
" Born.
" Wiener.
" Lesser.
" Rosenbach.

Dr. Partsch, Karl, dirig. Arzt d. Konventhospitals der Barmherzigen Brüder.
" Kolaczek, dirig. Arzt des St. Josef-Krankenhauses.
" Röhmann.
" Czerny.
" Barth.
" Hürthle.

c. Privatdozenten.

Dr. Bruck, Prof.
" Fränkel, Ernst, Prof.
" Buchwald, Prof., leitender Arzt des Allerheiligen Hospitals.
" Jacobi, Prof., Sanitätsrath, Bezirksphysikus.
" Kroner.
" Hiller.

Dr. Kaufmann, Prof.
" Alexander.
" Pfannenstiel.
" Stern.
" Groenouw.
" Tietze.
" Lübbert.
" Kümmel.
" Weintraud.

5. Philosophische Fakultät.

a. Ordentliche Professoren.

Dr. Galle, Geh. Reg. Rath.
" Roßbach, Aug., dsgl.
" Meyer, O. E., dsgl.
" Poleck, dsgl.
" Nehring, dsgl.
" Cohn, Ferd., dsgl.

Dr. Ladenburg, Geh. Reg. Rath.
" Foerster, dsgl.
" Rosanes.
" Sturm.
" Weber, Th.

Dr. von Funke.
" Caro.
" Baeumker.
" Thun.
" Partsch, Jos.
" Vogt.
" Kölbing.
" Hüffer.
" Elster.
" Freudenthal.
" Fick
" Hillebrandt.
Dr Kaufmann.
" Marx.
" Wilcken.
" Appel.
" Hintze.
" Holdefleiß.
" Fraenkel, Sigm.
" Pax.
" Delitzsch.
" Ebbinghaus.
" Muther.

b. Außerordentliche Professoren.

Dr. Grünhagen, Geh. Archivrath.
" Weiske.
" Metzdorf.
" Friedlaender.
" Zacher.
Dr. Sombart.
" Frech.
" Ahrends.
" von Rümker.
" Heydweiller.

c. Privatdozenten.

Dr. Bobertag, Prof.
" Cohn, Leop.
" Rohde, Prof.
" Gürich.
" London.
" Kruse.
" Skutsch.
" Mez.
" Semrau.
Dr. Liebich.
" Rosen.
" Milch.
" Brockelmann.
" Abel.
" Braem.
" Jiriczek.
" Kroll.
" Scholtz.

Universitäts-Beamte.

Klepper, Rechnungsrath, Rendant und Quästor.
Richter, Universitäts-Sekretär.

---

5. Vereinigte Friedrichs-Universität Halle-Wittenberg zu Halle.

Kurator.

D. Dr. Schrader, Geh. Ob. Reg. Rath.

Rektor.

Prof. Dr. Droysen.

Universitäts-Richter.

Ebbecke, Landgerichtsrath.

Dekane der Fakultäten.

In der Theologischen Fakultät: Prof. D. Beyschlag.
In der Juristischen Fakultät: Prof. Dr. Heck.
In der Medizinischen Fakultät: Prof. Dr. Hitzig, Geh. Med. Rath.
In der Philosophischen Fakultät: Prof. Dr. Kraus.

Das Generalkonzil

besteht aus sämmtlichen ordentlichen Professoren und dem Universitäts-Richter.

Der akademische Senat

besteht aus dem Rektor, dem Prorektor, den Dekanen der vier Fakultäten, fünf aus der Zahl der ordentlichen Professoren gewählten Senatoren und dem Universitäts-Richter.

Wahlsenatoren
vom 12. Juli 1895 bis 12. Juli 1896.

Prof. D. Dr. Loofs.
" Dr. von Bramann.
" " Haym.
Prof. Dr. Wangerin.
" " Wagner.

Universitäts-Aedil.

Prof. Dr. Heck.

Fakultäten.

1. Theologische Fakultät.

a. Ordentliche Professoren.

D. Dr. Köstlin, Ober-Konsist. Rath, ordentl. Mitglied des Konsistoriums der Provinz Sachsen.
" Beyschlag.
D. Haupt, Konsist. Rath.
" Hering, dsgl.
" Kähler.
" Dr. Kautzsch.
" " Loofs.

b. Außerordentliche Professoren.

Lic. theol. Eichhorn.
Lic. theol. Dr. phil. Rothstein.

c. Privatdozenten.

D. Förster, Prof., Königlicher Superint.
Lic. theol. Dr. phil. Clemen.
" " " " Ficker.
Lic. theol. Stange.
" " Dr. phil. Steuernagel.
" " " " Beer.

2. Juristische Fakultät.

a. Ordentliche Professoren.

Dr. Fitting, Geh. Just. Rath.
" Boretius.
" Lastig, Geh. Just. Rath.
" v. Liszt.
Dr. Loening, Geh. Just. Rath.
" Stammler.
" Heck.
" Endemann.

b. Ordentlicher Honorar-Professor.

Dr. von Brünneck.

c. Außerordentliche Professoren.

Dr. Arndt, Ober-Bergrath u. Justitiar bei dem Oberbergamte.
Dr. van Calker.
" Schultze.

3. Medizinische Fakultät.

a. Ordentliche Professoren.

Dr. Weber, Geh. Med. Rath.
" Ackermann, dsgl.
" Welcker, dsgl.
" Bernstein.
" Graefe, Geh. Med. Rath.
" Hitzig, dsgl.
" von Hippel, dsgl.
Dr. Eberth, Geh. Med. Rath.
" Harnack.
" von Bramann.
" Fraenkel.
" Fehling.
" Frhr. von Mering.
" Roux.

b. Außerordentliche Professoren.

Dr. Schwartze, Geh. Med. Rath.
" Kohlschütter.
" Seeligmüller.
" Pott.
Dr. Genzmer.
" Oberst.
" Schwarz.
" Bunge.

c. Privatdozenten.

Dr. Hollaender, Prof.
" Heßler.
" Leser, Prof.
" Risel, San. Rath, Kreisphysikus.
" von Herff, Prof.
Dr. Eisler.
" Kromayer.
" Wollenberg.
" Braunschweig.
" Haasler.

4. Philosophische Fakultät.

a. Ordentliche Professoren.

Dr. Kühn, Geh. Ob. Reg. Rath.
" Haym.
" Kraus.
Dr. Conrad, Geh. Reg. Rath.
" Droysen.
" Kirchhoff.

Dr. Grenacher.
= Dittenberger, Geh. Reg. Rath.
= Suchier.
= Frhr. v. Fritsch, Geh. Reg. Rath.
= Lindner, Geh. Reg. Rath.
= Pischel.
= Volhard, Geh. Reg. Rath.
= Cantor.
= Erdmann.
= Robert.
= Praetorius.

Dr. Blaß.
= Wangerin.
= Meyer.
= Dorn.
= Wissowa.
= Maercker, Geh. Reg. Rath.
= Burdach.
= Wagner.
= Vaihinger.
= Friedberg.
= Strauch.
= Bechtel.

b. Ordentliche Honorar-Professoren.

Dr. Hertzberg.

Dr. Pütz.

c. Außerordentliche Professoren.

Dr. Taschenberg I., Ernst.
= Freytag, Geh. Reg. Rath.
= Wüst.
= Ewald.
= Rathke, z. Z. in Marburg.
= Zachariä.
= Luedecke.
= Döbner.
= Wiltheiß (z. Z. beurlaubt).

Dr. Zopf.
= Taschenberg II., Otto.
= Friedensburg (z. Zt. beurlaubt).
= Uphues.
= Albert.
= Diehl.
= Schmidt.
= Eberhard.

d. Privatdozenten.

Dr. Cornelius, Prof.
= Baumert.
= Erdmann, Hugo, Prof.
= Collitz (z. Z. beurlaubt).
= Husserl, Prof.
= Bremer.
= von Heinemann, Prof.
= Brode.
= Ule.
= Wernicke.
= Schenck.
= Fischer, A.
= Meier.

Dr. Brandes.
= Heukenkamp.
= Ihm.
= Schultze.
= Cluß.
= Sommerlad.
= Schwarz.
= Meißner.
= Schulz.
= Maurenbrecher.
= Fischer, M.
= Wechssler.

Universitäts-Beamte.

Boltze, Rechnungsrath, Rendant und Quästor.
Stade, Rechnungsrath, Kuratorial-Sekretär.
Bärwald, Universitäts-Sekretär.

6. Christian-Albrechts-Universität zu Kiel.

Kurator.

D. Dr. Chalybaeus, Konsistorial-Präsident.

Rektor.

Professor Dr. Seelig.

Dekane

der Theologischen Fakultät: Prof. D. Baumgarten,
der Juristischen Fakultät: Prof. Dr. Pappenheim,
der Medizinischen Fakultät: Prof. Dr. Werth,
der Philosophischen Fakultät: Prof. Dr. Oldenberg.

Akademischer Senat.

Der Rektor.
Der Prorektor: Dr. Pochhammer.
Die vier Dekane.

Vier von dem akademischen Konsistorium gewählte ordentliche Professoren, zur Zeit:

Prof. Dr. Quincke.
" " Schöne.
Prof. Dr. Curtius.
" " Niemeyer.

Akademisches Konsistorium.

Mitglieder: sämmtliche ordentliche Professoren.

Fakultäten.

1. Theologische Fakultät.

a. Ordentliche Professoren.

D. Klostermann.
" Nitzsch.
" von Schubert.
D. Baumgarten.
" Mühlau.

b. Ordentlicher Honorar-Professor.

Dr. Bredenkamp.

c. Außerordentliche Professoren.

Lic. Dr. phil. Bosse.
Lic. Titius.

2. Juristische Fakultät.

a. Ordentliche Professoren.

Dr. Hänel, Geh. Justizrath.
" Schloßmann.
" Pappenheim.
Dr. Niemeyer.
" Frantz.
" Kleinfeller.

b. Privatdozenten.

Dr. Thomsen.
Dr. Rehme.

3. Medizinische Fakultät.

a. Ordentliche Professoren.

Dr. von Esmarch, Geh. Med. Rath, Mitglied des Med. Kolleg. zu Kiel.
" Hensen, Geh. Med. Rath.
" Heller, dsgl.
" Völckers, dsgl.
Dr. Flemming, Geh. Med. Rath.
" Quincke, Geh. Med. Rath, Mitglied d. Med. Kolleg. zu Kiel.
" Werth, Med. Rath, Mitglied des Med. Kolleg. zu Kiel.

b. Außerordentliche Professoren.

Dr. Bockendahl, Reg. und Geh. Med. Rath.
" Petersen.
" Falck.
" Fischer.
Dr. Graf von Spee.
" Rosegarten.
" von Starck.
" von Hoppe-Seyler.
" Bier.

c. Privatdozenten.

Dr. Jessen, Med. Rath.
" Seeger, Sanitätsrath.
" Paulsen.
" Kirchhoff.
" Hochhaus.
Dr. Gläveke.
" Döhle.
" Nicolai.
" Fricke, Zahnarzt

4. Philosophische Fakultät.

a. Ordentliche Professoren.

Dr. Karsten, Geh. Reg. Rath.
" Seelig, dsgl.
" Weyer, dsgl.
" Hoffmann.
" Backhaus, Geh. Reg. Rath.
" Schirren, dsgl.
" Pochhammer, dsgl.
" Krüger, dsgl.
" Busolt.
" Krümmel.
" Reinke, Geh. Reg. Rath, Mitglied des Herrenhauses.
" Lehmann.
Dr. Brandt.
" Gering.
" Deußen.
" Oldenberg.
" Curtius, Geh. Reg. Rath.
" Bruns.
" Körting.
" Schöne, Geh. Reg. Rath.
" Hasbach.
" Ebert.
" Weber.
" Kauffmann.
" Milchhöfer.
" Riehl.

b. Außerordentliche Professoren.

Dr. Haas.
" Sarrazin.
Dr. Rügheimer.
" Lamp.

Dr. Kreutz.
" Rodewald.
Dr. Rodenberg.
" Matthaei.

c. Privatdozenten.

Dr. Groth, Prof.
" Alberti, dsgl.
" Emmerling, dsgl.
" Tönnies, dsgl.
" Berend, dsgl.
" Dahl, dsgl.
" Stoehr, dsgl.
" Wolff.
" Unzer.
" Schneidemühl.
Dr. Cauer, Prof. am Gymnasium.
" Rachfahl.
" Lohmann.
" Buchner, Prof.
" Stolley.
" Stosch, Prof.
" Adickes.
" Karsten.

Beamte.

Syndikus: Paulsen, Amtsgerichtsrath.
Rendant: Maaßen.
Sekretär: Werner.

---

7. Georg-Augusts-Universität zu Göttingen.

Rector Magnificentissimus.

Seine Königl. Hoheit der Regent des Herzogthums Braunschweig Prinz **Albrecht von Preußen.**

Kurator:

Dr. Höpfner, Geh. Ob. Reg. Rath.

Prorektor.

Professor Dr. von Bar, Geh. Justizrath.

Universitäts-Richter.

Bacmeister, Landgerichtsrath.

Dekane

in der Theologischen Fakultät: Prof. D. Dr. Schultz, Konsist. Rath,
in der Juristischen Fakultät: Prof. Dr. Ziebarth, Geh. Just. Rath,
in der Medizinischen Fakultät: Prof. Dr. Schmidt-Rimpler, Geh. Med. Rath,
in der Philosophischen Fakultät: Prof. Dr. Lexis.

Senat.

Vorsitzender: Prorektor Prof. Dr. von Bar, Geh. Justizrath.
Mitglieder: die ordentlichen Professoren und der Univers. Richter.

Fakultäten.

1. Theologische Fakultät.

a. Ordentliche Professoren.

D. Wiesinger, Konsist. Rath, Konventual des Klosters Loccum.
" Dr. phil. Schultz, Konsist. Rath, Abt zu Bursfelde.
" Knoke.
" Dr. phil. Tschackert.
" Bonwetsch.
" Dr. phil. Schürer.
" Reischle.

b. Außerordentlicher Professor.

Lic. theol. Schäber.

c. Privatdozenten.

Lic. Bousset.
" theol. Dr. phil. Rahlfs.
Lic. Hackmann.
" theol. Dr. phil. Achelis.

2. Juristische Fakultät.

a. Ordentliche Professoren.

D. Dr. jur. Dove, Geh. Justizrath, Mitglied d. Herrenhauses und des Landes-Konsist. in Hannover.
Dr. jur. Ziebarth, Geh. Just. Rath.
" jur. et phil. Frensdorff, dsgl.
Dr. von Bar, Geh. Just. Rath.
" Regelsberger, Geheimer Justizrath.
" Merkel, J.
" Ehrenberg.
" Detmold.

b. Ordentlicher Honorar-Professor.

Dr. Planck, Geheimer Justizrath.

c. Außerordentlicher Professor.

Dr. André.

d. Privatdozenten.

Dr. Krückmann.
Dr. von Blume.

3. Medizinische Fakultät.

a. Ordentliche Professoren.

Dr. Hasse, Geh. Hofrath.
" Meißner, Geh. Med. Rath.
" Meyer, Ludw., dsgl.
" Ebstein, dsgl.
Dr. Marmé, dsgl.
" Orth.
" Merkel, Fr.
" Wolffhügel.

Dr. Runge.
" Schmidt-Rimpler, Geh. Med. Rath, General-Arzt II. Kl.
Dr. Braun, Geh. Med. Rath.

b. Ordentlicher Honorar-Professor.

Dr. Esser.

c. Außerordentliche Professoren.

Dr. Krause.
" Lohmeier.
" Husemann.
" Rosenbach.
Dr. Damsch.
" Bürkner.
" Kallius.

d. Privatdozenten.

Dr. Droysen, Prof.
" Hildebrand, dsgl.
" Nicolaier, dsgl.
" Beneke.
Dr. Aschoff.
" Boruttau.
" Kramer.
" Dreser.

4. Philosophische Fakultät.

a. Ordentliche Professoren.

Dr. Wüstenfeld, Geh. Reg. Rath.
" Griepenkerl.
" Schering, Geh. Reg. Rath.
" Baumann, dsgl.
" phil. et med. Ehlers, dsgl.
" Dilthey.
" Volquardsen.
" Wagner, H., Geh. Reg. Rath.
" von Koenen, Geh. Berg-Rath.
" Müller, G. E.
" Riecke.
" Kielhorn.
" Heyne.
" von Wilamowitz-Moellendorff.
" Voigt.
" Cohn.
" Klein, Felix.
" Schur.
" Meyer, W.
Dr. Dziatzko, Geh. Reg. Rath.
" Liebisch.
" Berthold.
" Lexis.
" Peter.
D. Dr. phil. Smend.
Dr. Wallach.
" Leo.
" Liebscher.
" Roethe.
" Stimming.
D. Dr. Wellhausen.
Dr. Morsbach.
" Vischer.
" Lehmann, Max, Ehrenmitglied der Akademie der Wissenschaften zu Berlin.
" Nernst.
" Hilbert.
" Kehr.
" Schulze.

b. Außerordentliche Professoren.

Dr. Tollens.
" Peipers.
" Rehnisch.
" Polstorff.
Freiberg.
Dr. Pietschmann.
" von Buchka.
" Lehmann, Franz.
" Backhaus.
" Schönflies.
" Krauske.

c. Privatdozenten.

Dr. Henking.
" Burkhardt, Prof.
" Bürger.
" Ambronn.
" Pockels.
" Lorenz.
" Rhumbler.
" Abegg.
Dr. Bohlmann.
" Des Coudres.
" Wentzel.
" Schultheß.
" Sommerfeld.
" Brandi.
" Kerp.

Beamte der Universität.

Meyer, Kuratorial-Sekretär.
Steup, Universitäts-Sekretär.
Dr. Bauer, Quästor.
Heine, Domänenrath, Rendant.

---

8. Universität zu Marburg.

Kurator.

Steinmetz, Geh. Ob. Reg. Rath.

Rektor.

Prof. Dr. Küster, Geh. Med. Rath.

Prorektor.

Prof. Dr. Fischer.

Universitäts-Richter.

Geh. Justizrath Prof. Dr. Ubbelohde (s. Jurist. Fakultät).

Dekane

in der Theologischen Fakultät: Prof. D. Dr. Graf Baudissin,
in der Juristischen Fakultät: Prof. Dr. Heinrich Lehmann,
in der Medizinischen Fakultät: Prof. Dr. Friedr. Müller,
in der Philosophischen Fakultät: Prof. Dr. Heß.

Der akademische Senat

besteht aus sämmtlichen ordentlichen Professoren der vier Fakultäten.

Fakultäten.

1. Theologische Fakultät.

a. Ordentliche Professoren.

D. Dr. Herrmann.
" " Graf Baudissin.
" Achelis.
D. Dr. phil. Jülicher.
Lic. D. Mirbt.
D. Weiß.

b. Außerordentlicher Professor.

Lic. theol. Cremer.

c. Privatdozenten.

Lic. theol. Dr. phil. Werner, Prof.
Lic. theol. Beß.
Lic. theol. Bauer.
" " Dr. phil. Krätzschmar.

2. Juristische Fakultät.

a. Ordentliche Professoren.

Dr. Ubbelohde, Geh. Justizrath, Mitglied des Herrenhauses.
" Enneccerus, Geh. Justizrath.
Dr. Westerkamp, Geh. Justizrath.
" von Lilienthal.
" Lehmann.

b. Außerordentlicher Professor.

Dr. Sartorius.

c. Privatdozenten.

Dr. Schmidt, B., Justizrath.
" Wolff, B. F. J., dsgl.
Dr. Wachenfeld, Prof.
" Mueller.

3. Medizinische Fakultät.

a. Ordentliche Professoren.

Dr. Mannkopf, Geh. Med. Rath.
" Ahlfeld, dsgl.
" Marchand.
" Gasser.
" Meyer, Hans.
Dr. Küster, Geh. Med. Rath, Generalarzt II. Klasse.
" Uhthoff.
" Müller.
" Tuczek, Med. Rath.
" Kossel.
" Behring, Geh. Med. Rath.

b. Ordentlicher Honorar-Professor.

Dr. Wagner, Geh. Med. Rath.

c. Außerordentliche Professoren.

Dr. Lahs.
" Disse, Erster Prosektor.
Dr. Ostmann.

d. Privatdozenten.

Dr. Hüter, Prof.
" von Heusinger, dsgl., Sanitätsrath, Kreisphysikus.
" Zumstein, Zweiter Prosektor.
Dr Sandmeyer.
" Barth.
" Nebelthau.
" von Sobieranski.
" Axenfeld.

4. Philosophische Fakultät.

a. Ordentliche Professoren.

Dr. Melde, Geh. Reg. Rath.
" Justi, dsgl.
" Bergmann, dsgl.
" Bauer.
" Zincke.
" Cohen, H.
" Fischer.
" Paasche, Geh. Reg. Rath (beurl.).
" Frhr. von der Ropp.
" Niese.
" Schmidt, E., Geh. Reg. Rath.
" Kayser.
Dr. Maaß.
" Birt.
" von Sybel.
" Schröder.
" Meyer, Arthur.
" Schottky.
" Heß.
" Korschelt.
" Naudé.
" Natorp.
" Vietor.
" Jensen.
" Rathgen.
" Koschwitz.

b. Außerordentliche Professoren.

Dr. von Drach.
" Feußner.
" Fittica.
" Kohl.
" Rathke, außerordentlicher Professor zu Halle.
Dr. Köster.
" Tangl.
" Dieterich.
" Partheil.

c. Privatdozenten.

Dr. Wenck, Prof.
" Plate.
" Judeich.
" Wrede.
" Küster.
Dr. Busz.
" Fritsch.
" Brauer.
" Busse.
" Kühnemann.

Beamte der Universität.

Stiebing, Kanzleirath, Kuratorial-Sekretär.
König, Kanzleirath, Universitäts-Sekretär.
Beckmann, Universitäts-Kassenrendant und Quästor.

9. Rheinische Friedrich-Wilhelms-Universität zu Bonn.

Kurator.

z. Z. unbesetzt.

Zeitiger Rektor.

Prof. Dr. Ritter, Geh. Reg. Rath.

Universitäts-Richter.

Brockhoff, Geh. Bergrath a. D.

Zeitige Dekane

der Evangel.-theolog. Fakultät: Prof. D. Kamphausen,
der Kathol.-theolog. Fakultät: Prof. Dr. Rappenhöner,
der Juristischen Fakultät: Prof. Dr. Hüffer, Geh. Just. Rath,
der Medizinischen Fakultät: Prof. Dr. Koester,
der Philosophischen Fakultät: Prof. Dr. Loeschcke.

Der akademische Senat

besteht aus dem Rektor, dem Prorektor Dr. Nissen, dem Universitäts-Richter, den Dekanen der fünf Fakultäten und den Senatoren:

Prof. Dr. Reusch,
" " Zitelmann,
Prof. Dr. Ludwig,
" " Schultze.

Fakultäten.

1. Evangelisch-theologische Fakultät.

a. Ordentliche Professoren.

D. Krafft, Konsist. Rath.
" Kamphausen.
" Sieffert, Konsist. Rath, Mitglied des Konsistoriums der Rheinprovinz.
D. Dr. Grafe.
" Sachsse.
" Dr. Sell.
" Goebel, Konsist. Rath.

b. Außerordentliche Professoren.

Lic. theol. Meinhold.
" " Ritschl.
Lic. theol. Dr. phil. Bratke.

c. Privatdozenten.

Lic. theol. Meyer.
Lic. theol. Siemons, Prof.

2. Katholisch-theologische Fakultät.

a. Ordentliche Professoren.

Dr. Reusch.
" Langen.
" Kellner.
" Kaulen, Päpstlicher Hausprälat.
Dr. Schrörs.
" Kirschkamp.
" Rappenhöner.
" Felten.

b. Außerordentliche Professoren.

Dr. Fechtrup.

Dr. Englert.

3. Juristische Fakultät.

a. Ordentliche Professoren.

Dr. Ritter von Schulte, Geh. Justizrath.
" Endemann, dsgl.
" Krüger, dsgl.
" Seuffert, dsgl.
" jur. et phil. Hüffer, dsgl.

Dr. Lörsch, Geh. Justizrath, Mitglied des Herrenhauses u. Kronsyndikus.
" Zitelmann.
" Baron.
" Bergbohm.

b. Außerordentliche Professoren.

Dr. Landsberg.

Dr. Hübner.

c. Privatdozent.

Dr. Pflüger, Prof.

4. Medizinische Fakultät.

a. Ordentliche Professoren.

Dr. von Veit, Geh. Ober-Med. Rath.
" von Leydig, Geh. Med. Rath.
" med. et phil. Pflüger, dsgl.
" Koester.
" Saemisch, Geh. Med. Rath.
" Binz, dsgl.
" med. et phil. Frhr. von la Valette St. George, Geh. Med. Rath.

Dr. Fritsch, Geh. Med. Rath.
" Schultze.
" Pelman, Geh. Med. Rath, Direkt. der Rhein. Prov. Irren-Heil- und Pflege-Anstalt und Mitglied des Rhein. Mediz. Kollegiums.
" Finkler.
" Schede, Geh. Med. Rath.

b. Ordentlicher Honorar-Professor.

Dr. Doutrelepont, Geh. Med. Rath.

c. Außerordentliche Professoren.

Dr. Finkelnburg, Geh. Reg. Rath.
" med. et phil. von Mosengeil.
" Nußbaum.
" med. et phil. Fuchs.
" Walb.

Dr. Ungar, Med. Rath und Mitglied des Mediz. Kollegiums zu Coblenz, Kreisphysikus.
" Schiefferdecker.
" med. et phil. Leo.
" Witzel.
" Geppert.

d. Privatdozenten.

Dr. Kocks, Prof.
" Burger.
" Kochs, Prof.
" Krukenberg, dsgl.
" Bohland.
" Thomsen.
" Boennecken.
" Wolters.
Dr. Peters.
" Jores.
" Kruse.
" Schmidt.
" Pletzer.
" Bleibtreu.
" Schultze.
" Rieder.

5. Philosophische Fakultät.

a. Ordentliche Professoren.

Dr. Bücheler, Geh. Reg. Rath.
" Usener, dsgl.
" Lipschitz, dsgl.
" phil. et med. Kekule von Stradonitz, dsgl., Mitglied der Akademie der Wissenschaften zu Berlin.
" Meyer, Jürgen Bona, Geh. Reg. Rath.
" Justi, dsgl.
" Neuhaeuser, dsgl.
" Nissen, dsgl., Mitglied des Herrenhauses.
" Laspeyres, Geh. Bergrath.
" phil., med. et jur. civ. Strasburger, Geh. Reg. Rath.
" Menzel.
" Ritter, Geh. Reg. Rath.
Dr. Wilmanns, Geh. Reg. Rath.
" Aufrecht.
" Rein, Geh. Reg. Rath.
D. Dr. phil. Bender.
Dr. Foerster.
" Ludwig.
" Schlüter.
" Trautmann.
" Jacobi.
" Loeschcke.
" Prym.
" Gothein.
" phil. et jur. Dietzel.
" Koser.
" Küstner.
" Kortum.
" Elter.
" Kayser.

b. Ordentlicher Honorar-Professor.

Dr. Schaarschmidt, Geh. Reg. Rath, Direktor der Universitäts-Bibliothek.

c. Außerordentliche Professoren.

Dr. Klein, Direktor des Provinzial-Museums zu Bonn.
" Anschütz.
" Litzmann.
" Schimper.
Dr. Franck.
" Klinger.
" Lorberg.
" Wolff, Leonh., Akadem. Musikdirektor.
" Pohlig.

Dr. Wiedemann.
" Martius.
Dr. Studny.
" Wolff, Joh.

d. Privatdozenten.

Dr. König, Prof.
" Reinhertz, Prof. an der landw. Akademie zu Poppelsdorf.
" Schenck.
" Voigt.
" Rauff.
" Bredt.
" Noll.
" Deichmüller, Prof.
" Berger.
" Mönnichmeyer.
" Klingemann.
Dr. Immendorf.
" Philippson.
" Emery.
" Brinkmann.
" Solmsen.
" Clemen, Konservator der Kunstdenkmäler der Rheinprovinz.
" Heussler.
" Rix.
" Meister.
" Strubell.

Beamte.

Hoffmann, Kanzleirath, Universitäts-Sekretär.
Weigand, Kuratorial-Sekretär.
Hövermann, Rechnungsrath, Universitäts-Kassenrendant und Quästor.

10. Akademie zu Münster.

Kurator.

Se. Exc. Studt, Wirkl. Geh. Rath, Ober-Präsident der Provinz Westfalen.
von Viebahn, Oberpräsidialrath, Stellvertreter des Kurators.

Rektor.

Prof. Dr. Ketteler.

Dekane

der theologischen Fakultät: Prof. Dr. Mausbach,
der Philosophischen Fakultät: Prof. Dr. Andresen.

Senat.

Sämmtliche ordentliche Professoren beider Fakultäten.

Akademischer Richter.

Nacke, Landgerichtsrath.

Fakultäten.

1. Theologische Fakultät.

a. Ordentliche Professoren.

Dr. Hartmann, Domkapitular.
Funcke.
Dr. Sdralek.
Dr. phil. et theol. Fell.
" Mausbach.
" Pohle.

b. Außerordentliche Professoren.

Dr. Bautz.
" Hitze.
Dr. Bludau.

c. Privatdozenten.

Dr. Pieper.
Lic. theol. Doerholt.

2. Philosophische Fakultät.

a. Ordentliche Professoren.

Dr. Hittorf, Geh. Reg. Rath.
" Storck, dsgl.
" Langen, dsgl.
" Stahl, dsgl.
" Hosius, dsgl.
" Spicker.
" Niehues, Geh. Reg. Rath.
" Salkowski.
Dr. Killing.
" Hagemann.
" Brefeld.
" Nordhoff.
" Ketteler.
" von Below.
" Andresen.

b. Ordentlicher Honorar-Professor.

Dr. König.

c. Außerordentliche Professoren.

Dr. Parmet.
" Landois.
" Bartholomae.
" Lehmann.
" Finke.
Dr. von Lilienthal.
" Kaßner.
" Einenkel.
" Biermer.
" Winnefeld.

d. Privatdozenten.

Dr. Kappes.
" Westhoff.
" Hosius.
Dr. Drescher.
" Schwering.

Akademische Beamte.

Drosson, Sekretär und Quästor.
Peters, Rentmeister des Studienfonds.

11. Lyceum Hosianum zu Braunsberg.

Kurator.

Se. Exc. Graf von Bismarck-Schönhausen, Ober-Präsident der Provinz Ostpreußen.

Rektor.

Prof. Dr. Marquardt.

Dekane

der Theologischen Fakultät: Prof. Dr. Weiß,
der Philosophischen Fakultät: Prof. Dr. Krause.

Akademischer Richter.

Die Funktionen desselben werden von dem Richter der Universität zu Königsberg, Oberlandesgerichtsrath Dr. von der Trenck, wahrgenommen.

Fakultäten.

1. Theologische Fakultät.

a. Ordentliche Professoren.

Dr. Oswald.
" Dittrich.
Dr. Weiß.
" Marquardt.

b. Außerordentlicher Professor.

Dr. Kranich.

2. Philosophische Fakultät.

a. Ordentliche Professoren.

Dr. Weißbrodt, Geh. Reg. Rath.
Dr. Krause.
" Niedenzu.

b. Außerordentlicher Professor.

Dr. Röhrich.

L. Die Königlichen Technischen Hochschulen.

1. Technische Hochschule zu Berlin.

A. Rektor und Senat.

a. Rektor.

Müller-Breslau, Prof.

b. Prorektor.

Dr. Slaby, Geh. Reg. Rath, Prof.

c. Senats-Mitglieder.

Brandt, Prof.
Dietrich, A., Wirkl. Geh. Admiralitätsrath, Prof.
Goering, Prof.
Görris, Wirkl. Admiralitätsrath, Prof.
Dr. Heittner, Prof.
Koch, dsgl.
Dr. Lampe, Geh. Reg. Rath, Prof.
" Liebermann, Prof.
Meyer, Georg, dsgl.
Riedler, dsgl.
Strack, dsgl.
Dr. Weeren, dsgl.

B. Abtheilungen.
(Die Mitglieder der Abtheilungs-Kollegien sind durch einen * bezeichnet.)

Abtheilung für Architektur.

Vorsteher.

Koch, Prof.

Mitglieder.

a. Etatsmäßig angestellte.

*Dr. Dobbert, Prof.
*Hehl, dsgl.
*Jacobsthal, Geh. Reg. Rath, Prof.
*Koch, Prof.
*Kühn, Prof., Baurath.
*Raschdorff, J., Geh. Reg. Rath, Prof.
*Strack, Prof.
*Wolff, Baurath.

b. Nicht etatsmäßig angestellte.

*Adler, Geh. Ober-Baurath, Prof.
*Ende, Geh. Reg. Rath, Prof.
Geyer, Prof.
Henseler, dsgl.
Jacob, dsgl.
Krüger, Reg. und Baurath.
Dr. Lessing, Geh. Reg. Rath, Prof.
Merzenich, Baurath, Prof.
*Otzen, Geh. Reg. Rath, Prof.
Raschdorff, O., Prof.
*Vollmer, dsgl.

c. Privatdozenten.

Dr. Bie.
Böttger, Reg. und Baurath.
Cremer, Prof.
Dr. Galland.
Günther-Naumburg, Landschafts- und Architektur-Maler.
Hacker, Baurath.
Hartung, H., Reg. Baumstr.
Laske, Landbauinspektor.
Dr. Meyer, Alfred.
Nitka, Baurath, Prof.
Schmalz, Königl. Reg. Baumeister.

Schoppmeyer, Maler.
Stoeving, Architektur- und Figuren-Maler.
Theuerkauf, Prof.
Wever, Bauinspektor.

Abtheilung für Bau-Ingenieurwesen.

Vorsteher.

Goering, Prof.

Mitglieder.

a. Etatsmäßig angestellte.

*Brandt, Prof.
*Bubendey, dsgl.
*Dietrich, E., dsgl.
*Dr. Doergens, Geh. Reg. Rath, Prof.
*Goering, Prof.
*Müller-Breslau, dsgl.

b. Nicht etatsmäßig angestellte.

Büsing, Prof.
*Kummer, Geh. Baurath, Prof.
Hoffmann, E., Reg. Baumeister.

c. Privatdozenten.

Eger, Baurath.
Grübler, Prof.
zur Megede, Königl. Reg. Baumeister.
Dr. Pietsch, Prof.

Abtheilung für Maschinen-Ingenieurwesen.

Vorsteher.

Riedler, Prof.

Mitglieder.

a. Etatsmäßig angestellte.

*Ludewig, Prof.
*Meyer, Georg, dsgl.
*Dr. Reuleaux, Geh. Reg. Rath, Prof.
*Riedler, Prof.
*Rietschel, Geh. Reg. Rath, Prof.
*Dr. Slaby, dsgl., dsgl.

b. Nicht etatsmäßig angestellte.

*Hörmann, Prof.
Leist, Ingenieur.
*Martens, Prof.
Dr. Strecker, Kaiserl. Ober-Telegraph. Ing.
*Wehage, Reg. Rath, Prof.

c. Privatdozenten.

Hartmann, W., Prof.
Joffe, Ober-Ingenieur.
Kapp, Ingenieur.
Leist, dsgl.
Lynen, Reg. Baumeister.
Dr. Roeßler.
Schlüter, Ober-Ingenieur und Reg. Bauführer.

Dr. Vogel, Fr., Herz. Braunschw. außerordentl. Prof.
Dr. Wedding, W., Prof.

Abtheilung für Schiff- und Schiffsmaschinen-Bau.

Vorsteher.

Görris, Wirkl. Admiralitätsrath, Prof.

Mitglieder.

*Dietrich, A., Wirkl. Geh. Admiralitätsrath, Prof.
*Flamm, Prof.
*Görris, Wirkl. Admiralitätsrath, Prof.
*Zarnack, Marinebaurath, Prof.

Abtheilung für Chemie und Hüttenkunde.

Vorsteher.

Dr. Liebermann, Prof.

Mitglieder.

a. Etatsmäßig angestellte.

*Dr. Hirschwald, Prof.
* „ Liebermann, dsgl.
* „ Rüdorff, dsgl.
*Dr. Vogel, H. W., Prof.
* „ Weeren, dsgl.
* „ Witt, dsgl.

b. Nicht etatsmäßig angestellte.

Dr. Brand.
„ Herzfeld, Prof.
„ Jurisch.
* „ von Knorre, Prof.
„ Müller, C.
*Dr. Sell, Kais. Geh. Reg. Rath, Prof.
„ Wedding, H., Geh. Bergrath, Prof.

c. Privatdozenten.

Dr. Bistrzycki.
„ Brand.
„ Frentzel.
„ Herzfeld, Prof.
„ Jurisch.
„ Kühling.
Dr. Stavenhagen.
„ Täuber.
„ Traube.
„ Müller, W.
„ Wolffenstein.

Abtheilung für Allgemeine Wissenschaften, insbesondere für Mathematik und Naturwissenschaften.

Vorsteher.

Dr. Lampe, Geh. Reg. Rath, Prof.

Mitglieder.

a. Etatsmäßig angestellte.

*Dr. Hauck, Geh. Reg. Rath, Prof.
* = Hertzer, Prof.
* = Hettner, Prof.
*Dr. Lampe, Geh. Reg. Rath, Prof.
* = Paalzow, Prof.
* = Weingarten, dsgl.

b. Nicht etatsmäßig angestellte.

Dr. Buka, Prof.
= Dziobek, dsgl.
= Grunmach, dsgl.
= Hamburger, dsgl.
Hartmann, K., Kaiserl. Reg. Rath, Prof.
Dr. Kalischer.
= Meyer, M., Prof.
= Paasche, Geh. Reg. Rath, Prof.
= Post, Geh. Ob. Reg. Rath, Prof.

c. Privatdozenten.

Dr. Alexander-Katz, Rechtsanwalt.
= Buka, Prof.
= Dziobek.
= Groß.
= Grunmach, Prof.
= Haentzschel, Oberlehrer.
= Hamburger, Prof.
= jur. et phil. Hilse.
= Horn.
= Jolles, Prof.
Dr. Kalischer.
= Lippstreu, Oberlehrer.
= Müller, Rich., dsgl.
= Servus, dsgl.
= jur. Stephan, Kaiserl. Reg. Rath.
= Warschauer, Großherzogl. Hessischer a. o. Prof.
= Wendt.
= med. Weyl.

C. Beamte.

Arnold, Oberverwaltungsgerichtsrath, Syndikus.
Hoffmeister, Rechnungsrath, Rendant.
Thier, Rechnungsrath, Bureauvorsteher.
Kempert, Bibliothekar.

---

2. Technische Hochschule zu Hannover.

Königlicher Kommissar.

Se. Exc. Dr. von Bennigsen, Ober-Präsident, Wirkl. Geh. Rath.

A. Rektor und Senat.

a. Rektor.

Frank, Prof.

b. Prorektor.

Dr. Kohlrausch, Geh. Reg. Rath, Prof.

c. Senats-Mitglieder.

Schleyer, Prof.
Dolezalek, Geh. Reg. Rath, Prof.
Fischer, Geh. Reg. Rath, Prof.
Dr. Dieterici, Prof.
" Kiepert, Prof.
" Kohlrausch, Prof., Geh. Reg. Rath.
" Holtzinger, Prof.
Keck, Prof., Geh. Reg. Rath.

B. Abtheilungen.

(Die Mitglieder der Abtheilungs-Kollegien sind mit * bezeichnet.)

Abtheilung für Architektur.

a. Etatsmäßig angestellte Mitglieder.

*Köhler, Geh. Reg. Rath, Prof., Baurath.
*Schröder, Prof.
*Stier, dsgl.
*Mohrmann, Prof.
*Dr. Holtzinger, Prof.
*Schleyer, Prof., Abtheilungs-Vorsteher.
*Friedrich, Prof., Maler.
Engelhard, Prof.

b. Nicht etatsmäßig angestellte Mitglieder.

Kaulbach, Prof., Hofmaler.
Schlieben, Architekt.
Voigt, Maler.
Jordan, Maler.

c. Privatdozenten.

Geb, Prof.
Dr. Haupt, Prof.
Schlöbke, Regier. Baumeister.
Roß, dsgl.

Abtheilung für Bau-Ingenieurwesen.

a. Etatsmäßig angestellte Mitglieder.

*Launhardt, Geh. Reg. Rath, Prof.
*Dolezalek, Geh. Reg. Rath, Prof., Abtheilungs-Vorsteher.
*Dr. Jordan, Prof.
*Barkhausen, dsgl.
*Arnold, dsgl.
*Lang, dsgl.

b. Privatdozent.

Petzold.

Abtheilung für mechanisch-technische Wissenschaften (Maschinen-Ingenieurwesen).

a. Etatsmäßig angestellte Mitglieder.

*Dr. Rühlmann, Geh. Reg. Rath, Prof.
*Fischer, Geh. Reg. Rath, Prof., Abtheilungs-Vorsteher.
*Riehn, Prof.
*Frank, dsgl.
*Frese, dsgl.

b. Nicht etatsmäßig angestelltes Mitglied.

*Müller, Prof.

Abtheilung für chemisch-technische und elektrotechnische Wissenschaften.

a. Etatsmäßig angestellte Mitglieder.

*Dr. Kohlrausch, Geh. Reg. Rath, Prof.
* = Ost, Prof.
* = Rinne, Prof.
*Dr. Dieterici, Prof., Abtheilungs-Vorsteher.
* = Seubert, Prof.

b. Nicht etatsmäßig angestellte Mitglieder.

*Dr. Heim, Prof.
*Dr. Behrend, Prof.

c. Privatdozenten.

Dr. Eschweiler, Prof.
= Paschen, Prof.
Dr. Wehmer.
Thiermann.

Abtheilung für Allgemeine Wissenschaften, insbesondere für Mathematik und Naturwissenschaften.

a. Etatsmäßig angestellte Mitglieder.

*Keck, Geh. Reg. Rath, Prof.
*Dr. Kiepert, Prof., Abtheilungs-Vorsteher.
*Dr. Heß, Prof.
* = Rodenberg, dsgl.
* = Runge, dsgl.

b. Nicht etatsmäßig angestellte Mitglieder.

*Dr. Schäfer, Prof.
= Köcher, Prof.
= Kasten, Prof.
= med. Kredel, Dozent.
Nußbaum, Dozent.
Ey, Prof.
Petzold, Ingen. (s. Abth. II).

c. Privatdozent.

Dr. med. Kirchner, Stabsarzt.

C. Verwaltungsbeamte.

Linke, Rechnungsrath, Rendant und Sekretär.
Cleves, Bibliothek-Sekretär.

---

3. Technische Hochschule zu Aachen.

Königlicher Kommissar.

von Hartmann, Regierungs-Präsident.

A. Rektor und Senat.

a. Rektor.

Intze, Prof.

b. Prorektor.

Dr. Heinzerling, Prof., Geh. Reg. Rath.

c. Senats-Mitglieder.

Dr. Schmid, Prof.
Werner, dsgl.
Herrmann, dsgl., Geh. Reg. Rath.
Dr. Dürre, Prof.
Dr. Jürgens, Prof.
" Heinzerling, dsgl., Geh. Reg. Rath.
" Wüllner, dsgl., dsgl.
Schulz, Prof.

B. Abtheilungen.

(Die Mitglieder der Abtheilungs-Kollegien sind durch * bezeichnet.)

Abtheilung für Architektur.

Etatsmäßige Professoren.

*Damert, Prof.
*Henrici, dsgl.
*Reiff, dsgl.
*Schupmann, Prof., Reg. Baumeister.
*Dr. Schmid, Prof., Abtheilungs-Vorsteher.

Dozenten.

*Frentzen, Prof., Reg. Baumeister.
*Krauß, Bildhauer.

Privatdozent.

Buchkremer, Architekt.

Abtheilung für Bau-Ingenieurwesen.

Etatsmäßige Professoren.

*Dr. Heinzerling, Prof., Geh. Reg. Rath.
*Intze, Prof.
*Werner, Prof., Abtheilungs-Vorsteher.
*Dr. Bräuler, Prof.

Abtheilung für Maschinen-Ingenieurwesen.

Etatsmäßige Professoren.

*Pinzger, Prof.
*Herrmann, Prof., Geh. Reg. Rath.
*Dr. Grotrian, Prof.
*Lüders, Prof.
*Gutermuth, dsgl.
*Köchy, dsgl., Reg. Baumeister.

Dozent.

von Ihering, Reg. Baumeister.

Abtheilung für Bergbau und Hüttenkunde, für Chemie und Elektrochemie.

Etatsmäßige Professoren.

*Dr. Stahlschmidt, Prof.
* = Dürre, dsgl., Abtheil.-Vorsteher.
*Schulz, Prof.
*Dr. Classen, Prof., Geh. Reg. Rath.
* = Arzruni, dsgl.
* = Claisen, dsgl.
* = Holzapfel, Prof.

Dozenten.

*Fenner, Prof.
Dr. Wieler.

Abtheilung für Allgemeine Wissenschaften, insbesondere für Mathematik und Naturwissenschaften.

Etatsmäßige Professoren.

*Dr. Ritter, Prof., Geh. Reg. Rath.
* = Wüllner, dsgl., Geh. Reg. Rath.
* = von Mangoldt, Prof.
*Dr. Jürgens, Prof., Abtheilungs-Vorsteher.
* = Schur, Prof.
* = van der Borght, dsgl.

Dozenten.

Storp, Reg. u. Gewerbe-Rath.
Schmitt, Telegraphen-Direktor.
Dr. Lenard, Prof.

C. Verwaltungsbeamte.

Kling, Rechnungsrath, Rendant.
Peppermüller, Bibliothekar.

M. Die höheren Lehranstalten.

Gesammtverzeichnis derjenigen Lehranstalten, welche gemäß §. 90 der Wehrordnung zur Ausstellung von Zeugnissen über die Befähigung für den einjährig-freiwilligen Militärdienst berechtigt sind.

Bemerkungen:

1. Die mit * bezeichneten Gymnasien (A. a) und Progymnasien (B. a und C. a) an Orten, an welchen sich keine der zur Ertheilung wissenschaftlicher Befähigungszeugnisse berechtigten Anstalten unter A. b, B. b und c oder C. c (Real-Gymnasium, Realschule, Real-Progymnasium) mit obligatorischem Unterricht im Latein befindet, sind befugt, Befähigungszeugnisse auch ihren von dem Unterricht im Griechischen dispensirten Schülern auszustellen, wenn letztere an dem für jenen Unterricht eingeführten Ersatzunterricht regelmäßig theilgenommen und nach mindestens ein-

jährigem Besuche der Sekunda auf Grund besonderer Prüfung ein Zeugnis über genügende Aneignung des entsprechenden Lehrpensums erhalten haben.

2. Die mit einem † bezeichneten Lehranstalten haben keinen obligatorischen Unterricht im Latein.

A. Lehranstalten, bei welchen der einjährige, erfolgreiche Besuch der zweiten Klasse zur Darlegung der Befähigung genügt.

a. Gymnasien.

I. Provinz Ostpreußen.

		Direktoren:
1.	Allenstein,	Dr. Sieroka.
2.	Bartenstein,	z. Zt. unbesetzt.
3.	Braunsberg,	Gruchot.
4.	Gumbinnen: Friedrichs-Gymnasium,	Kanzow.
5.	Insterburg: Gymnasium (verbunden mit Real-Gymnasium),	Laudien.
6.	Königsberg: Altstädtisches Gymnas.,	Dr. Babucke.
7.	Friedrichs-Kollegium,	" Ellendt, Prof.
8.	Kneiphöfisches Gymnasium,	von Drygalski.
9.	Wilhelms-Gymnasium,	Dr. Grosse.
10.	Lyck,	Kotowski.
11.	Memel: Luisen-Gymnasium,	Dr. Küsel.
12.	Rastenburg,	" Großmann.
13.	Roessel,	Buchholz.
14.	Tilsit,	Dr. Müller.
15.	Wehlau,	" Eichhorst.

II. Provinz Westpreußen.

1.	Culm,	z. Zt. unbesetzt.
2.	Danzig: Königliches Gymnasium,	Dr. Kretschmann.
3.	Städtisches Gymnasium,	Kahle, Prof.
4.	Deutsch-Krone,	Dr. Stuhrmann.
5.	Elbing,	" Gronau.
6.	Graudenz,	" Anger.
7.	Konitz,	" Thomaszewski, Prof.
8.	Marienburg,	" Brennecke.
9.	Marienwerder,	" Brocks.
10.	Neustadt,	" Königsbeck, Prof.
11.	Pr. Stargard: Friedrichs-Gymnasium,	Wapenhensch.
12.	Strasburg,	Scotland.
13.	Thorn: Gymnasium (verbunden mit Real-Gymnasium),	Dr. Hayduck.

Direktoren:

III. Provinz Brandenburg.

1.	Berlin: Askanisches Gymnasium,	Dr. Ribbeck, Prof.
2.	Französisches Gymnasium,	„ Schulze.
3.	Friedrichs-Gymnasium,	„ Voigt.
4.	Friedrichs-Werdersches Gymnas.,	„ Büchsenschütz, Prof.
5.	Friedrich-Wilhelms-Gymnas.,	Nötel.
6.	Humboldts-Gymnasium,	Dr. Lange, Prof.
7.	Joachimsthalsches Gymnasium,	„ Bardt.
8.	Gymnasium zum grauen Kloster,	D. Dr. Bellermann.
9.	Köllnisches Gymnasium,	Dr. Meusel, Prof.
10.	Königstädtisches Gymnasium,	„ Wellmann, Prof.
11.	Leibniz-Gymnasium,	„ Friedländer.
12.	Lessing-Gymnasium,	„ Rebigan-Quaatz.
13.	Luisen-Gymnasium,	Kern.
14.	Luisenstädtisches Gymnasium,	Dr. Müller, Prof.
15.	Sophien-Gymnasium,	„ Dielitz, dsgl.
16.	Wilhelms-Gymnasium,	„ Kübler, dsgl.
17.	Brandenburg: Gymnasium,	„ Rasmus.
18.	Ritterakademie,	„ Heine, Prof.
19.	Charlottenburg,	„ Schultz.
20.	Eberswalde,	„ Klein.
21.	Frankfurt a. Oder,	„ Rethwisch, Prof.
22.	Freienwalde a. Oder,	„ Braumann, dsgl.
23.	Friedeberg i. d. Neumark,	Schneider.
24.	Fürstenwalde,	Dr. Buchwald.
25.	Groß-Lichterfelde,	„ Hempel.
26.	Guben: Gymnasium (verbunden mit Real-Gymnasium und Realschulklassen),	„ Hamdorff.
27.	Königsberg i. d. Neumark,	„ Böttger, Prof.
28.	Kottbus,	„ Schneider.
29.	Küstrin,	„ Tschiersch.
30.	Landsberg a. Warthe: Gymnasium (verbunden mit Real-Gymnasium und Realschule),	„ Schulze.
31.	Luckau,	„ Ebinger.
32.	Neu-Ruppin,	„ Begemann.
33.	Potsdam,	Treu, Prof.
34.	Prenzlau,	Schäffer, dsgl.
35.	Schöneberg,	Dr. Richter, dsgl.
36.	Schwedt a. Oder,	„ Wobrig, dsgl.

	Direktoren:
37. Sorau,	Dr. Hedicke, Prof.
38. Spandau,	„ Groß, dsgl.
39. Steglitz,	„ Lück.
40. Wittstock,	„ Menge.
41. Züllichau: Pädagogium,	„ Hanow.

IV. Provinz Pommern.

1. Anklam,	Heinze.
2. Belgard,	Stier.
3. Cöslin,	Dr. Sorof.
4. Colberg: Gymnasium (verbunden mit Real-Gymnasium),	„ Becker.
5. *Demmin,	Schneider.
6. Dramburg,	Dr. Kleist.
7. Gartz a. Oder,	„ Bitz.
8. Greifenberg i. Pomm.: Friedrich-Wilhelms-Gymnasium,	„ Conradt.
9. Greifswald[1]): Gymnasium (verbunden mit Real-Progymnasium),	„ Steinhausen.
10. *Neustettin: Fürstin Hedwigsches Gymnasium,	„ Rogge.
11. Putbus: Pädagogium,	Spreer.
12. Pyritz: Bismarck-Gymnasium,	Dr. Wehrmann.
13. Stargard i. Pomm.: Königliches und Gröningsches Gymnasium,	„ Schirlitz.
14. Stettin: König-Wilhelms-Gymnas.,	„ Koppin.
15. Marienstifts-Gymnasium,	„ Weicker.
16. Stadt-Gymnasium,	Lemcke.
17. Stolp[1]): Gymnasium (verbunden mit Real-Progymnasium),	Dr. Goethe.
18. Stralsund,	„ Peppmüller.
19. Treptow a. d. Rega: Bugenhagen-Gymnasium,	Haake.

V. Provinz Posen.

1. Bromberg,	Dr. Guttmann.
2. Fraustadt,	Matschky.
3. Gnesen,	Dr. Martin.
4. Inowrazlaw,	„ Eichner.
5. Krotoschin: Wilhelms-Gymnasium,	„ Jonas, Prof.

[1]) Das Real-Progymnasium ist in der Umwandlung in eine lateinlose Realschule begriffen.

		Direktoren:
6.	Lissa,	von Sanden, Prof.
7.	Meseritz,	Quade, dsgl.
8.	Nakel,	Heidrich, Prof.
9.	Ostrowo,	Dr. Beckhaus.
10.	Posen: Friedrich-Wilhelms-Gymnasium,	Leuchtenberger.
11.	Marien-Gymnasium,	Dr. Schröder, Prof.
12.	Rogasen,	= Dolega.
13.	Schneidemühl,	Braun, Prof.
14.	Schrimm,	Smolka.
15.	Wongrowitz,	Dr. Zenzes.

VI. Provinz Schlesien.

1.	Beuthen O. S.,	Dr. Schulte, Prof.
2.	Breslau: Elisabeth-Gymnasium,	= Paech, dsgl.
3.	Friedrichs-Gymnasium,	= Volz, dsgl.
4.	Johannes-Gymnasium,	= Müller, dsgl.
5.	König-Wilhelms-Gymnasium,	= Eckardt.
6.	Magdalenen-Gymnasium,	= Moller, Prof.
7.	Matthias-Gymnasium,	= Oberdick.
8.	Brieg,	= Pätzolt.
9.	Bunzlau,	Ostendorf.
10.	Glatz,	Dr. Stein, Prof.
11.	Gleiwitz,	Ronke.
12.	Glogau: Evangelisches Gymnasium,	Dr. Langen, Prof.
13.	Katholisches Gymnasium,	Jungels.
14.	Görlitz: Gymnasium (verbunden mit Real-Gymnasium),	Dr. Eitner.
15.	Groß-Strehlitz,	= Larisch.
16.	Hirschberg,	Thalheim.
17.	Jauer,	Dr. Michael.
18.	Kattowitz,	= Müller.
19.	Königshütte,	= Feit.
20.	Kreuzburg,	= Jaenicke.
21.	Lauban,	= Sommerbrodt.
22.	Leobschütz,	Hansel.
23.	Liegnitz: Ritterakademie,	Dr. Kirchner.
24.	Städtisches Gymnasium,	= Gemoll.
25.	Neiße,	= Schröter.
26.	Neustadt O. S.,	= Jung.
27.	Oels,	= Brock.
28.	Ohlau,	Bähnisch.
29.	Oppeln,	Dr. Brüll.

		Direktoren:
30.	Patschkau,	Dr. Adam.
31.	Pleß: Evangelische Fürstenschule,	„ Schönborn.
32.	Ratibor,	„ Radtke, Prof.
33.	Sagan,	„ Nieberding.
34.	Schweidnitz,	„ Monse.
35.	Strehlen,	„ Petersdorff.
36.	Waldenburg,	„ Scheiding.
37.	Wohlau,	„ Altenburg.

VII. Provinz Sachsen.

1.	Aschersleben: Gymnasium (verbunden mit Real-Progymnasium),	Dr. Steinmeyer.
2.	Burg: Viktoria-Gymnasium,	„ Aly, Prof.
3.	Eisleben,	Weicker, dsgl.
4.	Erfurt,	Dr. Thiele.
5.	Halberstadt: Dom-Gymnasium,	„ Röhl.
6.	Halle a. d. S.: Lateinische Hauptsch. der Franckeschen Stiftungen,	Rektor: Dr. Becher.
7.	Stadt-Gymnasium,	Dr. Friedersdorff.
8.	Heiligenstadt,	„ Brüll.
9.	Magdeburg: Pädagogium d. Klosters Unser Lieben Frauen,	Propst Dr. Urban, Prof.
10.	Dom-Gymnasium,	Dr. Holzweißig.
11.	König-Wilhelms-Gymnas.	„ Knaut, Prof.
12.	Merseburg: Dom-Gymnasium,	Rektor: Dr. Aßmus.
13.	Mühlhausen i. Th.: Gymnas. (verbunden mit Real-Progymnas.),	Dr. Drenckhahn.
14.	Naumburg a. d. S.: Dom-Gymnas.,	„ Albracht.
15.	Neuhaldensleben,	„ Wegener.
16.	Nordhausen a. Harz,	„ Grosch.
17.	Pforta: Landesschule,	Rektor: Dr. Volkmann, Prof.
18.	Quedlinburg,	Dr. Dihle.
19.	Roßleben: Klosterschule,	Rektor: Dr. Heilmann, Prof.
20.	Salzwedel,	Dr. Legerlotz.
21.	Sangerhausen [1]),	„ Dannehl, Prof.
22.	Schleusingen,	„ Schmieder.
23.	Seehausen i. d. Altmark,	„ Bindseil, Prof.
24.	*Stendal,	„ Gutsche, dsgl.

[1]) In der Umwandlung zu einer Realschule begriffen.

	Direktoren:
25. Torgau,	Dr. Knabe, Prof.
26. Wernigerode,	„ Friedel.
27. Wittenberg,	Guhrauer.
28. Zeitz: Stifts-Gymnasium,	Lic. theol. Tauscher.

VIII. Provinz Schleswig-Holstein.

1. Altona: Christianeum,	Dr. Arnoldt.
2. Flensburg: Gymnasium (verbunden mit Real-Gymnasium),	„ Müller.[1])
3. Glückstadt,	„ Detleffsen, Prof.
4. *Hadersleben,	„ Zernecke.
5. *Husum,	„ Kehr.
6. Kiel,	„ Collmann.
7. Meldorf,	Bräuning, Prof.
8. Ploen,	Fink.
9. Ratzeburg,	Dr. Waßner.
10. Rendsburg: Gymnasium (verbunden mit Real-Gymnasium),	„ Wallichs, Prof.
11. Schleswig: Dom-Gymnasium (verbunden mit Real-Progymnasium[2]),	Wolff, dsgl.
12. Wandsbek: Matthias-Claudius-Gymnasium,	Dr. Franz.

IX. Provinz Hannover.

1. Aurich,	Dr. Heynacher, Prof.
2. Celle,	„ Seebeck, dsgl.
3. *Clausthal,	Wittneben, dsgl.
4. Emden,	Dr. Schüßler, dsgl.
5. Göttingen: Gymnasium (verbunden mit Real-Gymnasium),	„ Viertel, dsgl.
6. Goslar: dsgl.	„ Voth, dsgl.
7. Hameln: Gymnasium (verbunden mit Real-Progymnasium),	„ Dörries.
8. Hannover: Lyceum I.,	„ Capelle, Prof.
9. „ II.,	Radeck, dsgl.
10. Kaiser-Wilhelms-Gymnasium,	Dr. Wachsmuth, dsgl.
11. Hildesheim: Gymnasium Andreanum,	„ Hoche.
12. „ Josephinum,	Beelte, Prof.

[1]) Tritt am 1. April 1896 in den Ruhestand.
[2]) In der Umwandlung zu einer Realschule begriffen.

	Direktoren:
13. Ilfeld: Klosterschule,	Dr. Schimmelpfeng, Prof.
14. Leer: Gymnasium (verbunden mit Real-Gymnasium),	Quapp.
15. Linden,	Dr. Graßhof.
16. *Lingen,	" Herrmann, Prof.
17. Lüneburg: Gymnasium (verbunden mit Real-Gymnasium),	Haage.
18. Meppen,	Dr. Ruhe, Prof.
19. *Norden,	Hermann, dsgl.
20. Osnabrück: Gymnasium Carolinum,	Dr. Richter, dsgl.
21. Raths-Gymnasium,	" Knoke, dsgl.
22. *Stade,	" Steiger, dsgl.
23. *Verden,	" Dieck.
24. Wilhelmshaven,	" Holstein, Prof.

X. Provinz Westfalen.

1. Arnsberg: Gymnas. Laurentianum,	Dr. Scherer.
2. Attendorn,	" Brußkern.
3. Bielefeld: Gymnasium (verbunden mit Real-Gymnasium),	" Nitzsch, Prof.
4. Bochum,	" Broicher.
5. Brilon: Gymnasium Petrinum,	" Niggemeyer, Prof.
6. *Burgsteinfurt: Gymnas. Arnoldinum,	" Schroeter.
7. Coesfeld: Gymnas. Nepomucenianum,	" Hoff.
8. Dortmund,	" Weidner, Prof.
9. Gütersloh,	" Lünzner, dsgl.
10. Hagen: Gymnasium (verbunden mit Real-Gymnasium),	" Lenssen, dsgl.
11. *Hamm,	" Beneke, dsgl.
12. *Herford: Friedrichs-Gymnasium,	" Windel, dsgl.
13. Höxter: König-Wilhelms-Gymnas.,	Petri.
14. Minden: Gymnasium (verbunden mit Real-Gymnasium),	Dr. Heinze.
15. Münster: Paulinisches Gymnasium,	" Frey.
16. Paderborn: Gymnas. Theodorianum,	" Hense, Prof.
17. Recklinghausen,	" Bockeradt.
18. Rheine: Gymnasium Dionysianum,	" Grosfeld.
19. *Soest: Archigymnasium,	" Goebel, Prof.
20. Warburg,	" Hüser.
21. Warendorf: Gymnas. Laurentianum,	" Ganß.

Direktoren:

XI. Provinz Hessen-Nassau.

1.	Cassel: Friedrichs-Gymnasium,	Dr. Heußner.
2.	Wilhelms-Gymnasium,	„ Muff, Prof.
3.	Dillenburg,	„ Langsdorf, dsgl.
4.	Frankfurt a. M.: Kaiser-Friedrichs-Gymnasium,	„ Hartwig, dsgl.
5.	Städtisches-Gymnasium,	„ Reinhardt.
6.	Fulda,	„ Goebel.
7.	Hadamar,	„ Peters.
8.	Hanau,	„ Braun.
9.	Hersfeld: Gymnasium (verbunden mit Real-Progymnasium,	„ Duden.
10.	Marburg,	„ Buchenau.
11.	Montabaur: Kaiser-Wilhelms-Gymnasium,	„ Werneke.
12.	Rinteln,	„ Heldmann.
13.	Weilburg,	„ Paulus.
14.	Wiesbaden,	„ Fischer, Prof.

XII. Rheinprovinz.

1.	Aachen: Kaiser-Karls-Gymnasium,	Dr. Schwenger.
2.	Kaiser-Wilhelms-Gymnasium,	„ Regel.
3.	Barmen,	Evers, Prof.
4.	Bedburg: Ritterakademie,	Dr. Diehl.
5.	Bonn,	„ Contzen.
6.	Cleve,	„ Liesegang.
7.	Coblenz: Kaiserin-Augusta-Gymnas.,	„ Weidgen.
8.	Cöln: Gymnas. an der Apostelkirche,	„ Waldeyer.
9.	Friedrich-Wilhelms-Gymnas.,	„ Jaeger.
10.	Kaiser-Wilhelms-Gymnasium,	„ Wirsel.
11.	Gymnasium an Marzellen,	„ Milz, Prof.
12.	Städtisches Gymnasium in der Kreuzgasse (verbunden mit Real-Gymnasium),	„ Schorn, dsgl.
13.	Düren,	„ Schwering, dsgl
14.	Düsseldorf: Königliches Gymnasium,	„ Uppenkamp.
15.	Städtisches Gymnas. (verbunden mit Real-Gymnasium),	„ Matthias.
16.	Duisburg,	„ Schneider.
17.	Elberfeld,	Scheibe, Prof.
18.	Emmerich,	Akens.
19.	Essen,	Dr. Wiese, Prof.
20.	Kempen i. d. Rheinprovinz,	„ Pohl.

		Direktoren:
21.	Krefeld,	Dr. Wollseiffen.
22.	Kreuznach,	Lutsch.
23.	Moers,	Dr. Zahn.
24.	Mülheim a. d. Ruhr: Gymnasium (verbunden mit lateinloser Realschule),	„ Zietzschmann.
25.	München-Gladbach,	„ Schweikert.
26.	Münstereifel,	„ Scheins.
27.	Neuß,	„ Tücking.
28.	Neuwied: Gymnasium (verbunden mit Real-Progymnasium),	„ Vogt, Prof.
29.	Prüm,	„ Asbach.
30.	Saarbrücken,	Fischer, Prof.
31.	Siegburg,	Dr. vorm Walde.
32.	Sigmaringen,	„ Eberhard.
33.	Trarbach,	„ Barlen.
34.	Trier,	„ Iltgen.
35.	*Wesel,	„ Kleine.
36.	Wetzlar,	„ Fehrs, Prof.

b. Real-Gymnasien.

I. Provinz Ostpreußen.

1.	Insterburg: Real-Gymnasium (verbunden mit Gymnasium),	Laudien, Gymn. Dir.
2.	Königsberg: auf der Burg[1]),	Dr. Boettcher.
3.	Städtisches Real-Gymnasium,	Wittrien.
4.	Osterode i. Ostpr.[2]),	Dr. Wüst.
5.	Tilsit,	Dangel.

II. Provinz Westpreußen.

1.	Danzig: Real-Gymnasium zu St. Johann,	Dr. Meyer.
2.	Real-Gymnasium zu St. Petri,	„ Voelkel.
3.	Elbing,	„ Nagel, Prof.
4.	Thorn: Real-Gymnasium (verbunden mit Gymnasium),	„ Hayduck, Gymn. Direktor.

III. Provinz Brandenburg.

1.	Berlin: Andreas-Real-Gymnasium (Andreasschule),	Dr. Hamann, Prof.

[1]) In der Umwandlung zu einer Oberrealschule begriffen.
[2]) In der Umwandlung zu einem Gymnasium begriffen.

		Direktoren:
2.	Berlin: Dorotheenstädtisches Real-Gymnasium,	= Schwalbe, Prof.
3.	Falk-Real-Gymnasium,	= Bach, dsgl.
4.	Friedrichs-Real-Gymnasium,	= Gerstenberg.
5.	Königliches-Real-Gymnasium,	= Simon.
6.	Königstädtisches Real-Gymnas.,	= Vogel.
7.	Luisenstädtisches Real-Gymnas.,	= Rose, Prof.
8.	Sophien-Real-Gymnasium,	Martus, dsgl.
9.	Brandenburg,	Dr. Beyer, dsgl.
10.	Charlottenburg,	= Hubatsch.
11.	Frankfurt a. Oder,	= Laubert.
12.	Guben: Real-Gymnasium (verbunden mit Gymnasium und Realschulklassen),	= Hamdorff, Gymn. Direktor.
13.	Landsberg a. d. Warthe: Real-Gymnasium (verbunden mit Gymnas. und Realschule),	= Schulze, Gymn. Direktor.
14.	Perleberg,	Vogel.
15.	Potsdam,	Walther, Prof.

IV. Provinz Pommern.

1.	Colberg: Real-Gymnasium (verbunden mit Gymnasium),	Dr. Becker, Gymn. Dir.
2.	Stettin: Friedrich-Wilhelmsschule,	Fritsche.
3.	Schiller-Real-Gymnasium,	Dr. Lehmann.
4.	Stralsund,	= Thümen.

V. Provinz Posen.

1.	Bromberg,	Dr. Kiehl.
2.	Posen: Berger-Real-Gymnasium,	= Friebe.
3.	Rawitsch,	= Liersemann.

VI. Provinz Schlesien.

1.	Breslau: Real-Gymnasium zum heiligen Geist,	Dr. Richter.
2.	Real-Gymnasium am Zwinger,	= Meffert.
3.	Görlitz: Real-Gymnasium (verbunden mit Gymnasium),	= Eitner, Gymnas. Dir.
4.	Grünberg,	= Räder.

	Direktoren:
5. Landeshut,	Reier.
6. Neiße,	Gallien.
7. Reichenbach i. Schl.: Wilhelmsschule,	Dr. Weck, Prof.
8. Sprottau,	= Schwenkenbecher.
9. Tarnowitz,	= Wossidlo.

VII. Provinz Sachsen.

1. Erfurt,	Dr. Zange, Prof.
2. Halberstadt,	= Stutzer, Prof.
3. Halle a. d. Saale [1]),	= Strien, Prof.
4. Magdeburg: Real=Gymnasium,	= Junge, Prof.
5. Real=Gymnasium (verbunden mit †Ober=Real=[Guericke=] Schule),	= Isensee, Prof.
6. Nordhausen a. Harz,	= Wiesing.

VIII. Provinz Schleswig=Holstein.

1. Altona [2]): Real=Gymnasium (verbunden mit Realschule),	Dr. Schlee.
2. Flensburg: Real=Gymnasium (verbunden mit Gymnasium),	= Müller, Gymn. Direktor. [3])
3. Rendsburg: dsgl.,	= Wallichs, Prof., Gymn. Dir.

IX. Provinz Hannover.

1. Celle,	Dr. Endemann, Prof.
2. Göttingen: Real=Gymnasium (verb. mit Gymnasium),	= Viertel, Prof., Gymn. Dir.
3. Goslar: dsgl.,	= Voth, Prof., Gymnasial=Dir.
4. Hannover: Real=Gymnasium I.,	= Fiehn, Prof.
5. Leibnizschule (Real=Gymnasium),	Ramdohr.
6. Harburg,	Schwalbach.
7. Hildesheim: Andreas=Real=Gymnas.,	Kalckhoff.
8. Leer: Real=Gymnasium (verbunden mit Gymnasium),	Quapp, Gymnas. Dir.
9. Lüneburg, dsgl.,	Haage, Gymnas. Dir.

[1]) In der Umwandlung zu einer Oberrealschule begriffen.
[2]) Der Unterricht im Latein beginnt erst mit der Untertertia.
[3]) Tritt am 1. April 1896 in den Ruhestand.

	Directoren:
10. Osnabrück,	Fischer.
11. Osterode a. H.,	Dr. Naumann.
12. Quakenbrück,	Fastenrath, Prof.

X. Provinz Westfalen.

1. Bielefeld: Real-Gymnasium (verb. mit Gymnasium),	Dr. Nitzsch, Professor, Gymnas. Dir.
2. Dortmund,	= Auler.
3. Hagen: Real-Gymnasium (verbunden mit Gymnasium),	= Lenssen, Prof., Gymnas. Dir.
4. Iserlohn,	Suur.
5. Lippstadt,	Dr. Schirmer, Prof.
6. Minden: Real-Gymnas. (verbunden mit Gymnasium),	= Heinze, Gymnas. Dir.
7. Münster,	= Jansen, Prof.
8. Schalke,	= Willert.
9. Siegen,	= Tägert.
10. Witten,	= Matthes.

XI. Provinz Hessen-Nassau.

1. Cassel,	Dr. Wittich.
2. Frankfurt a. M.: Musterschule,	Walter.
3. Wöhlerschule,	Dr. Kortegarn.
4. Wiesbaden,	Breuer, Prof.

XII. Rheinprovinz.

1. Aachen,	Dr. Reuß.
2. Barmen: Real-Gymnas. (verbunden mit Realschule),	Lambeck, Prof.
3. Coblenz,	Dr. Most.
4. Cöln: Real-Gymnas. in der Kreuzgasse (verb. mit Städtischem Gymnasium),	= Schorn, Prof.
5. Düsseldorf: Real-Gymnasium (verb. mit Städtischem Gymnasium),	= Matthias, Gymnasial-Dir.
6. Duisburg,	= Steinbart.
7. Elberfeld,	= Börner.
8. Essen,	= Holfeld, Prof.

	Direktoren:
9. Krefeld,	Dr. Schauenburg, Geh. Reg. Rath.
10. Mülheim a. Rh.,[1]	z. Zt unbesetzt.[2]
11. Ruhrort,	von Lehmann.
12. Trier,	Dr. Dronke.

c. Oberrealschulen.

I. Provinz Brandenburg.

1. Berlin: Friedrichs-Werdersche Oberrealschule,	Dr. Ulbrich, Prof.
2. Luisenstädt. Oberrealschule,	„ Vandow, dsgl.

II. Provinz Schlesien.

1. †Breslau,	Dr. Fiedler.
2. †Gleiwitz,	„ Hausknecht, Prof.

III. Provinz Sachsen.

1. †Halberstadt,	Dr. Perle.
2. †Halle a. d. Saale,	„ Thaer.
3. Magdeburg: †Guerickeschule (verbunden mit Real-Gymnasium),	„ Isensee, Prof.

IV. Provinz Schleswig-Holstein.

1. Flensburg: †Oberrealschule (mit wahlfreiem Unterricht in der Handelswissenschaft — verbunden mit Landwirthschaftsschule),	Dr. Flebbe.
2. †Kiel,	„ Luppe, Prof.

V. Provinz Hannover.

1. †Hannover,	Dr. Hemme, Prof.

VI. Provinz Westfalen.

1. †Bochum,	Liebhold.

VII. Provinz Hessen-Nassau.

1. †Cassel,	Dr. Quiehl.
2. Frankfurt a. M.: †Klingerschule,	„ Simon, Prof.

---

[1] In Umwandlung zu einem Gymnasium verbunden mit Oberrealschule begriffen.

[2] Vom 1. April 1896 ab Dr. Goldscheider, Prof.

	Direktoren:
3. †Hanau[1]),	Dr. Schmidt.
4. †Wiesbaden,	„ Kaiser.

VIII. Rheinprovinz.

1. Aachen: †Oberrealschule mit Fachklassen,	Pützer.
2. †Barmen-Wupperfeld,	Dr. Kaiser, Prof.
3. Bonn: †Oberrealschule (verbunden mit Progymnasium[1]),	„ Hölscher, dsgl.
4. †Cöln,	z. Zt. unbesetzt[2]).
5. Düren: †Oberrealschule (verbunden mit Realprogymnasium),	Dr. Becker.
6. †Elberfeld,	„ Hintzmann.
7. †Krefeld,	Quossek.
8. Rheydt: †Oberrealschule (verbunden mit Progymnasium),	Dr. Wittenhaus.
9. †Saarbrücken,	„ Mirisch.

B. Lehranstalten, bei welchen der einjährige, erfolgreiche Besuch der ersten (obersten) Klasse zur Darlegung der Befähigung nöthig ist.

Keine.

C. Lehranstalten, bei welchen das Bestehen der Entlassungsprüfung zur Darlegung der Befähigung gefordert wird.

a. Progymnasien.

I. Provinz Ostpreußen.

1. Lötzen,	Dr. Boehmer.

II. Provinz Westpreußen.

1. Berent,	Neermann.
2. Löbau,	Hache.
3. Neumark,	Dr. Preuß.
4. Pr. Friedland,	„ Kanter,
5. Schwetz,	„ Baltzer.

III. Provinz Brandenburg.

1. Forst i. d. Lausitz: Progymnasium (verbunden mit Real-Progymnas.),	Dr. Zitscher.

[1]) In der Entwicklung zu einem Gymnasium begriffen.
[2]) Vom 1. April 1896 ab Dr. Dickmann.

	Direktoren:
2. Krossen: Progymnas. (verbunden mit Real-Progymnas. und Realschul-klassen),	Dr. Berbig.

IV. Provinz Pommern.

1. Lauenburg i. Pomm.,	Sommerfeldt.
2. Schlawe,	Kroesing.

V. Provinz Posen.

1. Kempen,	Mahn.
2. Tremessen,	Dr. Weisweiler.

VI. Provinz Schlesien.

1. Frankenstein,	Dr. Thomé.
2. Striegau,	„ Gemoll.

VII. Provinz Sachsen.

1. Genthin,	Müller.
2. Weißenfels,	Dr. Rosalsky, Prof.

VIII. Provinz Schleswig-Holstein.

1. Neumünster: Progymnasium (verb. mit Real-Progymnasium[1]),	Dr. Spangenberg.

IX. Provinz Hannover.

1. Duderstadt: Progymnas. (verbunden mit Real-Progymnasium),	Meyer, Prof.
2. Münden: dsgl.,	Dr. Buchholz.
3. Nienburg: dsgl.,	„ Kühns.

X. Provinz Westfalen.

1. *Bocholt,	Waldau.
2. Dorsten,	Dr. Beste.
3. Rietberg: Progymnas. Nepomucenum,	„ Mueß.
4. *Wattenscheid,	„ Führer.

XI. Provinz Hessen-Nassau.

1. Eschwege: Friedrich-Wilhelms-Schule, Progymnasium (verbunden mit Real-Progymnasium),	Dr. Arndt.
2. Höchst a. M.: Progymnasium (verbunden mit Real-Progymnasium),	Mathi.
3. Hofgeismar,	Krösch.

[1]) In der Umwandlung zu einer Realschule mit Progymnasium begriffen.

Direktoren:

4.	Homburg v. d. H.: Progymnas. (verbunden mit Real-Progymnasium),	Dr. Schulze.
5.	Limburg a. d. L.: dsgl.,	Haas.

XII. Rheinprovinz.

1.	Andernach,	Dr. Brüll.
2.	Boppard,	" Menge.
3.	Brühl,	" Mertens.
4.	*Eschweiler: Progymnas. (verbunden mit Realabtheilungen),	Liesen.
5.	*Eupen,	Dr. Schnütgen.
6.	Euskirchen,	" Doetsch.
7.	Jülich,	" Kuhl, Prof.
8.	Linz,	" Hünnekes.
9.	Malmedy,	Dünbier.
10.	Rheinbach,	Dr. Schlünkes.
11.	Rheydt: Progymnasium (verbunden mit Oberrealschule),	" Wittenhaus.
12.	Saarlouis,	" Kramm.
13.	Sobernheim,[1])	" Schmidt.
14.	Solingen: Progymnas. (verbunden mit Realschule),	" Heine, Prof.
15.	*Viersen,	" Dieckmann, Prof.
16.	St. Wendel,	" Koch.
17.	Wipperfürth,	Breuer.

b. Realschulen.

I. Provinz Ostpreußen.

1.	Königsberg: Städtische Realschule,	Unruh.

II. Provinz Westpreußen.

1.	*Danzig: Realschule St. Petri (verbunden mit dem Real-Gymnasium St. Petri),	Dr. Voelkel, Real-Gymnas. Dir.
2.	†Graudenz,	Grott.

III. Provinz Brandenburg.

1.	Arnswalde,	Dr. Horn.
2.	Berlin: Erste Realschule,	" Gerberding, Prof.
3.	Zweite Realschule,	" Reinhardt, dsgl.

[1]) In der Umwandlung zu einer Realschule begriffen.

		Direktoren:
4.	Dritte Realschule,	Dr. Lücking, Prof.
5.	Vierte Realschule,	Plattner.
6.	Fünfte Realschule,	Dr. Meyer, Prof.
7.	Sechste Realschule,	= Hohnhorst.
8.	Siebente Realschule,	= Michaelis.
9.	Achte Realschule,	= Marcuse.
10.	†Neunte Realschule,	= Rosenow.
11.	Charlottenburg,	= Gropp.
12.	Potsdam,	= Schulz.

IV. Provinz Schlesien.

1.	Breslau: †Erste evangelische Realschule,	Dr. Wiedemann.
2.	†Zweite evangelische Realschule,	= Breitsprecher.
3.	†Katholische Realschule,	= Höhnen.
4.	†Görlitz,	= Baron.
5.	Liegnitz: †Wilhelmsschule,	= Frankenbach.

V. Provinz Sachsen.

1.	†Bitterfeld,	Dr. Fricke.
2.	†Erfurt,	= Benediger.
3.	†Magdeburg,	= Hummel.

VI. Provinz Schleswig-Holstein.

1.	Altona: †Realschule (verbunden mit Real-Gymnasium),	Dr. Schlee.
2.	†Blankenese,[1]	Dr. Kirschten.
3.	†Ottensen,	Strehlow.

VII. Provinz Hannover.

1.	Emden: †Kaiser-Friedrichs-Schule,	Dr. Niemöller.
2.	†Geestemünde,	= Eilker, Prof.
3.	Hannover: †Erste Realschule,	Rosenthal.

VIII. Provinz Westfalen.

1.	Dortmund: †Gewerbeschule (Realschule),	Dr. Stolz, Prof.
2.	Hagen: †Gewerbeschule mit Fachklassen (Realschule),	= Holzmüller, Prof.
3.	†Unna,	Wittenbrinck.

[1]) In der Entwicklung begriffen.

Direktoren:

IX. Provinz Hessen-Nassau.

1.	†Bockenheim,	Dörr.
2.	†Cassel,	Dr. Harnisch.
3.	Frankfurt a. M.: †Realschule der israelitischen Religions-Gesellschaft,	„ Hirsch.
4.	†Realschule der israelitischen Gemeinde (Philanthropin),	„ Baerwald.
5.	†Adlerflychtschule,	„ Scholderer.[1])
6.	†Selektenschule,	Dirigent: Dr. Thormann, Prof., auftragsw.

X. Rheinprovinz.

1.	Barmen: Realschule (verbunden mit Realgymnasium),	Lambeck, Prof.
2.	†Gewerbeschule (Realschule mit Fachklassen),	Dr. Lackemann.
3.	†Cöln,	„ Thomé, Prof.
4.	†Düsseldorf,	Biehoff.
5.	†Essen,	Dr. Welter.
6.	†Hechingen,	Röhr, Prof.
7.	Kreuznach,	Dr. Wehrmann.
8.	Mülheim a. d. Ruhr: †Realschule (verbunden mit Gymnasium),	Dr. Zietzschmann, Gymnas. Dir.
9.	†München-Gladbach,	„ Klausing.
10.	Solingen: †Realschule (verbunden mit Progymnasium),	„ Heine, Prof.

c. Real-Progymnasien.

I. Ostpreußen.

1.	Gumbinnen,[2])	Jacobi.
2.	Pillau,[2])	Meißner.

II. Provinz Westpreußen.

1.	Culm,	Dabel.
2.	Dirschau,	Killmann.
3.	Jenkau,	Dr. Bonstedt.
4.	Riesenburg,	Müller.

[1]) Tritt am 1. April 1896 in den Ruhestand.
[2]) In der Umwandlung zu einer Realschule begriffen.

	Direktoren:
III. Provinz Brandenburg.	
1. Forst i. d. Lausitz: Real-Progymnas. (verbunden mit Progymnasium),	Dr. Zitscher.
2. Havelberg: Real-Progymnasium (verbunden mit Realschulklassen),	John.
3. Krossen: Real-Progymnasium (verbunden mit Progymnasium und Realschulklassen),	Dr. Berbig.
4. Luckenwalde,	" Vogel.
5. Lübben: Real-Progymnasium (verbunden mit Realschulklassen),	" Weineck.
6. Nauen,	" Schaper.
7. Rathenow,	Weisker.
8. Spremberg,	Dr. Köhler.
9. Wriezen,	Gentz.
IV. Provinz Pommern.	
1. Greifswald [1]): Real-Progymnasium (verbunden mit Gymnasium),	Dr. Steinhausen.
2. Stargard i. Pomm.,	Rohleder.
3. Stolp [1]): Real-Progymnasium (verbunden mit Gymnasium),	Dr. Goethe.
4. Wolgast,	" Kröcher.
5. Wollin,	Clausius.
V. Provinz Schlesien.	
1. Freiburg i. Schl.,	Dr. Klipstein, Prof.
2. Löwenberg,	" Steinvorth.
3. Ratibor,	" Knape.
VI. Provinz Sachsen.	
1. Aschersleben: Real-Progymnasium (verbunden mit Gymnasium),	Dr. Steinmeyer, Gymnas. Dir.
2. Delitzsch,	Kayser, Prof.
3. Eilenburg,	Dr. Wiemann, Prof.
4. Eisleben,	Boesche.
5. Gardelegen,	Francke.
6. Langensalza,	Dr. Ulrich.
7. Mühlhausen i. Thür.: Real-Progymnasium (verbunden mit Gymnas.),	Dr. Drenckhahn, Gymnas. Dir.

[1]) In der Umwandlung in eine lateinlose Realschule begriffen.

	Direktoren:
8. Naumburg a. d. Saale,	Fischer.
9. Schönebeck a. d. Elbe,	Dr. Klug.

VII. Provinz Schleswig-Holstein.

1. Itzehoe [1]),	Dr. Seitz, Prof.
2. Lauenburg a. E. [1]): Albinusschule,	z. Zt. unbesetzt.
3. Marne,	Dr. von Holly und Ponientzietz.
4. Neumünster [1]): Real-Progymnasium (verbunden mit Progymnasium),	„ Spangenberg.
5. Oldesloe [1]),	„ Bangert.
6. Schleswig [1]): Real-Progymnasium (verbunden mit d. Dom-Gymnas.),	Wolff, Prof., Gymn. Dir.
7. Segeberg [1]): Wilhelmsschule,	Dr. Jellinghaus.
8. Sonderburg [1]),	„ Döring, Prof [2]).

VIII. Provinz Hannover.

1. Buxtehude,	Dr. Pansch.
2. Duderstadt: Real-Progymnas. (verbunden mit Progymnasium),	Meyer, Prof.
3. Einbeck,	Dr. Lenk.
4. Hameln: Real-Progymnasium (verbunden mit Gymnasium),	„ Dörries, Gymnas. Dir.
5. Münden: Real-Progymnasium (verbunden mit Progymnasium),	„ Buchholz.
6. Nienburg, dsgl.,	Kühns.
7. Northeim,	Dr. Rösener.
8. Otterndorf,	„ Kückelhan.
9. Papenburg,	„ Overholthaus.
10. Uelzen,	Schöber, Prof.

IX. Provinz Westfalen.

1. Altena,	Dr. Rebling.
2. Lüdenscheid,	„ Oetling.
3. Schwelm,	„ Tobien.

X. Provinz Hessen-Nassau.

1. Biebrich,	Stritter.
2. Biedenkopf,	Esau, Prof.

---

[1]) In der Umwandlung in eine lateinlose Realschule begriffen.
[2]) Tritt am 1. April 1896 in den Ruhestand.

	Direktoren:
3. Diez,	Held, Prof.
4. Ems,	Dr. Gille.
5. Eschwege: Friedrich-Wilhelms-Schule, Real-Progymnasium (verbunden mit Progymnasium),	Dr. Arndt.
6. Fulda,	" Bergmann.
7. Geisenheim,	Koch.
8. Hersfeld: Real-Progymnasium (verbunden mit Gymnasium),	Dr. Duden, Gymnas. Dir.
9. Höchst a. M.: Real-Progymnasium (verbunden mit Progymnasium),	Mathi.
10. Homburg v. d. H: dsgl.,	Dr. Schulze.
11. Limburg a. d. L.: dsgl.,	Haas.
12. Marburg,	Dr. Hempfing.
13. Oberlahnstein,	" Widmann.
14. Schmalkalden,	Homburg.

XI. Rheinprovinz.

1. Dülken[1]),	Dr. Höffling.
2. Düren: Real-Progymnasium (verbunden mit Oberrealschule),	" Becker.
3. Langenberg,	" Meyer.
4. Lennep,[1])	" Fischer, Prof.
5. Neuwied: Real-Progymnasium (verbunden mit Gymnasium),	" Vogt, dsgl., Gymnas. Dir.
6. Oberhausen,	" Poppelreuter.
7. Remscheid,	" Petry.

d. Höhere Bürgerschulen.

Keine.

e. Andere öffentliche Lehranstalten.

I. Provinz Ostpreußen.

1. Heiligenbeil: †Landwirthschaftsschule.
2. Marggrabowa: †dsgl.

II. Provinz Westpreußen.

1. Marienburg: †Landwirthschaftsschule.

---

[1]) In der Umwandlung zu einer Realschule begriffen.

III. Provinz Brandenburg.

1. Dahme: †Landwirthschaftsschule.

IV. Provinz Pommern.

1. Eldena: †Landwirthschaftsschule.
2. Schivelbein i. Pomm.: †dsgl.

V. Provinz Posen.

1. Samter: †Landwirthschaftsschule.

VI. Provinz Schlesien.

1. Brieg: †Landwirthschaftsschule.
2. Liegnitz: †dsgl.

VII. Provinz Schleswig-Holstein.

1. Flensburg: †Landwirthschaftsschule (verbunden mit Oberrealschule).

VIII. Provinz Hannover.

1. Hildesheim: †Landwirthschaftsschule.

IX. Provinz Westfalen.

1. Herford: †Landwirthschaftsschule.
2. Lüdinghausen: †dsgl.

X. Provinz Hessen-Nassau.

1. Weilburg: †Landwirthschaftsschule.

XI. Rheinprovinz.

1. Bitburg: †Landwirthschaftsschule.
2. Cleve: †dsgl.

Privat-Lehranstalten. ×)

I. Provinz Brandenburg.

1. Berlin: Handelsschule des Direktors Paul Lach.
2. Falkenberg i. d. Mark: Viktoria-Institut von Albert Siebert.

II. Provinz Posen.

1. Ostrau (früher Ostrowo) bei Filehne: Progymnasiale und realprogymnasiale Abtheilung des Pädagogiums des Professors Dr. Max Beheim-Schwarzbach.

×) Die nachfolgenden Anstalten dürfen Befähigungszeugnisse nur auf Grund des Bestehens einer im Beisein eines Regierungs-Kommissars abgehaltenen Entlassungsprüfung ausstellen, sofern für diese Prüfung das Reglement von der Aufsichtsbehörde genehmigt ist.

III. Provinz Schlesien.

1. Cosel O. Schl.: Höhere Privat-Knabenschule unter Leitung des Vorstehers G. Schwarzkopf.
2. Gnadenfrei: †Höhere Privat-Bürgerschule unter Leitung des Diakonus G. Lentz.
3. Niesky: Pädagogium unter Leitung des Vorstehers Hermann Bauer.[1])

IV. Provinz Sachsen.

1. Erfurt: †Handels-Fachschule von Albin Körner.
2. Lauterberg a. Harz: †Höhere Privat-Knabenschule des Dr. Paul Bartels.
3. Sachsa a. Harz: †Lehr- und Erziehungs-Anstalt (Privat-Realschule von Wilbrand Rhotert.

V. Provinz Hannover.

1. Osnabrück: †Nöllesche Handelsschule des Dr. L. Lindemann.

VI. Provinz Westfalen.

1. Paderborn: †Unterrichts-Anstalt (Privat-Realschule) von Heinrich Reismann.
2. Telgte: Progymnasiale und †höhere Bürgerschul-Abtheilung des Erziehungs-Institutes des Dr. Franz Knickenberg.

VII. Provinz Hessen-Nassau.

1. Frankfurt a. M.: †Ruoff-Hasselsches Erziehungs-Institut von Karl Schwarz.
2. Friedrichsdorf bei Homburg v. d. Höhe: †Garnier'sche Lehr- und Erziehungs-Anstalt des Dr. Ludwig Proescholdt.

VIII. Rheinprovinz.

1. St. Goarshausen: †Erziehungs-Institut (Institut Hofmann) des Dr. Gustav Müller (früher Karl Harrach).
2. Kemperhof bei Coblenz: †Katholische Knaben-Unterrichts- und Erziehungs-Anstalt des Dr. Christian Joseph Jonas.
3. Obercassel bei Bonn: †Unterrichts- und Erziehungs-Anstalt von Ernst Kalkuhl.

Fürstenthum Waldeck.

Aa. Gymnasium.

1. Cordach, Direktor: Dr. Wiskemann.

---

[1])Die Anstalt ist befugt, das wissenschaftliche Befähigungszeugnis für den einjährig-freiwilligen Militärdienst auf Grund des Bestehens der Abschlußprüfung nach dem sechsten Jahrgange unter Anwendung der preußischen Prüfungsordnung vom 6. Januar 1892 zu ertheilen.

Cc. Real-Progymnasium.

1. Arolsen, Direktor: Dr. Ebersbach, Prof.

Privat-Lehranstalt. ×)

1. Pyrmont: Pädagogium des Dr. Hermann Karl Gotthilf Caspari (Progymnasial-Abtheilung und Real-Progymnasial-Abtheilung).

N. Die Königlichen Schullehrer- und Lehrerinnen-Seminare.

(114 Lehrer-Seminare, — 9 Lehrerinnen-Seminare, — 1 Lehrerinnen-Kursus, — überhaupt 124 Lehrer- und Lehrerinnen-Bildungsanstalten.)

I. Provinz Ostpreußen.

(7 evangel. Lehrer-Seminare, 1 kathol. Lehrer-Seminar.)

a. Regierungsbezirk Königsberg.

1. Braunsberg, kathol. Seminar, Direktor: Dr. Schandau.
2. Preuß. Eylau, evang. Seminar, „ Munther.
3. Ortelsburg, dsgl., „ Roßmann [1]), Schulrath.
4. Osterode, evangel. Seminar, „ Päch, Schulrath.
5. Waldau, dsgl., „ Ruete, [2]) Schulrath.

b. Regierungsbezirk Gumbinnen.

6. Angerburg, evang. Seminar, Direktor: Thomas.
7. Karalene, dsgl., „ Romeiks.
8. Ragnit, dsgl., „ Löschke.

II. Provinz Westpreußen.

(8 evangel., 8 kathol. Lehrer-Seminare.)

a. Regierungsbezirk Danzig.

9. Berent, kathol. Seminar, Direktor: Dr. Cyranka.

×) Die nachfolgende Anstalt darf Befähigungszeugnisse nur auf Grund des Bestehens einer im Beisein eines Regierungs-Kommissars abgehaltenen Entlassungsprüfung ausstellen, sofern für diese Prüfung das Reglement von der Aufsichtsbehörde genehmigt ist.

[1]) z. Z. bei der Königlichen Regierung zu Posen beschäftigt.

[2]) z. Z. bei der Königlichen Regierung zu Frankfurt a. O. beschäftigt, wird vertreten durch den Seminar-Oberlehrer Redbner zu Königsberg N. M.

10. Marienburg, evangel. Seminar, Direktor: Schröter, Schulrath.

b. Regierungsbezirk Marienwerder.

11. Preuß. Friedland, evang. Seminar, Direktor: Urlaub, Schulrath.
12. Graudenz, kathol. Seminar, " Salinger.
13. Löbau, evang. Seminar, " Göbel, Schulrath.
14. Tuchel, kathol. Seminar, " Jablonski.

III. Provinz Brandenburg.

(11 evangel. Lehrer-Seminare, 1 evangel. Lehrerinnen-Seminar.)

a. Stadt Berlin.

15. Berlin, evang. Seminar für Stadtschullehrer, Direktor: Paasche, Schulrath.
16. Berlin, evang. Lehrerinnen-Seminar, " Moldehn, Schulrath.

b. Regierungsbezirk Potsdam.

17. Köpenick, evang. Seminar, Direktor: Dr. Gregorovius.[1])
18. Kyritz, dsgl., " Scheibner.
19. Neu-Ruppin, dsgl., " Hoffmann, Schulrath.
20. Oranienburg, dsgl., " Dr. Schneider.
21. Prenzlau, dsgl., " Eckolt, Schulrath.

c. Regierungsbezirk Frankfurt.

22. Altdöbern, evang. Seminar, Direktor: Lüttich.
23. Drossen, dsgl., " z. Z. unbesetzt.[2])
24. Friedeberg N. M., dsgl., " Besig, Schulrath.
25. Königsberg N. M., dsgl., " Keetman, Schulrath.
26. Neuzelle, evang. Seminar und Waisenhaus, " Noack, Schulrath, Oberpfarrer.

IV. Provinz Pommern.

(7 evang. Lehrer-Seminare.)

a. Regierungsbezirk Stettin.

27. Cammin, evang. Seminar, Direktor: Gründler.

---

[1]) z. Z. bei der Königlichen Regierung zu Potsdam beschäftigt, wird vertreten durch den Seminar-Oberlehrer Prof. Dr. Fritze.

[2]) Kommiss. Verwalter des Direktorates ist der Seminar-Oberlehrer Cremer aus Hannover.

28. Pölitz, evang. Seminar, Direktor: Dr. Schürmann.
29. Pyritz, dsgl., " Moll.

b. Regierungsbezirk Cöslin.

30. Bütow, evang. Seminar, Direktor: Maigatter.
31. Dramburg, dsgl., " Hinze.
32. Cöslin, dsgl., " Presting.

c. Regierungsbezirk Stralsund.

33. Franzburg, evang. Seminar, Direktor: Breitsprecher, Schulrath.

V. Provinz Posen.

(2 evangel., 2 kathol. Lehrer-Seminare, 1 paritätisches Lehrer-Seminar, 1 Lehrerinnen-Seminar.)

a. Regierungsbezirk Posen.

34. Koschmin, evang. Seminar, Direktor: Heidrich.
35. Paradies, kathol. Seminar, " Pelz.
36. Posen, Lehrerinnen Seminar, " Baldamus, Schulrath.
37. Rawitsch, parität. Seminar, " Dr. Schroller.

b. Regierungsbezirk Bromberg.

38. Bromberg, evangel. Seminar, Direktor: Tobias.
39. Exin, kathol. Seminar, " Grüner.

VI. Provinz Schlesien.

(9 evangel., 10 kathol. Lehrer-Seminare.

a. Regierungsbezirk Breslau.

40. Breslau, kathol. Seminar, Direktor: Dr. Ziron, Schulrath.
41. Brieg, evang. Seminar, " Waeber.
42. Habelschwerdt, kathol. Seminar, " Dr. Volkmer, Schulrath.
43. Münsterberg, evang. Seminar, " Philipp.
44. Oels, dsgl., " Dr. Scharlach.
45. Steinau a. O., evang. Seminar und Waisenhaus, " Spohrmann, Schulrath.

b. Regierungsbezirk Liegnitz.

46. Bunzlau, evang. Seminar, Waisen- und Schulanstalt, Direktor: Ostendorf.
47. Liebenthal, kathol. Seminar, " Skalitzky.
48. Liegnitz, evang. Seminar, " Banse, Schulrath.

49. Reichenbach O.L., evang. Seminar, Direktor: Bock.
50. Sagan, dsgl., „ Stolzenburg.

c. Regierungsbezirk Oppeln.

51. Ober-Glogau, kathol. Seminar, Direktor: Dr. Schermuly.
52. Kreuzburg, evang. Seminar, „ Jänicke.
53. Peiskretscham, kathol. Seminar, „ Reimann.
54. Pilchowitz, dsgl., „ Sternaux.
55. Proskau, dsgl., „ Köhler.
56. Rosenberg, dsgl., „ Dr. Malende.
57. Ziegenhals, dsgl., „ Blana.
58. Zülz, dsgl., „ Dobroschke, Schulrath.

VII. Provinz Sachsen.

(10 evangel. Lehrer-Seminare, 1 kathol. Lehrer-Seminar, 1 evangel. Gouvernanten-Institut, 1 evangel. Lehrerinnen-Seminar.)

a. Regierungsbezirk Magdeburg.

59. Barby, evang. Seminar, Direktor: Voigt.
60. Genthin, dsgl., „ Brückner.
61. Halberstadt, dsgl., „ Dr. Hirt, Schulrath.
62. Osterburg, dsgl., „ Dörffling.

b. Regierungsbezirk Merseburg.

63. Delitzsch, evang. Seminar, Direktor: Bohnenstädt, Schulrath.
64a. [1])Droyßig, evangel. Gouvernanten-Institut, „ Dr. vom Berg.
b. [1])Droyßig, evang. Lehrerinnen-Seminar, „ Derselbe.
65. Eisleben, evang. Seminar, „ Martin.
66. Elsterwerda, dsgl., „ Dr. Thiemann.
67. Weißenfels, dsgl., „ Seeliger, Schulrath.

c. Regierungsbezirk Erfurt.

68. Erfurt, evang. Seminar, Direktor: Wieacker, Schulrath.
69. Heiligenstadt, kathol. Seminar, „ Dr. Weiß, Schulrath.
70. Mühlhausen i. Th., evangel. Seminar, Dirigent: Dr. Hinze, Sem. Oberlehrer.

---

[1]) Die Anstalten zu Droyßig stehen unmittelbar unter dem Minister der geistlichen 2c. Angelegenheiten, s. S. 9 dieses Heftes.

VIII. Provinz Schleswig-Holstein.

(6 evangel. Lehrer-Seminare, 1 evangel. Lehrerinnen-Seminar.)

71. Augustenburg, evang. Lehrerinnen-Seminar, Direktor: Eckert.
72. Eckernförde, evang. Seminar, " Schöppa.
73. Hadersleben, dsgl., " Castens, Schulrath.
74. Ratzeburg, dsgl., Dirigent: Günther, Seminar-Oberlehrer.
75. Tondern, dsgl., Direktor: Kramm.
76. Segeberg, dsgl., " Löwer.
77. Uetersen, dsgl., " Bent.

IX. Provinz Hannover.

(10 evangel. Lehrer-Seminare, 1 kathol. Lehrer-Seminar.)

a. Regierungsbezirk Hannover.

78. Hannover, evang. Seminar, Direktor: Köchy, Schulrath.
79. Wunstorf, dsgl., " Rößler, dsgl.

b. Regierungsbezirk Hildesheim.

80. Alfeld, evang. Seminar, Direktor: Dr. Tyszka, Schulrath.
81. Hildesheim, kathol. Seminar, " Wedekin, Reg. und Schulrath.
82. Northeim, evang. Seminar, " von Werder.

c. Regierungsbezirk Lüneburg.

83. Lüneburg, evang. Seminar, Direktor: Bünger, Schulrath.

d. Regierungsbezirk Stade.

84. Beberkesa, evang. Seminar, Direktor: Meyer.
85. Stade, dsgl., " Schlemmer.
86. Verden, dsgl., " Stahn.

e. Regierungsbezirk Osnabrück.

87. Osnabrück, evang. Seminar, Direktor: Diercke, Reg. u. Schulrath.

f. Regierungsbezirk Aurich.

88. Aurich, evang. Seminar, Direktor: Deltjen.

X. Provinz Westfalen.

(5 evangel., 8 kathol. Lehrer-, 2 kathol. Lehrerinnen-Seminare.)

a. Regierungsbezirk Münster.

89. Münster, kathol. Lehrerinnen-Seminar, Direktor: Dr. Kraß, Schulrath.

90. Warendorf, kathol. Seminar, Direktor: Dr. Funke.

b. Regierungsbezirk Minden.

91. Büren, kathol. Seminar, Direktor: Freusberg.
92. Gütersloh, evang. Seminar, " Schulz.
93. Paderborn, kathol. Lehrerinnen-Seminar, " Dr. Sommer, Schulrath.
94. Petershagen, evang. Seminar, " Kohlmann.

c. Regierungsbezirk Arnsberg.

95. Herdecke, evang. Seminar, Direktor: Dr. Dumbey.
96. Hilchenbach, dsgl., " Tismer.
97. Rüthen, kathol. Seminar, " Stuhlbreier.
98. Soest, evang. Seminar, " Feige, Schulrath.

XI. Provinz Hessen-Nassau.

(2 evangel., 8 paritätische Lehrer-Seminare, 1 kathol. Lehrer-Seminar, 1 kathol. Lehrerinnen-Kursus.)

a. Regierungsbezirk Cassel.

99. Fulda, kathol. Seminar, Direktor: Dr. Ernst.
100. Homberg, evang. Seminar, " " Ranck.
101. Schlüchtern, dsgl., " " Renisch.[1])

b. Regierungsbezirk Wiesbaden.

102. Dillenburg, parit. Lehrer-Semin., Direktor: Lotz.
103. Montabaur, dsgl., " Dr. Schäfer.
104. kath. Lehrerinnen-Kursus, " Derselbe.
105. Usingen, parit. Lehrer-Seminar, " Dr. Heilmann.

XII. Rheinprovinz und Hohenzollern.

(6 evangel., 11 kathol. Lehrer-Seminare, 2 kathol. Lehrerinnen-Seminare, 1 paritätisches Lehrerinnen-Seminar.)

a. Regierungsbezirk Coblenz.

106. Boppard, kathol. Seminar, Direktor: Bürgel, Schulrath.
107. Münstermaifeld, dsgl., " Modemann.
108. Neuwied, evang. Seminar, " Doyé.

b. Regierungsbezirk Düsseldorf.

109. Elten, kathol. Seminar, Direktor: Dr. Wolffgarten.[2])
110. Kempen, dsgl., " " Velten, Schulrath.

---

[1]) z. Z. bei der Königlichen Regierung zu Cöslin beschäftigt, wird vertreten durch den Seminar-Oberlehrer Lewin.

[2]) z. Z. kommiss. Kreis-Schulinspektor in Crefeld.

111. Mettmann, evang. Seminar, Direktor: Guden.
112. Mörs, dsgl., „ Tiedge.
113. Odenkirchen, kathol. Seminar, „ Dr. Langen, Schulrath.
114. Rheydt, evang. Seminar, „ Dr. Quehl.
115. Xanten, kath. Lehrerinnen-Semin., „ Eppink.

c. Regierungsbezirk Cöln.

116. Brühl, kathol. Seminar, Direktor: Dr. Beck, Schulrath.
117. Siegburg, dsgl., „ „ Wimmers.

d. Regierungsbezirk Trier.

118. Ottweiler, evang. Seminar, Direktor: Diesner.
119. Prüm, kathol. Seminar, „ Dr. Bartholome.
120. Saarburg, kathol. Lehrerinnen-Seminar, „ Münch, Schulrath.
121. Trier, parit. Lehrerinnen-Seminar, „ Kreymer, Schulrath.
122. Wittlich, kathol. Seminar, „ Dr. Verbeek, Schulrath.

e. Regierungsbezirk Aachen.

123. Cornelimünster, kathol. Seminar, Direktor: Löser.
124. Linnich, dsgl., „ Dr. Schmitz.

O. Präparandenanstalten.

1. Die staatlichen Präparandenanstalten.

(86 Präparandenanstalten.)

I. Provinz Ostpreußen.

a. Regierungsbezirk Königsberg.

1. Friedrichshoff, Vorsteher: Kucharski.
2. Hohenstein, „ Bolz.

b. Regierungsbezirk Gumbinnen.

3. Lötzen, Vorsteher: Symanowski.
4. Pillkallen, „ Koch.

II. Provinz Westpreußen.

a. Regierungsbezirk Danzig.

5. Preuß. Stargard, Vorsteher: Semprich.

b. Regierungsbezirk Marienwerder.

6. Deutsch-Krone, Vorsteher: Kunst.
7. Rehden, " Fromm.
8. Schwetz, " Juhnke.

III. Provinz Brandenburg.

Keine.

IV. Provinz Pommern.

a. Regierungsbezirk Stettin.

9. Massow, Vorsteher: Frömter.
10. Plathe, " Pietzke.

b. Regierungsbezirk Cöslin.

11. Rummelsburg, Vorsteher: Schirmer.

c. Regierungsbezirk Stralsund.

12. Tribsees, Vorsteher: Müller.

V. Provinz Posen.

a. Regierungsbezirk Posen.

13. Lissa, Vorsteher: Geschke.
14. Meseritz, " Sawitzky.
15. Rogasen, " Ulbrich.

b. Regierungsbezirk Bromberg.

16. Czarnikau, Vorsteher: Höhne, kommissarisch.
17. Lobsens, " z. Zt. unbesetzt.[1])

VI. Provinz Schlesien.

a. Regierungsbezirk Breslau.

18. Landeck, Vorsteher: Janusch.
19. Schweidnitz, " Kleiner.

b. Regierungsbezirk Liegnitz.

20. Schmiedeberg, Vorsteher: Andrich.

c. Regierungsbezirk Oppeln.

21. Oppeln, Vorsteher: Schleicher.
22. Rosenberg, " Lepiorsch.
23. Ziegenhals, " Frobel.
24. Zülz, " Witton.

VII. Provinz Sachsen.

a. Regierungsbezirk Magdeburg.

25. Quedlinburg, Vorsteher: Risch.

[1]) Vom 1. April 1896 ab Vorsteher: Bade.

b. Regierungsbezirk Erfurt.

26. Heiligenstadt, Vorsteher: Hillmann.
27. Wandersleben, " Reling.

VIII. Provinz Schleswig-Holstein.

28. Apenrade, Vorsteher: Krieger.
29. Barmstedt, " Bösch.

IX. Provinz Hannover.

a. Regierungsbezirk Hannover.

30. Diepholz, Vorsteher: Grelle.

b. Regierungsbezirk Osnabrück.

31. Melle, Vorsteher: Mahnken.

c. Regierungsbezirk Aurich.

32. Aurich, Vorsteher: Hoffmann.

X. Provinz Westfalen.

a. Regierungsbezirk Arnsberg.

33. Laasphe, Vorsteher: Großmann.

XI. Provinz Hessen-Nassau.

a. Regierungsbezirk Cassel.

34. Fritzlar, Vorsteher: Filthaut.

b. Regierungsbezirk Wiesbaden.

35. Herborn, Vorsteher: Hopf.

XII. Rheinprovinz.

a. Regierungsbezirk Coblenz.

36. Simmern, Vorsteher: Weyrauch.

2. Die städtischen Präparandenanstalten.

(9 Präparandenanstalten.)

I. Provinz Ostpreußen.

a. Regierungsbezirk Königsberg.

1. Friedland a. A., Vorsteher: Rektor Schmidt, im Nebenamte.
2. Johannisburg, " Rektor Karrausch, auftragsw.

II. Provinz Brandenburg.

a. Regierungsbezirk Potsdam.

3. Joachimsthal, Vorsteher: z. Z. unbesetzt.

III. Provinz Pommern.

a. Regierungsbezirk Cöslin.

4. Belgard, Vorsteher: Seminarlehrer Neubüser, auftragsw.

IV. Provinz Sachsen.

a. Regierungsbezirk Magdeburg.

5. Genthin, Vorsteher: Gerlach.
6. Osterwieck, „ Schmidt.

b. Regierungsbezirk Erfurt.

7. Sömmerda, Vorsteher: Vorbrodt.

V. Provinz Hannover.

a. Regierungsbezirk Hildesheim.

8. Einbeck, Vorsteher: Seminarlehrer Meyerholz, auftragsw.

b. Regierungsbezirk Lüneburg.

9. Gifhorn, Vorsteher: Kreis-Schulinspektor, Superintendent Schuster, im Nebenamte.

P. Die Taubstummenanstalten.

(46 Taubstummenanstalten.)

I. Provinz Ostpreußen.

1. Angerburg, Provinz. Taubst. Anstalt, Direktor: Wiechmann.
2. Königsberg, dsgl., „ Reimer.
3. Königsberg, Anstalt des Ostpreußischen Central-Vereines für Erziehung taubstummer Kinder, z. Zt. unbesetzt.
4. Rössel, Provinzial-Taubst. Anstalt, Direktor: Heinick.

II. Provinz Westpreußen.

1. Danzig, städtische Taubst. Anstalt, steht unter Leitung der städt. Schuldeputation, Vorsteher: Radau.
2. Marienburg, Provinz. Taubst. Anstalt, Direktor: Hollenweger.
3. Schlochau, dsgl., „ Eimert.

III. Provinz Brandenburg mit Berlin.

1. Berlin, Königl. Taubst. Anstalt, Direktor: Walther.
2. Berlin, städtische Taubst. Anstalt, „ Berndt.

3. Guben, Provinzial-Taubst. Anstalt, Direktor: Hilger.
4. Wriezen a. O., Wilhelm-Augusta-Stift, Provinzial-Taubst. Anstalt, " Kauer.
5. Weißensee bei Berlin, jüd. Taubst. Anstalt, " Reich.

IV. Provinz Pommern.

1. Cöslin, Provinzial-Taubst. Anstalt, Vorsteher: Oltersdorf.
2. Stettin, dsgl., Direktor: Erdmann.
3. Stralsund, städt. Taubst. Anstalt, Lehrer u. Hausvater: Voß.

V. Provinz Posen.

1. Bromberg, Provinzial-Taubst. Anstalt, Direktor: Nordmann.
2. Posen, dsgl., " Radomski.
3. Schneidemühl, dsgl., z. Zt. unbesetzt.

VI. Provinz Schlesien.

1. Breslau, Vereins-Taubst. Anstalt, Direktor: Bergmann.
2. Liegnitz, dsgl., " Kratz.
3. Ratibor, dsgl., " Schwarz.

VII. Provinz Sachsen.

1. Erfurt, Provinzial-Taubst. Anstalt, Direktor: Prüfner.
2. Halberstadt, dsgl., " Keil.
3. Halle a. S., dsgl., " Köbrich.
4. Osterburg, dsgl., z. Zt. unbesetzt.
5. Weißenfels, dsgl., Direktor: Voigt.

VIII. Provinz Schleswig-Holstein.

1. Schleswig, Provinzial-Taubst. Anstalt, Direktor: Engelke.

IX. Provinz Hannover.

1. Emden, Taubst. Anstalt, Vorsteher: Oberlehrer Danger.
2. Hildesheim, Provinzial-Taubst. Anst., Direktor: von Staden.
3. Osnabrück, dsgl., " Zeller.
4. Stade, dsgl., " Schröder.

X. Provinz Westfalen.

1. Büren, kathol. Provinzial-Taubst. Anstalt, Direktor: Derigs.
2. Langenhorst, dsgl., " Bruß.
3. Petershagen, evang. Provinzial-Taubst. Anstalt, " Winter.
4. Soest, dsgl., " Heinrich.

XI. Provinz Hessen-Nassau.

1. Camberg, kommunalst. Taubst. Anstalt, Direktor: Wehrheim.
2. Frankfurt a. M., Taubst. Erziehungsanstalt, Vorsteher: Oberlehrer Vatter.
3. Homberg, kommunalst. Taubst. Anst., Direktor: Keßler.

XII. Rheinprovinz.

1. Aachen, simultane Vereins-Taubst.-Anst., Direktor: Linnartz.
2. Brühl, kathol. Provinz. Taubst. Anst., " Fieth.
3. Cöln, simultane Privat-Taubst. Anst., " Weißweiler, Schulrath.
4. Elberfeld, ev. Provinz. Taubst. Anst., " Sawallisch.
5. Essen, simultane Provinz. Taubst. Anst., " Ochs.
6. Kempen, kathol. Provinz. Taubst. Anst., " Kirfel.
7. Neuwied, ev. Provinz. Taubst. Anst., " Barth.
8. Trier, kathol. Provinzial-Taubst. Anst., " Cüppers.

Q. Die Blindenanstalten.

(15 Blindenanstalten.)

I. Provinz Ostpreußen.

1. Königsberg, Anstalt des preußischen Provinzial-Vereines für Blindenunterricht, Direktor: Brandstäter

II. Provinz Westpreußen.

1. Königsthal, Wilhelm-Augusta-Provinzial-(bei Danzig.) Blindenanstalt, Direktor: Krüger.

III. Provinz Brandenburg mit Berlin.

1. Berlin, städtische Blindenschule, Direktor: Kull.
2. Steglitz, Königliche Blindenanstalt, " Wulff. (bei Berlin.)

IV. Provinz Pommern.

1. Neu-Torney, Provinzial-Blindenanstalt, (bei Stettin.) (a. für Knaben, b. Viktoria-Stiftung für Mädchen), Direktor: Neumann.

V. Provinz Posen.

1. Bromberg, Provinzial-Blindenanstalt, Inspektor: Wittig.

VI. Provinz Schlesien.

1. Breslau, Schlesische Blinden-Unterrichtsanstalt, Dirigent: Schottke, Rektor.

VII. Provinz Sachsen.

1. Barby, Provinzial-Blindenanstalt, Direktor: Schön.

VIII. Provinz Schleswig-Holstein.

1. Kiel, provinzialständische Blindenanstalt, Direktor: Ferchen.

IX. Provinz Hannover.

1. Hannover, Provinzial-Blindenanstalt, Direktor: Mohr.

X. Provinz Westfalen.

1. Paderborn, Blindenanstalt für Zöglinge kathol. Konfession, Vorsteherin: Schwester Hildegarde Schwermann.
2. Soest, Blindenanstalt für Zöglinge evangelischer Konfession, Direktor: Lesche.

XI. Provinz Hessen-Nassau.

1. Frankfurt a. M., Blindenanstalt, Vorsteher: Inspektor Schild.
2. Wiesbaden, dsgl., " " Baldus.

XII. Rheinprovinz.

1. Düren, Provinz. Blindenanstalt, Direktor: Mecker, Schulrath.

R. Die öffentlichen höheren Mädchenschulen.

Das Verzeichnis dieser Anstalten kann zur Zeit noch nicht veröffentlicht werden.

---

8. Seminare und Termine für Abhaltung des sechswöchigen Seminarkursus seitens der Kandidaten des evangelischen Predigtamtes im Jahre 1896.

Evangel. Schullehrer-Seminar zu	Tag des Beginnes der Kurse.
	I. **Provinz Ostpreußen.**
Preuß. Eylau	15. Januar oder 1. Montag nach d. 15. Januar.
Ortelsburg	15. Mai " " " " " 15. Mai.
Osterode	20. Oktober " " " " " 20. Oktober.
Waldau	20. Oktober " " " " " 20. Oktober.
Angerburg	20. Oktober " " " " " 20. Oktober.
Karalene	15. Mai " " " " " 15. Mai.
Ragnit	15. Januar " " " " " 15. Januar.
	II. **Provinz Westpreußen.**
Marienburg	2. November.
Pr. Friedland	Montag nach Quasimodogeniti.
Löbau	8. Januar und 15. August.
	III. **Provinz Brandenburg.**
Berlin	Montag in der ersten Woche nach Neujahr.
Königsberg N. M.	Montag vor dem 15. Februar.
Neuzelle	Montag nach Quasimodogeniti.
Oranienburg	Montag nach Quasimodogeniti.
Kyritz	Montag vor dem 20. Mai.
Cöpenick	Zweiter Montag im August.
Neu-Ruppin	Acht Tage nach Beginn des zweiten Quartales (August) im Schuljahre.
Altdöbern	Dritter Montag im Oktober.
Drossen	Dritter Montag im Oktober.
Prenzlau	Erster Montag im November.
Friedeberg N. M.	Erster Montag im November.
	IV. **Provinz Pommern.**
Kammin i. Pom.	Ostern.
Pölitz	Anfang November.
Pyritz	Mitte Mai.
Bütow	Anfang Januar.
Dramburg	Mitte August.
Cöslin	Montag nach Estomihi.
Franzburg	Anfang November.

Evangel. Schul-lehrer-Seminar zu	Tag des Beginnes der Kurse.
	V. Provinz Posen.
Koschmin	14. April.
Rawitsch (paritätisch)	19. Oktober.
Bromberg	13. Januar.
	VI. Provinz Schlesien.
Münsterberg	a. 6. Januar. b. 17. August.
Oels	26. Oktober.
Steinau a. O.	a. 20. April. b. 2. November.
Bunzlau	6. Januar.
Liegnitz	3. Februar.
Reichenbach O.L.	17. August.
Sagan	12. Oktober.
Kreuzburg	a. 20. April. b. 19. Oktober.
Brieg	17. August.
	VII. Provinz Sachsen.
Barby	3. August.
Genthin	19. Oktober.
Halberstadt	13. April.
Osterburg	13. Januar.
Delitzsch	19. Oktober.
Eisleben	13. Januar.
Elsterwerda	13. April.
Weißenfels	3. August.
Erfurt	13. April.
	VIII. Provinz Schleswig-Holstein.
Eckernförde	1. Juni.
Tondern	2. November.
Segeberg	1. Juni.
Uetersen	13. Januar.

Z. N. Bei den Königlichen Schullehrer-Seminaren zu Hadersleben und Ratzeburg wird ein solcher Kursus nicht abgehalten.

	IX. Provinz Hannover.
Hannover	Erster Montag im November.
Wunstorf	Montag nach dem 1. Sonntage nach Epiphanias.

Evangel. Schullehrer-Seminar zu	Tag des Beginnes der Kurse.
Alfeld	Erster Montag im November.
Lüneburg	Montag nach Ostern.
Bederkesa	Zweiter Montag im Oktober.
Stade	Montag nach dem 1. Sonntage nach Epiphanias.
Verden	Zweiter Montag im Oktober.
Osnabrück	Montag nach dem 1. Sonntage nach Epiphanias.
Aurich	Erster Montag im November.
	X. Provinz Westfalen.
Gütersloh	Erster Montag im Oktober.
Hilchenbach	Zweiter Montag im Januar.
Petershagen	Montag nach dem 15. Juni.
Soest	Erster Montag im November.
	XI. Provinz Hessen-Nassau.
Homberg	Montag nach dem 1. August.
Schlüchtern	" " " 15. Januar.
Dillenburg	" " " 15. Januar.
	XII. Rheinprovinz.
Neuwied	Dienstag nach Quasimodogeniti.
Mettmann	Montag nach dem 1. Juli.
Mörs	Montag nach Cantate.
Rheydt	Erster Montag im November.
Ottweiler	Zweiter Montag nach Michaelis.

T. Termine für die Prüfungen an den Schullehrer- und Lehrerinnen-Seminaren im Jahre 1896.

Nr.	Seminar.	Tag des Beginnes der Aufnahme-Prüfung.	Entlassungs-Prüfung.	zweiten Volksschullehrer-Prüfung.
		I. Provinz Ostpreußen.		
1.	Braunsberg, kath.	14. März.	9. März.	20. März.
2.	Pr. Eylau, evang.	4. Septbr.	26. August.	17. März.
3.	Ortelsburg, evang.	25. August.	17. August.	7. März.

Nr.	Seminar.	Tag des Beginnes der Aufnahme-Prüfung.	Entlassungs-Prüfung.	zweiten Volksschullehrer-Prüfung.
4.	Osterode, evang.	9. März.	2. März.	24. August.
5.	Waldau, evang.	18. März.	12. März.	1. Septbr.
6.	Angerburg, evang.	20. August.	13. August.	28. Febr.
7.	Karalene, evang.	2. März.	24. Februar.	7. Septbr.
8.	Ragnit, evang.	27. Februar.	21. Februar.	9. Septbr.
	II. Provinz Westpreußen.			
1.	Berent, kath.	20. März.	12. März.	27. Oktober.
2.	Marienburg, evang.	6. März.	27. Febr.	20. Oktober.
3.	Pr. Friedland, evang.	21. August.	13. August.	5. Mai.
4.	Graudenz, kath.	14. Februar.	6. Februar.	10. Novbr.
5.	Löbau, evang.	13. März.	5. März.	16. Juni.
	am Nebenkursus	25. Septbr.	17. Septbr.	—
6.	Tuchel, kath.	18. Septbr.	10. Septbr.	25. August.
	III. Provinz Brandenburg und Berlin.			
1.	Berlin, Semin. für Stadtschullehrer, ev.	26. Febr.	20. Febr.	23. Juni.
2.	Berlin, Lehrerinnen-Seminar, evang.	19. März.	12. März.	—
3.	Cöpenick, evang.	4. März.	27. Februar.	9. Mai.
4.	Kyritz, evang.	21. Septbr.	29. August.	20. Oktober.
5.	Neu-Ruppin, evang.	11. März.	5. März.	18. Mai.
6.	Oranienburg, ev.	9. Septbr.	3. Septbr.	26. Oktbr.
7.	Prenzlau, evang.	25. März.	9. März.	—
8.	Altdöbern, evang.	4. März.	27. Februar.	9. Juni.
9.	Drossen, evang.	21. März.	5. März.	16. Juni.
10.	Friedeberg N. M., evang.	26. August.	20. August.	27. Oktbr.
11.	Neuzelle, evang.	16. Septbr.	10. Septbr.	19. Oktbr.
12.	Königsberg N. M., evang.	9. Septbr.	3. Septbr.	16. Novbr.
	IV. Provinz Pommern.			
1.	Kammin, evang.	18. Septbr.	10. Septbr.	10. Novbr.
2.	Pölitz, evang.	13. März.	5. März.	16. Juni.
3.	Pyritz, evang.	28. August.	20. August.	23. Novbr.
4.	Bütow, evang.	21. August.	13. August.	28. April.
5.	Dramburg, evang.	28. Febr.	20. Febr.	23. Juni.

Nr.	Seminar.	Tag des Beginnes der Aufnahme-Prüfung	Entlassungs-Prüfung.	zweiten Volksschullehrer-Prüfung.
6.	Cöslin, evang.	11. Septbr.	3. Septbr.	3. Novbr.
7.	Franzburg, evang.	6. März.	27. Febr.	18. Mai.
	V. Provinz Posen.			
1.	Koschmin, evang.	14. Septbr.	3. Septbr.	4. Mai. 23. Novbr.
2.	Paradies, kath.	2. März.	13. Febr.	15. Juni. 19. Oktbr.
3.	Posen, Lehrerinnen-Seminar.	14. April.	18. März.	—
4.	Rawitsch, parität.	2. März.	6. Febr.	20. April. 9. Novbr.
5.	Bromberg, evang.	2. März. 21. Septbr.	30. Jan. 27. August.	1. Juni. 7. Dezmbr.
6.	Exin, kath.	14. Septbr.	20. August.	8. Juni. 30. Novbr.
	VI. Provinz Schlesien.			
1.	Breslau, kath.	18. März.	9. Januar.	23. Novbr.
2.	Brieg, evang.	13. März.	21. Febr.	25. August.
3.	Habelschwerdt, kath. Hauptkursus	15. Juni.	3. Juni.	14. Septbr.
	Nebenkursus	fällt in diesem Jahre aus.		
4.	Münsterberg, evang.	4. März.	31. Januar.	5. Mai.
5.	Oels, evang.	12. Juni.	29. Mai.	13. Oktbr.
6.	Steinau a. O., evang.	11. Septbr.	28. August	1. Dezbr.
7.	Bunzlau, evang.	18. Septbr.	3. Septbr.	8. Dezbr.
8.	Liebenthal, kath.	2. Juli.	25. Juni.	24. August.
9.	Liegnitz, evang.	15. Juni.	4. Juni.	20. Oktober.
10.	Reichenbach O. L., evang.	17. Dezmbr.	10. Dezmbr.	28. April.
11.	Sagan, evang.	6. März.	14. Febr.	18. August.
12.	Ober-Glogau, kath.	10. Septbr.	3. Septbr.	20. April.
13.	Kreuzburg, evang.	11. März.	7. Febr.	27. Oktober.
14.	Peiskretscham, kath.	27. Febr.	20. Febr.	9. Novbr.
15.	Pilchowitz, kath.	12. März.	5. März.	30. Novbr.
16.	Proskau, kath.	30. April.	23. April.	26. Oktober.
17.	Rosenberg, kath.	28. Mai.	13. Mai.	10. Febr.
18.	Ziegenhals, kath.	27. Juni.	18. Juni.	2. März.
19.	Zülz, kath.	26. März.	16. Januar.	19. Oktbr.

Nr.	Seminar.	Tag des Beginnes der Aufnahme-Prüfung.	Entlassungs-Prüfung.	zweiten Volksschullehrer-Prüfung.
	VII. Provinz Sachsen.			
1.	Barby, evang.	13. Februar.	7. Februar.	18. Mai.
2.	Genthin, evang.	18. März.	12. März.	27. Juni.
3.	Halberstadt, evang.	11. März.	5. März.	20. Juni.
4.	Osterburg, evang.	8. Septbr.	3. Septbr.	30. Novbr.
5.	Delitzsch, evang.	18. Febr.	13. Febr.	30. Mai.
6.	Eisleben, evang.	25. Febr.	20. Febr.	13. Juni.
7.	Elsterwerda, evang.	15. Septbr.	10. Septbr.	17. Novbr.
8.	Weißenfels, evang.	5. März.	28. Febr.	9. Juni.
9.	Erfurt, evang.	—	19. Septbr.	21. Novbr.
10.	Heiligenstadt, kath.	—	15. Septbr.	24. Novbr.
11.	Mühlhausen i. Th.	29. Febr.	—	—.
	VIII. Provinz Schleswig-Holstein.			
1.	Augustenburg, Lehrerinn. Semin., evang.	19. März.	12. März.	—
2.	Eckernförde, evang.	12. März.	5. März.	16. Mai.
3.	Hadersleben, ev.	27. August.	20. August.	31. Oktober.
4.	Segeberg, evang.	3. Septbr.	27. August.	7. Novbr.
5.	Tondern, evang.	5. März.	27. Febr.	2. Mai.
6.	Uetersen, evang.	10. Dezmbr.	3. Dezmbr.	1. Febr.
7.	Ratzeburg, evang.	10. Septbr.	3. Septbr.	21. Novbr.
	IX. Provinz Hannover.			
1.	Hannover, evang.	10. März.	19. Febr.	9. Mai.
2.	Wunstorf, evang.	26. August.	9. Septbr.	2. Juni.
3.	Alfeld, evang.	9. Septbr.	27. August.	5. Mai.
4.	Hildesheim, kath.	23. Septbr.	17. Septbr.	15. Oktober.
5.	Northeim, evang.	10. März.	20. Febr.	—
6.	Lüneburg, evang.	8. Septbr.	13. August.	21. April.
7.	Bederkesa, evang.	27. Febr.	4. März.	22. Juni.
8.	Stade, evang.	26. August.	3. Septbr.	14. April.
9.	Verden, evang.	4. März.	13. Febr.	16. Juni.
10.	Osnabrück, evang.	10. Septbr.	20. August.	9. Juni.
11.	Aurich, evang.	10. März.	27. Febr.	27. April.
12.	Osnabrück, kath.	31. März.	13. März.	12. August.
13.	Hannover, israel.	16. März.	2. März.	—

Nr.	Seminar.	Tag des Beginnes der Aufnahme-Prüfung.	Tag des Beginnes der Entlassungs-Prüfung.	Tag des Beginnes der zweiten Volksschullehrer-Prüfung.
	X. Provinz Westfalen.			
1.	Münster, Lehrerinnen-Seminar, kath.	3. August.	27. Juli.	—
2.	Warendorf, kath.	23. Juli.	17. Juli.	5. Oktober.
3.	Büren, kath.	6. Febr.	31. Januar.	12. Oktober.
4.	Gütersloh, evang.	6. August.	17. Januar. 31. Juli.	—
5.	Paderborn, Lehrerinn. Semin., kath.	18. Febr.	21. Febr.	—
6.	Petershagen, evang.	5. März.	28. Febr.	1. Oktober.
7.	Herdecke, evang.	27. Febr.	21. Febr.	—
8.	Hilchenbach, evang.	25. Juni.	19. Juni. 24. Juli.	7. Mai.
9.	Rüthen, kath.	11. März.	5. März.	6. Juli.
10.	Soest, evang.	11. Febr.	7. Febr.	1. Juni.
	XI. Provinz Hessen-Nassau.			
1.	Fulda, kath.	4. Septbr.	24. Septbr.	22. Oktober.
2.	Homberg, evang.	14. März.	11. März.	15. Oktober.
3.	Schlüchtern, evang.	4. Septbr.	27. August.	25. Juni.
4.	Dillenburg, parit.	13. August.	20. August.	7. Mai.
5.	Montabaur, parit.	5. März.	26. März.	30. Juli.
6.	Usingen, parit.	25. März.	23. März.	6. August.
7.	Cassel, israel.	14. März.	30. März.	29. Oktober.
	XII. Rheinprovinz und Hohenzollern.			
1.	Boppard, kath.	12. August.	24. Juli.	16. Oktober.
2.	Münstermaifeld, kath.	19. März.	24. Februar.	28. April.
3.	Neuwied, evang.	8. Juli.	9. Juli.	8. Oktober.
4.	Brühl, kath.	12. August.	30. Juli.	13. Oktober.
5.	Siegburg, kath.	19. März.	21. Febr.	1. Mai.
6.	Elten, kath.	19. März.	2. März.	29. Mai.
7.	Kempen, kath.	12. August.	3. August.	7. Oktober.
8.	Mettmann, evang.	4. März.	13. Februar.	7. Mai.
9.	Mörs, evang.	29. Juli.	30. Juli.	22. Oktober.
10.	Odenkirchen, kath.	19. März.	9. März.	25. Juni.
11.	Rheydt, evang.	25. Juli.	27. Juli.	26. Oktober.
12.	Xanten, Lehrerinnen-Seminar, kath.	17. März.	5. März.	

Nr.	Seminar.	Tag des Beginnes der Aufnahme-Prüfung.	Entlassungs-Prüfung.	zweiten Volksschullehrer-Prüfung.
13.	Ottweiler, evang.	5. März.	6. März.	24. Juni.
14.	Prüm, kath.	19. März.	18. Mai.	21. Mai.
15.	Saarburg, Lehrerinnen-Seminar, kath.	17. März.	26. März.	–
16.	Trier, Lehrerinnen-Seminar, parit.	—	10. März.	—
17.	Wittlich, kath.	5. August.	13. August.	21. Oktober.
18.	Cornelimünster, kath.	12. August.	6. August.	5. Oktober.
19.	Linnich, kath.	19. März.	27. Febr.	23. Juni.

U. Termine für die Prüfungen an den staatlichen Präparandenanstalten im Jahre 1896.

Nr.	Präparandenanstalt.	Tag des Beginnes der Aufnahme-Prüfung.	Entlassungs-Prüfung.
	I. Provinz Ostpreußen.		
1.	Friedrichshof	25. August.	22. August.
2.	Hohenstein	25. August.	6. März. 22. August.
3.	Lötzen	20. August.	18. August.
4.	Pillkallen	9. März.	5. März.
	II. Provinz Westpreußen.		
1.	Dt. Krone	21. April.	14. April.
2.	Pr. Stargard	10. März.	15. Febr.
3.	Rehden	10. März.	22. Febr.
4.	Schwetz	10. März.	24. Febr.
	III. Provinz Brandenburg und Berlin.		
	Keine.		
	IV. Provinz Pommern.		
1.	Massow	20. März.	14. März.
2.	Plathe	3. September.	29. August.

Nr.	Präparandenanstalt.	Tag des Beginnes der Aufnahme-Prüfung.	Tag des Beginnes der Entlassungs-Prüfung.
3.	Rummelsburg i. P.	25. September.	21. September.
4.	Tribsees	25. März.	20. März.
	V. Provinz Posen.		
1.	Czarnikau	11. September.	7. September.
2.	Lobsens	23. März.	24. Februar.
3.	Lissa	23. März.	24. Februar.
4.	Meseritz	23. März.	24. Februar.
5.	Rogasen	11. September.	7. September.
	VI. Provinz Schlesien.		
1.	Landeck	8. Juni.	30. Mai.
2.	Schweidnitz	20. März.	29. Februar.
3.	Schmiedeberg	16. September.	22. August.
4.	Oppeln	15. Mai.	9. Mai.
5.	Rosenberg	8. Juni.	3. Juni.
6.	Ziegenhals	30. Juni.	24. Juni.
7.	Zülz	26. März.	21. März.
	VII. Provinz Sachsen.		
1.	Quedlinburg	10. Februar.	5. Februar.
2.	Heiligenstadt	25. September.	21. September.
3.	Wandersleben	25. September.	21. September.
	VIII. Provinz Schleswig-Holstein.		
1.	Apenrade	9. April.	20. März.
2.	Barmstedt	1. Oktober.	17. September.
	IX. Provinz Hannover.		
1.	Aurich	10. März.	3. März.
2.	Diepholz	10. März.	18. März.
3.	Melle	22. August.	4. September.
	X Provinz Westfalen.		
1.	Laasphe	23. März.	26. Juni.
	XI. Provinz Hessen-Nassau.		
1.	Fritzlar	4. September.	9. September.
2.	Herborn	14. März.	25. Februar. 19. August.

Nr.	Präparandenanstalt.	Tag des Beginnes der Aufnahme-Prüfung.	Tag des Beginnes der Entlassungs-Prüfung.
	XII. Rheinprovinz und Hohenzollern.		
1.	Simmern	27. März.	3. März.

V. Orte und Termine für die Prüfungen der Lehrer an Mittelschulen sowie der Rektoren im Jahre 1896.

I. Uebersicht nach den Provinzen.

Provinz.	Tag des Beginnes der Prüfung für Lehrer an Mittelschulen.	Tag des Beginnes der Prüfung für Rektoren.	Ort.
Ostpreußen	27. April 30. Oktober	1. Mai 5. November	Königsberg.
Westpreußen	9. Juni 24. November	10. Juni 25. November	Danzig.
Brandenburg	28. April 9. Juni 3. November 8. Dezember	5. Mai 16. Juni 10. November 15. Dezember	Berlin.
Pommern	10. Juni 9. Dezember	9. Juni 8. Dezember	Stettin.
Posen	27. April 26. Oktober	1. Mai 30. Oktober	Posen.
Schlesien	4. Mai 12. Oktober	8. Mai 16. Oktober	Breslau.
Sachsen	29. April 28. Oktober	4. Mai 2. November	Magdeburg.
Schleswig-Holstein	24. Februar 17. August	28. Februar 21. August	Tondern.
Hannover	20. Mai 21. Oktober	18. Mai 19. Oktober	Hannover.
Westfalen	17. März 21. September	17. März 21. September	Münster.

Provinz.	Tag des Beginnes der Prüfung für Lehrer an Mittelschulen.	Tag des Beginnes der Prüfung für Rektoren.	Ort.
Hessen-Nassau	8. Juni 30. November	11. Juni 3. Dezember	Cassel.
Rheinprovinz	6. Juni 7. November	15. Juni 16. November	Coblenz.

II. Chronologische Uebersicht.

Monat.	Tag des Beginnes der Prüfung für Lehrer an Mittelschulen	Tag des Beginnes der Prüfung für Rektoren.	Ort.
Februar	24.	28.	Tondern.
März	17.	17.	Münster.
April	27.	—	Königsberg.
	27.	—	Posen.
	28.	—	Berlin.
	29.	—	Magdeburg.
Mai	—	1.	Königsberg.
	—	1.	Posen.
	—	4.	Magdeburg.
	—	5.	Berlin.
	4.	8.	Breslau.
	20.	18.	Hannover.
Juni	6.	—	Coblenz.
	8.	—	Cassel.
	9.	—	Danzig.
	9.	—	Berlin.
	10.	9.	Stettin.
	—	10.	Danzig.
	—	11.	Cassel.
	—	15.	Coblenz.
	—	16.	Berlin.
August	17.	21.	Tondern.
September	21.	21.	Münster.
Oktober	12.	16.	Breslau.
	21.	19.	Hannover.
	26.	—	Posen.
	28.	—	Magdeburg.
	30.	—	Königsberg.
	—	30.	Posen.
November	—	2.	Magdeburg.

Monat.	Tag des Beginnes der Prüfung für Lehrer an Mittelschulen.	Tag des Beginnes der Prüfung für Rektoren.	Ort.
November	3.	—	Berlin.
	—	5.	Königsberg.
	7.	—	Coblenz.
	—	10.	Berlin.
	—	16.	Coblenz.
	24.	25.	Danzig.
	30.	—	Cassel.
Dezember	—	3.	Cassel.
	8.	—	Berlin.
	9.	8.	Stettin.
	—	15.	Berlin.

W. Orte und Termine für die Prüfungen der Lehrerinnen, der Sprachlehrerinnen und der Schulvorsteherinnen im Jahre 1896.*)

1. Uebersicht nach den Provinzen.

Ort.	Tag des Beginnes der Prüfung für Lehrerinnen.	Sprachlehrerinnen.	Schulvorsteherinnen.	Art der Lehrerinnen-Prüfung.
		I. Provinz Ostpreußen.		
Königsberg	16. April	5. Mai	23. April	Kommiss. Prüf.
	22. Oktbr.	2. Dzbr.	29. Oktbr.	dsgl.
Memel	15. Oktbr.	—	—	Abg. Prüf. a. d. städtisch. Lehr. Bild. Anst.
Tilsit	8. Juni	—	—	Abg. Prüf. a. d. Privat-Lehr. Bild. Anst. des Direktors der städt. höh. Mädchenschule Willms.
		II. Provinz Westpreußen.		
Berent	19. Juni	—	—	Abg. Prüf. a. d. Marienstift.
Danzig	21. März	23. März	24. März	Abg. Prüf. a. d. städtisch. Lehr. Bild. Anst., zugleich für Auswärtige.
	4. Sptbr.	7. Sptbr.	8. Sptbr.	(wie oben)
Elbing	9. Oktbr.	—	13. Oktbr.	dsgl.

*) Für die Bezeichnung „Lehrerinnen-Bildungs-Anstalt“ wird die Abkürzung Lehr. Bild. Anst. angewendet.

Ort.	Tag des Beginnes der Prüfung für Lehrerinnen.	Sprachlehrerinnen.	Schulvorsteherinnen.	Art der Lehrerinnen-Prüfung.
Graudenz	8. Mai	—	—	Abg. Prüf. a. d. städtisch. Lehr. Bild. Anst.
Marienburg	2. März.	—	—	dsgl.
Marienwerder	15. Mai	—	—	dsgl.
Thorn	29. August	—	—	dsgl.

III. Provinz Brandenburg.

Berlin	1. Mai 2. Novbr.	27. Mai 27. Novbr.	20. Mai 25. Novbr.	Kommiss. Prüf.
Frankfurt a. O.	27. Febr. 21. Sptbr.	— —	— —	dsgl.
Potsdam	16. März	—	—	dsgl.

IV. Provinz Pommern.

Cöslin	12. Mai	—	12. Mai	Kommiss. Prüf.
Stettin	14. April	23. April	14. April	dsgl.
	13. Oktbr.	22. Oktbr.	13. Oktbr.	dsgl.
Stralsund	27. Oktbr.	—	27. Oktbr.	dsgl.

V. Provinz Posen.

Bromberg	9. März 14. Sptbr.	— —	— —	Kommiss. Prüf.
	—	—	13. März	
	—	—	18. Sptbr.	
	9. März 15. Sptbr.	— —	— —	Abg. Prüf. a. d. Privat-Lehr. Bild. Anst. des Frl. Droeger.
Posen	18. März	—	—	Abg. Prüf. a. d. Königl. Lehrerinnen-Seminar.
	16. März 3. Sptbr.	— —	— —	Kommiss. Prüf.
	—	16. März	21. März	
	—	3. Sptbr.	5. Sptbr.	

VI. Provinz Schlesien.

Breslau	9. März 21. Sptbr.	— —	— —	Abg. Prüf. a. d. Privat-Lehr. Bild. Anst. des Dr. Nisle.
	23. März 14. Sptbr.	— —	— —	dsgl. des Frl. Knittel.

Ort.	Tag des Beginnes der Prüfung für Lehrerinnen.	Sprach-lehrerinnen.	Schulvor-steherinnen.	Art der Lehrerinnen-Prüfung.
	6. Juli 14. Dzbr.	— —	— —	Abg. Prüf. a. d. Privat-Lehr. Bild. Anst. des Frl. Holthausen.
	26. März 24. Sptbr.	26. März 24. Sptbr.	26. März 26. Sptbr.	Kommiss. Prüf.
Görlitz	20. März	—	—	Abg. Prüf. a. d. städtisch. Lehr. Bild. Anst.
Liegnitz	9. April	—	9. April	Kommiss. Prüf.
Pleß	30. Sptbr.	—	30. Sptbr.	dsgl.
VII. Provinz Sachsen.				
Droyßig	Anfang Juli	—	—	Abg. Prüf. a. d. Königl. evangel. Gouvernanten-Institut.
	Anfang Juli	—	—	Abg. Prüf. a. d. Königl. evang. Lehrerinnen-Seminar.
Eisleben	15. Juni	—	19. Juni	Kommiss. Prüf.
Erfurt	29. Sptbr.	—	1. Oktbr.	dsgl.
Gnadau	5. Juni	—	—	Abg. Prüf. a. d. Lehr. Bild. Anst. d. ev. Brüdergemeinde.
Halberstadt	23. Juni	—	25. Juni	Kommiss. Prüf.
Halle a. S.	8. Sptbr.	—	—	Abg. Prüf. a. d. Privat-Lehr. Bild. Anst. bei den Franckeschen Stiftungen.
Magdeburg	— —	15. Mai 13. Novbr.	— —	
VIII. Provinz Schleswig-Holstein.				
Augusten-burg	12. März	—	—	Abg. Prüf. a. d. Königl. Lehrerinnen-Seminar.
Schleswig	24. März 22. Sptbr.	24. März 22. Sptbr.	28. März 26. Sptbr.	
IX. Provinz Hannover.				
Emden	5. Febr.	—	—	Kommiss. Prüf.
Hannover	10. Febr.	17. Febr.	18. Febr.	Abg. Prüf. a. d. städtisch. Lehr. Bild. Anst., — zugleich für Auswärtige.
	21. Sptbr.	18. Sptbr.	19. Sptbr.	Kommiss. Prüf.
Osnabrück	24. Sptbr.	—	—	Abg. Prüf. a. d. städt. Lehr. Bild. Anst.

Ort.	Tag des Beginnes der Prüfung für Lehrerinnen.	Sprachlehrerinnen.	Schulvorsteherinnen.	Art der Lehrerinnen-Prüfung.
		X. Provinz Westfalen.		
Hagen	11. August	—	11. August	Kommiss. Prüf.
Keppel, Stift	15. Mai	—	15. Mai	dsgl.
	16. Novbr.	—	16. Novbr.	dsgl.
Münster	19. Mai	19. Mai	19. Mai	dsgl.
	27. Oktbr.	27. Oktbr.	27. Oktbr.	dsgl.
	30. Juli	—	—	Abg. Prüf. a. d. Königl. kathol. Lehr. Seminar.
Paderborn	21. Febr.	—	—	dsgl.
		XI. Provinz Hessen-Nassau.		
Cassel	17. März	16. März	16. März.	
Frankfurt a. M.	16. Sptbr.	15. Sptbr.	15. Sptbr.	
Wiesbaden	20. Mai	19. Mai	19. Mai.	
		XII. Rheinprovinz.		
Aachen	18. März	—	—	Abg. Prüf. a. d. städtisch. Lehr. Bild. Anst.
Coblenz	24. März	26. März	26. März	Abg. Prüf. a. d. evang. Lehr. Bild. Anst., — zugleich für Auswärtige.
	6. Mai	—	15. Mai	Kommiss. Prüf. für kath. Bewerberinnen.
	21. Sptbr.	2. Oktbr.	1. Oktbr.	dsgl.
Cöln	17. April	—	—	Abg. Prüf. a. d. städtisch. höh. Mädchensch. u. Lehr. Bild. Anst.
	20. April	—	—	Abg. Prüf. an dem städt. Kursus für Volksschullehrerinnen.
Düsseldorf	13. Juli	—	14. Juli	Prüf. a. d. Luisen-Schule, für Auswärtige.
Elberfeld	5. Mai	—	—	Abg. Prüf. a. d. städtisch. evang. Lehr. Bild. Anst.
Kaiserswerth	6. Febr.	—	—	dsgl. a. d. Diakonissen-Anstalt.
Münstereifel	13. April	—	—	dsgl. a. d. städtisch. kathol. Lehr. Bild. Anst.
Neuwied	19. Mai	—	—	dsgl. a. d. städtisch. Lehr. Bild. Anst.

Ort.	Tag des Beginnes der Prüfung für Lehrerinnen.	Sprachlehrerinnen.	Schulvorsteherinnen.	Art der Lehrerinnen-Prüfung.
Saarburg	26. März	—	—	Abg. Prüf. a. d. Königl. Lehrerinnen-Seminar und für Auswärtige.
Trier	10. März	—	—	dsgl. a. d. Königl. Lehrerinnen-Seminar.
Xanten	5. März	—	—	dsgl.

2. Chronologische Uebersicht.

Monat.	Tag des Beginnes der Prüfung für Lehrerinnen.	Sprachlehrerinnen.	Schulvorsteherinnen.	Ort.	Art der Lehrerinnen-Prüfung.
Februar	5.	—	—	Emden	Kommiss. Prüf.
	6.	—	—	Kaiserswerth	Abg. Prüf. a. d. Lehr. Bild. Anst. bei der Diakonissen-Anst.
	10.	17.	18.	Hannover	Abg. Prüf. a. d. städtisch. Lehr. Bild. Anst., zugleich für Auswärtige.
	21.	—	—	Paderborn	Abg. Prüf. a. d. Königl. Lehrerinnen-Seminar.
	27.	—	—	Frankfurt a. O.	Kommiss. Prüf.
März	2.	—	—	Marienburg	Abg. Prüf. a. d. städt. Lehr. Bild. Anst.
	5.	—	—	Xanten	Abg. Prüf. a. d. Königl. Lehrerinnen-Seminar.
	9.	—	—	Bromberg	Kommiss. Prüf.
	9.	—	—	Bromberg	Abg. Prüf. a. d. Lehr. Bild. Anst. des Frl. Droeger.
	9.	—	—	Breslau	Abg. Prüf. a. d. Privat-Lehr. Bild. Anst. des Dr. Nisle.
	10.	—	—	Trier	Abg. Prüf. a. d. Königl. Lehrerinn. Seminar.
	12.	—	—	Augustenburg	dsgl.
	—	—	13.	Bromberg	
	16.	—	—	Potsdam	Kommiss. Prüf.
	16.	—	—	Posen	dsgl.
	—	16.	—	Posen	

Monat.	Tag des Beginnes der Prüfung für Lehrerinnen.	Sprachlehrerinnen.	Schulvorsteherinnen.	Ort.	Art der Lehrerinnen-Prüfung.
(noch März)	17.	16.	16.	Cassel	
	18.	—	—	Posen	Abg. Prüf. a. d. Königl. Lehrerinnen-Seminar.
	18.	—	—	Aachen	Abg. Prüf. a. d. städt. Lehr. Bild. Anst.
	20.	—	—	Görlitz	dsgl.
	—	—	21.	Posen	
	21.	23.	24.	Danzig	Abg. Prüf. a. d. städt. Lehr. Bild. Anst., zugl. für Auswärtige.
	23.	—	—	Breslau	Abg. Prüf. a d. Privat-Lehr. Bild. Anst. des Frl. Knittel.
	24.	24.	—	Schleswig	
	24.	26.	26.	Coblenz	Abg. Prüf. a. d. evang. Lehr. Bild. Anst. und für Auswärtige.
	26.	26.	26.	Breslau	Kommiss. Prüf.
	26.	—	—	Saarburg	Abg. Prüf. a. d. Königl. Lehrerinnen-Seminar, zugl. für Auswärtige.
	—	—	28.	Schleswig	
April	9.	—	9.	Liegnitz	Kommiss. Prüf.
	13.	—	—	Münstereifel	Abg. Prüf. a. d. städtisch. kath. Lehr. Bild. Anst.
	14.	23.	14.	Stettin	Kommiss. Prüf.
	16.	—	23.	Königsberg i. Pr.	dsgl.
	17.	—	—	Cöln	Abg. Prüf. a. d. städt. höh. Mädchenschule u. Lehr. Bild. Anst.
	20.	—	—	Cöln	Abg. Prüf. a. d. städt. Kursus für Volksschullehrerinnen.
Mai	1.	—	—	Berlin	Kommiss. Prüf.
	—	5.	—	Königsberg i. Pr.	dsgl.
	5.	—	—	Elberfeld	Abg. Prüf. a. d. städt. evang. Lehr. Bild. Anst.
	6.	—	—	Coblenz	Kommiss. Prüf. für kath. Bewerberinnen.
	8.	—	—	Graudenz	Abg. Prüf. a. d. städt. Lehr. Bild. Anst.

Monat.	Tag des Beginnes der Prüfung für Lehrerinnen.	Sprachlehrerinnen.	Schulvorsteherinnen.	Ort.	Art der Lehrerinnen-Prüfung.
(noch Mai)	12.	—	12.	Cöslin	Kommiss. Prüf.
	15.	—	—	Marienwerder	Abg. Prüf. a. d. städtisch. Lehr. Bild. Anst.
	—	15.	—	Magdeburg	
	15.	—	15.	Keppel, Stift	Kommiss. Prüf.
	—	—	15.	Coblenz	Kommiss. Prüf. für kath. Bewerberinnen.
	19.	19.	19.	Münster	Kommiss. Prüf.
	—	19.	19.	Wiesbaden	
	19.	—	—	Neuwied	Abg. Prüf. a. d. städt. Lehr. Bild. Anst.
	—	27.	20.	Berlin	Kommiss. Prüf.
	20.	—	—	Wiesbaden	
Juni	5.	—	—	Gnadau	Abg. Prüf. a. d. Lehr. Bild. Anst. d. ev. Brüdergemeinde.
	8.	—	—	Tilsit	Abg. Prüf. a. d. Privat-Lehr. Bild. Anst. des Direkt. der höh. Mädchenschule Willms.
	15.	—	19.	Eisleben	Kommiss. Prüf.
	19.	—	—	Berent	Abg. Prüf. a. d. Marienstifte.
	23.	—	25.	Halberstadt	Kommiss. Prüf.
Juli	Anfang	—	—	Droyßig	Abg. Prüf. a. d. Königl. evang. Gouvern. Inst.
	Anfang	—	—	Droyßig	Abg. Prüf. a. d. Königl. evang. Lehrerinn. Seminar.
	6.	—	—	Breslau	dsgl. a. d. Privat-Lehr. Bild. Anst. des Frl. Holthausen.
	13.	—	14.	Düsseldorf	dsgl. a. d. Luisenschule, zugl. für Auswärtige.
	30.	—	—	Münster	dsgl a. d. Königl. kathol. Lehrerinnen-Seminar.
August	11.	—	11.	Hagen	Kommiss. Prüf.
	29.	—	—	Thorn	Abg. Prüf. a. d. städtisch. Lehr. Bild. Anst.
September	3.	—	—	Posen	Kommiss. Prüf.
	—	3.	5.	Posen	

Monat.	Tag des Beginnes der Prüfung für Lehrerinnen.	Sprachlehrerinnen.	Schulvorsteherinnen.	Ort.	Art der Lehrerinnen-Prüfung.
(noch September)	4.	7.	8.	Danzig	Abg. Prüf. a. d. städtisch. Lehr. Bild. Anst., zugl. für Auswärtige.
	8.	—	—	Halle a. S.	Abg. Prüf. a. d. Privat-Lehr. Bild. Anst. der Francke'schen Stiftungen.
	14.	—	—	Bromberg	Kommiss. Prüf.
	14.	—	—	Breslau	Abg. Prüf. a. d. Privat-Lehr. Bild. Anst. des Frl. Knittel.
	15.	—	—	Bromberg	Abg. Prüf. a. d. Lehr. Bild. Anst. des Frl. Droeger.
	16.	15.	15.	Frankfurt a. M.	
	—	—	18.	Bromberg	
	21.	—	—	Breslau	Abg. Prüf. a. d. Privat-Lehr. Bild. Anst. des Dr. Nisle.
	21.	18.	19.	Hannover	Kommiss. Prüf.
	21.	—	—	Coblenz	Kommiss. Prüf. für kath. Bewerberinnen.
	22.	—	—	Frankfurt a. O.	Kommiss. Prüf.
	22.	22.	—	Schleswig	
	24.	24.	24.	Breslau	Kommiss. Prüf.
	24.	—	—	Osnabrück	Abg. Prüf. a. d. städtisch. Lehr. Bild. Anst.
	—	—	26.	Schleswig	
	29.	—	—	Erfurt	Kommiss. Prüf.
	30.	—	30.	Pleß	dsgl.
Oktober	—	—	1.	Erfurt	dsgl.
	—	2.	1.	Coblenz	dsgl. für kath. Bewerberinnen.
	9.	—	13.	Elbing	Abg. Prüf. a. d. städtisch. Lehr. Bild. Anst., zugl. für Auswärtige.
	13.	22.	13.	Stettin	Kommiss. Prüf.
	15.	—	—	Memel	Abg. Prüf. a. d. städt. Lehr. Bild. Anst.
	22.	—	—	Königsberg i. Pr.	Kommiss. Prüf.
	27.	—	27.	Stralsund	dsgl.
	27.	27.	27.	Münster	dsgl.

Monat.	Tag des Beginnes der Prüfung für Lehrerinnen.	Sprachlehrerinnen.	Schulvorsteherinnen.	Ort.	Art der Lehrerinnen-Prüfung.
(noch Oktober)	—	—	29.	Königsberg i. Pr.	Abg. Prüf. a. d. städt. Lehr. Bild. Anst.
November	2.	—	—	Berlin	Kommiss. Prüf.
	—	13.	—	Magdeburg	
	16.	—	16.	Keppel, Stift	Kommiss. Prüf.
	—	27.	25.	Berlin	dsgl.
Dezember	—	2.	—	Königsberg i. Pr.	dsgl.
	14.	—	—	Breslau	Abg. Prüf. a. d. Privat-Lehr. Bild. Anst. des Frl. Holthausen.

X. Orte und Termine für Prüfungen der Lehrerinnen für weibliche Handarbeiten im Jahre 1896.

Nr.	Provinz.	Ort der Prüfung.	Tag des Beginnes der Prüfung.
1.	Ostpreußen	Königsberg	9. Juni
2.	Westpreußen	a. Danzig	16. März
		b. Danzig	14. September
3.	Brandenburg	a. Berlin (Augusta-Schule)	11. Mai
		b. Berlin (Elisabeth-Schule)	9. November
4.	Pommern	a. Stettin	23. April
		b. Stettin	19. Oktober
5.	Posen	a. Posen	13. März
		b. Bromberg	16. März
		c. Bromberg	10. September
		d. Posen	14. September
6.	Schlesien	a. Breslau	24. März
		b. Liegnitz	24. März
		c. Breslau	17. September
7.	Sachsen	a. Magdeburg	16. April
		b. Erfurt	17. September
8.	Schleswig-Holstein	Kiel	12. März
9.	Hannover	a. Hannover	3. März

Nr.	Provinz.	Ort der Prüfung.	Tag des Beginnes der Prüfung.
		b. Hannover	1. September
10.	Westfalen	a. Münster	15. Juli
		b. Keppel, Stift	7. Oktober
11.	Hessen-Nassau	a. Cassel	20. März
		b. Wiesbaden	12. Mai
		c. Frankfurt a. M.	22. September
12.	Rheinprovinz	a. Coblenz	19. Mai
		b. Coblenz	13. Oktober.

V. Orte und Termine für die Prüfungen als Vorsteher und als Lehrer für Taubstummenanstalten im Jahre 1896.

I. Prüfung als Vorsteher:

zu Berlin an der Königl. Taubstummenanstalt Anfang September 1896.

II. Prüfungen als Lehrer:

Provinz.	Ort (Anstalt).	Tag des Beginnes der Prüfung.
1. Ostpreußen	zu Königsberg	am 7. Dezember.
2. Westpreußen	„ Marienburg	„ 17. November.
3. Brandenburg	„ Berlin (Kgl. Taubst. Anst.)	„ 15. September.
4. Pommern	„ Stettin	„ 25. April.
5. Posen	„ Posen	„ 3. November.
6. Schlesien	„ Breslau	„ 10. Oktober.
7. Sachsen	„ Erfurt	„ 30. September.
8. Schleswig-Holstein	„ Schleswig	„ 15. Oktober.
9. Hannover	„ Hildesheim	„ 29. Mai.
10. Westfalen	„ Büren	„ 7. Juli.
11. Hessen-Nassau	„ Camberg	„ 5. August.
12. Rheinprovinz	„ Neuwied	„ 7. Juli.

Z. Orte und Termine für die Prüfungen der Turnlehrer und Turnlehrerinnen im Jahre 1896.

Provinz.	Tag des Beginnes der Prüfung für Turnlehrer.	Tag des Beginnes der Prüfung für Turnlehrerinnen.	Ort.
Ostpreußen	24. März	21. März	Königsberg.
Brandenburg	24. Februar	15. Mai u. November*)	Berlin.
Schlesien	16. März	19. März	Breslau.
Sachsen	12. März	—	Halle a. S.
	—	17. April	Magdeburg.
Rheinprovinz	13. März	26. November	Bonn.

Aa. Termin für Eröffnung des Kursus in der Königlichen Turnlehrer-Bildungsanstalt.

Der nächste Kursus zur Ausbildung von Turnlehrern in der Königlichen Turnlehrer-Bildungsanstalt zu Berlin wird zu Anfang des Monats Oktober 1896 eröffnet werden.

Ab. Termin für Eröffnung des Kursus zur Ausbildung von Turnlehrerinnen.

Der nächste Kursus zur Ausbildung von Turnlehrerinnen in der Königl. Turnlehrer-Bildungsanstalt zu Berlin wird am
Donnerstag den 9. April 1896
eröffnet werden.

*) Wegen der Prüfungstage werden besondere Bekanntmachungen erlassen werden.

Inhalts-Verzeichnis des Januar-Heftes.

Druck von J. F. Starcke in Berlin.

Centralblatt

für

die gesammte Unterrichts-Verwaltung in Preußen.

Herausgegeben in dem Ministerium der geistlichen, Unterrichts- und Medizinal-Angelegenheiten.

№ 2. Berlin, den 20. Februar **1896.**

A. Behörden und Beamte.

1) Amtsbezeichnung der nebenamtlichen ständigen Direktoren der Provinzial-Schulkollegien.

Auf den Bericht vom 14. d. Mts. bestimme Ich hierdurch, daß die nebenamtlichen ständigen Direktoren der Provinzial-Schulkollegien, insoweit sie nicht etwa bereits in ihrem Hauptamte denselben oder einen mit einem höheren Range verbundenen Charakter besitzen, künftig die Amtsbezeichnung „Ober-Regierungsrath" führen.

Neues Palais, den 18. November 1895.

Wilhelm. R.

Fürst zu Hohenlohe. von Boetticher. Freiherr von Berlepsch. Miquel. Thielen. Bosse. Bronsart von Schellendorff. von Köller. Freiherr von Marschall. Freiherr von Hammerstein. Schönstedt.

An
das Staatsministerium.

---

2) Heranziehung der Dienstaufwands-Entschädigungen der Beamten zur Deckung der Kosten einer längeren Stellvertretung.

Berlin, den 27. November 1895.

Auf den Bericht vom 12. November d. Js. erwidere ich der Königlichen Regierung, daß die Dienstaufwands-Entschädigungen der Beamten lediglich zur Bestreitung der mit dem betreffenden Amte verbundenen Unkosten bestimmt sind. Ich vermag der Königlichen Regierung daher nicht darin beizustimmen, daß dem beurlaubt gewesenen Kreis-Schulinspektor N. zu N. für die Dauer der Urlaubszeit die Dienstunkosten-Entschädigung mit Rücksicht auf seine nicht günstigen Vermögensverhältnisse voll zu belassen gewesen sei.

Zwar will ich von der nachträglichen Heranziehung der gedachten Entschädigung des p. N. zur Deckung der Unkosten seines Stellvertreters absehen, veranlasse die Königliche Regierung aber, in künftigen Fällen bei Anordnung einer längeren Stellvertretung auf eine entsprechende Regelung Bedacht zu nehmen.

Der Minister der geistlichen ꝛc. Angelegenheiten.
Im Auftrage: Kügler.

An
die Königliche Regierung zu N.
U. III. B. 8255.

---

3) Gewährung von Tagegeldern und Reisekosten aus Staatsfonds an ordentliche Lehrer an Provinzial-Taubstummenanstalten.

Berlin, den 2. Dezember 1895.

Auf den Bericht vom 7. November d. Js. erwidere ich im Einverständnis mit dem Herrn Finanzminister dem Königlichen Provinzial-Schulkollegium, daß hinsichtlich der Gewährung von Tagegeldern und Reisekosten aus Staatsfonds die ordentlichen Lehrer an Provinzial-Taubstummenanstalten den Beamten der Klasse V gleichzustellen sind. Dieselben erhalten daher im Falle ihrer Heranziehung zur staatlichen Prüfungskommission für Lehrer an Taubstummenanstalten nach Maßgabe der Verordnung vom 15. April 1876, betreffend die Tagegelder und Reisekosten der Staatsbeamten, an Tagesdiäten 9 *M*, an Fuhrkosten pro Kilometer: a. Landweg 40 *Pf*, b. Eisenbahn 13 *Pf* und für Zu- und Abgang 3 *M*.

Der Minister der geistlichen ꝛc. Angelegenheiten.
Im Auftrage: Kügler.

An
das Königliche Provinzial-Schulkollegium zu N.
U. III. A. 2721.

---

4) Zulassung der Prioritäts-Obligationen der Weimar-Geraer, Saal- und Werra-Eisenbahn zur Bestellung von Amtskautionen.

Berlin, den 5. Dezember 1895.

Den nachgeordneten Behörden übersende ich beifolgend Abschrift der von dem Herrn Finanzminister an die Königlichen

Regierungen ꝛc. erlassenen Verfügung vom 19. November d. Js. — I. 18004. —, betreffend die Zulassung der Prioritäts-Obligationen der Weimar-Geraer, Saal- und Werra-Eisenbahn zur Bestellung von Amtskautionen, zur Kenntnisnahme und gleichmäßigen Beachtung.

Der Minister der geistlichen ꝛc. Angelegenheiten.
In Vertretung: von Weyrauch.

An
die nachgeordneten Behörden des diesseitigen Ressorts.
G. III. 8210.

Berlin, den 19. November 1895.

Der Königlichen Regierung theile ich hierdurch zur Nachachtung und weiteren Veranlassung mit, daß die Obligationen der Prioritäts-Anleihen der Weimar-Geraer, Saal- und Werra-Eisenbahn, nachdem der Staat diese Anleihen mit dem Eigenthumserwerbe der gedachten Bahnen als Selbstschuldner übernommen hat, fortan zur Bestellung von Amtskautionen nach Maßgabe des §. 5. des Gesetzes vom 25. März 1873 (G. S. S. 125) zuzulassen sind.

Der Finanzminister.
In Vertretung: Meinecke.

An
sämmtliche Königliche Regierungen; an die Königliche Ministerial-, Militär- und Bau-Kommission hier; an die Königliche General-Lotterie-Direktion hier; an die Königl. Münz-Direktion hier; sowie an die Königl. General-Direktion der Seehandlungs-Societät hier; an die Königliche Hauptverwaltung der Staatsschulden hier; an die General-Staatskasse; an die Königlichen Direktionen der Rentenbanken — an letztere unter gleichzeitiger Mitzeichnung des Herrn Ministers für Landwirthschaft, Domänen und Forsten — I. 27128 —.
I. 18004.

---

5) Die Anrechnung von Kriegsjahren nach §. 17. des Pensionsgesetzes vom 27. März 1872 hat zur Voraussetzung, daß der betreffende Beamte sich bereits während des Feldzuges in einem entsprechenden dienstlichen Verhältnisse befunden hat.

Berlin, den 9. Dezember 1895.

Auf den Bericht vom 26. September d. Js. erwidere ich dem Königlichen Provinzial-Schulkollegium, daß dem Antrage der Witwe des Oberlehrers N. in B., ihr einen Betrag von jährlich 28 ℳ, um welchen ihr Witwengeld nachträglich vom 1. April d. Js.

ab erhöht worden ist, für die Zeit vom 1. Februar 1884 bis Ende März d. Js. nachzuzahlen, nicht entsprochen werden kann.

Das Königliche Provinzial-Schulkollegium hat eine Erhöhung des ursprünglich auf jährlich 583 *M* bemessenen Witwengeldes der p. N. auf den Jahresbetrag von 611 *M* eintreten lassen, weil erst neuerdings der Nachweis geführt sei, daß ihr verstorbener Ehemann am Feldzuge des Jahres 1866 Theil genommen habe und daß daher bei Berechnung seiner eventuellen Pension, bezw. des Witwengeldes für seine Witwe ein Kriegsjahr in Anrechnung zu bringen sei. Letztere Annahme ist indessen unbegründet.

Der p. N., damals stud. phil., hat zwar während jenes Feldzuges als freiwilliger Krankenpfleger Verwendung gefunden, auch ist ihm das Erinnerungskreuz für Nichtkombattanten von 1866 verliehen worden. Gleichwohl war die Berücksichtigung dieses Jahres als Kriegsjahr nicht zulässig, da der p. N. zu jener Zeit weder Militär noch Beamter gewesen ist und die Anrechnung von Kriegsjahren nach §. 17 des Civil-Pensionsgesetzes vom 27. März 1872 — G. S. S. 268 — nur auf der Grundlage einer an sich anrechnungsfähigen Dienstzeit im Preußischen Heere oder der Marine erfolgen kann.

Das Königliche Provinzial-Schulkollegium veranlasse ich hiernach, das Erforderliche wegen Herabsetzung des Witwengeldes der p. N. und Wiedereinziehung des an sie seit dem 1. April d. Js. zuviel gezahlten Betrages in die Wege zu leiten.

Der Minister der geistlichen 2c. Angelegenheiten.
Im Auftrage: de la Croix.

An
das Königliche Provinzial-Schulkollegium zu N.
U. II. 7844.

---

6) Erläuterung der Nr. 3 der Allerhöchst unter dem 14. Dezember 1891 genehmigten Bestimmungen über die Anrechnung der Militärdienstzeit auf das Dienstalter der Civilbeamten.

Berlin, den 16. Januar 1896.

Seine Majestät der Kaiser und König haben auf Vortrag des Königlichen Staatsministeriums durch Allerhöchsten Erlaß vom 18. Dezember v. Js. die Nr. 3 der Allerhöchst unter dem 14. Dezember 1891 genehmigten Bestimmungen, betreffend die Anrechnung der Militärdienstzeit auf das Dienstalter der Civilbeamten (Anlage C meines Runderlasses vom 1. Mai 1893 — G. III. 781. — Centralblatt für die gesammte Unterrichts-Verwaltung 1894 Seite 213), dahin zu erläutern geruht, daß diese Bestimmung keine Anwendung zu finden hat, wenn Personen, welche bei der Gendarmerie oder der Schutzmannschaft etatsmäßig angestellt waren, demnächst in einer Stelle des Subalterndienstes angestellt werden.

Die nachgeordneten Behörden setze ich hiervon in Kenntnis.

Der Minister der geistlichen 2c. Angelegenheiten.
In Vertretung: von Weyrauch.

An
die nachgeordneten Behörden des diesseitigen Geschäftsbereiches.
G. III. 20.

---

7) Friedrich-Wilhelms-Stiftung für Marienbad in Böhmen.

Um Personen aus gebildeten Ständen, welchen die Mittel zu einer Badekur ganz oder theilweise fehlen, den Gebrauch der Heilquellen und Bäder zu Marienbad in Böhmen zu ermöglichen oder zu erleichtern, wird denselben seitens der Friedrich-Wilhelms-Stiftung für Marienbad eine Geldunterstützung von je 100 *M* gewährt und Erlaß der Kurtaxe 2c. vermittelt.

Dem unterzeichneten Minister steht der Vorschlag zur Verleihung dieser Beihilfen von jährlich zwei zu.

Hierauf reflektirende Bewerber werden aufgefordert, ihre Gesuche mit den nöthigen Zeugnissen versehen alsbald und spätestens bis Anfang März d. Js. einzureichen.

Berlin, den 23. Januar 1896.

Der Minister der geistlichen 2c. Angelegenheiten.
Im Auftrage: von Bartsch.

Bekanntmachung.
M. 680.

B. Universitäten.

8) Regelung der Gehälter der etatsmäßigen wissenschaftlichen Beamten an den größeren Universitäts-Sammlungen und den Sternwarten (Kustoden, Observatoren 2c.) nach Dienstaltersstufen.

Berlin, den 10. Dezember 1895.

Vom 1. April d Js. ab sind die Gehälter der etatsmäßigen wissenschaftlichen Beamten an den größeren Universitäts-Sammlungen und den Sternwarten (Kustoden, Observatoren 2c.) nach Maßgabe des für die wissenschaftlichen Lehrer an den höheren Unterrichts-Anstalten erlassenen Normaletats vom 4. Mai 1892 geregelt worden.

Indem ich eine Nachweisung*), aus welcher das vom 1. April d. Js. ab den betheiligten Beamten zu gewährende Gehalt 2c. sowie das für das Aufsteigen im Gehalte nach Dienstaltersstufen maßgebende Dienstalter ersichtlich ist, hier beifüge, ermächtige ich Eure Hochwohlgeboren, das danach künftig zustehende Gehalt dortseits selbständig zu bewilligen, und bemerke, daß hierbei im Allgemeinen die für die Regelung der Gehälter der etatsmäßigen mittleren, Kanzlei- und Unterbeamten nach Dienstaltersstufen ergangenen Bestimmungen zu beachten sind. Im Einzelnen hebe ich noch Folgendes hervor.

1) Ein Rechtsanspruch auf Gewährung von Alterszulagen steht keinem Beamten zu; auch dürfen demselben weder bei der Anstellung noch anderweit Zusicherungen gemacht werden, auf welche ein solcher Anspruch etwa gegründet werden könnte.

2) Die Bewilligung von Alterszulagen hat nur bei befriedigendem dienstlichen und außerdienstlichen Verhalten des Beamten zu erfolgen. Falls sein Verhalten dazu führt, die Alterszulage einstweilen vorzuenthalten, ist mir darüber sofort zu berichten.

3) Die Neuanstellung sowie die anderweite Vertheilung einer durch Stellenerledigung verfügbar gewordenen festen pensionsfähigen Zulage behalte ich mir vor.

Soweit die Anrechnung einer Dienstzeit nach Maßgabe des §. 3 Abs. 2 des Normaletats angängig war, ist darauf bei Festsetzung der anliegenden Nachweisung Rücksicht genommen. Kommt bei Neuanstellungen eine solche Anrechnung in Frage, so ist darüber in jedem Falle besonders zu berichten und hierbei auf die persönlichen und sonstigen Verhältnisse, insbesondere auf die Art und den Umfang der anzurechnenden Beschäftigung und das Ergebnis der abgelegten Prüfungen und die gesammte Dienstführung des Betreffenden sowie die Gründe eines verhältnismäßig späten Eintretens in die Stelle einzugehen.

4) Ersparnisse an Alterszulagen und festen Zulagen fließen den allgemeinen Staatsfonds zu. Mehrausgaben an Alterszulagen und festen Zulagen sind zu Lasten der allgemeinen Staatsfonds zu verrechnen.

5) In die nach den Runderlassen vom 11. September 1892 und 5. August 1893 — G. III. 2537 und 2191 — alljährlich

*) Die Nachweisung gelangt nicht zum Abdruck.

zum 5. Oktober hierher einzureichenden Besoldungsnachweisungen sind fernerhin auch die Besoldungen der nach vorliegendem Erlaß Betheiligten nach dem Stande vom 1. Oktober des betreffenden Jahres aufzunehmen.

6) Die Vorschriften der Ober-Rechnungskammer vom 9. September 1893 Nr. 11893 (Centrbl. S. 761) „über die Einrichtung und Justifizirung der Besoldungsrechnungen bezüglich der Besoldungen derjenigen etatsmäßigen Beamten, deren Gehälter nach Dienstaltersstufen geregelt sind“, finden auf die Gehälter der Betheiligten sinngemäße Anwendung.

Eure Hochwohlgeboren ersuche ich, die Betheiligten und den betreffenden Instituts-Direktor hiernach mit Nachricht zu versehen.

Der Minister der geistlichen ꝛc. Angelegenheiten.
Bosse.

An
die betheiligten Herren Universitäts-Kuratoren und das Königliche Universitäts-Kuratorium zu Bonn.
U. I. 8028.

9) Zulassung zur Doktorpromotion ohne Beibringung des vorgeschriebenen Reifezeugnisses.

Berlin, den 6. Januar 1896.

Anläßlich eines neuerdings zur Entscheidung gekommenen Dispensationsgesuches ersuche ich Euere Hochwohlgeboren ergebenst, die Fakultäten gefälligst darauf aufmerksam zu machen, daß in Fällen, in denen es sich um Zulassung zur Doktorpromotion ohne Beibringung des Reifezeugnisses von einem deutschen Gymnasium oder Realgymnasium handelt, besonderer Werth darauf zu legen ist, ob der Kandidat sich während seiner Studienzeit bemüht hat, die Lücken seiner schulwissenschaftlichen Vorbildung durch Besuch von allgemeinwissenschaftlichen Vorlesungen zu ergänzen.

Der Minister der geistlichen ꝛc. Angelegenheiten.
Im Auftrage: de la Croix.

An
sämmtliche Herren Universitäts-Kuratoren, das Universitäts-Kuratorium zu Bonn und den Herrn Kurator der Königlichen Akademie zu Münster i. W.
U. I. 28889. II.

10) Führung von Vormundschaften durch Universitäts-Professoren.

Berlin, den 21. Januar 1896.

Verschiedene Amtsgerichte haben die von den Universitäts-

Kuratoren zur Führung der von den Vormundschaftsgerichten eingeleiteten Vormundschaften, Gegenvormundschaften und Pflegschaften an Universitäts-Professoren ertheilte Genehmigung nicht für ausreichend erachtet und meine Entscheidung gefordert. Um den Herren Kuratoren die Unannehmlichkeit zu ersparen, daß ihre Maßnahmen gerichtlicherseits beanstandet werden, bestimme ich daher, daß künftighin alle Gesuche von Professoren um Ertheilung der in §. 22 der Vormundschafts-Ordnung gedachten Genehmigung durch Vermittelung und mit einer Aeußerung des Kurators mir vorzulegen sind.

Der Minister der geistlichen ꝛc. Angelegenheiten.
Bosse.

An
die sämmtlichen Herren Universitäts-Kuratoren und an das Kuratorium der Universität Bonn, sowie an die Herren Kuratoren der Königlichen Akademie zu Münster und das Lyceum Hosianum zu Braunsberg.
U. I. 28176/95.

---

11) Beuth-Stipendium.

Zum 1. April 1896 kommt ein Beuth-Stipendium im jährlichen Betrage von 1200 *M* auf fünf Jahre zur Vergebung.

Die Bewerber müssen würdige und bedürftige Studirende sein und einer der vier Fakultäten der hiesigen Universität oder einer der Abtheilungen I und II der Technischen Hochschule Berlin angehören.

Nachkommen des Generalmajors von Willisen, des Geheimen Finanzraths und Provinzial-Steuerdirektors August von Maaßen, des Ober-Regierungsraths Hugo von Schierstädt oder des Geheimen Medizinalraths Dr. Hermann Quincke haben, ohne den Nachweis der Bedürftigkeit führen zu müssen, ein unbedingtes Vorzugsrecht; nächst diesen steht den Eingeborenen der Stadt Kleve ein Vorzugsrecht vor anderen Bewerbern zu.

Die Inhaber der Stipendien sind verpflichtet, mindestens ein Jahr auf der hiesigen Universität zu studiren; die übrige Zeit können sie sich den Studien auf einer anderen deutschen Universität widmen, die Stipendien auch nach beendigten Studien in der Zeit fortbeziehen, die sie zu ihrer weiteren Ausbildung verwenden, bevor sie in eine selbständige, mit einem Einkommen verbundene Berufsthätigkeit eintreten.

Bewerbungen sind bis zum 31. März 1896 einschließlich an uns einzureichen.

Berlin, den 27. Dezember 1895.

Rektor und Senat der Königlichen Friedrich-Wilhelms-Universität.
A. Wagner.

C. Akademien, Museen 2c.

12) Theilweise Neueindeckung der Dächer an alten Baudenkmälern.

Berlin, den 3. Januar 1896.

Es ist neuerdings wiederholt vorgekommen, daß bei theilweiser Neueindeckung der Dächer an alten Baudenkmälern (Kirchen 2c.) ein anderes Deckungsmaterial verwendet worden ist, als das der alten Eindeckung oder der bestehenbleibenden Dachflächen.

Ein solches Verfahren widerspricht den Grundsätzen der Denkmalspflege. Für die Zukunft wird in Fällen dieser Art sowohl für die Kostenveranschlagung als auch für die Ausführung darauf Bedacht zu nehmen sein, daß die neue Deckung nicht nur im Material, sondern auch in der Form und in den Abmessungen der einzelnen Deckstücke der zu beseitigenden alten Bedachung oder der der stehenbleibenden Dachflächen thunlichst vollkommen entspreche.

An
sämmtliche Königliche Regierungen und an die Konsistorien in den neuen Provinzen.

Dem Evangelischen Ober-Kirchenrath beehre ich mich beifolgend Abschrift eines unterm heutigen Datum an sämmtliche Regierungen und an die Konsistorien in den neuen Provinzen gerichteten Erlasses, betreffend die theilweise Neueindeckung der Dächer an alten Baudenkmälern (Kirchen 2c.) mit dem Ersuchen ganz ergebenst zu übersenden, die Wohldemselben unterstellten Konsistorien gefälligst mit entsprechender Anweisung versehen zu wollen.

Der Minister der geistlichen 2c. Angelegenheiten.
In Vertretung: von Weyrauch.

An
den Evangelischen Ober-Kirchenrath.
G. III. A. 2657.

D. Höhere Lehranstalten.

13) Unterricht in der Erdkunde an höheren Unterrichtsanstalten.

Berlin, den 2. Dezember 1895.

Nachdem ich von den durch Ew. Hochwohlgeboren mir vorgelegten beiden Resolutionen des XI. Deutschen Geographentages, den Unterricht in der Erdkunde an höheren Schulen betreffend, und deren Begründung Kenntnis genommen habe, erwidere ich Ihnen ergebenst, daß für die Unterrichtsverwaltung, wie hoch sie auch die Erdkunde als Wissenschaft schätzt, doch in erster Linie deren Bedeutung innerhalb des Gesammtlehrplanes unserer höheren Schulen in Betracht kommt. Nach dieser Bedeutung ist die Anzahl der diesem Fache gewidmeten Wochenstunden bemessen, und darnach richtet sich wiederum die Verwendbarkeit der Lehrer der Erdkunde an der einzelnen Schule. Hierin also, nicht in einer willkürlichen Minderschätzung des Fachs, ist die ihm in unseren höheren Schulen zugewiesene Stellung begründet.

Wenn ferner nach den methodischen Bemerkungen zu den Lehrplänen vom 6. Januar 1892 zu 8. Erdkunde, c. letzter Absatz, es von der Persönlichkeit des Lehrers und dessen Befähigung abhängig gemacht wird, ob der Unterricht in der Erdkunde von dem Lehrer der Geschichte oder der Naturwissenschaft zu ertheilen sei, und wenn ferner bestimmt ist, daß die Wiederholungen auf der Oberstufe in der allgemeinen und besonders in der mathematischen Erdkunde von dem Lehrer der Mathematik oder Physik anzustellen seien: so liegt darin keine Zerreißung des Faches, sondern ist nur dem gerade von dem Geographentage selbst vertretenen Grundsatze der Befähigung der Lehrer Rechnung getragen. Die Befähigung auch in der Erdkunde sich zu erwerben, steht nach der Prüfungs-Ordnung vom 5. Februar 1887, durch welche die Erdkunde als selbständiges Fach mit jedem Fache der sprachlich-historischen oder der mathematisch-naturwissenschaftlichen Gruppe als Haupt- oder Nebenfach verbunden werden kann, unbedingt frei, und von dieser Freiheit Gebrauch zu machen, empfiehlt sich gerade für die Vertreter der oben bezeichneten Fächer vorzugsweise. Daß von derselben auch vielfach Gebrauch gemacht worden ist, bezeugt der Geographentag selbst.

Wenn aber die Verwendung der so befähigten Lehrer an höheren Schulen nicht ganz in dem gewünschten Umfange erfolgt, so liegt dies eben an der nicht zu ändernden geringen Stundenzahl für Erdkunde und an den auch von dem Geographentage anerkannten Schwierigkeiten, den einzelnen für dieses Fach befähigten Lehrer darin auch durch alle Klassen wirksam zu beschäftigen. Daran wird auch in Zukunft schwerlich viel zu ändern sein, wenn es auch sehr erwünscht ist, daß allmählich mehr Lehrer insbesondere der Geschichte, der Mathematik und Naturwissenschaften sich auch eine Lehrbefähigung in Erdkunde erwerben.

Der Minister der geistlichen zc. Angelegenheiten.
Bosse.

An
Herrn Georg Köllm, Königlichen Ingenieur-Hauptmann a. D., Geschäftsführer des Central-Ausschusses des Deutschen Geographentages Hochwohlgeboren zu Berlin.
U. II. 2728.

14) Gewährung der festen Zulage von 900 *M* an Lehrer höherer Unterrichtsanstalten.

Berlin, den 9. Dezember 1895.

Auf den Bericht vom 21. November d. Js., betreffend das Gesuch des Oberlehrers N. am Gymnasium zu N. um Gewährung der festen Zulage von 900 *M*, beauftrage ich das Königliche Provinzial-Schulkollegium, dem p. N. auf sein an mich gerichtetes Gesuch vom 3. Oktober d. Js. im Sinne des dortigen Berichtes zu eröffnen, daß, sobald das Königliche Provinzial-Schulkollegium in der Lage sein wird, dem Erlasse vom 2. Juli 1892 — U. II. 1229 — (Centrbl. S. 635) entsprechend ihm das erforderliche Maß von praktischer Tüchtigkeit und Bewährung als Lehrer und Erzieher zu bezeugen, auch bezüglich seiner Person die Gewährung der Zulage in Erwägung genommen werden soll. Dabei überlasse ich dem Königlichen Provinzial-Schulkollegium, den p. N. auf die Mängel in seiner Lehrthätigkeit besonders hinzuweisen, welche seine Berücksichtigung bei den hier betreffs der Zulage zu machenden Vorschlägen bisher nicht angängig erscheinen ließen.

Im Uebrigen bemerke ich, daß nach den Bestimmungen des vorerwähnten Runderlasses Männer, die nach dem Ergebnisse ihrer Prüfungen für den Unterricht auf der Oberstufe durch das Zeugnis nicht befähigt sind, die Zulage nur dann erhalten sollen, wenn sie als Lehrer und Erzieher in ihrer amtlichen Thätigkeit sich **besonders ausgezeichnet** haben. Es ist befremdend, daß das Königliche Provinzial-Schulkollegium, wie in dem Berichte vom 21. November d. Js. zugegeben wird, dieser Bestimmung gegenüber früher für die Gewährung der Zulage sogar Lehrer in Vorschlag gebracht hat, denen selbst die praktische Tüchtigkeit nur mit einiger Nachsicht zuerkannt werden konnte. In Zukunft muß darauf gesehen werden, daß in solchen Fällen wenigstens die volle Bewährung der nach ihrem Zeugnisse von der Zulage zunächst ausgeschlossenen Lehrer unbedenklich und rückhaltlos zu bezeugen ist.

Der Minister der geistlichen zc. Angelegenheiten.
Im Auftrage: de la Croix.

An
das Königliche Provinzial-Schulkollegium zu N.
U. II. 12858.

---

15) Prüfung von Schülern höherer Lehranstalten durch die Prüfungskommissionen für Einjährig-Freiwillige.

Berlin, den 24. Dezember 1895.

Nach den Berichten des Königl. Provinzial-Schulkollegiums vom 25. November und 3. Dezember d. Js. ist es in dem dortigen Aufsichtsbezirke zu meinem Befremden wiederholt vorgekommen, daß Schüler der Unter-Sekunda höherer Lehranstalten theils mit, theils ohne Vorwissen der betreffenden Direktoren behufs Erlangung des Zeugnisses über die wissenschaftliche Befähigung für den einjährig-freiwilligen Dienst sich der Prüfung vor einer Königlichen Prüfungskommission für Einjährig-Freiwillige unterzogen haben, ohne die Schule zu verlassen, in einem Falle sogar unter Verzichtleistung auf die Theilnahme an der unmittelbar bevorstehenden Abschlußprüfung.

Allerdings kommt nach den Bestimmungen der Wehrordnung bei der Zulassung junger Leute zur Prüfung vor den Königl. Prüfungskommissionen für Einjährig-Freiwillige nicht in Frage, ob die sich meldenden Prüflinge noch Schüler einer höheren Lehranstalt sind oder nicht; die Schulverwaltung muß aber Werth darauf legen, daß einer willkürlichen Durchbrechung der für diese Schulen vorgeschriebenen Ordnungen, wie sie in den zu meiner Kenntnis gelangten Fällen thatsächlich vorliegt, wirksam entgegengetreten wird. Schüler einer Unter-Sekunda, die es vorziehen, die wissenschaftliche Befähigung für den einjährig-freiwilligen Dienst durch Ablegung der Prüfung vor einer Departements-Prüfungskommission nachzuweisen, geben schon durch ihre Anmeldung bei einer solchen zu erkennen, daß sie auf die andere Art des Nachweises, die Beibringung der erforderlichen Schulzeugnisse, verzichten und die Beurtheilung ihrer Leistungen seitens der Schule bedeutungslos zu machen versuchen wollen.

Mit Rücksicht hierauf veranlasse ich das Königl. Provinzial-Schulkollegium, die Direktoren der höheren Lehranstalten anzuweisen, daß in Zukunft nach folgenden Gesichtspunkten zu verfahren ist:

1) Beabsichtigt ein Schüler der Anstalt sich der Prüfung vor einer Königlichen Prüfungskommission für Einjährig-Freiwillige zu unterziehen, so hat er davon seinem Direktor rechtzeitig Anzeige zu machen, dieser aber in jedem einzelnen Falle sorgsam zu prüfen, ob ein solches Verfahren durch besonders zwingende Verhältnisse gerechtfertigt und das Verbleiben des Schülers auf der Anstalt unbedenklich ist, oder ob im Interesse der Schulzucht darauf gedrungen werden muß, daß er nach Ausführung seines Vorhabens die Schule sofort verläßt.

2) Unterzieht sich in Zukunft ein Schüler ohne Vorwissen seines Direktors der Prüfung vor einer Königlichen Prüfungskommission für Einjährig-Freiwillige, so ist er von der Schule zu entlassen.

3) Der Wiedereintritt in eine höhere Lehranstalt ist Schülern, die nach Maßgabe der Bestimmungen unter 1 und 2 die Schule verlassen mußten, erst mit dem Beginn des neuen Schuljahres zu gestatten, und zwar ist dabei auf das Ergebnis der vor der Königlichen Prüfungskommission für Einjährig-Freiwillige abgelegten Prüfung keinerlei Rücksicht zu nehmen, sondern lediglich nach den Bestimmungen zu verfahren, die für die Aufnahme neuer Schüler — namentlich auch betreffs der Klassenstufe — maßgebend sind.

In den dreijährigen Verwaltungsberichten erwarte ich eine zusammenfassende Angabe betreffs der in dem dortigen Aufsichtsbezirke vorgekommenen Fälle der in Rede stehenden Art.

An
das Königliche Provinzial-Schulkollegium zu N.

Abschrift erhält das Königliche Provinzial-Schulkollegium zur Kenntnis und gleichmäßigen Nachachtung.

Der Minister der geistlichen 2c. Angelegenheiten.
Bosse.

An
die übrigen Königlichen Provinzial-Schulkollegien.
U. II. 2972.

---

16) Unterstellung der höheren Stadtschulen unter die Königlichen Provinzial-Schulkollegien.

Berlin, den 28. Dezember 1895.

Auf die Eingabe vom 19. Februar d. Js., in welcher um Stellung der höheren Stadtschulen in Preußen unter die Königlichen Provinzial-Schulkollegien und um Anerkennung der von diesen Anstalten ausgestellten Abgangszeugnisse für eine bestimmte

Klasse einer höheren Lehranstalt gebeten wird, erwidere ich dem Vorstande, daß ich auch nach erneuter eingehender Prüfung der Angelegenheit mich nicht in der Lage befinde, eine andere Entscheidung als die durch meinen Erlaß vom 3. Februar 1894 — U. II. 103 — (Centrbl. S. 284) getroffene zu fällen.

Der Minister der geistlichen ꝛc. Angelegenheiten.
Bosse.

An
den Vorstand des Vereines der Philologen an den höheren Stadtschulen Preußens, z. H. des Rektors der höheren Stadtschule Herrn Dr. Wenders Wohlgeboren zu Stolberg bei Aachen.
U. III. C. 8128. U. II.

17) Verleihung des Charakters „Professor“ an Oberlehrer höherer Lehranstalten.

Den Oberlehrern:

Dr. Knuth an der Oberrealschule zu Kiel,
Dr. Sprenger am Realprogymnasium zu Northeim,
Essert an der Städtischen Realschule zu Königsberg i. Pr.,
Sanio am Realgymnasium auf der Burg zu Königsberg i. Pr.,
Dr. Henze am Dorotheenstädtischen Realgymnasium zu Berlin,
Strümpfler am Gymnasium zu Guben,
Lieder am Gymnasium zu Schwedt a. O.,
Dr. Suhle am Gymnasium zu Nordhausen,
Dr. Suchsland an der Lateinischen Hauptschule zu Halle a. S.,
Bindel am Realgymnasium zu Quakenbrück,
Dr. Wilke am Gymnasium zu Lauban,
Ringeltaube am Pädagogium zu Putbus,
Dr. Doerks am Gymnasium zu Treptow a. R.,
Wille am Gymnasium zu Neustettin,
Dr. Horowitz am Gymnasium zu Thorn,
Dr. Bordellé am Evangelischen Gymnasium zu Glogau,
Dr. Glatzel an der Oberrealschule zu Breslau,
Dr. Godt am Gymnasium zu Altona,
Voigt am Gymnasium zu Thorn,
Dr. Beermann am Gymnasium zu Nordhausen,
Kamlah am Realgymnasium zu Osnabrück,
Reimann am Gymnasium zu Graudenz,
Dr. Roßberg am Gymnasium Andreanum zu Hildesheim,
Dr. Borchardt am Städtischen Gymnasium zu Danzig,
Knoch an dem von Conradi'schen Erziehungsinstitut (Realprogymnasium) zu Jenkau,

Scheffer am Realgymnasium St. Johann zu Danzig,
Schloßmann am Viktoria-Gymnasium zu Potsdam,
Dr. Evers am Königstädtischen Realgymnasium zu Berlin,
Schaub am Wilhelms-Gymnasium zu Berlin,
Eickhoff am Gymnasium zu Schwedt a. O.,
Voelkel am Französischen Gymnasium zu Berlin,
Dr. Waege am Königstädtischen Gymnasium zu Berlin,
Rademann am Gymnasium zu Cottbus,
Dr. Herchner am Humboldt-Gymnasium zu Berlin,
Dr. Bäker am Gymnasium zu Stralsund,
Schlüter am Progymnasium zu Striegau,
Dr. Walter am Realgymnasium zu Tarnowitz,
Dr. Steiner am Realprogymnasium zu Schönebeck,
Braasch am Gymnasium zu Zeitz,
Dr. Scheibler am Realgymnasium zu Magdeburg,
Wörmann am Gymnasium zu Recklinghausen,
Manns am Wilhelms-Gymnasium zu Cassel,
Zülch am Wilhelms-Gymnasium zu Cassel,
Dr. Ruppel am Realgymnasium zu Wiesbaden,
Dr. Lohr am Gymnasium zu Wiesbaden,
Ricken am Realgymnasium zu Ruhrort,
Adeneuer am Realgymnasium zu Cöln
ist der Charakter als „Professor“ beigelegt worden.

Bekanntmachung.
U. II. 2518.

---

18) Programm für den vom 9.—22. April 1896 in Göttingen abzuhaltenden naturwissenschaftlichen Ferienkursus für Lehrer an höheren Schulen.

Oberlehrer Behrendsen: Behandlung der Elektricitätslehre auf höheren Schulen.

Professor von Buchka: Die Verwendung elektrolytischer Methoden für den Anfängerunterricht im chemischen Laboratorium.

Professor Ehlers: Die Umgestaltung der systematischen Auffassungen in der Zoologie durch die Auffindung und Erkenntnis neuer Thierformen in der letzten Zeit.

Professor Hilbert: Elemente der modernen Zahlen und Gleichungstheorie.

Professor Liebisch: 1) Versuche von Abbe über die Entstehung mikroskopischer Bilder und die Grenze mikroskopischer Wahrnehmungen. 2) Besichtigung des mineralogischen Instituts und Demonstration von Lehrmitteln.

Professor Peter: Neuere Thatsachen und Anschauungen auf dem Gebiete der Kryptogamenkunde. 2) Besprechung von Lehrmitteln und Konservirungsmethoden. 3) Botanische Exkursion.

Dr. Pockels: Vorführung und Erklärung der Hertz'schen Versuche.

Professor Riecke: 1) Experimentelle Entwickelung von Maxwells Theorie des elektrischen Feldes. 2) Induktionserscheinungen, insbesondere Demonstrationen zu der Lehre von den dynamoelektrischen Maschinen. 3) Demonstrationen zur Lehre von den Veränderungen des Aggregatzustandes.

Professor Wallach: 1) Demonstration neuerer Vorlesungsversuche. 2) Besichtigung der Einrichtungen und Unterrichtsmittel des Laboratoriums.

Bemerkungen.

Für diejenigen Herren, welche besondere Interessen verfolgen oder in Einzelgebieten zusammenhängender zu arbeiten wünschen, stehen Institute und fachmännische Anweisungen zu Gebote:

für	Chemie	20.—22.	April	3—7 Uhr
"	Physik	15.—22.	"	10—1 "
"	Botanik	15.—22.	"	10—12 "
"	Zoologie	15.—22.	"	8—10 "

Die nicht allgemein zugänglichen naturwissenschaftlichen Institute und Sammlungen werden in später zu bezeichnenden Stunden für die Theilnehmer am Kursus zur Besichtigung, eventuell unter erklärender Führung, geöffnet sein.

Auch der Zutritt zu den Lese- und Gesellschaftsräumen der „Union" wird auf kostenfrei zu ertheilende Eintrittskarten gern gestattet.

Stundenplan. 9.—22. April 1896.

Donnerstag	Montag	Dienstag	Mittwoch	Donnerstag	Freitag	Sonnabend	Montag	Dienstag	Mittwoch
9.	13.	14.	15.	16.	17.	18.	20.	21.	22.
							Liebisch		ebisch
	Behrendsen	Behrendsen	Behrendsen	Hilbert	Hilbert	Hilbert			
	Riecke	Riecke				Mathematisches Institut			Buchka
Botan. Garten					Pockels	Pockels		Pockels	

19) Programm für den in der Zeit vom 30. März bis zum 11. April 1896 im Königlichen Friedrich-Wilhelms-Gymnasium zu Berlin SW., Kochstraße 13, abzuhaltenden französischen Ferienkursus für Lehrer höherer Lehranstalten.

<table>
<tr><th>Montag 30. März</th><th>Dienstag 31. März</th><th>Mittwoch 1. April</th><th>Donnerstag 2. April</th><th>Sonnabend 4. April</th><th>Dienstag 7. April</th><th>Mittwoch 8. April</th><th>Donnerstag 9. April</th><th>Freitag 10. April</th><th>Sonnabend 11. April</th></tr>
<tr><td rowspan="2">um 10 Uhr Eröffnung des Kursus. Prof. Kabisch. Ueber Zweck, Gang und Ausnutzung des Kursus.</td><td rowspan="2">9—10 Prof. Kabisch französ. Elementarphonetik mit praktischen Uebungen. 10—11 M. Duchâtelet Vorlesung nach vorgelegten Texten. 11—12 Prof. Kabisch Phonetik.</td><td rowspan="2">9—10 Prof. Kabisch Phonetik. 10—11 M. Dresch Vorlesung nach vorgelegten Texten in phonetischer Umschrift. 11—12 Prof. Kabisch Phonetik.</td><td rowspan="2">9—10 Prof. Kabisch Phonetik (Schluß). 10—11½ M. Dresch Les Ecoles de poésie contemporaines.</td><td colspan="6">täglich von 9—11 bezw. 12 Uhr (oder Nachmittag zwischen 4 und 7 Uhr).</td></tr>
<tr><td colspan="6">Vorträge der Herren Marelle, Duchâtelet, Dresch, Dansac, Bouichère, Grisson und anderer über folgende Gegenstände: La Poésie populaire dans l'enseignement (deux conférences. I. Les chansons. II. Les contes etc.) (Marelle). — La simplicité chez Racine. — Les Lycées et Collèges français (Duchâtelet). E Zola comme critique d'art-Evolation parallèle de la peinture et de la poésie au 19e siècle. — Le conte chez A. Daudet. — Promenade d'un provincial dans Paris (Dansac). — La cour de Louis XIV. d'après H. Taine. — Les femmes de Molière-Gay de Maupassant-Lamartine (Dresch). — Le Roman naturaliste.
Wünsche anderer, Vortragsgegenstände betreffend, siehe unter Bemerkungen 1.</td></tr>
<tr><td>Eintheilung der Zirkel. (11—1 Uhr.)</td><td colspan="9">Von Dienstag den 31. März bis zum Schluß des Kursus täglich von 11—1 Uhr (bezw. 12—1½ Uhr) Uebung im freien Gebrauch der französischen Sprache in kleinen Zirkeln von 5—6 Herren unter Leitung eines der obengenannten Nationalfranzosen.
Weitere Uebungen betreffend siehe unter Bemerkungen 2.</td></tr>
<tr><td>(4—7 Uhr.)</td><td colspan="9">Nachmittags zwischen 4 und 7 Uhr Vorträge nach den Wünschen der Theilnehmer, siehe oben (9—11 Uhr).</td></tr>
</table>

Bemerkungen Seite 207.

1) Es werden vielleicht nicht alle oben angegebenen Vorträge gehalten werden können; andererseits hat vielleicht einer oder der andere der Theilnehmer einen bestimmten Wunsch einen Vortrag betreffend: es werden sich voraussichtlich alle solche Wünsche erfüllen lassen, wenn sie rechtzeitig dem Leiter des Kursus mitgetheilt werden.

2) Außer der regelmäßigen täglichen Gelegenheit zur Uebung im freien Gebrauch der französischen Sprache von 11—1 Uhr wird es sich ermöglichen lassen, für Herren, welche es wünschen, noch besondere Zirkel Nachmittags zu halten. Ferner ist der jedesmalige Vortragende vom Vormittag auf den Wunsch von Theilnehmern bereit, am Abend mit ihnen über seinen Vortrag zu sprechen.

3) Um die Uebung in den Zirkeln möglichst nutzbringend zu machen, empfiehlt es sich, daß die Herren kurze Vorträge, die sie in den Zirkeln halten wollen, (6—8 Minuten), aber nicht über Fragen der Grammatik, vor dem Kursus dem Leiter desselben anzeigen.

4) Wie in den beiden ersten Ferienkursen wird auch in diesem versucht werden, den Theilnehmern zu den Theatern überhaupt, besonders aber zu denen, welche Stücke der französischen Litteratur aufführen, billig oder umsonst Eintritt zu verschaffen.

5) Die Verlagsbuchhandlungen sollen wieder gebeten werden, ihre französischen Lehrbücher und Lehrmittel zu einer mit dem Kursus verbundenen Ausstellung zu schicken.

6) Es empfiehlt sich, alle Wünsche, die den Gang und die Ausnutzung des Kursus betreffen, rechtzeitig dem Leiter desselben Herrn Professor Kabisch, Berlin S. 59, Kottbuser Ufer 56a mitzutheilen.

---

20) Schulferien für die höheren Lehranstalten der Provinz Brandenburg sowie für die Elisabeth- und die Augustaschule zu Berlin.

Berlin, den 1. November 1895.

Die Ferien der höheren Lehranstalten unserer Provinz sind für das Jahr 1896 in folgender Weise festgesetzt:

1) Osterferien.

Schluß des Schuljahrs: Sonnabend, den 28. März; Anfang des neuen Schuljahrs: Dienstag, den 14. April.

2) Pfingstferien.

Schluß des Unterrichts: Freitag, den 22. Mai; Anfang desselben: Donnerstag, den 28. Mai.

3) Sommerferien.

Schluß des Unterrichts: Freitag, den 3. Juli; Anfang desselben: Dienstag, den 4. August; für die Anstalten von Berlin, Spandau, Potsdam, Charlottenburg, Schöneberg, Steglitz und Groß-Lichterfelde: Dienstag, den 11. August.

4) Herbstferien.

Schluß des Sommerhalbjahrs: Sonnabend, den 26. September; für die unter 3. besonders genannten Anstalten: Sonnabend, den 3. Oktober. Anfang des Winterhalbjahrs: Dienstag, den 13. Oktober.

5) Weihnachtsferien.

Schluß des Unterrichts: Sonnabend, den 19. Dezember; Anfang desselben: Dienstag, den 5. Januar 1897.

Jede Abweichung von dieser Ordnung bedarf unserer besonderen Genehmigung.

Königliches Provinzial-Schulkollegium.

21) Schulferien für die höheren Lehranstalten der Provinz Pommern.

Stettin, den 14. Dezember 1895.

Wir bestimmen hierdurch, daß die Ferien an den höheren Schulen unseres Verwaltungsbezirks im Jahre 1896 folgende Lage und Ausdehnung haben sollen:

1) Osterferien.

Schulschluß: Sonnabend, 28. März Mittags. Schulanfang: Dienstag, 14. April früh.

2) Pfingstferien.

Schulschluß: Freitag, 22. Mai Nachmittags. Schulanfang: Donnerstag, 28. Mai früh.

3) Sommerferien.

Schulschluß: Sonnabend, 4. Juli Mittags. Schulanfang: Dienstag, 4. August früh.

4) Herbstferien.

Schulschluß: Mittwoch, 30. September Mittags. Schulanfang: Donnerstag, 15. Oktober früh.

5) Weihnachtsferien.

Schulschluß: Dienstag, 22. Dezember Nachmittags. Schulanfang: Mittwoch, 6. Januar 1897 früh.

Königliches Provinzial-Schulkollegium.

---

22) Schulferien für die höheren Lehranstalten der Provinz Posen.

Posen, den 4. Januar 1896.

Bezüglich der Ferien bei den höheren Lehranstalten in der Provinz Posen bestimmen wir hiermit, daß im Jahre 1896

a. der Schulschluß:	b. der Schulanfang:
1) Zu Ostern:	
Sonnabend den 28 März,	Dienstag, den 14. April,
2) Zu Pfingsten:	
Freitag, den 22. Mai (Nachm. 4 Uhr)	Donnerstag, den 28. Mai,
3) Vor den Sommerferien:	
Freitag, den 10. Juli,	Mittwoch, den 12. August,
4) Zu Michaelis:	
Sonnabend, den 26. September,	Dienstag, den 13. Oktober.
5) Zu Weihnachten:	
Dienstag, den 22. Dezember,	Donnerstag, den 7. Januar 1897

stattzufinden hat.

Königliches Provinzial-Schulkollegium.

23) Schulferien für die höheren Lehranstalten, sowie die Schullehrer-Seminare und die Präparandenanstalten der Provinz Schlesien.

Berlin, den 30. Oktober 1895.

Die Ferien für das Jahr 1896 sind von uns, wie folgt, festgestellt worden.

Ostern 1896:

Schulschluß: Dienstag, den 31. März. Schulanfang: Mittwoch, den 15. April.

Pfingstferien:

Schulschluß: Freitag, den 22. Mai. Schulanfang: Donnerstag, den 28. Mai.

Sommerferien.

Schulschluß: Mittwoch, den 15. Juli. Schulanfang: Dienstag, den 18. August.

Michaelisferien.

Schulschluß: Freitag, den 25. September. Schulanfang: Mittwoch, den 7. Oktober.

Weihnachtsferien.

Schulschluß: Dienstag, den 22. Dezember. Schulanfang: Donnerstag, den 7. Januar 1897.

Die Herren Direktoren 2c. weisen wir gleichzeitig darauf hin, daß an den Tagen, an denen nach der Ferienordnung die Schule zu schließen ist, der Schluß erst nach vollständiger Erledigung des für diesen Tag vorgeschriebenen schulplanmäßigen Unterrichts erfolgen darf und daß nur diejenigen auswärtigen Schüler, die sonst erst den nächsten Tag die Eisenbahn benutzen müßten, um nach Hause zu kommen, schon um 10 Uhr bezw. 11 Uhr Vormittags von der Theilnahme am Unterricht entbunden werden können.

Königliches Provinzial-Schulkollegium.

---

24) Schulferien für die höheren Lehranstalten der Provinz Schleswig-Holstein.

Schleswig, den 10. Dezember 1895.

Die Ferienordnung für das Jahr 1896/97 ist, wie folgt, festgesetzt worden:

Osterferien.

Schluß des Schuljahres: Sonnabend, den 28. März. Beginn des neuen Schuljahres: Dienstag, den 14. April.

Pfingstferien.

Schluß des Unterrichts: Sonnabend, den 23. Mai. Anfang des Unterrichts: Donnerstag, den 28. Mai.

Sommerferien.

Schluß des Unterrichts: Sonnabend, den 4. Juli. Anfang des Unterrichts: Dienstag, den 4. August.

Michaelisferien.

Schluß des Sommerhalbjahres: Mittwoch, den 30. September. Anfang des Winterhalbjahres: Donnerstag, den 15. Oktober. (Für einzelne Anstalten Dienstag, den 13. oder Mittwoch, den 14. Oktober.)

Weihnachtsferien.

Schluß des Unterrichts: Mittwoch, den 23. Dezember. Anfang des Unterrichts: Donnerstag, den 7. Januar 1897.

Die außerhalb der vorstehend festgesetzten Ferien liegenden freien Tage, die einzelne Anstalten aus örtlichen Gründen noch nicht aufgegeben haben, sind bei den Michaelisferien in Abzug zu bringen.

Königliches Provinzial-Schulkollegium.

---

25) Schulferien für die höheren Lehranstalten, sowie die Schullehrer-Seminare und die Präparandenanstalten der Provinz Hannover.

Hannover, den 4. Dezember 1895.

Die Ferien bei den uns unterstellten Anstalten werden für das Jahr 1896 in folgender Weise festgesetzt.

1) Osterferien.

Schluß des Unterrichts: Sonnabend, 28. März, Wiederbeginn: Dienstag, 14. April.

2) Pfingsten.

Schluß des Unterrichts: Freitag, 22. Mai Nachmittags oder Sonnabend, 23. Mai Mittags, Wiederbeginn: Mittwoch, 27. Mai, bezw. Donnerstag, 28. Mai.

3) Sommerferien.

Schluß des Unterrichts: Freitag, 3. Juli, Wiederbeginn: Dienstag, 4. August.

4. Herbstferien.

Schluß des Unterrichts: Sonnabend, 26. September bezw. Sonnabend, 3. Oktober, Wiederbeginn: Dienstag, 13. Oktober bezw. Dienstag, den 20. Oktober.

5) Weihnachten.

Schluß des Unterrichts: Sonnabend, 19. Dezember, Wiederbeginn: Dienstag, 5. Januar 1897.

Abweichungen hiervon sind bei uns zu beantragen. Hinsichtlich der beweglichen Ferien (2 und 4) haben die Direktoren aller Schulen ein und desselben Schulortes sich zu einigen und über ihre Entschließung wegen der Herbstferien (4) uns spätestens bis 1. Juli k. Js. Mittheilung zu machen.

Königliches Provinzial-Schulkollegium.

E. Schullehrer- und Lehrerinnen-Seminare 2c., Bildung der Lehrer und deren persönliche Verhältnisse.

26) Anrechnung der aktiven Militärdienstzeit bei Bemessung der staatlichen Dienstalterszulagen für Volksschullehrer.

Berlin, den 27. November 1895.

Auf den Bericht vom 31. August d. Js. erwidere ich der Königlichen Regierung, daß nach der Bestimmung unter 3^b des Runderlasses vom 28. Juni 1890 — Centralblatt für die Unterrichts-Verwaltung Seite 614 — bei Bemessung der staatlichen Dienstalterszulage für Lehrer diejenige Zeit in Anrechnung kommen soll, während welcher ein Lehrer nach der Anstellung im öffentlichen Schuldienst im aktiven Militärdienst eines deutschen Bundesstaates gestanden hat. Im Sinne dieser Vorschrift gilt als Anstellung im öffentlichen Schuldienst auch die Berufung eines Lehrers zur Uebernahme oder kommissarischen oder vertretungsweisen Verwaltung einer Lehrerstelle an einer öffentlichen Volksschule — zu vergleichen Erlaß vom 14. Oktober 1893 — (Centralblatt für die Unterrichts-Verwaltung Seite 790).

Es ist aber auch unbedenklich, auf Grund des Erlasses vom 15. Juli 1895 — (Centralblatt für die Unterrichts-Verwaltung Seite 630 f.) — diejenige Zeit anzurechnen, welche ein Lehrer nach bestandener Prüfung und dadurch erlangter Anstellungsfähigkeit zur Erfüllung seiner Wehrpflicht im aktiven Militärdienst zurückgelegt hat.

Der Minister der geistlichen 2c. Angelegenheiten.
Im Auftrage: Kügler.

An
die Königliche Regierung zu N.
U. III. E. 6255.

27) Zeugnisse für die Lehrerinnen an Volks-, mittleren und höheren Mädchenschulen.

Berlin, den 28. November 1895.

Der Bestimmung in meiner allgemeinen Verfügung vom 31. Mai 1894 — U. III. D. 1260b — (Centrbl. S. 483), wonach das Ergebnis der Lehrerinnenprüfung in den einzelnen Lehrgegenständen nicht in das Prüfungszeugnis einzutragen ist, liegt, wie ich der Königlichen Regierung auf den Bericht vom 23. Oktober d. Js. erwidere, der Gedanke zu Grunde, daß das Prüfungszeugnis lediglich als ein Patent über die erworbene Befähigung anzusehen ist. Dieser Gedanke war schon bei Erlaß der Prüfungsordnung vom 24. April 1874 leitend und ist dadurch zum Ausdruck gekommen, daß in derselben die Abschaffung der Zeugnisnummern erfolgt ist.

Durch irgendwelche Zusätze in den Prüfungszeugnissen würde der Zweck, der mit der neuen Vorschrift erreicht werden soll, mehr oder weniger vereitelt werden; ich befinde mich aus den in meinem Runderlasse vom 26. September d. Js. — U. III. D. 2868 — (Centrbl. S. 728) ausführlich dargelegten Gründen nicht in der Lage, Abweichungen von der im §. 20 der abgeänderten Prüfungsordnung vorgeschriebenen Fassung der Zeugnisse zu gestatten oder eine Modifikation der im Eingange erwähnten Bestimmung herbeizuführen.

Insbesondere scheint mir kein hinreichender Anlaß dafür vorzuliegen, in die Zeugnisse derjenigen Bewerberinnen, welche neben der allgemeinen Lehrbefähigung für Volks-, mittlere und höhere Mädchenschulen schon vorher Befähigungen in technischen Fächern erworben haben, einen darauf bezüglichen Vermerk aufzunehmen, da über diese Befähigung in den technischen Fächern je besondere Zeugnisse ertheilt werden und es Sache jeder Bewerberin ist, bei Meldungen um erledigte Stellen sich über sämmtliche Befähigungen, die sie erlangt hat, durch Vorlage ihrer Prüfungszeugnisse auszuweisen.

An
die Königliche Regierung zu N.

Abschrift erhält das Königliche Provinzial-Schulkollegium auf den Bericht vom 30. Oktober d. Js. zur Kenntnisnahme.

Ob und inwieweit es erforderlich scheint, in einzelnen Fällen über die Grenzen der in meinem Runderlasse vom 26. September d. Js. — U. III. D. 2868 — hinaus auch Privatpersonen, welche eine bestimmte Bewerberin für eine von ihnen zu vergebende Stellung ins Auge gefaßt haben, ausnahmsweise auf desfallsiges Ersuchen einen Auszug aus dem betreffenden Prüfungsprotokoll mitzutheilen, muß dem Ermessen des Königlichen Provinzial-Schulkollegiums überlassen bleiben.

Zur Vermeidung von Nachtheilen, welche etwa aus dem Fehlen von Censuren in den einzelnen Lehrfächern der Lehramtsbewerberinnen erwachsen könnten, veranlasse ich das Königliche Provinzial-Schulkollegium, künftig die Zeugnisse über die Befähigung für den Unterricht an Volks-, mittleren und höheren Mädchenschulen mit einer Fußanmerkung des Inhalts zu versehen, daß in Gemäßheit meiner allgemeinen Verfügung vom 31. Mai 1894 — U. III. D. 1260b. — das Ergebnis der Lehrerinnenprüfung in den einzelnen Lehrgegenständen nicht in das Prüfungszeugnis einzutragen ist.

An
das Königliche Provinzial-Schulkollegium zu N.

Abschrift erhält das Königliche Provinzial-Schulkollegium zur Kenntnisnahme und gleichmäßigen Beachtung.

An
die übrigen Königlichen Provinzial-Schulkollegien.

Abschrift erhält die Königliche Regierung zur Kenntnisnahme.

Der Minister der geistlichen 2c. Angelegenheiten.
Bosse.

An
sämmtliche Königliche Regierungen.
U. III. D. 4081.

28) Anrechnung der auswärtigen Dienstzeit für Rektoren an Volksschulen bei der Gewährung von Alterszulagen.

Berlin, den 14. Dezember 1895.

Ew. Wohlgeboren erwidere ich auf die Eingabe vom 29. April d. Js., daß dem darin gestellten Antrage nicht entsprochen werden kann.

Die Vorschriften des Runderlasses vom 30. Juni 1893 — U. III. E. 1934. — (Centralblatt Seite 648.) über die Anrechnung der auswärtigen Dienstzeit finden für Rektoren von Volksschulen nur dann Anwendung, wenn sie dasselbe Grundgehalt wie die Lehrer des betreffenden Schulverbandes beziehen, für ihre Thätigkeit als Rektor aber durch eine Funktionszulage entschädigt werden. Sofern aber für die Rektoren ein besonderes Grundgehalt und besondere Alterszulagen festgesetzt sind, kann für die Gewährung der letzteren nur die Dienstzeit des Rektors in dem betreffenden Schulverbande in Anrechnung kommen.

Die volle Anrechnung der auswärtigen Dienstzeit als Rektor oder Lehrer ist in Fällen letzterer Art wie eine anläßlich Ihres Antrages gehaltene Umfrage ergeben hat, nur vereinzelt vorgesehen. Zu einer solchen ausnahmsweisen Anrechnung die Stadt N. anzuhalten, liegt keine Veranlassung vor, zumal Ihr gegenwärtiges Einkommen als angemessen und ausreichend zu erachten ist. Der Umstand, daß der Rektor der dortigen Mittelschule ein höheres Einkommen bezieht, ist, wie die Königliche Regierung zu N. in dem wieder beigefügten Bescheide vom 6. Februar d. Js. zutreffend ausgeführt hat, durch die längere Dienstzeit des Betreffenden als Rektor, sowie durch dessen besondere Amtsstellung gerechtfertigt.

An
den Rektor Herrn N. Wohlgeboren zu N.

Abschrift erhält die Königliche Regierung zur Kenntnis.

Der Minister der geistlichen ꝛc. Angelegenheiten.
Im Auftrage: Kügler.

An
sämmtliche Königliche Regierungen.
U. III. E. 7408.

---

29) Mitwirkung kirchlicher Kommissare an den Entlassungsprüfungen der Lehrer- und Lehrerinnen-Seminare.

Berlin, den 16. Dezember 1895.

Von mehreren General-Superintendenten ist der Wunsch ausgesprochen worden, daß ihnen gestattet werden möge, sich bei den Seminar-Entlassungsprüfungen auch durch solche Geistliche vertreten zu lassen, welche den bezüglichen Provinzial-Konsistorien nicht angehören.

Im Einverständnisse mit dem Evangelischen Ober-Kirchenrath genehmige ich daher, daß für jedes evangelische Lehrer- oder Lehrerinnen-Seminar ein ständiger kirchlicher Kommissar in Aussicht genommen wird, welcher den General-Superintendenten in Behinderungsfällen vertritt, und daß dieser ständige Kommissar aus der Zahl der Superintendenten von dem Provinzial-Konsistorium unter Genehmigung des Evangelischen Ober-Kirchenraths ausgewählt wird.

Der Minister der geistlichen ꝛc. Angelegenheiten.
Bosse.

An
die Königlichen Provinzial-Schulkollegien der älteren Provinzen.
U. III. C. 3785. U. III. U. II. G. I.

30) Berechnung des Dienstalters für Lehrer, welche bei der Berufung in den Seminardienst an der Vorschule einer inländischen höheren Unterrichtsanstalt bereits definitiv angestellt waren.

Berlin, den 16. Dezember 1895.

Im Einverständnisse mit dem Herrn Finanzminister bestimme ich, daß bei der Berufung eines an der Vorschule einer inländischen höheren Unterrichtsanstalt definitiv angestellten Lehrers in den Seminardienst die Berechnung des Dienstalters nach den in meinem Runderlasse vom 2. Februar 1894 — U. III Nr. 1342 u. U. III B. G. III — (Centrbl. S. 286) unter 6 Ic. für die Berufung definitiv angestellter Leiter und Lehrer höherer Unterrichtsanstalten in den Seminardienst gegebenen Grundsätzen zu erfolgen hat. Der Lehrer ist daher mit seinem bis dahin bezogenen Gehalte zu übernehmen und dementsprechend einzurangiren. Selbstverständlich findet eine Hinzurechnung der Hälfte von der nur für die Oberlehrer vorgesehenen Zulage von 900 ℳ nicht statt.

Insofern jedoch den Lehrern, welche von nichtstaatlichen Anstalten übernommen werden, in der früheren Stellung nicht neben der Besoldung eine Dienstwohnung oder eine besondere Wohnungskompetenz gewährt ist, muß zunächst von ihrer früheren Gesammteinnahme ein dem gesetzlichen Wohnungsgeldzuschusse der neuen Stellung gleichkommender Betrag abgerechnet werden.

Der Minister der geistlichen rc. Angelegenheiten.
In Vertretung: von Weyrauch.

An
sämmtliche Königliche Provinzial-Schulkollegien.
U. III. D. 4410. U. II. U. III.

---

31) Nothwendigkeit der Beibringung eines Bürgschaftsstempels zu Verpflichtungs-Bescheinigungen, welche der Vater oder Vormund eines Seminar-Aspiranten dem von diesem vor seiner Aufnahme in das Seminar auszustellenden Revers beizufügen hat.

Berlin, den 17. Dezember 1895.

Auf den Bericht vom 7. Oktober d. Js. erwidere ich dem Königl. Provinzial-Schulkollegium nach Benehmen mit dem Herrn Finanzminister, daß in den Erinnerungen 1 bis 6 der Verhandlung über die Stempelprüfung bei der Königl. Regierung zu N. vom 20. Mai d. Js. zu Verpflichtungsbescheinigungen, welche der Vater oder Vormund eines Seminar-Aspiranten dem von diesem vor seiner Aufnahme in das Seminar auszustellenden Revers beizufügen hat, der in den Tarifnummern 11 und 12 der Stempelsteuer-Verordnung vom 19. Juli 1867 (G. S. S. 1191) vorgeschriebene Stempel für Bürgschaften oder Kautions-Instrumente von je 1,50 ℳ mit Recht nachgefordert ist.

Nach der Fassung der Erklärungen kann es nicht wohl zweifelhaft sein, daß der Aussteller dadurch die selbstschuldnerische Bürgschaft für die in dem Reverse selbst von dem Seminar-Aspiranten eingegangenen Verpflichtungen übernimmt. Die dem Fiskus nach §. 4 a der Verordnung zustehende Stempelfreiheit gilt nur für Urkunden, welche von fiskalischen Behörden ausgestellt sind, kann dagegen keine Anwendung auf Urkunden finden, die von einem Privatmann zu Gunsten des Fiskus ausgestellt werden. Ueberdies sind die Reverse und die ihnen beigefügten Verpflichtungs-Erklärungen auch nicht ausschließlich im fiskalischen Interesse ausgestellt; neben diesem besteht vielmehr ein Privat-Interesse, indem der Seminar-Aspirant ein Interesse daran hat, in das Seminar aufgenommen zu werden, was nur nach Beibringung des Reverses und der Verpflichtungs-Erklärung geschehen kann; es wird aber selbst bei Attesten, die nach Tarifnummer 61 des Gesetzes vom 24. Februar 1869 (G. S. S. 366) nur dann einem Stempel unterliegen, wenn sie in Privatsachen ausgestellt sind, zur Begründung der Stempelpflichtigkeit für genügend erachtet, wenn sie zugleich im öffentlichen und im Privat-Interesse ausgestellt sind. Die Bestimmung des §. 1 Ziffer 2 des Gesetzes vom 26. März 1873 (G. S. S. 131) kann in diesem Falle nicht zur Anwendung kommen, weil sich von vornherein nicht übersehen läßt, ein wie hoher Betrag demnächst eventuell zu erstatten ist. Daß die Reverse der Seminar-Aspiranten selbst nicht als stempelpflichtig angesehen werden, hat seinen Grund darin, daß sie sich unter keine Bestimmung des Stempeltarifs bringen lassen; der Tarifsatz Schuldverschreibungen (Tarifnummer 52 der angezogenen Verordnung) paßt auf sie nicht, weil sie nicht auf einen bestimmten Betrag lauten.

Hiernach muß der Auffassung des Stempelfiskals und des Provinzial-Steuerdirektors dortselbst, daß die gedachte Verpflichtungs-Bescheinigung als Bürgschaft anzusehen und der Bürgschaftsstempel von 1,50 ℳ zu derselben beizubringen ist, beigestimmt werden.

An
das Königliche Provinzial-Schulkollegium zu N.

Abschrift erhält das Königl. Provinzial-Schulkollegium zur Kenntnis und Beachtung.

Der Minister der geistlichen ꝛc. Angelegenheiten.
In Vertretung: von Weyrauch.

An
sämmtliche übrige Königliche Provinzial-Schulkollegien.
U. III. 3812 G. III.

---

32) Verzeichnis der Lehrer und Lehrerinnen, welche die Prüfung für das Lehramt an Taubstummenanstalten im Jahre 1895 bestanden haben.

Die Prüfung für das Lehramt an Taubstummenanstalten gemäß der Prüfungs-Ordnung vom 27. Juni 1878 haben im Jahre 1895 bestanden:

1) Anklam, Taubstummenlehrerin zu Guben,
2) Becker, Taubstummen-Hilfslehrer zu Homberg,
3) Boese, Probelehrer an der Taubstummenanstalt zu Osnabrück,
4) Fischer, Taubstummen-Hilfslehrer zu Erfurt,
5) Fleig, Taubstummen-Hilfslehrer zu Bromberg,
6) Jankowski, Taubstummen-Hilfslehrer zu Posen,
7) Koch, Taubstummen-Hilfslehrer zu Homberg,
8) Krafft, Taubstummen-Hilfslehrer zu Königsberg i. Pr.,
9) Mellen, Taubstummen-Hilfslehrerin zu Büren,
10) Paul, Taubstummen-Hilfslehrer zu Breslau,
11) Poeppel, Stipendiat an der Provinzial-Taubstummenanstalt zu Königsberg i. Pr.,
12) Pudel, Taubstummen-Hilfslehrer zu Angerburg,
13) Sauer, Taubstummen-Hilfslehrer zu Ratibor,
14) Schabedoth, Taubstummen-Hilfslehrer zu Büren,
15) Schoeck, Taubstummen-Lehrer zu Worms (Süd-Rußland),
16) Schönau, Taubstummen-Hilfslehrer zu Schlochau,
17) Sewing, Taubstummen-Hilfslehrer zu Petershagen.

Bekanntmachung.
U. III. A. 2960.

---

33) Schulferien für die Schullehrer-Seminare und Präparandenanstalten der Provinz Posen.

Posen, den 14. Januar 1896.

Unter Bezugnahme auf unsere Verfügung vom 2. Juli 1883 Nr. 3193, betreffend die Ferien-Ordnung, bestimmen wir, daß im Jahre 1896

der Schulschluß vor den Sommerferien, Freitag, den 10. Juli,
der Schulschluß vor den Herbstferien, Sonnabend, den 26. September,
der Schulanfang nach den Sommerferien, Mittwoch, den 12. August,
der Schulanfang nach den Herbstferien, Donnerstag, den 8. Oktober stattzufinden hat.

Königliches Provinzial-Schulkollegium.

F. Höhere Mädchenschulen.

34) Die Bestimmungen in der allgemeinen Verfügung vom 31. Mai 1894 über die Amtsbezeichnung der Leiter, Lehrer und Lehrerinnen an höheren Mädchenschulen finden auf derartige Anstalten privaten Charakters keine Anwendung.

Berlin, den 3. Januar 1896.

Aus Anlaß eines Spezialfalles mache ich darauf aufmerksam, daß die Bestimmung in meiner allgemeinen Verfügung vom 31. Mai 1894 — U. III. D. 1260 a. — (Centrbl. S. 447) über die Amtsbezeichnung der Leiter, Lehrer und Lehrerinnen an höheren Mädchenschulen sich nicht auf derartige Anstalten privaten Charakters bezieht.

Der Minister der geistlichen 2c. Angelegenheiten.
Im Auftrage: Kügler.

An
die sämmtlichen Königlichen Regierungen und Provinzial-Schulkollegien.
U. III. D. 4441.

G. Oeffentliches Volksschulwesen.

35) Der Beibringung von Gnadengeschenks-Anerkenntnissen über die Staatsbeihilfen zu Schulbauten bedarf es nicht mehr.

Berlin, den 16. Januar 1893.

Auf den Bericht vom 12. Dezember v. Js. erwidere ich, daß seit Erlaß des diesseitigen Reskripts vom 20. Dezember 1823 die demselben zum Grunde liegenden Verhältnisse so wesentliche

Wandelungen erfahren haben und die Vorbereitung, Gewährung, Verwendung 2c. von Bewilligungen aus Staatsfonds zu Kirchen-, Pfarr- und Schulbauten nunmehr derart anderweit geregelt sind, daß es vor Ueberweisung von Gnadenbewilligungen oder Beihilfen der Forderung einer protokollarischen Erklärung darüber, daß die Gemeinde 2c. die betreffende Bewilligung als im Wege der Gnade erfolgt ausdrücklich anerkenne, nicht mehr bedarf.

Zur Unterstützung unvermögender Schulverbände bei Elementarschulbauten sind jetzt die im Staatshaushalts-Etat Kap. 121 Titel 38 vorgesehenen Fonds bestimmt und hinsichtlich der Verwendung der Bewilligungen aus denselben unter Anderem die in den Cirkular-Erlassen vom 26. August 1843 — 15290 M. d. g. A. — und 30. November 1874 — G. III. 6175 M. d. g. A. — (Centrbl. für 1874, S. 711) gegebenen Vorschriften zu beachten.

Sonach kann von der bei Revision der Buchhalterei- und Extraordinarien-Rechnung Ihrer Hauptkasse von der geistlichen und Unterrichts-Verwaltung für das Etatsjahr 1890/91 geforderten Anzeige, ob wegen der im Monitum der Königlichen Ober-Rechnungskammer vom 29. März 1892 bezeichneten Beihilfen die Schulbauverpflichteten die Gnadengeschenks-Anerkenntnisse ausgestellt haben und letztere zu den betreffenden Regierungs-Akten genommen worden seien, abgesehen werden.

Der Minister der geistlichen 2c. Angelegenheiten.
Im Auftrage: Kügler.

An
die Königliche Regierung zu N.
U. III. E. 5958.

---

36) Die Feststellung der Leistungsfähigkeit eines Schulverbandes zu einer neuen oder erhöhten Leistung darf nicht unter einer auflösenden Bedingung erfolgen.

Berlin, den 9. Februar 1895.

Ew. Excellenz trete ich auf den gefälligen Bericht vom 16. Dezember v. Js. bezüglich der Feststellung des Lehrereinkommens in den Schulgemeinden H., N. und W. darin ganz ergebenst bei, daß es nicht angängig ist, in dem durch das Gesetz vom 26. Mai 1887 vorgeschriebenen Feststellungsverfahren einem Schulverbande gegenüber eine neue oder erhöhte Leistung ausdrücklich nur für die Dauer desjenigen Zeitraums, während dessen freiwillige Beihilfen seitens des Staats oder Dritter thatsächlich geleistet werden, also unter einer auflösenden Bedingung festzustellen.

Wie in dem Berichte zutreffend ausgeführt ist, muß das dem Lehrer aus der endgültigen Anstellung erwachsende-

Recht auf Bezug seines Stelleneinkommens, eventuell der gesetzlichen Pension, der Versorgung von Witwen und Waisen durch eine entsprechende dauernde Verpflichtung des Schulverbandes sichergestellt sein. Auf die weitere Ausführung Ew. Excellenz, der Umstand, daß die Königliche Regierung den vorgenannten Schulverbänden zur Deckung der geforderten erhöhten Leistung Staatsbeihilfen in Aussicht gestellt habe, müsse präsumtiv dazu führen, die Leistungsfähigkeit der Schulverbände im Beschlußverfahren zu verneinen, bemerke ich ergebenst das Folgende: Nach der Ausführung des Königlichen Oberverwaltungsgerichts in dem Erkenntnisse vom 19. Oktober v. Js. (Centrbl. für 1894, S. 783) muß die Fähigkeit eines Schulverbandes zu einer dauernden Leistung unter der stillschweigenden Voraussetzung geprüft werden, es würden die zur Zeit obwaltenden, zur Bejahung berechtigenden Besitz-, Erwerbs- und Schuldenverhältnisse auch für die Zukunft fortbestehen. Die Leistungsfähigkeit sei zu bejahen, sofern nicht schon zur Zeit diese Verhältnisse unzureichend seien oder thatsächliche Umstände nach verständigem Ermessen zu der Annahme berechtigten, daß sie in Zukunft nicht ausreichend sein würden. Mit dieser Ausführung ist es wohl vereinbar, in denjenigen Fällen, in welchen die Königliche Regierung Beihilfen in Aussicht gestellt hat, die Leistungsfähigkeit unter der stillschweigenden Voraussetzung zu bejahen, daß diese Beihilfen, wenn sie auch etatsmäßig vorbehaltlich des Widerrufs bewilligt werden müssen, solange werden gezahlt werden, als die zur Zeit ihrer Zusage bestehenden Besitz-, Erwerbs- und Schuldenverhältnisse keine wesentliche Besserung erfahren. In diesem Sinne haben auch bereits die Beschlußbehörden in anderen Provinzen in ähnlichen Fällen kein Bedenken getragen, die Leistungsfähigkeit zu bejahen.

Zur gefälligen Kenntnisnahme füge ich Abschrift der Entscheidung des Provinzialraths der Provinz Brandenburg vom 8. Oktober 1891, betreffend die Errichtung einer katholischen Schule in R., unter Bezugnahme insbesondere auf die Ausführung im vorletzten Absatze, sowie Abschrift einer Entscheidung des Provinzialraths für Schlesien vom 3. September v. Js., betreffend die anderweite Feststellung der Gehälter der Lehrer an der katholischen Schule in B., Kreis G., unter Bezugnahme auf den vor- und drittletzten Satz ergebenst bei. Ew. Excellenz ersuche ich ganz ergebenst, die Ausführungen meines vorstehenden Erlasses und die betreffenden Beschlüsse bei den bevorstehenden Berathungen des dortigen Provinzialraths gefälligst zu dessen Kenntnis zu bringen. Mit besonderem Danke würde ich es begrüßen, wenn es dem Einflusse Ew. Excellenz gelingen würde, im vorliegenden und in ähnlichen

Fällen entsprechende Beschlußfassungen des dortigen Provinzialraths herbeizuführen. Im anderen Falle würde die Unterrichtsverwaltung in Zukunft nicht mehr in der Lage sein, die Entwickelung des Volksschulwesens gerade in den leistungsschwachen Gemeinden der Provinz mit Staatsbeihilfen zu fördern und daher diese Entwickelung sehr bald erheblich hinter den in anderen Landestheilen zurückbleiben.

Der Minister der geistlichen ꝛc. Angelegenheiten.
Bosse.

An
den Königlichen Ober-Präsidenten Herrn N. Excellenz zu N.
U. III. E. 9150.

In der die Errichtung einer katholischen Gemeindeschule in N. betreffenden Angelegenheit hat der Provinzialrath in seiner Sitzung vom 1. Oktober 1891 beschlossen,

auf die Beschwerde der Königlichen Regierung zu Potsdam vom 2., 21. Juli 1891 den Beschluß des Kreisausschusses des Kreises T. vom 26. Mai, 21. Juni 1891 aufzuheben und die Gemeinde N. für verpflichtet zu erklären, eine fünfklassige katholische Gemeindeschule einzurichten und zu unterhalten.

Gründe.

Der die Errichtung einer katholischen Gemeindeschule in N. bezweckende Antrag der Schulaufsichtsbehörde ist durch den im Tenor bezeichneten Kreisausschuß-Beschluß, auf dessen Sachdarstellung Bezug genommen wird, abgelehnt worden, weil einestheils die vom fürstbischöflichen Stuhle zu Breslau gegründete Privatschule dem Bedürfnisse sowohl zur Zeit genüge, als auch, da eine Zurückziehung der von der genannten Stelle gewährten finanziellen Unterstützung nicht zu besorgen sei, in Zukunft genügen werde, und weil anderntheils die schon jetzt mit Abgaben überbürdete Gemeinde eine Vermehrung der Lasten um den für Unterhaltung einer neuen Schule erforderlichen Jahresbetrag von etwa 5500 Mark oder 8 Prozent der persönlichen Staatssteuern nicht zu tragen vermöge, die Erklärung des Herrn Ministers aber, daß die Gewährung einer Staatsbeihilfe seiner Zeit in wohlwollende Erwägung gezogen werden solle, keine hinreichend sichere Unterlage bilde, um zu einer, die Leistungsfähigkeit der Verpflichteten außer Acht lassenden Beschlußfassung zu gelangen.

Die Königliche Regierung hat das Rechtsmittel der Beschwerde eingelegt und zur Begründung unter Wiederholung der früheren Anführungen insbesondere hervorgehoben, daß die vorhandene Privatschule schon deshalb den vom Standpunkte der

Unterrichtsverwaltung zu stellenden Anforderungen nicht genüge, weil ihr Fortbestand von Zufälligkeiten und dem guten Willen eines Einzelnen abhängig sei. Aber auch abgesehen hiervon müsse mit Rücksicht auf die sehr erhebliche, in stetiger Zunahme begriffene Zahl der schulpflichtigen katholischen Kinder und zur thunlichsten Erfüllung der wohl begründeten Forderung unentgeltlichen Unterrichts für diese, sowie behufs Durchführung einer wirksameren Schulaufsicht eine öffentliche katholische Volksschule für N. als unerläßlich erachtet werden. Die Leistungsfähigkeit der Gemeinde sei im Gegensatze zum Kreisausschusse zu bejahen. Namentlich habe der Werth des Grund und Bodens in den Vororten B.'s eine solche Steigerung erfahren, daß die Kosten der neuen Schulanstalt sehr wohl durch Zuschläge zu den Staatssteuern aufgebracht werden könnten. Uebrigens fielen diese Kosten, die der Kreisausschuß sehr hoch veranschlage, im Verhältnis zu den sonstigen, auf jährlich 138 000 ℳ sich beziffernden Aufwendungen für Schulzwecke nicht erheblich ins Gewicht, und entspreche es nur der Billigkeit, daß eine Gemeinde, welche derartige Summen für den Unterricht der evangelischen Kinder verausgabe, auch für die Schule der anderen Konfession in entsprechendem Maße Sorge trage. In Bezug auf die erwähnte Zusicherung des Herrn Ministers sei hervorzuheben, daß die rechtsverbindliche Uebernahme eines Theils der in Rede stehenden Last auf den Staat, zumal im gegenwärtigen Stadium der Sache, nicht angängig sei; der Herr Minister habe sich aber ausdrücklich bereit erklärt, nach Erledigung des Beschlußverfahrens Anträge auf Bewilligung einer Staatsunterstützung so weit als möglich zu berücksichtigen.

Der zur Gegenerklärung aufgeforderte Gemeindevorstand von N. wiederholt unter Bezugnahme auf die Begründung des Kreisausschuß-Beschlusses die früher abgegebenen Erklärungen, kommt namentlich auf den Vorschlag der Gründung einer von Gemeindewegen zu unterstützenden katholischen Societätsschule, sowie auf die von der Gemeindevertretung in der Verhandlung vom 22. Oktober 1890 gestellten Bedingungen zurück und führt zur weiteren Unterstützung der Behauptung, daß die Leistungsfähigkeit der Gemeinde erschöpft sei, noch Folgendes an: Die Behauptung, daß schon jetzt eine Ueberbürdung mit Schulabgaben vorhanden sei, habe die Königliche Staatsregierung selbst dadurch anerkannt, daß seit einer Reihe von Jahren neben den gesetzlichen Beiträgen zur Lehrerbesoldung Bedürfniszuschüsse in Höhe von gegenwärtig 15 000 ℳ jährlich aus der Staatskasse gezahlt würden. Die in der Beschwerdeschrift behauptete Steigerung der Bodenwerthe finde allerdings statt, erstrecke sich aber nur auf die in den Händen auswärtiger Spekulanten befindlichen, noch unbebauten Grundstücke und käme deshalb für die Leistungsfähigkeit der Gemeinde um so weniger in Betracht, als diese selbst verwerthbare Grundstücke überhaupt nicht besitze. Die vom Herrn Minister nicht fest versprochene, sondern nur in unbestimmte Aussicht gestellte Bewilligung einer Staatsbeihilfe sei für das gegenwärtige Beschlußverfahren ohne jede Bedeutung.

Es war, wie geschehen, zu beschließen.

Der Provinzialrath geht von der Auffassung aus, daß eine Gemeinde, welche die Unterhaltung der öffentlichen Volksschule auf den Gemeindehaushalt übernommen hat, grundsätzlich in gleicher Weise für den Unterricht der der evangelischen oder katholischen Konfession angehörigen Kinder Sorge tragen muß. Von der vollständigen praktischen Durchführung dieses Grundsatzes wird nur da abzusehen sein, wo Kinder der einen Konfession in so geringer Anzahl vorhanden sind, daß die Einrichtung einer besonderen Schule, beziehungsweise die Eintheilung derselben in mehrere Klassen billigerweise nicht verlangt werden kann. In R. aber giebt es mehr als 300 schulpflichtige katholische Kinder, und ist danach, wie auch der Kreisausschuß im Eingange seiner Begründung anerkennt, „die Forderung der Errichtung einer besonderen katholischen Gemeindeschule wohl begründet". Der Erfüllung dieser Forderung kann sich die Gemeinde nicht durch den Hinweis auf das Vorhandensein der katholischen Privatschule entziehen, denn es steht im Widerspruche zu den Grundsätzen der Billigkeit und Gerechtigkeit, daß die 4600 evangelischen Kinder in einer Gemeindeanstalt unterrichtet werden, die eine beträchtliche Minderheit der Gemeinde ausmachenden Katholischen dagegen in Betreff der Gewährung des Unterrichts für ihre Kinder auf sich selbst oder die freiwillige, jederzeit widerrufliche Unterstützung eines Dritten, des fürstbischöflichen Stuhles zu Breslau angewiesen sind. Aus demselben Grunde erscheint auch der bereits früher von der Gemeinde gemachte Vorschlag, die katholischen Hausväter zu einer Schulsocietät zu vereinigen, welcher ein Zuschuß aus Kommunalmitteln gewährt werden solle, nicht annehmbar, vielmehr kann nur dadurch ein für die Dauer befriedigender Zustand herbeigeführt und den von katholischer Seite erhobenen Klagen über Verletzung der Parität der Grund entzogen werden, daß die Gemeinde R. angehalten wird, die Fürsorge für den Unterricht der katholischen Kinder in gleicher Weise zu übernehmen, wie dies hinsichtlich der evangelischen geschehen ist.

Erscheint aus diesen prinzipiellen und den von der Regierung außerdem noch geltend gemachten praktischen Gründen, nämlich im Interesse einer besseren Aufsichtsführung, sowie der Sicherung des dauernden Bestandes der katholischen Schule, die gestellte Anforderung gerechtfertigt, so fragt es sich nur, ob die Gemeinde im Stande ist, dieser Anforderung zu genügen. Hierbei muß allerdings anerkannt werden, daß die Steuerkraft der Bewohner von R. schon gegenwärtig in so hohem Maße angespannt ist, daß eine weitere Vermehrung der Lasten allmählich die Gefahr einer wirklichen Ueberbürdung herbeiführen kann. Der Provinzialrath hat aber im vorliegenden Falle dieses Bedenken aus mehrfachen Gründen für nicht durchschlagend erachtet. Zunächst ist die Erhöhung der Kommunalabgaben um ungefähr 5500 ℳ jährlich an sich nicht bedeutend genug, um jene Gefahr schon jetzt als eine nahe liegende bezeichnen zu können. Sodann wird die Beantwortung der Frage, ob die finanziellen Verhältnisse einer Gemeinde die Stellung einer neuen Anforderung gestatten, in gewissem Maße auch von der größeren oder geringeren Nothwendigkeit der letzteren abhängig sein; der Provinzialrath ist aber, wie aus Obigem hervorgeht, der Ansicht, daß die Gleichstellung der Konfessionen in Bezug auf die Gewährung des Volksschulunterrichts eine gerechte und billige Forderung bildet, der gegenüber die Befriedigung anderer Bedürfnisse nöthigenfalls zurücktreten müßte. Endlich ist der Provinzialrath der Auffassung des Kreisausschusses, daß die mehrerwähnte Erklärung des Herrn Ministers im Beschlußverfahren völlig unberücksichtigt bleiben müsse, nicht beigetreten, hat vielmehr bei dem gefaßten Beschluß auch erstere insofern in Betracht ziehen zu dürfen geglaubt, als sie die Gefahr ausschließt, daß die Errichtung und Unterhaltung der katholischen Schule eine wirkliche Nothlage für die Gemeinde herbeiführen könne. Denn es darf im Hinblick auf jene Erklärung angenommen werden, daß der Gemeinde R., deren geringe Leistungsfähigkeit bereits durch Bewilligung des erwähnten Jahreszuschusses von 15 000 ℳ anerkannt ist, weitere Unterstützungen aus Staatsmitteln zufließen werden, sobald das Bedürfnis des Näheren geprüft und festgestellt sein wird.

Hiernach konnte unter Aufhebung des Kreisausschuß-Beschlusses dem Antrage der Schulaufsichtsbehörde im vollen Umfange Folge gegeben werden.

Potsdam, den 8. Oktober 1891.

L. S.
Der Provinzialrath.
Dr. von Achenbach.

Beschluß.
O. P. 9585.

Breslau, den 3. September 1894.

Beschluß.

In Sachen, betreffend die anderweite Feststellung der Gehälter der Lehrer an der katholischen Schule zu P., Kreis G., und die dazu erforderliche Mehrleistung der Schulbetheiligten, hat der Provinzialrath auf die von der Königlichen Regierung, Abtheilung für Kirchen- und Schulwesen, zu O. gegen den Beschluß des Kreisausschusses G. vom 13. März 1894 rechtzeitig eingelegte Beschwerde vom 29. März 1894 in seiner heutigen Sitzung beschlossen,

daß der Beschluß des Kreisausschusses G. vom 13. März d. Js. aufzuheben und in Gemäßheit der §§. 2 und 3 des Gesetzes vom 26. Mai 1887 die Gehälter der Lehrer an der katholischen Schule zu P. nach folgender Skala beziehungsweise folgenden Grundsätzen festzusetzen:

a. den definitiv angestellten und länger als 5 Jahre in preußischen Schuldiensten thätigen Lehrern muß ein Grundgehalt von jährlich 800 ℳ einschließlich Feuerungsentschädigung und Werth des Deputatgetreides, und nach 10, 15, 20, 25 und 30 jähriger Thätigkeit in preußischen Schuldiensten müssen neben den staatlichen Dienstalterszulagen solche von je 50 ℳ von den Schulunterhaltungspflichtigen gewährt werden;

b. der Ertragswerth der Schulländereien kommt mit dem Grundsteuerreinertrage, der Werth der Einkünfte aus dem von dem ersten Lehrer verwalteten Kirchenamte mit der Hälfte auf dieses Grundgehalt in Anrechnung;

c. der erste Lehrer erhält außerdem eine Funktionszulage von jährlich 100 ℳ;

d. die noch nicht definitiv angestellten und noch nicht 5 Jahre in preußischen Schuldiensten thätigen Lehrer erhalten jährlich 750 ℳ einschließlich Beheizungs-Entschädigung und Werth des zur Zeit gewährten Deputatgetreides;

e. der zweite Lehrer, welcher bereits ein höheres Einkommen hat, als er nach der vorstehenden Skala haben würde, verbleibt in dem Genuß seines derzeitigen Einkommens bis zum Aufrücken in eine höhere Stufe.

Gründe.

Der Kreisausschuß zu G. hat in seinem Beschluß vom 13. März d. Js., auf dessen Sachdarstellung und Begründung hiermit Bezug genommen wird, den im Tenor jenes Beschlusses wiedergegebenen Antrag der Königlichen Regierung, Abtheilung für Kirchen- und Schulwesen, zu O. abgelehnt, weil das Gesetz vom 26. Mai 1887 auf den vorliegenden Fall nicht anzuwenden sei, im Uebrigen auch ein Bedürfnis zur Erhöhung der Lehrergehälter nicht vorhanden sei und endlich die betheiligten Gemeinden so wenig leistungsfähig seien, daß sie selbst eine unbedeutende Mehrbelastung nicht zu tragen vermöchten.

Gegen diesen Beschluß hat die Königliche Regierung unter Wiederholung ihres Antrages rechtzeitig Beschwerde eingelegt, indem sie ihren Antrag damit rechtfertigt, daß die Besoldung nicht ausreichend sei, zumal die Lebensbedürfnisse gestiegen seien. Daß die Gemeinden des Schulverbandes — P., N. und Ni. — mit Kommunal- und Schulabgaben überlastet seien, erkennt sie jetzt an, sie hat denselben daher vom 1. April d. Js. zur Deckung der derzeit ihnen obliegenden baaren Auslagen zu Schulzwecken eine laufende Beihilfe von zusammen 410 ℳ bewilligt, sodaß die Gemeinden, deren Mehrbelastung durch die neue Anforderung weit weniger — nämlich nur 232 ℳ — betrage, jetzt nur noch etwa 863 ℳ für Schulzwecke aufzubringen haben würden. Während die Gemeinde N. die gegenwärtige Besoldung der Lehrer für ausreichend hält, erkennt die Gemeinde Ni. das Unzureichende derselben an und verlangt Staatsunterstützung zur Erhöhung der Lehrergehälter, die Gemeinde P. hat eine Erklärung nicht abgegeben, die Gutsherrschaft endlich hat auszuführen gesucht, daß die Besoldung genüge, besonders eine Skala nicht nöthig sei.

Es war — wie geschehen — zu beschließen.

Es ist der Königlichen Regierung zunächst darin beizutreten, daß dieselbe im vorliegenden Falle auf Grund des §. 18 der Regierungs-Instruktion vom 23. Oktober 1817 wohl befugt war, an die Neuregelung der Lehrergehälter in P. heranzutreten und einen auf die Feststellung der Mehrleistung gerichteten Antrag beim zuständigen Kreisausschuß in Gemäßheit der §§. 2 und 3 des Gesetzes vom 26. Mai 1887 zu stellen, und endlich, daß der Kreisausschuß zu G. über diesen Antrag, in Gemäßheit jenes Gesetzes materiell zu befinden völlig kompetent war.

Aber auch in der Sache selbst muß der Provinzialrath der Königlichen Regierung darin beipflichten, daß die Besoldung der Lehrer in P. einer Aufbesserung bedarf, und daß es sich empfiehlt, diese Aufbesserung in Form einer Skala, wie solche beantragt ist, eintreten zu lassen. Auch die übrigen beantragten Modalitäten erscheinen zweckentsprechend. Nur erschien es nicht nothwendig, das Grundgehalt für den ersten Lehrer auf 900 ℳ zu bemessen, da mit Rücksicht auf die örtlichen Verhältnisse des Schulverbandes P. ein Grundgehalt in Höhe von 800 ℳ völlig ausreichend erscheint.

Freilich ist unstreitig, daß die drei betheiligten Gemeinden nicht leistungsfähig sind und daher nicht eine Mehrbelastung für Schulzwecke zu ertragen vermögen. Nachdem nun aber denselben eine Staatsunterstützung von 410 ℳ zugesichert ist, wird es ihnen nicht weiter schwer fallen, die Mehrleistung, welche in Folge der Aufbesserung der Lehrergehälter durch Einführung der Skala von ihnen gefordert wird und welche nur 132 ℳ beträgt, aufzubringen.

Dieser Beschluß ist endgültig.

Der Provinzialrath der Provinz Schlesien.
Unterschriften.

Vorstehender Beschluß wird hierdurch ausgefertigt.
Breslau, den 3. September 1894.

L. S.

Der Provinzialrath der Provinz Schlesien.
von Seydewitz.

---

37) Die Prüfung der Leistungsfähigkeit der Schulverbände bei Gewährung von Staatsbeihilfen aus dem Fonds Kapitel 121 Titel 34 des Staatshaushalts-Etats muß sich auch auf die übrigen öffentlichen Abgaben der Schulunterhaltungspflichtigen erstrecken.

Berlin, den 22. Oktober 1895.

Wie ich der Königl. Regierung auf den Bericht vom 12. September d. Js., betreffend das Gesuch des Schulvorstandes in N. um Weitergewährung der bisher für die Lehrerinstelle daselbst bewilligten Staatsbeihilfe, erwidere, ist Ihre Ausführung, daß nach den Grundsätzen der Runderlasse vom 21. Juni 1894 — U. III E. 3006 I. — (Centrbl. S. 571) und vom 15. Februar d. Js. — U. III E. 9336 — (Centrbl. S. 367) Beihilfen nur an solche Schulverbände geleistet werden sollen, welche mit Schulabgaben in Höhe von über 75 % der Staats- und staatlich veranlagten Steuern belastet sind, nicht zutreffend.

In den Erlassen vom 21. Juni v. Js. und 15. Februar d. Js. ist eine Belastung mit Volksschulabgaben in Höhe von 75 % der Real- und Einkommensteuern lediglich deshalb als Regel oder durchschnittliche Belastung bezeichnet, weil der derzeitige Umfang des Fonds Kapitel 121 Titel 34 des Staatshaushalts-Etats zu Staatsbeihilfen für unvermögende Schulverbände eine allgemeine Ermäßigung der Volksschullasten unter diesen Satz nicht gestattet. Es ist indessen zugleich ausdrücklich betont, daß neben den Schullasten auch auf die anderen öffentlichen Abgaben, sowie auf die besonderen wirthschaftlichen und Erwerbsverhältnisse der Gemeinden billige Rücksicht zu nehmen ist. Demgemäß ist auch nachgelassen, daß in denjenigen Fällen, in denen die Gemeinden sich in besonders ungünstigen Verhältnissen befinden, die Schullasten bis auf 50% der genannten Steuern und ausnahmsweise auch darunter ermäßigt werden können, während in anderen Fällen, in denen die Steuerkraft der Gemeinden eine besonders hohe ist, eine Belastung für die Zwecke der Volksschule bis zu 100% der Staatssteuern gefordert werden muß.

Die Königl. Regierung veranlasse ich, hiernach das wieder beigefügte Gesuch des Schulvorstandes in N. einer nochmaligen Prüfung zu unterziehen und denselben entsprechend zu bescheiden.

Der Minister der geistlichen ꝛc. Angelegenheiten.
Im Auftrage: Kügler.

An
die Königliche Regierung zu N.
U. III. E. 6477.

---

38) Grundsätze für die Gewährung von Staatsbeihilfen an leistungsunfähige Schulverbände.

Berlin, den 4. Januar 1896.

Auf den Bericht vom 29. Oktober v. Js. erwidere ich der Königl. Regierung Folgendes:

In den Erlassen vom 21. Juni 1894 — Central-Blatt für die Unterrichtsverwaltung S. 571 ff. — und vom 15. Februar 1895 — Central-Blatt für die Unterrichtsverwaltung S. 367 ff. — ist allerdings eine Belastung mit Volksschulabgaben in Höhe von 75% der Real- und Einkommensteuern als durchschnittliche Belastung bezeichnet worden. Zugleich ist indessen auch ausdrücklich betont, daß bei der Prüfung der Leistungsfähigkeit der Gemeinden neben den Schullasten auch auf die anderen öffentlichen Abgaben, sowie auf die besonderen wirthschaftlichen und Erwerbsverhältnisse der Gemeinden billige Rücksicht genommen werden soll. Demgemäß ist einerseits nachgelassen, daß in denjenigen Fällen, in denen die Gemeinden sich in besonders ungünstigen Verhältnissen befinden, die Schullasten bis auf 50% der genannten Steuern und ausnahmsweise auch darunter ermäßigt werden können. Andererseits ist aber auch bestimmt, daß in anderen Fällen die Schullasten entsprechend höher bemessen werden müssen. Es ist bei dem beschränkten Umfange der Fonds Kapitel 121 Titel 34 und Titel 36 des Staatshaushalts-Etats und dem großen Bedürfnisse nach Beihilfen für mit Schul- und anderen öffentlichen

Abgaben hoch belastete Schulverbände unerläßlich, schulunterhaltungspflichtige Gemeinden und Verbände, deren Steuerkraft eine besonders hohe oder deren Gesammtbelastung mit öffentlichen Abgaben eine verhältnismäßig niedrige ist, für die Zwecke der Volksschule bis zu 100% der Real- und Einkommensteuern und ausnahmsweise auch darüber in Anspruch zu nehmen.

Der Minister der geistlichen ꝛc. Angelegenheiten.
Im Auftrage: Kügler.

An
die Königliche Regierung zu N.
U. III. E. 7288.

---

39) Insektenpräparate von H. Borgschulze, Lehrer zu Bochum.

Arnsberg, den 6. Januar 1896.

Von dem Lehrer H. Borgschulze in Bochum, welcher sich durch jahrelange Uebung ein hervorragendes Geschick in der Präparation von Insekten und Pflanzen zum Zwecke biologischer Darstellungen angeeignet hat, sind eine größere Anzahl lebensvoller Insektenpräparate hergestellt worden, welche sich vorzüglich für den Unterrichtsgebrauch eignen. Die uns vorgelegten Proben waren musterhaft ausgeführt.

Indem wir hierunter ein Verzeichnis der jedesmal in mehreren Exemplaren vorräthigen Insektenpräparate unter Angabe des sehr mäßigen Preises mittheilen, empfehlen wir die Anschaffung solcher Präparate als Lehrmittel für die uns unterstellten Schulen.

Bestellungen sind an den Lehrer H. Borgschulze zu richten.

Königliche Regierung,
Abtheilung für Kirchen- und Schulwesen.
Schreiber.

An
sämmtliche Herren Kreis-Schulinspektoren und die Herren Direktoren der höheren Mädchenschulen des Bezirks.
B. II. 20495.

Insektenpräparate von H. Borgschulze, Lehrer in Bochum.

Benennung.		Preis.	Größe.	
Papilio machaon,	Schwalbenschwanz.	3,50	18×20 cm	
Pieris brassicae,	Kohlweißling.	3,50	"	
Vanessa urticae,	Kleiner Fuchs.	3,50	"	
Vanessa io,	Tagpfauenauge.	3,50	"	
Vanessa antiopa,	Trauermantel.	3,50	"	
Acherontia atropos,	Todtenkopf.	7,50	20×30 cm	
Smerinthus populi,	Pappelschwärmer.	3,50	18×20 cm	
Smerinthus ocellatus,	Abendpfauenauge.	3,50	"	
Sphinx ligustri,	Ligusterschwärmer.	3,50	"	
Arctia caja,	Brauner Bär.	3,50	"	
Cossus ligniperda,	Weidenbohrer.	4,00	"	
Dasychira pudibunda,	Streckfuß.	3,50	"	
Psilura (Liparis) monacha,	Nonne.	3,50	"	
Ocneria (Liparis) dispar,	Schwammspinner.	3,50	"	
Bombyx rubi,	Brombeerglucke.	3,50	"	
Bombyx neustria,	Ringelspinner.	3,50	"	
Bombyx mori,	Maulbeerseidenspinner.	3,50	"	
Antherea (Saturnia) pernyi,	Eichenseidenspinner.	6,00	20×30 cm	
Saturnia carpini,	Kleines Nachtpfauenauge	3,50	18×20 cm	
Saturnia pyri,	Großes (Wiener) Nachtpfauenauge.	6,00	20×30 cm	
Lasiocampa potatoria,	Grasglucke.	3,50	18×20 cm	
Aglia tau,	Nagelfleck.	4,00	"	
Harpyia vinula,	Gabelschwanz.	3,50	"	
Phalera bucephala,	Mondvogel.	3,50	"	
Agrotis pronuba,	Erdmutter.	3,50	"	
Abraxas grossulariata,	Stachelbeerspanner.	3,50	"	
Locusta viridissima,	Heuschrecke.	3,50	"	
Necrophorus,	Todtengräber, einen Vogel verscharrend.	4,50	"	
Melolontha vulgaris,	Maikäfer.	3,50	"	
Entwickelung eines Maikäfers nebst 12 gewöhnlichen Käfern.		6,00	20×30 cm	Besonders für einfache Schulverhältnisse geeignet.
Entwickelung eines Tagfalters nebst 10 gewöhnlichen Tagfaltern.		6,00	"	
Entwickelung eines Nachtfalters nebst 10 gewöhnlichen Nachtfaltern.		6,00	"	

Alle Präparate befinden sich in dauerhaften Glaskästen von 5 cm Tiefe. Die einzelnen Objekte sind mit wissenschaftlichen und deutschen Bezeichnungen versehen. Die drei letzten Präparate enthalten außerdem Angaben über den Grad der Schädlichkeit, die Zeit des Vorkommens und die Futterpflanze.

Abschrift lasse ich den Herren Landräthen und den Königlichen Landrathsämtern zur Kenntnisnahme und Beachtung bei Ergänzung der Lehrmittelsammlungen der landwirthschaftlichen Schulen zugehen.

Der Regierungs-Präsident.
Winzer.

An
sämmtliche Herren Landräthe und die Königlichen Landrathsämter des Bezirks.
B. II. 20495.

Verleihung von Orden 2c. anläßlich des Krönungs- und Ordensfestes.

Bei der Feier des Krönungs- und Ordensfestes am 19. Januar 1896 haben nachgenannte, dem Ressort der Unterrichtsverwaltung ausschließlich oder gleichzeitig angehörige Personen erhalten:

1) Den Stern zum Rothen Adler-Orden zweiter Klasse mit Eichenlaub:

Dr. Kügler, Wirklicher Geheimer Ober-Regierungsrath und Ministerial-Direktor im Ministerium der geistlichen 2c. Angelegenheiten.

2) Den Rothen Adler-Orden zweiter Klasse mit Eichenlaub:

von Arnstedt, Regierungs-Präsident zu Minden.
Dr. Naumann, Geheimer Ober-Regierungsrath und vortragender Rath im Ministerium der geistlichen 2c. Angelegenheiten.
Dr. Pflüger, Geheimer Medizinalrath und ordentlicher Professor an der Universität zu Bonn.

3) Die Schleife zum Rothen Adler-Orden dritter Klasse:

Dr. Tobold, Geheimer Sanitätsrath und Professor zu Berlin.

4) Den Rothen Adler-Orden dritter Klasse mit der Schleife:

Dr. Dihle, Gymnasial-Direktor zu Quedlinburg.
Dr. Förster, Geheimer Ober-Regierungsrath und vortragender Rath im Ministerium der geistlichen 2c. Angelegenheiten.
Linnig, Geheimer Regierungsrath und Provinzial-Schulrath zu Coblenz.

Dr. Passauer, Regierungs- und Geheimer Medizinalrath zu Gumbinnen.
Dr. Renvers, Geheimer Ober-Regierungsrath und vortragender Rath im Ministerium der geistlichen 2c. Angelegenheiten.
Dr. Schmoller, ordentlicher Professor an der Universität und Mitglied der Akademie der Wissenschaften zu Berlin.
von Schwartz, Regierungs-Präsident zu Sigmaringen.

5) Den Rothen Adler-Orden vierter Klasse:

D. Achelis, ordentlicher Professor an der Universität zu Marburg.
Dr. Bärwald, Direktor der Realschule und höheren Mädchenschule der israelitischen Gemeinde zu Frankfurt a. M.
Barkhausen, Professor an der Technischen Hochschule zu Hannover.
Beil, Kanzleirath im Ministerium der geistlichen 2c. Angelegenheiten.
D. Dr. Bellermann, Direktor des Gymnasiums zum Grauen Kloster zu Berlin.
Bennewitz, Kreis-Schulinspektor zu Flatow.
Braune, Strafanstalts-Geistlicher und Kreis-Schulinspektor zu Görlitz.
Dr. Cohn, ordentlicher Professor an der Universität zu Göttingen.
Friese, Provinzial-Schulrath zu Magdeburg.
Heidrich, Professor und Gymnasial-Direktor zu Nakel.
Dr. Ketteler, ordentlicher Professor an der Akademie zu Münster, z. Z. Rektor der Akademie.
Dr. Kiehl, Realgymnasial-Direktor zu Bromberg.
Körner, Professor und Landschaftsmaler zu Bromberg.
Kupfer, Regierungs- und Schulrath zu Oppeln.
Liesen, Direktor des Progymnasiums zu Eschweiler, Landkreis Aachen.
Dr. Nagel, Regierungs- und Schulrath zu Aachen.
Dr. Nehring, Geheimer Regierungsrath und ordentlicher Professor an der Universität zu Breslau.
Dr. Päch, Gymnasial-Direktor zu Breslau.
Dr. Pelman, Geheimer Medizinalrath, Direktor der Provinzial-Irren-Anstalt und ordentlicher Professor zu Bonn.
Dr. Rapmund, Regierungs- und Medizinalrath zu Minden.
Dr. Ritter, Geheimer Regierungsrath und ordentlicher Professor an der Universität zu Bonn.
Runde, Rechnungsrath im Ministerium der geistlichen 2c. Angelegenheiten.
Saß, Regierungs- und Schulrath zu Schleswig.
Dr. Schneider, außerordentlicher Professor an der Universität zu Königsberg i. Pr.
Schönwälder, Regierungs- und Schulrath zu Liegnitz.

Simon, Kreis-Schulinspektor zu Wittlich.
Dr. Wangerin, ordentlicher Professor an der Universität zu Halle a. d. S.
Werner, Professor an der Technischen Hochschule zu Aachen.

6) Den Königlichen Kronen-Orden erster Klasse:

Studt, Wirklicher Geheimer Rath und Ober-Präsident der Provinz Westfalen, zu Münster.

7) Den Königlichen Kronen-Orden zweiter Klasse mit dem Stern:

Dr. Schneider, Wirklicher Geheimer Ober-Regierungsrath und vortragender Rath im Ministerium der geistlichen 2c. Angelegenheiten.

8) Den Königlichen Kronen-Orden zweiter Klasse:

Dr. Hensen, Geheimer Medizinalrath und ordentlicher Professor an der Universität zu Kiel.
Dr. Höpfner, Geheimer Ober-Regierungsrath, Kurator der Universität zu Göttingen.
Dr. Lippmann, Geheimer Regierungsrath und Direktor des Kupferstichkabinets der Königlichen Museen zu Berlin.
Dr. Probst, Domherr und Päpstlicher Hausprälat, ordentlicher Professor an der Universität zu Breslau.

9) Den Königlichen Kronen-Orden dritter Klasse:

Hasselbach, Geheimer Rechnungsrath, Rendant der Generalkasse des Ministeriums der geistlichen 2c. Angelegenheiten.

10) Den Königlichen Kronen-Orden vierter Klasse:

Eckersberg, Geheimer Kanzlei-Sekretär im Ministerium der geistlichen 2c. Angelegenheiten.
Gräser, Professor am Wilhelms-Gymnasium zu Emden.
Meyer, Oberlehrer zu Ilfeld.

11) Den Königlichen Haus-Orden von Hohenzollern:
Den Adler der Ritter:

von Drygalski, Gymnasial-Direktor zu Königsberg i. Pr.
Dr. Frey, Gymnasial-Direktor zu Münster.
Köchy, Schulrath und Seminar-Direktor zu Hannover.
Dr. Pilger, Geheimer Regierungsrath und Provinzial-Schulrath zu Berlin.

12) Den Adler der Inhaber:

Blauert, evangelischer Erster Lehrer, Kantor und Küster zu Vietz, Kreis Landsberg a. d. W.
Dohmen, katholischer Hauptlehrer zu Burtscheid.

Gonnermann, evangelischer Lehrer zu Sontra, Kreis Rotenburg.
Gottwald, evangelischer Hauptlehrer und Kantor zu Schreiberhau, Kreis Hirschberg.
Graul, evangelischer Lehrer und Küster zu Rabis, Kreis Wittenberg.
Karnick, evangelischer Lehrer zu Podwitz, Kreis Kulm.
Menzel, evangelischer Hauptlehrer und Organist zu Ober-Stephansdorf, Kreis Neumarkt.
Neuschmidt, evangelischer Hauptlehrer, Organist und Küster zu Fröndenberg, Kreis Hamm.
Nisius, katholischer Lehrer zu Bengel, Kreis Wittlich.
Olussen, Erster evangelischer Lehrer, Küster und Organist zu Quars, Kreis Apenrade.
Reinecke, Lehrer zu Jelmstorf, Kreis Uelzen.
Rogalewski, katholischer Lehrer zu Massenau, Kreis Ostrowo.
Schumacher, katholischer Erster Lehrer und Organist zu Warburg.
Steindel, evangelischer Lehrer und Kantor zu Glashütte, Kreis Filehne.
Widera, katholischer Hauptlehrer und Organist zu Lomnitz, Kreis Rosenberg i. O. Schl.
Wiese, katholischer Lehrer zu Marzdorf, Kreis Dt. Krone.

13) **Das Allgemeine Ehrenzeichen:**

Brehme, Schuldiener beim Gymnasium zu Flensburg.
Jobke, Portier beim Königlichen Klinikum zu Berlin.
Müller, Kastellan bei der Akademischen Hochschule für Musik zu Berlin.
Neumann, Kastellan bei der Turnlehrer-Bildungsanstalt zu Berlin.
Otto, Schuldiener beim Schullehrer-Seminar zu Breslau.
Paleschke, Schulvorsteher und SchulkassenRendant zu Dreidorf, Kreis Pr. Stargard.
Reichenbach, Kanzleidiener beim Provinzial-Schulkollegium zu Berlin.
Riemann, Pförtner bei der medizinischen Klinik der Universität zu Halle a. S.
Sittel, Geheimer Kanzleidiener beim Ministerium der geistlichen rc. Angelegenheiten.
Stiffel, Mechaniker bei der mechanischen Werkstatt der Technischen Hochschule zu Berlin.
Thelen, Dritter Hausdiener und Maschinist beim chemischen Institut der Universität zu Bonn.
Triptow, Geheimer Kanzleidiener beim Ministerium der geistlichen rc. Angelegenheiten.

Wiese, Verbandwärter beim Charité-Krankenhause zu Berlin.
Wilke, Geheimer Kanzleidiener beim Ministerium der geistlichen ꝛc. Angelegenheiten.

Personal-Veränderungen, Titel- und Ordensverleihungen.

A. Behörden und Beamte.

Es ist verliehen worden:

den im Ministerium der geistlichen, Unterrichts- und Medizinal-Angelegenheiten angestellten Beamten, nämlich:

den Rechnungsräthen Bathe und Scheibe der Charakter als Geheimer Rechnungsrath und

den Geheimen expedirenden Sekretären und Kalkulatoren Damm, Reishaus und Werner der Charakter als Rechnungsrath;

den Direktoren der Provinzial-Schulkollegien zu Hannover und Breslau Geheimen Regierungsräthen Dr. Biedenweg und Dr. Willdenow der Charakter als Ober-Regierungsrath sowie

dem Sekretär Gotthard bei dem Provinzial-Schulkollegium zu Coblenz der Charakter als Rechnungsrath;

dem Regierungs- und Schulrath Dr. Dittmar zu Potsdam der Charakter als Geheimer Regierungsrath;

den Kreis-Schulinspektoren Arlt zu Beuthen O. Schl., Dr. Robels zu Bochum und Woitylak zu Tarnowitz der Charakter als Schulrath mit dem Range der Räthe vierter Klasse.

In gleicher Eigenschaft sind versetzt worden die Kreis-Schulinspektoren:

Dr. Baier zu Samter in den Kreis-Schulinspektions-Bezirk Krotoschin und

Schulrath Gärtner zu Posen in den Kreis-Schulinspektions-Bezirk Nordhausen.

Es sind ernannt worden zu Kreis-Schulinspektoren:

der bisherige Hilfsprediger Fernickel,
der bisherige Pastor Flebbe,
der bisherige Pfarrer Nickell und
der bisherige Präparandenanstalts-Vorsteher Franz Schmidt.

B. Universitäten.

Universität Königsberg.

Es sind ernannt worden:

der bisherige ordentliche Professor an der Universität Utrecht Dr. Freiherr von Eiselsberg zum ordentlichen Professor in der Medizinischen Fakultät der Universität Königsberg,

der bisherige außerordentliche Professor Dr. Mügge zu Münster i. W. zum ordentlichen Professor in der Philosophischen Fakultät der Universität Königsberg und

der bisherige Privatdozent Dr. Franke zu Berlin zum außerordentlichen Professor in der Philosophischen Fakultät der Universität Königsberg.

Universität Berlin.

Dem außerordentlichen Professor in der Medizinischen Fakultät der Friedrich-Wilhelms-Universität zu Berlin Dr. Schöler ist der Charakter als Geheimer Medizinalrath verliehen worden.

Es sind ernannt worden die bisherigen Privatdozenten Professor Dr. Biermann und Dr. Oertmann zu Berlin zu außerordentlichen Professoren in der Juristischen Fakultät der Friedrich-Wilhelms-Universität daselbst.

Dem Privatdozenten in der Philosophischen Fakultät der Friedrich-Wilhelms-Universität zu Berlin Dr. Rubens ist das Prädikat „Professor" beigelegt worden.

Universität Greifswald.

Der bisherige außerordentliche Professor in der Philosophischen Fakultät der Universität Greifswald Dr. Gercke ist zum ordentlichen Professor in derselben Fakultät ernannt worden.

Universität Breslau.

Es sind ernannt worden:

der bisherige ordentliche Professor Dr. Jörs zu Gießen zum ordentlichen Professor in der Juristischen Fakultät der Universität Breslau,

die bisherigen außerordentlichen Professoren in der Philosophischen Fakultät der Universität Breslau Dr. Koch und Dr. Muther zu ordentlichen Professoren in derselben Fakultät und

der bisherige Privatdozent Professor Dr. Hürthle zu Breslau zum außerordentlichen Professor in der Medizinischen Fakultät der dortigen Universität.

Dem Universitäts-Kassen-Kontroleur Krause zu Breslau ist der Charakter als Rechnungsrath verliehen worden.

Universität Halle-Wittenberg.

Dem ordentlichen Professor in der Philosophischen Fakultät der Universität Halle Dr. Lindner ist der Charakter als Geheimer Regierungsrath verliehen worden.

Dem akademischen Musiklehrer an der Universität Halle Königlichen Universitäts-Musikdirektor Reubke ist das Prädikat „Professor" beigelegt worden.

Universität Kiel.

Dem ordentlichen Professor in der Philosophischen Fakultät der Universität Kiel Dr. Reinke ist der Charakter als Geheimer Regierungsrath verliehen worden.

Universität Marburg.

Dem ordentlichen Professor in der Medizinischen Fakultät der Universität Marburg Dr. Behring ist der Charakter als Geheimer Medizinalrath verliehen worden.

Es sind ernannt worden:

der bisherige Privatdozent an der Universität Göttingen Dr. von Blume zum außerordentlichen Professor in der Juristischen Fakultät der Universität Marburg und

der bisherige Privatdozent Professor Dr. Wachenfeld zu Marburg zum außerordentlichen Professor in der Juristischen Fakultät der dortigen Universität.

C. Technische Hochschulen.

Hannover.

Dem Professor an der Technischen Hochschule zu Hannover Keck ist der Charakter als Geheimer Regierungsrath verliehen worden.

D. Museen u. s. w.

Es sind ernannt worden:

der Fürst von Bismarck, Herzog von Lauenburg, der Präsident der Physikalisch-Technischen Reichsanstalt Professor Dr. Kohlrausch zu Charlottenburg, der Geheime Regierungsrath Professor Dr. Grimm zu Berlin, der Geheime Justizrath Professor Dr. Brunner zu Berlin und der Königlich bayerische Geheimrath Professor Dr. Kölliker zu Würzburg nach stattgehabter Wahl zu stimmfähigen Rittern des Ordens pour le mérite für Wissenschaften und Künste.

Die von der Akademie der Wissenschaften zu Berlin getroffenen Wahlen des ordentlichen Professors in der Philosophischen Fakultät der Friedrich-Wilhelms-Universität daselbst Dr. Diels und des ordentlichen Professors in der Medizinischen Fakultät derselben Universität Geheimen Medizinalraths Dr. Waldeyer zu beständigen Sekretaren der Akademie ist bestätigt worden.

Es ist verliehen worden:

dem Mitgliede des Senates der Königlichen Akademie der Künste zu Berlin Geschichtsmaler Professor Dr. Adolf Menzel der Charakter als Wirklicher Geheimer Rath mit dem Prädikat „Excellenz“ und

dem Dr. phil. Kruse zu Bückeburg der Charakter als Geheimer Regierungsrath.

Es ist beigelegt worden:

das Prädikat „Professor“

dem Kammervirtuosen und Cellisten Becker zu Frankfurt a. M.,

dem Chemiker Dr. Fischer zu Göttingen,

dem Lehrer an der Kunst-Akademie zu Cassel Maler Koch und

den Lehrern an der Unterrichtsanstalt des Kunstgewerbe-Museums zu Berlin, Privatdozenten an der Technischen Hochschule Baurath Ritka und Architekten Zaar;

das Prädikat „Königlicher Musik-Direktor“

dem städtischen Musik-Dirigenten Janßen zu Dortmund.

E. Höhere Lehranstalten.

Es ist verliehen worden:

dem Oberlehrer am Königstädtischen Realgymnasium zu Berlin Professor Dr. Heinrichs der Königliche Kronen-Orden dritter Klasse.

Es ist beigelegt worden:

der Charakter als „Professor“

dem Oberlehrer am Realprogymnasium zu Marburg Dute,

dem Oberlehrer am Gymnasium zu Dramburg Dr. Güldenpenning,

dem Direktor der Gewerbeschule (Realschule mit Fachklassen) zu Hagen Dr. Holzmüller,

dem Oberlehrer an der Musterschule zu Frankfurt a. M. Thévenot und dem Oberlehrer am Realprogymnasium zu Spremberg Dr. Winkler;

das Prädikat „Oberlehrer“

dem Lehrer am Gymnasium zu Prenzlau Stegemann.

Es sind befördert worden:

der Oberlehrer am Gymnasium und Realgymnasium zu Guben Professor Dr. Holfeld zum Direktor des Realgymnasiums zu Essen,

der wissenschaftliche Lehrer Dr. Lorenz, welcher bisher die Städtische Realschule zu Quedlinburg, Regierungsbezirk Magdeburg, kommissarisch geleitet hat, zum Direktor derselben und

der Oberlehrer am Gymnasium zu Schwedt a. O. Professor Dr. Wodrig zum Direktor der genannten Anstalt.

Es sind angestellt worden als Oberlehrer:

am Gymnasium

zu Berlin (Graues Kloster) der Hilfslehrer Hildebrandt,
zu Posen (Marien-Gymnasium) der Hilfslehrer Dr. Klinke,
zu Burg (Viktoria-Gymnasium) der Hilfslehrer Roßmann,
zu Brandenburg a. H. der Hilfslehrer Suhle und
zu Sangerhausen der Hilfslehrer Wille;

am Realgymnasium

zu Perleberg der Gymnasiallehrer a. D. Weber;

an der Oberrealschule

zu Saarbrücken der Hilfslehrer Heß und
zu Berlin (Friedrichs-Werdersche) der bisherige ordentliche Lehrer an der Sophienschule daselbst Dr. Suhle;

am Progymnasium

zu Kempen der Hilfslehrer Dr. Trachmann;

an der Realschule

zu Köln der Hilfslehrer Höfer,
zu Berlin (XI.) der Hilfslehrer Dr. Hoose,
zu Berlin (IX.) der Hilfslehrer Junack und
zu Düsseldorf der Hilfslehrer Sanders.

F. Schullehrer- und Lehrerinnen-Seminare.

Es ist verliehen worden:

dem ordentlichen Seminarlehrer Kienast zu Oranienburg der Königliche Kronen-Orden vierter Klasse.

In gleicher Eigenschaft sind versetzt worden:

Die Seminar-Oberlehrer

Radecke von Oranienburg nach Kyritz und
Rosenthal von Kyritz nach Delitzsch.

Es sind befördert worden:
zum Direktor
des Schullehrer-Seminars zu Paradies der bisherige Kreis-Schulinspektor Pelz zu Ratibor;
zum Oberlehrer
am Schullehrer-Seminar zu Münstermaifeld der bisherige ordentliche Lehrer Dietrich,
am Schullehrer-Seminar zu Drossen der bisherige ordentliche Seminarlehrer Hammerschmidt zu Kyritz und
am Schullehrer-Seminar zu Pilchowitz der bisherige ordentliche Seminarlehrer Krömer zu Rosenberg O. S.
Es sind angestellt worden:
als ordentliche Lehrer
am Schullehrer-Seminar zu Tuchel der bisherige kommissarische Lehrer Koschorreck,
am Schullehrer-Seminar zu Herdecke der Hauptlehrer Mevius aus Bickern und der Lehrer Scharf aus Oberfischbach und
am Schullehrer-Seminar zu Rheydt der Kandidat des Pfarr- und des höheren Schulamts Dr. Runkel daselbst;
als Hilfslehrer
am Schullehrer-Seminar zu Wunstorf der Lehrer Biesterfeld zu Döhren.

G. Ausgeschieden aus dem Amte.

1) Gestorben:

Buettner, Kreis-Schulinspektor zu Posen,
Gerigk, Seminarhilfslehrer zu Berent,
Gildisch, Kanzleirath, Geheimer Registrator im Ministerium der geistlichen 2c. Angelegenheiten,
Dr. Hennig, Kreis-Schulinspektor zu Berlin,
von Hugo, Oberlehrer an der Oberrealschule zu Crefeld,
Kühne, Direktor der Taubstummenanstalt zu Osterburg,
Otto, Seminarlehrer am Lehrerinnenseminar zu Posen,
Pensky, Schulrath, Kreis-Schulinspektor zu Schneidemühl,
Rühle, Realgymnasial-Oberlehrer zu Danzig,
Dr. Schirmer, Geheimer Medizinalrath, ordentlicher Professor in der Medizinischen Fakultät der Universität Greifswald,
Dr. Schott, ordentlicher Professor in der Juristischen Fakultät der Universität Breslau,
Dr. Schultz, Gymnasial-Direktor zu Bartenstein,

Dr. Schultze, Professor, Gymnasial-Oberlehrer zu Naumburg a. S.,
Dr. Weissenbach, Professor, Oberlehrer an der Klingerschule zu Frankfurt a. M., und
Dr. Wendlandt, Professor, Realprogymnasial-Oberlehrer zu Remscheid.

2) In den Ruhestand getreten:

Dr. Jordan, Geheimer Ober-Regierungsrath und vortragender Rath im Ministerium der geistlichen 2c. Angelegenheiten, unter Verleihung des Sternes zum Königlichen Kronen-Orden zweiter Klasse, und
Dr. Reuter, Seminar-Oberlehrer zu Münstermaifeld, unter Verleihung des Rothen Adler-Ordens vierter Klasse.

3) Ausgeschieden, Anlaß nicht angezeigt:

Gallert, Realgymnasial-Oberlehrer zu Stralsund.

Inhalts-Verzeichnis des Februar-Heftes.

Druck von J. F. Starcke in Berlin.

Centralblatt
für
die gesammte Unterrichts-Verwaltung in Preußen.

Herausgegeben in dem Ministerium der geistlichen, Unterrichts- und Medizinal-Angelegenheiten.

№ 3. Berlin, den 20. März 1896.

A. Behörden und Beamte.

40) Das in Disciplinaruntersuchungssachen bei verspäteter Anmeldung der Berufung zu beobachtende Verfahren.

Berlin, den 5. Februar 1896.

Das Königliche Staatsministerium hat in Uebereinstimmung mit dem Gutachten des Disciplinarhofs am 11. Oktober 1895 beschlossen, unter Aufhebung seines früheren Beschlusses vom 25. Mai 1892, nach welchem über die Rechtzeitigkeit der Berufungen in Disciplinaruntersuchungssachen lediglich im geordneten Instanzenzuge das Königliche Staatsministerium zu befinden hat (Erlaß vom 21. Juli 1892 — Centralblatt für die Unterrichtsverwaltung S. 795 —), das in dieser Beziehung zu beobachtende Verfahren dahin zu regeln, daß künftig:

1) über die Rechtzeitigkeit der Berufungsanmeldung das Disciplinargericht I. Instanz entscheidet,
2) gegen eine das Rechtsmittel wegen verspäteter Anmeldung als unzulässig verwerfende Entscheidung dem Appellanten innerhalb einer einwöchentlichen Frist von Zustellung dieses Beschlusses an die Beschwerde — ohne aufschiebende Wirkung — an das Staatsministerium zusteht,
3) die Vollstreckung des ersten Urtheils durch die verspätete Berufsanmeldung nicht gehindert wird,
4) das Disciplinargericht I. Instanz bei genügender, die Wiedereinsetzung in den vorigen Stand rechtfertigender Entschuldigung der Versäumung der Berufungsfrist die vorläufige Aussetzung der Vollstreckung des Urtheils bis zur Entscheidung des Staatsministeriums anordnen kann.

Indem ich die Königliche Regierung, das Königliche Provinzial-Schulkollegium, hiervon in Kenntnis setze, veranlasse ich Dieselbe, Dasselbe, jedem nach Maßgabe von Nr. 1 zu fassenden Beschlusse, durch welchen das Rechtsmittel der Berufung als verspätet verworfen wird, das unter Nr. 2 erwähnte Präjudiz ausdrücklich hinzuzufügen.

Dabei weise ich darauf hin, daß die zur Vollziehung des Urtheils berufenen Verwaltungsbehörden nicht auf Grund eigener Prüfung des Ablaufs der Rechtsmittelfrist, sondern, entsprechend den allgemeinen prozeßrechtlichen Grundsätzen, nur auf Grund gerichtsseitiger Feststellung der Vollstreckbarkeit des ersten Urtheils befugt sind, dessen Vollziehung, insbesondere bei einer auf Dienstentlassung lautenden Entscheidung die Einstellung der Gehaltszahlung, zu veranlassen. Dementsprechend erscheint nach Ablauf der Berufungsfrist zwar in denjenigen Fällen, in welchen die den Angeschuldigten vorgesetzte Provinzialbehörde gleichzeitig Disciplinargericht I. Instanz ist, die zu den Akten durch Verfügung zu treffende Feststellung der eingetretenen Rechtskraft des Urtheils ausreichend, damit daraufhin ohne Weiteres das Erforderliche wegen seiner Vollziehung in die Wege geleitet werden kann. Dagegen wird in den Füllen, in welchen der Disciplinarhof in erster Instanz entschieden hat, die von diesem bei Rücksendung der Akten abzugebende Erklärung, daß das Urtheil rechtskräftig sei, für die Verwaltungsbehörde als Grundlage für die Vollstreckung des Urtheils anzusehen sein.

Der Minister der geistlichen 2c. Angelegenheiten.
In Vertretung: von Weyrauch.

An
sämmtliche Königliche Regierungen und
Provinzial-Schulkollegien.

U. III. C. 107. G. I. II. III. U. I. II. III. III A. B. D. E. U. IV. M.

B. Universitäten.

41) Immatrikulation aktiver Offiziere der Armee.

Berlin, den 12. Februar 1896.

Auf den gefälligen Bericht vom 30. Januar d. Js. erwidere ich dem Königlichen Universitäts-Kuratorium ergebenst, daß aktive Offiziere der Armee nach §. 5 Nr. 1 der Vorschriften für die Studirenden der Landesuniversitäten vom 1. Oktober 1879 von der Immatrikulation ausgeschlossen sind und daher in der Regel nur als Hospitanten zum Hören von Vorlesungen zugelassen werden können. In besonders gearteten Fällen hiervon Ausnahmen zu gestatten, bleibt diesseitiger Entscheidung vorbehalten.

Der Minister der geistlichen ꝛc. Angelegenheiten.
Bosse.

An
das Königliche Universitäts-Kuratorium zu N.
U. I. 220.

42) Wettrudern für alle Universitäten Deutschlands im Jahre 1896.

Berlin, den 26. Februar 1896.

Zufolge meines Runderlasses vom 30. August 1894 — U. I. 1610 — haben Seine Majestät der Kaiser und König in Gnaden geruht, eine silberne Kanne als Preis für Wettrudern für alle Universitäten Deutschlands zu stiften. Dieser Wanderpreis soll auch in diesem Jahre in Grünau bei Berlin ausgerudert werden. Seine Majestät sind bereit, Beihilfen zu den besonderen Kosten, welche durch die Betheiligung an dem in Aussicht genommenen Wettrudern in Grünau erwachsen, den akademischen Rudervereinen aus Mitteln des Allerhöchsten Dispositionsfonds bei der Generalstaatskasse zu bewilligen.

Der Minister der geistlichen ꝛc. Angelegenheiten.
Bosse.

An
die Herren Universitäts-Kuratoren zu Breslau, Greifswald und Halle, den Herrn Kurator der Königlichen Akademie zu Münster i. W. und das Königliche Universitäts-Kuratorium zu Bonn.
U. I. 422. II.

C. Akademien, Museen ꝛc.

43) Stellung der Königlichen National-Galerie unter die Generalverwaltung der Königlichen Museen zu Berlin.

Auf den Bericht vom 23. d. Mts. will Ich hierdurch genehmigen, daß die National-Galerie der Generalverwaltung der Museen in Berlin unterstellt werde unter sinngemäßer Anwendung des Statuts der Museen vom 25. Mai 1868 und der Bestimmungen über die Stellung der Abtheilungs-Direktoren und über die Verwendung der sächlichen Fonds bei den Museen zu Berlin vom 13. November 1878. In Bezug auf die für die National-Galerie bestimmten Erwerbungen aus dem Fonds Kapitel 122 Titel 33 des Staatshaushaltsetats behält es bei dem bisherigen Verfahren sein Bewenden. Ich beauftrage Sie, die weiter erforderlichen Anordnungen zu treffen.

Berlin, den 29. Januar 1896.

Wilhelm. R.

Bosse.

An
den Minister der geistlichen ꝛc. Angelegenheiten.

---

44) Bedingungen für den Wettbewerb um den von Seiner Majestät dem Kaiser und König ausgesetzten Preis von 3000 ℳ zur Förderung des Studiums der klassischen Kunst unter den Künstlern Deutschlands.

Seine Majestät der Kaiser und König haben geruht, durch Allerhöchsten Erlaß vom 27. Januar d. Js. für den nächsten Wettbewerb um den von Allerhöchstdemselben zur Förderung des Studiums der klassischen Kunst unter den Künstlern Deutschlands am 27. Januar 1894 gestifteten Jahrespreis dieselbe Aufgabe wie im vorigen Jahre zu bestimmen, nämlich:

die Ergänzung eines Abgusses der antiken Marmorstatue einer tanzenden Mänade in den Königlichen Museen zu Berlin.

Den Preis haben Seine Majestät auf 3000 ℳ erhöht. Für den Wettbewerb sind nachfolgende Bestimmungen getroffen:

1.

Alle dem Deutschen Reiche angehörigen Künstler sind berechtigt, an der Bewerbung theilzunehmen.

2.

An einem Abguß der tanzenden Mänade, welche im Erdgeschoß des hiesigen Alten Museums unter Nummer 208 aufgestellt ist, soll eine vollständige Ergänzung aller verloren gegangenen antiken Theile hergestellt werden. Von der ergänzten Figur ist ein Abguß bis zum 31. Dezember d. Js. Nachmittags pünktlich 3 Uhr an die Generalverwaltung der Königlichen Museen in Berlin unter Angabe des Namens und Wohnorts des Künstlers kostenfrei einzuliefern. Für auswärts wohnende Künstler genügt der Nachweis, daß sie bis zum 31. Dezember das Werk behufs Beförderung an die genannte Behörde als Eilfrachtgut der Eisenbahn übergeben haben.

3.

An jeden Deutschen Künstler, welcher sich bis zum 30. April d. Js. als Theilnehmer an dem Wettbewerb bei der Generalverwaltung der Königlichen Museen in Berlin meldet, wird ein Abguß der Statue in ihrem jetzigen theilweise ergänzten Zustande gegen Zahlung des Vorzugspreises von 30 *M* geliefert. Später tritt der gewöhnliche Verkaufspreis (90 *M*) ein.

Die bereits an dem Original ergänzten Theile werden in den zu liefernden Abgüssen durch dunklere Färbung kenntlich gemacht werden und sind für die in den Wettbewerb eintretenden Künstler in keiner Weise maßgebend.

Lichtdrucke nach einer photographischen Abbildung der Figur können von der Generalverwaltung der Museen gegen Einsendung von 75 *Pf* bezogen werden.

4.

Die Entscheidung über den Preis erfolgt durch Seine Majestät den Kaiser und König unmittelbar und wird an dem Geburtstage Allerhöchstdesselben, dem 27. Januar 1897, bekannt gemacht.

Die zum Wettbewerb zugelassenen Einsendungen werden nach erfolgter Entscheidung für zwei Wochen öffentlich ausgestellt.

5.

Ueber das mit dem Preise ausgezeichnete Werk und dessen Vervielfältigung bleibt Seiner Majestät dem Kaiser und König die freie Verfügung vorbehalten.

6.

Die nicht prämiirten Werke sind nach Schluß der Ausstellung, spätestens aber binnen 4 Wochen nach Bekanntmachung des Preises, wieder abzuholen. Nach diesem Zeitpunkte werden sie den Eigenthümern auf deren Kosten zugesandt werden.

Berlin, den 12. Februar 1896.

Der Minister der geistlichen 2c. Angelegenheiten.

Bosse.

Bekanntmachung.
U. IV. 383.

---

45) Wettbewerb um den Preis der Giacomo Meyerbeer'schen Stiftung für Tonkünstler für das Jahr 1897.

Die nächste Preisbewerbung um das Stipendium der Giacomo Meyerbeer'schen Stiftung für Tonkünstler wird hiermit für das Jahr 1897 eröffnet.

I. Um zu derselben zugelassen zu werden, muß der Konkurrent:

1) in Deutschland geboren und erzogen sein und darf das 28. Jahr nicht überschritten haben;
2) seine Studien in einer der zur Königlichen Akademie der Künste gehörigen Lehranstalten (Akademische Meisterschulen, Königliche akademische Hochschule für Musik, Königliches akademisches Institut für Kirchenmusik), oder in dem vom Professor Stern gegründeten Konservatorium für Musik, oder in dem Konservatorium für Musik in Cöln gemacht haben;
3) sich über seine Befähigung und seine Studien durch Zeugnisse seiner Lehrer ausweisen.

II. Die Preisaufgaben bestehen:

a. in einer achtstimmigen Vokal-Doppelfuge, deren Hauptthema mit dem Texte von den Preisrichtern gegeben wird,
b. in einer Ouvertüre für großes Orchester,
c. in einer durch ein entsprechendes Instrumentalvorspiel einzuleitenden dramatischen Kantate für drei Stimmen mit Orchesterbegleitung, deren Text den Bewerbern mitgetheilt wird.

III. Die Bewerber haben ihre Anmeldung nebst den betreffenden Zeugnissen (ad I. 1, 2 und 3) mit genauer Angabe ihrer Wohnung der Königlichen Akademie der Künste bis zum 1. Mai d. Js. auf ihre Kosten einzusenden.

Die Zusendung des Themas der Vokal-Doppelfuge sowie des Textes der Kantate an die den gestellten Bedingungen entsprechenden Bewerber erfolgt bis zum 1. Juni d. Js.

IV. Die Arbeiten müssen bis zum 1. Februar 1897 in eigenhändiger, sauberer und leserlicher Schrift, versiegelt an die Königliche Akademie der Künste kostenfrei abgeliefert werden. Später eingehende Arbeiten werden nicht berücksichtigt. Den Arbeiten ist ein den Namen des Bewerbers enthaltender versiegelter Umschlag beizufügen, dessen Außenseite mit einem ebenfalls auf dem Titel der Arbeiten befindlichen Motto zu versehen ist. Das Manuskript der preisgekrönten Arbeiten verbleibt Eigenthum der Königlichen Akademie der Künste. Die Verkündigung des Siegers und Zuerkennung des Preises erfolgt im Monat Juni 1897. Die uneröffneten Umschläge nebst den betreffenden Arbeiten werden dem sich persönlich oder schriftlich legitimirenden Eigenthümer durch den Inspektor der Königlichen Akademie der Künste zurückgegeben werden.

V. Der Preis besteht für den diesmaligen Wettbewerb in einem auf 4500 *M* erhöhten Stipendium, welches der Sieger zum Zwecke weiterer musikalischer Ausbildung, insbesondere für eine Studienreise nach Maßgabe später erfolgender, besonderer Anordnungen zu verwenden hat.

Der Sieger ist verpflichtet, als Beweis seiner fortgesetzten künstlerischen Thätigkeit nach gewissen vorzuschreibenden Zeiträumen an die unterzeichnete Sektion der Königlichen Akademie der Künste zu Berlin zwei eigene größere Kompositionen einzusenden. Die eine muß eine Ouvertüre oder ein Symphoniesatz, die andere das Fragment einer Oper oder eines Oratoriums (Psalms oder einer Messe) sein, dessen Ausführung etwa eine Viertelstunde dauern würde.

VI. Das Stipendium wird in drei Raten verabfolgt, die erste thunlichst bald nach Erkennung des Preises, die zweite und dritte erst nach Einsendung je einer der unter V geforderten Arbeiten.

VII. Das Kollegium der Preisrichter besteht statutenmäßig aus den in Berlin wohnhaften ordentlichen Mitgliedern der musikalischen Sektion der Königlichen Akademie der Künste und den Kapellmeistern der hiesigen Königlichen Oper.

Berlin, den 15. Februar 1896.

Der Senat der Königlichen Akademie der Künste.
Sektion für Musik.
Dr. Martin Blumner.

D. Höhere Lehranstalten.

46) Jubelfeier höherer Lehranstalten.

Berlin, den 5. Dezember 1895.

Auf den Bericht vom 10. November d. Js. will ich gestatten, daß am Gymnasium zu N. die Feier des 350jährigen Bestehens am .... begangen wird, mache jedoch darauf aufmerksam, daß außer bei dem 50jährigen Jubiläum einer Anstalt immer nur bei Feiern, die sich auf den Abschluß eines vollen Jahrhunderts beziehen, zur Bestreitung der Kosten Mittel aus Centralfonds bewilligt werden können.

Der Minister der geistlichen 2c. Angelegenheiten.
Bosse.

An
das Königliche Provinzial-Schulkollegium zu N.
U. II. 12797.

47) Erhebung eines höheren Schulgeldes von auswärtigen Schülern städtischer höherer Schulen.

Bei Rücksendung der Anlagen des Berichts vom 16. Januar d. Js. genehmige ich, daß beim städtischen Gymnasium in N. das Schulgeld für diejenigen Schüler, welche nicht in der Stadtgemeinde N. wohnen, vom 1. April 1896 ab um jährlich je 20 M erhöht werde.

Ich bemerke hierbei, daß die Vorschriften des Kommunalabgabengesetzes vom 14. Juli 1893 — G. S. S. 152 — nicht hindern, von den auswärtigen Schülern ein höheres Schulgeld zu erheben, als von den einheimischen. In dieser Weise zu verfahren, entspricht vielmehr im Allgemeinen der Billigkeit, weil das zur Erhebung gelangende Schulgeld zur Deckung der Kosten der Anstalten nicht auszureichen pflegt und der Ausfall in der Regel aus den Steuern der Einwohnerschaft gedeckt wird, an deren Aufbringung die Eltern der auswärtigen Schüler nicht theilnehmen.

Berlin, den 4. Februar 1896.

Der Minister der geistlichen ꝛc. Angelegenheiten.
Im Auftrage: de la Croix.

An
das Königliche Provinzial-Schulkollegium zu N.
U. II. 5124.

---

48) Archäologischer Kursus für Lehrer höherer Unterrichtsanstalten in den Königlichen Museen zu Berlin. Ostern 1896.

Die Vorlesungen beginnen Vormittags um 9 Uhr und dauern — mit einer kurzen Unterbrechung — bis gegen 2 Uhr.

Für den Vortrag über griechische Vasen und Geräthe (Nr. 6) sind die Stunden von 9—12 und von 2—5 Uhr in Aussicht genommen.

1) Mittwoch, den 8. April. Im Neuen Museum am Lustgarten. Direktor Professor Dr. Erman: Aegyptische und assyrische Denkmäler.
2) Donnerstag, den 9. April. Im Museum für Völkerkunde, Königgrätzerstraße 120. Oberlehrer Dr. Brückner: Die Ausgrabungen Schliemanns in Hissarlik, Tiryns und Mykenae.
3) Freitag, den 10. April. In der Olympia-Ausstellung hinter der National-Galerie. Oberlehrer Professor Dr. Trendelenburg: Alterthümer von Olympia.

4) Sonnabend, den 11. April. In der Sammlung der Gipsabgüsse im Neuen Museum. Generalsekretar Professor Dr. Conze: Die attische Kunst auf ihrer Höhe.

5) Montag, den 13. April. In der Aula des Museums für Völkerkunde. Direktor Professor Dr. Richter: Das alte Rom.

6) Dienstag, den 14. April (von 9—12 und von 2—5 Uhr). Im Neuen Museum am Lustgarten (Antiquarium). Direktorial-Assistent Dr. Winter: Antike Vasen und Geräthe.

7) Mittwoch, den 15. April. Im Alten Museum am Lustgarten (Münzkabinet). Direktor Professor Dr. von Sallet: Antike Münzen.

8) Donnerstag, den 16. April. Im Alten Museum am Lustgarten. Direktorial-Assistent Dr. Puchstein: Alterthümer von Pergamon.

Die Direktorial-Beamten des Alten und des Neuen Museums, sowie des Museums für Völkerkunde sind bereit, während der Dauer des Kursus die Herren Theilnehmer an demselben persönlich durch die ihnen unterstellten Sammlungen zu führen.

49) Programm für den in der Zeit vom 8. bis 13. April Ferienkursus für Lehrer

Mittwoch, 8. April	Donnerstag, 9. April	Freitag, 10. April	Sonnabend, 11. April	Montag, 13. April
	9—10½ Auditorium der Post- und Telegraphenschule (Artilleriestr. 4a). Dr. Lüpke: „Ueber neuere Beleuchtungsmethoden." (II)	9—10 Meteorologisches Institut. (Schinkelplatz 6.) Professor Dr. Aßmann: „Die wissenschaftliche Erforschung der Atmosphäre mittels des Luftballons". (I, II)	9—10	9—10½ Dorotheenstädtisches Realgymnasium. (Physikal. Auditorium.) Dr. Bohn: „Ueber neuere Luftpumpen."
11½ Uhr Aula des Dorotheenstädtischen Realgymnasiums. (Georgenstraße 30/31.) Eröffnung des Kursus durch Direktor Prof. Dr. Schwalbe.	11—12 Erstes anatomisches Institut. (Thierarzneischulgarten). Geheimer Regierungsrath Prof. Dr. Waldeyer: „Uebersicht des Nervensystems." (I)	10½—11½ Bergakademie. (Invalidenstraße 44). Prof. Dr. Scheibe: „Der Diamant und sein Vorkommen." (I)	11—12 Erstes anatomisches Institut. Geheimer Regierungsrath Prof. Dr. Waldeyer: „Uebersicht des Nervensystems." (II, III)	11—12
12—1½ Dorotheenstädtisches Realgymnasium. (Chemisches Laboratorium.) Dr. Lüpke: „Ueber neuere Beleuchtungsmethoden." (I)		11½—1½ Besichtigung der Königlichen Geologischen Landesanstalt und Bergakademie unter Führung des Direktors derselben Herrn Geheimen Ober-Bergraths Dr. Hauchecorne.	12½—1½ Bergakademie. Prof. Dr. Scheibe: „Der Diamant und sein Vorkommen." (II)	

1896 in Berlin abzuhaltenden naturwissenschaftlichen an höheren Lehranstalten.

Dienstag, 14. April	Mittwoch, 15. April	Donnerstag, 16. April	Freitag, 17. April	Sonnabend, 18. April
9—10	9—10	9—10	9—10	Besichtigung des tertiären fossilen Waldmoors, der Braunkohlengruben und Fabrikanlagen in Groß-Räschen (Niederlausitz) unter Führung des Dozenten der Bergakademie Herrn Dr. Potonié. Abfahrt c. 8 h Bahnhof Friedrichstraße. Schluß des Kursus in Groß-Räschen durch Direktor Dr. Vogel.
Landwirthschaftliche Hochschule. (Invalidenstr. 12), Auditorium IV. Prof. Dr. Zuntz: „Beziehung zwischen Stoffumsatz und Arbeitsleistung des menschlichen Körpers." (I, II, III, IV)				
10—12 Besichtigung der landwirthschaftlichen Hochschule.	11—12 Erstes anatomisches Institut. Geheimer Regierungsrath Prof. Dr. Waldeyer: „Uebersicht des Nervensystems." (IV)	10—12 Besichtigung des Museums für Naturkunde (Invalidenstr. 48) unter Führung des Herrn Geheimen Regierungsraths Prof. Dr Möbius.	11—1 Zoologisches Institut. (Invalidenstr. 48.) Geheimer Regierungsrath Prof. Dr. Schulze: „Besichtigung des Instituts unter Vorführung einiger interessanten Präparate und Apparate und unter Erörterung neuer Methoden."	
12½—1½	12½—1½	12½—1½		
Physikalisches Institut. (Reichstag-Ufer.) Prof. Dr. Rubens: „Neues über elektrische Wellen (Interferenz und Polarisation)." (I)	Prof. Dr. Warburg und Prof. Dr. Rubens: „Neue Vorlesungsversuche." (II)	Prof. Dr. Warburg: „Lichtelektrische Erscheinungen." (III)		

Mittwoch, 8. April	Donnerstag, 9. April	Freitag, 10. April	Sonnabend, 11. April	Montag, 13. April
	8—4 Dorotheenstädtisches Realgymnasium. Prof. Dr. Goldstein: „Ueber Kathodenstrahlung mit besonderer Berücksichtigung der neuen X-Strahlen." (I)	8—4 Dorotheenstädtisches Realgymnasium. Direktor Prof. Dr. Schwalbe: „Zur Methodik des physikalischen Experimentes."	8—4 Dorotheenstädtisches Realgymnasium. Prof. Dr. Goldstein: „Ueber Kathodenstrahlung mit besonderer Berücksichtigung der neuen X-Strahlen." (II)	8—5½ Königstädtisches Realgymnasium. (Elisabethstraße 57/58.) 8—4 Direktor Dr. Vogel: Besichtigung und Erläuterung der Sammlungen der Anstalt. 4—5½ (Chemisches Laboratorium.) Prof. Dr. Schwanecke: „Ueber die Belebung und Vertiefung des chemischen Unterrichts durch Berücksichtigung der verwandten naturwissenschaftlichen Gebiete unter Vorführung einiger neueren Apparate und Versuche."
	6 Uhr Besuch der Urania.			

In Aussicht genommen sind ferner die Besichtigungen der städtischen auch der bis dahin vollendeten Theile der Berliner Gewerbe-Ausstellung.

---

50) Greifswalder Ferienkursus — 1896 — für Lehrer und Lehrerinnen.

In der Zeit vom 6. bis 31. Juli werden in Greifswald folgende Vorlesungen und Uebungen abgehalten werden:

Physikalische Analyse und Synthese der Klänge. Prof. Dr. Richarz, 2 Vorträge mit Demonstrationen (im physikal. Institut).

Dienstag, 14. April	Mittwoch, 15. April	Donnerstag, 16. April	Freitag, 17. April	Sonnabend, 18. April
8—4	8—4	8—4	8—5	
Dorotheenstädtisches Realgymnasium. Prof. Dr. Goldstein: „Ueber Kathodenstrahlung mit besonderer Berücksichtigung der neuen X-Strahlen." (III, IV.)		Dorotheenstädtisches Realgymnasium. Oberlehrer Dr. Geißler: „Vorführung von Apparaten und Versuchen aus dem Gebiete der Wellenlehre."	Dorotheenstädtisches Realgymnasium. Direktor Prof. Dr. Schwalbe: „Geologische Experimente in der Schule."	

Elektrizitätswerke, des Postmuseums, der Centraltelegraphenanstalt, eventl. Nähere Mittheilungen während der Kurse.

Bau und Thätigkeit der Stimm- und Sprach-Organe. Geh. Rath Prof. Dr. Landois, 3 Vorträge mit Demonstrationen (im physiologischen Institut).

Grundzüge der Phonetik unter besonderer Berücksichtigung der deutschen Aussprache: Prof. Dr. Siebs, zweistündig.

Geschichte der deutschen Sprache. Prof. Dr. Reifferscheid, zweistündig.

Grundzüge der deutschen Syntax mit praktischen Uebungen für Ausländer. Privatdozent Dr. Bruinier, zweistündig.

Goethe (bis zum Jahre 1786). Prof. Dr. Siebs, zweistündig.
Die Anfänge der Romantiker. Prof. Dr. Reifferscheid, einstündig.
Uebungen zur Einführung in das Studium des Deutschen (Erklärung der Lieder Walthers von der Vogelweide; Erklärung des Markusevangeliums Luthers) wird Prof. Dr. Reifferscheid zweistündig auf Wunsch halten.
Praktische mündliche und schriftliche Sprachübungen, in kleinen Zirkeln von 10—12 Theilnehmern nach Anleitung von Prof. Dr. Reifferscheid.
Uebungen aus dem Gebiete der Synonymik, für Ausländer. Dr. Bruinier, einstündig.
Ueberblick über die Geschichte der englischen Sprache. Prof. Dr. Konrath, zweistündig.
Einleitung in das historische Studium der französischen Sprache. Prof. Dr. Stengel, zweistündig.
Französische Metrik. Derselbe, zweistündig.
Methodik des neusprachlichen Unterrichts. Von einem praktischen Schulmann.
Composition française. Durch einen Franzosen.
Uebungen in der französischen und englischen Konversation unter Leitung von Ausländern.
Altfranzösische Uebungen (Rolands Lied) oder an Stelle derselben Italienische Sprachübungen wird Prof. Dr. Stengel auf Wunsch halten.
Geschichte der deutschen Philosophie seit Leibnitz. Geh. Rath Prof. Dr. Schuppe, einstündig.
Volkswirthschaft des Deutschen Reiches. Prof. Dr. Fuchs, zweistündig.
Die Rechtsgrundlagen des Deutschen Staates (in einer Anleitung zum staatsbürgerlichen Unterricht). Prof. Dr. Stoerk, zweistündig.
Geschichtsanschauung des modernen Sozialismus. Prof. Dr. Bernheim, einstündig.
Das wirthschaftliche Leben des römischen Alterthums. Prof. Dr. Seeck, zweistündig.
Einleitung in die Geschichte des Mittelalters. Privatdozent Dr. Altmann, zweistündig.
Geschichte Friedrichs des Großen. Prof. Dr. Schmitt, vierstündig.
Methodische Uebungen auf dem Gebiete der mittelalterlichen Geschichte. Prof. Dr. Bernheim, zweistündig.
Methodische Uebungen auf dem Gebiete der preußischen Geschichte. Prof. Dr. Schmitt, zweistündig.

Ueber die neuesten Fortschritte der physischen Geographie (mit Demonstrationen mittels Projektions-Apparat). Prof. Dr. Credner, zweistündig.
Geographische Exkursionen. Derselbe, sonntäglich.

Der Kursus soll akademisch gebildeten Lehrern Gelegenheit zur Erweiterung oder Erneuerung ihrer Kenntnisse geben, und Lehrerinnen, insbesondere solchen, die sich für die Oberlehrerinnen-prüfung vorbereiten, Anleitung gewähren, sich wissenschaftlich fortzubilden. Er nimmt aber auch auf Ausländer volle Rücksicht, die sich im Gebrauche der deutschen Sprache vervollkommnen wollen, und giebt ihnen Anleitung, sich gründlich mit deutscher Sprache und Litteratur zu beschäftigen.

Die Vorlesungen finden täglich, außer Sonnabends, in den Vormittagsstunden von 8—1 Uhr statt. Für die praktischen Uebungen werden auch die Nachmittagsstunden benutzt werden. Am Schlusse des Kursus werden auf Wunsch Besuchsbescheinigungen ausgestellt.

Behufs gleichzeitiger Gewährung einer Ferienerholung werden, wie in den Vorjahren, an den Sonnabenden gemeinschaftliche Ausflüge an die Ostseeküste und nach der Insel Rügen veranstaltet werden.

Das Honorar für sämmtliche Vorlesungen und Uebungen beträgt 20 *M*. Es steht jedem Theilnehmer frei, sich aus der Gesammtheit der Vorlesungen die ihm genehmen auszuwählen. Nur an Greifswalder Damen und Herren werden Karten für Einzelvorlesungen (gleichviel von welcher Stundenzahl) zu 5 *M* ausgegeben.

Schriftliche oder mündliche Anmeldungen sind, und zwar thunlichst zeitig, an Einen der Unterzeichneten zu richten, welche ebenso wie auch die übrigen Dozenten zur Ertheilung jeglicher Auskunft gern bereit sind, und zwar wird gebeten, sich

in Bezug auf die Deutschen Vorlesungen an Prof. Dr. Reifferscheid,
" " " " Französisch-englischen Vorlesungen an Prof. Dr. Stengel,
" " " " übrigen Vorlesungen an Prof. Dr. Seeck

wenden zu wollen.

Für die sich anmeldenden Herren wird ein Verzeichnis freier möblirter Wohnungen auf der Universitäts-Kanzlei (siehe unten) bereit liegen. Die auswärtigen Damen erhalten ihren Wünschen entsprechende Wohnungen mit oder ohne Pension durch Herrn Dr. Schöne, Direktor der städtischen Höheren Töchter-(Auguste-Viktoria-) Schule, Steinstraße 61, vermittelt. Formulare werden den sich anmeldenden Damen behufs Eintragung ihrer Wünsche rechtzeitig zugestellt werden.

Die endgültige Anmeldung und die Lösung der Theilnehmerkarten erfolgt vom 1. Juli an täglich von 11—12 Uhr auf der Universitäts-Kanzlei im Universitätsgebäude, Rubenowplatz, 2. Thür, links bei Herrn Universitäts-Sekretär Bohn.

Zur Begrüßung der Theilnehmer wird am 5. Juli Abends 8 Uhr ein Empfangsabend veranstaltet werden.

Absteigequartiere: Deutsches Haus, Hôtel de Prusse, Sool- und Moorbad und für bescheidenere Ansprüche: Hôtel du Nord, Schwarzer Adler, Jarmer's Hôtel.

Dr. Stengel, o. ö. Prof. d. romanisch. Philologie, Markt Nr. 24.

Dr. Reifferscheid, o. ö. Prof. d. deutsch. Philologie, Wiesenstr. 59.

Dr. Seeck, o. ö. Prof. der alten Geschichte, Brinkstr. 18.

Dr. Credner, o. ö. Prof. der Geographie, Bahnhofstr. 48. I.

Professor Dr. Schmitt, Burgstr. 37.

E. Schullehrer- und Lehrerinnen-Seminare ꝛc., Bildung der Lehrer und deren persönliche Verhältnisse.

51) Beseitigung der Entlassungsprüfungen an Privatseminaren für Lehrerinnen.

Berlin, den 30. November 1895.

Dem Königlichen Provinzial-Schulkollegium übersende ich g. R. die beifolgenden Vorstellungen der Schulvorsteherin Frau N. zu N. vom 18. Oktober und 12. November d. Js., in welchen dieselbe um Ertheilung der Berechtigung zur Abhaltung von Entlassungsprüfungen an dem von ihr geleiteten Privatseminar für Lehrerinnen bittet, zur Kenntnisnahme mit dem Hinzufügen, daß ich keine Veranlassung finde, im vorliegenden Falle von dem in dem Schlußsatze meiner Rundverfügung vom 27. April 1894 — U. III. D. 1176 — ausgesprochenen Grundsatze, wonach die erwähnte Berechtigung den Privatanstalten nicht mehr ertheilt wird, und bei einem Wechsel in der Person des Trägers oder der Trägerin die Konzession erlischt, abzuweichen.

Die dort getroffene Bestimmung beruht vornehmlich auf der Erwägung, daß an Privatschulen ein weit häufigerer, der bestimmenden Einwirkung der Schulaufsichtsbehörden sich entziehender Wechsel der Lehrkräfte einzutreten pflegt, als an öffentlichen Schulen. Es fehlen also an den Privatschulen die Garantien für eine, auf Erfahrung sich stützende Gleichmäßigkeit der Beurtheilung der Ergebnisse der Prüfung. Dazu kommt, daß die Lehrpersonen an einer Privatschule nicht in gleicher Weise unabhängig von dem Befinden des Vorstehers oder der Vorsteherin der Schule gestellt sind, wie die definitiv angestellten Lehrkräfte einer öffentlichen Schule. In dieser Unabhängigkeit aber liegt auch nach außen hin eine besondere Gewähr dafür, daß das Urtheil des prüfenden Lehrers und der prüfenden Lehrerin ohne jede Nebenrücksichten abgegeben wird.

Der Minister der geistlichen 2c. Angelegenheiten.
Bosse.

An
das Königliche Provinzial-Schulkollegium zu N.
U. III. D. 4175.

52) Ausbildung von Lehrern auf dem Königlichen Institut für Kirchenmusik zu Berlin.

Berlin, den 21. Januar 1896.

Um das Königliche Institut für Kirchenmusik seinen Aufgaben entsprechend zu fördern, habe ich in den letzten Jahren nicht nur auf eine reichere Ausstattung desselben, sondern auch auf eine Vermehrung der Unterrichtsstunden in einigen praktischen Disziplinen Bedacht genommen.

Die Unterrichtserfolge des Instituts hängen aber zum nicht geringen Theile auch davon ab, ob es gelingt, ihm Zöglinge zuzuführen, deren besondere musikalische Befähigung und Vorbildung erwarten läßt, daß sie bei entsprechendem Fleiße eine allseitig befriedigende Ausbildung zum Musiklehrer an höheren Lehranstalten und Schullehrer-Seminaren erlangen werden.

Nicht selten werden für diesen Beruf sehr günstig beanlagte Lehrer wegen Mangels an Mitteln von dem Besuche der erwähnten Anstalt zurückgehalten.

Ich bin daher bereit, in besonders geeigneten Fällen Lehrern mit guter musikalischer Befähigung und Vorbildung, die unter Zurücklassung ihres Gehalts in das Königliche Institut für Kirchenmusik eintreten, eine angemessene Beihilfe zu den Kosten ihrer Ausbildung zu gewähren.

Die Königliche Regierung wolle in geeigneten Fällen hierauf

hinweisen und in Zukunft bei den Anmeldungen zur Aufnahme in das Institut unter Darlegung der Vermögens- und Familienverhältnisse der betreffenden Lehrer bemerken, ob und in welcher Höhe die Gewährung einer Unterstützung angezeigt erscheint.

Der Minister der geistlichen 2c. Angelegenheiten.
Im Auftrage: Kügler.

An
sämmtliche Königliche Regierungen.
U. III. B. 98.

---

53) Aufnahme von Zöglingen in die evangelischen Lehrerinnen-Bildungsanstalten zu Droyßig.

Die diesjährige Aufnahme von Zöglingen in die evangelischen Lehrerinnen-Bildungsanstalten zu Droyßig bei Zeitz findet in der ersten Hälfte des Monats August statt.

Die Meldungen sowohl für das Gouvernanten-Institut wie für das Lehrerinnen-Seminar sind bis zum 15. Mai d. Js. unter Beachtung der in dem Centralblatt für die gesammte Unterrichts-Verwaltung in Preußen für 1892, Seite 415 ff., veröffentlichten Aufnahme-Bestimmungen an den Leiter der Anstalten, Seminardirektor Dr. vom Berg in Droyßig, einzusenden.

Der Eintritt in die mit den Lehrerinnen-Bildungsanstalten verbundene Erziehungsanstalt für evangelische Mädchen (Pensionat) soll in der Regel zu Ostern oder Anfang August erfolgen. Die Meldungen für diese Anstalt sind ebenfalls an den Seminardirektor Dr. vom Berg in Droyßig zu richten.

Auf besonderes portofreies Ersuchen werden Abdrucke der Nachrichten und Bestimmungen über die Droyßiger Anstalten von der Seminardirektion übersandt.

Berlin, den 10. Februar 1896.

Der Minister der geistlichen 2c. Angelegenheiten.
Im Auftrage: Kügler.

Bekanntmachung.
U. III. 252.

---

54) Prüfungen der Lehrerinnen für weibliche Handarbeiten im Jahre 1896.

Vom laufenden Jahre ab ist eine zweite Kommission zur Prüfung der Handarbeitslehrerinnen in der Rheinprovinz und zwar bei der Luisenschule zu Düsseldorf eingerichtet worden.

Die diesjährige Prüfung findet am 15. und 16. Juli statt.

55) Uebersicht von der Frequenz der staatlichen Schullehrer- und Lehrerinnen-Seminare der Monarchie im Wintersemester 1895/96.

Lfd. Nr.	Provinz.	Bezeichnung der Anstalt.	Zahl der Internen. ev.	Internen. kath.	Internen. Sa.	Externen. ev.	Externen. kath.	Externen. Sa.	Gesammt-Zahl.	Zahl der Zöglinge im Jahrgang I. (3. Klasse).	II. (2. Klasse).	III. (1. Klasse).
1.	Ostpreußen . . .		550	72	622	39	13	52	674	247	222	205
2.	Westpreußen . . .		270	275	545	88	.	88	633	217	232	184
3.	Brandenburg . .		576	.	576	589	4	596	1172	389	413	370
						3 jüdische						
4.	Pommern . . .		556	.	556	55	.	55	611	219	226	166
5.	Posen		155	219	374	211	119	340	714	243	215	256
						10 jüdische						
6.	Schlesien		307	577	884	407	478	885	1769	581	520	539
										Vorkursus 129		
7.	Sachsen . . .		485	62	547	481	..	481	1028	380	319	329
		Droyßig	96	.	96	.	.	.	96	17	41	38
8.	Schleswig . . .		148	.	148	410	.	410	558	183	192	183
9.	Hannover		448	.	448	476	54	530	978	323	317	338
10.	Westfalen		202	249	451	313	146	459	910	292	270	348
11.	Hessen-Nassau . .		230	60	290	158	103	261	551	181	190	180
		Ausländer	20	.	20	2	3	5	25	8	5	12
12.	Rheinland . . .		284	519	803	192	566	758	1561	535	528	498
Im Wintersemester 1895/96 Sa.			4827	2033	6860	3416	1491	4920	11280	3944	3690	3646
						13 jüdische						
Im Sommersemester 1895 waren vorhanden			4853	2024	6877	3405	1459	4876	11253	3886	3725	3642
						12 jüdische						
Danach sind jetzt mehr			.	9	.	12	32	44	27	58	.	4
Danach sind jetzt weniger			26	.	17	.	.	.	.		62	
										weniger	35	
										sind mehr	27	

56) Uebersicht von der Frequenz der staatlichen Präparandenanstalten der Monarchie im Wintersemester 1895/96.

Lfd. Nr.	Provinz.	Bezeichnung der Anstalt.	Zahl der Internen. ev.	Internen. kath.	Internen. Sa.	Externen. ev.	Externen. kath.	Externen. Sa.	Gesammtzahl.	Zahl der Zöglinge im Jahrgang I. (3. Klasse).	II. (2. Klasse).	III. (1. Klasse.)
1.	Ostpreußen		.	.	.	252	.	252	252	.	119	188
2.	Westpreußen . . .		84	.	84	69	126	195	229	.	118	116
3.	Brandenburg . .		.	.	.	.	.	.	.	.	.	.
4.	Pommern. . . .		.	.	.	280	.	280	280	.	115	115
5.	Posen		41	.	41	88	194	277	318	.	165	158
6.	Schlesien		.	.	.	181	400	581	581	96	254	181
7.	Sachsen		.	.	.	188	50	188	188	.	99	84
8.	Schleswig-Holstein.		.	.	.	115	.	115	115	.	61	54
9.	Hannover. . . .		.	.	.	254	.	254	254	68	97	89
10.	Westfalen		.	.	.	86 1 jüdischer	.	87	87	27	80	80
11.	Hessen-Nassau . .		.	.	.	58	54	107	107	25	41	41
12.	Rheinland		.	.	.	35	25	60	60	.	30	30
	Im Wintersemester 1895/96 Sa. . . .		75	.	75	1441 1 jüdischer	849	2291	2866	216	1124	1026
	Im Sommersemester 1895 waren vorhanden		72	.	72	1428 1 jüdischer	828	2252	2824	206	1114	1004
	Danach sind jetzt { mehr		8	.	8	18	26	89	42	10	10	22
	Danach sind jetzt { weniger		.	.	.	.	.			.	.	.
										sind mehr	42	

F. Höhere Mädchenschulen.

57) Zulassung von Lehrerinnen zur wissenschaftlichen Prüfung der Lehrerinnen.

Berlin, den 3. Februar 1896.

In einem hier zur Sprache gebrachten Spezialfalle ist es zu meiner Ueberraschung als fraglich bezeichnet worden, ob eine Lehrerin, welche nur die Prüfung in der französischen und der englischen Sprache bestanden hat, zur wissenschaftlichen Prüfung der Lehrerinnen zugelassen werden kann.

Selbstverständlich ist diese Frage zu verneinen, da schon §. 1 Absatz 2 der Prüfungsordnung vom 31. Mai 1894 vorschreibt, daß betreffs der Zulassung zur wissenschaftlichen Prüfung der Lehrerinnen die Vorschriften über die Schulvorsteherinnen-Prüfung entsprechende Anwendung finden. Außerdem soll nach §. 5 a. a. O. diese Prüfung, welche nach §. 6 in zwei Gegenständen abgelegt wird, von denen nur für den ersten die Wahl zwischen Französisch und Englisch freisteht, zeigen, daß die Bewerberin auf Grundlage der in der ersten Prüfung nachgewiesenen Kenntnisse sich fortgebildet und die Befähigung erworben hat, in wissenschaftlicher Weise selbständig weiter zu arbeiten.

Der Minister der geistlichen 2c. Angelegenheiten.
Im Auftrage: Kügler.

An
sämmtliche Königliche Provinzial-Schulkollegien
und Regierungen.
U. III. D. 297.

G. Oeffentliches Volksschulwesen.

58) Stempelpflichtigkeit der auf Grund der Allerhöchsten Kabinets-Ordre vom 29. September 1833 (G. S. S. 121) ertheilten Genehmigungen bezw. Bestätigungen von Statuten (Satzungen) und Statuten-Nachträgen der Lehrer-Sterbe- 2c. Kassen.

Berlin, den 5. Februar 1896.

Ew. Excellenz erwidern wir auf den gefälligen Bericht vom 16. Oktober 1895 — Nr. 8131. O. P. II. Ang. — nach Benehmen mit dem Herrn Finanzminister, daß auch zu den auf Grund der Allerhöchsten Kabinets-Ordre vom 29. September 1833

(G. S. S. 121) diesseits ertheilten Genehmigungen bezw. Bestätigungen von Statuten (Satzungen) und Statuten-Nachträgen der Lehrer-Sterbe- ꝛc. Kassen der Ausfertigungsstempel von 1 *M* 50 *Pf* zu verwenden ist. In gleicher Weise wird auch bei den gemäß jener Allerhöchsten Kabinets-Ordre in der Centralinstanz genehmigten Statuten von Witwen-, Waisen-, Sterbe- ꝛc. Kassen dann zu verfahren sein, wenn Ew. Excellenz auf Grund der in den Statuten ertheilten Ermächtigung die von den Betheiligten beschlossenen Statuten-Nachträge genehmigen.

Ew. Excellenz wollen daher gefälligst dafür Sorge tragen, daß zu der unter dem 27. September 1895 ausgefertigten Genehmigungs-Urkunde des abgeänderten Statuts der ..... Lehrer-Sterbekasse vom 22. März 1895 der erforderliche Ausfertigungsstempel von 1 *M* 50 *Pf* noch nachträglich auf Kosten der Kasse verwendet bezw. zu den dortigen Akten kassirt werde.

An
den Königlichen Ober-Präsidenten Herrn N. Excellenz zu N.

Abschrift hiervon theilen wir Ew. Excellenz zur gefälligen Kenntnisnahme und gleichmäßigen Beachtung ganz ergebenst mit.

Der Minister der geistlichen ꝛc. Angelegenheiten.
In Vertretung: von Weyrauch.

Der Minister des Innern.
Im Auftrage: Haase.

An
die übrigen Königlichen Ober-Präsidenten.
M. d. g. A. U. III. D. 4786. G. III. U. I. U. II.
M. d. J. I. A. 1096.

---

59) Kompetenz der Königlichen Regierungen, die Einführung von Lesebüchern zu genehmigen.

Berlin, den 11. Februar 1896.

Auf die Berichte vom 2. Oktober, 8. und 17. Dezember v. Js. erwidere ich der Königlichen Regierung, daß nur zur Einführung deutscher Lesebücher, sowie der dem Religionsunterricht zu Grunde liegenden Lehr- und Lernbücher in den Unterrichtsgebrauch der Ihrer Aufsicht unterstellten Schulen die diesseitige Genehmigung einzuholen ist.

Hiervon abgesehen, hat die Königliche Regierung bezüglich der in diesen Schulen in Gebrauch zu nehmenden Lehrbücher und Lernmittel selbständig zu befinden.

An
die Königliche Regierung zu N.

Abschrift erhält die Königliche Regierung zur Kenntnisnahme und Nachachtung.

Der Minister der geistlichen 2c. Angelegenheiten.
Im Auftrage: Kügler.

An
die übrigen Königlichen Regierungen.
U. III. D. 4768.

60) Polizeiliche Genehmigung für öffentliche Schüleraufzüge.

Berlin, den 12. Februar 1896.

Die unter Aufsicht der Lehrer mit oder ohne Musikbegleitung in Ortschaften oder auf öffentlichen Straßen stattfindenden Schüleraufzüge sind dann als öffentliche Aufzüge im Sinne des §. 10 der Verordnung über die Verhütung eines die gesetzliche Freiheit und Ordnung gefährdenden Mißbrauchs des Versammlungs- und Vereinigungsrechtes vom 11. März 1850 (G.S.S. 277) anzusehen, wenn sie aus außerordentlicher, nicht lediglich in Erfüllung der Schulpflicht und innerhalb der geordneten Einrichtungen der Schulanstalt liegender Veranlassung und nicht auf Anordnung der Schulaufsichtsbehörden erfolgen.

Von öffentlichen Schüleraufzügen, welche hiernach der vorgängigen polizeilichen Genehmigung nicht bedürfen, ist in solchen Fällen, wo es sich um größere Veranstaltungen handelt, der Ortspolizei vorher Kenntnis zu geben, damit zur Vermeidung etwaiger Verkehrsstörungen rechtzeitig die erforderlichen polizeilichen Maßregeln getroffen werden können.

Indem wir noch auf das Erkenntnis des Königlichen Kammergerichts vom 5. Mai 1881 (Jahrbuch für die Entscheidungen des Kammergerichts Bd. 2 S. 248) aufmerksam machen, ersuchen wir Ew. Excellenz, die in Betracht kommenden Behörden gefälligst mit entsprechender Weisung zu versehen.

Der Minister der geistlichen 2c. Angelegenheiten.
In Vertretung: von Weyrauch.

Der Justizminister.
In dessen Vertretung:
Nebe-Pflugstädt.

Der Minister des Innern.
In Vertretung: Haase.

An
sämmtliche Herren Ober-Präsidenten und den Königlichen Regierungs-Präsidenten zu Sigmaringen.
M. d. g. A. U. III. 281. U. III. A.
J. M. I. 980.
M. d. J. II. 888.

61) Rechtsgrundsätze des Königlichen Oberverwaltungsgerichts.

a. Mit der Schule ist die Küsterei der unter dem Patronate des beklagten Gutsbesitzers stehenden Ortskirche organisch verbunden, und im Hinblicke hierauf durfte die klagende Landgemeinde bei der Auslegung, welche das Märkische Provinzialrecht in der Judikatur gefunden hat, davon ausgehen, daß die öffentlich-rechtliche Pflicht zur baulichen Unterhaltung des Küsterschulhauses ihr in Gemeinschaft mit dem Patrone obliege. Hat sie aber in dieser Voraussetzung eine Bauleistung erfüllt, zu welcher ihres Erachtens der Patron verpflichtet war, so stand ihr die Erstattungsklage gegen Letzteren gemäß §§. 49, 47 Absatz 3 des Zuständigkeitsgesetzes vom 1. August 1883 (Gesetzsamml. Seite 237) offen, wenngleich zu deren Begründung aus dem öffentlichen Rechte das privatrechtliche Moment der nützlichen Verwendung hinzutrat (Entscheidungen des Oberverwaltungsgerichts Bd. XVIII Seite 169).

Als Kirchenpatron muß der Beklagte nach Provinzialrecht bei Bauten und Reparaturen am Küsterschulhause, abgesehen von dem hier nicht zutreffenden Ausnahmefalle des §. 3 des Gesetzes vom 21. Juli 1846 (Gesetzsammlung Seite 392), die erforderlichen Materialien, u. A. an Kalk hergeben. Es ist daher seitens der Klägerin durch die in Rede stehende Beschaffung von Kalk eine nach dem bestehenden Rechte dem Beklagten zur Last fallende Ausgabe für diesen bestritten worden und deshalb (s. §§. 262, 268, 269 Titel 13 Theil I des Allgemeinen Landrechts) der Beklagte erstattungspflichtig.

(Erkenntnis des I. Senates des Königlichen Oberverwaltungsgerichts vom 4. Oktober 1895 — I. 1256 —.)

---

b. Die Erstattungsklage aus §. 47 Absatz 3 (§. 49) des Zuständigkeitsgesetzes vom 1. August 1883 (Gesetzsamml. Seite 237) ist von einer vergeblich gebliebenen Aufforderung zur Leistung an den nach öffentlichem Rechte Leistungspflichtigen nicht unbedingt, beispielsweise dann nicht abhängig, wenn der Kläger durch Beschluß der Aufsichtsbehörde mit der Leistung belastet war oder von dem Vorhandensein eines zur Uebernahme der Leistung anstatt oder neben ihm öffentlich-rechtlich Verpflichteten keine Kenntnis besaß. Hier lagen indeß derartige besondere Umstände nicht vor. Die klagende Gemeinde hat sich vielmehr, ohne dazu durch behördliche Anordnung genöthigt zu sein und ungeachtet zuverlässiger Wissenschaft davon, daß nach dem Gesetze und der Ortsverfassung nicht ihr, sondern dem Beklagten die Leistung obliege, dieser unterzogen. Nach den Bestimmungen der §§. 231 ff. und 256 ff. Titel 13 Theil I des Allgemeinen Landrechts würde Klägerin daher, wie der Gerichtshof auf verwandten Gebieten, insbesondere bei der Handhabung des §. 56 Absatz 5 des Zuständigkeitsgesetzes mehrfach dargelegt hat, Erstattung ihrer Auslagen zu verlangen, nur in dem Falle berechtigt gewesen sein, wenn eine derartige Dringlichkeit der Leistung ihrerseits dargethan wäre, daß die Lieferung des erforderlichen Holzes von dem dazu verpflichteten Beklagten selbst nicht zeitig genug hätte geleistet werden können, oder wenn Klägerin dargethan hätte, daß dem Beklagten durch den von ihr bewirkten Ankauf der Bretter in dem Umfange des Klageanspruchs Bereicherung oder Vortheil erwachsen wäre.

(Erkenntnis des I. Senates des Königlichen Oberverwaltungsgerichts vom 4. Oktober 1895 — I. 1257 —.)

---

c. Den Hausväterbeiträgen im Geltungsbereiche des Allgemeinen Landrechts wohnt die rechtliche Eigenschaft rein persönlicher Abgaben bei, die zur Voraussetzung haben, daß der Censit im Schulbezirke seinen Wohnsitz hat (§§. 29 ff. Titel 12 Theil II des Allgemeinen Landrechts). An diesem Charakter der Hausväterbeiträge wird dadurch nichts geändert, wenn gemäß §. 31 a. a. O. als Vertheilungsmaßstab außer der Einkommensteuer die Grund- und Gebäudesteuer in Anwendung gebracht wird (Entscheidung des Oberverwaltungsgerichts Band II Seite 208). Wegen ihrer rein persönlichen Natur unterscheiden sich die Hausväterbeiträge wesentlich von den Kreisabgaben, bezüglich deren die Zulässigkeit einer Nachforderung in dem Endurtheil vom 2. Dezember 1880 (Entscheidung des Oberverwaltungsgerichts Band VII Seite 77) erörtert worden ist. Die als Kreisabgaben erhobenen Zuschläge zu den Staatssteuern theilen die rechtliche Natur der Prinzipalsteuern und kennzeichnen sich je nach ihrer Eigenschaft als vom Grundbesitz, vom Gewerbe oder vom Einkommen erhobene Steuern, stellen also auch, obwohl sie in einem Betrage berechnet werden, verschiedene Steuerarten dar, während die Schulbeiträge der Hausväter, mögen sie nach diesem oder jenem Maßstabe berechnet werden, stets als eine einheitliche, persönliche Steuer erscheinen.

Die Zulässigkeit der Nachforderung im vorliegenden Falle ist danach gemäß §. 14 des Gesetzes vom 18. Juni 1840, betreffend die Verjährungsfristen bei öffentlichen Abgaben (Gesetzsammlung Seite 140), nicht nach §. 5, sondern nach §. 6 dieses Gesetzes zu beurtheilen. Eine Nachforderung persönlicher Steuern aber ist nach §. 6 nur bei gänzlicher Uebergehung statthaft, nicht im Falle eines zu geringen Ansatzes.

Kläger ist nicht übergangen, sondern ursprünglich nur nach einem zu niedrigen Ansatze herangezogen worden Ob der Grund dazu in einem Irrthum des veranlagenden Organs beruhte oder nicht, ändert in der Sache selbst nichts. Da im Falle eines zu geringen Ansatzes jede Nachforderung wegfiel, war es unstatthaft, an den Kläger eine zweite Anforderung, wie geschehen, zu stellen.

Der Versuch des Revisionsklägers, aus §. 80 des Einkommensteuergesetzes vom 24. Juni 1891 (Gesetzsammlung Seite 175) das Gegentheil nachzuweisen, war fehlsam.

Nach §. 80 a. a. O. sind Steuerpflichtige, welche zu einer ihrem wirklichen Einkommen nicht entsprechenden niedrigen Steuerstufe veranlagt worden sind, ohne daß eine strafbare Hinterziehung der Steuer stattgefunden hätte, zur Entrichtung des der Staatskasse entzogenen Betrages verpflichtet, so daß bezüglich der Einkommensteuer allerdings die Zulässigkeit einer Nachforderung anerkannt ist. Die Entstehung des Gesetzes vom 24. Juni 1891 läßt jedoch keinen Zweifel darüber, daß der Gesetzgeber aus besonderen Gründen von den Bestimmungen des §. 6 des Gesetzes vom 18. Juni 1840 abzuweichen Anlaß gefunden hatte (§. 82 des Entwurfs und die dazu gegebene Begründung Seite 25 und 70 der Drucksachen Nr.5 des Abgeordnetenhauses, Session 1890/91). Eine Aufhebung der in §§. 6, 14 des Gesetzes vom 18. Juni 1840 enthaltenen Vorschriften ist aber nicht erfolgt. Für das Gebiet des Schulabgabenwesens sind diese nach wie vor in Kraft geblieben; die Ausdehnung der im §. 80 des Einkommensteuergesetzes enthaltenen Neuerung ist zwar für die Gewerbesteuer (§. 78 des Gewerbesteuergesetzes vom 24. Juni 1891 — Gesetzsammlung Seite 205 —), für die Ergänzungssteuer (§. 46 des Ergänzungssteuergesetzes vom 14. Juli 1893 — Gesetzsammlung Seite 134 —) und für die Kommunalsteuer (§. 85 des Kommunalabgabengesetzes vom 14. Juli 1893 — Gesetzsammlung Seite 152 —), nirgends aber für Schulabgaben, ausgesprochen worden.

(Erkenntnis des I. Senates des Königlichen Oberverwaltungsgerichts vom 6. Dezember 1895 — I. 1529 —.)

---

c. Der Gerichtshof hat bereits anderweit ausgesprochen (Entscheidungen, Band XIV Seite 246), daß die Aufhebung und Abänderung von Satzungen, die in Auseinandersetzungs-, Gemeinheitstheilungs- und Ablösungs-Rezessen über die Regelung öffentlich rechtlicher Verhältnisse, wie über den Bau und die

Unterhaltung von öffentlichen Wegen und Gräben, über das Beitragsverhältnis zu den Gemeinde-, Kirchen- und Schullasten- rc. Festsetzungen treffen, durch Observanz zulässig ist, ungeachtet derartige Rezesse unter Mitwirkung der hierzu staatlich verordneten Auseinandersetzungsbehörden zu Stande gekommen sind und diese hierbei die Aufsichtsbehörden vertreten (§. 17 der Verordnung wegen Organisation der Generalkommissionen rc. vom 20. Juni 1817 — Gesetzsammlung Seite 161 — und §. 11 der Verordnung vom 30. Juni 1834 — Gesetzsammlung Seite 96 —). Wenn das durch Rezesse der erwähnten Art zu Stande gekommene geschriebene Lokalrecht durch die von den Betheiligten allein bethätigte Uebung, falls dieser die zur Bildung eines Gewohnheitsrechts sonst erforderlichen Merkmale nicht fehlen, verändert und dadurch ein Rechtszustand geschaffen werden kann, der an die Stelle des geschriebenen Lokalrechts anderes objektives Recht setzt, so ist dadurch klar zu erkennen gegeben, daß der allein wesentliche Faktor der Observanzbildung die durch gleichmäßige Uebung bethätigte Rechtsüberzeugung, die autonome Willensäußerung der Betheiligten ist. Bringt die Aufsichtsbehörde eine hiervon abweichende Auffassung zum Ausdrucke und fahren die Betheiligten dessen ungeachtet fort, ihrer bisher bethätigten Rechtsüberzeugung gemäß zu handeln, so kann dies nur zu der Annahme führen, daß letztere bei ihnen besonders stark ausgebildet und selbst durch eine Kundgebung von beachtenswerther Stelle nicht erschüttert worden ist; nicht aber rechtfertigt eine derartige Aeußerung den Schluß, daß der Bildung eines Gewohnheitsrechts dadurch ein unüberwindliches Hindernis bereitet sei.

(Erkenntnis des I. Senates des Königlichen Oberverwaltungsgerichts vom 10. Dezember 1895 — I. 1541 —.)

---

e. 1) Der Schulvorstand ist in seiner Eigenschaft als Ortsschulbehörde zur Vertheilung und Ausschreibung der Schulunterhaltungskosten berufen; tritt der hiernach zur Veranlagung an sich zuständige Schulvorstand bei der Heranziehung im Einzelfalle aus dem Rahmen seiner materiellen Befugnisse heraus, so verliert dadurch die Heranziehung ihre Bedeutung in dem Sinne, daß der Herangezogene der Einspruchserhebung enthoben wäre, durchaus nicht (vergl. Entscheidungen des Oberverwaltungsgerichts Band III Seite 71 und Band XVI Seite 244). Die Heranziehung kann im Streitfalle anders als durch Einspruch und Klage nicht beseitigt werden.

Für die Erhebung des Einspruchs besteht die im §. 1 des Gesetzes vom 18. Juni 1840 vorgesehene Frist.

2) Die Schule zu N. ist nach den im Schulreglement vom 18. Mai 1801 enthaltenen Bestimmungen zu unterhalten. Nicht dagegen spricht es, wenn das Diensteinkommen des Lehrers nicht nach den im §. 19 des Reglements enthaltenen Grundsätzen geregelt ist. Die Schule ist kirchlichen Ursprungs und existirte nachweislich bereits im siebzehnten Jahrhundert. Bezog der Lehrer beim Erscheinen des Reglements ein Einkommen, das den im Reglement vorgesehenen Mindestbetrag überstieg, so verblieb es nach §. 18 des Reglements nicht nur hierbei, sondern auch bei der bisherigen observanzmäßigen Aufbringung der Emolumente zwischen Herrschaften und Gemeinden. Bei allen neu hervorgetretenen Schulbedürfnissen sind lediglich die Grundsätze des §. 19 a. a. O. zur Anwendung gebracht, so bei der Aufbesserung des Diensteinkommens des Adjuvanten in den Jahren 1858 und 1874, sowie bei der späteren Umwandlung der Adjuvantenstelle in eine Lehrerstelle, ferner bei Aufbringung der in Folge des Gesetzes vom 23. Juli 1893 (Gesetzsammlung Seite 194) erforderten Beiträge zur Lehrer-Ruhegehaltskasse.

In allen diesen Fällen ist die Bedarfssumme nach §. 19 des Reglements zwischen den zum Schulbezirke gehörigen Gemeinden und Herrschaften vertheilt worden.

Sollten etwa, wie es den Anschein hat, und bei dem Bestehen einer besonderen evangelischen Schule zu N. erklärlich wäre, die durch Umlage zu beschaffenden Bedürfnisse der katholischen Schule daselbst nur von den Katholiken des Schulbezirks erhoben sein, so wäre dadurch an sich noch nichts an der rechtlichen Natur der Schulunterhaltungslast als einer Gemeindelast geändert. Wie in dem Endurtheile des Gerichtshofes vom 7. Dezember 1881 (Entscheidungen Band VIII Seite 171) bereits des Näheren ausgeführt worden ist, sind Abweichungen von dem Grundsatze, daß Gemeindelasten von der Gesammtheit der Gemeindemitglieder zu tragen sind, den Gesetzen nicht fremd; Lasten der Gemeinde hören also dadurch, daß nur ein Theil der Gemeinde sie trägt, nicht auf, Gemeindelasten zu sein.

Eine Umwandlung der auf dem Kommunalprinzip beruhenden Schule in eine nach den Bestimmungen des Allgemeinen Landrechts §§. 29 ff. Titel 12 Theil II zu unterhaltende Hausvätersocietätsschule war, wie der Gerichtshof bereits wiederholt näher nachgewiesen hat (Entscheidungen Band XX Seite 202, Band XXIV Seite 181), weder durch Beschluß des Schulvorstandes, noch durch Anordnung der Aufsichtsbehörde zulässig. Vollends unerheblich war in dieser Beziehung die durch Repräsentanten kund gegebene Willensäußerung; denn mehrere zur Schulunterhaltung verpflichtete Gemeinden bilden keine Korporation, die ihren Willen nach §§. 114 ff. Titel 6 Theil II des Allgemeinen Landrechts durch Repräsentanten äußern könnte.

Zulässig war allein, daß die durch Umlage zu beschaffenden Schulbedürfnisse durch den Schulvorstand auf Herrschaften und Gemeinden vertheilt, und daß die auf jede einzelne Gemeinde entfallenden Antheile von den Gemeindevorstehern auf die Mitglieder der Gemeinde, sei es nach ihrer Gesammtheit, sei es nach deren Konfession gesondert, untervertheilt wurden. Bei dieser Untervertheilung hätte Kläger (Pfarrer) von seinem Diensteinkommen nicht herangezogen werden dürfen (§. 29 der Landgemeindeordnung vom 3. Juli 1891, Gesetzsammlung Seite 233).

(Erkenntnis des I. Senates des Königlichen Oberverwaltungsgerichts vom 20. Dezember 1895 — I. 1594 —.)

Personal-Veränderungen, Titel- und Ordensverleihungen.

A. Behörden und Beamte.

Es ist verliehen worden:

dem Geheimen Baurath Hinckeldeyn, vortragenden Rath im Ministerium der geistlichen, Unterrichts- und Medizinal-Angelegenheiten, der Rothe Adler-Orden dritter Klasse mit der Schleife und

dem Regierungs-Baumeister Guth, bautechnischen Hilfsarbeiter in demselben Ministerium, der Königliche Kronen-Orden vierter Klasse;

den Kreis-Schulinspektoren Nitsch zu Berent und Dr. Scharfe zu Danzig der Charakter als Schulrath mit dem Range der Räthe vierter Klasse.

Es sind ernannt worden:

der Geheime Medizinalrath und vortragende Rath im Ministerium der geistlichen, Unterrichts- und Medizinal-Angelegenheiten Dr. Pistor zum Geheimen Ober-Medizinalrath und

der Geheime Ober-Finanzrath und vortragende Rath im Finanzministerium Freiherr von Rheinbaben zu Berlin zum Präsidenten der Regierung zu Düsseldorf.

B. Universitäten.

Universität Königsberg.

Der bisherige Privatdozent Dr. Hoffmann zu Königsberg i. Pr.

ist zum außerordentlichen Professor in der Philosophischen Fakultät der dortigen Universität ernannt worden.

Universität Berlin.

Es sind ernannt worden:

der bisherige außerordentliche Professor in der Philosophischen Fakultät der Friedrich-Wilhelms-Universität zu Berlin Dr. Delbrück zum ordentlichen Professor in derselben Fakultät und

der bisherige Privatdozent Dr. Breysig zu Berlin zum außerordentlichen Professor in der Philosophischen Fakultät der Friedrich-Wilhelms-Universität daselbst.

Universität Breslau.

Der Direktor des Städtischen Johannes-Gymnasiums zu Breslau Professor Dr. Müller ist mit Allerhöchster Genehmigung zum ordentlichen Honorar-Professor in der Philosophischen Fakultät der dortigen Universität ernannt worden.

Universität Halle-Wittenberg.

Dem ordentlichen Professor in der Juristischen Fakultät der Universität Halle Dr. von Liszt ist der Charakter als Geheimer Justizrath verliehen worden.

Der bisherige Ingenieur Dr. phil. Lorenz zu München ist zum außerordentlichen Professor in der Philosophischen Fakultät der Universität Halle-Wittenberg ernannt worden.

C. Technische Hochschulen.

Berlin.

Das Prädikat „Professor“ ist beigelegt worden:

dem Dozenten an der Technischen Hochschule zu Berlin Regierungs- und Baurath Krüger und

dem Privatdozenten und Assistenten an derselben Hochschule Dr. Rößler.

D. Museen u. s. w.

Es ist verliehen worden:

dem ordentlichen Professor an der Friedrich-Wilhelms-Universität zu Berlin Dr. Friedrich Albrecht Weber, ordentlichen Mitgliede der Königlichen Akademie der Wissenschaften daselbst, die Große Goldene Medaille für Wissenschaft, und

dem bisherigen stellvertretenden dirigirenden Arzt der Chirurgischen Abtheilung der Charité zu Berlin Oberstabsarzt erster Klasse à la suite des Sanitätskorps Professor Dr. Köhler der Charakter als Geheimer Medizinalrath.

Der bisherige Direktorial-Assistent bei den Königlichen Museen Professor Dr. von Tschudi zu Berlin ist zum Direktor der Königlichen National-Galerie ernannt worden.

Das Prädikat „Professor" ist beigelegt worden:
dem Gesanglehrer Blume zu London,
dem praktischen Arzt Dr. Edinger zu Frankfurt a. M.,
dem Ersten Fachlehrer an der Königlichen Maschinenbauschule zu Dortmund Ingenieur Köhler daselbst und
dem Dr. phil. Liebermann zu Berlin.

E. Höhere Lehranstalten.

Es ist verliehen worden:
dem Direktor der Realschule und höheren Mädchenschule der israelitischen Gemeinde zu Frankfurt a. M. Dr. Baerwald der Rothe Adler-Orden vierter Klasse.

In gleicher Eigenschaft sind versetzt worden die Oberlehrer:
Dr. Abeck von der Oberrealschule zu Cöln an das Städtische Gymnasium und Realgymnasium in der Kreuzgasse daselbst,
Dr. Franz von dem Realgymnasium zu Essen an das Progymnasium zu St. Wendel,
Kuberka von dem Progymnasium zu St. Wendel an das Realgymnasium zu Essen,
Dr. Lauterbach von der Evangelischen Realschule I zu Breslau an das Realgymnasium zum heiligen Geist daselbst und
Dr. Spies von dem Gymnasium zu Wetzlar an das Gymnasium zu Düsseldorf.

Es sind befördert bezw. berufen worden:
der Oberlehrer am Luisen-Gymnasium zu Berlin Dr. Bartels zum Direktor der neu zu errichtenden Realschule zu Schoeneberg,
der Oberlehrer an der Musterschule zu Frankfurt a. M. Dr. Bode zum Direktor der Adlerflychtschule daselbst, demselben ist zugleich der Rang der Räthe vierter Klasse beigelegt worden,
der Direktor des Progymnasiums zu Neumark (Westpreußen) Dr. Preuß zum Direktor des Gymnasiums zu Kulm,
der Professor am Kaiser Wilhelms-Gymnasium zu Montabaur Dr. Wahle zum Direktor dieser Anstalt,
der Oberlehrer Dr. Wilbertz am Gymnasium zu Essen zum Direktor des Progymnasiums zu Neumark in Westpr. und

der Oberlehrer am Gymnasium nebst Realgymnasium in der Kreuzgasse zu Cöln Dr. Willenberg zum Direktor der Realschule zu Elmshorn.

Es sind angestellt worden als Oberlehrer:

am Gymnasium

zu Bochum der Hilfslehrer Dr. Menzel,

zu Torgau der Hilfslehrer Naundorf und

zu Liegnitz (Ritter-Akademie) der Schulamtskandidat Schaff;

am Realgymnasium

zu Mülheim am Rhein der Hilfslehrer Dr. Beckmann und

zu Barmen der Hilfslehrer Dr. Lorck;

an der Oberrealschule

zu Barmen-Wupperfeld der Hilfslehrer Dr. Ronte;

am Progymnasium

zu Solingen (verbunden mit Realschule) der Hilfslehrer Friedrich;

an der Realschule

zu Elberfeld die Hilfslehrer Dr. Heckmann und Dr. Othmer und

zu Breslau (I. Evangelische) der Hilfslehrer Schmirgel.

F. Schullehrer- und Lehrerinnen-Seminare.

Es ist verliehen worden:

dem Seminar-Direktor Schulrath Köchy zu Hannover der Adler der Ritter des Königlichen Hausordens von Hohenzollern und

dem pensionirten ordentlichen Seminarlehrer Kielczewski zu Breslau, früher zu Rawitsch, das Prädikat „Oberlehrer".

In gleicher Eigenschaft sind versetzt worden:

der Seminar-Direktor Schulrath Roßmann unter Belassung in seiner kommissarischen Beschäftigung bei der Regierung zu Posen von Drossen nach Ortelsburg;

die Seminarlehrer Sendler von Ober-Glogau nach Breslau und Ender von Rosenberg nach Ober-Glogau.

Es ist befördert worden:

zum Oberlehrer

am Schullehrer-Seminar zu Oranienburg der bisherige ordentliche Seminarlehrer Dr. Frenzel zu Herdecke;

zum ordentlichen Lehrer

am Schullehrer-Seminar zu Rosenberg O. S. der bisherige Seminar-Hilfslehrer Radziej zu Peiskretscham.

Es sind angestellt worden:

als ordentliche Lehrer

am Schullehrer-Seminar zu Rosenberg O. S. der Kaplan Alexander zu Groß-Strehlitz, am Schullehrer-Seminar zu Pölitz der Lehrer und Organist Callies zu Heiligenhafen und

am Schullehrer-Seminar zu Oranienburg der bisherige kommissarische Lehrer am Schullehrer-Seminar zu Drossen Schönfeld;

als Hilfslehrer

am Schullehrer-Seminar zu Peiskretscham der bisherige Zweite Präparandenlehrer Biehweger zu Zülz.

An der Präparandenanstalt zu Zülz ist der bisherige Präparandenanstalts-Hilfslehrer Marwan zu Landeck als Zweiter Präparandenlehrer angestellt worden.

G. Ausgeschieden aus dem Amte.

1) Gestorben:

Bartel, Professor, Gymnasial-Oberlehrer zu Breslau,
Blunck, Realschul-Oberlehrer zu Altona-Ottensen,
Burgdorf, Schulrath, Kreis-Schulinspektor zu Tondern,
Decken, Professor, Gymnasial-Oberlehrer zu Berlin,
Dr. Eggers, Gymnasial-Oberlehrer zu Warendorf,
Dr. Franzen, Professor, Realgymnasial-Oberlehrer zu Crefeld,
Schaefer, Realprogymnasial-Oberlehrer zu Höchst a. M.,
Thalwitzer, Realprogymnasial-Oberlehrer zu Einbeck und
Dr. Wagner, Geheimer Medizinalrath, ordentlicher Honorar-Professor in der Medizinischen Fakultät der Universität Marburg.

2) In den Ruhestand getreten:

Bertram, Professor, Realgymnasial-Oberlehrer zu Breslau, unter Verleihung des Rothen Adler-Ordens vierter Klasse und

Knop, ordentlicher Seminarlehrer zu Karalene, unter Verleihung des Prädikats „Oberlehrer".

Inhalts-Verzeichnis des März-Heftes.

Druck von J. F. Starcke in Berlin.

Centralblatt
für
die gesammte Unterrichts-Verwaltung in Preußen.

Herausgegeben in dem Ministerium der geistlichen, Unterrichts- und Medizinal-Angelegenheiten.

№ 4. Berlin, den 20. April 1896.

A. Behörden und Beamte.

62) Verfahren bei der Festsetzung des Besoldungsdienstalters für solche Beamte, welche den Dienst bei einer Behörde beabsichtigtermaßen mit dem Beginne eines Kalendervierteljahres antreten sollten, welche indessen, weil der erste bezw. auch der zweite Tag des betreffenden Kalendervierteljahres ein Sonn- oder Festtag war, den Dienst erst am darauf folgenden Werktage antreten konnten.

Berlin, den 22. Februar 1896.

In einem Einzelfalle ist von den Herren Ministern der Finanzen und des Innern dahin Entscheidung getroffen, daß es kein Bedenken findet, bei der Festsetzung des Besoldungsdienstalters für solche Beamte, welche den Dienst bei einer Behörde beabsichtigtermaßen mit dem Beginne eines Kalendervierteljahres antreten sollten, welche indessen, weil der erste bezw. auch der zweite Tag des betreffenden Kalendervierteljahres ein Sonn- oder Festtag war, den Dienst erst am darauf folgenden Werktage antreten konnten, so zu verfahren, als ob der Dienstantritt am ersten Tage des betreffenden Kalendervierteljahres wirklich erfolgt wäre.

Beispielsweise ist also das Besoldungsdienstalter eines mittleren Beamten, welcher bei einer Behörde am 2. Januar 1885 als Civil-Supernumerar eingetreten und am 1. April 1893 etatsmäßig angestellt worden ist, auf den 1. Januar 1893 festzusetzen.

Hiernach ist auch innerhalb des diesseitigen Geschäftsbereiches in ähnlichen Fällen zu verfahren.

Der Minister der geistlichen ꝛc. Angelegenheiten.
In Vertretung: von Weyrauch.

An
die nachgeordneten Behörden des diesseitigen Geschäftsbereiches.
G. III. 425.

B. Höhere Lehranstalten.

63) Anrechnung der Thätigkeit der Kandidaten des höheren Schulamts als Assistenten für mathematische und naturwissenschaftliche Fächer an Technischen Hochschulen auf die Wartezeit als Kandidat.

Berlin, den 21. Februar 1896.

In meinem Runderlasse vom 18. November v. Js. — U. II. 2514. U. I. — (Centrbl. S. 804) habe ich angeordnet, daß den Kandidaten des höheren Lehramts, welche nach erlangter Anstellungsfähigkeit und nach Aufnahme in die Anciennetätsliste einer Provinz Assistentenstellen an Universitäts- ꝛc. Instituten bezw. an physikalischen und chemischen Instituten der Technischen Hochschulen übernehmen, die Zeit ihrer Beschäftigung als Assistent auf die Wartezeit als Kandidat bis zur definitiven Anstellung unverkürzt in Anrechnung zu bringen sei. Diese Bestimmung wird hiermit allgemein auch auf diejenigen Kandidaten ausgedehnt, welche als Assistenten für mathematische und naturwissenschaftliche Fächer an Technischen Hochschulen wirken.

Das Königliche Provinzial-Schulkollegium setze ich hiervon zur künftigen Beachtung in Kenntnis.

Der Minister der geistlichen ꝛc. Angelegenheiten.
Im Auftrage: de la Croix.

An
sämmtliche Königliche Provinzial-Schulkollegien.
U. II. 205. U. I.

64) Pflege des physikalischen Unterrichts an Gymnasien und Progymnasien.

Berlin, den 26. Februar 1896.

Obschon ich nach den mir erstatteten Berichten über Revisionen höherer Lehranstalten und den Beobachtungen meiner Kommissare zu meiner Befriedigung annehmen darf, daß die methodischen Bemerkungen, welche auf Seite 54 und 55 der Lehrpläne vom 6. Januar 1892 zu den Naturwissenschaften an Gymnasien und Progymnasien bezüglich der Physik gemacht sind, von den Lehrern im ganzen genau beachtet werden und daß auch der Erfolg meist nicht fehlt, so sehe ich mich doch bestimmt, im Anschluß an diese Bemerkungen den Königlichen Provinzial-Schulkollegien und den Direktoren der genannten Anstalten, welche nicht in dem Umfange und mit der Intensität, wie es an den realistischen Anstalten geschehen muß, den Unterricht in der Physik betreiben können, die besondere Pflege gerade dieses hochwichtigen Unterrichts noch einmal ans Herz zu legen. Je wichtiger die Elemente der Physik, insbesondere der Elektrizitätslehre für das Verständnis der das moderne Leben beherrschenden großen Kräfte und Entdeckungen sind, um so nothwendiger ist es, daß sowohl in dem propädeutischen ersten Kursus auf III A und II B, als auch in dem zweiten Kursus auf II A und I klare und feste grundlegende Anschauungen und Kenntnisse der Jugend vermittelt werden. Um dies sicher zu stellen, werden die Königlichen Provinzial-Schulkollegien diesem Lehrgegenstande unausgesetzt ihre Aufmerksamkeit zuzuwenden und insbesondere bei jeder Anstalt genau zu prüfen haben, ob der physikalische Unterricht in den Händen eines geeigneten Lehrers liegt und ob derselbe die physikalischen Apparate der Schule in zweckentsprechender Weise in seinem Unterrichte verwerthet, auch diese in einem solchen Zustande erhält, daß das Interesse der Schüler dafür erregt werden kann. Wo vereinzelt nach dieser Richtung Mängel beobachtet werden, werden die Königlichen Provinzial-Schulkollegien erwägen müssen, in welcher Weise bald am besten Abhilfe zu schaffen ist.

Nach Vorstehendem sind die Direktoren der gymnasialen Anstalten, auf deren Mitwirkung ich besonders rechne, mit Weisung zu versehen.

Damit mir aber ein Einblick in den Bestand der physikalischen Apparate an staatlichen Gymnasien und Progymnasien ermöglicht werde, wollen die Königlichen Provinzial-Schulkollegien bis zum 15. Mai d. Js. mir anzeigen, in welchem Umfange im allgemeinen diese Anstalten mit Apparaten bereits ausgerüstet sind, und in welchem Zustande diese sich befinden, event. nach welcher Richtung eine Ergänzung nicht etwa blos wünschenswerth, sondern nothwendig erscheint und wie hoch etwa die Kosten dafür zu berechnen seien. Einer detaillirten Angabe des Vorhandenen bedarf es dabei nicht. Auch ist festzuhalten, daß der Zweck der Erhebung nur ein informatorischer ist.

Der Minister der geistlichen 2c. Angelegenheiten.
Bosse.

An
sämmtliche Königliche Provinzial-Schulkollegien.
U. II. 318.

---

65) Programme der höheren Lehranstalten.

Berlin, den 17. März 1896.

Infolge eines besonderen Falles veranlasse ich das Königliche Provinzial-Schulkollegium, die Direktoren der höheren Lehranstalten Seines Verwaltungsbezirks wiederholt an die bezüglich der Schulprogramme und der ihnen beizugebenden wissenschaftlichen Abhandlungen erlassenen Cirkularverfügungen vom 17. Januar 1866 — U. 853., 53., — (Centrbl. S. 91) und vom 10. Juli 1893 — U. II. 1867. — zu erinnern und sie auf die Verantwortung hinzuweisen, die sie für diese wie für alle von der Schule ausgehenden Veröffentlichungen zu tragen haben.

Der Minister der geistlichen 2c. Angelegenheiten.
Im Auftrage: de la Croix.

An
sämmtliche Königliche Provinzial-Schulkollegien
mit Ausnahme von N.
U. II. 443.

---

66) Programm für den zu Pfingsten 1896 in Bonn und Trier abzuhaltenden archäologischen Ferienkursus für Lehrer höherer Schulen.

Dienstag den 26. Mai.

Vormittags von 8 bis 12 Uhr. Die griechische Kultur im 2. Jahrtausend v. Chr. und die archäologischen Hilfsmittel zur Erklärung der homerischen Gedichte. (Loeschcke.) — Nachmittags von 3 bis 5 Uhr. Uebersicht über die ägyptischen Denkmäler, mit besonderer Berücksichtigung von Herodots Beschreibung Aegyptens. (Professor Dr. Wiedemann.)

Mittwoch den 27. Mai.

Vormittags von 8 bis 12 Uhr. Erklärung der Abgüsse im Akademischen Kunstmuseum in historischer Abfolge, mit besonderer Berücksichtigung der für den Gymnasial-Unterricht wichtigen historischen und mythologischen Monumente (Alterthümliche Kunst). (Loeschcke.) — Nachmittags von 3 bis 5 Uhr. Geschichte der Akropolis in Athen und ihrer Denkmäler. (Loeschcke.)

Donnerstag den 28. Mai.

Vormittags von 8 bis 12 Uhr. Fortsetzung der Erklärung der Abgüsse im Akademischen Kunstmuseum (Griechische Kunst im V. und IV. Jahrhundert vor Chr.). — Nachmittags von 3 bis 5 Uhr. Besichtigung der griechischen Originale im Akademischen Kunstmuseum (Vasen und Terracotten). (Loeschcke.)

Freitag den 29. Mai.

Fahrt mit der Eisenbahn nach Sayn und Besichtigung des römischen Limes und der von der Reichs-Limes-Kommission veranstalteten Ausgrabungen.

Sonnabend den 30. Mai.

Vormittags von 8 bis 12 Uhr. Schluß der Erklärung der Abgüsse im Kunstmuseum (hellenistische Kunst). (Loeschcke.) — Nachmittags von 3 bis 5 Uhr. Vortrag über die römische Herrschaft am Rhein mit Erläuterungen der römischen Denkmäler im Provinzial-Museum. (Geheimer Regierungsrath Professor Dr. Nißen.)

Sonntag den 31. Mai.

Fahrt von Bonn nach Trier.

Montag den 1. Juni.

Von 8 bis 10½ Uhr Vormittags im Museum: Erklärung der auf die Geschichte der Stadt Trier bezüglichen Monumente. (Hettner.) — Von 11 bis 12 Uhr Besichtigung der Basilika und des Domes. (Hettner.) — Von 3 bis 6 Uhr Nachmittags im Museum: Vortrag über die Topographie Triers, alsdann Besichtigung des Amphitheaters und der Porta nigra. (Lehner.)

Dienstag den 2. Juni.

Von 8 bis 9½ Uhr Vormittags. Vortrag über den Stand der Reichs-Limesgrabungen und unsere Kenntnis des römischen Befestigungswesens und der Waffen. (Hettner.) — Von 9½ bis 10½ Uhr Erklärung der Neumagener Skulpturen. (Lehner.) — Von 11 bis 12½ Uhr. Erklärung der Votivmonumente, der Mosaike und der wichtigsten Marmorskulpturen. (Lehner.) — Nachmittags von 3 bis 6 Uhr im Museum: Vortrag über römische Thermen im Allgemeinen, alsdann Besichtigung des Kaiserpalastes und der Thermen. (Hettner.)

Mittwoch den 3. Juni.

Von 9 bis 10½ Uhr Vormittags im Museum: Betrachtung der Ueberreste römischer Villen und Gräber. (Hettner.) 11^{33} Abfahrt nach Nennig zur Besichtigung der römischen Villa und des großen Mosaiks. — 2^{55} Ankunft in Conz, woselbst Mittagessen; von da Besuch der Igeler Säule. Ankunft in Trier 7^{37} Uhr Nachmittags. — Bemerkung: Der Besuch von Nennig und Igel ist als ein wichtiger und integrirender Theil des Programms zu betrachten.

Bonn, den 12. Februar 1896.

Der Direktor des Akademischen Kunstmuseum.
G. Loeschcke.

C. Schullehrer- und Lehrerinnen-Seminare 2c., Bildung der Lehrer und deren persönliche Verhältnisse.

67) Zweites Nachtrags-Verzeichnis derjenigen Lehranstalten, welche zur Ausstellung von Zeugnissen über die wissenschaftliche Befähigung für den einjährig-freiwilligen Militärdienst berechtigt sind.

(Vergl. Centralblatt für 1896 Seite 127 ff.)

C. Lehranstalten, bei welchen das Bestehen der Entlassungsprüfung zur Darlegung der Befähigung gefordert wird.

f) Staatliche Schullehrer-Seminare.

Königreich Preußen.

Alfeld: Evangelisches Seminar,
Altdöbern: Evangelisches Seminar,
Angerburg: Evangelisches Seminar,
Aurich: Evangelisches Seminar,
Barby: Evangelisches Seminar,
Bederkesa: Evangelisches Seminar,
Berent: Katholisches Seminar,
Berlin: Evangelisches Seminar für Stadtschullehrer,
Boppard: Katholisches Seminar,
Braunsberg: Katholisches Seminar,
Breslau: Katholisches Seminar,
Brieg: Evangelisches Seminar,
Bromberg: Evangelisches Seminar,

Brühl: Katholisches Seminar,
Büren: Katholisches Seminar,
Bütow: Evangelisches Seminar,
Bunzlau: Evangelisches Seminar,
Cammin: Evangelisches Seminar,
Cornelimünster: Katholisches Seminar,
Delitzsch: Evangelisches Seminar,
Dillenburg: Paritätisches Seminar,
Dramburg: Evangelisches Seminar,
Drossen: Evangelisches Seminar,
Eckernförde: Evangelisches Seminar,
Eisleben: Evangelisches Seminar,
Elsterwerda: Evangelisches Seminar,
Elten: Katholisches Seminar,
Erfurt: Evangelisches Seminar,
Exin: Katholisches Seminar,
Franzburg: Evangelisches Seminar,
Friedeberg i. d. Neumark: Evangelisches Seminar,
Fulda: Katholisches Seminar,
Genthin: Evangelisches Seminar,
Graudenz: Katholisches Seminar,
Gütersloh: Evangelisches Seminar,
Habelschwerdt: Katholisches Seminar,
Hadersleben: Evangelisches Seminar,
Halberstadt: Evangelisches Seminar,
Hannover: Evangelisches Seminar,
Heiligenstadt: Katholisches Seminar,
Herdecke: Evangelisches Seminar,
Hilchenbach: Evangelisches Seminar,
Hildesheim: Katholisches Seminar,
Homberg: Evangelisches Seminar,
Karalene: Evangelisches Seminar,
Kempen (Regierungsbezirk Düsseldorf): Katholisches Seminar,
Königsberg i. d. Neumark: Evangelisches Seminar,
Köpenick: Evangelisches Seminar,
Köslin: Evangelisches Seminar,
Koschmin: Evangelisches Seminar,
Kreuzburg: Evangelisches Seminar,
Kyritz: Evangelisches Seminar,
Liebenthal: Katholisches Seminar,
Liegnitz: Evangelisches Seminar,
Linnich: Katholisches Seminar,
Löbau: Evangelisches Seminar,
Lüneburg: Evangelisches Seminar,

Marienburg i. Westpreußen: Evangelisches Seminar,
Mettmann: Evangelisches Seminar,
Moers: Evangelisches Seminar,
Montabaur: Paritätisches Seminar,
Mühlhausen i. Thüringen: Evangelisches Seminar,
Münsterberg: Evangelisches Seminar,
Münstermaifeld: Katholisches Seminar,
Neu-Ruppin: Evangelisches Seminar,
Neuwied: Evangelisches Seminar,
Neuzelle: Evangelisches Seminar,
Northeim: Evangelisches Seminar,
Ober-Glogau: Katholisches Seminar,
Odenkirchen: Katholisches Seminar,
Oels: Evangelisches Seminar,
Oranienburg: Evangelisches Seminar,
Ortelsburg: Evangelisches Seminar,
Osnabrück: Evangelisches Seminar,
Osterburg: Evangelisches Seminar,
Osterode i. Ostpreußen: Evangelisches Seminar,
Ottweiler: Evangelisches Seminar,
Paradies: Katholisches Seminar,
Peiskretscham: Katholisches Seminar,
Petershagen: Evangelisches Seminar,
Pilchowitz: Katholisches Seminar,
Pölitz: Evangelisches Seminar,
Prenzlau: Evangelisches Seminar,
Preußisch-Eylau: Evangelisches Seminar,
Preußisch-Friedland: Evangelisches Seminar,
Proskau: Katholisches Seminar,
Prüm: Katholisches Seminar,
Pyritz: Evangelisches Seminar,
Ragnit: Evangelisches Seminar,
Ratzeburg: Evangelisches Seminar,
Rawitsch: Paritätisches Seminar,
Reichenbach i. d. Ober-Lausitz: Evangelisches Seminar,
Rheydt: Evangelisches Seminar,
Rosenberg: Katholisches Seminar,
Rüthen: Katholisches Seminar,
Sagan: Evangelisches Seminar,
Schlüchtern: Evangelisches Seminar,
Segeberg: Evangelisches Seminar,
Siegburg: Katholisches Seminar,
Soest: Evangelisches Seminar,
Stade: Evangelisches Seminar,

Steinau a. d. Oder: Evangelisches Seminar,
Tondern: Evangelisches Seminar,
Tuchel: Katholisches Seminar,
Uetersen: Evangelisches Seminar,
Usingen: Paritätisches Seminar,
Verden: Evangelisches Seminar,
Waldau: Evangelisches Seminar,
Warendorf: Katholisches Seminar,
Weißenfels: Evangelisches Seminar,
Wittlich: Katholisches Seminar,
Wunstorf: Evangelisches Seminar,
Ziegenhals: Katholisches Seminar,
Zülz: Katholisches Seminar.

Berlin, den 19. Februar 1896.

Der Reichskanzler.
In Vertretung: von Boetticher.

---

68) Kursus zur Ausbildung von Turnlehrern im Jahre 1896.

Berlin, den 2. März 1896.

In der Königlichen Turnlehrer-Bildungsanstalt hierselbst wird zu Anfang Oktober d. Js. wiederum ein sechsmonatlicher Kursus zur Ausbildung von Turnlehrern eröffnet werden.

Für den Eintritt in die Anstalt sind die Bestimmungen vom 15. Mai 1894 maßgebend.

Die Königliche Regierung, das Königliche Provinzial-Schulkollegium, veranlasse ich, diese Anordnung in Ihrem, Seinem, Verwaltungsbezirke in geeigneter Weise bekannt zu machen und über die dort eingehenden Meldungen vor Ablauf des Juli d. Js. zu berichten.

Auch wenn Aufnahmegesuche dort nicht eingehen sollten, erwarte ich Bericht.

Unter Bezugnahme auf meine Rundverfügung vom 25. April 1887 — U. III b. 5992. — erinnere ich wiederholt daran, daß jedem Bewerber ein Exemplar der Bestimmungen vom 15. Mai 1894 mitzutheilen ist und daß die anmeldende Behörde sich von der genügenden Turnfertigkeit des Anzumeldenden Ueberzeugung zu verschaffen hat, damit nicht etwa aufgenommene Bewerber wegen nicht genügender Turnfertigkeit wieder entlassen werden müssen. Indem ich noch besonders auf den §. 6 der Bestimmungen vom 15. Mai 1894 verweise, veranlasse ich die Königliche Regierung, das Königliche Provinzial-Schulkollegium, die Unterstützungsbedürftigkeit der Bewerber sorgfältigst zu prüfen, so daß die bezüglichen Angaben in der durch meinen Erlaß vom 20. März 1877 — U. III. 7340. — vorgeschriebenen Nachweisung als unbedingt zuverlässig bei Bewilligung und Bemessung der Unterstützungen zu Grunde gelegt werden können.

Auch noch im letzten Jahre sind trotz des wiederholten ausdrücklichen Hinweises auf diesen Punkt in einzelnen Fällen erhebliche Schwierigkeiten daraus erwachsen, daß die pekuniäre Lage einberufener Lehrer sich hier wesentlich anders auswies, als nach jenen vorläufigen Angaben bei der Einberufung angenommen werden durfte. Die betreffenden Lehrer sind ausdrücklich auf die mißlichen Folgen ungenauer Angaben hinzuweisen.

Die Lebensläufe, Zeugnisse 2c. sind von jedem Bewerber zu einem besonderen Hefte vereinigt vorzulegen.

In den im vergangenen Jahre eingereichten Nachweisungen haben wiederum mehrere der anmeldenden Behörden in Spalte „Bemerkungen“ auf frühere Nachweisungen, Berichte, den Begleitbericht und der Meldung beiliegende Zeugnisse 2c. verwiesen. Dieses ist unzulässig. Die genannte Spalte ist der Ueberschrift entsprechend kurz und bestimmt auszufüllen.

An
sämmtliche Königliche Regierungen und das
Königliche Provinzial-Schulkollegium hier.

Abschrift erhält das Königliche Provinzial-Schulkollegium zur Nachricht und gleichmäßigen weiteren Veranlassung bezüglich der zu Seinem Geschäftskreise gehörigen Unterrichtsanstalten.

Dabei bemerke ich, daß es in hohem Maße erwünscht ist, eine größere Zahl wissenschaftlicher Lehrer, welche für die Ertheilung des Turnunterrichts geeignet sind, durch Theilnahme an dem Kursus dafür ordnungsmäßig zu befähigen.

Der Minister der geistlichen 2c. Angelegenheiten.
Im Auftrage: Kügler.

An
sämmtliche Königliche Provinzial-Schulkollegien.
U. III. B. 674.

D. Höhere Mädchenschulen.

69) Ueberführung von höheren Mädchenschulen aus dem Geschäftsbereiche verschiedener Königlicher Regierungen in den Geschäftsbereich der betreffenden Königlichen Provinzial-Schulkollegien.

(Vergl. Centralblatt für 1895 S. 811.)

Vom Beginne des Schuljahres 1896/97 ab sind ferner die nachstehend bezeichneten öffentlichen höheren Mädchenschulen und zwar
in der Provinz Brandenburg
die städtischen höheren Mädchenschulen zu Brandenburg a. H., Neu-Ruppin und Perleberg,
in der Provinz Pommern
die städtischen höheren Mädchenschulen zu Stargard i. Pom., Stolp i. Pom. und Greifswald (Kaiserin Auguste-Victoria-Schule)
aus dem Geschäftsbereiche der betreffenden Königlichen Regierungen in den Geschäftsbereich der betreffenden Königlichen Provinzial-Schulkollegien übergeführt worden.

E. Oeffentliches Volksschulwesen.

70) Mitwirkung der Kreiskassen bei der Rechnungslegung über den Fonds Kapitel 121 Titel 39 des Staatshaushalts-Etats. — Einnahmen und Ausgaben der Ruhegehaltskassen für Lehrer und Lehrerinnen an den öffentlichen Volksschulen.

Berlin, den 22. Februar 1896.

Zur Beseitigung von Zweifeln bestimme ich in Ergänzung meines Erlasses vom 5. Juli v. Js. im Einverständnisse mit dem Herrn Minister der geistlichen, Unterrichts- und Medizinal-Angelegenheiten und der Königlichen Ober-Rechnungskammer Folgendes:

1) Von den Einnahmen für die hiesige allgemeine Witwen-Verpflegungs-Anstalt — No. 1 jenes Erlasses — sind nur diejenigen den Kreiskassen zur speziellen Buchung und Verrechnung zu überweisen, welche bei denselben — durch baare Einzahlung oder durch Kürzung bei Besoldungs-, Pensions- rc. Zahlungen — aufkommen. Dagegen sind die bei den Regierungs-Hauptkassen zur Vereinnahmung gelangenden Beträge, namentlich die von anderen —

Justiz-, Eisenbahn-, Post- 2c. — Kassen abgelieferten, weiter bei den Regierungs-Hauptkassen nachzuweisen.

2) Außer den Staatsbeiträgen zu den Pensionen für Lehrer und Lehrerinnen an öffentlichen Volksschulen — Nr. 4 jenes Erlasses — sind auch die Beiträge der Schulverbände sowie die aus den Ruhegehaltskassen zu zahlenden vollen Pensionen, soweit deren Hebung bezw. Zahlung durch die Kreiskassen erfolgt, diesen zur speziellen Buchung und Verrechnung zu überweisen.

Die Buchung der desfalsigen Einnahmen und Ausgaben erfolgt bei den Regierungs-Hauptkassen auf Grund der nach dem anliegenden Formular A aufzustellenden Abrechnung der Kreiskassen, die Rechnungslegung der letzteren nach den ebenfalls angeschlossenen Formularen B und C.

Die Königliche Regierung wolle das hiernach Erforderliche schleunigst an die betheiligten Kassen verfügen.

Der Finanzminister.
In Vertretung: Meinecke.

An
sämmtliche Königliche Regierungen mit
Ausschluß von Sigmaringen.
I. 1889. 2. Ang. II. 1829. 2. Ang.

A.

Königliche Kreiskasse. , den ten 189 .

Abrechnung zur Ruhegehaltskasse für Lehrer und Lehrerinnen an den öffentlichen Volksschulen.

I. An Pensionsbeiträgen (Umlagen) sind eingegangen und wurden zur Regierungs-Hauptkasse abgeführt ℳ Pf
buchstäblich

II. An Pensionen sind dagegen gezahlt worden ℳ Pf
buchstäblich
welcher Betrag von der Königl. Regierungs-Hauptkasse zu N. hierher erstattet worden ist.

III. Bemerkt wird noch, daß in dem zu II angegebenen Betrage ℳ Pf
buchstäblich
den Staat treffende Pensionszuschüsse (Antheil bis zu 600 ℳ zu jeder Pension) enthalten sind.

(Unterschrift.) J. Nr.

Daß die oben zu I, II und III angegebenen Summen nach den von mir geprüften Kassenbüchern und Belägen richtig sind, bescheinigt.

, den ten 189 .
Der Kassenrevisor.

B.

Soll: Rest aus dem Vorjahre		Soll: nach dem diesjährigen Vertheilungsplane		Zugang		Abgang		Rechnungsmäßige Einnahme		Laufende Nr.	Bezeichnung der pflichtigen Schulverbände zc.	Summe		Rest-Einnahme		Nr. der Beläge	Bemerkungen.
M	Pf	M	Pf	M	Pf	M	Pf	M	Pf			M	Pf	M	Pf		

C.

Soll nach der vorhergehenden Rechnung: a. Resten-		Soll nach der vorhergehenden Rechnung: b. Jahressoll		Zugang		Abgang		Rechnungsmäßiges Ausgabesoll		Darunter als Staatsbeitrag		Der vorigen Rechnung: Seite	Der vorigen Rechnung: Nr.	Laufende Nr.	Der Pensionsempfänger: Vor- und Zuname	Der Pensionsempfänger: frühere Stellung	Der Pensionsempfänger: jetziger Wohnort	Die Pensionirung erfolgte in der Gemeinde: Kreis:	Istausgabe: Summe		Istausgabe: Darunter Staatsbeitrag		Restausgabe		Nr. der Beläge	Bemerkungen.
M	Pf	M	Pf	M	Pf	M	Pf	M	Pf	M	Pf								M	Pf	M	Pf	M	Pf		

71) Auslegung des §. 7 Abs. 3 des Gesetzes vom 11. Juni 1894, betreffend das Ruhegehalt der Lehrer und Lehrerinnen an den öffentlichen nichtstaatlichen mittleren Schulen und die Fürsorge für ihre Hinterbliebenen, — G. S. S. 109. —

Berlin, den 25. Februar 1896.

Auf den Bericht vom 14. Januar d. Js. erwidere ich der Königlichen Regierung, daß der §. 7 Abs. 3 des Gesetzes vom 11. Juni 1894, betreffend das Ruhegehalt der Lehrer und Lehrerinnen an den öffentlichen nichtstaatlichen mittleren Schulen und die Fürsorge für ihre Hinterbliebenen, — G. S. S. 109 — auf solche Fälle überhaupt keine Anwendung findet, wo eine Neubesetzung von Stellen an Mittelschulen erfolgt, auch wenn die berufenen Lehrer in ihrer früheren Stellung Mitglieder von Elementarlehrer-Witwen- und Waisenkassen waren.

Der Minister der geistlichen 2c. Angelegenheiten.
In Vertretung: von Weyrauch.

An
die Königliche Regierung zu N.
G. III. 227. U. III. D.

---

72) Mitglieder der Elementarlehrer-Witwen- und Waisenkassen der einzelnen Regierungsbezirke gehören zu den unter die Vorschrift des §. 23 Abs. 1 des Reliktengesetzes vom 20. Mai 1882 fallenden Beamten und Lehrern und sind demnach berechtigt, aus der Allgemeinen Witwen-Verpflegungs-Anstalt auszuscheiden.

Berlin, den 29. Februar 1896.

Bei Rücksendung der Anlagen des Berichts vom 8. Dezember v. Js. erwidere ich nach Benehmen mit dem Herrn Finanzminister dem Königlichen Provinzial-Schulkollegium, daß die Mitglieder der Elementarlehrer-Witwen- und Waisenkassen der einzelnen Regierungsbezirke zu den unter die Vorschrift des §. 23 Abs. 1 des Reliktengesetzes vom 20. Mai 1882 fallenden Beamten und Lehrern gehören und demnach berechtigt sind, aus der Allgemeinen Witwen-Verpflegungs-Anstalt auszuscheiden.

Da der Elementarlehrer N. am städtischen Progymnasium in A. Mitglied der Elementarlehrer-Witwen- und Waisenkasse des Regierungsbezirks A. ist, so hat der Herr Finanzminister demgemäß die Generaldirektion der Allgemeinen Witwen-Verpflegungsanstalt durch Verfügung vom 7. Februar d. Js. ermächtigt, dem bei ihren Akten befindlichen Antrage des p. N. auf Ausscheiden aus der Allgemeinen Witwen-Verpflegungs-Anstalt zu dem Termine des 1. Oktober v. Js. noch nachträglich stattzugeben.

Der Minister der geistlichen zc. Angelegenheiten.
In Vertretung: von Weyrauch.

An
das Königliche Provinzial-Schulkollegium zu N.
G. III. 400. U. II.

73) Ordnung einer städtischen Schuldeputation im Wege eines Ortsstatuts.

Berlin, den 12. März 1896.

zc.

Im Uebrigen bemerke ich, daß die Ordnung einer städtischen Schuldeputation formell im Wege eines Ortsstatuts zulässig erscheint, insoweit die Schuldeputation in Ansehung der Externa mit Angelegenheiten der kommunalen Verwaltung befaßt ist. Wenn die städtischen Behörden zu N. daher Werth darauf legen, diese Regelung, ohne daß eine erkennbare Nöthigung dazu vorliegt, durch ein Ortsstatut festzulegen, so will ich, um die lange in dieser Richtung geführten Verhandlungen abzuschließen, dem nicht entgegentreten. Für zukünftige Fälle bemerke ich aber ganz allgemein, daß es den Interessen einer städtischen Verwaltung selbst nicht entsprechen dürfte, sich bei derartigen Regelungen dauernd formell zu binden. Gerade die Zusammensetzung der Deputation wird bei dem zunehmenden Umfange rasch aufblühender Städte häufiger einer Aenderung und die Mitgliederzahl einer Vermehrung bedürfen. Was aber die staatlichen Interessen betrifft, so muß unter allen Umständen grundsätzlich daran festgehalten werden, daß jede Ordnung der Schulaufsicht im Auftrage des Staates dem wechselnden Bedürfnisse schnell folgen, also ohne besondere Schwierigkeit entsprechend abgeändert werden kann.

Der Minister der geistlichen zc. Angelegenheiten.
Bosse.

An
die Königliche Regierung zu N.
U. III. B. 587.

74) Als Dienstzeit im Sinne des §. 5 des Gesetzes vom 6. Juli 1885 (G. S. S. 298) ist auch diejenige Zeit anzusehen, während welcher mit Genehmigung der Schulaufsichtsbehörde vor der definitiven Anstellung fakultativer Turnunterricht an einer öffentlichen Schule wenn

auch nur probeweise und gegen eine nicht pensionsfähige Remuneration ertheilt worden ist.

Im Namen des Königs.

In der Verwaltungsstreitsache

der Stadtgemeinde N., vertreten durch den Magistrat daselbst, Klägerin,

wider

den Königlichen Regierungs-Präsidenten ebenda, Beklagten, hat das Königliche Oberverwaltungsgericht, Erster Senat, in seiner Sitzung vom 10. Januar 1896

für Recht erkannt,

daß die Klage gegen die Zwangsetatisirungsverfügung des beklagten Königlichen Regierungs-Präsidenten vom 30. März 1895 zurückzuweisen und die Kosten — unter Festsetzung des Werths des Streitgegenstandes auf 50 *M* — der Klägerin zur Last zu legen.

Von Rechts Wegen.

Gründe.

Für die Lehrerinnen an der Volksschule der Stadtgemeinde N. besteht seit dem 1. April 1893 eine Besoldungsordnung zu Recht, welcher gemäß das Anfangsgehalt 1000 *M* beträgt und nach fünf Jahren auf 1200 *M*, nach zehn Jahren auf 1300 *M* u. s. w. steigt, die Steigesätze aber nach denselben Grundsätzen wie die staatlichen Dienstalterszulagen gewährt werden. Hinsichtlich der letzteren enthält der Erlaß des Ministers der geistlichen, Unterrichts- und Medizinal-Angelegenheiten vom 28. Juni 1890 (Centralblatt für die Unterrichts-Verwaltung Seite 614) folgende Vorschriften, welche theils wörtlich, theils dem wesentlichen Inhalte nach dem Lehrerpensionsgesetze vom 6. Juli 1885 (G. S. S. 298) und der zu diesem gemäß Artikel IV von dem Unterrichts- und dem Finanzminister erlassenen Ausführungsinstruktion vom 2. März 1886 (Ministerialblatt der inneren Verwaltung Seite 37) entlehnt sind:

Nr. 3. Bei Berechnung des Dienstalters kommt die gesammte Zeit in Anrechnung, während welcher ein Lehrer (Lehrerin) im öffentlichen Schuldienst in Preußen sich befunden hat.

Die Dienstzeit wird vom Tage der ersten eidlichen Verpflichtung für den öffentlichen Schuldienst an gerechnet.

Kann ein Lehrer nachweisen, daß seine Vereidigung erst nach seinem Eintritt in den öffentlichen Schuldienst stattgefunden hat, so wird die Dienstzeit von letzterem Zeitpunkt an gerechnet.

Als Dienstzeit kommt auch diejenige Zeit in Anrechnung, während welcher ein Lehrer

a. mit Genehmigung der Schulaufsichtsbehörde eine erledigte Lehrerstelle kommissarisch verwaltet oder einen Lehrer vertreten hat,

b. 2c. (Militairdienst).

Nr. 4. Der Bezug von Dienstalterszulagen beginnt mit dem Ablaufe desjenigen Vierteljahres, in welchem die erforderliche Dienstzeit vollendet wird 2c.

Ein ergänzender Erlaß vom 6. Oktober 1891 (Centralblatt für die Unterrichtsverwaltung Seite 710) trifft endlich mit Bezugnahme auf eine zum Pensionsgesetze ergangene Entscheidung des Reichsgerichts vom 23. Februar 1891 Bestimmung noch dahin:

Als Dienstzeit im Sinne dieser Vorschriften ist auch das mit Genehmigung der Schulaufsichtsbehörde thatsächlich erfolgte Funktioniren als Lehrer an einer öffentlichen Schule selbst dann anzusehen, wenn es in die Zeit vor Erlangung der formalen, vom Bestehen der angeordneten Prüfung abhängigen Anstellungsfähigkeit im Schuldienste fällt.

Ueber die Bedeutung und Tragweite der vorstehend wiedergegebenen Normen ist zwischen der Stadtgemeinde und der Aufsichtsbehörde Streit in einem Falle entstanden, der die Gewährung der zweiten Dienstalterszulage für die an einer städtischen Gemeindeschule angestellte Lehrerin N. betrifft. Im Jahre 1883 hatte nämlich die Stadt an einer öffentlichen mittleren Mädchenschule, der . . . . -Schule, mit Genehmigung der Regierungsabtheilung für Kirchen und Schulwesen fakultativen Turnunterricht eingeführt. Mittelst Berichts vom 4. Juli 1884 brachte der Magistrat „in Stelle der aus diesem Amte geschiedenen“ Turnlehrerin X. die damalige Schulamtskandidatin, wissenschaftliche und Turnlehrerin N. mit dem Bemerken in Vorschlag, daß er beschlossen habe, ihr den Turnunterricht an jener Schule mit 16 Stunden wöchentlich „gegen die bisherige Remuneration von 640 ℳ jährlich“ und zwar vorläufig „probeweise bis Ostern 1885“ zu übertragen. Nachdem Seitens der Regierung am 18. Juli 1884 „die Wahl genehmigt“ war, machte unter Mittheilung hiervon der Magistrat in einem Schreiben vom 29. desselben Monats der N. ihre probeweise Annahme als Turnlehrerin bekannt und eröffnete ihr, daß sie eine nicht pensionsberechtigte Remuneration von 40 ℳ jährlich für je eine Stunde wöchentlich, mithin zur Zeit, bei einer Beschäftigung mit 16 Wochenstunden, für das Jahr 640 ℳ im Betrage von je 160 ℳ am Schlusse eines jeden Vierteljahres, zum ersten Male am 30. September 1884 für zwei Monate erhalten werde. Zugleich behielt sich der Magistrat hinsichtlich des dienstlichen Verhältnisses der N. während der Probezeit und hinsichtlich des Umfanges ihrer Beschäftigung den jederzeitigen Widerruf vor, während sie selbst, sofern sie die „Beschäftigung“ aufzugeben beabsichtigen sollte, an eine dreimonatliche Kündigungsfrist gebunden wurde. Am Schlusse der Zuschrift hieß es: Der Magistrat hege zu der N. das Vertrauen, daß sie das ihr übertragene „Amt“ treu und gewissenhaft verwalten und es sich angelegen sein lassen werde, das Wohl der ihr anvertrauten Schuljugend nach Kräften zu fördern, auch den Anweisungen „ihrer dienstlichen Vorgesetzten“ ... willig und gewissenhaft zu folgen. Bei der Uebernahme des Turnunterrichts wurde die N. durch Handschlag verpflichtet. Am 1. Oktober 1885 erfolgte ihre Annahme als wissenschaftliche Hülfslehrerin. Sodann wurde sie am 16. Dezember 1888 provisorisch und, nachdem am 16. Januar 1889 ihre Vereidigung stattgefunden hatte, am 17. Mai 1889 definitiv als Lehrerin der städtischen Gemeindeschulen angestellt.

Im Haushaltsetat pro 1894/95 war nun für die N. ein Gehalt von 1200 ℳ ausgeworfen. Die Regierungsschulabtheilung nahm jedoch an, daß sie nach Maßgabe ihres Dienstalters, welches unter Berücksichtigung auch der anfänglichen Beschäftigung mit Turnunterricht berechnet werden müsse, vom 1. Oktober 1894 ab zum Bezuge von 1300 ℳ berechtigt gewesen sei, und stellte am 2. März 1895 eine dem entsprechende anderweite Regelung ihres Gehalts als eine der Stadtgemeinde gesetzlich obliegende Leistung fest. Da der Magistrat die Flüssigmachung der hierzu erforderlichen Geldmittel verweigerte, ordnete der Regierungs-Präsident durch Verfügung vom 30. März 1895 die Gewährung der auf die beiden letzten Vierteljahre des Etatsjahres entfallenden Raten von zusammen 50 ℳ durch außerordentliche Verausgabung dieser Summe an.

In der hiergegen Namens der Stadtgemeinde fristzeitig mit dem Antrage auf Außerkraftsetzung der Zwangsetatisirung erhobenen Klage macht der Magistrat geltend:

Bei der Berechnung des Dienstalters komme allerdings nach dem Ministerialerlasse vom 28. Juni 1890 diejenige Zeit in Anrechnung, während welcher eine Lehrperson sich im öffentlichen Schuldienste befunden habe. Diese Voraussetzung werde aber nicht schon durch Ertheilung einiger Unterrichtsstunden an einer öffentlichen Schule erfüllt; sie treffe vielmehr nur bei demjenigen zu, welcher eine „dem §. 1 des Gesetzes, betreffend die Erleichterung der Volksschullasten, vom 14. Juni 1888 (G. S. S. 240) entsprechende Schulstelle inne habe“, und eine solche sei im vorliegenden Falle für die Turnlehrerin nicht vorhanden gewesen. Die nur probeweise und gegen Remuneration, nicht gegen Gehalt erfolgte Beschäftigung der N. könne daher als eine nach dem städtischen Besoldungsplane anrechnungsfähige um so weniger angesehen werden, als eine vollbeschäftigte Lehrerin zu 24 Stunden wöchentlich verpflichtet sei, die N. aber zunächst nur 16 Stunden ertheilt habe. Mit Rücksicht darauf, daß diese Zahl im Sommersemester 1885 auf 18 Stunden gestiegen sei, werde allerdings im städtischen Etat — so heißt es in einem bei den Vorverhandlungen befindlichen Berichte des Magistrats an die Regierung — ihr Dienstalter schon vom 1. April 1885, nicht erst von ihrer Annahme als wissenschaftliche Hilfslehrerin, d. i. vom 1. Oktober desselben Jahres ab, berechnet. Jedenfalls habe sie aber am 1. Oktober 1894 eine zehnjährige Dienstzeit noch nicht hinter sich, mithin auf ein Gehalt von 1300 *M* keinen Anspruch gehabt.

Der Regierungs-Präsident, Abweisung beantragend, entgegnet:

Das Verfahren bei der Annahme und die Art der Beschäftigung übten auf die Anrechnung der Dienstzeit keinen Einfluß aus. Ebensowenig komme das Schullastenerleichterungsgesetz in Frage. Auch das mit Genehmigung der Schulaufsichtsbehörde thatsächlich erfolgte Wirken als Lehrer (Lehrerin) an einer öffentlichen Schule sei als anrechnungsfähige Dienstzeit in Betracht zu ziehen. Die N. habe aber den ihr übertragenen Turnunterricht bereits am 1. August 1884, sowie später neben diesem — was die vorliegenden Regierungsakten bestätigen — vom 1. Juli bis 1. Oktober 1885 auch wissenschaftlichen Unterricht in 6 Wochenstunden ertheilt und seitdem sich ununterbrochen im öffentlichen Schuldienste der Stadt N. befunden. Ihr Dienstalter sei daher vom 1. August 1884 ab zu berechnen und es habe ihr somit, da sie Ende Juli 1894 eine zehnjährige Dienstzeit vollendet gehabt, vom 1. Oktober desselben Jahres ab ein Gehalt von 1300 *M* zugestanden.

Bei dieser Sachlage war nach mündlicher Verhandlung, in der Seitens des allein erschienenen Vertreters der Klägerin Neues nicht angeführt wurde, wie geschehen, zu erkennen.

Die Gewährung periodischer Steigesätze für die Gemeindeschullehrerinnen in N. regelt sich ortsverfassungsmäßig nach denjenigen Grundsätzen, welche betreffs der staatlichen Dienstalterszulagen für die Lehrer und Lehrerinnen an öffentlichen Volksschulen gelten. Bei der anderweiten Feststellung dieser Grundsätze durch den Erlaß des Ministers der geistlichen, Unterrichts- und Medizinal-Angelegenheiten vom 28. Juni 1890 ist, wie die Fassung ergiebt und in späteren Erläuterungen und Ergänzungen noch besonders bezeugt ist (siehe u. A. den Erlaß vom 31. Dezember 1891 — Centralblatt für die Unterrichtsverwaltung 1892 Seite 411), die Absicht leitend gewesen, die Vorschriften über die Berechnung der Dienstzeit für die Alterszulagen thunlichst mit den Bestimmungen des Lehrerpensionsgesetzes vom 6. Juli 1885 über die Berechnung der pensionsfähigen Dienstzeit in Uebereinstimmung zu bringen. Um zu einer richtigen Auslegung jener Grundsätze, soweit sie im vorliegenden Falle in Betracht kommen, zu gelangen, erscheint es deshalb geboten, auf die entsprechenden Normen des Pensionsgesetzes wie auch auf den Inhalt der Instruktion zu dessen Ausführung vom 2. März 1886 einzugehen.

Nach den dort gegebenen Bestimmungen kommt bei der Berechnung der Dienstzeit die gesammte Dienstzeit in Anrechnung, während welcher ein Lehrer im öffentlichen Schuldienste in Preußen sich befunden hat (Artikel I §. 5 des Gesetzes) — und gilt ferner als Dienstzeit auch die Zeit der Adjuvantur und der provisorischen Anstellung sowie diejenige Zeit, während welcher einem „anstellungsfähigen" Schulamtskandidaten Seitens der Schulaufsichtsbehörde auch nur die kommissarische Verwaltung einer vakanten Schulstelle oder die Vertretung eines beurlaubten oder sonst behinderten Lehrers übertragen war (Ausführungsinstruktion §. 13). Auf den ersten Blick könnte es nun den Anschein gewinnen, als ließe der letztgedachte instruktionelle Zusatz sich für den von der klagenden Stadtgemeinde vertretenen Standpunkt verwerthen, daß nur eine unterrichtliche Thätigkeit im Rahmen einer als dauernde Einrichtung bestehenden, mithin den Anspruch der Unterhaltungspflichtigen auf den Staatsbeitrag gemäß den Entlastungsgesetzen vom 14. Juni 1888 und 30. März 1889 begründenden Schulstelle anrechnungsfähig sei, hier also die Zeit, während welcher die N. mit Turnunterricht an der . . . .-Schule beauftragt war, obwohl an der letzteren damals eine dem Organismus der Anstalt eingegliederte Turnlehrerinstelle nach der Darstellung des Magistrats nicht bestand, außer Ansatz zu bleiben habe. Dem würde namentlich auch das oben erwähnte Erkenntnis des Reichsgerichts nicht entgegenstehen. Denn dieses enthält zwar den Ausspruch, daß als Dienstzeit selbst das schon vor formaler Erlangung der Anstellungsfähigkeit mit Genehmigung der Aufsichtsbehörde thatsächlich erfolgte Funktioniren als Lehrer an einer öffentlichen Schule sich darstelle und daß das nur in der Ausführungsinstruktion aufgestellte Erfordernis der „Anstellungsfähigkeit" im Gesetze keine ausreichende Stütze finde; — es erging aber auf Grund der thatsächlichen Feststellung, daß in dem zu entscheidenden Falle jenes Funktioniren sich zufolge Betrauung mit der provisorischen Verwaltung einer Lehrerstelle gegen den Bezug des mit derselben verbundenen Gehalts vollzogen hatte, und berührt in keiner Weise die Frage, ob eine Beschäftigung im öffentlichen Schuldienste selbst dann in die Dienstzeit einzurechnen sei, wenn es dabei an jedem Zusammenhange mit einer Lehrerstelle fehlt. Allein die Anrechnungsfähigkeit auch einer unter solchen Umständen stattgehabten unterrichtlichen Thätigkeit unterliegt nach dem Wortlaute und logischen Zusammenhange des Gesetzes keinem Zweifel. Denn das Gesetz bezeichnet als pensionsberechtigte Dienstzeit ganz allgemein die gesammte Zeit, während welcher ein Lehrer im öffentlichen Schuldienste sich befunden hat. Der mannigfach verschiedenen Formen, in welchen eine Lehrthätigkeit auch ohne eigentliche Anstellung, sei es durch kommissarische bezw. vertretungsweise Verwaltung einer Stelle oder ohne solche zur Befriedigung sonstiger Unterrichtsbedürfnisse ausgeübt werden kann, thut das Gesetz — anders als es in der Ausführungsinstruktion zum Zwecke der Verdeutlichung, jedoch unvollständig, nämlich mit Uebergehung der letztgedachten und gerade im vorliegenden Streitfalle zutreffenden Möglichkeit geschieht — überhaupt keine Erwähnung. Ausgeschlossen wird aber im Gesetze lediglich die Anrechnung derjenigen Dienstzeit, während welcher die Zeit und Kräfte eines Lehrers durch die ihm übertragenen Geschäfte „nur nebenbei" in Anspruch genommen gewesen sind (Abs. 2 des §. 6).

Bei Berechnung der pensionsfähigen Dienstzeit zählt demnach zweifellos auch eine Dienstzeit mit, welche, obschon nicht in Wahrnehmung der Funktionen einer etatsmäßigen Stelle, so doch immerhin im öffentlichen Schuldienste zurückgelegt ist, und deshalb muß ein Gleiches hinsichtlich der Berechnung der für den Genuß von Alterszulagen maßgebenden Dienstzeit gelten, da diese, wie vorstehend nachgewiesen, denselben Grundsätzen wie jene folgt, die Vorschriften für beide thunlichst in Uebereinstimmung gebracht werden sollten und in Wirklichkeit großentheils sogar wörtlich übereinstimmen. Abweichungen von den Grundsätzen des Pensionsgesetzes werden daher betreffs der Alterszulagen nur zuzulassen sein, sofern sie für letztere positiv verordnet sind. Dieses ist beispielsweise dahin geschehen, daß die Bestimmung in Nr. 14 der Ausführungsinstruktion zum Pensionsgesetze, wonach bei Berechnung der pensionsfähigen Dienstzeit die bis zum Ausscheiden in Folge eines Disziplinarerkenntnisses zurückgelegte Dienstzeit unberücksichtigt bleiben soll, als eine nur im Bereiche eben jenes Gesetzes bestehende besondere Vorschrift keine Anwendung für die Gewährung der staatlichen Dienstalterszulagen findet (Erlaß vom 13. April 1891, Centralblatt für die Unterrichtsverwaltung Seite 377, — und vom 29. Juni 1895, ebenda Seite 637). Nirgends ist aber in Ansehung der Alterszulagen die Berücksichtigung einer in die Zeit vor der Anstellung im Schuldienste fallenden Dienstzeit an die Voraussetzung geknüpft, daß sie nothwendig durch kommissarische oder vertretungsweise Versehung einer Schulstelle, für welche der Träger der Unterhaltungslast den gesetzlichen Staatsbeitrag empfängt, zugebracht sein müsse. Nur die vor Beginn des 21. Lebensjahres zurückgelegte Dienstzeit soll, wie für die Berechnung der pensionsfähigen Dienstzeit (Artikel I §. 8 des Gesetzes), so auch bei der Bemessung der staatlichen Dienstalterszulagen nach dem Erlasse vom 31. Dezember 1891 (Centralblatt für die Unterrichtsverwaltung Seite 411) in der Regel und namentlich dann, wenn sie vor erlangter Anstellungsfähigkeit lediglich der Vorbereitung für den Lehrerberuf gedient hat, außer Ansatz bleiben. Abgesehen von Fällen dieser Art betont aber der schon oben angezogene Erlaß vom 13. April 1891 nachdrücklich, daß in dem für die Gewährung der Dienstalterszulagen grundlegenden Runderlasse vom 28. Juni 1890 die Anrechnung der gesammten Dienstzeit ohne irgend welche Einschränkung vorgeschrieben sei. Augenscheinlich hat danach der Unterrichtsverwaltung auch die Einschränkung auf eine Beschäftigung durch Uebertragung aller oder einzelner zu vorhandenen Lehrerstellen gehöriger Funktionen und gegen den Bezug einer etatsmäßigen Remuneration völlig fern gelegen. Einen Rückschluß hierauf gestattet endlich auch der Erlaß vom 14. November 1894 (Centralblatt für die Unterrichtsverwaltung 1895 Seite 575), woselbst auf dem verwandten Gebiete der Gewährung von Alterszulagen an die Lehrer höherer Unterrichtsanstalten bestimmt ist, daß für die fakultative Anrechnung der Zeit einer Beschäftigung als Hilfslehrer der Bezug einer etatsmäßigen Remuneration nicht die unbedingte Voraussetzung bilde, daß vielmehr selbst die Zeit einer unentgeltlichen Beschäftigung angerechnet werden könne, wenn der Kandidat nicht nur in einzelnen Stunden Unterricht ertheilt habe.

Nach alledem ist hier das angebliche Nichtbestehen der Stelle einer Turnlehrerin an der .... -Schule in der Zeit, als daselbst die N. den ihr mit Genehmigung der Aufsichtsbehörde übertragenen Turnunterricht ertheilte, sowie ferner der Umstand, daß die N. nicht in ein etatsmäßiges Gehalt eingewiesen war, sondern nach Verhältnis der Wochenstunden remuneratorisch entschädigt wurde, ohne alle rechtliche Bedeutung. Nicht minder ist es belanglos, daß ihre Annahme auf Probe mit Vorbehalt des Widerrufs durch den Magistrat — anstatt durch die Schulaufsichtsbehörde, wie in Fällen provisorischer Anstellung (vergl. die Ministerialerlasse vom 6. Februar 1864 und 31. März 1873 in Schneider und von Bremen, Volksschulwesen Band I Seite 619. 637) — erfolgt und so von der Regierung gebilligt war. Ebensowenig fällt entscheidend in das Gewicht, daß die Zahl der Pflichtstunden, welche durch allgemein verbindliche Vorschriften niemals festgesetzt ist (vergl. Ministerialerlaß vom 6. August 1873, ebendaselbst Band I Seite 799), in N. ortsrechtlich nach der Behauptung des Magistrats 24 für eine vollbeschäftigte Lehrerin betragen soll. Worauf es ausschlaggebend ankommt, daß ist ausschließlich dieses: daß die N. an der ....-Schule mit Genehmigung der Schulaufsichtsbehörde seit dem 1. August 1884 Turnunterricht in 16 Wochenstunden, mithin in einem Umfange ertheilt hat, von welchem der Magistrat nicht behauptet und unmöglich behaupten könnte, daß dadurch ihre Zeit und Kräfte nur nebenbei in Anspruch genommen worden seien. Die N. hat sich daher schon vom Beginne jenes Unterrichts, d. i. vom 1. August 1884 ab im öffentlichen Schuldienste befunden und ist in diesen nicht etwa erst mit dem Sommersemester 1885 eingetreten, in welchem die Zahl der Turnstunden auf 18 stieg und ihnen noch 6 wissenschaftliche Unterrichtsstunden hinzutraten, so daß nunmehr, was an sich unerheblich ist, die in N. übliche Pflichtstundenzahl einer vollbeschäftigten Lehrerin erreicht wurde. Da ferner an die vorgedachte Beschäftigung der N. sich deren Annahme als wissenschaftliche Hilfslehrerin am 1. Oktober 1885 anschloß und sie sodann erst provisorisch und endlich definitiv Anstellung als Gemeindeschullehrerin in N. fand, hat sie sich vom 1. August 1884 ab, wenn auch ihre Vereidigung erst später erfolgte, ununterbrochen im öffentlichen Schuldienste befunden, so daß sie bereits am 31. Juli 1894 eine zehnjährige Dienstzeit vollendet hatte. Demgemäß stand ihr vom Ablaufe des mit dem 30. September endigenden Vierteljahres ab die zweite Dienstalterszulage und also ein Einkommen von zusammen 1300 *M* zu. Die Zeit ihrer Beschäftigung vom 1. August 1884 bis zum 1. Oktober 1885 würde bei der Berechnung ihrer Dienstzeit nur dann außer Ansatz bleiben, wenn sie damals noch nicht anstellungsfähig und zugleich noch nicht 21 Jahre alt gewesen wäre, was indeß vom Magistrate nicht behauptet ist.

Entsprach somit die Feststellungsverfügung der Regierung dem bestehenden Rechte, so erweist sich die Klage gegen die auf Grund derselben bewirkte Zwangsetatisirung als hinfällig.

Da die Klägerin in der Hauptsache unterliegt, fallen ihr nach §. 103 des Gesetzes über die allgemeine Landesverwaltung vom 30. Juli 1883 (G. S. S. 195) die Kosten zur Last.

Urkundlich unter dem Siegel des Königlichen Oberverwaltungsgerichts und der verordneten Unterschrift.

(L. S.) Persius.

O. V. G. I. 89.

75) Rechtsgrundsätze des Königlichen Oberverwaltungsgerichts.

a. Das Allgemeine Landrecht legt die Schulunterhaltung den selbständigen Einwohnern des Schulbezirks auf und thut der Uebernahme derselben durch die politischen Gemeinden überhaupt keine Erwähnung. Gleichwohl ist, wie in der Wissenschaft und Rechtsprechung feststeht, den politischen Gemeinden das Eintreten für die Schullast unverwehrt. Dazu bedarf es allerdings zweifellos einer entsprechenden Willensäußerung. Nirgendwo ist aber vorgeschrieben, daß diese „ausdrücklich" erklärt und in „förmlichen" Beschlüssen niedergelegt sein müsse. Das Gesetz hat es daher in dieser Hinsicht bei den allgemeinen Grundsätzen belassen, wonach stillschweigende Willensäußerungen mit einer ausdrücklichen, sofern nicht eine solche zur rechtsgültigen Form des Geschäfts positiv erfordert ist, gleiche Kraft haben (§§. 59, 60 Titel 4 Theil I des Allgemeinen Landrechts). Hiervon Abweichendes ist in den vom Vorderrichter angezogenen diesseitigen Entscheidungen mit keinem Worte angedeutet. Wenn daselbst „Beschlüsse" der politischen Gemeinden als Voraussetzung für deren Eintreten in die Schullast bezeichnet werden, so ist dies doch nur in dem vorstehend dargelegten Sinne geschehen, zu dessen näherer Erläuterung es nach Lage der damaligen Streitfälle an zureichendem Anlasse fehlte. Notorisch hat sich denn auch vielfach, sowohl in Städten wie auf dem Lande, das Verhältnis in der Art gestaltet, daß die politischen Gemeinden ihre Entschließung, entweder die Schule als Kommunalanstalt zu übernehmen bezw. neu zu errichten oder gegenüber der fortbestehenden Schulsozietät für die Beiträge der Hausväter aus Kommunalmitteln aufzukommen, lediglich durch konkludente Handlungen mit Hinzutritt der in gleicher Weise erkennbar gewordenen Genehmigung der Schul- bezw. der Kommunalaufsichtsbehörde, soweit es der letzteren bedurfte, bethätigt haben, ohne daß jemals die Rechtsbeständigkeit dieser Entwickelung in Zweifel gezogen wäre.

(Erkenntnis des I. Senates des Königlichen Oberverwaltungsgerichts vom 10. Dezember 1895 — I. 1542 —.)

---

b. Die zur Verhandlung vom Jahre 1854 seitens des damaligen Besitzers der Herrschaft L. der Schule mit Zustimmung der Aufsichtsbehörde gemachten, durch hypothekarische Eintragung sichergestellten und seitdem in ununterbrochener Uebung erfüllten dauernden Zuwendungen wurzeln zweifellos im öffentlichen Rechte. Wenn aber der Schulvorstand meint, sie seien in Erfüllung der nach §. 33 Titel 12 Theil II des Allgemeinen Landrechts der Gutsherrschaft obliegenden Verbindlichkeiten bewilligt worden, so geht dies offensichtlich fehl, weil die in der Verhandlung unter Nr. 1 bis 6 aufgeführten prinzipalen Leistungen weit über dasjenige hinausgingen, was der Gutsherr auf Grund jener Gesetzesstelle zu gewähren verpflichtet war. Die Zuwendungen stellen sich vielmehr als eine Stiftung im Sinne des §. 29 a. a. O. dar. Bei deren Errichtung bemerkte der Stifter: Sein Streben gehe dahin, daß in E. eine öffentliche evangelische Elementarschule errichtet werde, welche in ihren Unterrichtskreis auch Anleitung zum Obst- und Gemüsebau und Unterweisung in anderen, der ländlichen Jugend nöthigen Kenntnissen aufnehmen solle und über welche ihm das Patronat vorbehalten bleibe. „In dieser Beziehung" — so heißt es wörtlich weiter — „welche natürlich die Bedingung involvirt, daß dem Dominium L. die Berufung des Lehrers vorbehalten bleibt, verpflichte ich mich, — . . . . nachstehende Dotation für das neu zu errichtende Schulsystem zu übernehmen." Aus dem letztgedachten Vorbehalte in Verbindung mit dem Gesetze vom 15. Juli 1886 (G. S. S. 185), durch welches in den Provinzen Posen und Westpreußen die Anstellung der Lehrkräfte an den Volksschulen auf den Staat übergegangen ist, leitet nun der Kläger die Folgerung ab, daß die Voraussetzung der Stiftung beseitigt und dadurch die stiftungsmäßige Leistungspflicht des Gutsherrn von L. in Wegfall gekommen sei. Dieser Standpunkt giebt jedoch zu erheblichen Bedenken Anlaß. Zwar irrt der Schulvorstand, wenn er aus der Vorschrift im §. 1 zu 2 des vorerwähnten Gesetzes, wonach auf dem Lande bei Gemeindeschulen der Gemeinde-(Guts-)Vorstand, bei Sozietätsschulen der Schulvorstand mit etwaigen Einwendungen gegen die Person des staatsseitig für die betreffende Stelle Bestimmten zu hören ist, entnehmen zu sollen glaubt, daß das Anstellungsrecht des Gutsherrn nur eingeschränkt, nicht vollständig fortgefallen sei. Dem Gutsherrn ist vielmehr sein früheres Lehrerberufungsrecht, bei dessen Ausübung er lediglich an Bestätigung der getroffenen Wahl durch die Aufsichtsbehörde gebunden war, gänzlich entzogen worden. Allein dieser Umstand fällt, soweit sich wenigstens das Sach- und Rechtsverhältnis ohne Heranziehung auch der, der Verlautbarung der Stiftungsurkunde vorangegangenen Verhandlungen zwischen der Schulaufsichtsbehörde und dem Gutsherrn übersehen läßt, nicht entscheidend in das Gewicht. Nach dem Inhalte jener Urkunde, wie er ohne sonstiges zu deren Auslegung verwerthbares Material gegenwärtig vorliegt, mißt vielmehr Kläger dem Vorbehalte des Berufungsrechts eine Bedeutung bei, welche demselben nicht zukommt.

Denn nach den in der Urkunde angegebenen Motiven war, was der Stifter „erstrebte", die **Errichtung der Schule**, und wollte er dieser gegenüber die Stellung des Patrons — oder richtiger, da ein dem Kirchenpatronate ähnliches Schulpatronat dem Allgemeinen Landrechte unbekannt ist, die dem Gutsherrn des Schulorts gebührende exemte Stellung — einnehmen. Mit dieser war aber nach damaliger Lage der Gesetzgebung der Regel nach, nämlich — abgesehen von lokalrechtlichen Verschiedenheiten — nur dann nicht, wenn ausnahmsweise die Gerichtsobrigkeit einem Anderen als dem Gutsherrn zustand (§§. 22, 12 Titel 12 Theil II a. a. O.), das Lehrerberufungsrecht verbunden. Daraus erklärt sich der Zusatz in der Stiftungsurkunde, der Vorbehalt des Schulpatronats schließe „natürlich" auch die „Bedingung" des Lehrerberufungsrechts in sich, ungezwungen dahin, daß er nur zur näheren Kennzeichnung des sogenannten Schulpatronats, zur Hervorhebung einer mit diesem gemeinhin verbundenen, rechtlichen Befugnis dienen sollte. Legte nun auch unverkennbar der Stifter auf diese Befugnis besonderen Werth, so muß doch die Annahme, als könnte speziell ihre Erlangung der mit der Stiftung verfolgte Endzweck gewesen sein, immer bei Zugrundelegung nur der Stiftungsurkunde und unter der Voraussetzung, daß nicht etwaige andere Erkenntnisquellen zu einem abweichenden Ergebnisse führen, als ausgeschlossen erscheinen. **Alleiniger und dort ausdrücklich erklärter** Endzweck der Stiftung war vielmehr die **Einrichtung einer Schule** der näher bezeichneten Art unter dem Patronate des Stifters und seiner Rechtsnachfolger mit den sich aus diesem Verhältnisse nach Maßgabe des Gesetzes ergebenden Befugnissen, und zwar, worüber nach der Behauptung des Schulvorstandes vorangegangene Verhandlungen noch näheren Aufschluß geben sollen, unter Bestimmung gerade von E. (statt L.) zum Schulorte. Dieser Endzweck ist aber erfüllt, da die Schule in E. ins Leben gerufen wurde und noch jetzt besteht, Kläger auch nicht behauptet, daß jemals dem Gutsherrn des Schulorts seine gesetzlichen Rechte gegenüber der Schule verkümmert seien. Wollte man aber selbst nach Maßgabe der Stiftungsurkunde den Endzweck der Stiftung als durch den Wegfall des Lehrerberufungsrechts vereitelt ansehen, so würde gleichwohl der Kläger nicht berechtigt sein, die stiftungsmäßigen Leistungen ohne Weiteres einzustellen. Denn der Grundsatz im §. 154 Titel 4 Theil I des Allgemeinen Landrechts (vergl. auch §. 1053 Titel 11 Theil I), wonach der sub modo Bedachte das ihm bewilligte Recht, sofern er bereits in dessen Genuß getreten, im Falle der Nichterfüllung des Zwecks gleich wie beim Eintritte einer auflösenden Bedingung wieder verliert, hat auf dem Gebiete des öffentlichen Rechts nicht uneingeschränkte Geltung. Insbesondere kann nach den Vorschriften in §§. 74, 193 Titel 16 Theil II des Allgemeinen Landrechts, welche analog auch auf die mit Rechtspersönlichkeit nicht ausgestatteten Stiftungen für Schulzwecke Anwendung leiden, nur der Stifter selbst wegen veränderter Umstände über die zu der Stiftung verwendeten Vermögensstücke anderweitig verfügen, wohingegen nach seinem Ableben es die Aufgabe des Staates ist, der Stiftung eine andere Richtung thunlichst unter Berücksichtigung der Absichten des Stifters zu geben.

(Erkenntnis des I. Senates des Königlichen Oberverwaltungsgerichts vom 13. Dezember 1895 — I 1564 —.)

---

c. Die mit Pension zur Disposition gestellten Offiziere sollen hinsichtlich ihrer Gehalts- und sonstigen dienstlichen Bezüge nach §. 1 Nr. 2 der Verordnung vom 23. September 1867 — G. S. S. 1648 — vollständige Befreiung von allen direkten Kommunalauflagen sowohl der einzelnen bürgerlichen Stadt- und Landgemeinden als der weiteren kommunalen Körperschaften (Amtsbezirke, Distriktsgemeinden, Armendistrikte, Wegeverbände u. s. w.) und der Kreis-, Kommunal- und provinzialständischen Verbände genießen. Kirchengemeinden und Schulsozietäten, insofern sie eine von der bürgerlichen Gemeinde gesonderte Existenz haben, sind hierunter nicht begriffen, wie bereits in dem Reskripte des Ministers des Innern vom 3. Februar 1868 — Ministerial-Blatt für die innere Verwaltung Seite 98 — ausgesprochen ist. Diese Auslassung des Ministers bald nach Erlaß der Verordnung hat für deren Auslegung besonderen Werth. Die Verordnung vom 23. September 1867 verfolgt den im Eingang ausdrücklich ausgesprochenen Zweck, die Staatsdiener in den neu erworbenen Landestheilen bezüglich ihrer Beitragspflicht zu den Kommunalbedürfnissen den Staatsdienern in der übrigen Monarchie gleichzustellen (vergl. Entscheidungen des Oberverwaltungsgerichts Band XII Seite 74; von Brauchitsch, Verwaltungsgesetze, Anm. 2 zu §. 41 des Kommunal-Abgabengesetzes vom 14. Juli 1893, Band III S. 420). Demgemäß hat auch nach dem gedachten Reskript die Absicht obgewaltet, alle nicht dringend gebotenen Abweichungen von dem Rechtszustande in den älteren Landestheilen zu vermeiden. Auf der Voraussetzung der Uebereinstimmung der Verordnung vom 23. September 1867 mit dem Recht der älteren Provinzen beruht auch die Verordnung, betreffend die Einführung der in Preußen geltenden Vorschriften über die Heranziehung der Militärpersonen zu Kommunalauflagen im ganzen Bundesgebiet, vom 22. Dezember 1868 — Bundesgesetzblatt Seite 571 —, wodurch diese Vorschriften, wie sie in der Verordnung vom 23. September 1867 enthalten sind, im ganzen Bundesgebiete eingeführt worden sind. Für die älteren Preußischen Provinzen ist es aber anerkannten Rechtens, daß sich die Befreiung der Militärpersonen von den Kommunalabgaben nicht auf die Schulsozietätslasten bezieht (vergl. Entscheidungen des Oberverwaltungsgerichts Band II Seite 199 — mit den dortigen Nachweisungen —, Band VII Seite 226, Band XII Seite 204). Insbesondere spricht auch die vom Kläger in Bezug genommene Entscheidung des Oberverwaltungsgerichts vom 13. April 1889 (Band XVIII Seite 155) aus, daß die dem Offizierstande angehörigen aktiven Militärpersonen verpflichtet sind, Schulsteuern zu entrichten, sofern nicht die Schule eine Anstalt der politischen Gemeinde ist. Etwas Anderes ist also auch nicht aus der Verordnung vom 23. September 1867 zu entnehmen. Zwischen Schulsteuern und anderen Schulverbandslasten ist in dieser Hinsicht nicht zu unterscheiden. Ein Hinweis darauf, daß sich die Verordnung vom 23. September 1867 nicht auf die Abgaben an Kirchen- und Schulgemeinden beziehen soll, ist darin zu finden, daß im §. 1 von den Kommunalauflagen einzelner bürgerlicher Stadt- und Landgemeinden die Rede ist, worunter die Schulgemeinden offenbar nicht fallen. Diese gehören aber auch nicht zu den außerdem im Gegensatz zu den einzelnen Gemeinden erwähnten weiteren kommunalen Körperschaften, unter welchen vielmehr die mehrere bürgerliche Einzelgemeinden bezw. Gutsbezirke umfassenden Verbände, nicht aber die aus den Einwohnern des Bezirks einer einzelnen oder mehrerer Gemeinden bezw. Gutsbezirke bestehenden, besonders organisirten Schulgemeinden zu verstehen sind.

Ist freilich die Schule eine Anstalt der politischen Gemeinde oder die Unterhaltung derselben von dieser übernommen (vergl. Entscheidungen des Oberverwaltungsgerichts Band XIX Seite 176, Band XXVII Seite 144), so sind auch für die von den politischen Gemeinden zur Unterhaltung der Schule erhobenen Abgaben die Vorschriften maßgebend, welche für die Kommunalauflagen der politischen Gemeinden gelten. Unter dieser Voraussetzung also würde die Verordnung vom 23. September 1867 anwendbar sein.

(Erkenntnis des I. Senates des Königlichen Oberverwaltungsgerichts vom 10. Januar 1896 — I. 38 —).

---

d. Nach §. 6 der Verordnung vom 22. Februar 1867 (G. S. S. 273) umfaßt der Wirkungskreis der Regierungen in den neuen Provinzen alle diejenigen Angelegenheiten ihres Bezirks, welche in den alten Provinzen den Regierungen überwiesen sind, und haben sie die ihnen übertragenen Geschäfte nach Maßgabe der Regierungsinstruktion vom 23. Oktober 1817 und den zu dieser ergangenen erläuternden, ergänzenden und abändernden Bestimmungen zu führen. Zu den in der gedachten Instruktion §. 18 lit. e den Regierungsabtheilungen für Kirchen- und Schulwesen (vgl. Allerhöchste Kabinetsordre vom 23. Dezember 1825, lit. D II — G. S. 1826 S. 5 —) übertragenen Geschäften gehört aber die Aufsicht und Verwaltung des gesammten Elementarschulwesens, und in dieser war (siehe Entscheidungen des Oberverwaltungsgerichts Bd. IV S. 182, Bd. XI S. 144) die Befugnis zur selbständigen Regelung der Einkommensverhältnisse der Lehrer, insbesondere auch zur Festsetzung der Besoldungen nach dem Ermessen der Aufsichtsbehörde so lange einbegriffen, bis durch das Gesetz vom 26. Mai 1887 in Ansehung derartiger Anforderungen, soweit sie durch neue oder erhöhte Leistungen zu gewähren sind, an Stelle der Schulabtheilungen die Beschlußbehörden traten.

(Erkenntnis des I. Senates des Königlichen Oberverwaltungsgerichts vom 4. Februar 1896 — I 122 —.)

---

e. Das Nassauische Gesetz vom 10. März 1862 — Verordnungsblatt D. 81 steht insoweit, als es die (Mindest- und die) Höchstbeträge der Lehrerbesoldungen normirt, noch in fortdauernder Geltung und hat es diese namentlich nicht etwa durch oder in Folge der Verordnung vom 13. Mai 1867 (G. S. S. 667) verloren, welche den Kultusminister „ermächtigte, innerhalb der neuen Landestheile in Angelegenheiten, welche betreffen ...... die Normirung der Lehrerbesoldungen ....., in demselben Maße Verfügung zu treffen, wie ihm solches in den älteren Landestheilen ressortmäßig zukommt“. Denn die Verordnung legte zwar, wie aus ihrer Entstehungsgeschichte in der Entscheidung des Gerichtshofes vom 6. Juli 1894 (Preußisches Verwaltungsblatt Jahrgang XVI Seite 433 und Centralblatt für die Unterrichts-Verwaltung Jahrgang 1894 Seite 770) nachgewiesen ist, für die neuen Landestheile dem Kultusminister zwecks Ueberleitung der sonst zu seiner Kompetenz gehörigen Angelegenheiten in die Bahnen altpreußischer Verwaltung die Befugnis bei, entgegenstehende ältere Bestimmungen, auch wenn sie auf landesherrlichen Verordnungen oder Gesetzen beruhten, seinerseits durch Verfügungen zu beseitigen und stattete also diese Verfügungen im Voraus mit der Wirkung legislativer Akte aus, setzte aber keineswegs alle vom altländischen Rechtszustande abweichenden, die Verwaltung hindernden Landesgesetze und Erlasse sofort und unmittelbar außer Kraft. Mit dem Zeitpunkte ferner, da in den neuerworbenen Landestheilen die Verfassung in Kraft trat, nach deren Art. 62 die gesetzgebende Gewalt gemeinschaftlich durch den König und die beiden Kammern ausgeübt wird, d. i. mit dem 1. Oktober 1867 erreichte jene außerordentliche Vollmacht des Kultusministers ihr Ende, und bis dahin hatte er von derselben zum Erlasse irgend welcher, sei es organisatorischer oder sonstiger Verfügungen, durch welche die objektiven Normen des Nassauischen Gesetzes vom 10. März 1862 beseitigt sein könnten, keinen Gebrauch gemacht.

(Erkenntnis des I. Senates des Königlichen Oberverwaltungsgerichts vom 4. Februar 1896 — I. 122 —).

Personal-Veränderungen, Titel- und Ordensverleihungen.

A. Behörden und Beamte.

Dem Kreis-Schulinspektor Schuldirektor Junghenn zu Hanau ist der Charakter als Schulrath verliehen worden.

Es sind ernannt worden zu Kreis-Schulinspektoren:
der bisherige Rektor Reidel und
der bisherige Lehrer der städtischen höheren Mädchenschule zu Düsseldorf Riemer.

B. Universitäten.

Universität Königsberg.

Dem ordentlichen Professor in der Medizinischen Fakultät der Universität Königsberg Medizinalrath Dr. Lichtheim ist der Charakter als Geheimer Medizinalrath verliehen worden.

Es sind ernannt worden:
der bisherige außerordentliche Professor in der Philosophischen Fakultät der Universität Königsberg Dr. Haendcke zum ordentlichen Professor in derselben Fakultät sowie
der bisherige Privatdozent Dr. Brinkmann zu Bonn und
der bisherige Hilfslehrer an der Landwirthschaftlichen Hochschule zu Berlin Dr. Rörig zu außerordentlichen Professoren in der Philosophischen Fakultät der Universität Königsberg.

Universität Berlin.

Der ordentliche Professor in der Medizinischen Fakultät der Königlichen Friedrich-Wilhelms-Universität zu Berlin Geheime Medizinalrath Dr. Leyden ist in den erblichen Adelstand erhoben worden.

Es sind ernannt worden:

der bisherige Observator an der Sternwarte zu München und Privatdozent an der dortigen Universität Dr. Bauschinger zum ordentlichen Professor in der Philosophischen Fakultät der Königlichen Friedrich-Wilhelms-Universität zu Berlin,

der bisherige Privatdozent in der Medizinischen Fakultät der Friedrich-Wilhelms-Universität, Assistenzarzt an der Chirurgischen Klinik bei der Charité zu Berlin Professor Dr. Hildebrand zum außerordentlichen Professor in derselben Fakultät,

der bisherige Privatdozent in der Medizinischen Fakultät der Friedrich-Wilhelms-Universität, Erster Assistenzarzt an der Psychiatrischen Klinik zu Berlin Dr. Koeppen zum außerordentlichen Professor in derselben Fakultät,

der bisherige Privatdozent in der Medizinischen Fakultät der Friedrich-Wilhelms-Universität, Erster Assistenzarzt am Klinischen Institut für Chirurgie zu Berlin Dr. Nasse zum außerordentlichen Professor in derselben Fakultät und

der bisherige Privatdozent in der Medizinischen Fakultät der Friedrich-Wilhelms-Universität, Abtheilungsvorsteher am Physiologischen Institut zu Berlin Dr. Thierfelder zum außerordentlichen Professor in derselben Fakultät.

Universität Greifswald.

Der bisherige außerordentliche Professor in der Medizinischen Fakultät der Universität Greifswald Dr. Schirmer ist zum ordentlichen Professor in derselben Fakultät ernannt worden.

Universität Breslau.

Der außerordentliche Professor Dr. Schultze zu Halle a. S. ist in gleicher Eigenschaft in die Juristische Fakultät der Universität Breslau versetzt worden.

Dem Privatdozenten in der Medizinischen Fakultät der Universität Breslau Dr. Pfannenstiel ist das Prädikat „Professor" beigelegt worden.

Universität Marburg.

Der bisherige Privatdozent Dr. Barth zu Marburg ist zum außerordentlichen Professor in der Medizinischen Fakultät der dortigen Universität ernannt worden.

Universität Bonn.

Der Unterstaatssekretär a. D. Wirkliche Geheime Rath Dr. von Rottenburg zu Berlin ist mit der Wahrnehmung der Geschäfte des Universitäts-Kuratoriums zu Bonn beauftragt worden.

Dem Amtsgerichtsrath Riesenstahl zu Bonn ist das Amt des Universitätsrichters der dortigen Universität nebenamtlich übertragen worden.

Dem Universitäts-Kassen- und Quästur-Kontroleur Schubert zu Bonn ist der Charakter als Rechnungsrath verliehen worden.

C. Technische Hochschulen.

Aachen.

Der Regierungs-Baumeister Holz zu Aachen ist zum etatsmäßigen Professor an der Technischen Hochschule daselbst ernannt worden.

D. Museen u. s. w.

Es ist beigelegt worden:

das Prädikat „Professor"

dem Privatgelehrten Dr. Büttner-Pfänner zu Thal in Dessau; und

das Prädikat „Königlicher Musik-Direktor"

dem Dirigenten des städtischen Orchesters zu Düsseldorf Zerbe.

Die von der Akademie der Wissenschaften zu Berlin vollzogene Wahl des vormaligen Professors an der Universität zu Amsterdam Dr. van't Hoff, zur Zeit zu Rotterdam, zum ordentlichen Mitgliede der Physikalisch-mathematischen Klasse der Akademie ist bestätigt worden.

Der Dr. Bickell zu Marburg ist zum Bezirkskonservator des Regierungsbezirks Cassel bestellt worden.

E. Höhere Lehranstalten.

Es ist verliehen worden:

dem Direktor des Gymnasiums zum grauen Kloster zu Berlin D. Dr. Bellermann der Rothe Adler-Orden vierter Klasse.

In gleicher Eigenschaft sind versetzt bezw. berufen worden:

der Direktor des Städtischen Gymnasiums zu Seehausen, Regierungsbezirk Magdeburg, Dr. Bindseil als Königlicher Gymnasial-Direktor an das Gymnasium zu Kreuzburg O. S.;

die Oberlehrer

Becker vom Gymnasium zu Cleve an das Gymnasium zu Saarbrücken,

Dr. Bork von der Realschule zu Liegnitz an die Realschule zu Cottbus,

Professor Dr. Braun vom Gymnasium zu Hadamar an das Gymnasium zu Fulda,

Dr. Ditzelnkötter vom Gymnasium zu Saarbrücken an das Gymnasium zu Trarbach,

Dr. Goerbig vom Gymnasium zu Saarbrücken an das Gymnasium zu Cleve,

Professor Range vom Gymnasium zu Fulda an das Gymnasium zu Wiesbaden,

Professor Dr. Reuß vom Gymnasium zu Trarbach an das Gymnasium zu Saarbrücken und

Schnee vom Realgymnasium zu Rawitsch an das Gymnasium zu Gnesen.

Es sind befördert worden:

der Professor am Gymnasium zu Kiel Dr. Cauer zum Direktor des Gymnasiums nebst Realgymnasium zu Flensburg,

der Oberlehrer an der Realschule zu Erfurt Dr. Dobbertin zum Direktor des Städtischen Realprogymnasiums zu Langensalza,

der Oberlehrer am Realgymnasium zu Magdeburg Jspert zum Direktor der Realschule in der Nordstadt zu Elberfeld,

der Oberlehrer am Gymnasium zu Steglitz Dr. Lüdecke zum Direktor der in der Entwickelung begriffenen Realschule daselbst,

der Professor am Wilhelms-Gymnasium zu Königsberg i. Pr. Dr. Sachse zum Direktor des Gymnasiums zu Bartenstein,

der Oberlehrer am Gymnasium zu Kiel Dr. Spanuth zum Königlichen Direktor einer sechsklassigen höheren Lehranstalt, demselben ist die Direktion des Realprogymnasiums zu Sonderburg übertragen worden und

der Oberlehrer am Gymnasium zu Mülheim an der Ruhr Wernicke zum Direktor des in der Entwickelung begriffenen Progymnasiums zu Neunkirchen.

Es sind angestellt worden als Oberlehrer:
am Gymnasium
zu Groß-Lichterfelde der Oberlehrer Hacker von der Haupt-Kadetten-Anstalt daselbst und
zu Wetzlar der Hilfslehrer Dr. Kelleter;
am Realgymnasium
zu Rawitsch der Hilfslehrer Eccardt;
an der Realschule
zu Cöpenick der Schulamtskandidat Kuntzen.

Es ist angestellt worden:
der Hilfslehrer am Fürstlichen Gymnasium zu Corbach Kuntze als ordentlicher Lehrer mit der Amtsbezeichnung „Oberlehrer".

Der Vorschullehrer Clausnitzer ist bei der mit dem Friedrich-Wilhelms-Gymnasium und dem Königlichen Realgymnasium zu Berlin verbundenen Vorschule zum Direktorialgehilfen unter Beilegung des Prädikats „Oberlehrer" ernannt worden.

F. Schullehrer- und Lehrerinnen-Seminare.

Dem ordentlichen Seminarlehrer Kropf zu Delitzsch ist das Prädikat „Königlicher Musik-Direktor" beigelegt worden.

Der bisherige Seminar-Oberlehrer Cremer zu Drossen ist zum Direktor des Schullehrer-Seminars daselbst ernannt worden.

G. Oeffentliche höhere Mädchenschulen.

Die Amtsbezeichnung „Oberlehrerin" ist beigelegt worden:
den ordentlichen Lehrerinnen und Direktorialgehilfinnen
Fürbringer an der Sophienschule,
Mantey an der Viktoriaschule,
Piaste an der Margarethenschule,
Pusahl an der Dorotheenschule,
Ribbach an der Luisenschule und
Selckmann an der Charlottenschule,
sämmtlich zu Berlin.

H. Ausgeschieden aus dem Amte.

1) Gestorben:
Bindseil, Professor, Gymnasial-Oberlehrer zu Kolberg,
Johannsen, Seminarlehrer zu Uetersen,
Dr. Krey, Professor, Gymnasial-Oberlehrer zu Greifswald und
Dr. Nebling, Kreis-Schulinspektor zu Altenahr.

2) In den Ruhestand getreten:

Angermann, Oberlehrer am Fürstlichen Gymnasium zu Corbach,

Koch, Seminarlehrerin an der Königlichen Luisenstiftung zu Posen,

Dr. von Gozlowski, Gymnasial-Oberlehrer zu Gnesen,

Dr. Müller, Gymnasialdirektor zu Flensburg, unter Verleihung des Charakters als Geheimer Regierungsrath und

Weise, Regierungs- und Schulrath zu Cöslin, unter Verleihung des Rothen Adler-Ordens vierter Klasse.

3) Ausgeschieden wegen Eintritts in ein anderes Amt im Inlande.

Tägert, Oberlehrer am Realprogymnasium zu Ems.

4) Ausgeschieden wegen Berufung außerhalb der Preußischen Monarchie.

Dr. van Calker, außerordentlicher Professor in der Juristischen Fakultät der Universität Halle.

5) Auf eigenen Antrag ausgeschieden.

Dr. Hüffer, ordentlicher Professor in der Philosophischen Fakultät der Universität Breslau, unter Verleihung des Rothen Adler-Ordens vierter Klasse, demselben ist zugleich gestattet worden, an Stelle seines bisherigen Amtsprädikats mit dem Zusatze „außer Diensten" den Titel „Professor" zu führen.

Inhalts-Verzeichnis des April-Heftes.

Seite

Druck von J. F. Starcke in Berlin.

Centralblatt

für

die gesammte Unterrichts-Verwaltung in Preußen.

Herausgegeben in dem Ministerium der geistlichen, Unterrichts- und Medizinal-Angelegenheiten.

№ 5. Berlin, den 20. Mai 1896.

A. Behörden und Beamte.

76) Verordnung, betreffend die Kautionen der Beamten aus dem Bereiche des Ministeriums der geistlichen, Unterrichts- und Medizinal-Angelegenheiten. Vom 23. März 1896. (G. S. S. 81).

Wir **Wilhelm**, von Gottes Gnaden König von Preußen 2c. verordnen auf Grund der §§. 3, 7, 8 und 14 des Gesetzes, betreffend die Kautionen der Staatsbeamten, vom 25. März 1873 — G. S. S. 125 — was folgt:

Einziger Paragraph.

Den zur Kautionsleistung verpflichteten Beamtenklassen aus dem Bereiche des Ministeriums der geistlichen, Unterrichts- und Medizinal-Angelegenheiten treten hinzu:

der zweite etatsmäßige Inspektionsbeamte bei der Irren- und Nervenklinik der Universität Halle und, sofern sie mit der Abnahme und Aufbewahrung der Beköstigungs- 2c. Gegenstände sowie mit der Vertretung der etatsmäßigen Inspektionsbeamten in Behinderungsfällen betraut sind, die Bureauhilfsarbeiter (-Diätarien) bei den Universitätskliniken.

Die Höhe der von den Inhabern dieser Stellen zu leistenden Amtskautionen wird für den genannten Inspektionsbeamten auf Eintausendachthundert Mark und für die Bureauhilfsarbeiter auf je Eintausend Mark festgesetzt.

Im Uebrigen finden die Vorschriften der Verordnung vom 10. Juli 1874, betreffend die Kautionen der Beamten aus dem

Bereiche des Staatsministeriums und des Finanzministeriums — G. S. S. 260 — Anwendung.

Urkundlich unter Unserer Höchsteigenhändigen Unterschrift und beigedrucktem Königlichen Insiegel.

Gegeben Berlin im Schloß, den 23. März 1896.

Wilhelm R.

Miquel. Bosse.

---

77) Deckblätter Nr. 52 bis 56 zu den Grundsätzen für die Besetzung der Subaltern- und Unterbeamtenstellen bei den Reichs- und Staatsbehörden mit Militäranwärtern.

Berlin, den 16. April 1896.

Den nachgeordneten Behörden meines Ressorts lasse ich unter Bezugnahme auf die Cirkular-Verfügung vom 11. August 1894 — G. III. 2202 (Centrbl. S. 684) — beifolgend je ein Exemplar der Deckblätter Nr. 52 bis 56 zu den Grundsätzen für die Besetzung der Subaltern- und Unterbeamtenstellen bei den Reichs- und Staatsbehörden mit Militäranwärtern nebst Anlagen zur Kenntnisnahme zugehen.

Der Minister der geistlichen 2c. Angelegenheiten.
In Vertretung: von Weyrauch.

An
die nachgeordneten Behörden des diesseitigen Ressorts, sowie an sämmtliche Königliche Ober-Präsidenten.

G. III. 1071.

Deckblätter Nr. 52 bis 56 zu den Grundsätzen für die Besetzung der Subaltern- und Unterbeamtenstellen bei den Reichs- und Staatsbehörden mit Militäranwärtern.

[52]) zu S. 7. — [53]) zu S. 18 u. 19. — [54]) zu S. 26. — [55]) zu S. 47 u. ff. [56]) zu S. 75.

Seite 7. Der §. 1 erhält am Schlusse folgenden Zusatz:

Dem Eintritt in eine militärisch organisirte Gendarmerie oder Schutzmannschaft steht der Eintritt in eine der in den deutschen Schutzgebieten durch das Reich oder die Landesverwaltung errichteten Schutz- oder Polizeitruppen oder die Anstellung als Grenz- oder Zollaufsichtsbeamter in den Schutzgebieten gleich.

Deckbl. 52.

Ein auf Grund dieser Bestimmung ausgestellter Civilversorgungsschein hat für den Reichsdienst sowie für den

Nach Deckbl. 52. Civildienst aller Bundesstaaten Giltigkeit; er wird nach dem anliegenden Muster (A_1) durch das Reichs-Marine-Amt ausgestellt. Diejenigen, welche auf Grund der vorstehenden Bestimmung den Civilversorgungsschein erhalten haben, stehen in Bezug auf die Reihenfolge der Einberufung von Stellenanwärtern den im §. 18 unter Nr. 3 bezeichneten Unteroffizieren gleich, insoweit sie im stehenden Heere oder in der Kaiserlichen Marine unter Hinzurechnung der Dienstzeit in den Schutzgebieten eine Gesammtdienstzeit von mindestens acht Jahren erreicht haben.

Deckbl. 53. Seite 18 und 19. Zusatzbestimmungen zu §. 16. Statt „Landwehr-Bezirkskommando" ist überall zu lesen:

Bezirkskommando

Ferner ist zu setzen auf S. 19

Ziffer 5: Neusalz a. O. statt „Freystadt",
" 6: II Breslau statt „Breslau II",
" 7: I Münster statt „Münster".

Deckbl. 54. Seite 26. Hinter Anlage A ist das beiliegende Muster als Anlage A_1 einzuschalten.

Deckbl. 55. Seite 47 und folgende. An die Stelle der Anlagen J und K treten die beiliegenden Verzeichnisse.

Deckbl. 56. Seite 75. Anlage L, Ziffer 14. In der dritten und vierten Zeile ist statt „Kribb- und Buhnenmeister, Wasserbauaufseher", zu setzen:

Strommeister.

Anlage A^1.

Civilversorgungsschein.

Dem (Vor- und Zuname, letzte Stellung in einem der Schutzgebiete) ist gegenwärtiger Civilversorgungsschein nach einer aktiven Militärdienstzeit von

.... Jahren .... Monaten,

einer weiteren Dienstzeit in der Polizeitruppe (Schutztruppe, im Grenz- bz. Zollaufsichtsdienst) von

.... Jahren .... Monaten

mithin nach einer Gesammtdienstzeit von

.... Jahren .... Monaten

ertheilt worden.

Er ist auf Grund dieses Scheines zur Versorgung im Civildienst bei den

Reichsbehörden sowie den Staatsbehörden aller Bundesstaaten

nach Maßgabe der darüber bestehenden Bestimmungen berechtigt.

Der Inhaber bezieht eine Pension von . . . . ℳ . . . . ₰ monatlich.

N. N., den . . ten . . . . 18 . .

(Stempel.) (Behörde, welche über den Anspruch auf den Civilversorgungsschein entschieden hat.)

Alter: . . Jahre.

(Unterschrift des betreffenden Militärvorgesetzten.)

(Nr. des Civilversorgungsscheines.)
(Nr. der Invalidenliste.)

Anlage J.

Verzeichnis
der den Militäranwärtern im Preußischen Staatsdienste vorbehaltenen Stellen.

Anmerkungen: 1. Die in den Verzeichnissen aufgeführten Stellen sind den Militäranwärtern ausschließlich vorbehalten, sofern bei den einzelnen etwas Anderes nicht ausdrücklich bemerkt ist.

2. Diejenigen Stellen, welche den Militäranwärtern vorbehalten, aber denselben nur im Wege des Aufrückens oder der Beförderung zugängig sind, sind mit einem * bezeichnet.

Bezeichnung der Stellen.	Angabe bei den für Militäranwärter nicht ausschließlich bestimmten Stellen, in welchem Umfange dieselben vorbehalten sind.	Bezeichnung der Behörden, an welche die Bewerbungen zu richten sind, wenn es nicht die Behörde selbst ist, bei welcher die Anstellung gewünscht wird.	Bemerkungen.
I. Bei sämmtlichen Verwaltungen.			
Kanzleibeamte (Kanzleisekretäre, Kanzlisten, Kanzleiassistenten, Kanzleidiätare, Kanzleigehilfen, Kopisten, Lohnschreiber u. s. w.),	—	Bei der Eisenbahnverwaltung an diejenigen Eisenbahn-Direktionen, in deren Bezirk die betreffende Stelle zu besetzen ist. Wegen der Amtsdienerstellen bei der Allgemeinen Bauverwaltung an den betreffenden Regierungs-Präsidenten. Bei der Bezirks-, Kreis- und Amtsverwaltung an die Re-	
Botenmeister,	—		
Aufseher (Magazin-, Haus-, Bau- u. andere Aufseher),	—		
Diener (Büreau-, Haus-, Kanzlei-, Kassen-, Amts-, Oberamts-, Archiv-, Bibliothek-, Galerie-, Gerichts-, Instituts-, Laboratorien-, Museums-, Polizei-, Schul- und andere Diener, Wärter und Boten),	—		Mit Ausnahme der Stellen dieser Art bei den Gesandtschaften.

Bezeichnung der Stellen.	Angabe bei den für Militäranwärter nicht ausschließlich bestimmten Stellen, in welchem Umfange dieselben vorbehalten sind.	Bezeichnung der Behörden, an welche die Bewerbungen zu richten sind, wenn es nicht die Behörde selbst ist, bei welcher die Anstellung gewünscht wird.	Bemerkungen.
Exekutoren, Gärtner, soweit nicht erhöhte Anforderungen gestellt werden, Hausknechte, Kastellane, Hausinspektoren Inspektoren, soweit sie den Dienst als Kastellane versehen, Hauswarte, Hausverwalter, Hausmeister, Heizer, Portiers, Pförtner, Haushälter, Pedelle, Wächter (Instituts-, Magazin-, Nacht- und andere Wächter).	— — — — — — —	gierungs-Präsidenten und Regierungen. Bei den Gerichten, den Staatsanwaltschaften und den Gefängnissen an den Oberlandesgerichts-Präsidenten und den Oberstaatsanwalt des Bezirks. Bewerbungen um Lohnschreiberstellen bei einem Amtsgericht sind an den aufsichtführenden Amtsrichter, um solche Stellen bei einem Landgericht oder Oberlandesgericht und der zu demselben gehörigen Staatsanwaltschaft an den Präsidenten des Gerichts und den Ersten Staatsanwalt bezw. Oberstaatsanwalt zu richten. Bei der Domänenverwaltung an die betreffenden Regierungen.	Mit Ausnahme der Stellen dieser Art bei den Gesandtschaften.

II. Staatsministerium.

1. Ansiedelungskommission für Westpreußen und Posen:			
Sekretariatsassistenten, *Sekretäre.	mindestens zur Hälfte.	Präsident der Ansiedelungskommission.	
2. Verwaltung des Deutschen Reichs- und Königlich Preuß. Staatsanzeigers:			
Expedienten, Büreauassistenten.	mindestens zur Hälfte.	— —	

Bezeichnung der Stellen.	Angabe bei den für Militäranwärter nicht ausschließlich bestimmten Stellen, in welchem Umfange dieselben vorbehalten sind.	Bezeichnung der Behörden, an welche die Bewerbungen zu richten sind, wenn es nicht die Behörde selbst ist, bei welcher die Anstellung gewünscht wird.	Bemerkungen.
III. Finanzministerium.			
1. **Ober-Präsidien, Regierungen, Ministerial-, Militär- und Bau-Kommission zu Berlin:**			
Sekretariatsassistenten, Kassirerassistenten, Kassenassistenten, *Sekretäre, *Buchhalter.	mindestens zur Hälfte.	— — — — —	
2. **Rentenbanken:** Sekretäre 2. Klasse, *Sekretäre 1. Klasse, *Buchhalter.	mindestens zur Hälfte.	Rentenbankdirektionen.	
3. **Lotterieverwaltung:** Registrator, Korrespondenzsekretär, Buchhalter.	mindestens zur Hälfte.	General-Lotteriedirektion zu Berlin.	
4. **Münzverwaltung:** Büreaubeamte, Buchhalter.	mindestens zur Hälfte.	Münzdirektion zu Berlin.	
5. **Seehandlungsinstitut:** Büreaubeamte der Königlichen Leihämter.	mindestens zur Hälfte.	Generaldirektion der Seehandlungssozietät zu Berlin.	
6. **Direktion für die Verwaltung der direkten Steuern zu Berlin:** Sekretariatsassistenten, *Sekretäre, *Buchhalter.	mindestens zur Hälfte.	— — —	
7. **Einkommensteuer-Veranlagungs-Kommissionen und Gewerbesteuer-Ausschüsse:** Steuersekretäre.	mindestens zur Hälfte.	Die Regierungen.	Ziffer 9. Die Stellen der Königl. Rentmeister sind für die aus dem Militärstande hervorgegangenen Beamten in gleicher Weise wie für die aus dem Civilstande hervorgegangenen erreichbar, wenn sie die erforderliche Befähigung besitzen.
8. **Kreiskasse zu Frankfurt a. M.:** Kassenassistenten, *Buchhalter.	mindestens zur Hälfte.	Regierung zu Wiesbaden.	
9. **Kreiskassen:** (Siehe Bemerkungsspalte.)			

Bezeichnung der Stellen.	Angabe bei den für Militäranwärter nicht ausschließlich bestimmten Stellen, in welchem Umfange dieselben vorbehalten sind.	Bezeichnung der Behörden, an welche die Bewerbungen zu richten sind, wenn es nicht die Behörde selbst ist, bei welcher die Anstellung gewünscht wird.	Bemerkungen.
10. **Verwaltung der indirekten Steuern:**			
a) Heizer, Matrosen und Schiffer auf Wacht- und Kreuzerschiffen,	—		
Gewichtssetzer, Bootsführer 2c.,	—		
Thorwärter;	—		
b) Aufseher im ausübenden Grenzaufsichtsdienst;	unter Konkurrenz der Steuersupernumerare.		
c) *Revisions- und *Steueraufseher;	sämmtlich für die zu a und b aufgeführten Beamten.		
d) *Thorkontroleure, *Zoll- und Steuereinnehmer 1. u. 2. Klasse, *Zoll- und Steueramtsassistenten, *Maschinisten u. *Assistenten auf Zollkreuzern und Wachtschiffen, *Assistenten bei dem Hauptstempelmagazin;	zusammengerechnet mindestens zu zwei Drittheilen.	Provinzial-Steuerdirektion.	
e) *Ober-Kontrole-Assistenten; *Hauptzoll- und Hauptsteueramtsassistenten, sowie *Assistenten bei den Provinzial-Steuerdirektionen, nicht aber bei den Erbschaftssteuerämtern.	zusammengerechnet mindestens zu einem Drittheil.		

IV. Ministerium der öffentlichen Arbeiten.

1. **Eisenbahnverwaltung:**		Diejenige Eisenbahn-Direktion, in deren Bezirk die Stelle zu besetzen ist.	
*Stationsvorsteher 1. Klasse,	—		
*Stationsvorsteher 2. Klasse,	—		

Bezeichnung der Stellen.	Angabe bei den für Militäranwärter nicht ausschließlich bestimmten Stellen, in welchem Umfange dieselben vorbehalten sind.	Bezeichnung der Behörden, an welche die Bewerbungen zu richten sind, wenn es nicht die Behörde selbst ist, bei welcher die Anstellung gewünscht wird.	Bemerkungen.
Stationsverwalter, — für den Stationsdienst —	—	Diejenige Eisenbahn-Direktion, in deren Bezirk die Stelle zu besetzen ist.	Werden aus dienstlichen Gründen Assistentenstellen des Stationsdienstes mit Civilsupernumeraren besetzt, wozu es einer Vereinbarung zwischen dem Minister der öffentlichen Arbeiten und dem Kriegsminister bedarf, so ist den Militäranwärtern eine gleiche Anzahl von Assistentenstellen des Abfertigungsdienstes, welche sonst den Civilanwärtern zufallen würden, als Ersatz mehr zuzuweisen.
Stationsassistenten, — für den Stationsdienst —	—		
Stationsdiätare, — für den Stationsdienst —	—		
Stationsaspiranten — für den Stationsdienst —	—		
Materialienverwalter 2. Klasse,	—		Die Stellen der Materialienverwalter 2. Kl. werden mit geeigneten versorgungsberechtigten Büreaudiätaren besetzt.
Telegraphisten, Telegraphendiätare, Telegraphenaspiranten, Lademeister, Lademeisterdiätare, Lademeisteraspiranten, *Zugführer, *Packmeister, Schaffner, Bremser (ausschließlich der Stellen für Wagenwärter),	—		
*Steuerleute auf Trajektschiffen, sofern die nöthigen Kenntnisse nachgewiesen werden,	—		
Matrosen,	—		
Billetdrucker,	—		
*Haltestellenaufseher,	—		
*Weichensteller 1. Klasse,	—		
Weichensteller, Krahnmeister, Brückenwärter, Schiffsbrückenwärter, Bahnsteigschaffner,	—		
Bahnwärter, Krahnwärter,	—		
*Stationskassenrendanten,	mindestens zur Hälfte.		

Bezeichnung der Stellen.	Angabe bei den für Militäranwärter nicht ausschließlich bestimmten Stellen, in welchem Umfange dieselben vorbehalten sind.	Bezeichnung der Behörden, an welche die Bewerbungen zu richten sind, wenn es nicht die Behörde selbst ist, bei welcher die Anstellung gewünscht wird.	Bemerkungen.
*Güterexpeditionsvorsteher, *Stationseinnehmer, *Güterexpedienten, Stationsassistenten, Stationsdiätare, Stationsaspiranten — für den Abfertigungsdienst —, *Brückengeldeinnehmer, *Hauptkassenkassirer, (nicht technische) Eisenbahnsekretäre, etatsmäßige Büreauassistenten, (nicht technische) Büreaudiätare, (nicht technische) Büreauaspiranten, *Materialienverwalter 1. Klasse.	mindestens zur Hälfte.	Diejenige Eisenbahn-Direktion, in deren Bezirk die Stelle zu besetzen ist.	Die für Militäranwärter bestimmte Hälfte der Stellen f. Materialienverwalter 1. Kl. wird mit versorgungsberechtigten Materialienverwaltern oder Büreaubeamten 2. Klasse besetzt.
2. **Allgemeine Bauverwaltung:**			
Düneninspektor, Dünenmeister; bei erwiesener hinreichender Befähigung haben die Militäranwärter den Vorzug,	—	Die betreffenden Regierungs-Präsidenten, sowie die Ministerial-, Militär- und Bau-Kommission zu Berlin. Im Ressort der Weichsel-, Oder-, Elb- und Rhein-Strombauverwaltung sind Bewerbungen an die Chefs derselben zu richten.	
Kanalinspektor,	—		
Brückenmeister,	—		
Schiffsführer, Maschinisten und Baggermeister, sofern die erforderlichen Kenntnisse des Schifffahrts-, Maschinen- und Baggerbetriebes nachgewiesen werden,	—		

Bezeichnung der Stellen.	Angabe bei den für Militäranwärter nicht ausschließlich bestimmten Stellen, in welchem Umfange dieselben vorbehalten sind.	Bezeichnung der Behörden, an welche die Bewerbungen zu richten sind, wenn es nicht die Behörde selbst ist, bei welcher die Anstellung gewünscht wird.	Bemerkungen.
Magazinverwalter und Hafenbauschreiber,	—	Die betreffenden Regierungs-Präsidenten, sowie die Ministerial-, Militär- und Bau-Kommission zu Berlin. Im Ressort der Weichsel-, Oder-, Elb- und Rhein-Strombauverwaltung sind Bewerbungen an die Chefs derselben zu richten.	
Schloßbaumaterialienverwalter,	—		
Kanal-Oberaufseher und Flößerei-Kontroleur,	—		
Leuchtfeuer-Oberwärter,	—		
Lagerhofverwalter,	—		
Fährmeister,	—		
Strommeister,	—		
Wehr- und Schleusenmeister,	—		
Steuerleute,	—		
Ballastmeister,	—		
Maschinenführer am Oberländischen Kanal,	—		
Maschinenmeistergehilfen,	—		
Obersteuermann,	—		
Krahnmeister,	—		
Brückenmatrosen,	—		
Stackmeister,	—		
Brückenaufzieher.	—		
Bei der Ruhrschifffahrts- und Ruhrhafen-Verwaltung:			
Hafenkassenrendant,	mindestens zur Hälfte.	Regierungs-Präsident zu Düsseldorf.	
Hafenkassenassistent,			
Hafenmeister,	—		
Strommeister,	—		
Hafenpolizeisergeanten,	—		
Schleusenmeister.	—		
Bei der Königlichen Kanalkommission zu Münster:			
Büreaubeamte.	mindestens zur Hälfte.	—	Die Stellen bestehen nur für die Dauer des Baues des Schifffahrtskanals von Dortmund nach den Emshäfen.

Bezeichnung der Stellen.	Angabe bei den für Militäranwärter nicht ausschließlich bestimmten Stellen, in welchem Umfange dieselben vorbehalten sind.	Bezeichnung der Behörden, an welche die Bewerbungen zu richten sind, wenn es nicht die Behörde selbst ist, bei welcher die Anstellung gewünscht wird.	Bemerkungen.
V. Ministerium für Handel und Gewerbe.			
1. **Handels- und Gewerbeverwaltung, gewerbliches Unterrichtswesen, Porzellan-Manufaktur:**			
Sekretäre und Magazinverwalter bei der Königlichen Porzellan-Manufaktur zu Berlin,	mindestens zur Hälfte.	Die Direktion der Porzellan-Manufaktur.	
*Büreaubeamte bei der Zeichenakademie zu Hanau,	mindestens zur Hälfte.	Die Direktion der Zeichenakademie.	
Hafenmeister,	ausschließlich, mit Ausnahme der selbständigen Hafenvorsteherstellen zu Harburg, Geestemünde, Emden und Leer.	Ober-Präsident zu Breslau, Regierungs-Präsidenten zu Königsberg, Danzig, Schleswig, Stade.	
Hafenpolizeisekretäre,	mindestens zur Hälfte.	Regierungs-Präsidenten zu Stettin, Königsberg, Stade, Schleswig.	
Untere Schifffahrts- und Hafenpolizeibeamte (Hafenpolizeisergeanten, Revierschutzmänner, Hafen-, Kanal-, Strom- und Schifffahrts-Aufseher, Strompolizeiaufseher, Hafenwächter und Boten),	—	Regierungs-Präsidenten zu Königsberg, Gumbinnen, Danzig, Stettin, Lüneburg, Stade, Osnabrück, Wiesbaden, Schleswig.	
Lootsenamtsassistenten, Seelootsen, Stromlootsen, Revierlootse,	ausschließlich für Militäranwärter der Marine; diese Stellen können auch mit Nichtanwärtern besetzt werden, falls die sich bewerbenden Militäranwärter der Marine das 86. Lebensjahr überschritten haben.	Regierungs-Präsidenten zu Königsberg, Danzig, Stettin, Köslin, Stralsund.	

Bezeichnung der Stellen.	Angabe bei den für Militäranwärter nicht ausschließlich bestimmten Stellen, in welchem Umfange dieselben vorbehalten sind.	Bezeichnung der Behörden, an welche die Bewerbungen zu richten sind, wenn es nicht die Behörde selbst ist, bei welcher die Anstellung gewünscht wird.	Bemerkungen.
Rechnungsführer und Büreaubeamte bei den Aichungsämtern,	mindestens zur Hälfte.	Aichungsinspektoren zu Berlin, Magdeburg, Breslau, Cassel, Kiel, Cöln.	
Bleichschreiber bei der Musterbleiche zu Sohlingen.	--	Regierungs-Präsident zu Hildesheim.	
2. Berg-, Hütten- und Salinenverwaltung:			
*Sekretäre und *Buchhalter, sowie Assistenten und Büreaudiätare bei den Provinzial- und Lokalverwaltungen, Revierbüreau-Assistenten und Revierdiätare,			
*Faktoren, Schichtmeister und etatsmäßige Assistenten auf den staatlichen Berg-, Hütten- und Salzwerken,	mindestens zur Hälfte.	Dasjenige Oberbergamt, in dessen Bezirk die Stelle zu besetzen ist.	
Verwaltungsbeamte bei der geologischen Landesanstalt und Bergakademie in Berlin, soweit für sie eine besondere technische oder wissenschaftliche Vorbildung nicht erfordert wird,			
Telegraphisten und Telegraphengehilfen,	—		
Hüttenvögte, Platzmeister und Visitatoren,	—	—	
Waagemeister,	—	—	
Salzausgeber, Materialienabnehmer und Materialienausgeber,	—	—	
Steinanweiser,	—	—	
Kohlenmesser und Wächter aller Art (mit Ausschluß der auf den fiskalischen Stein- und Braunkohlengruben erforderlichen

Bezeichnung der Stellen.	Angabe bei den für Militäranwärter nicht ausschließlich bestimmten Stellen, in welchem Umfange dieselben vorbehalten sind.	Bezeichnung der Behörden, an welche die Bewerbungen zu richten sind, wenn es nicht die Behörde selbst ist, bei welcher die Anstellung gewünscht wird.	Bemerkungen.
Funktionäre dieser Art, welche aus den wegen vorgerückten Alters zur Grubenarbeit nicht mehr tauglichen Bergleuten zu entnehmen sind),			
Bademeister bei der Soolbadeanstalt zu Elmen.	—	Das Salzamt zu Schönebeck.	

VI. Justizministerium.

1. **Gerichte und Staatsanwaltschaften:**			
Gerichtsvollzieher,	—	Oberlandesgerichts-Präsident des Bezirks.	
Gerichtsschreibergehilfen bei den Landgerichten und den Amtsgerichten, Assistenten bei den Staatsanwaltschaften der Landgerichte und der Amtsgerichte.	mindestens zur Hälfte.	Oberlandesgerichts-Präsident und Oberstaatsanwalt des Bezirks.	
2. **Gefängnisverwaltung:**			
Gefängnisinspektoren,	—	Oberlandesgerichts-Präsident und Oberstaatsanwalt des Bezirks.	
Gefängnisoberaufseher,	—		
Gefangenaufseher,	—		
Hausväter,	—		
Maschinenmeister,	—		
Gasmeister,	—		
Werkmeister,	—		
Küchenmeister,	—		
Waschmeister,	—		
Maschinisten,	—		
Köche,	—		
Sekretäre bei den besonderen Gefängnissen, Inspektionsassistenten.	mindestens zur Hälfte.		

VII. Ministerium des Innern.

1. **Statistisches Büreau:**			
Büreaubeamte, mit Einschluß des Plankammerinspektors.	mindestens zur Hälfte.	Der Direktor des Statistischen Büreaus.	

Bezeichnung der Stellen.	Angabe bei den für Militäranwärter nicht ausschließlich bestimmten Stellen, in welchem Umfange dieselben vorbehalten sind.	Bezeichnung der Behörden, an welche die Bewerbungen zu richten sind, wenn es nicht die Behörde selbst ist, bei welcher die Anstellung gewünscht wird.	Bemerkungen.
2. Polizei-Präsidium zu Berlin und Polizei-Direktion zu Charlottenburg: Büreau- und Kassenbeamte (*Polizeisekretäre und Büreauassistenten, *Oberbuchhalter, Kassirer und *Buchhalter),	mindestens die eine Hälfte, unter Anrechnung der von der Besetzung mit Militäranwärtern ausgeschlossenen Stellen des Rendanten der Polizeihauptkasse, des Vorstehers der Kalkulatur und des Vorstehers des Präsidialbureaus auf die andere Hälfte.	Polizei-Präsident zu Berlin.	
Obertelegraphisten, Telegraphisten, Leitungsrevisoren und Hilfstelegraphisten bei der Central-Telegraphenstation des Polizei-Präsidiums zu Berlin.	—		
Abtheilungswachtmeister, Polizeiwachtmeister und Schutzmänner,	sämmtlich, jedoch unter Ausschluß derjenigen Stellen für Wachtmeister und Schutzmänner, welche im Kriminaldienste verwendet werden.		Die Anzahl der auszuschließenden Stellen wird durch den Minister des Innern nach vorgängigem Benehmen mit dem Kriegsminister bestimmt.
3. Uebrige Königliche Polizeiverwaltungen: Büreaubeamte *1. und 2. Klasse (*Polizeisekretäre und Büreauassistenten),	mindestens zur Hälfte.	Der Vorsteher der betreffenden Polizeiverwaltung.	
Polizeiwachtmeister und Schutzmänner.	sämmtlich, jedoch mit Ausschluß derjenigen Stellen für Wachtmeister und Schutzmänner, welche im Kriminaldienste verwendet werden.		Die Anzahl der auszuschließenden Stellen wird durch den Minister des Innern nach vorgängigem Benehmen mit dem Kriegsminister bestimmt.

Bezeichnung der Stellen.	Angabe bei den für Militäranwärter nicht ausschließlich bestimmten Stellen, in welchem Umfange dieselben vorbehalten sind.	Bezeichnung der Behörden, an welche die Bewerbungen zu richten sind, wenn es nicht die Behörde selbst ist, bei welcher die Anstellung gewünscht wird.	Bemerkungen.
4. **Straf- und Gefängnisanstalten:**			
Sekretäre und Büreauassistenten,	mindestens zur Hälfte.	Minister des Innern.	
Hausväter,	—	Der Vorsteher der betreffenden Straf- oder Gefängnisanstalt.	Die Anzahl der auszuschließenden Stellen wird durch den Minister des Innern nach vorgängigem Benehmen mit dem Kriegsminister bestimmt.
Oberaufseher und Aufseher.	sämmtlich, jedoch unter Ausschluß derjenigen Stellen, in welchen Beamte zu technischen Dienstleistungen und zur Leitung oder Beaufsichtigung von handwerksmäßiger Arbeit verwendet werden.		

VIII. Ministerium für Landwirthschaft, Domänen und Forsten.

1. **Oberlandeskulturgericht:** *Sekretäre.	mindestens zur Hälfte.		
2. **Generalkommissionen:** *Sekretäre, *Büreauassistenten, Diätare,	mindestens zur Hälfte.	Generalkommissions-Präsidenten.	
Drucker (in der Kanzlei).	—	—	
3. **Spezialkommissionen:** *Sekretäre, Diätare.	mindestens zur Hälfte.	Generalkommissions-Präsidenten.	
4. **Landwirthschaftliche und Gärtner-Lehranstalten:** *Rendanten (Rechnungsführer), Sekretäre (Kalkulator, Registrator), Diätare.	mindestens zur Hälfte.	Ministerium für Landwirthschaft, Domänen und Forsten.	
5. **Thierärztliche Hochschulen:** *Administrator, Rendanten, Sekretäre (Registrator), Dekonomieinspektor,	mindestens zur Hälfte.	Ministerium für Landwirthschaft, Domänen und Forsten.	
Futtermeister.	—	—	

Bezeichnung der Stellen.	Angabe bei den für Militäranwärter nicht ausschließlich bestimmten Stellen, in welchem Umfange dieselben vorbehalten sind.	Bezeichnung der Behörden, an welche die Bewerbungen zu richten sind, wenn es nicht die Behörde selbst ist, bei welcher die Anstellung gewünscht wird.	Bemerkungen.
6. **Meliorations- und Deichbeamte:**			
Deichvögte in der Provinz Hannover,	—	Die betreffende Regierung oder der Regierungs-Präsident.	
Wehrmeister, Dünenmeister,	—		
Dammeister, Wallmeister.	—		
7. **Gestütverwaltung:**			
*Rendanten der Hauptgestüte,	mindestens zur Hälfte.	Ministerium für Landwirthschaft, Domänen und Forsten.	
Rechnungsführer und Sekretäre der Landgestüte,			
Futter- und Sattelmeister bei sämmtlichen Gestütanstalten.	zu drei Fünfteln.		
8. **Domänenverwaltung:**			
a) Domanial-Bade- und Mineralbrunnen-Verwaltungen:			
Bademeister, Brunnenmeister, Zähler;	—	Die betreffenden Regierungen.	
b) Schloßverwaltung zu Cassel:			
Schloßverwalter, Saalwärter, Schloßdiener;	—	Die Regierung zu Cassel.	
c) Gartenverwaltung zu Cassel:			
Gartenaufseher, Parkaufseher;	—		
d) Sonstige der Domänenverwaltung unterstellte Verwaltungen:			
Schloßwarte, Stackmeister, Damm-, Graben- und Fehnmeister.	—	Die betreffenden Regierungen.	
9. **Forstverwaltung:**			
Hausmeister und Pedelle bei den Königlichen Forstakademien zu Eberswalde und Münden,	—	Direktoren der Königlichen Forstakademien.	Die Stellen werden bei eintretender Erledigung ausgeschrieben.

Bezeichnung der Stellen.	Angabe bei den für Militäranwärter nicht ausschließlich bestimmten Stellen, in welchem Umfange dieselben vorbehalten sind.	Bezeichnung der Behörden, an welche die Bewerbungen zu richten sind, wenn es nicht die Behörde selbst ist, bei welcher die Anstellung gewünscht wird.	Bemerkungen.
Wald-, Torf-, Wiesen-, Wege- und Flößwärter.	soweit diese Stellen nicht mit Forstversorgungsberechtigten bezw. mit auf Forstversorgung dienenden Anwärtern der Jäger-Bataillone besetzt werden können.	Die betreffenden Regierungen.	Die etatsmäßigen Stellen der Königl. Forstkassen-Rendanten sind für die aus dem Militärstande hervorgegangenen Beamten in gleicher Weise, wie für die aus dem Civilstande hervorgegangenen erreichbar, wenn sie die erforderliche Befähigung besitzen.

IX. Ministerium der geistlichen, Unterrichts- und Medizinal-Angelegenheiten.

1. **Bei sämmtlichen Verwaltungen:** Maschinisten, Heizer, Röhrmeister und sonstige gleichartige Stellen.	—		
2. **Konsistorien:** *Büreaubeamte.	mindestens zur Hälfte.	Die Königlichen Konsistorien, einschl des Landeskonsistoriums zu Hannover.	
3. **Provinzial-Schulkollegien:** *Büreaubeamte.	mindestens zur Hälfte.		
4. **Universitäten:** *Büreau- und *Kassenbeamte.	zu drei Vierteln, mit Ausnahme der Stellen der Rendanten und Quästoren.	Rektor und Senat der Universität zu Berlin, sowie die Kuratorien der übrigen Universitäten.	
5. **Lehrerinnen-Seminar zu Droyßig:** Rendant.	alternirend, d. h. zwischen Militär- und Civilanwärter abwechselnd.	Der Seminardirektor.	

Bezeichnung der Stellen.	Angabe bei den für Militäranwärter nicht ausschließlich bestimmten Stellen, in welchem Umfange dieselben vorbehalten sind.	Bezeichnung der Behörden, an welche die Bewerbungen zu richten sind, wenn es nicht die Behörde selbst ist, bei welcher die Anstellung gewünscht wird.	Bemerkungen.
6. **Kunstgewerbe-Museum zu Berlin:**			
Sekretär der Unterrichtsanstalt,	ausschließlich, insofern unter den Bewerbern sich eine qualifizirte Persönlichkeit dazu befindet.	Die Generalverwaltung der Königlichen Museen.	
Einnehmer am Zählkreuz.	—		
7. **Königliche Nationalgalerie zu Berlin:**			
Büreaubeamte.	mindestens zur Hälfte.		
8. **Königliche Bibliothek zu Berlin:**			
*Büreaubeamte.	mindestens zur Hälfte.	Der Generaldirektor der Königlichen Bibliothek zu Berlin.	
9. **Königliches meteorologisches Institut zu Berlin nebst Observatorien bei Potsdam:**			
*Büreaubeamte.	mindestens zur Hälfte.	Der Direktor des Königlichen meteorologischen Instituts.	
10. **Königliche Akademie der Künste zu Berlin:**			
*Büreaubeamte.	mindestens zur Hälfte, mit Ausnahme der beiden ständigen Sekretäre bei der Akademie.	Der Präsident der Akademie.	
11. **Technische Hochschulen:**			
*Büreaubeamte.	mindestens zur Hälfte.	Die Rektoren der Königlichen technischen Hochschulen.	
12. **Königliche Charité und Institut für Infektionskrankheiten zu Berlin:**			
*Büreaubeamte,	mindestens zur Hälfte.		
*Oekonomie- und *Stationsbeamte.	zu drei Vierteln.		

Bezeichnung der Stellen.	Angabe bei den für Militäranwärter nicht ausschließlich bestimmten Stellen, in welchem Umfange dieselben vorbehalten sind.	Bezeichnung der Behörden, an welche die Bewerbungen zu richten sind, wenn es nicht die Behörde selbst ist, bei welcher die Anstellung gewünscht wird.	Bemerkungen
13. Unter Staatsverwaltung stehende Stiftungsfonds:			
*Büreaubeamte.	mindestens zur Hälfte.	Die Verwaltungen der betreffenden Stiftungen.	
14. Kirchliche Institute, welche aus staatlichen oder städtischen Fonds unterhalten werden:			
Die Stellen der Küster und Organisten, sofern solche nicht zugleich öffentliche Lehrer sind, der Kalkanten, Kirchendiener, Glöckner, Todtengräber und andere niedere Kirchenbediente.	—		

X. Kriegsministerium.

1. Verwaltung des Zeughauses zu Berlin:			
Sekretär und Registrator,	—	—	
*Oberzeugwart,	—	—	
*Zeugwarte,	—	—	Die Zeugwartstellen werden im Wege des Aufrückens nur mit Wächtern bei der Verwaltung des Zeughauses besetzt.
Maschinist und Heizer.	—		
2. Potsdamsches großes Militär-Waisenhaus:			
a) Hauptkasse zu Berlin:			
*Rendant,	—	Direktorium des Potsdamschen großen Militärwaisenhauses zu Berlin.	
Kontroleur und Kassirer;	—		
b. Militär-Waisenhaus zu Potsdam:			
*Rendant,	—	Direktion des großen Militärwaisenhauses zu Potsdam und Schloß Pretzsch.	
*Sekretär,	—		
*Kontroleur,	—		
*Oekonomieinspektor,	—		

Bezeichnung der Stellen.	Angabe bei den für Militäranwärter nicht ausschließlich bestimmten Stellen, in welchem Umfange dieselben vorbehalten sind.	Bezeichnung der Behörden, an welche die Bewerbungen zu richten sind, wenn es nicht die Behörde selbst ist, bei welcher die Anstellung gewünscht wird.	Bemerkungen.
*Hausinspektor,	—	Direktion des großen Militärwaisenhauses zu Potsdam und Schloß Pretzsch.	
Bekleidungsinspektor,	—		
Heilgehilfe,	—		
Brotschneider;	—		
c) Militär-Mädchen-Waisenhaus zu Schloß Pretzsch:			
*Rendant,	—		
*Kontroleur.	—		

Anlage K.

Verzeichnis

der Privat-Eisenbahnen und durch Private betriebenen Eisenbahnen, welchen die Verpflichtung auferlegt ist, bei Besetzung von Beamtenstellen Militäranwärter vorzugsweise zu berücksichtigen.

Bezeichnung der Eisenbahn.	Bezeichnung der Stellen, welche vorzugsweise mit Militäranwärtern zu besetzen sind.	Altersgrenze, bis zu welcher Militäranwärter berücksichtigt werden müssen.	Bezeichnung der Behörde, an welche die Bewerbungen zu richten sind, soweit nicht in den Vakanzanmeldungen andere Anstellungsbehörden ausdrücklich bezeichnet werden.	Bemerkungen.
1. Altdamm-Kolberger Eisenbahn.	Subaltern- und Unterbeamte.	40 Jahre	Direktion der Altdamm-Kolberger Eisenbahngesellschaft zu Stettin.	Bei der Besetzung sind die für den Staatseisenbahndienst in dieser Beziehung, insbesondere bezüglich der Ermittelung der Militäranwärter bestehenden Vorschriften zur Anwendung zu bringen.

Bezeichnung der Eisenbahn.	Bezeichnung der Stellen, welche vorzugsweise mit Militäranwärtern zu besetzen sind.	Altersgrenze, bis zu welcher Militäranwärter berücksichtigt werden müssen.	Bezeichnung der Behörde, an welche die Bewerbungen zu richten sind, soweit nicht in den Vakanzanmeldungen andere Anstellungsbehörden ausdrücklich bezeichnet werden.	Bemerkungen.
2. Altenburg-Zeitzer Eisenbahn (für die preußische Strecke).	Bahnwärter, Schaffner und sonstige Unterbeamte, mit Ausnahme der einer technischen Vorbildung bedürfenden.	35 Jahre.	Königliche Generaldirektion der sächsischen Staatseisenbahnen zu Dresden.	
3. Altona-Kaltenkirchener Eisenbahn.	Wie zu 1.	40 -	Direktion der Altona-Kaltenkirchener Eisenbahngesellschaft zu Altona.	Wie zu 1.
4. Braunschweigische Landeseisenbahn (für die preußische Strecke der Bahn Braunschweig-Derburg-Seesen).	Wie zu 1.	40 -	Direktion der Braunschweigischen Landeseisenbahngesellschaft zu Braunschweig.	Wie zu 1.
5. Breslau-Warschauer Eisenbahn (preußische Abtheilung).	Wie zu 2.	35 -	Direktion der Breslau-Warschauer Eisenbahngesellschaft zu Oels.	
6. Broelthal-Bahn.	Wie zu 1.	40 -	Direktion der Broelthaler Eisenbahn-Aktiengesellsch. zu Hennef a. d. Sieg.	Wie zu 1.
7. Crefelder Eisenbahn.	Wie zu 1.	35 -	Direktion der Crefelder Eisenbahngesellschaft zu Crefeld.	Wie zu 1.
8. Cronberger Eisenbahn.	Wie zu 2.	35 -	Verwaltungsrath der Cronberger Eisenbahngesellschaft zu Cronberg.	
9. Dahme-Uckroer Eisenbahn.	Wie zu 1.	40 -	Direktion der Dahme-Uckroer Eisenbahngesellschaft zu Dahme.	Wie zu 1.
10. Dortmund-Gronau-Enscheder Eisenbahn.	Wie zu 2.	35 -	Direktion der Dortmund-Gronau-Enscheder Eisenbahngesellschaft zu Dortmund.	
11. Eckernförde-Kappelner Schmalspurbahn.	Wie zu 1.	40 -	Direktion der Eckernförde-Kappelner Schmalspurbahngesellschaft zu Eckernförde.	Wie zu 1.

Bezeichnung der Eisenbahn.	Bezeichnung der Stellen, welche vorzugsweise mit Militäranwärtern zu besetzen sind.	Altersgrenze, bis zu welcher Militäranwärter berücksichtigt werden müssen.	Bezeichnung der Behörde, an welche die Bewerbungen zu richten sind, soweit nicht in den Vakanzanmeldungen andere Anstellungsbehörden ausdrücklich bezeichnet werden.	Bemerkungen.
12. Eisenberg-Crossener Eisenbahn (für die preußische Strecke).	Wie zu 1.	35 Jahre.	Vorstand der Eisenberg-Crossener Eisenbahngesellschaft zu Eisenberg in Altenburg.	Wie zu 1.
13. Eisern-Siegener Eisenbahn.	Wie zu 1.	40 „	Direktion der Eisern-Siegener Eisenbahngesellschaft zu Siegen.	Wie zu 1.
14. Farge-Vegesacker Eisenbahn.	Wie zu 1.	40 „	Königl. Eisenbahndirektion zu Hannover.	Wie zu 1.
15. Flensburg-Kappelner Eisenbahn.	Wie zu 1.	40 „	Kreis-Eisenbahnkommission zu Flensburg.	Wie zu 1.
16. Halberstadt-Blankenburg. Eisenbahn (für die preußischen Theile der Bahnstrecken Langenstein-Derenburg und Blankenburg-Rübeland-Elbingerode-Tanne).	Wie zu 1.	a) 35 Jahre für Langenstein-Derenburg, b) 40 Jahre für Blankenburg-Rübeland-Tanne.	Direktion der Halberstadt-Blankenburger Eisenbahngesellschaft zu Blankenburg a. H.	Wie zu 1.
17. Hansdorf-Priebus.	Wie zu 1.	40 „	Betriebsverwaltung der Nebenbahn Hansdorf-Priebus zu Forst i. L.	Wie zu 1.
18. Hannsdorf-Ziegenhals (für die im preußischen Gebiete belegene Strecke).	Wie zu 1.	40 „	Direktion der Oesterreichischen Lokal-Eisenbahngesellschaft zu Wien.	Wie zu 1.
19. Hessische Ludwigsbahn (für die preußischen Theile der Bahnstrecken Mainz-Wiesbaden, Frankfurt a. M.-Griesheim und Hanau-Babenhausen, sowie für Frankfurt a. M.-Camberg-Eschhofen und Wiesbaden-Niedernhausen).	Wie zu 2.	35 „	Verwaltungsrath der Hessischen Ludwigs-Eisenbahngesellschaft zu Mainz.	
20. Hoyaer Eisenbahn.	Wie zu 1.	35 „	Vorstand der Hoyaer Eisenbahngesellschaft zu Hoya.	Wie zu 1.

Bezeichnung der Eisenbahn.	Bezeichnung der Stellen, welche vorzugsweise mit Militäranwärtern zu besetzen sind.	Altersgrenze, bis zu welcher Militäranwärter berücksichtigt werden müssen.	Bezeichnung der Behörde, an welche die Bewerbungen zu richten sind, soweit nicht in den Vakanzanmeldungen andere Anstellungsbehörden ausdrücklich bezeichnet werden.	Bemerkungen.
21. Ilme-Bahn (Einbeck-Dassel).	Wie zu 1.	40 Jahre.	Königliche Eisenbahndirektion zu Cassel.	Wie zu 1.
22. Kerkerbachbahn (Heckholzhausen-Dehrn).	Wie zu 1.	40 -	Vorstand der Kerkerbachbahn-Aktiengesellschaft zu Christianshütte (Postamt Runkel).	Wie zu 1.
23. Kiel-Eckernförde-Flensburger Eisenbahn.	Wie zu 1.	35 -	Direktion der Kiel-Eckernförde-Flensburger Eisenbahngesellschaft zu Kiel.	Wie zu 1.
24. Königsberg-Cranzer Eisenbahn.	Wie zu 1.	40 -	Direktion der Königsberg-Cranzer Eisenbahngesellschaft zu Königsberg i. Ostpr.	Wie zu 1.
25. Kreis Altenaer Schmalspurbahnen.	Wie zu 1.	40 -	Direktion der Kreis Altenaer Schmalspurbahnen zu Altena.	Wie zu 1.
26. Kreis Oldenburger Eisenbahn (Neustadt-Oldenburg).	Wie zu 1.	35 -	Königliche Eisenbahndirektion zu Altona.	Wie zu 1.
27. Marienburg-Mlawkaer Eisenbahn.	a) Wie zu 3 für die Strecke Marienburg-Mlawka. b) Wie zu 1 für die Strecke Jablonowo-Löbau.	35 - 40 -	Direktion der Marienburg-Mlawkaer Eisenbahngesellschaft zu Danzig.	b) Wie zu 1.
28. Mecklenburgische Friedrich-Wilhelm-Eisenbahn (für die im preußischen Gebiete belegene Strecke).	Wie zu 1.	37 -	Direktion der Mecklenburgischen Friedrich-Wilhelm-Eisenbahngesellschaft zu Wesenberg.	Bei der Anstellung finden die für die Besetzung der Subaltern- und Unterbeamtenstellen mit Militäranwärtern jeweilig geltenden Grundsätze Anwendung.
29. Meppen-Haselünner Eisenbahn.	Wie zu 1.	40 -	Kreis-Eisenbahnkommission zu Meppen.	Wie zu 1.
30. Neuhaldensleben-Eilslebener Eisenbahn.	Wie zu 1.	40 -	Vorstand der Neuhaldenslebener Eisenbahngesellschaft zu Neuhaldensleben.	Wie zu 1.

Bezeichnung der Eisenbahn.	Bezeichnung der Stellen, welche vorzugsweise mit Militäranwärtern zu besetzen sind.	Altersgrenze, bis zu welcher Militäranwärter berücksichtigt werden müssen.	Bezeichnung der Behörde, an welche die Bewerbungen zu richten sind, soweit nicht in den Vakanzanmeldungen andere Anstellungsbehörden ausdrücklich bezeichnet werden.	Bemerkungen.
31. Nordbrabant-Deutsche Eisenbahn (für den preußischen Theil der Bahnstrecke Gennep-Wesel).	Wie zu 2, außerdem *Stationsvorsteher, Stationsaufseher und Assistenten, Telegraphisten, Materialienverwalter, Magazinaufseher.	35 Jahre.	Direktion der Nordbrabant-Deutschen-Eisenbahngesellschaft zu Gennep.	Wie zu 1. *) Die Stellen der Stationsvorsteher sind nur im Wege des Aufrückens oder der Beförderung den Militäranwärtern zugängig.
32. Osterwieck-Wasserlebener Eisenbahn.	Wie zu 1.	40 -	Magistrat der Stadt Osterwieck.	Wie zu 1.
33. Ostpreußische Südbahn.	a) Wie zu 2 für Pillau-Königsberg-Prostken. b) Wie zu 1 für Fischhausen-Palmnicken.	35 - 40 -	Direktion der Ostpreußischen Südbahngesellschaft zu Königsberg i. Ostpr.	
34. Paulinenaue-Neu-Ruppiner Eisenbahn.	Wie zu 1.	35 -	Direktion der Paulinenaue-Neu-Ruppiner Eisenbahngesellschaft zu Neu-Ruppin.	b) Wie zu 1.
35. Pfälzische Ludwigsbahn (für die preußischen Theile der Bahnstrecken-Wellesweiler-Grube König bei Neunkirchen und St. Ingbert-St. Johann).	Wie zu 2.	35 -	Direktion der Pfälzischen Eisenbahnen zu Ludwigshafen a. Rh.	Wie zu 1.
36. Priegnitzer Eisenbahn (Perleberg-Pritzwalk-Wittstock-Landesgrenze in der Richtung auf Mirow).	Wie zu 1.	40 -	Direktion der Priegnitzer Eisenbahngesellschaft zu Perleberg.	Wie zu 1.
37. Rhene-Diemelthal-Eisenbahn.	Wie zu 1.	40 -	Vorstand der Rhene-Diemelthal-Eisenbahngesellschaft zu Siegen.	Wie zu 1.
38. Ronsdorf-Müngstener Eisenbahn.	Wie zu 1.	40 -	Vorstand der Ronsdorf-Müngstener Eisenbahngesellschaft zu Ronsdorf.	Wie zu 1.

Bezeichnung der Eisenbahn.	Bezeichnung der Stellen, welche vorzugsweise mit Militäranwärtern zu besetzen sind.	Altersgrenze, bis zu welcher Militäranwärter berücksichtigt werden müssen.	Bezeichnung der Behörde, an welche die Bewerbungen zu richten sind, soweit nicht in den Vakanzanmeldungen andere Anstellungsbehörden ausdrücklich bezeichnet werden.	Bemerkungen.
39. Schleswig-Angeler Eisenbahn (Schleswig-Süderbrarup).	Wie zu 1.	40 Jahre.	Direktion der Schleswig-Angeler Eisenbahngesellschaft zu Schleswig.	Wie zu 1.
40. Sittard-Herzogenrath (für die preußische Strecke).	Wie zu 1.	40 -	Direktion der Niederländischen Süd-Eisenbahngesellschaft zu Maastricht.	Wie zu 1.
41. Stargard-Cüstriner Eisenbahn.	Wie zu 1.	40 -	Direktion der Stargard-Cüstriner Eisenbahngesellschaft zu Soldin N.-M.	Wie zu 1.
42. Stendal-Tangermünder Eisenbahn.	Wie zu 1.	40 -	Direktion der Stendal-Tangermünder Eisenbahngesellschaft zu Tangermünde.	Wie zu 1.
43. Warstein-Lippstadter Eisenbahn.	Wie zu 1.	40 -	Vorstand der Warstein-Lippstadter Eisenbahngesellschaft zu Lippstadt.	Wie zu 1.
44. Wermelskirchen-Burger Eisenbahn.	Wie zu 1.	40 -	Vorstand der Wermelskirchen-Burger Eisenbahngesellschaft zu Wermelskirchen.	Wie zu 1.
45. Wittenberge-Perleberger Eisenbahn.	Wie zu 1.	40 -	Magistrat der Stadt Perleberg.	Wie zu 1.
46. Zschipkau-Finsterwalder Eisenbahn.	Wie zu 1.	40 -	Direktion der Zschipkau-Finsterwalder Eisenbahngesellschaft zu Finsterwalde.	Wie zu 1.

B. Universitäten.

78) Mitwirkung der Polizeibehörden behufs Verhinderung allgemeiner Studenten-Versammlungen, welche ohne Genehmigung des Rektors veranstaltet werden.

1.

Berlin, den 22. Februar 1896.

Auf den gefälligen Bericht vom 6. September v. Js.,

betreffend Mitwirkung der Polizeibehörden behufs Verhinderung allgemeiner Studenten-Versammlungen, welche ohne Genehmigung des Rektors veranstaltet werden,

erwidern wir Ew. Hochwohlgeboren Nachstehendes ergebenst.

Gemäß §. 1 des Gesetzes, betreffend die Rechtsverhältnisse der Studirenden und die Disziplin auf den Landes-Universitäten 2c. vom 29. Mai 1879 (G. S. S. 389) begründet die Eigenschaft eines Studirenden keine Ausnahme von den Bestimmungen des Allgemeinen Rechtes. Die Verordnung über die Verhütung eines die gesetzliche Freiheit und Ordnung gefährdenden Mißbrauches des Versammlungs- und Vereinigungsrechtes vom 11. März 1850 (G. S. S. 277) bildet Allgemeines Recht im Sinne des erwähnten §. 1, folglich finden ihre Bestimmungen auch auf Versammlungen der Studirenden Anwendung. Hieraus ergiebt sich, daß, sofern es sich um Studenten-Versammlungen handelt, in welchen öffentliche Angelegenheiten erörtert oder berathen werden sollen, der Unternehmer gemäß §. 1 der Verordnung vorher Anzeige bei der Ortspolizeibehörde zu machen hat, und daß, wenn öffentliche Studenten-Versammlungen unter freiem Himmel oder öffentliche Aufzüge der Studirenden in Frage kommen, nach §§. 9, 10 der Verordnung die vorgängige schriftliche Genehmigung der Ortspolizeibehörde einzuholen ist.

Neben diesen Bestimmungen des Allgemeinen Rechtes gelten für die Studirenden die Sonder-Vorschriften, welche der damalige Minister der geistlichen, Unterrichts- und Medizinal-Angelegenheiten auf Grund §. 3 des oben genannten Gesetzes vom 29. Mai 1879 unter dem 1. Oktober 1879 (Centrbl. S. 521) erlassen hat (vgl. auch §. 38 dieser Vorschriften). Letztere bestimmen im §. 44:

„Allgemeine Studenten-Versammlungen, Festlichkeiten und öffentliche Aufzüge, sowie öffentliche Ankündigungen von dergleichen, bedürfen der vorherigen Genehmigung des Rektors“.

Bei diesem Rechtszustande ist die Polizeibehörde, bei welcher nach §. 1 der Verordnung vom 11. März 1850 eine Anzeige über eine Studenten-Versammlung erstattet wird, oder gemäß §§. 9, 10 a. a. O. die Genehmigung zu einer öffentlichen Studenten-Versammlung unter freiem Himmel oder einem Aufzuge nachgesucht wird, sowohl berechtigt, als verpflichtet, vor Ertheilung der polizeilichen Bescheinigung oder Genehmigung sich zu vergewissern, ob auch die erforderliche Genehmigung des Rektors eingeholt ist. Kann letztere nicht beigebracht werden, so wird zwar — falls sonst die Voraussetzungen der Verordnung vom 10. März 1850 erfüllt sind — die polizeiliche Bescheinigung oder Genehmigung ertheilt werden können; gleichzeitig wird den Unternehmern indessen zu eröffnen sein, daß die Versammlung oder der Aufzug nicht zugelassen werden könne, wenn nicht spätestens bis zum Beginn die erforderliche Genehmigung des Rektors beigebracht werde. Andererseits wird allerdings aus dem Umstande, daß der Rektor die nach §. 44 der oben erwähnten Vorschriften erforderliche Genehmigung ausgesprochen hat, nicht gefolgert werden können, daß die polizeiliche Bescheinigung oder Genehmigung ohne Weiteres zu ertheilen sei; vielmehr wird die Polizeibehörde nach pflichtmäßigem Ermessen zu prüfen haben, ob im Uebrigen die Voraussetzungen der Verordnung vom 11. März 1850 gegeben sind. Es lassen sich also Fälle denken, in denen die Polizeibehörde ungeachtet der durch den Rektor erfolgten Genehmigung die polizeiliche Bescheinigung oder Genehmigung für Versammlungen oder Aufzüge von Studirenden zu versagen Veranlassung findet.

Ew. Hochwohlgeboren ersuchen wir ergebenst, gefälligst den dortigen Polizei-Präsidenten mit entsprechender Weisung zu versehen und denselben zugleich anzuweisen, in allen Fällen, in denen Anzeigen über abzuhaltende Studenten-Versammlungen erstattet, oder Anträge auf Genehmigung von öffentlichen Studenten-Versammlungen unter freiem Himmel oder Aufzügen gestellt werden, dem Rektor unverzüglich davon Mittheilung zu machen.

Ich, der Minister der geistlichen, Unterrichts- und Medizinal-Angelegenheiten, werde die Universitäts-Rektoren anweisen, in geeigneter Weise den Studirenden zur Kenntnis zu bringen, daß die Unternehmer einer Studenten-Versammlung 2c. sich zunächst an den Rektor zu wenden und zuvörderst dessen Genehmigung einzuholen haben, bevor sie ihre Anträge auf Bescheinigung der Anmeldung (§. 1 der Verordnung vom 11. März 1850) oder Ertheilung der schriftlichen Genehmigung (§§. 9, 10 a. a. O.) an die Ortspolizeibehörde richten.

Bei dieser Gelegenheit beabsichtige ich, der Minister der geistlichen, Unterrichts- und Medizinal-Angelegenheiten, ferner den Rektoren zu empfehlen, in den geeigneten Fällen ihre Genehmigung nur unter der Bedingung zu ertheilen, daß die vorgeschriebene Bescheinigung über die erfolgte polizeiliche Anmeldung von Versammlungen bezw. die schriftliche polizeiliche Genehmigung zu Versammlungen unter freiem Himmel oder zu öffentlichen Aufzügen vor Beginn derselben dem Rektor vorgelegt wird.

An
den Königlichen Regierungs-Präsidenten zu Breslau.

Abschrift lassen wir Ew. Hochwohlgeboren zur gefälligen Kenntnisnahme und Nachachtung ergebenst zugehen.

Der Minister der geistlichen 2c. Angelegenheiten. Bosse. Der Minister des Innern. Freiherr von der Recke.

An
die Königlichen Regierungs-Präsidenten zu Königsberg, Stralsund, Merseburg, Schleswig, Hildesheim, Cassel, Münster und Cöln, sowie den Königlichen Polizei-Präsidenten zu Berlin.
M. d. g. A. U. I. 15188. G. III.
M. d. J. II. 15555.

2.

Berlin, den 17. März 1896.

Ew. Hochwohlgeboren übersende ich beifolgend zur gefälligen Kenntnisnahme Abschrift der von dem Herrn Minister des Innern und mir erlassenen Verfügung vom 22. Februar d. Js. — M. d. g. A. U. I. 15188. G. III., M. d. J. II. 15555. (s. vorst. unter Nr. 1) —, betreffend die Mitwirkung der Polizeibehörden behufs Verhinderung allgemeiner Studenten-Versammlungen, welche ohne Genehmigung des Rektors veranstaltet werden. Ew. Hochwohlgeboren ersuche ich ergebenst, diesen Anlaß dem Rektor der dortigen Universität gefälligst mitzutheilen und ihn aufzufordern, das nach den beiden letzten Absätzen desselben Erforderliche zu veranlassen.

Der Minister der geistlichen 2c. Angelegenheiten.
Im Auftrage: de la Croix.

An
sämmtliche Königliche Universitäts-Kuratoren, den Kurator der Königlichen Akademie zu Münster i. W. und des Lyceums Hosianum zu Braunsberg, sowie das Universitäts-Kuratoriums zu Bonn.
U. I. 582.

79) Unzulässigkeit der weiteren Immatrikulation eines in den Reichsdienst eingetretenen Studirenden. — Gastweise Zulassung desselben als Hörer.

Berlin, den 31. März 1896.

Auf die Eingabe vom 8. März d. Js. erwidere ich Ew. Wohlgeboren, daß ich Ihrem Antrage wegen weiteren Verbleibens als immatrikulirter Studirender an der hiesigen Königlichen Friedrich-Wilhelms-Universität nach Ihrem Eintritte in den Reichs-Postdienst nach den bestehenden Verwaltungsgrundsätzen nicht stattzugeben vermag. Dagegen walten bezüglich Ihrer etwaigen Zulassung zu den Vorlesungen als Gasthörer aus diesem Gesichtspunkte Bedenken nicht ob. Es bleibt Ihnen überlassen, Sich an den Rektor der Universität mit einem dahingehenden Antrage zu wenden.

Der Minister der geistlichen 2c. Angelegenheiten.
Im Auftrage: de la Croix.

An
den Posteleven Herrn N. Wohlgeboren zu N.
U. I. 5877.

80) Kurse in den Jugend- und Volksspielen an den Universitäten für die Studirenden.

Berlin, den 8. April 1896.

Im Anschluß an meinen Erlaß vom 5. Februar v. Js. — U I 106 U III B (Centrbl. S. 238) — benachrichtige ich Ew. Hochwohlgeboren ergebenst, daß der Centralausschuß zur Förderung der Volks- und Jugendspiele in Deutschland, gestützt auf die guten Erfolge des Vorjahres, nach einer mir gemachten Mittheilung beabsichtigt, die Kurse in den Volks- und Jugendspielen für Studirende im laufenden Jahre bereits auf 23 deutsche Hochschulen auszudehnen. Die Anregung hierzu hat der Centralausschuß in die Hand einzelner Mitglieder gelegt. Wie im Vorjahre, so entspreche ich auch jetzt gern der mir von demselben vorgetragenen Bitte, den Herren Rektoren die Förderung dieser Kurse anzuempfehlen, und ersuche demgemäß Ew. Hochwohlgeboren, den Herrn Rektor der dortigen Universität hiervon gefälligst zu verständigen. Zur Belebung des Interesses der Studentenschaft wird der Centralausschuß den Herren Rektoren den schon im vorigen Jahre übersandten „Aufruf an die deutsche Studentenschaft" wiederum übermitteln. Letzterer ist an hervorragender Stelle am schwarzen Brett zu veröffentlichen.

Der Centralausschuß hat mir zugleich mitgetheilt, daß für die an den Universitäten zu Stande kommenden Kurse der Kursleiter kostenfrei gestellt werden wird.

An
die sämmtlichen Herren Universitäts-Kuratoren.

Abschrift lasse ich Ew. Magnifizenz zur gefälligen Kenntnisnahme und Beachtung zugehen.

Der Minister der geistlichen 2c. Angelegenheiten.
Bosse.

An
den Rektor der Königlichen Friedrich-Wilhelms-Universität
Herrn Geh. Regierungsrath Professor Dr. Wagner
Magnifizenz zu Berlin.
U. I. 628. U. III. B.

81) Aufnahme von unbemittelten Beamten und Lehrern in die Universitäts-Kliniken.

Schon häufig ist beobachtet worden, daß unbemittelte Beamte und Lehrer in Krankheitsfällen für sich oder ihre Angehörigen theuere Privat-Kliniken aufsuchen. Es scheint in diesen Kreisen nicht genügend bekannt zu sein, daß die Kliniken der Universitäten zu sehr mäßigen Bedingungen Aufnahme gewähren. Die Kur- und Verpflegungskosten, welche in den Kliniken der einzelnen Universitäten zur Zeit (April 1896) für den Kopf und den Tag zu zahlen sind, ergeben sich aus der nachstehenden Zusammenstellung. Daneben sind noch die Kosten für Verbandmaterial, Brillen und dergleichen zu erstatten. Aerztliches Honorar ist nicht zu zahlen.

Klasse	Medizinische Klinik ℳ	Chirurgische Klinik ℳ	Frauen-Klinik ℳ	Augen-Klinik ℳ	Klinik für Hautkrankheiten ℳ
		Universität Königsberg.			
II.	3	1,50	4	3	.
III.	1,50	1,25	2	1,50	.
		Universität Berlin.			
		Klinikum		Klinikum	
II.	.	6	5	6	.
III.	.	2—2,50	2	2—2,50	.
		Universität Greifswald.			
II.	4	4	3	4	.
III.	1,80	1,80	1	1,20	.
		Universität Breslau.			
II.	4,50	4,50	4,50	1—2	4,50
III.	1,50	1,50	1,50		1,50
		Universität Halle.			
II.	4	4	4	4	.
III.	1,75	1,75	1,75	1,75	.
		Universität Kiel.			
II.	3	3	3	3	.
III.	1,70	1,70	1,70	1,70	.
		Universität Göttingen.			
II.	3	3	2	3	.
III.	1,50	1,50	1	1,50	.
		Universität Marburg.			
II.	2—3	4	1,50—3	3	.
III.	1,50	1,50	0,75—1,50	1,50	.
		Universität Bonn.			
II.	5	5	5	1,20	6
III.	1,70	1,70	1,70		3

C. Akademien, Museen ꝛc.

82) Joseph Joachim-Stiftung.

Anläßlich des 50jährigen Künstler-Jubiläums des Professors Dr. Joseph Joachim, Kapellmeisters der Königlichen Akademie der Künste und Mitgliedes des Direktoriums der Königlichen akademischen Hochschule für Musik, ist eine Stiftung errichtet worden, deren Zweck ist: unbemittelten Schülern der in Deutschland vom Staat oder von Stadtgemeinden errichteten oder unterstützten musikalischen Bildungsanstalten ohne Unterschied des Alters, des Geschlechtes, der Religion und der Staatsangehörigkeit Prämien in Gestalt von Streich-Instrumenten (Geigen und Celli) oder in Geld zu gewähren. Die Prämien werden in diesem Jahre in Geld bestehen.

Bewerbungsfähig ist nur derjenige, welcher mindestens ein halbes Jahr einer der genannten Anstalten angehört hat.

Bei der Bewerbung sind folgende Schriftstücke einzureichen:

1) ein vom Bewerber verfaßter kurzer Lebenslauf,

2) eine schriftliche Auskunft des Vorstandes der vom Bewerber besuchten Anstalt über Würdigkeit und Bedürftigkeit des Bewerbers, sowie die Genehmigung derselben zur Theilnahme an der Bewerbung auf Grund der zu bezeugenden Thatsache, daß der Bewerber mindestens ein halbes Jahr der Anstalt angehört hat.

Die Ausantwortung beziehungsweise Auszahlung der zuerkannten Prämien erfolgt am 1. Oktober cr. Eine Benachrichtigung der nicht berücksichtigten Bewerber sowie eine Rücksendung der eingereichten Schriftstücke findet nicht statt.

Geeignete Bewerber haben ihre Gesuche mit den in Vorstehendem geforderten Schriftstücken bis zum 1. Juni cr. an das unterzeichnete Kuratorium, Berlin W., Potsdamerstraße 120, einzureichen.

Berlin, den 1. April 1896.

Das Kuratorium
für die Verwaltung der Joseph Joachim-Stiftung.
Blankenberg.

---

83) Felix Mendelssohn-Bartholdy-Staats-Stipendien für Musiker.

Am 1. Oktober cr. kommen zwei Stipendien der Felix Mendelssohn-Bartholdy'schen Stiftung für befähigte und strebsame Musiker zur Verleihung. Jedes derselben beträgt 1500 *M*. Das eine ist für Komponisten, das andere für ausübende Tonkünstler bestimmt. Die Verleihung erfolgt an Schüler der in Deutschland vom Staat subventionirten musikalischen Ausbildungs-Institute ohne Unterschied des Alters, des Geschlechtes, der Religion und der Nationalität.

Bewerbungsfähig ist nur derjenige, welcher mindestens ein halbes Jahr Studien an einem der genannten Institute gemacht hat. Ausnahmsweise können preußische Staatsangehörige, ohne daß sie diese Bedingungen erfüllen, ein Stipendium empfangen, wenn das Kuratorium für die Verwaltung der Stipendien auf Grund eigener Prüfung ihrer Befähigung sie dazu für qualifizirt erachtet.

Die Stipendien werden zur Fortbildung auf einem der betreffenden, vom Staat subventionirten Institute ertheilt, das Kuratorium ist aber berechtigt, hervorragend begabten Bewerbern nach Vollendung ihrer Studien auf dem Institut ein Stipendium für Jahresfrist zu weiterer Ausbildung (auf Reisen, durch Besuch auswärtiger Institute 2c.) zu verleihen.

Sämmtliche Bewerbungen nebst den Nachweisen über die Erfüllung der oben gedachten Bedingungen und einem kurzen, selbstgeschriebenen Lebenslauf, in welchem besonders der Studiengang hervorgehoben wird, sind nebst einer Bescheinigung der Reife zur Konkurrenz durch den bisherigen Lehrer oder dem Abgangszeugnis von der zuletzt besuchten Anstalt bis zum 1. Juli cr. an das unterzeichnete Kuratorium — Berlin W., Potsdamerstraße Nr. 120 — einzureichen.

Den Bewerbungen um das Stipendium für Komponisten sind eigene Kompositionen nach freier Wahl, unter eidesstattlicher Versicherung, daß die Arbeit ohne fremde Beihilfe ausgeführt worden ist, beizufügen.

Die Verleihung des Stipendiums für ausübende Tonkünstler erfolgt auf Grund einer am 30. September cr. in Berlin durch das Kuratorium abzuhaltenden Prüfung.

Berlin, den 1. April 1896.

Das Kuratorium für die Verwaltung
der Felix Mendelssohn-Bartholdy-Stipendien.
Blankenberg.

---

84) Bekanntmachung, betreffend die Prüfung der Zeichenlehrer und Zeichenlehrerinnen.

Die nach der Prüfungsordnung vom 23. April 1885 abzuhaltenden Prüfungen der Zeichenlehrer und Zeichenlehrerinnen finden in diesem Jahre statt:

a. in Cassel

am Montag, den 15. Juni d. Js. Vormittags 9 Uhr und an den folgenden Tagen in der gewerblichen Zeichen- und Kunstgewerbeschule daselbst,

b. in Königsberg i. Pr.

am Montag, den 22. Juni d. Js. Vormittags 9 Uhr und an den folgenden Tagen in der Königlichen Kunst- und Gewerkschule daselbst,

c. in Düsseldorf

am Dienstag, den 30. Juni d. Js. Vormittags 9 Uhr und an den folgenden Tagen in der Kunstgewerbeschule daselbst,

d. in Berlin

am Montag, den 20. Juli d. Js. Vormittags 9 Uhr und an den folgenden Tagen bis zum 28. Juli in der Königlichen Kunstschule, Klosterstraße hier,

e. in Breslau

am Donnerstag, den 30. Juli d. Js. Vormittags 9 Uhr und an den folgenden Tagen in der Königlichen Kunstschule daselbst.

Die Anmeldungen 2c. zu diesen Prüfungen sind:

für Cassel und Königsberg i. Pr. bis zum 27. Mai d. Js.,
für Düsseldorf, Berlin und Breslau bis zum 13. Juni d. Js.

an die betreffenden Königlichen Provinzial-Schulkollegien einzureichen.

Berlin, den 1. Mai 1896.

Der Minister der geistlichen 2c. Angelegenheiten.
Im Auftrage: de la Croix.

Bekanntmachung.
U. IV. 1751.

D. Höhere Lehranstalten.

85) Pflege des physikalischen Unterrichts an den Gymnasien und Progymnasien.

Berlin, den 25. März 1896.

Unter Bezugnahme auf meinen Runderlaß vom 26. Februar d. Js. — U. II. 318 — (Centralblatt Seite 281), betreffend die

Pflege des physikalischen Unterrichts an den Gymnasien und Progymnasien, mache ich das Königliche Provinzial-Schulkollegium auf den in der Zeitschrift für den physikalischen und chemischen Unterricht (9. Jahrgang) erschienenen Artikel „Beiträge zur Methodik des Experiments“ von Professor Dr. B. Schwalbe in Berlin, sowie auf den in der Naturwissenschaftlichen Rundschau, herausgegeben von Dr. W. Sklarek, Verlag von Friedrich Vieweg und Sohn, und zwar in Nr. 6 vom 8. Februar d. Js. Seite 74 ff. abgedruckten Aufsatz „Ueber die Schulbuchfrage“ gleichfalls von Professor Dr. B. Schwalbe, mit dem Auftrage hierdurch aufmerksam, die Direktoren der höheren Lehranstalten auf das in diesen Zeitschriften gebotene reichhaltige Material besonders hinzuweisen.

Der Minister der geistlichen ꝛc. Angelegenheiten.
Im Auftrage: de la Croix.

An
sämmtliche Königliche Provinzial-Schulkollegien.
U. II. 660.

---

86) Nachholung der Reifeprüfung im Hebräischen vor einer Wissenschaftlichen Prüfungs-Kommission für das höhere Schulamt.

Berlin, den 2. April 1896.

Unter Bezugnahme auf die diesseitigen Runderlasse vom 9. Oktober 1866 (Centrbl. f. d. ges. Unterr. Verw. von 1866 S. 607) und vom 8. Dezember 1869 (Centrbl. von 1870 S. 86), betreffend die Vorbildung der Studirenden der Theologie im Hebräischen, beauftrage ich das Königliche Provinzial-Schulkollegium, die Direktoren der Gymnasien Seines Aufsichtskreises dahin mit Anweisung zu versehen, daß sie denjenigen Abiturienten, welche, ohne die Reife im Hebräischen erlangt zu haben, zum Studium der Theologie übergehen, die Beachtung des §. 16 Absatz 3 der Ordnung der Reifeprüfung an Gymnasien vom 6. Januar 1892 zu empfehlen bezw. dieselben auf die baldige Nachholung der Reifeprüfung im Hebräischen vor einer Wissenschaftlichen Prüfungs-Kommission für das höhere Schulamt hinzuweisen haben.

Der Minister der geistlichen ꝛc. Angelegenheiten.
In Vertretung: von Weyrauch.

An
sämmtliche Königliche Provinzial-Schulkollegien.
U. II. 475. G. I. U. I.

---

87) Anrechnung der Zeit einer vorübergehenden Verwaltung einer Oberlehrerstelle an einer höheren Schule auf das Dienstalter als Hilfslehrer.

Berlin, den 14. April 1896.

2c.

Die am Schlusse des Berichts gestellte Anfrage, ob und unter welchen Voraussetzungen die vorübergehende Verwaltung einer vakanten Oberlehrerstelle oder die Vertretung eines erkrankten bezw. beurlaubten Oberlehrers als eine kommissarische Beschäftigung im Sinne des Runderlasses vom 6. März 1893 — U. II. 460 — (Centrbl. f. d. ges. Unterr. Verw. für 1893 S. 313) aufzufassen und demgemäß auf die Dienstzeit der wissenschaftlichen Hilfslehrer anzurechnen ist, ist dahin zu beantworten, daß die Anrechnung immer dann und insoweit stattzufinden hat, als die betreffende Oberlehrerstelle von dem Kandidaten gegen Bezug einer Remuneration von jährlich mindestens 1500 *M* voll verwaltet wird bezw. verwaltet worden ist.

Der Minister der geistlichen 2c. Angelegenheiten.
Im Auftrage: de la Croix.

An
das Königliche Provinzial-Schulkollegium zu N.
U. II. 5746.

---

88) Anrechnung der Theilnahme an dem sechsmonatigen Kursus zur Ausbildung von Turnlehrern bei der Königlichen Turnlehrerbildungsanstalt zu Berlin auf die Hilfslehrerdienstzeit.

Berlin, den 18. April 1896.

Im Einverständnisse mit dem Herrn Finanzminister eröffne ich dem Königlichen Provinzial-Schulkollegium, daß denjenigen anstellungsfähigen Kandidaten des höheren Schulamts, welche bereits als Hilfslehrer eine etatsmäßige oder zur Aufnahme in den Etat geeignete Remuneration von 1500 *M* jährlich oder darüber beziehen und ihre Thätigkeit im unmittelbaren Schuldienste unterbrechen, um an einem sechsmonatigen Kursus zur Ausbildung von Turnlehrern an der hiesigen Königlichen Turnlehrerbildungsanstalt theilzunehmen, die Zeit dieser Ausbildung als Hilfslehrerdienstzeit angerechnet werden darf.

Das Königliche Provinzial-Schulkollegium wolle danach das Erforderliche veranlassen, im Uebrigen aber darauf achten, daß nur solche wissenschaftliche Hilfslehrer für den Besuch der Turnlehrerbildungsanstalt hier angemeldet werden, die nach ihren persönlichen Eigenschaften sich überhaupt für die Betheiligung am Turnunterrichte der höheren Lehranstalten eignen und auch nach dem Maße ihrer bereits erworbenen turnerischen Fertigkeit zu der begründeten Erwartung berechtigen, daß es ihnen gelingen werde, das Ziel ihrer Ausbildung bei der Turnlehrerbildungsanstalt, die Befähigung zur Ertheilung von Turnunterricht, zu erreichen.

Der Minister der geistlichen ꝛc. Angelegenheiten.
Im Auftrage: de la Croix.

An
sämmtliche Königliche Provinzial-Schulkollegien.
U. II. 691.

E. Schullehrer- und Lehrerinnen-Seminare ꝛc., Bildung der Lehrer und deren persönliche Verhältnisse.

89) Termin für die diesjährige Prüfung als Vorsteher an Taubstummenanstalten.

Die im Jahre 1896 zu Berlin abzuhaltende Prüfung für Vorsteher an Taubstummenanstalten wird am 25. August beginnen.

Meldungen zu derselben sind an den Unterrichtsminister zu richten und bis zum 20. Juli d. Js. bei demjenigen Königlichen Provinzial-Schulkollegium bezw. bei derjenigen Königlichen Regierung, in deren Aufsichtskreise der Bewerber im Taubstummen- oder Volksschuldienste angestellt oder beschäftigt ist, unter Einreichung der im §. 5 der Prüfungsordnung vom 11. Juni 1881 bezeichneten Schriftstücke anzubringen. Bewerber, welche nicht an einer Anstalt in Preußen thätig sind, können ihre Meldung bei Führung des Nachweises, daß solche mit Zustimmung ihrer Vorgesetzten bezw. ihrer Landesbehörde erfolgt, bis zum 30. Juli d. Js. unmittelbar an mich richten.

Berlin, den 21. März 1896.

Der Minister der geistlichen ꝛc. Angelegenheiten.
Im Auftrage: Kügler.

Bekanntmachung.
U. III. A. 489.

90) Beschaffung des zur Durchführung des auf ein Jahr verlängerten Heeresdienstes der Volksschullehrer erforderlichen Ersatzes an Schulamtsbewerbern.[1])

Berlin, den 4. April 1896.

Durch das Extraordinarium des Staatshaushalts-Etats für 1. April 1896/97 sind unter Kapitel 15 Titel 56 zum Zwecke der Beschaffung des zur Durchführung des auf ein Jahr verlängerten Heeresdienstes der Volksschullehrer erforderlichen Ersatzes an Schulamtsbewerbern als erste Rate 192 000 ℳ bewilligt worden. Die Ueberweisung der Mittel für die in der dortigen Provinz zunächst erforderlichen Maßnahmen, bezüglich deren ich auf den Erlaß vom 17. Januar d. Js. — U. III. 2 — Bezug nehme, wird demnächst erfolgen.

Nach der Bestimmung des Staatshaushalts-Etats ist der obige Fonds zur einmaligen Verstärkung der Etatsfonds Kapitel 121 Titel 3 bis 8 und 11 bis 15 bestimmt. Es sind demnach alle auf jenen Fonds zur Anweisung gelangenden Beträge in den Jahresrechnungen der betheiligten Anstalten unter den entsprechenden Titeln der Anstaltsetats als Mehrausgabe zu verrechnen und ist eine Uebernahme der Kosten auf die Anstaltsetats nicht angängig.

Um nun zu verhüten, daß der in Rede stehende Fonds zu anderen als den in dem Etat bezeichneten Zwecken verwendet wird und andererseits, daß Ausgaben, welche dem Fonds zur Last fallen, auf andere Centralfonds übernommen werden, ist es erforderlich, künftig bei Anträgen auf Bewilligung außerordentlicher Kredite in solchen Fällen, in welchen Zweifel entstehen können, ausdrücklich anzugeben, ob der Kredit für die regelmäßigen Bedürfnisse der betreffenden Anstalt oder aber für die zur Durchführung des verlängerten Heeresdienstes der Volksschullehrer getroffenen Maßnahmen erforderlich ist. Dies ist auch zu beachten bei Beantragung der Unterstützungen für die Externats-Zöglinge, sowohl für diejenigen der Nebenkurse, als auch für die über den Etat aufgenommenen Zöglinge.

Da ferner die am Jahresschlusse verbleibenden Bestände des Fonds in das folgende Rechnungsjahr übertragen werden, muß diesseits bei dem Finalabschlusse genau festgestellt werden können, welche Beträge bei den einzelnen Anstalten zu Lasten des Fonds im abgelaufenen Rechnungsjahre wirklich verausgabt worden sind. Es ist also erforderlich, daß die Finalabschlüsse der betheiligten Anstalten zuverlässige Angaben hierüber enthalten. Da aber nach erfolgter Einreichung der Abschlüsse zu etwaigen

[1]) In gleicher Weise ist durch Erlaß vom 18. April d. Js. — U. III. 1484 — betreffs der Präparandenbildung Verfügung ergangen.

Rückfragen genügende Zeit nicht mehr vorhanden, auch eine Berichtigung falscher Angaben nicht angängig ist, wird es mit Rücksicht auf die große Wichtigkeit, welche einer vorschriftsmäßigen Verrechnung der in Rede stehenden Ausgaben beigemessen werden muß, für erforderlich erachtet, daß gegen Schluß des Rechnungsjahres von den Anstaltsrendanten eine Uebersicht der im Laufe des zu Ende gehenden Etatsjahres geleisteten Ausgaben jener Art nach Maßgabe des beiliegenden Musters aufgestellt wird. Diese Zusammenstellungen sind mir nach sorgfältiger Prüfung bis spätestens zum 5. April j. Js. einzureichen. Zur Vermeidung unrichtiger Angaben in den Uebersichten wird es sich empfehlen, die regelmäßigen Ausgaben und die extraordinären Mehrausgaben in den Manualen zwar unter denselben Titeln, aber getrennt von einander, zu buchen.

Der Minister der geistlichen 2c. Angelegenheiten.
Im Auftrage: Kügler.

An
sämmtliche Königliche Provinzial-Schulkollegien.
U. III. 866. I. Ang.

Bezeichnung der Anstalt	Es sind bewilligt: durch Erlaß vom	für Titel	Betrag M	Es sind wirklich aufgewendet: Bezeichnung der Ausgabe	Ausgabe im Einzelnen M	Zusammen (für jeden Tit. abzuschließen.) M
N. N.	25. April 1896 U. III. 1240.	8	4000	Remuneration für Lehrer N.	2000	
				desgleichen für Lehrer P. .	1800	
				Zur Erhöhung der Remuneration des Anstaltsarztes	50	3850
	26. Juni 1896 U. III. 1443.	5	1800	Unterstützungen für die 30 Zöglinge des Nebenkursus	3600	3600
	18. Dezember 1896 U. III. 2540.		1800			
	25. April 1896 U. III. 1240.	6	150	Zur Einrichtung eines Raumes für den Nebenkursus	128	128
	desgl.	7	740	Zur Beschaffung eines Uebungsklaviers für den Nebenkursus	540	
				Zur Beschaffung von Lehrmitteln	200	740
				u. s. w.		
			8490	Zusammen		8318

91) Kosten der Feier von Festen in den Seminaren.

Berlin, den 7. April 1896.

Auf den Bericht vom 7. März d. Js. erwidere ich dem Königlichen Provinzial-Schulkollegium, daß diesseits bisher eine allgemeine Anordnung bezüglich der Grundsätze über die Kosten der Feier von Festen in den Seminaren nicht ergangen ist.

Nach den mit der Finanzverwaltung getroffenen Vereinbarungen sollen denjenigen Seminaren, bei denen gegenwärtig Mittel zu Festlichkeiten durch den Anstaltsetat bereitgestellt sind, auch für die Folge die einmal bewilligten Summen nicht ohne Weiteres entzogen werden. Dagegen können Mehrausgaben für den gedachten Zweck künftig nicht mehr zugelassen werden.

An
das Königliche Provinzial-Schulkollegium zu N.

Abschrift erhält das Königliche Provinzial-Schulkollegium zur Kenntnis und Nachachtung.

Der Minister der geistlichen 2c. Angelegenheiten.
Im Auftrage: Kügler.

An
die übrigen Königlichen Provinzial-Schulkollegien.
U. III. 708.

92) Unzulässigkeit der Uebertragung der Kassenverwaltung eines Seminars an den Direktor der Anstalt.

Berlin, den 7. April 1896.

Auf den Bericht vom 16. März d. Js. erwidere ich dem Königlichen Provinzial-Schulkollegium, daß die Uebertragung der Kassenverwaltung eines Seminars an den Direktor der Anstalt nicht für erwünscht erachtet werden kann. Ich beauftrage Dasselbe daher, bei dem Schullehrer-Seminar zu N. in der erwähnten Beziehung bei geeigneter Gelegenheit eine Aenderung herbeizuführen.

An
das Königliche Provinzial-Schulkollegium zu N.

Abschrift erhält das Königliche Provinzial-Schulkollegium zur Kenntnisnahme und Beachtung.

Der Minister der geistlichen 2c. Angelegenheiten.
Im Auftrage: Kügler.

An
sämmtliche Königliche Provinzial-Schulkollegien.
U. III. 1087.

93) Zahlung des Suspensionsgehalts an städtische Gemeindeschullehrer.

Berlin, den 10. April 1896.

Auf den Bericht vom 25. Februar d. Js., betreffend die Zahlung der Hälfte des Diensteinkommens an einen vom Amte suspendirten städtischen Gemeindeschullehrer zu N., erwidere ich dem Königlichen Provinzial-Schulkollegium, wie ich in Uebereinstimmung mit dem Antrage des Magistrats zu N. nichts dagegen zu erinnern habe, daß dem betreffenden Lehrer vom Tage der Suspensionsverfügung bezw. vom Tage der Zustellung dieser Verfügung ab nur noch die Hälfte des Gehalts gezahlt werde.

Der Minister der geistlichen ꝛc. Angelegenheiten.
Im Auftrage: Kügler.

An
das Königliche Provinzial-Schulkollegium zu N.
U. III. C. 721.

F. Oeffentliches Volksschulwesen.

94) Uebereinkommen mit dem Fürstlich Schwarzburgischen Ministerium zu Sondershausen über gegenseitige Anerkennung der Prüfungszeugnisse für Lehrerinnen und Schulvorsteherinnen.

Berlin, den 23. März 1896.

Unter Bezugnahme auf die diesseitige Rundverfügung vom 7. Februar 1877 — U. II. 7094 — (Centrbl. S. 113) setze ich das Königliche Provinzial-Schulkollegium, die Königliche Regierung, davon in Kenntnis, daß das Fürstlich Schwarzburgische Ministerium zu Sondershausen nach einer mir von demselben gemachten Mittheilung beschlossen hat, entsprechend meiner allgemeinen Verfügung vom 31. Mai 1894 — U. III. D. 1260 b — (Centrbl. S. 483) dem §. 4 der von dem genannten Ministerium erlassenen Prüfungsordnung für Lehrerinnen vom 15. September 1876 folgende Fassung zu geben:

„Alter und Qualifikation der zu Prüfenden.

Zu derselben werden nur solche Bewerberinnen zugelassen, welche das 19. Lebensjahr vollendet haben, sittlich unbescholten und körperlich zur Verwaltung eines Lehramtes befähigt sind. Die frühere Bestimmung, nach welcher das vollendete 18. Lebensjahr genügte, wird hiermit aufgehoben, gilt aber noch bis zum 1. Oktober 1897."

Der Minister der geistlichen 2c. Angelegenheiten.
Im Auftrage: Kügler.

An
die sämmtlichen Königlichen Provinzial-Schulkollegien
und Königlichen Regierungen.
U. III. D. 1157.

---

95) Rechtsgrundsätze des Königlichen Oberverwaltungs- gerichts.

a. Ein durch Observanz begründetes Rechtsverhältnis kann durch eine einseitige Willensäußerung des einen Verbandsgenossen nicht geändert werden.

Aus dem Begriffe der Observanz als einer Rechtsnorm, die sich durch gleichmäßige, langdauernde Uebung in der Ueberzeugung von deren rechtlicher Nothwendigkeit kundgiebt, folgt von selbst, daß von eben denselben Voraussetzungen wie das Entstehen, auch das Fortbestehen der Observanz abhängt. Nehmen daher die Betheiligten eine von der bisherigen abweichende Uebung vor oder stellt sich ihr Handeln nicht mehr als Bethätigung der übereinstimmenden Auffassung dar, daß es das aus den Umständen geschöpfte nothwendige Recht verwirkliche, so ist damit die Observanz durch desuetudo untergegangen.

(Entscheidung des I. Senates des Königlichen Oberverwaltungsgerichts vom 7. Januar 1896 — Nr. I. 23 —.)

---

b. 1) Das Verwaltungsstreitverfahren ist nur in denjenigen Fällen statthaft, wo es von dem Gesetze besonders zugelassen ist. §. 7 Absatz 2 des Gesetzes über die allgemeine Landesverwaltung vom 30. Juli 1883 — G. S. S. 195 —.

2) Wie in den im Band XXV S. 175 ff. der Entscheidungen des Gerichtshofes abgedruckten Endurtheilen vom 24. Mai und 18. November 1893 unter Gegenüberstellung der Bestimmungen im §. 77 des früheren Zuständigkeitsgesetzes vom 26. Juli 1876 (G. S. S. 297) und im §. 46 des jetzt geltenden Zuständigkeitsgesetzes vom 1. August 1883 aus den Materialien zum letztgedachten Gesetz des Näheren nachgewiesen ist, kann der Streit über die Verpflichtung zur Schulunterhaltung zwischen dem Leistungsberechtigten und dem Leistungspflichtigen nicht anders als im Wege der Absätze 1 und 2 des §. 46 des Zuständigkeitsgesetzes d. h. durch Heranziehung Seitens der örtlichen Schulbehörde und durch Einspruch und Klage Seitens des heran-

gezogenen Pflichtigen ausgetragen werden. Die Klage aus Absatz 3 a. a. O. steht nur den wirklich oder vermeintlich Pflichtigen (Kontribuenten) gegeneinander zu, folglich kann der Leistungsberechtigte niemals auf Anerkennung der Leistungspflicht, Erfüllung oder Erstattung gegen einen Pflichtigen klagen oder von einem solchen mittelst der Klage aus Absatz 3 a. a. O belangt werden.

3) Nach der Aufstellung, wie sie in der Begründung des Regierungsentwurfes eines Gesetzes, betreffend die Erleichterung der Volksschullasten, über die Zahl der Volksschulen und der ersten ordentlichen Lehrer gegeben ist (Seite 7 Nr. 15 der Drucksachen des Hauses der Abgeordneten, Session 1888), kann darüber keinerlei Zweifel entstehen, daß an jeder Volksschule nur ein erster ordentlicher Lehrer im Sinne des §. 1 des Gesetzes vorhanden ist, und daß alle übrigen Lehrer, soweit sie nicht als Hilfslehrer anzusehen sind, unter die vom Gesetze als „andere ordentliche" bezeichneten Lehrer gehören. Der Begriff „Hauptlehrer" ist dem erwähnten Gesetz überhaupt fremd, ist er identisch mit dem von ihm hervorgehobenen ersten ordentlichen Lehrer, so gilt von dem Hauptlehrer dasselbe, wie von dem ersten ordentlichen Lehrer, es kann also im Sinne des Gesetzes mehr als ein Hauptlehrer für eine jede Schule nicht in Betracht kommen.

(Erkenntnis des I. Senates des Königlichen Oberverwaltungsgerichts vom 11. Februar 1896 — I. 195. —.)

Nichtamtliches.

1) Hospiz des Klosters Loccum im Nordseebade Langeoog.

In dem auf der Nordseeinsel Langeoog von dem Kloster Loccum errichteten Hospiz finden Badegäste aller gebildeten Stände, insbesondere evangelische Geistliche, Lehrer, Beamte, Offiziere u. s. w. einen ruhigen, behaglichen Aufenthalt. Das Hospiz bietet unter Fernhaltung jedes Luxus bei mäßigen Preisen den Komfort in Wohnung und Beköstigung, welcher den Lebensgewohnheiten der gedachten Kreise entspricht und zur Sicherung eines guten Kurerfolges erforderlich ist, zugleich auch die Möglichkeit, fern von dem aufregenden Treiben größerer Bäder, frei von lästigem Etiquettenzwang in einem Hause mit gut deutscher, christlicher Lebensordnung unter gleichgesinnten, gleichen Lebenskreisen entstammenden Personen nur den Zwecken körperlicher und geistiger Erholung zu leben.

Die Insel Langeoog bietet bei ausgezeichnetem Wellenschlage einen vorzüglichen, in ununterbrochen glatter und fester Fläche verlaufenden Bade- und Promenadenstrand, welcher in fünf bis zehn Minuten vom Hospiz bezw. vom Dorfe Langeoog aus auf festen Pfaden zu erreichen ist. Im Norden und Westen von hohen, grün bewachsenen Dünen beschützt, liegen auf der Südseite der Insel weitgestreckte Flächen von Wiesen und Weideland, von Rinderheerden beweidet, sodaß frische Milch stets ausreichend vorhanden ist.

Auf einer Dünenhöhe am Weststrande, etwa in der Mitte zwischen Herren- und Damenstrand, ist eine Aussichtshalle (mit Restaurationsbetrieb und Kegelbahnen) errichtet, welche durch feste Pfade mit dem Dorfe und dem Hospize einerseits und dem vorliegenden, mit Strandkörben besetzten „neutralen“ Strande in Verbindung steht und der Badegesellschaft als Vereinigungspunkt dient. In der Nähe der Halle ist eine Anstalt zur Verabreichung warmer Seebäder und kalter Douchen hergestellt. Zu weiteren Spaziergängen, Lustfahrten zu Wagen und zu Schiff, zur Theilnahme am Fischfange und zur Seehundsjagd bietet sich Gelegenheit. Ein Besuch der sehr interessanten Vogelkolonie auf dem Ostlande ist auch zu Fuß ohne Schwierigkeit ausführbar. Für Spiele 2c. im Freien (Kegel, Krocket, Boccia, Lawn Tennis) ist gesorgt. Eine kleine Bibliothek steht den Gästen des Hospizes zur Benutzung. Dagegen werden Konzerte, Tanzpartien und andere ähnliche Unterhaltungen von der Badeverwaltung nicht arrangirt.

Postagentur und Telegraphenstation befinden sich auf der Insel. Eil- und Frachtgüter (von und nach allen Bahn-Stationen Deutschlands) werden bahnseitig bis in die Wohnung auf der Insel geliefert und von dort abgeholt.

Die Verwaltung des Seebades Langeoog ist vom Kloster Loccum übernommen. Als Badekommissar fungirt der Arzt, welcher seit Anfang 1894 ständig auf der Insel wohnt.

Die Badesaison beginnt am 12. Juni und endet am 30. September. Eine Kurtaxe wird nicht gezahlt.

Die Badezeit, welche mit dem Eintritt der Fluth wechselt und, regelmäßig eine Stunde vor Hochwasser beginnend, eine Stunde nach Eintritt der Ebbe schließt, wird durch öffentlichen Anschlag auf der Insel bekannt gemacht.

Die Preise der Bäder betragen:

A. in der See aus fahrbaren Badekutschen 60 *Pf*, aus feststehenden Zelten 40 *Pf* das Bad (Kinder die Hälfte),

B. Warm-Seewasser-Wannenbäder mit Douche 1,50 *M* das Bad,

C. Kalt-Seewasser-Douchen (ohne Warmbad) 75 *Pf.*

Zum Besuch der Insel Langeoog werden auf den größeren Eisenbahnstationen West- und Norddeutschlands durchgehende Rückfahrkarten mit 45 tägiger Giltigkeit und Freigepäck bis zur Insel zu ermäßigtem Preise ausgegeben. Der direkte Reiseweg nach Langeoog führt entweder über Bremen-Oldenburg-Jever oder über Münster-Emden-Norden nach dem Bahnhofe Esens der Ostfriesischen Küstenbahn. Von Esens erfolgt die Weiterfahrt mittelst Linien-Wagen (Omnibus) auf einer Klinkerchaussee nach dem unmittelbar am Deiche belegenen Hafen von Bensersiel in etwa 25 Minuten. Von Bensersiel findet täglich ein bis zwei Mal mittelst des geräumigen und bequemen Dampfschiffes „Kaiserin Auguste Viktoria" die Beförderung nach der Insel in etwa 40 Minuten statt. Zu jedem abfahrenden bezw. ankommenden Dampfschiffe werden Omnibus- und andere Wagen von bezw. nach Esens den Verkehr vermitteln. Der Dampfer legt sowohl in Bensersiel als in Langeoog an einer festen Landungsbrücke an.

Nähere Auskunft über Abfahrtzeit des Dampfschiffes, die bequemste Reiseroute, Eisenbahn-Anschlüsse, Saisonbillets ꝛc. ertheilt auf portofreie Anfragen die Direktion der Dampfschifffahrts-Gesellschaft (Herr D. Becker) zu Esens, welche auf Wunsch auch einen Führer durch die Insel Langeoog versendet.

Das massiv gebaute Hospiz enthält neben zwei geräumigen Speisehallen, einem Gesellschaftssaal, Konversations- und Leseräumen, sowie Billardzimmer, 115 für die Aufnahme von etwa 160 bis 200 Personen eingerichtete Logirzimmer. Ein Gebäudeflügel ist so belegen, daß darin Familien mit Kindern getrennt von den übrigen Gästen Unterkommen finden können. Die Preise im Hospiz sind so festgesetzt, daß nur die dem Kloster durch Einrichtung und Unterhaltung entstehenden Selbstkosten dadurch gedeckt werden. Die Aufnahme geschieht in der Regel mit völliger Pension (Wohnung, Verpflegung und Bedienung) und nicht unter einer Woche. Badegästen, welchen wegen Ueberfüllung im Hospiz Unterkommen nicht gewährt werden kann, oder welche aus Gesundheitsrücksichten das Wohnen in einem Privathause der Nachbarschaft vorziehen, kann nach vorheriger Anmeldung von der leitenden Hausdame auch volle oder theilweise Verpflegung im Hospize zugestanden werden. Wein- und Bierzwang besteht nicht. Die Annahme von Trinkgeldern ist dem Personal des Hospizes untersagt.

Die Wohnungspreise sind je nach Lage und Größe der Zimmer verschieden. Es sind im Hospize vorhanden:

A. 10 Zimmer zu 18 *M* für die Woche
B. 45 „ „ 15 „ „ „ „

C. 38 Zimmer zu 11 *M* für die Woche
D. 12 „ „ 8 „ „ „ „ und
E. 10 kleine Mansardenzimmer in einfacherer Ausstattung zu 4 bezw. 6 *M* für die Woche.

Für jedes Bett (Bettwäsche und hausordnungsmäßige Bedienung eingeschlossen) wird 3 *M* für die Woche gezahlt. In den größeren Zimmern können 3 Betten gestellt werden, jedes der Zimmer zu A—D enthält ein Ruhepolster (Chaiselongue).

Die pensionsmäßige Verpflegung besteht aus

a. dem Frühstück (nach Wahl Kaffee, Thee oder Milch) mit reichlicher Beigabe von Gebäck und Butter,
b. dem Mittagessen (Suppe, drei Gänge, Kaffee), je nach der Badezeit wechselnd zwischen 12 und 3 Uhr,
c. dem Abendessen (nach Wahl entweder Thee mit kaltem Aufschnitt oder Fleischgericht),

und wird mit 24 *M* pro Person und Woche berechnet.

Mittagessen allein 15 *M*, Abendessen allein 8 *M* pro Woche. Kinder und Dienstboten billiger.

Echtes und einheimisches Bier vom Faß. Weine von zuverlässigen Häusern.

Anträge auf Aufnahme ins Hospiz sind zu richten an die Verwaltung des Hospizes im Seebade Langeoog, welche auf frankirte Anfrage die Bedingungen der Aufnahme mittheilen wird. Da erfahrungsgemäß für die Zeit der Sommerschulferien ein so großer Andrang stattfindet, daß längst nicht alle Anmeldungen berücksichtigt werden können, so empfiehlt es sich, Anmeldungen für diese Zeit möglichst zeitig einzusenden. Aufnahmezusicherungen werden vor dem 15. Mai nicht ertheilt.

Ueber Privatwohnungen wird auf Wunsch durch den Badekommissar und Inselarzt, über die Wohnungen in den Gasthöfen von deren Besitzern (Ahrenholtz, Meinen, Leiß, Tjark) Auskunft ertheilt.

Den früheren Besuchern der Insel Langeoog zur gefälligen Nachricht:

1) An Stelle des Dampfbootes „Stadt Esens" wird fortan der neugebaute erheblich größere Dampfer „Kaiserin Auguste Viktoria" den Verkehr zwischen Bensersiel und der Insel vermitteln.
2) Die Eisenbahnverbindung nach Esens weist wiederum mehrere Verbesserungen gegen die Vorjahre auf.
3) Auf einer Mehrzahl größerer Eisenbahnstationen des Westens werden neben den über Osnabrück-Emden führenden Sommerkarten auch solche, welche zur Fahrt über

Bremen berechtigen, ausgegeben, so daß die Möglichkeit der Gewinnung direkter Anschlüsse wesentlich vermehrt ist.

4) Für das Warmbad wird neben dem Windmotor ein von Winde unabhängiger Motor in Betrieb gesetzt werden.

Personal-Veränderungen, Titel- und Ordensverleihungen.

A. Behörden und Beamte.

Bei dem Ministerium der geistlichen, Unterrichts- und Medizinal-Angelegenheiten sind der Regierungs-Sekretariats-Assistent Boës aus Lüneburg zum Geheimen expedirenden Sekretär und Kalkulator und der Regierungs-Civil-Supernumerar Lieck aus Posen zum Geheimen Registrator ernannt worden.

In gleicher Eigenschaft ist versetzt worden der Regierungs- und Schulrath Tarony von Königsberg i. Pr. nach Potsdam.

Dem Kloster Bergeschen Stiftungsgutspächter Oberamtmann Fließ zu Carith ist der Charakter als Königlicher Amtsrath verliehen worden.

B. Universitäten.

Universität Berlin.

Dem außerordentlichen Professor in der Juristischen Fakultät der Friedrich-Wilhelms-Universität zu Berlin, vortragenden Rath und Justitiar im Reichs-Postamte, Wirklichen Geheimen Ober-Postrath Dr. Dambach ist der Charakter als Wirklicher Geheimer Rath mit dem Prädikat „Excellenz“ verliehen worden.

Es sind ernannt worden:

das ordentliche Mitglied der Königlichen Akademie der Wissenschaften zu Berlin Dr. van't Hoff auf Grund Allerhöchster Ermächtigung zum ordentlichen Honorar-Professor in der Philosophischen Fakultät der Friedrich-Wilhelms-Universität daselbst und

der bisherige Hilfsbibliothekar bei der Königlichen Universitäts-Bibliothek zu Berlin Dr. Simon zum Bibliothekar an derselben Bibliothek.

Universität Breslau.

Der bisherige Hilfsbibliothekar Dr. Marquardt zu Göttingen ist zum Bibliothekar an der Königlichen und Universitätsbibliothek zu Breslau ernannt worden.

Universität Halle-Wittenberg.

Es sind ernannt worden:

der bisherige außerordentliche Professor in der Medizinischen Fakultät der Universität Halle und Direktor der Ohrenklinik und Poliklinik daselbst Geheime Medizinalrath Dr. Schwartze auf Grund Allerhöchster Ermächtigung zum ordentlichen Honorar-Professor in derselben Fakultät und

der bisherige Privatdozent Oberarzt an der Psychiatrischen und Nerven-Klinik und Poliklinik der Universität Halle Dr. Wollenberg zum außerordentlichen Professor in der Medizinischen Fakultät derselben Universität.

Universität Göttingen.

Dem ordentlichen Professor in der Medizinischen Fakultät der Universität Göttingen Dr. Orth ist der Charakter als Geheimer Medizinalrath verliehen worden.

Dem Privatdozenten in der Philosophischen Fakultät der Universität Göttingen Dr. Henking, Generalsekretär des Deutschen Seefischereivereins, ist das Prädikat „Professor" beigelegt worden.

Universität Bonn.

Dem Kuratorial-Sekretär bei dem Kuratorium der Universität Bonn Weigand ist der Charakter als Rechnungsrath verliehen worden.

Der ordentliche Professor an der Universität Jena und Direktor der Großherzoglich Sächsischen Lehranstalt für Landwirthe daselbst Dr. Freiherr von der Goltz ist unter Verleihung des Charakters als Geheimer Regierungsrath mit dem Range der Räthe dritter Klasse zum Direktor der Landwirthschaftlichen Akademie zu Poppelsdorf und zum ordentlichen Professor in der Philosophischen Fakultät der Universität Bonn ernannt worden.

Akademie Münster.

Der bisherige Privatdozent Dr. Busz zu Marburg ist zum außerordentlichen Professor in der Philosophischen Fakultät der Akademie zu Münster ernannt worden.

Lyceum Hosianum Braunsberg.

Die bisherigen außerordentlichen Professoren Dr. Kranich und Dr. Röhrich zu Braunsberg sind zu ordentlichen Professoren, ersterer in der Theologischen Fakultät, letzterer in der Philosophischen Fakultät des Lyceum Hosianum daselbst ernannt worden.

C. Museen u. s. w.

Es ist beigelegt worden das Prädikat „Professor“:
dem Dr. Francke, außerordentlichem Mitgliede des Statistischen Bureaus zu Berlin und
dem Konzertmeister Naret-Koning zu Frankfurt a. M.

Die bisherigen Hilfsbibliothekare Dr. Luther zu Berlin und Dr. Boulliéme zu Bonn sind zu Bibliothekaren an der Königlichen Bibliothek zu Berlin ernannt worden.

Der Architekt Laur zu Sigmaringen ist zum Konservator für die Hohenzollernschen Lande bestellt worden.

D. Höhere Lehranstalten.

Es ist verliehen worden:
dem Oberlehrer am Köllnischen Gymnasium zu Berlin Professor Dr. Hermes der Adler der Ritter des Königlichen Hausordens von Hohenzollern und
dem Professor Hertwig am Gymnasium zu Sagan der Rang der Räthe vierter Klasse.

Es ist beigelegt worden das Prädikat „Professor“:
dem Oberlehrer am Französischen Gymnasium zu Berlin Esternaux und
dem Oberlehrer Dr. Franz am Gymnasium zu Sagan.

In gleicher Eigenschaft sind versetzt bezw. berufen worden die Oberlehrer:
Dr. Burmester von dem in der Umwandlung zu einer Realschule begriffenen Realprogymnasium zu Segeberg an das Domgymnasium zu Schleswig,
Doormann vom Gymnasium zu Altona an das Gymnasium zu Kiel,
Dr. Droege vom Ulrichs-Gymnasium zu Norden an das Gymnasium zu Wilhelmshaven,
Herrmann vom Gymnasium zu Freienwalde a. O. an das Prinz Heinrichs-Gymnasium zu Schöneberg,
Dr. Holstein von der Klosterschule zu Ilfeld an das Ulrichs-Gymnasium zu Norden,
Dr. Lämmerhirt vom Gymnasium zu Fraustadt an das Gymnasium zu Schneidemühl,
Langhans vom Gymnasium zu Glückstadt an das Gymnasium zu Ploen,
Dr. Miehle vom Gymnasium zu Schneidemühl an das Gymnasium zu Fraustadt,
Dr. Rausenberger von der Adlerflychtschule zu Frankfurt a. M. an die Musterschule daselbst,

Rebhan von dem in der Umwandlung zu einer Realschule begriffenen Realprogymnasium zu Lauenburg an das Gymnasium zu Husum,
Dr. Reichert vom Gymnasium zu Schneidemühl an das Gymnasium zu Lissa,
Risop vom Gymnasium zu Potsdam an die II. Realschule zu Berlin,
Dr. Rohdewald vom Kaiserin Auguste Viktoria-Gymnasium zu Linden an das Realgymnasium zu Osnabrück,
Pastor Schoeler vom Gymnasium zu Münster an das Gymnasium zu Kiel,
Dr. Wagner vom Gymnasium zu Wilhelmshaven an die Klosterschule zu Ilfeld und
Wiegand vom Gymnasium zu Ratzeburg an das in der Umwandlung zu einer Realschule begriffene Realprogymnasium zu Sonderburg.

Es sind angestellt worden als Oberlehrer:

am Gymnasium

zu Bromberg der Hilfslehrer Dr. Baumert,
zu Montabaur (Kaiser Wilhelms-Gymnasium) der Hilfslehrer Becker,
zu Linden der Hilfslehrer Bernecker,
zu Schleswig (Gymnasium und Realprogymnasium, letzteres in der Umwandlung zu einer Realschule) der Hilfslehrer Bertling,
zu Glückstadt der Hilfslehrer Dr. Bünte,
zu Inowrazlaw der Hilfslehrer Gaebel,
zu Kiel der Hilfslehrer Hager,
zu Magdeburg (Pädagogium des Klosters Unser Lieben Frauen) der Hilfslehrer Dr. Hause,
zu Husum der Hilfslehrer Möller,
zu Osnabrück (Raths-) die Hilfslehrer Dr. Ranisch und Tägert,
zu Hannover (Lyceum II) der Hilfslehrer Reich,
zu Schneidemühl der Hilfslehrer Dr. Roeper,
zu Hadersleben der Hilfslehrer Stölting,
zu Ratzeburg der Hilfslehrer Dr. Volger,
zu Dillenburg der Hilfslehrer Witthoeft und
zu Guben der Hilfslehrer Wulff;

am Realgymnasium

zu Osnabrück der Hilfslehrer Cramer,
zu Frankfurt a. M. (Musterschule) der Hilfslehrer Dr. Dick,
zu Cassel die Hilfslehrer Dithmar und Kratsch,

zu Quakenbrück der Hilfslehrer Dr. Praffe und
zu Osterode der Hilfslehrer Dr. Prenzel;
an der Oberrealschule
zu Kiel der Hilfslehrer Aye;
am Realprogymnasium
zu Schmalkalden der Hilfslehrer Brandes,
zu Ems die Hilfslehrer Dr. Eckhardt und Freise und
zu Einbeck der Hilfslehrer Walther;
an der Realschule
zu Blankenese (in der Entwicklung begriffen) der Lehrer an der Grammer-School zu Manchester Dr. Altona,
zu Altona-Ottensen der Oberlehrer an der Realschule in Oberstein a. d. Nahe Pund,
zu Hanau die Hilfslehrer Dr. Ankel und Dr. Bauer,
zu Hannover (II) die Hilfslehrer Dr. Blume, Eickhoff und Dr. Warnecke,
zu Berlin (II) der Hilfslehrer Geest,
zu Gr. Lichterfelde der Hilfslehrer Dr. Küppers und
zu Hannover (I) der Hilfslehrer Stempell.

E. Schullehrer- und Lehrerinnen-Seminare.

Dem ordentlichen Seminarlehrer Schmidt zu Breslau ist das Prädikat „Oberlehrer" verliehen worden.

In gleicher Eigenschaft sind versetzt worden:
der Seminarlehrer Koltermann von Paradies nach Petershagen und
der Seminarlehrer Körner von Königsberg N. M. nach Kyritz.

Es ist befördert worden zum ordentlichen Lehrer
am Schullehrer-Seminar zu Karalene der bisherige Hilfslehrer an dieser Anstalt Milthaler.

Es sind angestellt worden:
als Oberlehrer
am Schullehrer-Seminar zu Koschmin der bisherige kommissarische Lehrer Dr. Bergemann;
als Hilfslehrer
am Schullehrer-Seminar zu Karalene der bisherige Präparandenanstalts-Hilfslehrer Struck aus Friedrichshof.

F. Taubstummenanstalten.

Der bisherige ordentliche Lehrer Franke an der Provinzial-Taubstummenanstalt zu Schleswig ist zum Direktor der Provinzial-Taubstummenanstalt zu Osterburg ernannt und der bisherige Hilfslehrer Kügler am Wilhelm-Augusta-Stift zu Wriezen ist zum ordentlichen Lehrer an dieser Anstalt berufen worden.

G. Oeffentliche höhere Mädchenschulen.

Es ist beigelegt worden:
das Prädikat „Professor"
dem Oberlehrer an der Kaiserin Auguste Viktoria-Schule zu Halberstadt Dr. Volkholz;
die Amtsbezeichnung „Oberlehrerin"
den ordentlichen Seminarlehrerinnen Feller und Poppe an dem Königlichen Lehrerinnen-Seminar und der Augustaschule zu Berlin.

Es sind berufen worden als Oberlehrer:
der ordentliche Lehrer Dr. Goerlitzer von der Luisenschule zu Berlin an die Margaretenschule daselbst und
der ordentliche Lehrer Dr. Willert von der Margaretenschule zu Berlin an die Luisenschule daselbst.

H. Ausgeschieden aus dem Amte.

1) Gestorben:

Dr. Hubrich, Kreis-Schulinspektor zu Culmsee,
Dr. Humann, Geheimer Regierungsrath zu Smyrna, Direktor bei den Königlichen Museen zu Berlin,
Dr. Köhler, Gymnasial-Oberlehrer zu Spandau,
Krüger, Geheimer Regierungsrath, ordentlicher Professor in der Philosophischen Fakultät der Universität Kiel,
Dr. Liersemann, Realgymnasial-Direktor zu Rawitsch,
Dr. Scholz, Professor, Gymnasial-Oberlehrer zu Glogau,
Timmermann, Professor, Gymnasial-Oberlehrer zu Osnabrück und
Dr. von Treitschke, Geh. Regierungsrath, ordentlicher Professor in der Philosophischen Fakultät der Universität Berlin, Historiograph des Preußischen Staates und Mitglied der Akademie der Wissenschaften.

2) In den Ruhestand getreten:

Dr. Döring, Professor, Realprogymnasial-Direktor zu Sonderburg, unter Verleihung des Rothen Adler-Ordens vierter Klasse,
Dute, Professor, Realprogymnasial-Oberlehrer zu Marburg, unter Verleihung des Rothen Adler-Ordens vierter Klasse,
Dr. Geibel, Gymnasial-Oberlehrer zu Hadersleben,

Gerstenberg, Professor, Gymnasial-Oberlehrer zu Ploen, unter Verleihung des Rothen Adler-Ordens vierter Klasse,
Meyer, Professor, Realgymnasial-Oberlehrer zu Osnabrück,
Dr. Netzker, Realprogymnasial-Oberlehrer zu Forst i. L.,
Dr. Pieper, Professor, Realgymnasial-Oberlehrer zu Hannover,
Dr. Scheer, Professor, Realschul-Oberlehrer zu Hanau,
Dr. Scholderer, Direktor der Adlerflychtschule zu Frankfurt a. M., unter Verleihung des Rothen Adler-Ordens dritter Klasse mit der Schleife,
Dr. Schmidt, Realprogymnasial-Oberlehrer zu Sonderburg, unter Verleihung des Königlichen Kronen-Ordens vierter Klasse,
Thevenot, Professor, Oberlehrer an der Musterschule zu Frankfurt a. M., unter Verleihung des Rothen Adler-Ordens vierter Klasse,
Vogt, Gymnasial-Oberlehrer zu Osnabrück, unter Verleihung des Rothen Adler-Ordens vierter Klasse und
Dr. Werneke, Gymnasial-Direktor zu Montabaur, unter Verleihung des Rothen Adler-Ordens dritter Klasse mit der Schleife.

3) Ausgeschieden wegen Eintritts in ein anderes Amt im Inlande.

Abbetmeyer, Seminarhilfslehrer zu Hannover,
Hagemann, Seminarhilfslehrer zu Osnabrück und
Dr. Koser, ordentlicher Professor in der Philosophischen Fakultät der Universität Bonn.

4) Ausgeschieden, Anlaß nicht angezeigt:

Dr. Honsel, Realgymnasial-Oberlehrer zu Osterode.

Inhalts-Verzeichnis des Mai-Heftes.

Druck von A. R. Starcke in Berlin.

Centralblatt
für
die gesammte Unterrichts-Verwaltung in Preußen.

Herausgegeben in dem Ministerium der geistlichen, Unterrichts- und Medizinal-Angelegenheiten.

№ 6. Berlin, den 20. Juni 1896.

A. Behörden und Beamte.

96) Preisvertheilung auf der Deutschen Unterrichtsausstellung in Chicago, 1893.

Auf der Weltausstellung in Chicago 1893 ist von den an der Deutschen Unterrichtsausstellung betheiligten Ausstellern (Behörden, Universitäten, Instituten, Schulanstalten, Gelehrten, Firmen u. s. w.) eine große Zahl (über 400) durch Preise ausgezeichnet worden. Die Auszeichnungen, bestehend aus Medaille und Diplom, sind in den letzten Wochen im Reichsamte des Innern eingegangen und den Beliehenen übermittelt. Auch auf das Ministerium der geistlichen, Unterrichts- und Medizinal-Angelegenheiten als solches sind mehrere Preise entfallen. Das für die Unterrichtsausstellung im Ganzen bestimmte Ehrendiplom hat folgenden Wortlaut:

The United States of America by act of their Congress have authorized the World's Columbian Commission at the International Exhibition held in the city of Chicago, State of Illinois, in the year 1893, to decree a medal for specific merit which is set forth below over the name of an individual judge acting as an examiner, upon the finding of a board of international judges, to

Sr. Excellenz, dem Minister der geistlichen, Unterrichts- und Medicinal-Angelegenheiten, Berlin, Germany.
Educational Exhibit
— Award —

For its comprehensiveness, including as it does the work of all character of educational institutions, from the kindergarten to the university; exhaustive presentation of departmental work; the unbounded interest of the Government in all matters pertaining to the development of the highest educational interest, and for the spirit manifested in their maintenance; the superior power of the work. Pedagogy in its highest manifestation is presented in splendid gradation. Principles are exemplified in wonderful variety. Devices are multiplied and improved. Execution of rare merit crowns the whole work, which is an honor to the Empire and an example to the world.

K. Buenz.
President Departmental Committee.

Josiah H. Shinn,
Individual Judge.

Geo R. Davis,
Director General.

John Boyd Thacher,
Chairman. Executive Committee of Awards.

T. W. Palmer,
President, World's Columbian Commission.

Ino T. Dickinson.
Secretary, World's Columbian Commission.

In deutscher Sprache läßt sich das Schriftstück etwa folgendermaßen wiedergeben:

Die Vereinigten Staaten von Amerika haben die National-Kommission der im Jahre 1893 in der Stadt Chicago, Staat Illinois, veranstalteten Weltausstellung durch Congreß-Akte ermächtigt, für hervorragendes Verdienst, welches unter Beifügung der Unterschrift des prüfenden Einzelrichters hier unten näher dargelegt ist, auf Beschluß eines internationalen Richter-Kollegiums eine Medaille zuzuerkennen

Seiner Excellenz, dem Minister der geistlichen, Unterrichts- und Medizinal-Angelegenheiten in Berlin, Deutschland.

Unterrichts-Ausstellung.
Ehrenpreis:

Für die umfassende Gestaltung der Ausstellung, welche die Leistungen jeder Art von Unterrichtsanstalten vom Kindergarten bis zur Universität einschließt;
für die erschöpfende Darstellung der Arbeit innerhalb der einzelnen Unterrichtsgebiete;
für die unbegrenzte Theilnahme der Staatsregierung an allen,

die höchsten pädagogischen Fragen berührenden Interessen,
sowie für den Geist, der sich in ihrer Pflege bekundet;
für die außerordentliche Wirkung der Erziehungsarbeit.

Die Pädagogik in ihrer höchsten Entfaltung ist in glänzender Steigerung zur Darstellung gebracht. Ihre Grundlehren sind durch Beispiele in wundervoller Mannigfaltigkeit erläutert. Gute Pläne und Zeichnungen sind in großer Zahl vorhanden. Eine Ausführung von seltener Vorzüglichkeit krönt das Ganze, das eine Ehre für das Reich ist und ein Beispiel für die Welt.

K. Buenz,
Präsident des Abtheilungs-Comités.

Josiah H. Shinn,
Einzelrichter.

Geo. R. Davis,
General-Director.

John Boyd Thacher,
Vorsitzender des ausführenden Ausschusses für Auszeichnungen.

T. W. Palmer,
Präsident der Nationalkommission für die Kolumbische Weltausstellung.

Jno T. Dickinson,
Sekretär der Nationalkommission.

---

97) Denkschrift, betreffend die Vereinigung von Büreaubeamtenstellen I. und II. Klasse zu Einer Besoldungsklasse, sowie die Aenderung der Dienstaltersstufen-Ordnung für mehrere Beamtenkategorien.*)

Nach Abschnitt D Nr. IX der Allerhöchsten Kabinetsordre vom 31. Dezember 1825, betreffend eine Abänderung in der bisherigen Organisation der Provinzial-Verwaltungsbehörden (G. S. von 1826 S. 5) zerfallen die Subalternbeamten der Regierungen in Beamte I. und II. Klasse, Regierungs-Sekretäre und Assistenten, haben sich jedoch „nicht als nur zu einem speziellen Geschäftszweige ausschließlich bestimmt zu betrachten, sondern alles dasjenige zu verrichten, was der Präsident oder der vorgesetzte Rath ihnen überweist und wozu er sie am tauglichsten findet". Es besteht demnach in der dienstlichen Beschäftigung beider Kategorien und in den an die geschäftliche Qualifikation der Beamten zu stellenden Anforderungen kein Unterschied. In gleicher Weise sind

---

*) Die Ausführungs-Verfügungen in Betreff der Büreaubeamtenstellen der Universitäten und der Provinzial-Schulkollegien siehe unter lfd. Nr. 98 und 105.

auch bei anderen Provinzial- und Lokalbehörden zwei Klassen von Büreaubeamten vorhanden, bezüglich deren das Vorbemerkte ebenfalls zutrifft.

Die bezeichnete Einrichtung hat wesentliche Ungleichheiten in der Gehaltsbemessung zur Folge, da der Zeitpunkt der Beförderung zum Sekretär von den eintretenden Vakanzen abhängt und sich deshalb für die einzelnen Beamten verschiedenartig gestaltet. Um den Nachtheil eines verspäteten Aufsteigens in die Sekretärstellen einigermaßen auszugleichen, wird seit Einführung des Systems der Dienstalterszulagen bei Berechnung des Dienstalters als Subalternbeamter I. Klasse zwar die über 6 Jahre hinausgehende Zeit als Subalternbeamter II. Klasse mitberücksichtigt; jedoch tritt dieser Ausgleich erst bei der Beförderung zum Sekretär ein, so daß die Beamten sich bis dahin mit dem niedrigeren Assistentengehalte begnügen müssen, während häufig dienstjüngere Amtsgenossen, welche in weniger als 6 Jahren zum Sekretär ernannt werden, schon entsprechend früher in die höheren Gehaltsstufen der Sekretäre aufsteigen. Eine Beseitigung der Mißstände und eine gleichmäßige Behandlung der Beamten läßt sich durch die Vereinigung der Subalternbeamten I. und II. Klasse zu Einer Besoldungsklasse erreichen, und diese Vereinigung erscheint auch wegen der gleichwerthigen Thätigkeit der Beamten beider Klassen gerechtfertigt.

Auf welche Beamtenkategorien sich die Maßregel erstrecken soll, ergiebt die beiliegende Uebersicht. In derselben sind auch die weiterhin noch zu erwähnenden Aenderungen nachgewiesen, welche in der bisherigen Dienstaltersstufen-Ordnung sowohl für die künftigen vereinigten, als auch für einige andere Beamtenklassen eintreten sollen.

Für jede der künftigen vereinigten Beamtenklassen ist als Anfangsgehalt im Allgemeinen das jetzige Anfangsgehalt der betreffenden Beamten II. Klasse, als Höchstgehalt das jetzige Höchstgehalt der Beamten I. Klasse in Aussicht genommen; die Amtsbezeichnung soll für alle Beamten der vereinigten Klassen diejenige der bisherigen Beamten I. Klasse sein. Ausgeschlossen bleiben von der Neuregelung alle Beamtenkategorien, bei welchen die dienstliche Beschäftigung der Beamten I. und II. Klasse nicht gleichartig und gleichwerthig ist und an die Qualifikation der Beamten II. Klasse nicht dieselben Anforderungen gestellt werden, wie an die Beamten I. Klasse. Aus diesem Grunde ist z. B. eine Vereinigung der Beamten II. Klasse im Büreau- und im Stationsdienst der Eisenbahn-Verwaltung und der betreffenden Beamten I. Klasse zu Einer Besoldungsklasse nicht in Aussicht genommen.

Hinsichtlich der unter Nr. 13 der Uebersicht aufgeführten

Gerichtsschreibergehilfen und Assistenten bei den Land- und den Amtsgerichten ist zu bemerken, daß diese Stellen abwechselnd mit Militär- und Civilanwärtern besetzt werden und daß die letzteren zur Erlangung einer solchen Stelle die volle Qualifikation zum Gerichtsschreiber (§. 19 Abs. 2 der Gerichtsschreiber-Ordnung vom 10. Februar 1886 — J. M. Bl. S. 37 —) besitzen müssen, während von den Militäranwärtern nur die Ablegung der Gerichtsschreibergehilfen-Prüfung verlangt wird. Unter den Gerichtsschreibergehilfen (Assistenten) befinden sich daher einerseits zum Aufrücken in Gerichtsschreiber-(Sekretär-)Stellen befähigte Civilanwärter und andererseits Militäranwärter, von denen nur ein kleiner Theil sich später die Qualifikation zum Gerichtsschreiber erworben hat; außerdem ist zur Zeit noch eine allmählich verschwindende Zahl von Civilanwärtern (168) vorhanden, welche anläßlich organisatorischer Aenderungen in diese Stellen übernommen sind und die Qualifikation zum Gerichtsschreiber nicht besitzen, sowie eine kleine Zahl von Dolmetschern, welche nur die Dolmetscher-Prüfung, nicht aber auch die Prüfung zum Gerichtsschreiber abgelegt haben. Es ist für die Folge eine Trennung der verschiedenartig qualifizirten Bewerber in der Weise in Aussicht genommen, daß die mit Civilanwärtern besetzten Stellen II. Klasse mit den Stellen I. Klasse vereinigt werden und die übrigen Stellen II. Klasse alsdann ausschließlich den Militäranwärtern und denjenigen Beamten, welche nur die Dolmetscher-Prüfung bestanden haben, verbleiben.

Die gegenwärtige Zahl der etatsmäßigen Stellen für Gerichtsschreibergehilfen und Assistenten beträgt		2028
für Militäranwärter, welche die Gerichtsschreiber-Qualifikation nicht besitzen, sind nach dem bisherigen Stande zu rechnen	1200	
und für Dolmetscher	90	
zusammen		1290
so daß im Ganzen		738

Stellen II. Klasse in solche I. Klasse umzuwandeln sind. Hiervon sind indessen einstweilen noch 168 Stellen als Stellen II. Klasse für die vorbezeichneten Civilanwärter, welche die Qualifikation zum Gerichtsschreiber nicht besitzen, beizubehalten, so daß vorläufig nur 570 Stellen II. Klasse zur Umwandlung gelangen, während die weiteren 168 Stellen erst nach dem Ausscheiden ihrer gegenwärtigen Inhaber in Stellen I. Klasse umzuwandeln sind. Diese 168 Stellen sind daher im Etat als künftig wegfallend bezeichnet und ist zugleich durch einen Vermerk im Etat ihre demnächstige Umwandlung in Stellen I. Klasse vorgesehen.

Von der Ausbringung von Orts- 2c. Zulagen für die in

Sekretärstellen umzuwandelnden Assistentenstellen derjenigen Behörden, bei welchen gegenwärtig nur die Beamten I. Klasse solche Zulagen beziehen, ist abgesehen worden. Soweit dagegen schon seither auch für die Assistentenstellen solche Zulagen bestanden, sind sie in derselben Höhe auch für die umzuwandelnden Stellen vorgesehen. Es sind dies die Stellen der Sekretariats-Assistenten bei der Ansiedelungs-Kommission, für welche je 300 ℳ nicht pensionsfähige Funktionszulage bestimmt sind, und die Stellen der Gerichtsschreibergehilfen und Assistenten bei den Land- und den Amtsgerichten zu Berlin und Frankfurt a. M., welche an ersterem Orte pensionsfähige Ortszulagen nach dem Durchschnittssatze von 225 ℳ, an letzterem Orte nicht pensionsfähige Ortszulagen von je 450 ℳ beziehen.

Mit Rücksicht auf die sonach eintretenden Aenderungen in der Zahl der an den Zulagen theilnehmenden Beamten und um die dadurch nothwendig werdende anderweite Vertheilung der Zulagen zu ermöglichen, ist bei den betreffenden Etats-Positionen von der Angabe der Zahl der Beamten und des Durchschnittsbetrages der Zulage abgesehen und nur der Gesammtbetrag der Zulagen, sowie der höchste zulässige Betrag der einzelnen Zulage angegeben.

Zu der nach Inhalt der Uebersicht beabsichtigten anderweiten Festsetzung der Dienstaltersstufen-Ordnung für die künftigen vereinigten Beamtenklassen, sowie für einige andere Beamtenkategorien ist Folgendes zu bemerken:

Die Zeit, welche die Beamten von der Anstellung in einer Stelle II. Klasse ab bis zur Erreichung des Höchstgehalts der Stellen I. Klasse zurückzulegen haben, beträgt gegenwärtig für nahezu alle in der Uebersicht aufgeführten Beamten höchstens 24 Jahre, und zwar entfallen hiervon 6 Jahre auf die Assistentenzeit und 18 Jahre auf die Sekretärzeit; die etwa in der Stelle als Assistent über 6 Jahre hinaus zugebrachte Zeit wird auf das Besoldungsdienstalter als Sekretär angerechnet. Die seitherige Zeit von 24 Jahren auch für die künftige vereinigte Beamtenklasse beizubehalten, würde für die Beamten gegenüber den seitherigen thatsächlichen Verhältnissen um deswillen ungünstig sein, weil die Assistenten vielfach schon in kürzerer Zeit als nach 6 Jahren zur Beförderung zum Sekretär gelangen und demnach auch die Sekretäre schon jetzt vielfach früher als 24 Jahre nach der Anstellung als Assistent das Höchstgehalt der Sekretäre erreichen. Erscheint es schon aus diesem Grunde, wie im Hinblick auf die bezüglichen Festsetzungen für andere Kategorien von mittleren Beamten gerechtfertigt, die Zeitdauer für die Erreichung des Höchstgehalts in den vereinigten Klassen nicht auf 24 Jahre, sondern, wie in der Uebersicht angegeben, auf 21 Jahre zu bemessen, so spricht hierfür auch die praktische Rücksicht, daß es dadurch ermöglicht wird, die neue Dienstaltersstufen-Ordnung für die Mehrzahl der künftigen vereinigten Klassen in einfachster und zweckmäßigster Weise so zu treffen, daß den für die Sekretäre bestehenden Gehaltsstufen nur die Stufe des jetzigen Anfangsgehalts der Assistenten als Mindestgehalt vorangestellt wird, dergestalt, daß das jetzige Mindestgehalt der Sekretäre in der künftigen vereinigten Klasse nach 3 Jahren erreicht wird. Für die bereits vorhandenen etatsmäßigen Beamten ist alsdann das Besoldungsdienstalter in den vereinigten Klassen von dem Zeitpunkte ab zu rechnen, auf welchen das Besoldungsdienstalter als Assistent festgesetzt ist, und wird nur eine etwaige anderweite Festsetzung im einzelnen Falle vorzubehalten sein, soweit eine solche erforderlich sein sollte, um eine Benachtheiligung der Beamten gegenüber der bisherigen Ordnung auszuschließen.

Die vorerörterte Herabsetzung der Zeitdauer für die Erreichung des Höchstgehalts von 24 auf 21 Jahre soll, wie die Uebersicht ergiebt, auch auf die in Klasse 24 der Beilage B[1] der Denkschrift, betreffend die Regelung der Gehälter der etatsmäßigen mittleren und Kanzleibeamten nach Dienstaltersstufen*), — Anlagen Bd. II Nr. 14 des Etats für das Finanz-Ministerium für 1. April 1893/94 — bezeichneten Beamten mit Gehältern von 1800 ℳ bis 3600 ℳ (Domänenrentbeamte, Kreissekretäre, Konsistorialsekretäre ꝛc.), ferner auf die Eisenbahnsekretäre der Staats-Eisenbahnverwaltung, deren Gehälter durch den Staatshaushalts-Etat für 1. April 1895/96 in gleicher Weise festgesetzt sind, sowie auf die in der Klasse 27 der vorerwähnten Beilage aufgeführten Forstkassen-Rendanten mit Gehältern von 1800 ℳ bis 3400 ℳ erstreckt werden, da für diese Beamten, wie in der oben erwähnten Denkschrift mitgetheilt worden, seiner Zeit der 24jährige Zeitraum nur im Hinblick auf die gleiche Regelung für die in Sekretäre und Assistenten zerfallenden Klassen festgesetzt war.

Dagegen soll es bei der bisherigen Zeitdauer von 24 Jahren auch fernerweit verbleiben für die in Berlin angestellten Büreaubeamten, deren Höchstgehalt nicht 3600 ℳ, sondern 4200 ℳ beträgt (Klasse 17 der gedachten Beilage), da diese Beamten durch das höhere Höchstgehalt vor den übrigen nur bis zu einem Höchstgehalt von 3600 ℳ aufsteigenden Beamten in Berlin einen Vortheil haben, welcher auch durch die Ortszulagen, die ein Theil der letzteren Beamten bezieht, nicht ausgeglichen wird. In gleicher

*) Centrbl. f. d. g. U. V. für 1894 Seite 217.

Weise soll bei den in der Uebersicht unter Nr. 7 und Nr. 34 aufgeführten Beamtenkategorien das Höchstgehalt der vereinigten Klasse von 4200 ℳ künftig in 24 Jahren erreicht werden.

Bei den Bergwerken, Hütten und Salzwerken steigen gegenwärtig die Assistenten in 6 Jahren und die Schichtmeister und Sekretäre in 9 Jahren in das Höchstgehalt ihrer Klasse auf; die über 6 Jahre hinausgehende Assistentenzeit wird bei Festsetzung des Dienstalters als Schichtmeister und Sekretär mitberücksichtigt, so daß das Höchstgehalt spätestens in 15 Jahren erreicht wird. In der vereinigten Klasse soll der Zeitraum für die Erreichung des Höchstgehalts entsprechend der Abkürzung bei der Mehrzahl der übrigen Klassen von 15 auf 12 Jahr herabgesetzt werden.

Der durch die Vereinigung der Beamten I. und II. Klasse und durch die Aenderungen der Dienstaltersstufen-Ordnung entstehende Mehraufwand ist für das Jahr 1896/97 auf insgesammt rund 450000 ℳ zu veranschlagen; die Mehrbeträge sind im Einzelnen bei den betreffenden Etatstiteln vorgesehen.

Schließlich ist noch zu erwähnen, daß die beabsichtigte Neuregelung auf die den Beamten zustehenden Tagegelder, Reisekosten und Umzugskosten insofern von Einfluß ist, als die Regierungs-Sekretäre und die denselben im Range gleich stehenden Beamten zu den im §. 1 Nr. V des Tagegelder- und Reisekostengesetzes vom 24. März 1873 (G. S. S. 122) bezw. des Umzugskostengesetzes vom 24. Februar 1877 (G. S. S. 15) bezeichneten Beamten gehören, welchen Tagegelder nach dem Satze von 9 ℳ und Umzugskosten nach den Sätzen von 240 ℳ bezw. 7 ℳ zustehen, während die Sekretariats-Assistenten nur 6 ℳ Tagegelder und Umzugskosten nur in Höhe von 180 ℳ bezw. 6 ℳ erhalten. Da indeß die Zahl der Dienstreisen und Versetzungen der Assistenten nur ganz geringfügig ist und voraussichtlich auch in der Zukunft bleiben wird, so erscheint es unbedenklich, die bestehenden Bestimmungen unverändert zu lassen und damit auch den Inhabern der jetzigen Assistentenstellen nach deren Umwandlung in Sekretärstellen die den betreffenden Beamten I. Klasse zustehenden höheren Diäten- ꝛc. Sätze zuzubilligen. Den Anwärtern für Stellen der vereinigten Beamtenklassen werden bei Dienstreisen Tagegelder und Reisekosten nur nach den Sätzen der bisherigen Subalternbeamten II. Klasse und nicht nach den höheren Sätzen der Beamten I. Klasse gewährt werden, insoweit nicht ausdrücklich noch niedrigere Sätze für sie festgesetzt sind.

Uebersicht, betreffend die Vereinigung der Büreaubeamtenstellen I. und II. Klasse zu Einer Besoldungsklasse, sowie die Aenderung der Dienstaltersstufen-Ordnung für mehrere Beamtenkategorien.

Laufende Nr.	Des Staats-haus-halts-Etats. Kap.	Tit.	Der Büreaubeamten II. Klasse: Zahl	Dienststellung.	Gehalt.	Der Büreaubeamten: Dienststellung.
1.	2.		3.	4.	5.	6.
1.	6.	1.	48	Sekretariats-Assistenten bei der Direktion für die Verwaltung der direkten Steuern in Berlin.	1800 Mark, steigend in 8 Jahren auf 1950 Mark.	Regierungs-Sekretäre . . . . . .
2.	6.	3.	2	Kassen-Assistenten bei der Kreiskasse in Frankfurt a. Main.	Wie zu 1 . . .	Buchhalter . . . .
3.	8.	2.	185	Assistenten bei den Provinzial-Steuerdirektionen.	Wie zu 1 . . .	Kalkulatoren, Sekretäre und Registratoren.
4.	14.	1.	10	Assistenten bei der Bergwerksdirektion in Saarbrücken.	1650 Mark, steigend in 6 Jahren auf 1950 Mark, und zwar um je 150 Mark.	Sekretäre und Buchhalter . . . . .
5.	14. 15. 16.	1. 1. 1.	72	Assistenten bei den Bergwerken, Hütten- und Salzwerken.	1500 Mark, steigend in 6 Jahren auf 1800 Mark, und zwar um je 150 Mark.	Schichtmeister und Sekretäre . . . .
6.	20.	2.	24	Büreau-Assistenten bei den Oberbergämtern.	Wie zu 1 . . .	Sekretäre . . . .
7.	53.	1.	1	Büreau-Assistent beim Reichs- und Staats-Anzeiger.	Wie zu 1 . . .	Expedienten . . .
8.	54 a.	8.	11	Sekretariats-Assistenten bei der Ansiedelungskommission.	Wie zu 1 . . .	Sekretäre . . . .
9.	58.	2.	477	Sekretariats-Assistenten bei den Ober-Präsidien und Regierungen einschließlich der bei Landrathsämtern beschäftigten 24 etatsmäßigen Regierungs-Büreaubeamten.	Wie zu 1 . . .	Sekretäre bei den Ober-Präsidien und Regierungen.

*) Zu Nr. 9. Für die in Kreissekretärstellen umzuwandelnden 24 Regierungs-Büreaubeamtenstellen sind die Mindestgehälter mit je 1800 Mark, zusammen

I. Klasse Gehalt.	Bezeichnung der vereinigten Beamtenklasse und Besoldungssätze derselben.	Mehrbedarf für den Staatshaushalts-Etat für 1. April 1896/97. Mark.	Bemerkungen.
7.	8.	9.	10.
2100 Mark, steigend in 18 Jahren auf 3600 Mark, und zwar 3 mal um 300 Mark und 3 mal um 200 Mark.	Regierungs-Sekretäre mit 1800 Mark, steigend in 21 Jahren auf 3600 Mark, und zwar 4 mal um 300 Mark und 3 mal um 200 Mark.	1050	
Wie zu 1. . . .	Buchhalter wie zu 1	1100	
Wie zu 1. . . .	Kalkulatoren, Sekretäre und Registratoren wie zu 1	48000	
2100 Mark, steigend in 18 Jahren auf 3300 Mark, und zwar um je 200 Mark.	Sekretäre und Buchhalter mit 1650 Mark, steigend in 21 Jahren auf 3300 Mark, und zwar 5 mal um 250 Mark und 2 mal um 200 Mark.	2150	
1800 Mark, steigend in 9 Jahren auf 2550 Mark, und zwar um je 250 Mark.	Schichtmeister und Sekretäre mit 1500 Mark steigend in 12 Jahren auf 2550 Mark, und zwar 3 mal um 300 Mark und einmal um 150 Mark.	8450	
Wie zu 1. . . .	Sekretäre wie zu 1	8000	
2100 Mark, steigend in 21 Jahren auf 4200 Mark, und zwar um je 300 Mark.	Expedienten mit 1800 Mark, steigend in 24 Jahren auf 4200 Mark, und zwar um je 300 Mark.	—	
Wie zu 1. . . .	Sekretäre wie zu 1	—	
Wie zu 1. . . .	Sekretäre bei den Ober-Präsidien und Regierungen wie zu 1, bezw. Kreissekretäre.		*)
	Seite . . .	68750	

*) 48200 Mark, bei Kap. 58 Tit. 2 des Etats des Finanzministeriums abgesetzt und nach Kap. 90 Tit. 2 des Etats des Ministeriums des Innern übertragen.

Laufende Nr.	Des Staatshaushalts-Etats. Kap.	Tit.	Der Büreaubeamten II. Klasse Zahl.	Dienststellung.	Gehalt.	Der Büreaubeamten Dienststellung.
1.	2.		3.	4.	5.	6.
10.	58.	2.	56	Kassen-Assistenten bei den Regierungs-Hauptkassen.	Wie zu 1 . . .	Buchhalter . . . .
11.	59.	1.	30	Sekretäre II. Klasse bei den Rentenbank-Direktionen.	Wie zu 1 . . .	Buchhalter, Kontroleure und Sekretäre I. Klasse.
12.	73.	6.	64	Gerichtsschreibergehilfen u. Assistenten bei den Oberlandesgerichten.	Wie zu 1 . . .	Gerichtsschreiber und Sekretäre bei den Oberlandesgerichten.
13.	74.	6.	570	Gerichtsschreibergehilfen u. Assistenten bei den Land- und den Amtsgerichten.	1500 Mark, steigend in 18 Jahren auf 2200 Mark, und zwar 2 mal um 150 Mark und 4 mal um 100 Mark.	Gerichtsschreiber und Sekretäre bei den Land- und den Amtsgerichten.
14.	84.	2.	4	Büreau-Assistenten beim statistischen Büreau.	Je 1800 Mark .	Büreaubeamte . .
15.	91.	3/4.	100	Büreau-Assistenten bei der Polizei-Verwaltung in Berlin.	Wie zu 1 . . .	Polizeisekretäre bezw. Buchhalter und Kassirer bei der Polizei-Hauptkasse.
16.	92.	2.	9	Büreaubeamte II. Klasse bei der Polizei-Verwaltung in Charlottenburg.	Wie zu 1 . . .	Büreaubeamte I. Klasse . . . .
17.	92.	2.	108	Desgleichen bei den anderen Polizei-Verwaltungen in den Provinzen.	1500 Mark, steigend in 6 Jahren auf 1800 Mark, und zwar um je 150 Mark.	Desgleichen . . .
18.	101.	2.	49	General-Kommissions-Büreauassistenten.	Wie zu 1 . . .	General-Kommissionssekretäre.

*) Zu Nr. 13. Außerdem sind 168 Gerichtsschreibergehilfen- und Assistentenstellen nach dem Ausscheiden ihrer gegenwärtigen Inhaber in Gerichtsschreiber-

I. Klasse Gehalt.	Bezeichnung der vereinigten Beamtenklasse und Besoldungssätze derselben.	Mehrbedarf für den Staatshaushalts-Etat für 1. April 1896/97. Mark.	Bemerkungen.
7.	8.	9.	10.
	Uebertrag .	68 750	
Wie zu 1. . . .	Buchhalter wie zu 1	176875	
Wie zu 1. . . .	Buchhalter, Kontroleure und Sekretäre wie zu 1	9700	
Wie zu 1. . . .	Gerichtsschreiber und Sekretäre bei den Oberlandesgerichten wie zu 1 . . .	6150	
2100 Mark, steigend in 18 Jahren auf 3300 Mark, und zwar 6 mal um 200 Mark.	Rechnungsrevisoren, Rendanten, Amtsanwälte, sowie Gerichtsschreiber und Sekretäre bei den Land- und den Amtsgerichten mit 1500 Mark, steigend in 21 Jahren auf 3300 Mark, und zwar 4 mal um 300 Mark und 3 mal um 200 Mark.	80000	*)
1800 Mark, steigend in 24 Jahren auf 4200 Mark, und zwar um je 300 Mark.	Büreaubeamte wie zu 7	—	
Wie zu 1. . . .	Polizeisekretäre, Buchhalter und Kassirer wie zu 1	29550	
Wie zu 1. . . .	Polizeisekretäre wie zu 1	750	
1950 Mark, steigend in 18 Jahren auf 3000 Mark, und zwar 3 mal um 200 Mark und 3 mal um 150 Mark.	Polizeisekretäre mit 1500 Mark, steigend in 21 Jahren auf 3000 Mark, und zwar einmal um 300 Mark und 6 mal um 200 Mark.	8050	
Wie zu 1. . . .	General-Kommissionssekretäre wie zu 1 .	17550	
	Seite . . .	387375	

und Sekretärstellen umzuwandeln.

Laufende Nr.	Des Staatshaushalts-Etats. Kap.	Tit.	Der Büreaubeamten II. Klasse Zahl.	Dienststellung.	Gehalt.	Der Büreaubeamten Dienststellung.
1.	2.		3.	4.	5.	6.
19.	112.	2.	28	Sekretariats-Assistenten bei den Konsistorien.	Wie zu 1 . . .	Sekretäre . . . .
20.	117.	2.	17	Assistenten bei den Provinzial-Schulkollegien.	Wie zu 1 . . .	Sekretäre . . . .
21.	119.	2.	2	Registrator beim Klinikum und Inspektions-Assistent bei der Frauenklinik der Universität in Berlin.	1950 Mark und 1800 Mark.	Büreau- und Kassenbeamte . . . . .
22.	119.	3.	2	Kassensekretär (Kontroleur) und Inspektionsgehilfe am Universitätskrankenhause in Greifswald.	1800 Mark bezw. 1500 Mark.	Wie vor . . . .
23.	119.	4.	1	Inspektions-Assistent bei den klinischen Anstalten der Universität in Breslau.	1800 Mark . .	Wie vor . . . .
24.	119.	5.	3	Büreau-Assistent, sowie 2 Inspektions-Assistenten bei den Kliniken der Universität in Halle.	1800 Mark . .	Wie vor . . . .
25.	119.	6.	1	Inspektionsgehilfe bei den akademischen Heilanstalten der Universität in Kiel.	1800 Mark . .	Wie vor . . . .
26.	119.	7.	1	Inspektions-Assistent bei den klinischen Anstalten der Universität in Göttingen.	1800 Mark . .	Wie vor . . . .
27.	119.	9.	2	Rektorats- bezw. Kuratorial-Sekretariats-Assistent bei der Universität in Bonn.	1800 Mark . .	Wie vor . . . .

*) Zu Nr. 19. Die im vorigen Etat als künftig wegfallend bezeichneten 2 Sekretärstellen, welche zur Umwandlung in Assistentenstellen bestimmt

I. Klasse Gehalt.	Bezeichnung der vereinigten Beamtenklasse und Besoldungssätze derselben.	Mehrbedarf für den Staatshaushalts-Etat für 1. April 1896/97. Mark.	Bemerkungen.
7.	8.	9.	10.
	Uebertrag .	387875	
Wie zu 1. . . .	Sekretäre wie zu 1.	4400	*)
Wie zu 1. . . .	Sekretäre wie zu 1	2050	
Wie zu 14 . . .	Amtsbezeichnung verschieden; Gehalt 1800 Mark, steigend in 24 Jahren auf 4200 Mark, und zwar je um 800 Mark.	750	
1800 Mark, steigend in 24 Jahren auf 3600 Mark, und zwar 2 mal um 800 Mark und 6 mal um 200 Mark.	Amtsbezeichnung verschieden; Gehalt 1800 Mark, steigend in 21 Jahren auf 3600 Mark, und zwar 4 mal um 300 Mark und 3 mal um 200 Mark.	1600	
Wie vor	Wie vor	450	
Wie vor	Wie vor	1000	
Wie vor	Wie vor	1500	
Wie vor	Wie vor	100	
Wie vor	Wie vor	1900	
	Seite . . .	401125	

waren, sind nunmehr als Sekretärstellen mit 1800 Mark bis 3600 Mark beizubehalten.

Laufende Nr.	Des Staatshaushalts-Etats. Kap.	Tit.	Der Büreaubeamten II. Klasse Zahl.	Dienststellung.	Gehalt.	Der Büreaubeamten Dienststellung.
1.	2.		3.	4.	5.	6.
28.	122.	1.	1	Büreau-Assistent bei den Kunstmuseen in Berlin.	1800 Mark . .	Büreaubeamte . .
29.	122.	6 a.	6	Sekretär der Unterrichtsanstalt, 4 Bibliotheksekretäre und Sekretär der Sammlungen beim Kunst-Gewerbemuseum.	1800 Mark, steigend in 15 Jahren auf 2400 Mark, und zwar 2 mal um 150 Mark und 3 mal um 100 Mark.	Büreau- und Kassenbeamte . . . . .
30.	122.	7.	1	Büreau-Assistent bei der Nationalgalerie.	1800 Mark . .	Registrator . . . .
31.	122.	20 a.	3	Büreau-Assistenten bei dem meteorologischen Institut zu Berlin.	1800 Mark . .	Büreaubeamte . .
32.	122.	37.	1	Büreau-Assistent bei der Hochschule für Musik.	1800 Mark . .	Büreaubeamte bei der Akademie der Künste und den mit derselben verbundenen Instituten.
33.	122.	42.	1	Büreau-Assistent bei der Kunstschule in Berlin.	1950 Mark . .	Inspektor . . . .
34.	123.	1.	1	Büreau-Assistent bei der Technischen Hochschule in Berlin.	Wie zu 1 . . .	Kassen- und Büreaubeamte . . . . .
35.	123.	2.	1	Büreau-Assistent bei der Technischen Hochschule in Hannover.	Wie zu 1 . . .	Rendant u. Sekretär
36.	123.	3.	1	Büreau-Assistent bei der Technischen Hochschule in Aachen.	Wie zu 1 . . .	Rendant . . . .
37.	125.	7.	2	Büreau-Assistenten bei dem Charité-Krankenhause in Berlin.	1800 Mark . .	Büreau- und Kassenbeamte.

I. Klasse Gehalt.	Bezeichnung der vereinigten Beamtenklasse und Besoldungssätze derselben.	Mehrbedarf für den Staatshaushalts-Etat für 1. April 1896/97. Mark.	Bemerkungen.
7.	8.	9.	10.
	Uebertrag .	401125	
Wie zu 14 . . .	Amtsbezeichnung verschieden; Gehalt 1800 Mark, steigend in 24 Jahren auf 4200 Mark, und zwar um je 300 Mark.	300	
Wie zu 14 . . .	Wie vor	1050	
Wie zu 14 . . .	Wie vor	—	
Wie zu 14 . . .	Wie vor	600	
Wie zu 22 . . .	Amtsbezeichnung verschieden; Gehalt 1800 Mark, steigend in 21 Jahren auf 3600 Mark, und zwar 4 mal um 300 Mark und 3 mal um 200 Mark.	700	
Wie zu 22 . . .	Wie vor	650	
Wie zu 7 . . .	Amtsbezeichnung verschieden; Gehalt 1800 Mark, steigend in 24 Jahren auf 4200 Mark, und zwar um je 300 Mark.	150	
Wie zu 1 . . .	Amtsbezeichnung verschieden; Gehalt 1800 Mark, steigend in 21 Jahren auf 3600 Mark, und zwar 4 mal um 300 Mark und 3 mal um 200 Mark.	150	
3600 Mark . . .	Wie vor	450	
Wie zu 14 . . .	Büreau- und Kassenbeamte wie zu 7 .	—	
	Summa . .	405175	

Zu Nr. 21/36. Bei den Universitäten, den Kunst- und den wissenschaftlichen Anstalten und bei den Technischen Hochschulen sollen zur Herbeiführung einer größeren Einheitlichkeit in den Besoldungssätzen außerdem eingereiht werden:

a. Bei der Universität in Berlin, Kap. 119 Tit. 2, die mit je 3000 Mark Einzelgehalt ausgestatteten Stellen des Stations- und Oekonomie-Inspektors beim Klinikum und des Haus- und Oekonomie-Inspektors bei der Universitäts-Frauen-Klinik in die Besoldungsklasse der Büreau- und Kassenbeamten mit 1800 Mark bis 4200 Mark Gehalt, ferner 1 Büreau-Assistenten- und 1 Kassen-Sekretärstelle mit je 1800 Mark Einzelgehalt in die Besoldungsklasse der Kanzlisten mit 1650 Mark bis 2700 Mark.

b. Bei der Universität in Marburg, Kap. 119 Tit. 8, die Stelle des Inspektors bei der medizinischen Klinik mit 1800 Mark Einzelgehalt in die Besoldungsklasse der Kanzlisten mit 1650 Mark bis 2700 Mark.

c. Bei der Königlichen Bibliothek in Berlin, Kap. 122 Tit. 12, die mit 1950 Mark (davon 150 Mark künftig wegfallend) ausgestattete Büreau-Assistentenstelle in die Besoldungsklasse der Kanzlisten mit 1650 Mark bis 2700 Mark.

d. Bei der Technischen Hochschule in Hannover, Kap. 128 Tit. 2, die mit einem Gehalte bis zu 3000 Mark ausgestattete Stelle des Bibliothekars in die Besoldungsklasse der Büreau- und Kassenbeamten mit 1800 Mark bis 3600 Mark.

e. Bei der Technischen Hochschule in Aachen, Kap. 128 Tit. 8, die mit einem Einzelgehalt von 3000 Mark ausgestattete Stelle des Bibliothekars in die Besoldungsklasse der Büreau- und Kassenbeamten mit 1800 Mark bis 3600 Mark.

Bezüglich der nachbezeichneten Beamtenkategorien, welche schon seither nicht in Beamte I. und II. Klasse getheilt waren, sollen in der bestehenden Dienstaltersstufen-Ordnung folgende Aenderungen eintreten:

I. Die Domänen-Rentbeamten, die Steuersekretäre, die Eisenbahnsekretäre der Staats-Eisenbahnverwaltung (einschließlich Kassenkontroleure und bautechnische Eisenbahnkontroleure), die Kreissekretäre, die Büreau- und Kassen- bezw. technischen Beamten der landwirthschaftlichen und thierärztlichen Lehranstalten, die Büreau- und Kassenbeamten der Universitäten zu Königsberg und Marburg, der Büreaubeamte bei dem geodätischen Institut und der Büreaubeamte bei dem meteorologischen Observatorium bei Potsdam, sowie die Inspektoren bei den Kunstakademien in Königsberg und Düsseldorf, welche gegenwärtig ein Gehalt von 1800 Mark bis 3600 Mark, das Höchstgehalt in 24 Jahren in Abstufungen von 2 mal 300 Mark und 6 mal 200 Mark erreichbar, beziehen, sollen das Höchstgehalt künftig in 21 Jahren in Abstufungen von 4 mal 300 Mark und 3 mal 200 Mark erreichen.

II. Die Forstkassen-Rendanten, welche gegenwärtig ein Gehalt von 1800 Mark bis 3400 Mark, das Höchstgehalt in 24 Jahren in Abstufungen von je 200 Mark erreichbar, beziehen, sollen künftig das Höchstgehalt in 21 Jahren in Abstufungen von 2 mal 300 Mark und 5 mal 200 Mark erreichen.

Der Mehrbedarf für das Jahr 1896/97 beträgt:

Domänen-Rentbeamte	Kap.	1	Tit. 1	2 500	Mark.
Steuersekretäre	-	6	- 4	100	-
Eisenbahnsekretäre	-	28	- 1	—	-
Kreissekretäre	-	90	- 2	82 750	-
Beamte der landwirthschaftlichen und thierärztlichen Lehranstalten	-	102	- 1 u. 8	—	-
	-	102	- 4	800	-
	-	103	- 1	—	-
	-	103	- 2	—	-
Büreau- und Kassenbeamte der Universitäten in Königsberg und Marburg	-	119	- 1	—	-
	-	119	- 8	200	-
Büreaubeamter bei dem geodätischen Institut in Potsdam	-	122	- 17	800	-
Büreaubeamter bei dem meteorologischen Observatorium bei Potsdam	-	122	- 20a	800	-
Inspektor bei der Kunstakademie in Königsberg	-	122	- 39	—	-
Desgleichen in Düsseldorf	-	122	- 40	—	-
Forstkassen-Rendanten	-	2	- 2a	4 100	-
zusammen				40 550	Mark.
Dazu: die auf Seite 385 nachgewiesenen				405 175	-
Gesammter Mehrbedarf				445 725	Mark

B. Universitäten.

98) Vereinigung der Subalternbeamtenstellen I. und II. Klasse bei den Universitäten zu einer Besoldungsklasse.

Berlin, den 25. April 1896.

Durch Allerhöchsten Erlaß vom 14. Dezember v. Js. ist genehmigt worden, daß vom 1. April d. Js. ab die bei den Universitäten bestehenden Subalternbeamtenstellen I. und II. Klasse zu einer Besoldungsklasse mit dem den Beamten I. Klasse zustehenden Amtscharakter vereinigt werden.

Nachdem die erforderlichen Geldmittel in dem Staatshaushalts-Etat für 1. April 1896/97 vorgesehen sind, ist die Stellenvereinigung vom 1. April d. Js. ab durchzuführen. Unter Anschluß eines Druckexemplares der dem Landtage vorgelegten Denkschrift, in welcher auch diejenigen Aenderungen aufgeführt sind, welche vom 1. April d. Js. ab in der bestehenden Dienstaltersstufen-Ordnung für die schon seither nicht in Beamte I. und II. Klasse getheilten Beamtenkategorien eintreten sollen, theile ich nachstehend die Grundsätze mit, nach denen die Neuregelung zu erfolgen hat.

1) Die Amtsbezeichnung ist in der vereinigten Klasse für alle Beamte diejenige der bisherigen Beamten I. Klasse.

2) Das Gehalt in der vereinigten Klasse beträgt 1800 ℳ, steigend in 21 Jahren auf 3600 ℳ, und zwar 4 mal um 300 ℳ und 3 mal um 200 ℳ. Die Beamten haben danach zu beziehen:

in der 1. Stufe		. . . .	1800 ℳ
„ „ 2. „	(nach 3 Jahren)	. .	2100 „
„ „ 3. „	(„ 6 „)	. .	2400 „
„ „ 4. „	(„ 9 „)	. .	2700 „
„ „ 5. „	(„ 12 „)	. .	3000 „
„ „ 6. „	(„ 15 „)	. .	3200 „
„ „ 7. „	(„ 18 „)	. .	3400 „
„ „ 8. „	(„ 21 „)	. .	3600 „.

3) Die Inhaber der jetzigen Assistentenstellen behalten auch in der vereinigten Klasse ihr gegenwärtiges Besoldungsdienstalter.

4) Für diejenigen Inhaber der jetzigen Büreau-, Kassen- und Inspektionsbeamtenstellen I. Klasse, welche als Büreau-, Kassen- oder Inspektions-Assistent bei einer Universität nicht angestellt gewesen sind, tritt eine anderweite Festsetzung des Besoldungsdienstalters nicht ein. Dagegen ist bei denjenigen Beamten, welche vor ihrer Beförderung zum Büreau-, Kassen-, oder Inspektionsbeamten I. Klasse bei einer Universität als Büreau-, Kassen- oder Inspektions-Assistent angestellt gewesen sind, das Besoldungsdienstalter in der Weise festzusetzen, daß das bisherige Besoldungsdienstalter als Büreau-, Kassen- oder Inspektionsbeamter I. Klasse um die in der Stellung als Assistent verbrachte Dienstzeit zurückdatirt wird. Wo in einzelnen Fällen eine solche Zurückdatirung bereits früher stattgefunden hat, verbleibt es bei der bisherigen Festsetzung.

5) Sind unter den Inhabern der jetzigen Büreau-, Kassen- und Inspektionsbeamtenstellen I. Klasse Beamte, welche wegen unzureichender Qualifikation oder aus sonstigen in ihrer Person liegenden Gründen verspätet zum Beamten I. Klasse befördert sind, so ist das nach Nr. 4 Satz 2 festzusetzende Besoldungsdienstalter um den Zeitraum der Verzögerung zu kürzen.

6) Die mit der neuen Regelung verbundenen Einkommensverbesserungen sind den betreffenden Beamten, den maßgebenden allgemeinen Grundsätzen entsprechend, nur zu gewähren, wenn dagegen mit Rücksicht auf die dienstliche und außerdienstliche Führung keine Bedenken obwalten.

7) Wo bei Anwendung obiger Grundsätze im einzelnen Falle sich besondere Härten gegenüber den betreffenden Beamten ergeben

sollten, oder wo jene Grundsätze sich als nicht anwendbar erweisen sollten, ist jedesmal die diesseitige Entscheidung einzuholen.

8) Die Festsetzung des Besoldungsdienstalters der künftig in der vereinigten Klasse neu anzustellenden Beamten erfolgt nach Maßgabe der bestehenden Bestimmungen. Insbesondere verbleibt es bei den Vorschriften wegen Anrechnung der Militärdienstzeit auf das Civildienstalter der Beamten, wegen Anrechnung der über 5 Jahre hinausgehenden diätarischen Dienstzeit und wegen Anrechnung früherer Dienstzeit bei Beförderungen und Versetzungen von etatsmäßigen Beamten.

9) Die Beamten der vereinigten Klasse erhalten bei Dienstreisen und Versetzungen Tagegelder, Reisekosten und Umzugskosten durchweg nach den den bisherigen Büreau-, Kassen- und Inspektionsbeamten I. Klasse nach §. 1 Nr. V des Tagegelder- und Reisekostengesetzes vom 24. März 1873 (G. S. S. 122) bezw. des Umzugskostengesetzes vom 24. Februar 1877 (G. S. S. 15) zustehenden Sätzen. Den Anwärtern für Stellen der vereinigten Beamtenklasse sind bei Dienstreisen Tagegelder und Reisekosten nur nach den Sätzen der bisherigen Subalternbeamten II. Klasse und nicht nach den höheren Sätzen der Beamten I. Klasse zu gewähren, insoweit nicht ausdrücklich noch niedrigere Sätze für sie festgesetzt sind.

Ew. Hochwohlgeboren ersuche ich ergebenst, wegen Ausführung der Neuordnung das Erforderliche baldgefälligst in die Wege zu leiten.

Der Minister der geistlichen ꝛc. Angelegenheiten.
In Vertretung: von Weyrauch.

An
die Herren Universitäts-Kuratoren zu Königsberg i. Pr., Greifswald, Breslau, Halle, Kiel, Göttingen und Marburg, sowie an den kommissarischen Universitäts-Kurator zu Bonn.
U. I. 851. G. III.

---

99) Errichtung der Prüfungs-Kommission für die bibliothekarische Fachprüfung bei der Königlichen Universitäts-Bibliothek zu Göttingen.

Berlin, den 28. April 1896.

In Verfolg meines Erlasses, betreffend die Befähigung zum wissenschaftlichen Bibliotheksdienst bei der Königlichen Bibliothek zu Berlin und den Universitäts-Bibliotheken, vom 15. Dezember 1893 — U. I. 2407 — (Centrbl. für 1894 S. 266), will ich die Prüfungs-Kommission für die bibliothekarische Fachprüfung hiermit bei der Königlichen Universitäts-Bibliothek in Göttingen errichten und für die Zeit bis zum 1. April 1899 zum Vorsitzenden den Direktor der letztgenannten Bibliothek und ordentlichen Professor Geheimen Regierungsrath Dr. Dziatzko, zu Mitgliedern den Direktor der Königlichen Universitäts-Bibliothek in Halle Geheimen Regierungsrath Dr. Hartwig und den Direktor der Druckschriften-Abtheilung bei der Königlichen Bibliothek hierselbst Dr. Gerhard ernennen.

Zur Ausführung der §§. 6 ff. des Erlasses vom 15. Dezember 1893 bestimme ich im Uebrigen: Die Prüfungs-Kommission tritt bis auf Weiteres nach näherer Bestimmung des Vorsitzenden jährlich einmal während des Sommersemesters zur Abhaltung der Prüfungen zusammen. Ist eine genügende Zahl von Bewerbern vorhanden, welche die für die Zulassung vorgeschriebenen Voraussetzungen erfüllt haben, so bleibt vorbehalten, auf Antrag des Vorsitzenden die Abhaltung weiterer Prüfungstermine in der Zwischenzeit anzuordnen. Die zur Prüfung zugelassenen Bewerber sind durch den Vorsitzenden zum Prüfungstermine zu laden. Zum einzelnen Termine sollen thunlichst nicht mehr als zwei Bewerber geladen werden. Als Dauer der Prüfung wird in der Regel ein Zeitraum von zwei Stunden genügen, der beim Vorhandensein nur eines Bewerbers angemessen verkürzt werden kann. Abweichungen bleiben dem Ermessen der Kommission überlassen.

Die Prüfungsgebühren betragen 18 ℳ und sind vor dem Prüfungstermine an die Königliche Universitätskasse in Göttingen einzuzahlen. Die letztere erstattet von dem Eingange der Gebühren dem Vorsitzenden der Kommission Anzeige und führt dieselben auf Anweisung des Vorsitzenden an diesen und die beiden Mitglieder der Kommission zu gleichen Antheilen ab. Den außerhalb des Prüfungsortes wohnhaften Kommissionsmitgliedern stehen für die Reisen zu und von diesem sowie für den Aufenthalt daselbst während der Prüfungen Diäten und Reisekosten nach den üblichen Tarifsätzen zu.

Ew. Hochwohlgeboren ersuche ich ergebenst, den Direktor der Universitäts- 2c. Bibliothek und die betheiligten akademischen Behörden hiernach gefälligst in Kenntnis zu setzen.

Der Minister der geistlichen 2c. Angelegenheiten.
Bosse.

An
sämmtliche Herren Universitäts-Kuratoren und den Herrn Kurator der Königlichen Akademie zu Münster i. W.

U. I. 2740.

C. Akademien, Museen 2c.

100) Rechtzeitige Einholung der vorgeschriebenen staatlichen Genehmigung zur Niederlegung, Veränderung und Veräußerung von Baudenkmälern und beweglichen Gegenständen, welche einen geschichtlichen, wissenschaftlichen oder Kunstwerth haben.

Berlin, den 9. April 1896.

Bei dem zum überwiegenden Theile schnellen Wachsthume der Gemeinden und dem Bestreben derselben, den Interessen des öffentlichen Verkehrs 2c. Rechnung zu tragen, mehren sich fortgesetzt die Fälle, in denen zur Erreichung dieser Zwecke Bauwerke und andere Gegenstände von wissenschaftlichem, historischem oder künstlerischem Werthe ganz oder theilweise preisgegeben werden sollen. Soweit dazu gemäß den bestehenden gesetzlichen Bestimmungen und Verwaltungsvorschriften überhaupt die Genehmigung der Staatsregierung nachgesucht wird, geschieht dies — als ob es sich dabei nur um die Erfüllung einer Form handle — in der Regel erst dann, wenn die betheiligten örtlichen Organe die beabsichtigten Maßnahmen zur Ausführung fertig vorbereitet haben. Es werden vollständige Entwürfe und Anschläge ausgearbeitet zur Ausführung von Neubauten an Stelle vorhandener Baudenkmäler, zur Erweiterung, Veränderung oder modernen Ausschmückung der letzteren, zu neuen Straßenanlagen und zur Festsetzung von Baufluchtlinien, welche den Abbruch von Bauwerken der in Rede stehenden Art bedingen, auch werden, und zwar besonders wenn es sich um die Veräußerung von beweglichen Kunstgegenständen handelt, bindende Vereinbarungen und Verträge abgeschlossen, und erst dann die Anträge wegen Ertheilung der erforderlichen staatlichen Genehmigung gestellt. Häufig wird sogar in Unkenntnis oder Nichtbeachtung der bereits wiederholt in Erinnerung gebrachten bezüglichen Bestimmungen mit Ausführung der betreffenden Bauarbeiten ohne jede Anzeige begonnen, was die spätere Inhibirung der Arbeiten zur Folge hat. Wenn dann in solchen Fällen die verspätet nachgesuchte Staatsgenehmigung nicht sogleich ertheilt werden kann, sondern im Interesse der Erhaltung der Bau- und Kunstdenkmäler Bedenken zu erheben sind, werden über angebliche Verzögerung der Angelegenheit durch die Staatsregierung gewöhnlich lebhafte, ganz unberechtigte Klagen geführt.

Mit Rücksicht hierauf ersuche ich Ew. Hochwohlgeboren ergebenst, gefälligst auf geeignete Weise den Gemeinden des dortigen Amtsbezirks in ihrem eigenen Interesse die sorgfältige Beachtung der bestehenden Bestimmungen nochmals zu empfehlen, da sie nur in diesem Falle ohne Zeitverlust zum Ziele gelangen werden.

Der Minister der geistlichen rc. Angelegenheiten.
Bosse.

An
die sämmtlichen Königlichen Regierungs-Präsidenten.
U. IV. 685. G. I. G. II. G. III. A.

---

101) Die Organisation der Denkmalspflege in den Provinzen. Stand der Angelegenheit am 1. März 1896.

1) Ostpreußen. Provinzial-Konservator:
Ad. Bötticher, Architekt zu Königsberg.
Gewählt am 16. Dezember 1893 für die Zeit seiner Beschäftigung bei der Inventarisation der Denkmäler der Provinz.
Bestätigt durch Erlaß vom 8. März 1894.
Provinzial-Kommission.
Bericht des Ober-Präsidenten vom 17. März 1893:
Der Provinzial-Landtag hat die Vorschläge des Provinzial-Ausschusses zur Bildung einer Provinzial-Kommission und Wahl eines Provinzial-Konservators angenommen.
Die Kommission besteht aus 9 Mitgliedern, (und zwar 7 Mitgliedern des Provinzial-Ausschusses und 2 Sachverständigen) unter dem Vorsitz des Landeshauptmanns (als zehntes Mitglied).
Der ständige Ausschuß zur Führung der Kommissionsgeschäfte besteht aus 3 Mitgliedern unter Vorsitz des Landeshauptmanns (als viertes Mitglied).
In der Sitzung des Provinzial-Ausschusses vom 27. Juni 1893 werden die Mitglieder der Kommission, in der Sitzung der Provinzial-Kommission vom 16. Dezember 1893 der ständige Ausschuß, die Sachverständigen und der Provinzial-Konservator gewählt.

2) Westpreußen. Provinzial-Konservator:
Heise, Landes-Bauinspektor zu Danzig.
Gewählt am 27. Februar 1892 auf 6 Jahre.
Bestätigt durch Erlaß vom 23. März 1893.
Provinzial-Kommission.
Vorbereitender Beschluß des Provinzial-Ausschusses vom 18. November 1891.
Beschluß des Provinzial-Landtages vom 24. Februar 1892:
Das bereits unterm 16. März 1882 beschlossen gewesene

Reglement, betreffend Bestellung einer Provinzial-Kommission zur Verwaltung des Westpreußischen Provinzial-Museums, wird im Sinne des Erlasses vom 28. Januar 1891 (betreffend die Organisation der Denkmalspflege) abgeändert.

Die Provinzial-Kommission soll aus 3—5 Mitgliedern bestehen, die auf 3 Jahre wählbar sind.

Zu den Sitzungen, die mindestens jährlich einmal stattzufinden haben, werden Abgeordnete der Geschichts- und Alterthumsvereine der Provinz, kirchliche Vertreter und andere um die Denkmalspflege verdiente Privatpersonen eingeladen werden.

In der Sitzung der Provinzial-Kommission vom 11. Oktober 1894 werden folgende Mitglieder ernannt:

A. der Ober-Präsident als Vertreter von Staatsbehörden,
B. 9 Vertreter von kirchlichen Behörden und Vereinen,
C. die Kommission für die Verwaltung der Westpreußischen Provinzial-Museen, bestehend aus 5 Mitgliedern,
D. der Provinzial-Konservator,
E. 50 Privatpersonen.

3) Brandenburg. Provinzial-Konservator:

Landes-Baurath Bluth, Geheimer Baurath zu Berlin.

Gewählt am 25. Februar 1892 auf 3 Jahre.

Bestätigt durch Erlaß vom 23. März 1893.

Wiedergewählt durch den Provinzial-Ausschuß am 16. Februar 1895.

Provinzial-Kommission.

Vorbereitende Sitzung des Provinzial-Ausschusses vom 10. September 1891.

Beschluß des Provinzial-Landtages vom 25. Februar 1892:

Die Konstituirung der Provinzial-Kommission wird beschlossen.

Der Provinzial-Konservator wird gewählt.

Sitzung des Provinzial-Ausschusses vom 29. Februar 1892:

Zu Mitgliedern der Provinzial-Kommission werden gewählt: von vornherein:

1) der Ober-Präsident der Provinz Brandenburg,
2) der Vorsitzende des Provinzial-Ausschusses,
3) der Landes-Direktor,
4) der Provinzial-Konservator.

Außerdem 14 Mitglieder.

Wahlzeit 6 Jahre.

Der Ausschuß der Provinzial-Kommission besteht aus:

1) dem Ober-Präsidenten als Vorsitzenden,

2) dem Landes-Direktor,
3) dem Provinzial-Konservator.

Sitzungen der Kommission mindestens einmal jährlich.

Der Ausschuß tritt so oft zusammen, als die Geschäftslage es erfordert.

Am 16. November 1892
ist die Geschäftsordnung für die Provinzial-Kommission beschlossen worden.

Am 9. November 1893
hat die Wahl von Vertrauensmännern für die Denkmalspflege und die Berathung einer Geschäftsanleitung für dieselbe stattgefunden.

Am 19. Dezember 1894:
Berathung wegen Bearbeitung einer Anweisung für die Vertrauensmänner über die Behandlung von Funden, sowie über die Pflege und Unterhaltung von Kunstdenkmälern.

4) Pommern. Provinzial-Konservator:
Professor Lemcke, Gymnasial-Direktor zu Stettin.
Gewählt am 9. März 1894 auf 6 Jahre.
Bestätigt durch Erlaß vom 30. April 1894.
Provinzial-Kommission.

Am 20. November 1893
hat zu Stettin auf Anregung des Ober-Präsidenten eine Berathung zur Besprechung der für die anderweite Organisation einzuleitenden Schritte unter Betheiligung der Ministerial-Kommissare stattgefunden.

Bericht des Ober-Präsidenten vom 10. März 1894:
Der Provinzial-Landtag hat in seiner Sitzung vom 9. d. Mts. den Remunerationsantheil von 1200 ℳ für den Provinzial-Konservator bewilligt.

Als solcher ist Gymnasial-Direktor Lemcke vom Provinzial-Ausschuß gewählt worden.

Sitzung des Provinzial-Ausschusses vom 13. Juni 1894:
Als Mitglieder der Provinzial-Kommission werden berufen:
als Vorsitzender der Vorsitzende des Provinzial-Ausschusses,
als Stellvertreter desselben der Landeshauptmann.
Außerdem 5 Mitglieder und 5 Stellvertreter. Gewählt auf 6 Jahre.

Ein Ausschuß ist nicht gebildet.

In derselben Sitzung wird auch die Geschäftsordnung für die Kommission festgesetzt. Die Kommission tritt jährlich mindestens einmal zusammen.

Der Provinzial-Konservator ist der sachverständige Beirath der Kommission, aber nicht Mitglied derselben. Er führt die laufenden Geschäfte.

Am 17. Mai 1895:

erste Sitzung der Provinzial-Kommission.

Feststellung des Arbeitsplanes.

5) Posen. Provinzial-Konservator:

Landesbibliothekar, Archivassistent a. D. Dr. Schwartz, Direktor des Provinzial-Museums zu Posen.

Gewählt am 27. Februar 1895 auf 6 Jahre.

Bestätigt durch Erlaß vom 12. August 1895.

Provinzial-Kommission.

Konstituirende Sitzung der Provinzial-Kommission vom 26. November 1895:

dieselbe besteht aus folgenden Mitgliedern:

1) dem Vorsitzenden des Provinzial-Ausschusses als Vorsitzenden,

2) dem Landeshauptmann oder seinem Stellvertreter als stellvertretendem Vorsitzenden von Amtswegen und

3) aus 8 weiteren, vom Provinzial-Ausschuß auf 6 Jahre gewählten Mitgliedern.

Für die letzteren sind außerdem 8 Stellvertreter, ebenfalls auf 6 Jahre, gewählt.

4) Sitzungen der Kommission mindestens einmal jährlich. Der Provinzial-Konservator nimmt an denselben mit berathender Stimme Theil.

Die Mitglieder erhalten außer Diäten und Reisekosten keine Vergütigung. Die laufenden Geschäfte der Kommission führt der Landeshauptmann.

6) Schlesien. Provinzial-Konservator:

H. Lutsch, Königlicher Land-Bauinspektor zu Breslau.

Gewählt von der Provinzial-Kommission zur Erforschung und Erhaltung der Denkmäler am 9. September 1891 auf 5 Jahre.

Bestätigt durch Erlaß vom 7. Juni 1892.

Provinzial-Kommission.

Konstituirende Sitzung der Provinzial-Kommission vom 9. September 1891:

dieselbe besteht aus folgenden Mitgliedern:

1) dem Landeshauptmann als Vorsitzenden,

2) dem Vorsitzenden des Provinzial-Ausschusses und aus 10 weiteren, auf 6 Jahre gewählten Mitgliedern.

Der Ausschuß der Provinzial-Kommission besteht aus 5 Mitgliedern unter dem Vorsitz des Provinzial-Konservators.

Sitzungen der Kommission mindestens einmal jährlich.

Sitzungen des Ausschusses so oft als erforderlich.

Seit dem 1. April 1893

sind dem geschäftsführenden Ausschusse jährlich 3000 *M* zur Verfügung gestellt, die in Abschnitten bis 500 *M* vertheilt werden dürfen. Reste sind übertragbar.

Dem geschäftsführenden Ausschusse ist die Ernennung von Pflegern der Kunstdenkmäler übertragen.

Es sind deren 50 ernannt.

7) Sachsen. Provinzial-Konservator:

Dr. Theuner, Archiv-Assistent zu Magdeburg.

Gewählt am 4. Januar 1893 auf 5 Jahre.

Bestätigt durch Erlaß vom 31. März 1893.

Provinzial-Kommission.

Vorbereitender Beschluß des Provinzial-Landtages vom 12. März 1892.

Konstituirende Sitzung der Provinzial-Kommission vom 4. Januar 1893:

Es werden zu Mitgliedern gewählt: von vornherein:

1) der Vorsitzende des Provinzial-Ausschusses als Vorsitzender der Kommission,
2) der Landeshauptmann,
3) der Vertreter des Provinzial-Ausschusses in der historischen Kommission,
4) der Vorsitzende der historischen Kommission,
5) der Direktor des Provinzial-Museums.

Ferner 14 Mitglieder (Privatpersonen) auf 6 Jahre.

Der Ausschuß der Provinzial-Kommission besteht aus 6 Mitgliedern, unter dem Vorsitze des Provinzial-Konservators.

Sitzungen der Kommission jährlich mindestens einmal.

Sitzungen des Ausschusses so oft als erforderlich.

Sitzung der Provinzial-Kommission vom 24. Februar 1894:

Die Gründung eines Vereins zur Erhaltung der Denkmäler der Provinz Sachsen wird beschlossen, welchem hauptsächlich die Beschaffung der nöthigen Geldmittel zufallen soll.

Konstituirende Sitzung dieses Vereins vom 25. September 1894:

das Kassenwesen des Vereins wird mit dem der Kommission gemeinsam bei der städtischen Hauptkasse zu Magdeburg verwaltet.

8) Schleswig-Holstein. Provinzial-Konservator:
Professor Dr. Haupt, Gymnasial-Oberlehrer zu Schleswig.
Gewählt am 6. März 1893.
Bestätigt durch Erlaß vom 20. September 1893.
Provinzial-Kommission.
Vorbereitende Sitzung des Provinzial-Landtages vom 29. Februar 1892:
die Bildung einer Provinzial-Kommission „zur Förderung der wissenschaftlichen, künstlerischen und kunstgewerblichen Bestrebungen in der Provinz Schleswig-Holstein" wird beschlossen.
Sitzung des Provinzial-Ausschusses vom 25. April 1892:
Zu Mitgliedern (5, seit 16. März 1895 7) werden gewählt:
1) der Vorsitzende der Provinzial-Ausschusses,
2) der Landes-Direktor,
3) der Provinzial-Konservator und 2 weitere (seit 16. März 1895 4 weitere) Mitglieder.
Sitzung des Provinzial-Landtages vom 6. März 1893:
Die Anstellung des Provinzial-Konservators wird beschlossen und die Wahl durch den Ausschuß an demselben Tage vollzogen.

9) Hannover. Provinzial-Konservator:
Dr. Reimers, Direktor des Provinzial-Museums zu Hannover.
Gewählt am 9. April 1894 auf 5 Jahre.
Bestätigt durch Erlaß vom 9. Juni 1894.
Provinzial-Kommission.
Sitzung des Provinzial-Ausschusses vom 9. April 1894:
der Provinzial-Konservator und die Provinzial-Kommission werden gewählt. Die letztere besteht aus 6 Mitgliedern und 6 Stellvertretern.
Der Provinzial-Kommission gehören von vornherein an:
1) der Vorsitzende des Provinzial-Ausschusses als Vorsitzender,
2) ein Mitglied des Landes-Direktoriums als stellvertretender Vorsitzender,
3) der Provinzial-Konservator.

Der engere Ausschuß der Provinzial-Kommission besteht von vornherein:

1) aus dem der Provinzial-Kommission angehörenden Mitgliede des Landes-Direktoriums als Vorsitzenden,
2) dem Provinzial-Konservator, ferner
3) aus einem von der Kommission aus ihren gewählten Mitgliedern zu ernennenden, thunlichst in der Stadt Hannover oder deren Nähe wohnenden Mitgliede.

10) Westfalen. Provinzial-Konservator:

Ludorff, Provinzial-Bauinspektor zu Münster.

Gewählt am 16. Februar 1892 auf 5 Jahre.

Bestätigt durch Erlaß vom 7. Juni 1892.

Provinzial-Kommission.

Vorbereitender Beschluß des Provinzial-Ausschusses vom 15. Mai 1891.

Beschluß des Provinzial-Landtages vom 16. Februar 1892:

Der Provinzial-Ausschuß, unter Kooptation geeigneter Sachverständiger, bildet die Provinzial-Kommission.

In der Sitzung des Provinzial-Ausschusses vom 5. Mai 1892 werden 10 Sachverständige gewählt.

Die Geschäftsordnung der Kommission ist die des Provinzial-Ausschusses. Mittel zu Geldbewilligungen stehen derselben nicht zur Verfügung. Gewährungen von Beihilfen im Interesse der Denkmalspflege beschließt der Provinzial-Ausschuß als solcher.

In Folge weiterer Ergänzungswahlen von Sachverständigen besteht die Kommission nunmehr aus 14 Mitgliedern des Provinzial-Ausschusses und 18 kooptirten Mitgliedern, letztere auf 6 Jahre gewählt. Jährlich einmal erstattet der Provinzial-Konservator nach voraufgegangener Sitzung, zu welcher sämmtliche Kommissions-Mitglieder eingeladen werden, Bericht über seine Thätigkeit als Kommissar zum Schutze und zur Erhaltung der Denkmäler.

11) Hessen-Nassau.

a. Reg. Bez. Cassel. Bezirks-Konservator:

Dr. Bickell zu Marburg.

Gewählt am 23. April 1893 auf 6 Jahre.

Bestätigung ist noch nicht erfolgt.

Bezirks-Kommission.

Vorbereitende Sitzung vom 3. Dezember 1891:

Cassel-Wiesbaden sollen getrennt behandelt werden.

Für den Regierungs-Bezirk Cassel ist eine Bezirks-Kommission einzusetzen.

Sitzung der Bezirks-Kommission vom 23. April 1892:

Die Geschäftsordnung der Bezirks-Kommission, datirt vom 8. Februar 1892, wird angenommen.

Demnach besteht die Bezirks-Kommission aus dem Vorsitzenden des Landesausschusses, dem Landes-Direktor und 10 vom Landesausschuß auf mindestens 6 Jahre wählbaren Mitgliedern.

Der Ausschuß der Bezirks-Kommission besteht aus 5 Mitgliedern, unter dem Vorsitze des Bezirks-Konservators.

Sitzungen der Kommission mindestens einmal jährlich.

Sitzungen des Ausschusses so oft als erforderlich.

b. Reg. Bez. Wiesbaden. Die Organisation steht noch aus.

12) Rheinprovinz. Provinzial-Konservator:

Dr. Clemen zu Bonn.

Gewählt am 30. Mai 1893 auf 5 Jahre.

Bestätigt durch Erlaß vom 1. Juli 1893.

Provinzial-Kommission.

Vorbereitende Sitzung des Provinzial-Ausschusses vom 18. März 1892.

Beschluß des Provinzial-Landtages vom 6. Dezember 1892:

Der Provinzial-Ausschuß, unter Kooptation von geeigneten Sachverständigen, bildet die Provinzial-Kommission. Die Wahl eines Provinzial-Konservators wird beschlossen. Zu dessen Entlastung sind für die Bearbeitung der vor- nnd frühgeschichtlichen Alterthümer die Direktoren der Museen zu Trier und Bonn heranzuziehen.

Sitzung des Provinzial-Ausschusses vom 11. April 1893:

Wahl von 9 Sachverständigen (zur Ergänzung des Provinzial-Ausschusses in der Provinzial-Kommission).

Nachwahl von 3 weiteren Sachverständigen am 17. Juli 1894.

Konstituirende Sitzung der Provinzial-Kommission vom 30. Mai 1893:

Sitzungen der Kommission jährlich mindestens einmal.

Geschäftsordnung der Provinzial-Kommission festgesetzt am 3. Oktober 1894.

Als Organe des Provinzial-Konservators fungiren außerdem Korrespondenten der Denkmalspflege (zur Zeit 70).

13) Hohenzollernsche Lande. Provinzial-Konservator:

Architekt W. Laur zu Sigmaringen.

Gewählt am 23. Januar 1896 auf 5 Jahre mit dem Titel „Landes-Konservator“.

Provinzial-Kommission.

Sitzung des Kommunal-Landtages vom 31. Oktober 1892:

Es wird die Wahl einer Denkmalschutz-Kommission beschlossen, die aus dem Vorsitzenden des Landesausschusses als Vorsitzenden und 6 Mitgliedern bestehen soll. (Diese Mitglieder wurden gewählt.)

Die förmliche Konstituirung der Kommission soll erst nach Abschluß des Denkmäler-Inventars erfolgen.

Die Kommission soll alsdann den Konservator wählen.

Vollsitzung des Kommunal-Landtages vom 23. Januar 1896:

Der Provinzial-Konservator wird unter dem Titel „Landes-Konservator" gewählt.

D. Höhere Lehranstalten.

102) Beseitigung der Gebühren für Abgangs- und Reifezeugnisse bei den höheren Lehranstalten.

Berlin, den 18. Dezember 1895.

Bei einigen staatlichen höheren Lehranstalten ist gelegentlich der diesjährigen Erneuerung der Anstalts-Etats für angemessen erachtet worden, die von den Schülern bisher erhobenen Gebühren für Abgangs- und Reifezeugnisse in Wegfall zu bringen. Es wird beabsichtigt, diese Maßregel auch auf die übrigen staatlichen höheren Schulen nach und nach allgemein und zwar ebenfalls bei Gelegenheit der Erneuerung der betreffenden Anstalts-Etats auszudehnen.

Das Königliche Provinzial-Schulkollegium hat daher bei der nächsten Aufstellung der Gymnasial- ꝛc. Etats die gedachten Gebühren von der Einnahme abzusetzen, auch thunlichst darauf hinzuwirken, daß ein Gleiches bei den Etats der städtischen und vom Staate und Anderen gemeinsam zu unterhaltenden Anstalten geschieht.

Bemerkt wird hierbei, daß Aufnahme- (Einschreibe-) Gebühren beizubehalten sind.

Der Minister der geistlichen ꝛc. Angelegenheiten.
Im Auftrage: de la Croix.

An
sämmtliche Königliche Provinzial-Schulkollegien.
U. II. 2988.

103) Beseitigung der Reifeprüfungsgebühren bei den staatlichen höheren Unterrichtsanstalten.

Berlin, den 22. April 1896.

In Ergänzung des Runderlasses vom 18. Dezember v. Js. — U. II. 2938 — (siehe vorstehend) bestimme ich, daß mit dem Zeitpunkte des angeordneten Fortfalles der von den Schülern der staatlichen höheren Unterrichtsanstalten bisher erhobenen Gebühren für Abgangs- und Reifezeugnisse auch die an einzelnen Anstalten anstatt der Zeugnisgebühren erhobenen Reifeprüfungsgebühren in Wegfall zu bringen sind.

An
das Königliche Provinzial-Schulkollegium zu N.

Abschrift erhält das Königliche Provinzial-Schulkollegium zur Kenntnisnahme und gleichmäßigen Beachtung.

Der Minister der geistlichen 2c. Angelegenheiten.
Im Auftrage: de la Croix.

An
die übrigen Königlichen Provinzial-Schulkollegien.
U. II. 867.

104) Die Kandidaten des höheren Schulamtes besitzen während der Dauer des Probejahres nicht die Eigenschaft als Staatsbeamte. — Gewährung von Reisekosten-Entschädigungen an dieselben bei auswärtigen Kommissorien.

Berlin, den 20. April 1896.

Bei Rücksendung der Anlagen des Berichts vom 19. September v. Js. erwidere ich dem Königlichen Provinzial-Schulkollegium, daß die Kandidaten des höheren Schulamtes während der Dauer des Probejahres die Eigenschaft als Staatsbeamte nicht besitzen. Im §. 14 Nr. 5 des Pensionsgesetzes vom 27. März 1872 — G. S. S. 268 — ist die Anrechnung des Probejahres der Lehrer bei Berechnung der für ihre Pension in Betracht kommenden Dienstzeit zugelassen worden und damit eine Bestimmung getroffen, der es nicht bedurft hätte, wenn die Lehrer während des Probejahres bereits als Beamte anzusehen wären. Es kommt demnach ein rechtlicher Anspruch der Kandidaten im Probejahre auf Bewilligung der den Beamten zustehenden Reisekosten-Entschädigungen nicht in Frage.

Da ein großer Ueberfluß an anstellungsfähigen Kandidaten des höheren Schulamtes vorhanden ist, wird es sich bei zweckentsprechender Vertheilung derselben auf die Lehrerstellen im Allgemeinen vermeiden lassen, noch nicht anstellungsfähige Kandidaten mit auswärtigen Kommissorien zur Vertretung am Dienst verhinderter Lehrer zu betrauen. In den seltenen Ausnahmefällen aber, in denen dies gleichwohl nothwendig werden sollte, sind den Kandidaten die ihnen thatsächlich erwachsenden Kosten der Hin- und Rückreise zu, beziehungsweise von dem Orte des Kommissoriums zur Vermeidung einer nicht zu verkennenden Härte aus den Mitteln der betreffenden Anstalt zu erstatten. Im Falle des Unvermögens einer Anstaltskasse würde ich bereit sein, die erforderlichen Mittel aus Centralfonds zu decken.

An
das Königliche Provinzial-Schulkollegium zu N.

Abschrift erhält das Königliche Provinzial-Schulkollegium zur Kenntnisnahme und Nachachtung.

Der Minister der geistlichen 2c. Angelegenheiten.
Im Auftrage: de la Croix.

An
die übrigen Königlichen Provinzial-Schulkollegien.
U. II. 857.

---

105) Vereinigung der bei den Provinzial-Schulkollegien bestehenden Subalternbeamtenstellen I. und II. Klasse (Sekretär- bezw. Büreau-Assistentenstellen) zu einer Besoldungsklasse.

Berlin, den 25. April 1896.

Durch Allerhöchsten Erlaß vom 14. Dezember v. Js. ist genehmigt worden, daß vom 1. April d. Js. ab die bei den Provinzial-Schulkollegien bestehenden Subalternbeamtenstellen I. und II. Klasse (Sekretär- bezw. Büreau-Assistentenstellen) zu einer Besoldungsklasse mit dem den Beamten I. Klasse zustehenden Amtscharakter vereinigt werden.

Nachdem die erforderlichen Geldmittel in dem Staatshaushalts-Etat für 1. April 1896/97 vorgesehen sind, ist die Stellenvereinigung vom 1. April d. Js. ab durchzuführen. Unter Anschluß eines Druckexemplares der dem Landtage vorgelegten Denkschrift theile ich nachstehend die Grundsätze mit, nach denen die Neuregelung zu erfolgen hat.

1) Die Amtsbezeichnung ist in der vereinigten Klasse für alle Beamte diejenige der bisherigen Beamten I. Klasse (Sekretäre). Die Inhaber der jetzigen Büreau-Assistentenstellen sind sämmtlich zu Sekretären zu ernennen.

2) Das Gehalt in der vereinigten Klasse beträgt 1800 ℳ, steigend in 21 Jahren auf 3600 ℳ, und zwar 4 mal um 300 ℳ und 3 mal um 200 ℳ.

Die Beamten haben danach zu beziehen:

in der 1. Stufe		1800 ℳ
" " 2. "	(nach 3 Jahren)	2100 "
" " 3. "	(" 6 ")	2400 "
" " 4. "	(" 9 ")	2700 "
" " 5. "	(" 12 ")	3000 "
" " 6. "	(" 15 ")	3200 "
" " 7. "	(" 18 ")	3400 "
" " 8. "	(" 21 ")	3600 " .

3) Die Inhaber der jetzigen Assistentenstellen behalten auch in der vereinigten Klasse ihr gegenwärtiges Besoldungsdienstalter.

4) Für diejenigen Inhaber der jetzigen Sekretärstellen, welche vor der Beförderung zum Sekretär als Büreau-Assistent angestellt gewesen sind, ist das Besoldungsdienstalter in der vereinigten Klasse von demjenigen Zeitpunkte ab zu rechnen, auf welchen das Besoldungsdienstalter als Assistent festgesetzt war. Bei denjenigen Beamten, welche nach weniger als 3 Jahren vom Assistenten zum Sekretär befördert sind, oder welche etwa unmittelbar vom Diätar in eine Sekretärstelle der Gehaltsklasse von 2100 bis 3600 ℳ befördert sein sollten, ist jedoch, damit sie gegenüber der bisherigen Ordnung keinerlei Nachtheil erleiden, das Besoldungsdienstalter in der Weise festzusetzen, daß das bisherige Besoldungsdienstalter als Sekretär um 3 Jahre, d. h. um die Zeit zurückdatirt wird, welche auf die jetzt neu gebildete Gehaltsstufe von 1800 ℳ entfallen wäre. Eine gleiche Zurückdatirung hat bei denjenigen Beamten zu erfolgen, deren Besoldungsdienstalter als Provinzial-Schulsekretär nach Maßgabe des von ihnen in einer anderen etatsmäßigen Stellung bereits bezogenen Gehalts festgestellt ist.

Was diejenigen Inhaber der jetzigen Sekretärstellen betrifft, welche vor der Bildung von Assistentenstellen bei den Provinzial-Schulkollegien als Sekretäre mit einem Gehalt von 1800 bis 3600 ℳ angestellt worden sind, so ist abweichend von den vorstehenden Grundsätzen, das Besoldungsdienstalter derselben auf den Zeitpunkt ihrer etatsmäßigen Anstellung als Provinzial-Schulsekretär in der Gehaltsklasse von 1800 bis 3600 ℳ oder, falls eine Anrechnung von über 5 Jahre hinausgehender diätarischer Dienstzeit oder von Dienstzeit aus einer anderen etatsmäßigen Anstellung in Betracht kommt, auf den ermittelten früheren Zeitpunkt festzusetzen. Insoweit hierdurch etwa einzelne Beamte eine

Benachtheiligung gegenüber der bisherigen Ordnung erleiden sollten, ist ihr seitheriges Besoldungsdienstalter als Inhaber einer Stelle der Besoldungsklasse 2100 bis 3600 ℳ um den Zeitraum von 3 Jahren vorzudatiren.

5) Sind unter den Inhabern der jetzigen Sekretärstellen Beamte, welche wegen unzureichender Qualifikation oder aus sonstigen in ihrer Person liegenden Gründen verspätet zum Beamten I. Klasse befördert sind, so ist das nach Nr. 4 festzusetzende Besoldungsdienstalter um den Zeitraum der Verzögerung zu kürzen.

6) Die mit der neuen Regelung verbundenen Einkommensverbesserungen sind den betreffenden Beamten, den maßgebenden allgemeinen Grundsätzen entsprechend, nur zu gewähren, wenn dagegen mit Rücksicht auf die dienstliche und außerdienstliche Führung keine Bedenken obwalten.

7) Wo bei Anwendung obiger Grundsätze im einzelnen Falle sich besondere Härten gegenüber den betreffenden Beamten ergeben sollten, oder wo jene Grundsätze sich als nicht anwendbar erweisen sollten, ist jedesmal die diesseitige Entscheidung einzuholen.

8) Die Festsetzung des Besoldungsdienstalters der künftig in der vereinigten Klasse neu anzustellenden Beamten erfolgt nach Maßgabe der bestehenden Bestimmungen. Insbesondere verbleibt es bei den Vorschriften wegen Anrechnung der Militärdienstzeit auf das Civildienstalter der Beamten, wegen Anrechnung der über 5 Jahre hinausgehenden diätarischen Dienstzeit und wegen Anrechnung früherer Dienstzeit bei Beförderungen und Versetzungen von etatsmäßigen Beamten. Dagegen treten selbstverständlich die Bestimmungen wegen Anrechnung der über 6 Jahre hinausgehenden Dienstzeit als Assistent auf das Besoldungsdienstalter als Sekretär außer Kraft.

9) Die Beamten der vereinigten Klasse erhalten bei Dienstreisen und Versetzungen Tagegelder, Reisekosten und Umzugskosten durchweg nach den den bisherigen Provinzial-Schulsekretären nach §. 1 Nr. V des Tagegelder- und Reisekostengesetzes vom 24. März 1873 (G. S. S. 122) bezw. des Umzugskostengesetzes vom 24. Februar 1877 (G. S. S. 15) zustehenden Sätzen. Den Anwärtern für Stellen der vereinigten Beamtenklasse sind bei Dienstreisen Tagegelder und Reisekosten nur nach den Sätzen der bisherigen Subalternbeamten II. Klasse und nicht nach den höheren Sätzen der Beamten I. Klasse zu gewähren, insoweit nicht ausdrücklich noch niedrigere Sätze für sie festgesetzt sind.

Ew. Excellenz, das Präsidium, ersuche ich ergebenst, wegen

Ausführung der Neuordnung das Erforderliche baldgefälligst in die Wege zu leiten.

Der Minister der geistlichen ꝛc. Angelegenheiten.
In Vertretung: von Weyrauch.

An
die sämmtlichen Herren Präsidenten der Königlichen Provinzial-Schulkollegien und an das Präsidium des Königlichen Provinzial-Schulkollegiums zu Berlin.
U. II. 827. G. III.

---

106) Zusammensetzung der Königlichen Wissenschaftlichen Prüfungs-Kommissionen für das Jahr vom 1. April 1896 bis 31. März 1897.

Die Königlichen Wissenschaftlichen Prüfungs-Kommissionen sind für das Jahr vom 1. April 1896 bis 31. März 1897 wie folgt zusammengesetzt:

(Die Prüfungsfächer sind in Parenthese angedeutet.)

1) Für die Provinzen Ost- und Westpreußen zu Königsberg i. Pr.

Ordentliche Mitglieder.

Dr. Carnuth, Provinzial-Schulrath (Pädagogik und zugleich Direktor der Kommission),
= Schade, Geheimer Regierungsrath und Professor (deutsche Sprache),
= Ludwich, Professor (klassische Philologie),
= Roßbach, = (klassische Philologie),
= Walter, = (Philosophie und Propädeutik),
D. Jacobi, Konsistorialrath und Professor (evangelische Religion und hebräische Sprache),
Dr. Kißner, Professor (französische Sprache),
= Stöckel, = (Mathematik),
= Hahn, = (Geographie),
= Lossen, Geheimer Regierungsrath und Professor (Chemie),
= Erler, Professor (Geschichte),
= Volkmann, = (Physik),
= Kaluza, = (englische Sprache).

Außerordentliche Mitglieder.

Dr. Dittrich, Professor zu Braunsberg (katholische Theologie und hebräische Sprache),
= Lürssen, Professor (Botanik),
= Maximilian Braun, Professor (Zoologie),
= Mügge, Professor (Mineralogie),

Bodendorff, Professor am Friedrichs-Kollegium zu Königsberg i. Pr. (französische Sprache),
Dr. Hartmann, Oberlehrer am Realgymnasium auf der Burg zu Königsberg i. Pr. (englische Sprache).

2) Für die Provinz Brandenburg zu Berlin.

Ordentliche Mitglieder.

Dr. Pilger, Geheimer Regierungs- und Provinzial-Schulrath (deutsche Sprache und Litteratur, zugleich Direktor der Kommission),
N. N., Professor (deutsche Sprache und Litteratur),
Dr. Vahlen, Geheimer Regierungsrath und Professor (klassische Philologie),
" Hübner, Professor (klassische Philologie),
" Fuchs, " (Mathematik),
" Schwarz, " (Mathematik),
" Warburg, " (Physik),
" Lenz, " (Geschichte),
" Dilthey, Geheimer Regierungsrath und Professor (Philosophie und Pädagogik),
" Stumpf, Professor (Philosophie und Pädagogik),
Lic. Dr. Runze, " (evangelische Theologie),
Dr. Brandl, " (englische Sprache),
" Ulbrich, Oberrealschul-Direktor (französische Sprache),
Dr. Freiherr von Richthofen, Geheimer Regierungsrath und Professor (Geographie).

Außerordentliche Mitglieder.

Dr. Schulze, Geheimer Regierungsrath und Professor (Zoologie),
" Engler, Geheimer Regierungsrath und Professor (Botanik),
" Landolt, Geheimer Regierungsrath und Professor (Chemie),
" Dames, Professor (Mineralogie),
D. Strack, " (hebräische Sprache),
Dr. Brückner, " (polnische Sprache),
" Pariselle, Oberlehrer, Lektor (neufranzösische Sprache und Litteratur),
" Schleich, Oberlehrer (neuenglische Sprache und Litteratur),
" Jahnel, Propst zu St. Hedwig, Fürstbischöflicher Delegat und Ehrendomherr (katholische Theologie).

3) Für die Provinz Pommern zu Greifswald.

Ordentliche Mitglieder.

Dr. Schwanert, Professor (Chemie und zugleich Direktor der Kommission),

D. von Nathusius, Professor (evangelische Theologie und Hebräisch),
Dr. Minnigerode, Professor (Mathematik),
" Richarz, " (Physik),
" Norden, " (klassische Philologie),
" Gercke (klassische Philologie und alte Geschichte),
" Ulmann, Geheimer Regierungsrath und Professor (alte, mittlere und neuere Geschichte),
" Credner, Professor (Geographie),
" Schuppe, Geheimer Regierungsrath und Professor (Philosophie und Pädagogik),
" Reifferscheid, Professor (deutsche Sprache und Litteratur),
" Stengel, " (französische und italienische Sprache),
" Konrath, " (englische Sprache),
" Müller, " (Zoologie),
" Deecke, " (Mineralogie),
" Schütt, " (Botanik).

Außerordentliches Mitglied.

Pfarrer Struif (katholische Religionslehre).

4) Für die Provinzen Posen und Schlesien zu Breslau.

Ordentliche Mitglieder.

Dr. Sommerbrodt Geheimer Regierungsrath, Provinzial-Schulrath a. D. (Direktor der Kommission),
" Roßbach, Geheimer Regierungsrath und Professor (klassische Philologie),
" Marx, Professor (klassische Philologie),
" Scholz Geistlicher Rath und Professor (katholische Theologie und Hebräisch),
D. Kawerau, Konsistorialrath und Professor (evangelische Theologie),
Dr. Sturm, Professor (Mathematik),
" Bäumker, " (Philosophie und Pädagogik),
" Ebbinghaus, " (Philosophie und Pädagogik),
" Freudenthal, " (Philosophie und Pädagogik),
" Wilcken, " (alte Geschichte),
" Caro, " (mittlere und neuere Geschichte),
" Kaufmann, " — für die Zeit vom 1. April bis 1. Oktober d. Js. — (mittlere und neuere Geschichte),
" Vogt, Professor (deutsche Sprache und Litteratur),
" Koch, " (deutsche Sprache und Litteratur),
" Partsch, " (Geographie),
" Appel, " (französische Sprache),

Dr. Kölbing, Professor (englische Sprache),
" O. E. Meyer, Geheimer Regierungsrath und Professor (Physik).

Außerordentliche Mitglieder.

Dr. Chun, Professor (Zoologie),
" Pax, " (Botanik),
" Ladenburg, Geheimer Regierungsrath und Professor (Chemie),
" Hintze, Professor (Mineralogie),
D. Kittel, " (Hebräisch),
Dr. Nehring, Geheimer Regierungsrath und Professor (polnische Sprache),
" Pillet, Professor (französische Sprache),
" Meffert, Realgymnasial-Direktor (englische Sprache).

5) Für die Provinz Sachsen zu Halle a. S.

Ordentliche Mitglieder.

Dr. Fries, Direktor der Franckeschen Stiftungen (Pädagogik und zugleich Direktor der Kommission),
" Blaß, Professor (klassische Philologie),
" Wissowa, " (klassische Philologie),
" Cantor, " (Mathematik),
" Haym, " (Philosophie),
" Vaihinger, " (Philosophie),
" Burdach, " (deutsche Sprache und Litteratur),
" Meyer, " (alte Geschichte),
" Droysen, " (mittlere und neuere Geschichte),
" Kirchhoff, " (Geographie),
" Volhard, Geheimer Regierungsrath und Professor (Chemie),
" Wagner, Professor (englische Sprache),
" Suchier, " (französische Sprache),
D. Hering, Konsistorialrath und Professor (evangelische Theologie und Hebräisch),
" Dr. Kautzsch, Professor (evangelische Theologie und Hebräisch),
Dr. Dorn, Professor (Physik),
" Kraus, " (Botanik),
" Grenacher, " (Zoologie),
" Freiherr von Fritsch, Geheimer Regierungsrath und Professor (Mineralogie).

Außerordentliche Mitglieder.

Schwermer, katholischer Pfarrer (katholische Theologie),
Mstr. Thistlethwaite, Lektor des Englischen (englische Sprache).

6) Für die Provinz Schleswig-Holstein zu Kiel.

Ordentliche Mitglieder.

Dr. Kammer, Provinzial-Schulrath (Pädagogik, zugleich Direktor der Kommission),
- „ Riehl, Professor (Philosophie und Pädagogik),
- „ Deußen, „ (Philosophie und Pädagogik),
- „ Kauffmann, „ (deutsche Sprache und Litteratur),

D. Mühlau, „ (evangelische Theologie und Hebräisch),

Dr. Pochhammer, Geheimer Regierungsrath und Professor (Mathematik),

Dr. Ebert, Professor (Physik),
- „ Sarrazin, „ (englische Sprache),
- „ Körting, „ (französische Sprache),
- „ Busolt, „ (Geschichte),
- „ Schirren, Geheimer Regierungsrath und Professor (Geschichte),
- „ Krümmel, Professor (Geographie),
- „ Schöne, Geheimer Regierungsrath und Professor (klassische Philologie),
- „ Bruns, Professor (klassische Philologie).

Außerordentliche Mitglieder.

Dr. Brandt, Professor (Zoologie),
- „ Curtius, Geheimer Regierungsrath und Professor (Chemie),
- „ Gering, Professor (dänische Sprache),
- „ Reinke, Geheimer Regierungsrath und Professor (Botanik),
- „ Lehmann, Professor (Mineralogie).

7) Für die Provinz Hannover zu Göttingen.

Ordentliche Mitglieder.

Dr. Viertel, Gymnasial-Direktor, Direktor der Kommission,
- „ von Wilamowitz-Möllendorff, Geheimer Regierungsrath und Professor (klassische Philologie und alte Geschichte),
- „ Leo, Professor (klassische Philologie und alte Geschichte),
- „ Max Lehmann, Professor (alte, mittlere und neuere Geschichte),
- „ Kehr, Professor (alte, mittlere und neuere Geschichte),
- „ G. E. Müller, Professor (Philosophie und Pädagogik),
- „ Baumann, Geheimer Regierungsrath und Professor (Philosophie und Pädagogik),
- „ Roethe, Professor (deutsche Sprache),
- „ Stimming, „ (französische Sprache),
- „ Morsbach, „ (englische Sprache),

D. Knoke, Professor (evangelische Theologie und Hebräisch),
Dr. Schering, Geheimer Regierungsrath und Professor (Mathematik),
" Hilbert, Professor (Mathematik),
" Riecke, " (Physik),
" Wallach, " (Chemie),
" Ehlers, Geheimer Regierungsrath und Professor (Zoologie),
" H. Wagner, Professor (Geographie),
" Berthold, " (Botanik),
" von Koenen, Geheimer Bergrath und Professor (Mineralogie).

Außerordentliches Mitglied.

Schrader, Pfarrer (katholische Theologie).

8) Für die Provinz Westfalen zu Münster.

Ordentliche Mitglieder.

Dr. Rothfuchs, Geheimer Regierungs- und Provinzial-Schulrath (Pädagogik und zugleich Direktor der Kommission),
" Storck, Geheimer Regierungsrath und Professor (deutsche Sprache, eventl. auch Vertreter des Direktors),
" Langen, Geheimer Regierungsrath und Professor (klassische Philologie),
" Stahl, Geheimer Regierungsrath und Professor (klassische Philologie),
" Niehues, Geheimer Regierungsrath und Professor (Geschichte und Geographie),
" von Below, Professor (Geschichte und Geographie),
" Fell, " (kathol. Theologie und Hebräisch),
" Hagemann, " (Philosophie und Pädagogik),
" Spicker, " (Philosophie und Pädagogik),
" von Lilienthal, " (Mathematik),
" Andresen, " (französische Sprache),
" Einenkel, " (englische Sprache),
" Brefeld, " (Botanik),
" Ketteler, " (Physik),
Büchsel, Konsistorialrath (evangelische Theologie und Hebräisch),
Dr. Landois, Professor (Zoologie),
" Salkowski, " (Chemie),
" Lehmann, " (Geographie),

Außerordentliche Mitglieder.

Deiters, Lektor (neufranzösische Sprache und Litteratur),
Hase, Oberlehrer (neuenglische Sprache und Litteratur).

9) Für die Provinz Hessen-Nassau zu Marburg.

Ordentliche Mitglieder.

Dr. Buchenau, Gymnasial-Direktor (Pädagogik und zugleich Direktor der Kommission),
" Maaß, Professor (klassische Philologie),
" Birt, " (klassische Philologie),
" Schröder, " (deutsche Sprache und Litteratur),
" Köster, " (deutsche Sprache und Litteratur),
" Natorp, " (Philosophie und Propädeutik),
Lic. D. Mirbt, " (evangelische Theologie),
Dr. Schottky, " (Mathematik),
" Fischer, " (Geographie),
" Melde, Geheimer Regierungsrath und Professor (Physik),
" Kohl, Professor (Botanik),
" Korschelt, " (Zoologie),
" Kayser, " (Mineralogie),
" Zincke, " (Chemie),
" Niese, " (alte Geschichte),
" Freiherr von der Ropp, Professor (mittlere und neuere Geschichte),
" Vietor, Professor (englische Sprache),
" Koschwitz, " (französische Sprache).

Außerordentliche Mitglieder.

D. Dr. Graf von Baudissin, Professor (Hebräische Sprache),
Dr. Weber, Pfarrer (katholische Religionslehre).

10) Für die Rheinprovinz zu Bonn.

Ordentliche Mitglieder.

Dr. Neuhaeuser, Geheimer Regierungsrath und Professor (Philosophie und Pädagogik),
D. Kamphausen, Professor (evangelische Theologie und Hebräisch),
Dr. Schrörs, Professor (katholische Theologie und Hebräisch),
" Usener, Geheimer Regierungsrath und Professor (klassische Philologie),
" Nissen, Geheimer Regierungsrath und Professor (alte Geschichte),
" Ritter, Geheimer Regierungsrath und Professor (mittlere und neuere Geschichte),
" Rein, Geheimer Regierungsrath und Professor (Geographie),
" Lipschitz, Geheimer Regierungsrath und Professor (Mathematik),

Dr. Martius, Professor (Philosophie und Pädagogik),
" Wilmanns, Geheimer Regierungsrath und Professor (deutsche Sprache und Litteratur),
" Litzmann, Professor (deutsche Sprache und Litteratur),
" Trautmann, " (englische Sprache),
" Förster, " (französische Sprache),
" Kekule von Stradonitz, Geheimer Regierungsrath und Professor (Chemie),
" Kayser, Professor (Physik).

Außerordentliche Mitglieder.

Dr. Langen, Professor (katholische Theologie und Hebräisch),
" Förster, Lektor (englische Sprache),
" Ludwig, Professor (Zoologie),
" Strasburger, Geheimer Regierungsrath und Professor (Botanik),
" Laspeyres, Geheimer Bergrath und Professor (Mineralogie).

Berlin, den 22. Mai 1896.

Der Minister der geistlichen 2c. Angelegenheiten.
Im Auftrage: Stauder.

Bekanntmachung.
U. II. 1142.

---

107) Programm für den französischen Lehrer-Kursus in Bonn vom 3. bis einschließlich 11. August 1896.

Der Kursus steht unter der Oberleitung des Geheimen Regierungs- und Provinzial-Schulraths Dr. Münch aus Coblenz, der auch bei einem Theile der Verhandlungen den Vorsitz führen wird. In seiner Vertretung übernimmt die Leitung der Universitäts-Professor Dr. Wendelin Foerster zu Bonn. Die Geschäftsführung ist dem Oberlehrer vom Königlichen Gymnasium daselbst Dr. Ferdinand Stein übertragen.

Die Arbeiten des Kursus bestehen in Vorträgen (zum Theil mit angeschlossener Erörterung), Uebungen verschiedener Art, fachlichen Besprechungen, sowie dem Besuche von Klassenunterricht. Im Einzelnen sind in Aussicht genommen:

A. Wissenschaftliche Vorträge vom Professor Foerster:
1) Wie soll man französische Verse in der Schule lesen? (2 Vorträge).
2) Französische Elementar- oder Artikulationsphonetik (3 Vorträge).

B. Litterarische Vorträge in französischer Sprache vom Lektor Dr. Gausinez:

1) L'Académie française. 2) L'Université de France. 3) Flaubert. 4) Pierre Loti.

C. Mustervortrag französischer Poesie und Prosa durch Dr. Gausinez (4 Séances de lecture).

D. Uebungen:

1) Gemeinsame des Gesammtcoetus unter Leitung von Professor Foerster bezw. Dr. Gausinez (Textlesen mit Interpretation und Erörterung).

2) Uebungen in einzelnen Cirkeln, jeder unter Leitung eines Franzosen (Lesen von Lustspielen mit vertheilten Rollen nebst Sprechübungen im Anschluß. Außerdem freie Sprechübungen über bestimmte Sachgebiete.

E. Didaktische Vorträge von

1) Oberlehrer Leithäuser (Barmen). Ein Lehrgang für die erste Einführung in die französische Lautwelt.

2) Professor Mehlkopf (Duisburg). Die stufenmäßige Steigerung der Ansprüche an die Sprechfertigkeit.

3) Oberlehrer Dr. Vogels (Crefeld). Auswahl und Behandlung des syntaktischen Stoffes für den ersten grammatischen Kursus (bis incl. U. II.).

4) Oberlehrer Dr. F. Stein (Bonn). Grammatisches im Unterrichte nach neueren (wissenschaftlichen) Gesichtspunkten.

F. Besuch französischer Unterrichtsstunden:

1) an dem Gymnasium zu Bonn,

2) an Cölner Lehranstalten.

G. Fachbesprechungen zum Austausch gemachter Beobachtungen, auftauchender Fragen u. s. w., gegen Schluß des Kursus (2 Stunden).

Die Arbeiten werden auf die Zeit Vormittags 8½ bis 1 Uhr (mit Unterbrechungen) und Nachmittags von 4 bis 6½ vertheilt. Neben denselben ist geselliges Zusammensein (möglichst mit ausschließlichem Gebrauche der französischen Sprache) in Aussicht genommen. Für die gemeinsame Fahrt nach Cöln ist ein ganzer Tag vorbehalten. Für günstige Bedingungen betr. Wohnung in Gasthäusern wird durch den obenerwähnten Geschäftsführer Oberlehrer Dr. Stein (Goethestr. 7 in Bonn) gesorgt werden. Alle Anfragen und Mittheilungen können an diesen gerichtet werden.

Den angemeldeten Mitgliedern wird von Bonn aus alsbald ein „Stundenplan" mit bestimmter Vertheilung der einzelnen Arbeiten auf die Zeit des Kursus zugehen. Ebenso werden dieselben benachrichtigt werden, welche französische Texte zur Benutzung kommen werden und mitzubringen bezw. in Bonn zu beschaffen sind.

E. Schullehrer- und Lehrerinnen-Seminare ꝛc., Bildung der Lehrer und deren persönliche Verhältnisse.

108) Kursus für Kandidaten der Theologie am Schullehrer-Seminar zu Northeim.

Am Schullehrer-Seminar zu Northeim wird alljährlich ein Kursus für Kandidaten der Theologie stattfinden, welcher am 1. Montage des November beginnen wird.

---

109) Verzeichnis der Lehrer ꝛc., welche die Prüfung für das Lehramt an Taubstummenanstalten im Jahre 1896 bestanden haben.

Für die Theilnehmer an dem bei der Königlichen Taubstummenanstalt zu Berlin im Etatsjahre 1. April 1895/96 abgehaltenen Lehrkursus ist am 19. März 1896 eine Prüfung nach Maßgabe der Prüfungsordnung vom 27. Juni 1878 abgehalten worden, in welcher das Zeugnis der Befähigung für das Lehramt an Taubstummenanstalten erlangt haben:

1) Dölfs, Otto, Lehrer zu Dalldorf bei Berlin,
2) Graßmann, Antonie, Kursistin an der Königlichen Taubstummenanstalt zu Berlin,
3) Lamprecht, Emil, Lehrer zu Dubeningken, Kreis Goldap,
4) Reinbacher, Matthias, Lehrer zu Wuhlgarten bei Berlin und
5) Stern, Otto, Lehrer zu Marggrabowa, Kreis Oletzko.

Berlin, den 24. April 1896.

Der Minister der geistlichen ꝛc. Angelegenheiten.
Im Auftrage: Kügler.

Bekanntmachung.
U. III. A. 941.

---

110) Unterstützungen für Privatlehrer und Lehrerinnen, sowie für frühere Lehrer und Lehrerinnen, die nicht im öffentlichen Schuldienste gestanden haben.

Berlin, den 5. Mai 1896.

In den Staatshaushalts-Etat für 1. April 1896/97 ist im Kapitel 121 bei Titel 35a. der Vermerk aufgenommen: „Aus diesem Fonds können auch Privatlehrer und Lehrerinnen in dringenden Bedarfsfällen Unterstützungen bis zum Gesammtbetrage von jährlich 8000 ℳ erhalten" und bei Titel 40 der Vermerk: „Aus diesem Fonds können auch frühere Lehrer und Lehrerinnen, die nicht im öffentlichen Schuldienste gestanden haben, in dringenden Bedarfsfällen Unterstützungen bis zum Gesammtbetrage von jährlich 10 000 ℳ erhalten". Durch diese Vermerke sind einerseits die neuerdings hervorgetretenen Zweifel über die Zulässigkeit der Verwendung dieser Fonds für Privatlehrer und Lehrerinnen beseitigt. Andererseits ist durch die Beschränkung auf bestimmte Summen klargestellt, daß die Fonds hauptsächlich für Lehrpersonen bestimmt sind, die im öffentlichen Schuldienste stehen oder gestanden haben. Damit eine Ueberschreitung der zur Verfügung stehenden Summen vermieden wird, ist es erforderlich, daß bis auf Weiteres die Bewilligung derartiger Unterstützungen von der Centralstelle aus erfolgt.

Die Königliche Regierung veranlasse ich daher, künftig etwa dort eingehende Unterstützungs-Gesuche früherer oder noch in ihrem Berufe thätiger Privatlehrer und Lehrerinnen (Erzieherinnen) mittels Berichtes, in dem die Verhältnisse der Bittsteller zugleich näher darzulegen sind, hierher einzureichen. Ich bemerke dabei jedoch, daß, soweit frühere Lehrer und Lehrerinnen in Frage kommen, welche während ihrer Lehrthätigkeit, wenn auch nur vorübergehend im öffentlichen Schuldienste gestanden oder als Handarbeitslehrerinnen an öffentlichen Schulen beschäftigt gewesen sind, nichts im Wege steht, ihnen im Bedarfsfalle aus den der Königlichen Regierung aus dem Fonds Kapitel 121 Titel 40 zuletzt durch Erlaß vom 26. März 1895 — U. III. D. 160 — bis Ende März 1898 überwiesenen Mitteln eine Unterstützung zu gewähren. Bei einer derartigen Bewilligung ist aber in der Anweisung zum Ausdruck zu bringen, daß sie mit Rücksicht auf die im öffentlichen Schuldienste oder an öffentlichen Schulen zurückgelegte Dienstzeit erfolgt.

Der Minister der geistlichen ꝛc. Angelegenheiten.
Im Auftrage: Kügler.

An
sämmtliche Königliche Regierungen.
U. III. E. 1654. U. III. D. 1856.

---

111) Ertheilung der Befähigung an Volksschullehrer zum Unterrichte in den Unterklassen von Mittelschulen und höheren Mädchenschulen.

Berlin, den 6. Mai 1896.

In Erwiderung auf den Bericht vom 21. April d. Js. ermächtige ich das Königliche Provinzial-Schulkollegium, Volksschullehrern, welche den Bestimmungen des §. 26 der Prüfungsordnung vom 15. Oktober 1872 sonst genügt haben, die Befähigung zum Unterrichte in den Unterklassen von Mittelschulen und höheren Mädchenschulen auch dann noch zuzusprechen, wenn sie in einem technischen Fache, z. B. im Turnen, bei der zweiten Prüfung das Prädikat „gut bestanden" nicht erlangt haben.

An
das Königliche Provinzial-Schulkollegium zu N.

Abschrift erhält das Königliche Provinzial-Schulkollegium zur Kenntnis und Nachachtung.

Der Minister der geistlichen 2c. Angelegenheiten.
Im Auftrage: Kügler.

An
die übrigen Königlichen Provinzial-Schulkollegien.
U. III. C. 1896.

---

112) Anrechnung der einjährigen aktiven Militärdienstzeit der Volksschullehrer bei Gewährung der staatlichen Alterszulagen.

Berlin, den 8. Mai 1896.

Im Anschluß an den Erlaß vom 15. Juli 1895 — U. III. C. 2094 U. III. — (Centrbl. S. 630) benachrichtige ich die Königliche Regierung, daß durch den Staatshaushalts-Etat für 1. April 1896/97 genehmigt worden ist, daß bei Gewährung der staatlichen Alterszulagen der Volksschullehrer auch die von ihnen nach bestandener Prüfung und dadurch erlangter Anstellungsfähigkeit vor der Anstellung im öffentlichen Schuldienste in Erfüllung der gesetzlichen Wehrpflicht zurückgelegte aktive einjährige Militärdienstzeit, zur Anrechnung kommen darf.

Die Königliche Regierung wolle hiernach das Weitere veranlassen.

An
sämmtliche Königliche Regierungen.

Abschrift erhält das Königliche Provinzial-Schulkollegium im Anschluß an den Erlaß vom 15. Juli 1895 — U. III. C. 2094 U. III. — zur Kenntnis.

Der Minister der geistlichen 2c. Angelegenheiten.
Im Auftrage: Kügler.

An
die sämmtlichen Königlichen Provinzial-Schulkollegien.
U. III. E. 1647. U. III.

113) Die öffentlichen Lehrer an städtischen Schulen sind lediglich nach dem allgemeinen Dienst- und Verfassungs-Eide zu beeidigen.

Berlin, den 9. Mai 1896.

Auf den an die dortige Königliche Regierung erstatteten und von dieser mir vorgelegten Bericht vom 6. November v. Js. erwidere ich dem Magistrat im Einverständnisse mit dem Herrn Minister des Innern, daß nach meinem Erlasse vom 13. August vorigen Jahres — U. II. 1836 U. III. C. — kein Zweifel darüber bestehen kann, daß auch die Lehrer an den mittleren und niederen Schulen dortselbst lediglich nach dem allgemeinen Dienst- und Verfassungs-Eide zu beeidigen sind.

Die eventuelle Verpflichtung neben dem allgemeinen Diensteide noch einen besonderen Diensteid zu leisten, besteht nach §. 58 Absatz 1 und 3 der Hannoverschen Städteordnung vom 24. Juni 1858 nur für die Mitglieder des Magistrats und die übrigen, bei und von dem Magistrate anzustellenden städtischen Beamten (§. 41 a. a. O.). Für die öffentlichen Lehrer besteht diese Verpflichtung jedoch nicht, da dieselben nicht zu den städtischen Beamten im Sinne der §§. 41 und 58 a. a. O. zählen. Auf die Lehrer findet lediglich die Bestimmung in §. 3 der Verordnung vom 22. Januar 1867 Anwendung, wonach der im §. 1 Abs. 1 normirte Eid an die Stelle aller nach den bisherigen Bestimmungen zu leistenden Huldigungs- und Diensteide zu treten hat.

Der Magistrat wolle dies für die Zukunft beachten.

Der Minister der geistlichen rc. Angelegenheiten.
Bosse.

An
den Magistrat zu N.
U. III. C. 928. U. II.

---

114) Altersdispens bei der Aufnahme von Zöglingen in städtische, sonstige öffentliche und private Lehrerinnen-Bildungsanstalten.

Berlin, den 12. Mai 1896.

Im Anschluß an meinen Runderlaß vom 14. Dezember v. Js. — U. III. 3796 U. III. D. — (Centrbl. S. 816) will ich das Königliche Provinzial-Schulkollegium, die Königliche Regierung, hierdurch ermächtigen, auch bei der Aufnahme von Zöglingen in städtische, sonstige öffentliche und private Lehrerinnen-Bildungsanstalten einen Dispens von dem vorgeschriebenen Alter von 16 Jahren bis zur Dauer eines Vierteljahres zu ertheilen.

Gesuche, welche einen Dispens von mehr als drei Monaten

für den erwähnten Zweck zum Gegenstande haben, sind in der Regel abzulehnen, nur in dringenden Fällen ist an mich zu berichten.

Der Minister der geistlichen ꝛc. Angelegenheiten.
Im Auftrage: Kügler.

An
die sämmtlichen Königlichen Provinzial-Schulkollegien und Regierungen.
U. III. D. 2002.

115) Beseitigung der Entlassungsprüfungen an privaten Lehrerinnen-Seminaren.

Berlin, den 18. Mai 1896.

Es ist zu meiner Kenntnis gekommen, daß Königliche Provinzial-Schulkollegien oder Regierungen sich für ermächtigt gehalten haben, die einem privaten Lehrerinnen-Seminare verliehene Berechtigung zur Abhaltung von Entlassungsprüfungen auch dann ohne Weiteres fortdauern zu lassen, wenn eine Personenveränderung in der Leitung der betreffenden Anstalt eingetreten ist. Ein solches Verfahren entspricht nicht den Vorschriften der Staatsministerial-Instruktion vom 31. Dezember 1839 und dem Sinne der Prüfungsordnung für Lehrerinnen vom 24. April 1874.

Die Ermächtigung zur Abhaltung von Entlassungsprüfungen ist, ebenso wie diejenige zur Leitung von Privat-Lehrerinnen-Bildungsanstalten, immer nur auf Grund eingehender Prüfung der in Betracht kommenden Verhältnisse einer bestimmten Person übertragen worden und erlischt demnach bei dem Ableben oder Rücktritt derselben.

Das Königliche Provinzial-Schulkollegium, die Königliche Regierung, wolle daher, wenn eine mit der erwähnten Berechtigung versehene private Lehrerinnen-Bildungsanstalt in andere Hände übergeht, die Berechtigung zurückziehen. Betreffs der Gründe, aus denen ich die Berechtigung zur Abhaltung von Entlassungsprüfungen an Privatanstalten nicht mehr verleihe, verweise ich auf meine Verfügung vom 30. November 1895 (Centrbl. 1896 S. 260).

Der Minister der geistlichen ꝛc. Angelegenheiten.
Bosse.

An
die sämmtlichen Königlichen Provinzial-Schulkollegien und Regierungen.
U. III. D. 1044.

116) Abhaltung der Entlassungsprüfungen an den staatlichen und den öffentlichen städtischen Präparandenanstalten. — Grundsätze für die Aufnahme von Zöglingen in ein Schullehrer-Seminar.

1.

Berlin, den 22. Mai 1896.

Durch den Runderlaß vom 14. Februar 1888 — U. III. 364 — (Centrbl. S. 234) ist den staatlichen Präparandenanstalten die Berechtigung ertheilt worden, alljährlich ein- oder zweimal eine Entlassungsprüfung abzuhalten, auf Grund deren die Zöglinge, welche die Prüfung bestanden haben, die Befähigung zum Eintritt in ein Lehrerseminar erhalten. Diese Berechtigung schränke ich hierdurch insofern ein, als zu der Prüfung nur Schüler der betreffenden Anstalten, nicht auch anderweit vorgebildete Zöglinge, zuzulassen sind.

In dieser Begrenzung ertheile ich aber die Berechtigung zur Abhaltung der Prüfungen auch den öffentlichen städtischen Präparandenanstalten zu Friedland, Regierungs-Bezirk Königsberg, Johannisburg, Regierungs-Bezirk Gumbinnen, Joachimsthal, Regierungs-Bezirk Potsdam, Belgard, Regierungs-Bezirk Köslin, Genthin und Osterwieck, Regierungs-Bezirk Magdeburg, Sömmerda, Regierungs-Bezirk Erfurt, Einbeck, Regierungs-Bezirk Hildesheim, und Gifhorn, Regierungs-Bezirk Lüneburg.

Gleichzeitig unterstelle ich diese Anstalten der Aufsicht der betreffenden Königlichen Provinzial-Schulkollegien. Sollte dadurch eine Ueberbürdung der zuständigen Provinzial-Schulräthe herbeigeführt werden, so sind Regierungs-Schulräthe oder Seminar-Direktoren des betreffenden Bezirks mit dem Vorsitze in den Prüfungs-Kommissionen zu betrauen.

An
die sämmtlichen Königlichen Provinzial-Schulkollegien.

Abschrift erhält die Königliche Regierung zur Kenntnisnahme.

Der Minister der geistlichen 2c. Angelegenheiten.
Im Auftrage: Kügler.

An
die sämmtlichen Königlichen Regierungen.
U. III. 8828. 1. Ang.

2.

Berlin, den 23. Mai 1896.

Durch die allgemeine Verfügung über die Aufnahmeprüfung bei den Schullehrer-Seminaren vom 15. Oktober 1872

(Centrbl. S. 609) war dieser Prüfung den auch bis dahin geltenden Bestimmungen gemäß der Charakter einer Konkurrenzprüfung gegeben worden, d. h. es wurden aus der Zahl der Bewerber, welche sich für das Seminar meldeten, jedesmal die Besten ausgewählt und durch sie die am Seminare vorhandenen etatsmäßigen Zöglingsstellen besetzt. Den übrigen Bewerbern blieb es überlassen, sich bei einer anderen Anstalt zu melden und dort einer erneuten Prüfung zu unterwerfen. Diese Vorschrift ist mittels der Verfügung vom 14. Februar 1888 — U. III. 364 — (Centrbl. S. 234) dahin abgeändert worden, daß von da an ein absoluter Maßstab an die Prüflinge gelegt werden sollte und daß ohne Rücksicht auf die Zahl der verfügbaren Plätze jeder Bewerber, welcher den Anforderungen der Prüfungsordnung genügte, eine Bescheinigung darüber erhalten solle, daß er für die Aufnahme in ein Seminar reif sei. Dieses Zeugnis eröffnete ihm sodann ohne jede weitere Prüfung den Eintritt in ein anderes Seminar, an welchem etwa Plätze frei waren.

Die neue Einrichtung hat nach den Berichten der zuständigen Provinzialbehörden zu Mißständen geführt seit der Andrang zur Aufnahme in die Schullehrer-Seminare soweit gestiegen ist, daß bei der gebotenen vorzugsweisen Berücksichtigung der Zöglinge der Königlichen und der städtischen Präparandenanstalten nicht alle Gesuche anderer reif befundener Präparanden berücksichtigt werden konnten. Die sich selbst überlassenen, von der Verpflichtung zu einer neuen Prüfung entbundenen Lehramtsbewerber haben der Mehrzahl nach nicht vermocht, sich auf derjenigen Bildungshöhe zu erhalten, welche sie bei der Prüfung nachgewiesen hatten. Der Umstand, daß es vielen von ihnen an der nöthigen Anleitung zu ihrer Weiterbildung fehlte, daß andere genöthigt waren, während der Wartezeit für ihren Unterhalt zu sorgen, und daß sich diese Wartezeit oft ziemlich lang ausdehnte, läßt diese Thatsache erklärlich erscheinen.

Durch die Vermehrung wohleingerichteter Präparandenanstalten an den Schullehrer-Seminaren selbst und namentlich durch die Begründung einer größeren Zahl städtischer Präparandenanstalten ist es nicht nur möglich geworden, den Mangel an Bewerbern in einzelnen Bezirken, welcher die Veranlassung zu der Verfügung vom 14. Februar 1888 gegeben hat, zu beseitigen, sondern auch den Schullehrer-Seminaren einen stetigen, den Ansprüchen genügenden Nachwuchs zu sichern.

Finden aber bei dieser Sachlage die bei einem Seminare wegen Ueberfüllung zurückgewiesenen Präparanden der Regel nach aus dem gleichen Grunde auch bei anderen Anstalten Aufnahme nicht, so wird die Ausstellung eines Zeugnisses über die

Befähigung zum Eintritt in ein Schullehrer-Seminar zur leeren Form und ist geeignet, falsche Hoffnungen zu erwecken, sowie das rechtzeitige Ergreifen eines andern Berufes zu hindern. Es tritt hinzu, daß diejenigen Schüler, welche, um unterzukommen, Aufnahme in ein Seminar gesucht und gefunden haben, welches ihrer Heimathsprovinz fern liegt, bei Eintritt in das Lehramt Ansprüche auf Anstellung in der Heimath erheben, die sich nicht erfüllen lassen, weil die Seminare nach dem Bedarf an Lehrern in ihrem Bezirke bemessen sind. Hieraus ergeben sich vielfache Unzuträglichkeiten.

Ich setze daher die Bestimmung wegen Ausstellung von Zeugnissen über die Befähigung zum Eintritt in ein Lehrerseminar, soweit sie nicht bei den zur Abhaltung von Entlassungsprüfungen berechtigten Präparandenanstalten ausgestellt werden, von Ostern 1897 ab außer Kraft.

Unter Berücksichtigung der Vorschriften in der Verfügung vom 17. Juni 1892 — U. III. 2345 — (Centrbl. S. 833), betreffend das Verfahren bei Aufnahme der Zöglinge in die Schullehrer-Seminare, sind demgemäß auf Grund der jedesmaligen Aufnahmeprüfung nur soviel Präparanden als bestanden zu erklären, als in dem Seminare noch Aufnahme finden können, den übrigen Bewerbern aber sind Befähigungs-Zeugnisse nicht weiter zu ertheilen.

Härten werden sich hieraus für die nur wegen Ueberfüllung trotz genügender Kenntnisse zurückgewiesenen Schüler bei dem etwaigen Vorhandensein verfügbarer Plätze in anderen Seminaren nicht ergeben, da bei einer dortigen Meldung in Korrespondenz zwischen den betheiligten Seminar-Direktoren eine Berücksichtigung des Ergebnisses der erfolgten Prüfung durchaus angängig sein würde.

An
die sämmtlichen Königlichen Provinzial-Schulkollegien.

Abschrift erhält die Königliche Regierung zur Kenntnisnahme.

Der Minister der geistlichen 2c. Angelegenheiten.
Im Auftrage: Kügler.

An
die sämmtlichen Königlichen Regierungen.

U. III. 8828. 2. Ang.

F. Oeffentliches Volksschulwesen.

117) Rechtsgrundsätze des Königlichen Oberverwaltungsgerichts.

a. Nach §. 3 des Gesetzes vom 14. Mai 1873 bewirkt die Austrittserklärung, wie sie von dem Kläger abgegeben ist, daß der Ausgetretene zu Leistungen, die auf der persönlichen Kirchen- und Kirchengemeinde-Angehörigkeit beruhen, nicht mehr verpflichtet ist. Die von dem Beklagten an den Kläger für Zwecke der jüdischen Volksschule zu N. erlassene Anforderung beruht aber keineswegs auf dieser Angehörigkeit.

Die jüdische Volksschule in N. kann unabhängig von den auf kirchlichem Gebiete getroffenen Organisationen bestehen.

Zunächst waltet nach Lage der Hannoverschen Gesetzgebung ein Zweifel darüber nicht ob, daß der Verband der jüdischen Volksschule sich nicht mit dem Verbande der Synagogengemeinde zu decken braucht. Zwar sollen nach §. 40 Absatz 2 des Gesetzes über die Rechtsverhältnisse der Juden vom 30. September 1842 die Bezirke der Synagogengemeinden den für die jüdischen Schulen abzugrenzenden Bezirken zu Grunde gelegt werden; wenn diese Bestimmung aber mit der Einschränkung: „sofern es thunlich" versehen ist, so hat das Gesetz selbst die Zulässigkeit von Ausnahmen offen gelassen. Die das jüdische Synagogen-, Schul- und Armenwesen betreffende Bekanntmachung des Hannoverschen Ministeriums des Innern vom 19. Januar 1844 sieht demgemäß im §. 15 ausdrücklich die Fälle vor, wo der Bezirk der Schule nicht mit dem Bezirke der Synagogengemeinde zusammenfällt. Auch die Schulordnung für die jüdischen Schulen vom 5. Februar 1854 bestimmt im §. 10, daß, wenn auch in der Regel jede Synagogengemeinde einen Schulverband bildet, in besonderen Fällen mit Genehmigung der Landdrostei die Bezirke anderweitig festgestellt werden können.

Am deutlichsten bringt aber der Schlußsatz des §. 6 des Gesetzes vom 28. Juli 1876, betreffend den Austritt aus der jüdischen Synagogengemeinde, zum Ausdrucke, daß die Unterhaltung der jüdischen Volksschule mit den vorhandenen Kircheneinrichtungen an sich nichts gemein hat. Denn wenn dort bestimmt ist, daß Leistungen, welche nicht auf persönlicher Angehörigkeit zur Synagogengemeinde beruhen, insbesondere auch sämmtliche Leistungen für Zwecke der öffentlichen jüdischen Schulen (mit Ausnahme nur der Religionsschulen der Synagogengemeinden) durch die Erklärung des Austrittes aus der Synagogengemeinde nicht berührt werden, so ist es klar, daß zur Unterhaltung der jüdischen Volksschule auch solche Personen herangezogen werden können, welche auf kirchlichem Gebiete in keiner Gemeinschaft mit den anderen Schulunterhaltungspflichtigen stehen.

(Erkenntnis des Königlichen Oberverwaltungsgerichts vom 17. Januar 1896 — I. 67 —.)

---

b. Unter den Parteien besteht darüber kein Streit, daß das Schulhaus zu N. zugleich die Küsterwohnung, daß bei dem Hause bisher ein Brunnen nicht vorhanden gewesen, dessen Herrichtung aber aus Anlaß veränderter Umstände neuerdings nothwendig geworden ist, endlich daß für die Aufbringung der Bauausgaben dieselben Grundsätze gelten müssen, wie bei sonstigen Bauten auf dem Küsterschuletablissement. Die Richtigkeit der letzteren Ansicht kann einem Zweifel füglich nicht unterliegen, da, was bezüglich der Baukosten vom Küsterschulhause gilt, auch von dessen Zubehör gelten muß, und zu diesem ist der Brunnen zu rechnen. (§§. 42 ff. Titel 2 Theil I des Allgemeinen Landrechts, Entscheidungen des Obertribunals Band 82 Seite 124, und die bei Schneider und von Bremen, Volksschulwesen, Bd. II S. 640 ff. abgedruckten Erlasse des Unterrichtsministers.)

Streit besteht nur darüber, ob die Herrichtung des Brunnens ein den Schulbaupflichtigen zur Last fallender Erweiterungsbau im Sinne der §§. 3 ff. des Gesetzes vom 21. Juli 1846, betreffend den Bau und die Unterhaltung der Schul- und Küsterhäuser (G. S. S. 392) ist, oder ob die Kosten des Brunnenbaues von den Pfarrbaupflichtigen zu tragen sind.

Der die Baupflicht der Pfarrbaupflichtigen verneinende Standpunkt des Klägers ist vom Vorderrichter mit Recht verworfen worden.

Da das hier in Betracht zu ziehende Neumärkische Provinzialrecht bezüglich der Bauten bei Küsterschulen keine anderen Bestimmungen als §. 37 Titel 12 Theil II des Allgemeinen Landrechts enthält (Entscheidungen des Oberverwaltungsgerichts Band XIV Seite 241), so sind gemäß §. 6 des Gesetzes vom 21. Juli 1846 die Bestimmungen dieses letzteren Gesetzes auf den vorliegenden Fall zur Anwendung zu bringen. Kläger geht anscheinend davon aus, daß Bauten, die im Küsterschulhause ausschließlich aus einem mit der Schulanstalt allein zusammenhängenden Anlasse geboten sind, den Schulbauinteressenten zur Last fallen. Das bestimmt das Gesetz vom 21. Juli 1846 aber durchaus nicht. Beispielsweise fällt die Erneuerung der Fenster oder des Fußbodens in dem Unterrichtslokale gewiß unter jenen Gesichtspunkt, und doch ist nicht daran zu zweifeln, daß die

Kosten dafür nicht den Schulbauinteressenten, sondern den Pfarrbaupflichtigen obliegen. Denn die provinzial- und landrechtliche Pfarrbaulast hat das Gesetz vom 21. Juli 1846 an sich bestehen lassen und nur fortan gewissen Beschränkungen und Maßgaben unterworfen. Diese zählt das Gesetz besonders auf; sie wurzeln in der Erwägung, daß die Pfarrbaulast keine Erweiterung in denjenigen Fällen erleiden soll, wo lediglich in Folge der Entwickelung der Schulanstalt ausschließlich in deren Interesse Bauten erforderlich werden. Die Erweiterung der Schulstube, die Neubeschaffung von Unterrichtsräumen und Lehrerwohnungen und der Bau der im §. 4 erwähnten Wirthschaftsgebäude sollen fortan nicht mehr den Pfarrbau- sondern den Schulbaupflichtigen zur Last gelegt werden.

Ein solcher Bau ist hier nicht in Frage. Es handelt sich nicht um eine Erweiterung der Schulanstalt lediglich aus Gründen, die ausschließlich diese angehen, sondern um eine Vervollständigung des Küster- und Schulhauses, die den dabei Betheiligten präsumtiv gleichmäßig zu gute kommt. Die Behauptung des Klägers, daß der Brunnen nicht für den Küster, sondern allein für die Schüler gebaut wird, entbehrt jeder Begründung. Entscheidend allein ist, daß das Küsterschulgehöft einen Brunnen bisher überhaupt nicht gehabt hat und daß in der Anforderung der Erbauung eines solchen eine ampliatio, nicht aber ein Schulerweiterungsbau zu finden ist.

(Entscheidungen des Oberverwaltungsgerichts Band XIV Seite 249).

(Entscheidung des Königlichen Oberverwaltungsgerichts vom 21. Januar 1896 — I. 92 —.)

---

c. 1) Da der Schulaufsichtsbehörde nach §. 47 des Zuständigkeitsgesetzes die vorläufige Entscheidung für den Fall des Streites in Bausachen ohne weitere Voraussetzungen übertragen ist, muß eine ältere partikularrechtliche Bestimmung, wonach die gedachte Behörde eine derartige Entscheidung nicht ohne vorgängige Anhörung der Schul- bezw. Kirchengemeinde treffen darf, für beseitigt angesehen werden. Dies ergiebt sich auch daraus, daß die Regierung anerkanntermaßen noch nach Vollendung des Baues ohne Rücksicht darauf, ob vor Beginn desselben eine Vernehmung der Interessenten stattgefunden hat oder nicht, eine Entscheidung über die Verpflichtung zur Tragung der Kosten treffen kann (Entscheidungen des Oberverwaltungsgerichts Band XII Seite 226, Band XX Seite 197). Insofern also nach der Bestimmung der Lauenburgischen Landschulordnung vom 10. Oktober 1868, §. 38, die Rechtsgiltigkeit der Entscheidung des Konsistoriums bezw. später der Regierung durch die vorgängige Anhörung der Schul- bezw. Kirchengemeinde bedingt war, ist ein solches, dem Zuständigkeitsgesetze fremdes, formelles Erforderniß für die Rechtsgiltigkeit der Entscheidung der Schulaufsichtsbehörde nicht mehr vorhanden, wie denn auch die Bedeutung dieser Entscheidung durch die Zulässigkeit des Verwaltungsstreitverfahrens, worin die Betheiligten mit allen Einwendungen zu hören sind, eine wesentlich andere geworden ist. Die mehrgedachte Bestimmung der Lauenburgischen Landschulordnung in Betreff vorgängiger Vernehmung der Schul- und Kirchengemeinde kann also — abgesehen von der darin enthaltenen Abgrenzung der Kompetenz des Schulvorstandes — nur noch eine instruktionelle Bedeutung haben, so daß aus deren Nichtbeachtung die Ungiltigkeit der Entscheidung der Schulaufsichtsbehörde nicht gefolgert werden kann.

2) Da die Nothwendigkeit der Blitzableiteranlage nicht schon durch eine frühere Entscheidung unanfechtbar festgestellt ist, kann allerdings die Klage auch darauf gestützt werden, daß die Anlage entbehrlich gewesen sei. In dieser Beziehung hat jedoch der Bezirksausschuß mit Recht darauf hingewiesen, daß der Erlaß des Unterrichtsministers über die Anbringung von Blitzableitern vom 28. März 1884 (vergl. Schneider und von Bremen, Volksschulwesen, Band II Seite 632) nach §. 49 Absatz 2 des Zuständigkeitsgesetzes auch für den Verwaltungsrichter maßgebend ist. Die Zuständigkeit des Unterrichtsministers zu einer derartigen Anordnung kann nicht bezweifelt werden. Nach diesem Erlaß ist darauf hinzuwirken, daß nach und nach thunlichst alle Schulhäuser mit Blitzableitern versehen werden. Hiernach ist allerdings dem Ermessen der Regierung insofern noch Raum gelassen, als die Ausführung „nach und nach thunlichst" geschehen soll, und es unterliegt daher nach dieser Richtung das Vorgehen der Regierung in Bezug auf das Schul- und Küsterhaus zu S. der Nachprüfung des Verwaltungsrichters. Wenn sich also die Klägerin auf das Vorhandensein besonderer Umstände berufen hätte, welche die Anbringung der Blitzableiteranlage auf dem Schulhause zu S. überhaupt oder doch zur Zeit „unthunlich" hätten erscheinen lassen, würde sich der Verwaltungsrichter des Eingehens auf diesen Einwand nicht haben entziehen können.

3) Die Blitzableiteranlage, welche zum Schutze des Gebäudes mit diesem dauernd verbunden wird, wird zu einem Theil des Gebäudes im Sinne der Schulbaupflicht. Diese erstreckt sich daher auch auf die Blitzableiteranlage, sofern die Anbringung eines Blitzableiters im Schulinteresse nothwendig erscheint.

(Entscheidung des Königlichen Oberverwaltungsgerichts vom 21. Januar 1896 — I. 93 —.)

d. Nach §. 15 des Gesetzes vom 23. Juli 1893, betreffend Ruhegehaltskassen für die Lehrer und Lehrerinnen an den öffentlichen Volksschulen (G. S. S. 194), finden für die Aufbringung des Beitrages der Schulverbände (Schulsocietäten, Gemeinden, Gutsbezirke) mit der Einschränkung, daß das Stelleneinkommen nicht herangezogen werden darf, die Bestimmungen des Artikels I §. 26 des Lehrerpensionsgesetzes vom 6. Juli 1885 (G. S. S. 298) über die Aufbringung des Ruhegehalts Anwendung. Artikel I §. 26 a. a. O. lautet in dem hier allein interessirenden Absatze 1:

„Die Pension wird bis zur Höhe von sechshundert Mark aus der Staatskasse, über diesen Betrag hinaus von den sonstigen bisher zur Aufbringung der Pension des Lehrers Verpflichteten, sofern solche nicht vorhanden sind, von den bisher zur Unterhaltung des Lehrers während der Dienstzeit Verpflichteten gezahlt. Die auf besonderen Rechtstiteln beruhenden Verpflichtungen dritter bleiben bestehen."

Daß unter den auf besonderen Rechtstiteln beruhenden Verpflichtungen Dritter nur solche Verpflichtungen zu verstehen sind, welche auf die Pensionszahlung, nicht solche, welche auf das Diensteinkommen des Lehrers Bezug haben, ist von der Revisionsbeschwerde mit Recht hervorgehoben worden. Bei der Berathung des Entwurfes zu dem Lehrerpensionsgesetze wurde allseitig anerkannt, daß, abgesehen von den Provinzen Ost- und Westpreußen, in den altländischen Provinzen gesetzliche Vorschriften über das Lehrerpensionswesen nicht beständen, daß dem in den Ruhestand tretenden Lehrer usancemäßig nach Analogie des von Geistlichen handelnden §. 529 Titel 11 Theil II. des Allgemeinen Landrechts, ohne Rücksicht auf die Dauer der Dienstzeit ein Drittel seines Diensteinkommens als Pension gewährt, sowie daß letztere aus dem Stelleneinkommen entnommen werde. — Stenographische Berichte des Hauses der Abgeordneten Session 1885 Band I Seite 279 und Band III Seite 1335 bis 1406; Anlagen zu diesen Berichten Session 1885 Band III Seite 1438 und Band IV Seite 1764; Stenographische Berichte des Herrenhauses Session 1885 Band I S. 244 ff. — Die Auffassung, daß die Hausväter des Schulbezirks bisher zur Zahlung des Lehrerruhegehalts verpflichtet gewesen seien, entbehrte der rechtlichen Begründung. Jedenfalls hat der Vorderrichter aber nicht geirrt in dem Schlußergebnisse, daß, weil im vorliegenden Falle zur Aufbringung des Ruhegehalts die bisher zur Unterhaltung des Lehrers während der Dienstzeit Verpflichteten einzutreten haben, auch der Kläger dazu heranzuziehen sei, da er durch Hergabe des vom Rittergute N. zu gewährenden Naturaldeputats zur Unterhaltung des Lehrers beisteuere. Es trifft nicht zu, daß bei den parlamentarischen Verhandlungen über das Lehrerpensionsgesetz für die Aufbringung der Lehrerpension, abgesehen von dem Staate und dem Stelleninhaber, nur noch die Gemeinde in Betracht gezogen sei. In Frage standen die Lehrerunterhaltungspflichtigen, und wenn statt dieses Ausdruckes bei den Debatten der Ausdruck „Gemeinde" gebraucht ist, so ist das ersichtlich nur der Kürze wegen geschehen und keineswegs in der Absicht, etwa je nach Lage des lokalen Rechts sonst noch vorhandene Pflichtige auszuschließen.

(Erkenntnis des Königlichen Oberverwaltungsgerichts vom 24. Januar 1896 — I. 105 —.)

---

e. 1) Der Vorderrichter geht von der Feststellung aus, daß der Schulverband N. allein aus dem durch die Allerhöchste Entschließung vom 15. Mai 1875 gebildeten Gutsbezirke besteht, und gelangt von dieser aus zu dem ganz richtigen Schlusse, daß Fiskus Gutsherr dieses Gutsbezirks nicht ist und deshalb auch zu den gutsherrlichen Leistungen weder gesetzlich verpflichtet ist, noch hierzu durch Herkommen verpflichtet werden kann. Gutsherr im Sinne des §. 46 der Schulordnung vom 11. Dezember 1845 ist auch der Besitzer eines Gutes, welches nach Maßgabe des Gesetzes vom 14. April 1856 (G. S. S. 359) zu einem selbständigen Gutsbezirke erhoben ist. Hat ein solches Gut früher zum Domanium gehört, so ist es durch die Erhebung zum selbständigen Gutsbezirke aus diesem ausgeschieden, und damit ist die Verpflichtung des Fiskus aus §. 45, für das Gut einzutreten, erloschen.

Das Gleiche findet auch statt, wenn die Ländereien einer bisher unter der Gutsherrschaft des Fiskus stehenden Gemeinde einem Privatgutsbezirke zugeschlagen werden. Wenn Beklagter gegen diese in den veröffentlichten Entscheidungen des Gerichtshofes Band XIII Seite 241 aufgestellten und seitdem in gleichmäßiger Rechtsprechung festgehaltenen Sätze anführt, daß die Gutsherrschaft auf dem ursprünglichen Besitz an Grund und Boden beruhe, so ist dies irrig, sie beruht vielmehr auf der dem Gutsherrn zustehenden obrigkeitlichen Gewalt und diese geht auch innerhalb der Gutsbezirke neueren Rechts auf deren Inhaber über. Nicht minder verfehlt ist es, wenn Beklagter aus der seit unvordenklicher Zeit erfolgten Lieferung ein den Fiskus verpflichtendes Herkommen herleitet. So lange Fiskus allein Gutsherr des Schulbezirks war, war die Lieferung des Brennholzes lediglich Erfüllung einer schon in den principiis regulativis festgestellten gesetzlichen Pflicht. Nach Bildung des neuen Gutsbezirks aber konnte sich ein den Fiskus verpflichtendes Herkommen nur auf Grund des §. 47 der Schulordnung vom 11. Dezember 1845 entwickeln. Fehlten die Voraussetzungen dieser Vorschrift, was jedenfalls dann zutraf, wenn der Schulbezirk allein aus dem neugebildeten Gutsbezirke bestand, so konnte eine Verpflichtung des Fiskus nur auf Grund eines besonderen Rechtstitels entstehen (§. 38 a. a. O.) und ein solcher ist das Herkommen im Sinne der Schulordnung eben nicht (zu vergl. Entscheidungen des Gerichtshofes Band XII Seite 204, Band XIV Seite 207, Band XV Seite 224).

2) Die Verpflichtung des Fiskus zur Zahlung der als Ersatz des fehlenden kulmischen Morgens dienenden Rente hat die rechtliche Natur einer unmittelbar aus dem Gesetze entspringenden Verbindlichkeit, zur Unterhaltung des Lehrers beizutragen. Rechtsgrund für die Verpflichtung zur Zahlung des Jahresbeitrages ist demnach nicht, daß der Fiskus in der Vergangenheit einmal, als die Lehrerstelle eingerichtet wurde und die Nothwendigkeit ihrer Ausstattung sich ergab, Gutsherr war, sondern der, daß er es in dem Zeitraum, für welchen die Rente beansprucht wird, noch ist. Mit dieser rechtlichen Natur der Verpflichtung ist eine Fortdauer nach Wegfall des den gesetzlichen Verpflichtungsgrund bildenden Zustandes, der gutsherrlichen Stellung unvereinbar.

(Entscheidung des Königlichen Oberverwaltungsgerichts vom 24. Januar 1896 — I. 106 —.)

---

f. Nach §. 1 des Gesetzes vom 23. Juli 1893 werden behufs gemeinsamer Bestreitung des durch den Staatsbeitrag nicht gedeckten Theiles der Ruhegehälter die Ruhegehaltskassen nicht etwa für die zur Aufbringung des Ruhegehalts Verpflichteten, sondern für „die zur Aufbringung verpflichteten Schulverbände (Schulsocietäten, Gemeinden, Gutsbezirke)“ gebildet. Genau dieselbe Bezeichnung findet sich wieder in den §§. 5, 7, 11, 12 und 15 des Gesetzes, so daß, wenn im §. 3 von den Interessen der „Schulunterhaltungspflichtigen“ an der Kasse die Rede ist, unter diesen etwas Anderes als jene Schulverbände nicht verstanden werden kann.

Welchen Sinn das Gesetz mit diesem Ausdrucke verbindet, ergiebt sich klar aus seiner Entstehungsgeschichte:

In der Begründung der Regierungsvorlage (Drucksachen Nr. 24 des Herrenhauses, Session 1892/93) wird betont, daß das Lehrerbesoldungsgesetz sich im Allgemeinen bewährt und daß nur die Art der Aufbringung des durch den Staatsbeitrag nicht gedeckten Theiles des Ruhegehalts seitens der Lehrerunterhaltungspflichtigen, namentlich in den kleinen und ländlichen Schulverbänden, zu besonderen Beschwerden Veranlassung gegeben habe, ferner daß eine Abstellung der dabei zu Tage getretenen Mißstände um so nothwendiger sei, als daraus auch für die Aufbesserung der Lehrergehälter Hindernisse erwüchsen. Im Anschluß an diese, den Anlaß zu der Regierungsvorlage klarstellende Bemerkungen heißt es dann, Seite 10 a. a. O.:

„Es sollen in jedem Regierungsbezirke die Schulunterhaltungspflichtigen zu einer Gemeinschaft dergestalt vereinigt werden, daß die Ruhegehälter, soweit sie nicht durch den Staatsbeitrag gedeckt werden, oder von Anderen als den Schulverbänden, insbesondere von Dritten zu gewähren sind, fortan aus der gemeinschaftlichen Kasse zu zahlen sind. Zur Deckung dieser Zahlungen werden Umlagen auf die Schulverbände nach dem Maße des Einkommens der Lehrerstellen ausgeschrieben."

In keinem Stadium der parlamentarischen Erörterung der Regierungsvorlage sind dagegen Bedenken erhoben worden, daß die durch Einrichtung der Ruhegehaltskassen gewährte Gelegenheit zur Versicherung für den Fall der Pensionszahlung auf die zur Zahlung verpflichteten Schulverbände (Schulsocietäten, Gemeinden, Gutsbezirke) beschränkt bleiben soll. Die in der Regierungsvorlage enthaltene Bezeichnung der bei den Ruhegehaltskassen Interessirten ist unbeanstandet in das Gesetz übernommen; dieses erstreckt sich nicht auf Andere als verpflichtete Schulverbände.

Allerdings ist, wie in der Berufungsschrift richtig bemerkt wird, in den Eingangsworten des Gesetzes zum Ausdrucke gebracht, daß es die Vorschriften des Art. I §§. 4, 15, 26 des Lehrerpensionsgesetzes ergänzen soll; der Schluß aber, daß es um deshalb alle Schulen umfassen muß, auf die sich das Lehrerpensionsgesetz bezieht, ist ungerechtfertigt, weil nach den erwähnten Gesetzesmaterialien diejenigen Schulen ausgeschlossen wurden, bei denen der durch den Staatsbeitrag nicht gedeckte Theil der Lehrerpension von Anderen als den Schulverbänden, insbesondere von Dritten geleistet wird.

(Erkenntnis des Königlichen Oberverwaltungsgerichts vom 24. Januar 1896 — I. 108 —.)

Nichtamtliches.

1) Jahresbericht der unter dem Allerhöchsten Protektorate Ihrer Majestät der Kaiserin und Königin Friedrich stehenden Allgemeinen Deutschen Pensionsanstalt für Lehrerinnen und Erzieherinnen für das Jahr 1895.

Von den am Schlusse des Jahres 1894 der Pensionsanstalt angehörenden 2849 Mitgliedern sind im Laufe des Jahres, des 20. ihres Bestehens, gestorben 20, freiwillig ausgeschieden 24, in der Mitgliederliste auf Grund von §. 13 des Statuts (einjährige Unterlassung der Beitragszahlungen) gelöscht 3, im ganzen 47, dagegen sind neu eingetreten 158, sodaß die Zahl der Mitglieder am 31. Dezember 1895 sich beläuft auf 2960. Von diesen 2960 Mitgliedern beziehen Pension 425 mit zusammen jährlich 116 294,32 ℳ und außerdem bestehen im ganzen 2951 Versicherungen mit einem Gesammtbetrage von 946 950 ℳ versicherter Pensionen.

Der Rechnungsabschluß stellt sich wie folgt:

I. Einnahme:

1)	Eintrittsgelder	732,00 ℳ
2)	Laufende Mitgliederbeiträge . . .	248258,83 „
3)	Kapitalzahlungen für Ablösung der Beiträge	133059,42 „
4)	Zinsen	190017,22 „
5)	Für den Hilfsfonds . . . . . . (darunter 2100 ℳ durch Pfarrer Dietlein in Stemmern und 310 ℳ als Ertrag des Programmentausches durch die Firma Franz Wagner in Leipzig).	2805,00 „
	Summe der Einnahme:	574872,47 ℳ.

II. Ausgabe:

1)	Verwaltungskosten . . . . . . (= 1,67 % der Einnahme).	9594,30 ℳ
2)	Zinsen für Kapitalien, welche der Pensionsanstalt überwiesen sind, daß dieselben später volles Eigenthum der Pensionsanstalt werden	1661,25 „
3)	Renten aus der Grossmann'schen Stiftung	1200,00 „

4) Unterstützungen in Beihilfen und Beitragserlassen	5077,10 =
5) Fortlaufende Beitragserlasse aus der Grossmann'schen Stiftung	3404,60 =
6) Pensionen	110756,69 =
7) Coursdifferenz bei An- und Verkauf von Effekten	76,00 =
Summe der Ausgabe:	131769,94 M.

Zunahme des Vermögens	443102,53 M
Dazu das Vermögen aus dem Vorjahre .	4782144,17 =
giebt einen Vermögensbestand am 31. Dezember von	5225246,70 =
Das Vermögen besteht in: 1. Hypotheken .	4970925,00 =
2. Effekten . .	210000,00 =
3. baar . . .	44321,70 =

(Dieser Baarbestand hat zur Deckung einer Hypothek Verwendung gefunden.)

Von dem Vermögen entfallen:

1) auf den ausschließlich zur Bestreitung der versicherten Pensionen bestimmten Pensionsfonds	4761394,71 M
2) auf den Hilfsfonds	463851,99 =
giebt obige	5225246,70 M.

Einmalige Beihilfen sind gemäß §. 10 d. des Statuts in 60 Fällen gewährt worden und zwar 2 zu 30, 11 zu 40, 18 zu 50, 15 zu 60, 3 zu 70, 6 zu 75, 2 zu 80, 2 zu 100 und 1 zu 260,80 M, im ganzen 3580,80 M; außerdem sind in 35 Fällen Beitragserlasse auf ein oder mehrere Vierteljahre bewilligt und die entsprechenden Summen aus dem Hilfsfonds gedeckt worden — im Betrage von 1496,30 M. Dazu treten 169 fortlaufende Beitragserlasse aus der Grossmann'schen Stiftung mit 3404,60 M. Demnach sind im ganzen 8481,70 M zu Unterstützungen verausgabt worden, und daran sind betheiligt 264 Mitglieder. Wenn auch diese Summe gegen das Vorjahr um etwas zurückbleibt, weil die Verwaltung in Rücksichtnahme auf den zur Zeit geringeren Zinsertrag der Kapitalien der Anstalt darauf Bedacht nehmen muß, den Hilfsfonds nicht zu sehr in Anspruch zu nehmen, um denselben thunlichst hoch zu erhalten, so hat sich doch andererseits ein Ausgleich dadurch ermöglichen lassen, daß der Herr Minister der geistlichen 2c. Angelegenheiten in dankenswerther Weise auf Befürwortung des Central-Verwaltungsausschusses 28 Mitgliedern der Pensionsanstalt außerordentliche Unterstützungen im Gesammtbetrage von 2490 ℳ bewilligt hat.

Kassenrevisionen durch den stellvertretenden Direktor und den Schatzmeister, bezw. ein anderes Mitglied des Central-Verwaltungsausschusses haben innerhalb des Berichtsjahres stattgefunden am 31. Januar, 30. März, 27. Juni, 30. September und 23. Dezember; bei keiner derselben fand sich, wie durch jedesmaliges Protokoll festgestellt wurde, etwas zu erinnern.

Die Jahresrechnung für 1895 nebst allen Belägen ist von dem versicherungs-technischen Mitgliede des Kuratoriums, Mathematiker und Versicherungsbeamten Marmetschke, eingehend geprüft und für richtig befunden, und auf seinen Antrag ist dem Central-Verwaltungsausschusse in der heutigen Sitzung einstimmig Entlastung ertheilt worden. Zu Unterstützungen von Anstaltsmitgliedern wird dem Central-Verwaltungsausschusse für das Jahr 1896 außer den aus der Grossmann'schen Stiftung zur Verfügung stehenden Mitteln die Summe von 8000 ℳ überwiesen.

Durch das am 22. Juli 1895 erfolgte Ableben des Wirklichen Geheimen Raths Dr. v. Gneist Excellenz haben wir einen schmerzlichen Verlust erlitten. Seit Begründung der Pensionsanstalt hat er als stellvertretender Vorsitzender des Kuratoriums alljährlich die Verhandlungen in unseren Sitzungen geleitet, aber auch außerdem hat er zu jeder Zeit das Beste der von ihm mit ins Leben gerufenen Anstalt mit Rath und That zu fördern gesucht. Für alle Beweise langjähriger treuer Fürsorge auch noch an dieser Stelle tief empfundenen Dank auszusprechen, ist uns ein Bedürfnis.

Zu lebhafter Freude gereicht es uns, daß Se. Majestät der Kaiser und König allergnädigst geruht haben, auf den aus unserer Mitte angeregten Vorschlag der Allerhöchsten Protektorin unserem hochverdienten Mitgliede Fräulein Luise Hackenschmidt in Charlottenburg aus Anlaß der Feier ihres 90. Geburtstages die zweite Klasse der zweiten Abtheilung des Luisen-Ordens mit der Jahreszahl 1875 allerhöchst zu verleihen.

Indem wir allen bisherigen Freunden und Gönnern der Pensionsanstalt für ihre fortgesetzte Beisteuer zum Hilfsfonds unseren wärmsten Dank sagen, geben wir wiederum dem lebhaften Wunsche Ausdruck, daß ihr Beispiel in immer weiteren Kreisen mehr und mehr Nacheiferung erwecken möge, da einzig durch Mehrung der dem Hilfsfonds zufließenden Mittel die Möglichkeit gegeben ist, gegen die Anstaltsmitglieder in noch ausgiebigerem Maße Wohlthätigkeit zu üben.

Gesuche um Aufnahme in die Pensionsanstalt, Anmeldebogen, Erläuterungen des Statuts, sowie Auskunft über irgend eine Bestimmung des Statuts sind an den Direktor des Central-Verwaltungsausschusses Ministerial-Direktor Dr. Kügler oder an den stellvertretenden Direktor Stäckel nach „Berlin W., Behrenstraße 72", zu richten, Gesuche um Bewilligungen aus dem Hilfsfonds in der Regel an die Vorsitzenden oder Schriftführer der Bezirks-Verwaltungsausschüsse. Neu eintretenden Mitgliedern ist dringend zu empfehlen, für den Pensionsbeginn das Alter 50 nur dann zu wählen, wenn das Mitglied die in diesem Falle zu entrichtenden höheren Beiträge ohne Bedrängnis zahlen kann. Die Lehrerinnen-Pensionskasse befindet sich nach wie vor in dem Ministerialgebäude „Behrenstraße 72", die Amtsstunden der Kassenbeamten sind von 12—2 Uhr Nachmittags.

Die Mitglieder der Pensionsanstalt wollen nicht unterlassen, sowohl bei Gesuchen an den Central-Verwaltungsausschuß, als auch bei Einsendung der Beiträge, wie Anfragen an die Kasse stets die Nummer des Aufnahmescheines anzugeben.

Berlin, den 3. Mai 1896.

Das Kuratorium.

Personal-Veränderungen, Titel- und Ordensverleihungen.

A. Behörden und Beamte.

Es sind ernannt worden:

der bisherige Seminar-Direktor Schulrath Ruete aus Waldau zum Regierungs- und Schulrath bei der Regierung zu Frankfurt a. O. und

der bisherige Seminar-Direktor Dr. Gregorovius zu Cöpenick zum Regierungs- und Schulrath bei der Regierung zu Köslin

Dem Kreis-Schulinspektor Windrath zu Barmen ist der Charakter als Schulrath verliehen worden.

In gleicher Eigenschaft sind versetzt worden:

der Kreis-Schulinspektor Brandenburger zu Schroda in den Kreis-Schulinspektionsbezirk Posen II,

der Kreis-Schulinspektor Dr. Hilfer zu Kempen in den Kreis-Schulinspektionsbezirk Kolmar i. P., unter Anweisung seines Wohnsitzes zu Schneidemühl, und

der Kreis-Schulinspektor Stordeur von Schwelm nach Sagan.

Der bisherige Seminarlehrer Wedig ist zum Kreis-Schulinspektor ernannt worden.

B. Universitäten.

Universität Königsberg.

Dem ordentlichen Professor in der Medizinischen Fakultät der Universität Königsberg Dr. Kuhnt ist der Charakter als Geheimer Medizinalrath verliehen worden.

Es sind ernannt worden:

der bisherige außerordentliche Professor in der Juristischen Fakultät der Universität Königsberg Dr. Gradenwitz zum ordentlichen Professor in derselben Fakultät und

der bisherige außerordentliche Professor Dr. Klinger zu Bonn zum ordentlichen Professor in der Philosophischen Fakultät der Universität Königsberg.

Universität Berlin.

Dem Bibliothekar an der Königlichen Universitäts-Bibliothek zu Berlin Dr. Seelmann ist der Titel „Ober-Bibliothekar" verliehen worden.

Universität Greifswald.

Dem außerordentlichen Professor in der Medizinischen Fakultät der Universität Greifswald Dr. Krabler ist der Charakter als Geheimer Medizinalrath verliehen worden.

Universität Breslau.

Der bisherige ordentliche Professor Dr. Schulte zu Freiburg i. B. ist zum ordentlichen Professor in der Philosophischen Fakultät der Universität Breslau ernannt worden.

Universität Halle-Wittenberg.

Dem Privatdozenten in der Medizinischen Fakultät und Prosektor am Anatomischen Institut und Zootomischen Museum der Universität Halle Dr. Eisler ist das Prädikat „Professor" beigelegt worden.

Universität Göttingen.

Es ist verliehen worden der Charakter als Geheimer Regierungsrath:

den ordentlichen Professoren in der Philosophischen Fakultät der Universität Göttingen Dr. Klein und Dr. von Wilamowitz-Moellendorff.

Der bisherige Privatdozent Lic. theol. Bousset zu Göttingen ist zum außerordentlichen Professor in der Theologischen Fakultät der dortigen Universität ernannt worden.

Universität Marburg.

Dem ordentlichen Professor in der Philosophischen Fakultät der Universität Marburg Dr. Bauer ist der Charakter als Geheimer Regierungsrath verliehen worden.

Dem Landgerichtsrath Martin zu Marburg ist das Amt des Universitätsrichters der dortigen Universität nebenamtlich übertragen worden.

Universität Bonn.

Dem Privatdozenten in der Evangelisch-theologischen Fakultät der Universität Bonn Lic. theol. Meyer ist das Prädikat „Professor" beigelegt worden.

Akademie Münster.

Der bisherige Privatdozent Dr. Kappes zu Münster i. W. ist zum außerordentlichen Professor in der Philosophischen Fakultät der dortigen Akademie ernannt worden.

C. Technische Hochschulen.

Aachen.

Dem Dozenten an der Technischen Hochschule zu Aachen Bildhauer Krauß ist das Prädikat „Professor" beigelegt worden.

D. Museen u. s. w.

Aus Anlaß der 200jährigen Jubelfeier der Akademie der Künste zu Berlin sind den nachbenannten Personen Orden beziehungsweise das Allgemeine Ehrenzeichen verliehen worden, und zwar:

der Stern zum Königlichen Kronen-Orden zweiter Klasse:

dem Ehren-Präsidenten der Akademie der Künste Geschichtsmaler Professor Becker;

der Königliche Kronen-Orden zweiter Klasse:

dem Präsidenten der Akademie der Künste Architekten Geheimen Regierungsrath Professor Ende;

der Rothe Adler-Orden dritter Klasse mit der Schleife:

dem Vorsteher eines mit der Akademie der Künste verbundenen Meister-Ateliers für Malerei Geschichtsmaler Professor Knille,

dem Direktor des akademischen Instituts für Kirchenmusik Professor Radecke und

dem Vorsteher einer mit der Akademie der Künste verbundenen Meisterschule für musikalische Komposition Professor Bargiel;

der Königliche Kronen-Orden dritter Klasse:

den Lehrern an der akademischen Hochschule für die bildenden Künste Maler Professor Meyerheim, Maler Professor Bracht und Kunsthistoriker Professor Dr. Dobbert,

dem Vorsteher der Abtheilung für Klavier und Orgel der akademischen Hochschule für Musik Professor Rudorff und

dem Vorsteher der Abtheilung für Gesang dieser Hochschule Professor Schulze;

der Rothe Adler-Orden vierter Klasse:

dem Vorsteher des mit der Akademie der Künste verbundenen Meister-Ateliers für Kupferstecher Professor Köpping,

dem Ersten ständigen Sekretär der Akademie der Künste Professor Dr. Müller,

den Lehrern an der akademischen Hochschule für die bildenden Künste Maler Professor Hancke, Maler Professor Ehrentraut, Maler Professor Friedrich, Bildhauer Professor Herter und Kupferstecher Professor Meyer,

den Lehrern an der akademischen Hochschule für Musik Professoren Dorn, Wirth, Schmidt und Hausmann;

der Königliche Kronen-Orden vierter Klasse:

dem Registrator und Kalkulator der Akademie der Künste Schuppli und

dem Inspektor der akademischen Hochschule für die bildenden Künste Croner; sowie

das Allgemeine Ehrenzeichen:

den Hausdienern bei der Akademie der Künste Ehrlich und Hinze.

Den Mitgliedern der Königlichen Akademie der Künste zu Berlin Maler Kiesel daselbst, Bildhauer Brütt daselbst, Bildhauer Geiger zu Wilmersdorf bei Berlin und Bildhauer Manzel zu Charlottenburg, den Lehrern an der Königlichen akademischen Hochschule für die bildenden Künste zu Berlin Maler Herwarth, Bildhauer Janensch, Maler Vorgang und Maler Saltzmann und dem außerordentlichen Lehrer an der Königlichen akademischen Hochschule für Musik zu Berlin Königlichen Armee-Musikinspizienten Roßberg ist das Prädikat „Professor“,

dem Hilfslehrer an der Königlichen akademischen Hochschule für Musik zu Berlin Stange das Prädikat „Königlicher Musikdirektor“ beigelegt worden.

Dem Bibliothekar an der Königlichen Bibliothek zu Berlin Dr. Weil ist der Titel „Ober-Bibliothekar“ beigelegt worden.

E. Höhere Lehranstalten.

Es ist verliehen worden der Rothe Adler-Orden vierter Klasse:
dem Gymnasial-Direktor Dr. Nieberding zu Sagan,
dem Gymnasial-Oberlehrer Professor Heinrich daselbst und
dem Realgymnasial-Oberlehrer Professor Dr. Volkenrath zu Mülheim am Rhein.

Dem Oberlehrer am Gymnasium zu Mörs Prenzel ist der Charakter als „Professor“ beigelegt worden.

In gleicher Eigenschaft sind versetzt bezw. berufen worden:
der Direktor der Realschule zu Charlottenburg Dr. Gropp als Direktor der in der Entwickelung begriffenen Oberrealschule daselbst,
der Direktor Dr. Jaenicke vom Gymnasium zu Kreuzburg an das Friedrichs-Gymnasium zu Gumbinnen und
der Direktor Kanzow vom Gymnasium zu Gumbinnen an das Stiftsgymnasium zu Zeitz;

die Oberlehrer
Professor Dr. Beermann vom Gymnasium zu Nordhausen an das Gymnasium zu Erfurt,
Professor Bert vom Realgymnasium zu Dortmund an das Gymnasium daselbst,
Beuriger vom Gymnasium zu Neuwied an das Gymnasium zu Bonn,
Dr. Biese vom Domgymnasium zu Schleswig an das Gymnasium zu Coblenz,
Dr. Brandt vom Gymnasium zu M. Gladbach an die Oberrealschule zu Bonn,
Dr. Cauer von der 11. Realschule zu Berlin an das Prinz Heinrichs-Gymnasium zu Schöneberg,
Professor Dr. Exner vom Gymnasium zu Neustadt an das Katholische Gymnasium zu Glogau,
Dr. Haentzschel von der 3. Realschule an das Köllnische Gymnasium zu Berlin,
Jahn vom Pädagogium zu Puttbus an das Bismarck-Gymnasium zu Pyritz,
Dr. Köhler vom Gymnasium zu Sorau an das Luisen-Gymnasium zu Berlin,
Kutnewsky von der 2. an die 12. Realschule zu Berlin,
Dr. Lange vom Progymnasium zu Neumark an das Gymnasium zu Neustadt,
Lehmann von der 4. an die 2. Realschule zu Berlin,
Leja vom Gymnasium zu Sagan an das Gymnasium zu Neustadt O. S.,

Dr. Lemmen vom Gymnasium zu Prüm an das Gymnasium zu Coblenz,
Professor Dr. Lorenz vom Gymnasium zu Kreuzburg an das Gymnasium zu Ratibor,
Dr. Märkel vom Dorotheenstädtischen Realgymnasium an das Askanische Gymnasium zu Berlin,
Professor Mühlenbach vom Gymnasium zu Ratibor an das Gymnasium zu Jauer,
Professor Dr. Nerrlich vom Askanischen Gymnasium an das Dorotheenstädtische Realgymnasium zu Berlin,
Neumann (Max) von der 7. an die 4. Realschule zu Berlin,
Professor Ondrusch vom Gymnasium zu Neustadt an das Gymnasium zu Sagan,
Professor Dr. Reichling vom Gymnasium zu Heiligenstadt an das Gymnasium zu Münster,
Dr. Röskens vom Progymnasium zu Eupen an das Gymnasium zu Düsseldorf,
Pastor Schoeler vom Gymnasium zu Münster an das Gymnasium zu Kiel,
Dr. Scholl vom Gymnasium zu Siegburg an das Gymnasium zu Münstereifel,
Schultze vom Gymnasium zu Marienwerder an das Gymnasium zu Elbing,
Stelzmann vom Gymnasium zu Münstereifel an das Gymnasium zu Siegburg,
Professor Dr. Triemel vom Gymnasium zu Coblenz an das Domgymnasium zu Schleswig,
Tschiersch vom Gymnasium zu Dortmund an das Realgymnasium daselbst,
Ulrich von der 1. an die 7. Realschule zu Berlin,
Dr. Wächter von der Realschule zu Magdeburg an das Realgymnasium daselbst,
Warmuth vom Realgymnasium zu Landeshut an das Gymnasium zu Kreuzburg und
Wundsch vom Realgymnasium zu Elbing an das Gymnasium daselbst.

Es ist befördert worden:
der bisherige Leiter des Progymnasiums zu Grevenbroich Ernst zum Direktor der Anstalt.

Es sind angestellt worden als Oberlehrer:
am Gymnasium
zu Belgard der Hilfslehrer Droysen,
zu Merseburg (Domgymnasium) der Hilfslehrer Fritzsche,
zu Freienwalde a. O. der Hilfslehrer George,

zu Dortmund der Hilfslehrer Dr. Gregorius,
zu Marienwerder der Hilfslehrer Dr. Hohnfeldt,
zu Neustadt der Hilfslehrer Kubisty,
zu Cöln (Städtisches Gymnasium und Realgymnasium in der Kreuzgasse) die Hilfslehrer Leimbach und Meese,
zu Naumburg a. S. (Domgymnasium) die Hilfslehrer Dr. Nebert und Dr. Pilling,
zu Sorau der Hilfslehrer Dr. Pomtow,
zu Neisse der Hilfslehrer Ruffert,
zu Neuwied der Hilfslehrer Sarrazin,
zu Cöln (an Marzellen) der Hilfslehrer Dr. Schäfer,
zu Hadamar der Hilfslehrer Stemmler,
zu Breslau (Elisabeth) der Hilfslehrer Täuber,
zu M. Gladbach der Hilfslehrer Werth,
zu Halle a. S. (Lateinische Hauptschule der Franckeschen Stiftungen) der Schulamtskandidat Breddin,
zu Berlin (Humboldts-Gymnasium) der Schulamtskandidat Dr. Ries und
zu Gütersloh der Schulamtskandidat Dr. Waltemath;

am Realgymnasium
zu Siegen der Hilfslehrer Dr. Eskuche,
zu Dortmund die Hilfslehrer Dr. Fuhr und Lesser,
zu Landeshut der Hilfslehrer Halbscheffel,
zu Danzig (St. Johann) der Hilfslehrer Heß,
zu Erfurt der wissenschaftliche Lehrer von der höheren Handelsschule daselbst Dr. Pick und
zu Witten der Hilfslehrer Waechter;

an der Oberrealschule
zu Bonn die Hilfslehrer Dr. Cremer und Dr. Knickenberg,
zu Wiesbaden der Hilfslehrer Escher und
zu Saarbrücken die Hilfslehrer Krumbiegel und Schwerthführer;

am Progymnasium
zu Neumark der Hilfslehrer Dr. Karsten,
zu Eupen der Hilfslehrer Rochels,
zu Homburg v. d. H. der Hilfslehrer Rudolph,
zu Andernach der Hilfslehrer Stürmer und
zu Weißenfels der Hilfslehrer Dr. Wilke;

an der Realschule
zu Cöpenick der bisherige Mittelschulrektor Block daselbst,
zu Berlin (3.) der Hilfslehrer Fabienke,
zu Hannover (II.) der Hilfslehrer Früchtenicht,
zu Essen die Hilfslehrer Dr. Grimm, Heinzerling, Dr. Müller und Simons,

zu M. Gladbach die Hilfslehrer Dr. Herder und Dr. Löhr,
zu Quedlinburg die Hilfslehrer Habenicht, Hüttner, Dr. Kron und Dr. Pitschel,
zu Görlitz der Hilfslehrer Dr. Liese,
zu Altona-Ottensen der Hilfslehrer Oltmann,
zu Graudenz der Hilfslehrer Reimer,
zu Liegnitz der Hilfslehrer Dr. Schindelwick,
zu Breslau (II. evang.) der Hilfslehrer Dr. Heinr. Schmidt,
zu Erfurt der Hilfslehrer Dr. Wieprecht,
zu Berlin (11.) der Schulamtskandidat Böttcher,
zu Bitterfeld der Schulamtskandidat Gohdes und
zu Berlin (12.) der Schulamtskandidat Dr. Wulf;

am Realprogymnasium
zu Remscheid der Hilfslehrer Hillebrecht und
zu Schwelm der Hilfslehrer Dr. Schulenburg.

F. Schullehrer- und Lehrerinnen-Seminare.

Es ist verliehen worden:
dem Seminar-Direktor Dr. Renisch zu Cöpenick der Charakter als Schulrath.

In gleicher Eigenschaft sind versetzt worden:
die Seminar-Oberlehrer
Hotop von Barby nach Aurich,
Köhn von Aurich nach Barby und
Wiebel von Alfeld nach Hannover;
die ordentlichen Seminarlehrer
Carl von Rheydt nach Mettmann,
Musikdirektor Götze von Ziegenhals nach Breslau,
Hesse von Marienburg nach Mühlhausen i. Th.,
Osburg von Pilchowitz nach Ziegenhals und
Schmidt von Petershagen nach Soest.

Es sind befördert worden:
zum Oberlehrer
am Schullehrer-Seminar zu Breslau der bisherige ordentliche Seminarlehrer an dieser Anstalt Neudecker;
zum ordentlichen Lehrer
am Schullehrer-Seminar zu Hannover der bisherige Seminar-Hilfslehrer Menner zu Bromberg.

Es sind angestellt worden:
als ordentliche Lehrerinnen
am Lehrerinnen-Seminar zu Posen die Lehrerinnen Baldamus zu Posen und Langhans zu Sommerfeld;
als ordentliche Lehrer
am Schullehrer-Seminar zu Königsberg N. M. der Lehrer Dr. Burchardt zu Schweidnitz,

am Schullehrer-Seminar zu Berent der Lehrer Ehlert zu Danzig,
am Schullehrer-Seminar zu Pilchowitz der Lehrer Kotalla zu Ottmachau,
am Lehrerinnen-Seminar zu Augustenburg der Mittelschullehrer Nehl zu Mölln,
am Schullehrer-Seminar zu Rheydt der Rektor Ritter zu Homberg,
am Schullehrer-Seminar zu Münstermaifeld der Kaplan Schmitz zu Coblenz,
am Schullehrer-Seminar zu Osnabrück der bisherige kommissarische Lehrer am Schullehrer-Seminar zu Hannover Lic. theol. Dr. Thomas und
am Lehrerinnen-Seminar zu Posen der Lehrer Will von dort.

G. Präparandenanstalten.

Es ist befördert worden:
an der Präparandenanstalt zu Lobsens der bisherige Zweite Präparandenlehrer Bade zu Meseritz zum Vorsteher und Ersten Lehrer.

Es sind angestellt worden:
als Zweite Lehrer
an der Präparandenanstalt zu Wandersleben der bisherige Seminar-Hilfslehrer Haase zu Friedeberg N. M. und
an der Präparandenanstalt zu Lobsens der Lehrer Petzelt aus Dubin.

H. Oeffentliche höhere Mädchenschulen.

Es sind angestellt worden:
als ordentliche Lehrerin
an der Margarethenschule zu Berlin die wissenschaftliche Hilfslehrerin Spielhagen;
als ordentlicher Lehrer
an der Sophienschule zu Berlin der wissenschaftliche Hilfslehrer Dr. Schauer.

J. Ausgeschieden aus dem Amte.

1) Gestorben:
Dr. Finkelnburg, Geheimer Regierungsrath, außerordentlicher Professor in der Medizinischen Fakultät der Universität Bonn,
Halbeisen, Professor, Gymnasial-Oberlehrer zu Münster,

Dr. Hoff, Gymnasial-Direktor zu Coesfeld,
Dr. Hosius, Geheimer Regierungsrath, ordentlicher Professor in der Philosophischen Fakultät der Akademie zu Münster,
Klipfel, Geheimer Kanzleirath, Geheimer Registrator im Ministerium der geistlichen, Unterrichts- und Medizinal-Angelegenheiten,
Dr. Liebscher, ordentlicher Professor in der Philosophischen Fakultät der Universität Göttingen,
Dr. Marck, außerordentlicher Professor in der Philosophischen Fakultät der Universität Königsberg,
Rabeck, Professor, Gymnasial-Direktor zu Hannover,
Rottsahl, Realprogymnasial-Oberlehrer zu Langensalza,
Dr. Scharse, Schulrath, Kreis-Schulinspektor zu Danzig und
Dr. Soros, Gymnasial-Oberlehrer zu Berlin.

2) In den Ruhestand getreten:

Dr. Bernhardt, Professor, Gymnasial-Oberlehrer zu Erfurt, unter Verleihung des Rothen Adler-Ordens vierter Klasse,
Dr. Brieden, Professor, Gymnasial-Oberlehrer zu Arnsberg,
Buchholz, Gymnasial-Oberlehrer zu Pyritz, unter Verleihung des Rothen Adler-Ordens vierter Klasse,
Dr. Caspar, Professor, Gymnasial-Oberlehrer zu Bonn, unter Verleihung des Rothen Adler-Ordens vierter Klasse,
Dr. Cremans, Professor, Gymnasial-Oberlehrer zu Düsseldorf,
Dr. Dittmar, Geheimer Regierungsrath, Regierungs- und Schulrath zu Potsdam,
Fischer, Professor, Gymnasial-Oberlehrer zu Greifswald, unter Verleihung des Rothen Adler-Ordens vierter Klasse,
Dr. Franke, Professor, Gymnasial-Oberlehrer zu Neisse, unter Verleihung des Rothen Adler-Ordens vierter Klasse,
Gerner, Kreis-Schulinspektor zu Pr. Friedland, unter Beilegung des Charakters als Schulrath mit dem Range eines Rathes vierter Klasse,
Hartung, Professor, Realgymnasial-Oberlehrer zu Sprottau, unter Verleihung des Rothen Adler-Ordens vierter Klasse,
Hemmerling, Professor, Gymnasial-Oberlehrer zu Cöln, unter Verleihung des Rothen Adler-Ordens vierter Klasse,
Dr. Hermes, Professor, Gymnasial-Oberlehrer zu Berlin,
Houben, Professor, Gymnasial-Oberlehrer zu Düsseldorf, unter Verleihung des Rothen Adler-Ordens vierter Klasse,
Dr. Huperz, Professor, Gymnasial-Oberlehrer zu Münster, unter Verleihung des Rothen Adler-Ordens vierter Klasse,

Klewe, Gymnasial-Oberlehrer zu Belgard, unter Verleihung des Rothen Adler-Ordens vierter Klasse,
Kortbrae, Gymnasial-Oberlehrer zu Dortmund,
Kothe, Seminar-Oberlehrer zu Breslau,
Dr. Marheineke, Professor, Realschul-Oberlehrer zu Breslau, unter Verleihung des Rothen Adler-Ordens vierter Klasse,
Meurer, Seminarlehrer zu Brühl,
Dr. Roseck, Professor, Gymnasial-Oberlehrer zu Breslau, unter Verleihung des Adlers der Ritter des Königlichen Hausordens von Hohenzollern,
Dr. Roudolf, Professor, Gymnasial-Oberlehrer zu Neuß, unter Verleihung des Adlers der Ritter des Königlichen Hausordens von Hohenzollern,
Samland, Professor, Gymnasial-Oberlehrer zu Neustadt, unter Verleihung des Rothen Adler-Ordens vierter Klasse,
Dr. Scholz, Professor, Gymnasial-Oberlehrer zu Glogau, unter Verleihung des Rothen Adler-Ordens vierter Klasse,
Lic. Tauscher, Gymnasial-Direktor zu Zeitz, unter Verleihung des Rothen Adler-Ordens dritter Klasse mit der Schleife,
Dr. Ulrich, Direktor des Realprogymnasiums zu Langensalza, unter Verleihung des Rothen Adler-Ordens vierter Klasse, und
Dr. Ulrich, Professor, Gymnasial-Oberlehrer zu Breslau, unter Verleihung des Rothen Adler-Ordens vierter Klasse.

3) Ausgeschieden wegen Eintritts in ein anderes Amt im Inlande:

Bartscher, Seminar-Hilfslehrer zu Usingen und
Hinckeldeyn, Geheimer Baurath und vortragender Rath im Ministerium der geistlichen, Unterrichts- und Medizinal-Angelegenheiten.

Inhalts-Verzeichnis des Juni-Heftes.

Centralblatt

für

die gesammte Unterrichts-Verwaltung in Preußen.

Herausgegeben in dem Ministerium der geistlichen, Unterrichts- und Medizinal-Angelegenheiten.

№ 7 u. 8. Berlin, den 25. Juli 1896.

A. Behörden und Beamte.

118) Gesetz, betreffend Abänderungen des Pensionsgesetzes vom 27. März 1872. Vom 25. April 1896.

(G. S. S. 87.)

Wir Wilhelm, von Gottes Gnaden König von Preußen 2c. verordnen, mit Zustimmung beider Häuser des Landtages der Monarchie, was folgt:

Artikel I.

An Stelle des letzten Satzes des §. 6 Abs. 2 des Pensionsgesetzes vom 27. März 1872 (G. S. S. 268) treten nachstehende Vorschriften:

Wegen Aufbringung der Pension für die Lehrer und Beamten an denjenigen vorbezeichneten Schulen, welche nicht vom Staate allein zu unterhalten sind, bleiben die bestehenden Vorschriften, insbesondere die §§. 4 bis 9 und 16 bis 18 der Verordnung vom 28. Mai 1846 (G. S. S. 214), mit der aus dem Wegfall der Pensionsbeiträge der unmittelbaren Staatsbeamten sich ergebenden Maßgabe in Kraft. Desgleichen finden die Vorschriften des §. 13 der Verordnung auf die zur Zeit des Inkrafttretens des gegenwärtigen Gesetzes an den vom Staate allein zu unterhaltenden Unterrichtsanstalten angestellten Lehrer und Beamten auch ferner Anwendung. Im Uebrigen treten die Bestimmungen der Verordnung mit der Maßgabe außer Kraft, daß Zusicherungen einer Anrechnung von Dienstzeiten, soweit sie für die Betreffenden günstiger sind, in Geltung bleiben.

Artikel II.

Der §. 14 Nr. 5 des Gesetzes vom 27. März 1872 erhält folgende Fassung:

als Lehrer (§. 6 Absatz 2) der vorgeschriebenen praktischen Ausbildung sich unterzogen hat. Dabei wird ein vorschriftsmäßig zurückgelegtes Ausbildungsjahr stets zu zwölf vollen Monaten gerechnet.

Artikel III.

Hinter §. 19 des Gesetzes vom 27. März 1872 wird folgender §. 19a eingeschaltet:

Bei der Berechnung der Dienstzeit eines in den Ruhestand zu versetzenden Lehrers an einer im §. 6 Absatz 2 bezeichneten Unterrichtsanstalt muß mit der in dem §. 29a bestimmten Maßgabe die gesammte Zeit angerechnet werden, während welcher der Lehrer innerhalb Preußens oder eines von Preußen erworbenen Landestheils im öffentlichen Schuldienst gestanden hat.

Artikel IV.

Auf die Lehrer und Beamten solcher im §. 6 Absatz 2 des Gesetzes vom 27. März 1872 bezeichneten Unterrichtsanstalten, welche nicht vom Staate allein zu unterhalten sind, finden nachstehende besondere Vorschriften Anwendung:

§. 1.

Bei der Entscheidung über das Recht auf Pension und bei der Uebertragung der Befugnis zu dieser Entscheidung an eine nachgeordnete Behörde (§§. 22 und 23 des Gesetzes vom 27. März 1872 und des Gesetzes vom 30. April 1884 — G. S. S. 126 —) findet eine Mitwirkung des Finanzministers nicht statt.

Die Beschwerde über die Entscheidung und die Klage gegen dieselbe steht auch den zur Zahlung der Pension Verpflichteten innerhalb der für die Beamten (Lehrer) bestimmten Fristen offen. Die Klage ist von den Lehrern und Beamten gegen die zur Zahlung der Pension Verpflichteten, von letzteren gegen erstere zu erheben.

Bis zur endgiltigen Erledigung der Beschwerde oder Klage gegen die getroffene Entscheidung über die zu gewährende Pension wird dieselbe nach Maßgabe dieser Entscheidung vorschußweise an den Bezugsberechtigten gezahlt.

§. 2.

Von dem in dem §. 20 des Gesetzes vom 27. März 1872 vorgeschriebenen Nachweise der Dienstunfähigkeit kann im Einverständnisse mit dem Unterhaltungspflichtigen abgesehen werden.

§. 3.

Die Bewilligung einer Pension auf Grund des §. 2 Absatz 2 und des §. 7 des Gesetzes vom 27. März 1872 sowie die Anrechnung von Dienstzeiten, auf welche den Lehrern oder Beamten ein Rechtsanspruch nicht zusteht, erfolgt mit Zustimmung der zur Aufbringung der Pension Verpflichteten durch die für die Entscheidung über den Rechtsanspruch des Lehrers oder Beamten zuständige Behörde (§. 22 des Gesetzes vom 27. März 1872 und des Gesetzes vom 30. April 1884 — G. S. S. 126 —).

§. 4.

Den Lehrern und Beamten steht ein Anspruch auf Anrechnung einer im Reichs- oder Staatsdienst zurückgelegten Civildienstzeit, abgesehen von dem Falle des §. 19a, nicht zu. Dagegen ist denselben die gesammte Zeit anzurechnen, während welcher sie in einem Amte der zur Aufbringung ihrer Pension ganz oder theilweise verpflichteten Gemeinde oder Stiftung oder des betreffenden größeren Kommunalverbandes gestanden haben.

Artikel V.

Hinter §. 29 des Gesetzes vom 27. März 1872 tritt folgender §. 29a:

Die in dem §. 27 Nr. 2 sowie in den §§. 28 und 29 für den Fall des Wiedereintritts eines Pensionärs in den Reichs- oder Staatsdienst getroffenen Vorschriften finden auf diejenigen unter die Vorschriften des §. 6 fallenden pensionirten Lehrer und Beamten, deren Pension nicht aus der Staatskasse zu zahlen ist, nur dann sinngemäße Anwendung, wenn sie im Dienste der zur Aufbringung ihrer Pension ganz oder theilweise verpflichteten Gemeinde oder Stiftung oder des betreffenden Kommunalverbandes wieder angestellt oder beschäftigt werden.

Ist ein unter die Vorschriften des §. 6 fallender Pensionär, dessen Pension nicht aus der Staatskasse zu zahlen ist, in ein zur Pension berechtigendes Amt des unmittelbaren Staatsdienstes oder an einer der im §. 6 Absatz 2 bezeichneten Unterrichtsanstalten, deren Unterhaltung Anderen, als den zur Aufbringung seiner Pension Verpflichteten obliegt, wieder eingetreten, so bleibt für den Fall des Zurücktretens in den Ruhestand bei der Entscheidung über eine ihm zu gewährende neue Pension die Dienstzeit vor seiner früheren Versetzung in den Ruhestand außer Anrechnung.

Diese Bestimmung findet auf diejenigen Pensionäre, deren Pension aus der Staatskasse zu zahlen ist, alsdann gleichfalls Anwendung, wenn sie in ein zu Pension berechtigendes Amt an einer der im §. 6 Absatz 2 bezeichneten Unterrichtsanstalten, welche nicht vom Staate allein zu unterhalten sind, wieder eingetreten sind.

Artikel VI.

Der §. 30 des Gesetzes vom 27. März 1872 erhält folgenden Zusatz:

Die Bestimmungen der §§. 88 bis 93 des Gesetzes vom 21. Juli 1852 (G. S. S. 465) finden auch auf die Lehrer und Beamten derjenigen im §. 6 Absatz 2 genannten Anstalten Anwendung, welche nicht vom Staate allein zu unterhalten sind.

Artikel VII.

Ist die nach Maßgabe des gegenwärtigen Gesetzes zu bemessende Pension geringer als die Pension, welche dem Lehrer oder Beamten hätte gewährt werden müssen, wenn er zur Zeit des Inkrafttretens dieses Gesetzes nach den bis dahin für ihn geltenden Bestimmungen pensionirt worden wäre, so wird diese letztere Pension an Stelle der ersteren bewilligt.

Artikel VIII.

Dieses Gesetz tritt mit dem 1. April 1896 in Kraft.

Urkundlich unter Unserer Höchsteigenhändigen Unterschrift und beigedrucktem Königlichen Insiegel.

Gegeben Wartburg, den 25. April 1896.

(L. S.) **Wilhelm.**

Fürst zu Hohenlohe. v. Boetticher. Frhr. v. Berlepsch. Miquel. Thielen. Bosse. Bronsart v. Schellendorff. Frhr. v. Marschall. Frhr. v. Hammerstein. Schönstedt. Frhr. v. d. Recke.

---

119) Ausführungsverfügung zu dem Gesetze vom 25. April 1896, betreffend Abänderungen des Pensionsgesetzes vom 27. März 1872.

Berlin, den 1. Juni 1896.

Nachdem das Gesetz vom 25. April 1896, betreffend Abänderungen des Pensionsgesetzes vom 27. März 1872, in der

Gesetzsammlung Seite 87 ff. publizirt worden ist, lasse ich dem Königlichen Provinzial-Schulkollegium den Regierungsentwurf nebst Begründung und den Kommissionsbericht des Abgeordnetenhauses vom 4. März 1896 (Drucksachen des Hauses der Abgeordneten Nr. 8 und 86) in je einem Exemplare zur Kenntnisnahme zugehen. Das neue Gesetz entspricht durchaus dem im Kommissionsberichte Vorgeschlagenen. Die beiden Anlagen geben über den Zweck und die für die einzelnen Bestimmungen maßgebenden Gesichtspunkte ausreichenden Aufschluß, so daß nähere Ausführungen dazu nur in wenigen Punkten erforderlich sind.

In dieser Hinsicht bemerke ich im Einverständnisse mit dem Herrn Finanzminister das Folgende:

Diejenigen Blinden- und Taubstummenanstalten, welche von den Provinzen unterhalten werden und deren Verhältnisse durch die Provinzialordnung oder durch die auf Grund derselben erlassenen Reglements geregelt sind, fallen nicht unter die Bestimmungen des Gesetzes vom 25. April 1896.

Mit Bezug auf die nach Art. I. des Gesetzes vom 25. April 1896 fortdauernde Geltung der die Aufbringung der Pensionen betreffenden Vorschriften der Verordnung vom 28. Mai 1846 ist zu erwähnen, daß die eine Abweichung von den Bestimmungen der §§. 16 und 17 der Verordnung zu Gunsten der größeren Stadtgemeinden zulassende Allerhöchste Ordre vom 13. März 1848 — G. S. S. 113 — nach wie vor in Anwendung zu bringen ist.

Materiell Neues von größerer Tragweite bestimmen nur die Art. II und III des Gesetzes, indem neben dem Probejahre das erst im Jahre 1890 neueingeführte Seminarjahr allgemein und ferner die gesammte im inländischen öffentlichen Schuldienste, also auch an den Volks- und Mittelschulen, zugebrachte Zeit für die nichtstaatlichen Lehrer als pensionsberechtigt erklärt wird.

Von minderer Bedeutung sind folgende Punkte:

Während bisher bei den staatlichen Lehrern die Zeit des ausländischen öffentlichen Schuldienstes ohne Weiteres mitangerechnet wurde, wenn die Uebernahme der Lehrer in den inländischen Staatsdienst vorzugsweise im Interesse des öffentlichen Unterrichts erfolgt war, ist dies in Zukunft nur noch der Fall bei den bereits am 1. April d. Js. im Amte befindlichen Lehrern und Beamten, dagegen nicht mehr bei den von diesem Tage ab angestellten. Diesen kann in Uebereinstimmung mit den auch sonst für unmittelbare Staatsbeamte geltenden Vorschriften die ausländische Dienstzeit nur noch nach Maßgabe des §. 19 des Gesetzes von 1872 und der Novelle vom 20. März 1890 bezw. des Art. IV §. 3 des neuen Gesetzes angerechnet werden.

Bei den Beamten der staatlichen höheren Schulen ist

künftig auch nur noch die inländische staatliche Dienstzeit, dagegen nicht mehr die an nichtstaatlichen inländischen Schulen zugebrachte Zeit ohne Weiteres anrechenbar; dasselbe ist der Fall bei den Beamten an den nichtstaatlichen höheren Schulen bezüglich der im Schuldienste eines Anderen als des zur Pensionszahlung Verpflichteten zugebrachten Zeit. Die Anrechnung dieser Zeiten kann künftig bei den Beamten der höheren Schulen nur in derselben Weise herbeigeführt werden, wie dies nach dem oben Erwähnten bei den Lehrern bezüglich der ausländischen Schuldienstzeit geschehen kann. Hierauf ist zur Vermeidung von Nachtheilen für die betreffenden Beamten besonders bei Versetzungen von Schuldienern nichtstaatlicher Schulen an staatliche Anstalten, sowie bei der Verstaatlichung höherer Schulen zu achten. In diesen und ähnlichen Fällen sind daher schon vor der Uebernahme des Beamten in den Staatsdienst die erforderlichen Feststellungen zu erwirken.

Ferner ist noch auf eine zwischen den Verhältnissen der Lehrer an den staatlichen und an den nichtstaatlichen Schulen sich ergebende Differenz aufmerksam zu machen. Während nämlich bei den staatlichen Lehrern auf Grund des §. 14 Nr. 2 des Gesetzes von 1872 auch die im Dienste des Norddeutschen Bundes oder des Deutschen Reiches (also an Kadettenhäusern, Kriegsschulen, in der Marine) und gemäß der Anlage zum Erlasse des Herrn Finanzministers und des Herrn Ministers des Innern vom 10. April 1883 bei Nr. 9 (Centrbl. f. d. ges. Unt.-Verw. S. 483) im Elsaß-Lothringischen Landesdienste zugebrachte Zeit angerechnet wird, ist dies gemäß Art. IV §. 4 des Gesetzes vom 25. April 1896 bei den nichtstaatlichen Lehrern nicht der Fall. Die Anrechnung bei diesen kann also gemäß Art. IV §. 7 des Gesetzes von 1896 nur mit Zustimmung des zur Aufbringung der Pension Verpflichteten erfolgen.

Eine etwa außerhalb des öffentlichen Schuldienstes geleistete inländische Dienstzeit eines Lehrers oder Beamten ist, sofern sie nicht dem zur Zahlung der Pension Verpflichteten geleistet worden ist, bezüglich der Anrechnung bei der Pension ebenso zu behandeln, wie ausländische Dienstzeit.

Die Zeit, während welcher ein zur vollen Beschäftigung berufener Hilfslehrer an der Wahrnehmung seiner Dienstgeschäfte durch vorübergehende Krankheit, Beurlaubung, Einberufung zu militärischen Uebungen u. s. w. behindert war, ist als pensionsfähige Dienstzeit anzurechnen. Dagegen kommt die Zeit, während welcher ein nicht in einer etatsmäßigen Stelle angestellter Lehrer nur nebenbei beschäftigt gewesen ist, gemäß dem im §. 5 des Gesetzes von 1872 ausgesprochenen Grundsatze nicht zur Anrechnung (Erlaß des Ministers des Innern und der Finanzen vom 29. Juli 1884 zu Nr. 11 — Centrbl. f. d. ges. Unt.-Verw. 1885 S. 138). Als nicht blos nebenbei beschäftigt gilt ein Hilfslehrer, wenn er wöchentlich mindestens 12 Stunden zu unterrichten hat (vergl. Erlaß vom 5. Juni 1895 — U. II. 1425. — Centrbl. S. 574).

Zur Anrechnung einer an Privatschulen zugebrachten Dienstzeit besteht eine Verpflichtung des Patronats nicht; bezüglich der vom Staate zu pensionirenden Lehrer ist in dieser Beziehung auch künftig nach Maßgabe des Erlasses vom 28. Januar 1875 (Wiese-Kübler Verordn. und Gesetze II. S. 368 — Centrbl. f. d. ges. Unt.-Verw. S. 387) zu verfahren.

Zu denjenigen Anstalten, auf welche sich der Art. IV des Gesetzes vom 25. April 1896 bezieht, d. h. zu den nicht vom Staate allein zu unterhaltenden Schulen, zählen auch die im Kapitel 120 Titel 3 des Staatshaushalts-Etats aufgeführten Anstalten gemischten Patronats. Es bedarf also bei der Pensionirung von Lehrern und Beamten an diesen Anstalten behufs Anrechnung der im §. 19 erwähnten Dienstzeiten weder der bei reinstaatlichen Anstalten erforderlichen Allerhöchsten Genehmigung noch der Mitwirkung des Herrn Finanzministers.

Dagegen ist von den mit der Pensionsfestsetzung beauftragten staatlichen Behörden dabei nach denselben Grundsätzen zu verfahren, wie bei den unmittelbaren Staatsbeamten.

Die Lehrer und Beamten an den zwar nicht vom Staate zu unterhaltenden aber unter alleiniger Verwaltung des Staates stehenden höheren Schulen, im Wesentlichen also an den sog. Anstalten landesherrlichen Patronats, sind bezüglich der Anrechnung der pensionsberechtigten Dienstzeit ebenso zu behandeln, wie die staatlichen Lehrer und Beamten.

Hinsichtlich des formellen Verfahrens bei der Pensionirung von Lehrern und Beamten nichtstaatlicher höherer Schulen ist zu beachten, daß gemäß Art. IV §. 3 des Gesetzes vom 25. April 1896 künftig die die Versetzung in den Ruhestand aussprechende Verfügung lediglich von der staatlichen Aufsichtsbehörde, selbstverständlich nach Benehmen mit dem Unterhaltungspflichtigen, zu ergehen hat.

Behufs besserer Uebersichtlichkeit der geltenden Vorschriften über die Pensionirung der Lehrer an höheren Schulen meines Amtsbereiches habe ich eine einheitliche Zusammenstellung dieser Vorschriften nach Maßgabe des Gesetzes vom 27. März 1872 und der bisher dazu ergangenen Abänderungsgesetze fertigen lassen. Das Königliche Provinzial-Schulkollegium erhält hierbei ein

Druckexemplar dieser Zusammenstellung, die auch im Centralblatt für die gesammte Unterrichts-Verwaltung zur Veröffentlichung gelangt.

An
die sämmtlichen Königlichen Provinzial-Schulkollegien.

Abschrift erhält die Königliche Regierung zur Kenntnisnahme und Nachachtung bezüglich der Ihr unterstehenden unter §. 6 des Pensionsgesetzes vom 27. März 1872 fallenden Anstalten meines Amtsbereiches. Von der Beifügung der anderweit zugängigen beiden Drucksachen des Hauses der Abgeordneten ist abgesehen. Dagegen lasse ich der Königlichen Regierung ein Druckexemplar der oben erwähnten Zusammenstellung der Pensionsvorschriften anbei zugehen.

Der Minister der geistlichen 2c. Angelegenheiten.
Bosse.

An
die sämmtlichen Königlichen Regierungen.
U. II. Nr. 1068. U. III. U. IV.

a.

Entwurf eines Gesetzes, betreffend Abänderungen des Pensionsgesetzes vom 27. März 1872.

Wir Wilhelm, von Gottes Gnaden König von Preußen 2c. verordnen, mit Zustimmung beider Häuser des Landtages der Monarchie, was folgt:

Art. I.

An Stelle des §. 6 Absatz 2 des Pensionsgesetzes vom 27. März 1872 (G. S. S. 268) treten nachstehende Vorschriften:

Dagegen sind die Bestimmungen desselben anzuwenden auf die Lehrer und Beamten an Gymnasien, Realgymnasien, Oberrealschulen, Progymnasien, Realprogymnasien, Realschulen (höhere Bürgerschulen), Schullehrer-Seminarien, Taubstummen- und Blindenanstalten und Kunstschulen.

Wegen Aufbringung der Pension für die Lehrer und Beamten an denjenigen vorbezeichneten Schulen, welche nicht vom Staate allein zu unterhalten sind, bleiben die bestehenden Vorschriften, insbesondere die §§. 4 bis 9 und 16 bis 18 der Verordnung vom 28. Mai 1846 (G. S. S. 214), mit der aus dem Wegfall der Pensionsbeiträge der unmittelbaren Staatsbeamten sich ergebenden Maßgabe in Kraft. Desgleichen finden die Vorschriften des §. 13 der Verordnung über die Anrechnung im Auslande geleisteter Dienste auf die zur Zeit des Inkrafttretens des gegenwärtigen Gesetzes an den vom Staate allein zu unterhaltenden Unterrichtsanstalten angestellten Lehrer und Beamten auch ferner Anwendung. Im Uebrigen treten die Bestimmungen der Verordnung mit der Maßgabe außer Kraft, daß Zusicherungen einer Anrechnung von Dienstzeiten in Geltung bleiben.

Art. II.

Der §. 14 Nr. 5 des Gesetzes vom 27. März 1872 erhält folgende Fassung:

als Lehrer (§. 6 Abs. 2) der vorgeschriebenen praktischen Ausbildung sich unterzogen hat. Dabei wird ein vorschriftsmäßig zurückgelegtes Ausbildungsjahr stets zu 12 vollen Monaten gerechnet.

Art. III.

Hinter §. 19 des Gesetzes vom 27. März 1872 wird folgender §. 19a eingeschaltet:

Bei der Berechnung der Dienstzeit eines in den Ruhestand zu versetzenden Lehrers an einer im §. 6 Abs. 2 bezeichneten Unterrichtsanstalt muß mit der in dem §. 29a bestimmten Maßgabe die gesammte Zeit angerechnet werden, während welcher der Lehrer innerhalb Preußens oder eines von Preußen erworbenen Landestheils im öffentlichen Schuldienst gestanden hat.

Art. IV.

Auf die Lehrer und Beamten solcher im §. 6 Absatz 2 des Gesetzes vom 27. März 1872 bezeichneten Unterrichtsanstalten, welche nicht vom Staate allein zu unterhalten sind, finden nachstehende besondere Vorschriften Anwendung:

§. 1.

Bei der Entscheidung über das Recht auf Pension und bei der Uebertragung der Befugnis zu dieser Entscheidung an eine nachgeordnete Behörde (§§. 22 und 23 des Gesetzes vom 27. März 1872 und des Gesetzes vom 30. April 1884 — G. S. S. 126) findet eine Mitwirkung des Finanzministers nicht statt.

Die Beschwerde über die Entscheidung und die Klage gegen dieselbe steht auch den zur Zahlung der Pension Verpflichteten innerhalb der für die Beamten (Lehrer) bestimmten Fristen offen. Die Klage ist von den Lehrern und

Beamten gegen die zur Zahlung der Pension Verpflichteten, von letzteren gegen erstere zu erheben.

Bis zur endgiltigen Erledigung der Beschwerde oder Klage gegen die getroffene Entscheidung über die zu gewährende Pension wird dieselbe nach Maßgabe dieser Entscheidung vorschußweise an den Bezugsberechtigten gezahlt.

§. 2.

Von dem in dem §. 20 des Gesetzes vom 27. März 1872 vorgeschriebenen Nachweise der Dienstunfähigkeit kann im Einverständnisse mit dem Unterhaltungspflichtigen abgesehen werden.

§. 3.

Die Bewilligung einer Pension auf Grund des §. 2 Absatz 2 und des §. 7 des Gesetzes vom 27. März 1872, sowie die Anrechnung von Dienstzeiten, auf welche den Lehrern oder Beamten ein Rechtsanspruch nicht zusteht, erfolgt mit Zustimmung der zur Aufbringung der Pension Verpflichteten durch die für die Entscheidung über den Rechtsanspruch des Lehrers oder Beamten zuständige Behörde (§. 22 des Gesetzes vom 27. März 1872 und des Gesetzes vom 30. April 1884 — G. S. S. 126 —).

§. 4.

Den Lehrern und Beamten steht ein Anspruch auf Anrechnung einer im Reichs- oder Staatsdienst zurückgelegten Civildienstzeit abgesehen von dem Falle des §. 19a nicht zu. Dagegen ist denselben die gesammte Zeit anzurechnen, während welcher sie in einem Amte der zur Aufbringung ihrer Pension ganz oder theilweise verpflichteten Gemeinde oder Stiftung oder des betreffenden größeren Kommunalverbandes gestanden haben.

Art. V.

Hinter §. 29 des Gesetzes vom 27. März 1872 tritt folgender §. 29a:

Die in dem §. 27 Nr. 2 sowie in den §§. 28 und 29 für den Fall des Wiedereintritts eines Pensionärs in den Reichs- oder Staatsdienst getroffenen Vorschriften finden auf diejenigen unter die Vorschriften des §. 6 fallenden pensionirten Lehrer und Beamten, deren Pension nicht aus der Staatskasse zu zahlen ist, nur dann sinngemäße Anwendung, wenn sie im Dienste der zur Aufbringung ihrer Pension ganz oder theilweise verpflichteten Gemeinde oder Stiftung oder des betreffenden Kommunalverbandes wieder angestellt oder beschäftigt werden.

Ist ein unter die Vorschriften des §. 6 fallender Pensionär, dessen Pension nicht aus der Staatskasse zu zahlen ist, in ein zur Pension berechtigendes Amt des unmittelbaren Staatsdienstes oder an einer der im §. 6 Abs. 2 bezeichneten Unterrichtsanstalten, deren Unterhaltung Anderen, als den zur Aufbringung seiner Pension Verpflichteten obliegt, wieder eingetreten, so bleibt für den Fall des Zurücktretens in den Ruhestand bei der Entscheidung über eine ihm zu gewährende neue Pension die Dienstzeit vor seiner früheren Versetzung in den Ruhestand außer Anrechnung.

Diese Bestimmung findet auf diejenigen Pensionäre, deren Pension aus der Staatskasse zu zahlen ist, alsdann gleichfalls Anwendung, wenn sie in ein zu Pension berechtigendes Amt an einer der im §. 6 Absatz 2 bezeichneten Unterrichtsanstalten, welche nicht vom Staate allein zu unterhalten sind, wieder eingetreten sind.

Art. VI.

Der §. 30 des Gesetzes vom 27. März 1872 erhält folgenden Zusatz:

Die Bestimmungen der §§. 88 bis 93 des Gesetzes vom 21. Juli 1852 (G. S. S. 465) finden auch auf die Lehrer und Beamten derjenigen im §. 6 Absatz 2 genannten Anstalten Anwendung, welche nicht vom Staate allein zu unterhalten sind.

Art VII.

Ist die nach Maßgabe des gegenwärtigen Gesetzes zu bemessende Pension geringer, als die Pension, welche dem Lehrer oder Beamten hätte gewährt werden müssen, wenn er zur Zeit des Inkrafttretens dieses Gesetzes nach den bis dahin für ihn geltenden Bestimmungen pensionirt worden wäre, so wird diese letztere Pension an Stelle der ersteren bewilligt.

Art. VIII.

Dieses Gesetz tritt mit dem 1. April 1896 in Kraft.

Urkundlich 2c.

Beglaubigt.

Miquel. Bosse.

Begründung.

In dem Regierungsentwurfe des Pensionsgesetzes vom 27. März 1872 (G. S. S. 268) war die Neuregelung des Pensionswesens nur für die unmittelbaren Staatsbeamten in Aussicht genommen und die Anwendung des Gesetzes auf die Lehrer an den Unterrichtsanstalten im Bereiche der Unterrichts-Verwaltung ausdrücklich ausgeschlossen. Bei der Berathung im Landtage wurde das Gesetz durch Abänderung des §. 6 auf alle an den dort genannten höheren Unterrichtsanstalten angestellten Lehrer und Beamten, also einschließlich derjenigen ausgedehnt, welche wegen des kommunalen oder stiftischen Patronats der Schulen nicht im unmittelbaren Staatsdienste stehen. Dabei blieb unbeachtet, daß die ausschließlich zur Regelung der Rechtsverhältnisse unmittelbarer Staatsbeamter bestimmten Vorschriften des Entwurfs nicht ohne Weiteres allgemein zu einem angemessenen Ergebnis für die obengedachten Lehrer und Beamten führen. Der vorliegende Gesetzentwurf ist bestimmt, die in Folge dessen bei der Anwendung des Gesetzes hervorgetretenen Schwierigkeiten und Zweifel zu beseitigen.

Insbesondere fehlt es jetzt an klaren und den thatsächlichen Verhältnissen entsprechenden Vorschriften über die bei der Pensionirung der Lehrer anzurechnenden Dienstzeiten.

Nach den §§. 13 und 14 der Verordnung vom 28. Mai 1846, betreffend die Pensionirung der Lehrer und Beamten an den höheren Unterrichtsanstalten mit Ausschluß der Universitäten (G. S. S. 214), sollten außer dem Militärdienste den Lehrern und Beamten an staatlichen höheren Unterrichtsanstalten alle Dienste im Staatsdienste und an öffentlichen Unterrichtsanstalten, den Angestellten an den nicht oder nicht allein vom Staate zu unterhaltenden höheren Schulen neben der Zeit der Beschäftigung an der betreffenden Schule nur diejenigen Dienste angerechnet werden, welche sie der zur Pensionszahlung verpflichteten Kommune geleistet hatten, falls hierüber nicht andere Verabredungen getroffen waren.

Nach dem Pensionsgesetz sind dagegen, außer der Zeit des aktiven Militärdienstes und des Reichsdienstes, der Regel nach nur die im unmittelbaren Staatsdienste zugebrachten Dienstjahre anzurechnen. Ferner bestimmt der §. 19, 1a. dieses Gesetzes, daß mit Allerhöchster Genehmigung die Zeit angerechnet werden kann, während welcher ein Beamter im Gemeinde- oder Schuldienste sich befunden hat.

Die Anwendung dieser Vorschriften auf die im §. 6 genannten Lehrer entsprach zweifellos nicht der bei Erlaß des Pensionsgesetzes maßgebend gewesenen Absicht. Es war u. A. nicht anzunehmen, daß die Anrechnung eines nicht staatlichen öffentlichen Schuldienstes für die Lehrer an Staatsanstalten von einer jedesmaligen Allerhöchsten Genehmigung habe abhängig gemacht, oder die Anrechnung eines außerhalb des Patronatsbereiches einer nicht staatlichen Anstalt geleisteten Dienstes für die an einer solchen Schule angestellten Lehrer und Beamten auf Grund Allerhöchster Ordre habe zugelassen werden sollen. Unter solchen Umständen blieb nur die Auslegung des Gesetzes dahin übrig, daß die §§. 13 und 14 der Verordnung vom 28. Mai 1846 auch ferner als maßgebend erachtet werden müßten, daß insbesondere der §. 13 der gedachten Verordnung nicht mit §. 19 Nr. 1a des Gesetzes vom 27. März 1872 im Widerspruch stehe und demgemäß nicht durch §. 38 des Gesetzes außer Kraft gesetzt sei.

Der hiernach auf Grund einer anfechtbaren Auslegung des Pensionsgesetzes sich ergebende Rechtszustand führt indeß für die Lehrer an nicht staatlichen höheren Unterrichtsanstalten namentlich insofern zu einem unbefriedigenden Ergebnis, als ihnen ein Anspruch auf Anrechnung derjenigen Zeit nicht zusteht, während welcher sie außerhalb des Bereiches des Patronats derjenigen Schule, bei welcher sie zur Zeit ihrer Versetzung in den Ruhestand angestellt waren, im öffentlichen Schuldienste in Preußen sich befunden haben. Zwar haben die angestellten Ermittelungen ergeben, daß auch diesen Lehrern die bezeichneten Dienstjahre meistens angerechnet werden. Dies beruht aber nur in verhältnismäßig seltenen Fällen auf statutarischer Festsetzung; häufig liegen besondere Verabredungen vor, welche bei Aufnahme des einzelnen Lehrers in den Patronatsdienst getroffen worden sind, oder die Anrechnung ist auf wohlwollende Erwägungen der Kommunalbehörden zurückzuführen. Diejenigen Lehrer, welche es unterlassen haben, bei ihrer Anstellung an einer nicht staatlichen Lehranstalt wegen Anrechnung ihrer früheren Dienstzeit besondere Bedingungen zu stellen, befinden sich also in einer unsicheren Lage, welche von ihnen um so schwerer empfunden wird, als es immerhin nicht an solchen Fällen fehlt, in denen bei der Pensionirung solcher Lehrer die Anrechnung früherer Dienstjahre an anderen Unterrichtsanstalten von den Gemeindebehörden abgelehnt worden ist.

Der wiederholt zum Ausdruck gebrachte Wunsch des Lehrerstandes, daß diese ohne zureichenden inneren Grund in einer für sie bedeutenden Frage bestehende Ungleichmäßigkeit der Behandlung der Lehrer beseitigt, mithin der öffentliche Schuldienst im Inlande allen Lehrern an höheren Unterrichtsanstalten in gleicher Weise bei der Pensionirung angerechnet werde, erscheint berechtigt. Die Bedenken, welche gegen die Erfüllung dieses Wunsches von dem Standpunkte der Schulunterhaltungspflichtigen aus geltend gemacht werden könnten, werden zurücktreten müssen, da eine jenem Wunsche genügende gesetzliche Vorschrift der Auffassung entspricht, auf welcher das Gesetz vom 25. Juli 1892, betreffend das Diensteinkommen der Lehrer an den nichtstaatlichen öffentlichen höheren Schulen (G. S. S. 219), beruht, und solche Vorschrift sich, wie schon bemerkt, an eine vielfach geübte Praxis anschließt, mithin eine erhebliche Mehrbelastung der Unterhaltungspflichtigen nicht herbeiführen wird.

Soll hiernach künftig in der wichtigsten Beziehung eine Gleichstellung sämmtlicher Lehrer an öffentlichen höheren Unterrichtsanstalten in Betreff ihrer Pensionsansprüche stattfinden, so werden die §§. 13 und 14 der Verordnung vom 28. Mai 1846 ausdrücklich aufzuheben und allgemein durch sachgemäße Vorschriften zu ersetzen sein.

Die oben hervorgehobene Thatsache, daß das Gesetz vom 27. März 1872 ursprünglich nur für die unmittelbaren Staatsbeamten Geltung haben sollte und daher eine Anzahl für die Lehrer an nichtstaatlichen Schulen ungeeigneter Vorschriften enthält, erfordert auch anderweit ergänzende Bestimmungen.

Da endlich die Aufzählung der Unterrichtsanstalten im §. 6 Absatz 2 des Gesetzes vielfach den gegenwärtigen Schulformen nicht mehr entspricht, so erscheint auch hier eine Aenderung des Gesetzes zweckmäßig.

Das letztere Bedürfnis wird erfüllt durch den

Art. I.

des Entwurfs. Derselbe bezeichnet außerdem die noch ferner in Wirksamkeit bleibenden Bestimmungen der Verordnung vom 28. Mai 1846 über die Aufbringung der Pensionen. Er setzt im Uebrigen alle anderen Vorschriften der Verordnung mit der Maßgabe außer Kraft, daß schon ertheilte Zusicherungen über Anrechnung von Dienstzeiten in Geltung bleiben und den bereits jetzt an Staatsanstalten angestellten Lehrern und Beamten diejenigen Rechte erhalten werden, welche ihnen bisher auf Grund der Vorschrift des §. 13 der Verordnung vom 28. Mai 1846 zugestanden sind; hiernach werden diesen Lehrern und Beamten auch die im Auslande geleisteten Dienste angerechnet, wenn ihre Anstellung im Inlande vorzugsweise im Interesse des öffentlichen Unterrichts stattgefunden hat. Für die in Zukunft zur Anstellung an Staatsanstalten gelangenden Lehrer und Beamten wird dagegen die allgemeine Vorschrift des §. 19 1a des Pensionsgesetzes in Kraft treten, nach welcher es zur Anrechnung eines Dienstes im Auslande der Königlichen Genehmigung bedarf.

Art. II.

Der gegenwärtigen Bestimmung über Anrechnung des Probejahres im §. 14 Nr. 5 des Pensionsgesetzes ist eine Fassung gegeben, welche den neuerdings veränderten Vorschriften über die Ausbildung der Kandidaten des höheren Lehramtes entspricht.

Zur Erlangung der Anstellungsfähigkeit als Lehrer an höheren Schulen ist dem früher vorgeschriebenen Probejahre seit dem Jahre 1890 ein Seminarjahr hinzugetreten, welches entweder an einem pädagogischen Seminare oder an einer der dem Zwecke der praktischen Ausbildung von Schulamtskandidaten entsprechend eingerichteten höheren Unterrichtsanstalten, sog. Seminaranstalten, zurückgelegt wird. Dem Sinne des Gesetzes entspricht es, dies Seminarjahr dem bisherigen Probejahre in Bezug auf die Berechnung der pensionsfähigen Dienstzeit gleichzustellen. Die hiernach erforderlich gewordene Erweiterung der Bestimmung im §. 14 Nr. 5 des Pensionsgesetzes ist so gefaßt worden, daß sie auch für eine etwaige zukünftige Veränderung der Vorschriften über die praktische Vorbereitung der Schulamtskandidaten Raum gewährt.

Es waren ferner Zweifel darüber entstanden, wie das Probejahr zu berechnen sei, ob als ein volles Jahr ohne Rücksicht auf das Fehlen einiger Tage am Beginn oder Ende dieser sich naturgemäß dem Schuljahre anschließenden Ausbildungszeit oder nur für die Zeit der thatsächlichen Dauer derselben, wie dies in einigen Fällen von der Ober-Rechnungskammer angenommen war. Würde nach dem Wortlaute des Gesetzes vom 27. März 1872 diese strengere Auslegung Platz greifen, so würde das Ausbildungsjahr fast in keinem Falle als volles Jahr in Ansatz kommen können, da es in der Regel mit dem Anfange eines Schuljahres begonnen und mit dem Schlusse eines solchen beendet wird, zwischen diesen Terminen aber jedesmal Ferien liegen. Die Nichtanrechnung dieser Ferientage würde der Absicht des Gesetzes nicht entsprechen. Im Hinblick ferner darauf, daß z. B. bei Erkrankung des Kandidaten das Ausbildungsjahr nicht in allen Fällen mit dem Schuljahre zusammenfällt, ist eine Fassung für angemessen erachtet worden, welche die Anrechnung jedes im Uebrigen ordnungsmäßig zurückgelegten Ausbildungsjahres als eines vollen Dienstjahres sichert.

Art. III

enthält die bereits oben eingehend begründete wichtigste Vorschrift des Entwurfs, daß die Anrechnung der im inländischen öffentlichen Schuldienste zugebrachten Zeit für alle Lehrer an öffentlichen höheren Unterrichtsanstalten gleichmäßig zu erfolgen hat. Wegen der Ausnahme von dieser Regel für die nach erfolgter Pensionirung wieder angestellten Lehrer wird auf die Begründung zu §. 29a Bezug genommen.

Ein ausreichender Grund, den an den Staatsanstalten in Zukunft anzustellenden Beamten gemäß §. 13 der Verordnung vom 28. Mai 1846 einen Anspruch auf Anrechnung der Zeit einer Dienstleistung an nichtstaatlichen öffentlichen Schulen einzuräumen, ist nicht vorhanden. Solche Anrechnung wird daher für diese Beamten nur noch auf Grund der Vorschrift des §. 19 des Pensionsgesetzes erfolgen können.

Im Uebrigen ist hier hervorzuheben, daß ein Anspruch eines Lehrers auf Anrechnung einer Zeit der Dienstleistung an einer Schule in gleicher Weise, wie die Anrechnung der Zeit der Dienstleistung von Beamten im anderweitigen Staatsdienste, voraussetzt, daß die Zeit und Kräfte des Lehrers durch den Schuldienst mehr als nur nebenbei in Anspruch genommen gewesen sind (Centralblatt für die gesammte Unterr. Verw. 1885, S. 136).

Art. IV

faßt diejenigen Abänderungen des Pensionsgesetzes zusammen, welche ausschließlich auf Besonderheiten der nichtstaatlichen höheren Lehranstalten beruhen und daher eine nur diese Anstalten treffende Regelung angezeigt erscheinen lassen.

In dem §. 1 wird die hier nicht erforderliche Betheiligung des Finanzministers bei der Entscheidung über die Gewährung von Pension ausgeschlossen und nach Analogie der Vorschriften des §. 17 des Ruhegehaltskassengesetzes für die Volksschullehrer vom 23. Juli 1893 (G. S. S. 194) auch der Patronatsbehörde die Beschwerde und Klage gegen die von der Aufsichtsinstanz über die Höhe der Pension zu treffende Entscheidung eingeräumt, sowie die vorläufige Vollstreckbarkeit der letzteren angeordnet. Dabei ist es für zweckmäßig erachtet, ausdrücklich klar zu stellen, daß die Aufsichtsbehörde, welche die Entscheidung über die Pension getroffen hat, bei einem hierüber eingeleiteten gerichtlichen Verfahren nicht Prozeßpartei ist.

§. 2 gestattet, von der bei unmittelbaren Staatsbeamten im Interesse der Staatsfinanzen erforderlichen ausdrücklichen Feststellung der Dienstunfähigkeit des unter 65 Jahre alten Lehrers und Beamten im Einverständnisse mit dem Patron der Anstalt abzusehen.

§. 3 ordnet die Zuständigkeit der Behörden bei der Gewährung einer Pension und bei der Anrechnung von Dienstzeiten für diejenigen Fälle, in denen eine Rechtspflicht des Patrons nicht besteht; sie stellt insbesondere fest, daß nur mit Einwilligung des Patrons solche Zugeständnisse erfolgen dürfen.

§. 4. Außer der Zeit des aktiven Militärdienstes und des in dem gegenwärtigen Entwurfe besonders geregelten öffentlichen Schuldienstes werden den Lehrern und Beamten an höheren Unterrichtsanstalten in Uebereinstimmung mit dem jetzigen Rechtszustand bei der Pensionirung auch die anderweitigen Dienste anzurechnen sein, welche sie den zur Aufbringung ihrer Pension Verpflichteten geleistet haben. Daß demgemäß den Lehrern und Beamten an den von dem Staate allein zu unterhaltenden Unterrichtsanstalten die Zeit einer früheren Dienstleistung im Staatsdienste und in dem mit demselben für die unmittelbaren Staatsbeamten gleichgestellten Reichsdienste anzurechnen sind, ergiebt sich ohne Weiteres aus den §§. 13 und 14 Nr. 2 des Pensionsgesetzes vom 27. März 1872. Für die übrigen Lehrer und Beamten sind ausdrückliche dem vorbezeichneten Grundsatze und den Vorschriften des §. 14 der Verordnung vom 28. Mai 1846 entsprechende Anordnungen hierüber erforderlich und in den Gesetzentwurf aufgenommen. Die Anrechnung anderweitiger Dienste für diese Lehrer und Beamten wird nach Analogie der in dem §. 19 des Pensionsgesetzes für die unmittelbaren Staatsbeamten getroffenen Vorschriften gemäß Art. IV §. 3 des Gesetzentwurfs von der freien Entschließung der Patronate abhängig bleiben.

Art. V.

Die §§. 27 Nr. 2, 28 und 29 des Pensionsgesetzes über die Einziehung und Kürzung von Pensionen und die Berechnung der Dienstzeit eines wieder angestellten Pensionärs enthalten nur Vorschriften für den Fall der Wiederbeschäftigung und Anstellung früherer unmittelbarer Staatsbeamter einschließlich der Lehrer und Beamten an den vom Staate allein zu unterhaltenden höheren Unterrichtsanstalten und früherer Reichsbeamte im unmittelbaren Staats- und Reichsdienste. Nach dem leitenden Gedanken sollen diese Bestimmungen zur Anwendung gelangen, wo die Aufbringung der Pension und des neuen Diensteinkommens oder der früheren und der neuen Pension den nämlichen Verpflichteten obliegt, unter Gleichstellung der Staatskasse mit der Reichskasse, deren Leistungen thatsächlich dem Preußischen Staate größtentheils zur Last fallen.

Der innere Grund dieser Vorschriften trifft für die pensionirten Lehrer und Beamten derjenigen höheren Unterrichtsanstalten, welche nicht vom Staate allein zu unterhalten sind, alsdann, aber auch nur dann zu, wenn sie im Dienste der zur Aufbringung ihrer Pension Verpflichteten wieder beschäftigt oder angestellt, oder aus solchem Dienste wieder in den Ruhestand versetzt werden. Demgemäß sind in den ersten Absatz des §. 29a entsprechende Anordnungen aufgenommen.

Durch die Vorschriften der Absätze 2 und 3 soll ferner die Anrechnung einer vor der früheren Versetzung in den Ruhestand von einem pensionirten Lehrer einer höheren Unterrichtsanstalt oder einem pensionirten unmittelbaren Staatsbeamten zurückgelegten Dienstzeit für diejenigen Fälle ausgeschlossen werden, in denen die frühere Pension nicht mit der Gewährung einer neuen Pension fortfällt, da der Lehrer oder Beamte sonst für diese Dienstzeit eine doppelte Pension erhalten würde.

Art. VI.

Ueber die Voraussetzungen der freiwilligen Pensionirung und das Verfahren bei derselben sind schon jetzt für alle Lehrer und Beamten an höheren Unterrichtsanstalten im Wesentlichen gleichmäßige und mit den Normen für die unmittelbaren Staatsbeamten übereinstimmende Vorschriften in Geltung. Auch findet nach Artikel III des Gesetzes vom 31. März 1882 (G. S. S. 133) die Dienstentlassung der über 65 Jahre alten Lehrer und Beamten jener Anstalten allgemein in der gleichen Weise statt. Dagegen bestehen Zweifel darüber, ob die Vorschriften der §§. 88 bis 93 des Disziplinargesetzes vom 21. Juli 1852 (G. S. S. 465) auf die unfreiwillige Versetzung der noch nicht 65 Jahre alten Lehrer und Beamten an denjenigen höheren Unterrichtsanstalten anzuwenden sind, welche nicht allein vom Staate unterhalten werden, da nach den §§. 94 und 95 des Disziplinargesetzes für die mittelbaren Staatsdiener die damals geltenden Vorschriften über ihre unfreiwillige Pensionirung in Kraft geblieben waren. Diese in der Verordnung vom 29. März 1844 (G. S. S. 90) enthaltenen Normen weichen zwar in keiner wesentlichen Beziehung von denjenigen des Disziplinargesetzes ab. Es ist jedoch wünschenswerth, die eingetretene Unsicherheit des Rechtszustandes zu beseitigen. Dies wird in geeigneter Weise dadurch herbeizuführen sein, daß auch hier ausdrücklich eine Gleichstellung aller in Betracht kommenden Lehrer und Beamten stattfindet.

---

b.

Bericht der Kommission für das Unterrichtswesen über den Gesetzentwurf, betreffend Abänderungen des Pensionsgesetzes vom 27. März 1872. Nr. 8 der Drucksachen.

Der Entwurf eines Gesetzes, betreffend Abänderungen des Pensionsgesetzes vom 27. März 1872, war der Unterrichtskommission zur Berathung überwiesen worden. Der Vorsitzende der Kommission machte zunächst darauf aufmerksam, daß dieser Gesetzentwurf eine alte Forderung sowohl des Plenums als auch der Unterrichtskommission sei, welche sich jedes Jahr mit den verschiedensten Petitionen auf Anrechnung der im öffentlichen Schuldienste verbrachten Zeit bei der Pensionirung beschäftigt habe.

Zwar habe man diese Anrechnung der Dienstzeit schon bei der Berathung des angeführten Gesetzes vom Jahre 1872 erreichen wollen, allein der Versuch sei mißglückt und die Anrechnung sei bei den nichtstaatlichen Anstalten nicht durchführbar gewesen. Für diese sei der §. 14 der Verordnung vom 28. Mai 1846 bestehen geblieben. Es hätten allerdings auch schon bisher durch Verträge Vereinbarungen zwischen dem Lehrer und der anstellenden Kommune getroffen werden können, wenn solche aber nicht zu Stande kamen, hatten diese Lehrer an nichtstaatlichen Anstalten oft Nachtheile. Was damals nicht gelungen, soll dieser Gesetzentwurf nachholen.

Die Kommission beschloß hierauf, von einer Generaldiskussion abzusehen, jedoch eine zweimalige Lesung vorzunehmen.

An der ersten Lesung nahmen als Regierungsvertreter Theil:

1. Geheimer Ober-Regierungsrath Bohtz,
2. " Ober-Finanzrath Dr. Germar,
3. " " Belian.

Eine längere Debatte knüpfte sich zunächst an den ersten Absatz des Artikels I, welcher die Anstalten aufführt, für deren Lehrer die Bestimmungen dieses Gesetzentwurfs Geltung haben sollen. Es wurde die Frage aufgeworfen, ob diese Aufzählung genüge oder ob es nicht nothwendig sei, dieselbe zu ergänzen. Bei dem Gesetz von 1872 habe man nicht gesagt „höhere Lehranstalten und dergleichen", sondern die einzelnen Anstalten aufgeführt, dasselbe müsse man auch jetzt thun und versuchen, nicht halbe, sondern ganze Arbeit zu leisten. Diese Vervollständigung müsse nach zwei Seiten erfolgen, indem man festzustellen sucht, einmal was unter „höheren Lehranstalten" zu verstehen sei und dann, welche von diesen Anstalten noch unter dieses Gesetz fallen und in dem Absatz 1 des Artikel I doch nicht genannt seien. Denn nur dadurch sei es möglich, in der Zukunft Streitigkeiten zu beseitigen, denen bei einer Unklarheit oder Unvollständigkeit des Gesetzes Thür und Thor geöffnet sei.

Zu diesen höheren Lehranstalten, welche nicht genannt seien, aber in dies Gesetz gehörten, zählten zunächst die Landwirthschaftsschulen. Sie ständen auf dem Standpunkte der Realschulen, ihr Abgangszeugnis gewähre die Berechtigung zum einjährigen Militärdienste und sie dienten landwirthschaftlichen Zwecken. Der Charakter dieser 16 Schulen, welche es im preußischen Staate gebe, sei allerdings kein kommunaler, denn sie seien nicht von Gemeinden, sondern von Vereinen gegründet und würden von Kommunen, Provinzen oder vom Staat nur unterstützt. Aber trotzdem gehörten sie hierher, denn es sei eine Ungerechtigkeit, wenn diesen Lehrern, welche meist eine wissenschaftliche Bildung genossen hätten, bei ihrer Pensionirung die im öffentlichen Schuldienste verbrachte Zeit nicht angerechnet werden sollte. Wären diese Anstalten nicht im Stande, diese Pension zu tragen, so müsse eben der Staat eingreifen und ein Opfer bringen, zu welchem er bei der jetzigen Nothlage der Landwirthschaft verpflichtet sei.

Ferner gehörten hierher die Kunstschulen: Man dürfe diesen Begriff nicht im engen Sinne auffassen und als solche nur die Kunstschulen in Berlin und Breslau ansehen, es gebe deren auch in Königsberg, Danzig, Hanau und anderen Orten, wie aus der Denkschrift zu Nr. 43 der Drucksachen hervorgehe. Der engere Begriff „Kunstschule" sei heut überholt, weil die Grenze zwischen Kunst und Gewerbe schwer zu ziehen sei und dadurch vor Allem ein Anlaß zu Streitigkeiten gegeben sei; deshalb müsse hier eine Deklaration des Begriffs Kunstschule gegeben werden.

In der Aufführung der Anstalten im 1. Absatz fehlten dann auch die Präparandenanstalten, welche im innigsten Zusammenhange zu den Seminaren ständen. Bei dieser engen Beziehung zu einander sei nichts natürlicher, als daß die Lehrer von einer in die andere übergingen, aber dies werde verhindert, wenn die Präparandenanstalten im Gesetz fehlten. Endlich fehlten hier auch die technischen Schulbeamten, also die Schulräthe und Kreis-Schulinspektoren, welche als technische Organe zu diesen Anstalten gehörten. Die Jahre, welche diese Beamte im Kirchendienst oder an nicht staatlichen Anstalten verbracht hätten, würden ihnen bei der Pensionirung nicht angerechnet.

Das Kultusministerium habe durch den Erlaß vom 1. Mai 1891 — und dieser treffe besonders die Kreis-Schulinspektoren, die Regierungs- und die Provinzial-Schulräthe — angeordnet, daß die Festsetzung der dem früheren Dienstverhältnis anzurechnenden Dienstjahre i n d e r R e g e l e r s t b e i m E i n t r i t t d e r P e n s i o n i r u n g stattfinden sollte.

Nun zeigt sich auf Grundlage der vorliegenden gesetzlichen Bestimmungen und dieses Erlasses nach einer z w e i f a c h e n R i c h t u n g hin eine weiterhin kaum zu rechtfertigende mißliche Lage der technischen Schulbeamten. In erster Linie wird durch den Artikel III dieses Gesetzes jedem Lehrer der höheren Lehranstalten und der Lehrerseminarien ein R e c h t auf Anrechnung aller im öffentlichen Schuldienste Preußens zugebrachten Dienstjahre zugestanden. Da eine gleiche gesetzliche Bestimmung für die Volksschul- und die Mittelschullehrer bestehe, so zeige sich der Umstand, daß d i e A u f s i c h t s b e a m t e n a l l e r d i e s e r L e h r e r in diesem Punkte ungünstiger durch das Gesetz gestellt seien, als die ihrer Aufsicht unterstellten Lehrer. Dies sei für die Dauer nicht haltbar.

Zweitens sei hierdurch das Dienstverhältnis dieser Beamten selbst nachtheilig beeinflußt, indem es in der Hand der Staatsregierung liege, denselben je nach ihrer Führung im Dienste mehr oder weniger Dienstjahre im Pensionsfalle anzurechnen. Diese Auffassung von der Lage der Dinge besteht jedenfalls in diesen Kreisen, und man erachtet diesen Erlaß des Kultusministeriums — ob mit Recht oder Unrecht, sei dahingestellt — als ein Mittel zur Förderung guter Disziplin. Ein solches Verhältnis bestehe aber doch bei keinem andern Staatsbeamten und schaffe ein Abhängigkeitsverhältnis, das nicht zu billigen sei und sich auch im Hinblick auf das bestehende Disziplinargesetz vollkommen erübrige. Der an sich schwierige Dienst dieser Schulaufsichtsbeamten dürfe durch eine solche Ausnahmestellung weiterhin nicht beschwert werden.

Die Vertreter der Königlichen Staatsregierung widersprachen dem Vorhaben, den Absatz 1 des Artikel I zu ändern.

In gleichem Sinne wurde auch aus der Mitte der Kommission ausgeführt, daß seit 1872 diese Aufzählung der Anstalten ausgereicht habe. Jetzt müsse man entweder sich mit dieser Aufführung begnügen, oder alle in Betracht kommenden Anstalten in das Gesetz aufnehmen. Dies sei aber überaus schwierig, und besonders müßte auch gefragt werden, ob später entstehende Kategorien von Anstalten unter dieses Gesetz fallen würden. Ein Fehler sei 1872 insofern gemacht worden, daß man die einzelnen Anstalten aufgeführt habe. Dieser Fehler würde aber durch fernere Aufzählung von Anstalten nur vermehrt.

Wolle man aber diesen Versuch machen, so sei es nothwendig, daß auch aus den andern Ministerien Kommissare hinzugezogen würden.

Aus der Kommission heraus wurde ein diesbezüglicher Antrag gestellt.

Es wurde hierauf zunächst der erste Satz des Artikel I einstimmig angenommen, zugleich aber auch beschlossen, für die zweite Lesung aus den Ministerien des Innern, für Handel und Gewerbe und für Landwirthschaft Regierungskommissarien zuzuziehen.

In Folge dessen waren zur zweiten Lesung außer den schon oben angeführten Vertretern der Königlichen Staatsregierung noch die Herren

Wirklicher Geheimer Ober-Regierungsrath Lüders,
Geheimer Ober-Regierungsrath Dr. Thiel,
" " Dr. Lindig,
" " von Bremen,
" Müller

erschienen.

Gegen jede beabsichtigte Aenderung des ersten Satzes sprachen sich die Vertreter des Finanzministeriums, wie folgt, aus:

„Aus der Begründung des Gesetzentwurfs ergebe sich, daß nach der Absicht der Staatsregierung der Kreis der dem Pensionsgesetz vom 27. März 1872 unterliegenden Beamten und Lehrer durch die zur Berathung stehende Novelle nicht habe geändert werden sollen. Die Aufnahme des Absatzes 2 des Artikels I in den Entwurf habe nur den Zweck, eine Uebereinstimmung zwischen der seit dem Jahre 1872 abgeänderten Benennung der unter das Gesetz fallenden Schulen mit ihrer Benennung in dem Gesetze selbst herbeizuführen und zugleich die Berathung des Gesetzentwurfs dadurch zu erleichtern, daß der Kreis der durch denselben betroffenen Lehrer und Beamten in der Novelle selbst bezeichnet werde. Materielle Bedeutung habe der Absatz 2 nicht; insbesondere sei es außer Zweifel, daß auf die Lehrer an denjenigen Anstalten, welche in Folge der seit dem Jahre 1872 eingetretenen Aenderungen der Organisation der höheren Schulen im Bereiche der Unterrichtsverwaltung an solchen Anstalten angestellt werden, die an die Stelle früherer abweichend gestalteter Schulen getreten seien und daher eine etwas abweichende Bezeichnung erhalten hätten, wie z. B. die Oberrealschulen, die Vorschriften des Pensionsgesetzes und des gegenwärtigen Gesetzentwurfs auch dann Anwendung fänden, wenn der Absatz 2 in die Novelle nicht aufgenommen werde.

Die vorbezeichnete Beschränkung der Tragweite des Gesetzentwurfs beruhe auf der Erwägung, daß es seit langer Zeit als sehr erwünscht erachtet sei, das Pensionsrecht für die unter die Vorschrift des §. 6 Absatz 2 des Pensionsgesetzes vom 27. März 1872 fallenden Lehrer und Beamten in zweifelsfreier Weise zu regeln und denselben namentlich einen Rechtsanspruch auf Anrechnung des öffentlichen Schuldienstes in Preußen zu verschaffen. In dieser Beziehung glaube die Staatsregierung auf allseitige Zustimmung rechnen zu dürfen. Wenn aber der Versuch gemacht werde, zugleich noch anderweitige Aenderungen des Pensionsrechts herbeizuführen, so erscheine die Erreichung auch jenes Zieles um so mehr gefährdet, als eine Ausdehnung der Vorschriften der Novelle nach einer Richtung voraussichtlich Anlaß zur Geltendmachung mannigfacher sonstiger nicht erfüllbarer Wünsche geben würde.

Wollte man insbesondere dazu übergehen, den Kreis der unter das Gesetz fallenden Lehrer und Beamten zu ändern, so sei die erste Voraussetzung hierfür, daß der gegenwärtige Rechtszustand auf diesem Gebiete und die gesammten Verhältnisse der in Frage kommenden Schulen mit Sicherheit festgestellt würden.

Dabei kämen Anstalten mannigfaltiger Art in Betracht, deren finanzielle Lage keineswegs allgemein ohne Weiteres als dergestalt gesichert erachtet werden könne, um es unbedenklich erscheinen zu lassen, ihnen die Verpflichtung zur Gewährung von Pension nach Maßgabe des Gesetzes von 1872 und der Vorschriften des Gesetzentwurfs aufzuerlegen. Hier sei bisher in der Weise verfahren, daß bei gegebener Veranlassung im einzelnen Falle nach näherer Prüfung der Sachlage eine Ordnung der Angelegenheit im Verwaltungswege herbeigeführt sei."

Was die einzelnen Anstalten anlangt, welche von Mitgliedern der Kommission als in dem Gesetze fehlend bezeichnet worden waren, so erklärte zunächst der Kommissar des Ministers für Landwirthschaft &c., daß es erheblichen Bedenken unterliegen würde, die zwingenden Vorschriften des Pensionsgesetzes auf die Landwirthschaftsschulen auszudehnen, da die Träger derselben vielfach nicht ohne Weiteres im Stande seien, die dadurch ihnen auferlegten Verpflichtungen mit Sicherheit zu erfüllen.

Für eine solche Ausdehnung des Pensionsgesetzes auf die landwirthschaftlichen Schulen bestehe jedenfalls ein dringendes Bedürfnis nicht. Nach den bisherigen Erfahrungen sei es vielmehr ohne besondere Schwierigkeiten erreicht worden, überall da, wo dies als wünschenswerth habe erachtet werden müssen, den Lehrern auch an diesen Schulen entsprechende Pensionsrechte auf Grund einer Verständigung mit den Kuratorien der Anstalten zu verschaffen.

Auf die Frage, ob nicht der Begriff „Kunstschule" in einem weiteren Sinne zu fassen sei, als in dem Gesetz von 1872 geschehen, antwortete der Wirkliche Geheime Ober-Regierungsrath Lüders, daß das Handelsministerium an den Vorarbeiten für den vorliegenden Gesetzentwurf nicht Theil genommen habe. Es sei daher bisher angenommen worden, daß die beabsichtigten Aenderungen des Pensionsgesetzes vom 27. März 1872 nur für die Schulen und Lehrer der allgemeinen Unterrichtsverwaltung eingeführt werden sollten. Da er erst vorgestern Nachmittag erfahren habe, daß er heute als Kommissar hier erscheinen solle und heute den ganzen Tag im Plenum bei der Verhandlung über den Etat der Handels- und Gewerbeverwaltung habe zugegen sein müssen, so sei ihm ein eingehendes Studium der Akten nicht möglich gewesen und er müsse sich zum Theil auf sein Gedächtnis verlassen.

Die Verwaltung des gewerblichen Unterrichts sei nun beim Handelsministerium stets der Ansicht gewesen, daß die gewerblichen Fachschulen nicht zu den Anstalten gehörten, auf die sich der §. 6 des Pensionsgesetzes vom 27. März 1872 beziehe. Diese

Auffassung werde seines Erachtens durch die Motive des Pensionsgesetzes zum §. 6 (Anlagen zu den stenographischen Berichten über die Verhandlungen des Abgeordnetenhauses, Session 1871/72 Band 2 Seite 666) gerechtfertigt. Danach sollten „die im unmittelbaren Staatsdienste angestellten und aus Staatsfonds salarirten Lehrer, soweit sie nicht von der Unterrichtsverwaltung ressortiren" nach Maßgabe des zu erlassenden Gesetzes pensionirt werden. „Beispielsweise gehören dahin die Lehrer der hiesigen Bau- und Gewerbe-Akademie, der polytechnischen Schulen, Navigationsschulen ...." Für die Lehrer der allgemeinen Unterrichtsverwaltung sollte es lediglich bei der Verordnung vom 28. Mai 1846 bezw. den besonderen in den neuen Provinzen geltenden Bestimmungen bleiben. Durch die veränderte Fassung, die der §. 6 durch die Kommissionsberathung erhalten habe, sei hinsichtlich der übrigen Lehranstalten nichts geändert worden. Für sie gelte das Gesetz vom 27. März 1872, soweit sie Staatsanstalten seien. So lange die jetzigen technischen Hochschulen zum Ressort des Handelsministeriums gehört hätten, seien die Pensionsangelegenheiten der Professoren und Beamten, soviel er wisse, nach dem Pensionsgesetz vom 27. März 1872 ohne Rücksicht auf die Allerhöchste Verordnung vom 28. Mai 1846 behandelt worden. Auch die vom Staate und Gemeinden gemeinschaftlich unterhaltenen gewerblichen Schulen habe man als nicht unter den §. 6 fallend, angesehen. Die Mehrzahl der Direktoren und fast alle Lehrer hätten keine Pensionsansprüche. Nur in wenigen Fällen habe der Staat sich verpflichtet, zu den später eventuell zu zahlenden Pensionen beizutragen. Dies sei geschehen bei der im Jahre 1880 erfolgten Anstellung des Direktors der Webe-, Färberei- und Appreturschule in Krefeld, und bei der des Direktors der Fachschule für Bronzeindustrie in Iserlohn im Jahre 1879. Der Handelsminister habe mit Zustimmung des damaligen Finanzministers genehmigt, daß der erstere lebenslänglich angestellt und ihm die Zusicherung ertheilt werde, daß ihm die im sächsischen Staatsdienste zugebrachten 10 Jahre bei seiner späteren nach Maßgabe des Pensionsgesetzes vom 27. März 1872 erfolgenden Pensionirung angerechnet werden sollten. Dem Direktor in Iserlohn seien dieselben Ansprüche, aber nur von seiner Anstellung in Iserlohn angerechnet, zugestanden worden. Im ersteren Falle sei keine Allerhöchste Genehmigung nach §. 19 Nr. 1 des Pensionsgesetzes nachgesucht worden, weil es sich nicht um eine Anstellung im unmittelbaren Staatsdienste gehandelt habe. In beiden Fällen aber sei auch kein Pensionsfonds gebildet worden, was nothwendig gewesen wäre, wenn der §. 14 der Verordnung vom 28. Mai 1846 entsprechend dem §. 6 des Pensionsgesetzes vom 27. März 1872 als maßgebend angesehen worden wäre. Es sei angenommen worden, daß die zur Unterhaltung der Anstalten erforderlichen jährlichen Zuschüsse des Staates und der Städte um soviel, als die Pensionen betragen würden, so lange als sie zu zahlen seien, erhöht werden würden. Einen direkten Anspruch auf Pension hätten die Direktoren gegen den Staat nicht. Ebenso wenig sei, wenn es sich um die Anstellung im unmittelbaren Staatsdienste handle, der §. 13 der Verordnung vom 28. Mai 1846 angewendet worden. Erst vor wenigen Wochen sei ein an der technischen Hochschule in Dresden angestellter Gelehrter als Lehrer an die Königlichen Maschinenbauschulen in Dortmund berufen worden. Durch eine Allerhöchste Kabinetsordre sei genehmigt worden, daß ihm bei seiner späteren Pensionirung 8 Jahre der in Sachsen zugebrachten Dienstzeit anzurechnen seien.

Die Königliche Genehmigung wäre nicht erforderlich gewesen, wenn der Minister für Handel rc. und der Finanzminister den §. 13 cit. statt des §. 19 Nr. 1 des Gesetzes vom 27. März 1872 für anwendbar gehalten hätten. In zwei anderen Fällen seien Direktoren von Baugewerkschulen, die von Anstalten gemischten Patronats an Staatsanstalten versetzt waren, und die später die Festsetzung ihrer Pensionsansprüche beantragten, eröffnet worden, daß dies nach den bestehenden Grundsätzen nicht früher als bei ihrem Ausscheiden aus dem Staatsdienste geschehen könne; nach dem Dafürhalten des Handelsministeriums werde ihnen aber ihre frühere Dienstzeit gemäß der Bestimmung des §. 13 der Verordnung vom 28. Mai 1846 zu Gute kommen. Eine Zusicherung sei damit nicht ertheilt worden.

Die Handels- und Gewerbeverwaltung wünsche lebhaft, daß die Pensionsverhältnisse der Lehrer und Direktoren an den gewerblichen Fachschulen, die vom Staate und Gemeinden gemeinschaftlich unterhalten werden, bald in befriedigender Weise geordnet werden möchten. Die darüber eingeleiteten Verhandlungen seien noch nicht beendigt. Die jetzt zur Verhandlung stehende Gesetzesvorlage auf die gewerblichen Fachschulen der Handels- und Gewerbeverwaltung auszudehnen, sei indessen nicht zweckmäßig, weil damit ein nicht auf die Verhältnisse aller Anstalten passender Vertheilungsmaßstab der Kosten eingeführt werden würde, weil die Bildung von Pensionsfonds, wie sie in der Verordnung vom 28. Mai 1846 angeordnet sei, auf Schwierigkeiten stoßen werde und weil den Lehrern nur die im öffentlichen Schuldienste zugebrachte Zeit angerechnet werden solle. Den Lehrern an den gewerblichen Unterrichtsanstalten müßte aber auch ihre sonstige Dienstzeit, insbesondere die Regierungsbaumeisterjahre oder die im Gemeindebaudienst zugebrachte Zeit angerechnet werden.

Auch die Bestimmungen über die Anrechnung des Probejahres und des Seminarjahres paßten jedenfalls nur für die sogenannten wissenschaftlichen Lehrer.

Es sei aber wünschenswerth, den Artikel I des Gesetzes so zu fassen, daß Zweifel darüber, für welche Anstalten das Gesetz gelten solle, ausgeschlossen würden. Man werde daher entweder an Stelle des auch wohl für die Unterrichtsverwaltung nicht ganz präcisen Ausdrucks: Kunstschulen, wohl richtiger sagen: „.... Blindenanstalten, Kunstakademien und an den Kunstschulen in Berlin und Breslau, sowie dem Kunstgewerbemuseum in Berlin" oder noch besser hinter: Kunstschulen hinzufügen: „soweit sie der allgemeinen Unterrichtsverwaltung unterstellt sind". Damit würden alle Unterrichtsanstalten der Handels- und Gewerbeverwaltung, der landwirthschaftlichen und der Verwaltung des Innern von der Anwendung des Gesetzes ausgeschlossen werden.

Gegenüber dem Vorschlage, auch die Schulaufsichtsbeamten in dieses Gesetzes mit hinein zu beziehen, wurde regierungsseitig entgegen gehalten, daß die Schulaufsichtsbeamten Verwaltungsbeamte seien und nicht anders, wie die übrigen unmittelbaren Staatsbeamten behandelt werden könnten. Mit ihrer Hineinziehung in dieses Gesetz würde ihnen eine Begünstigung vor anderen Staatsbeamten zu Theil werden, welche zu weitgehenden Berufungen führen müßte. Außerdem sei es schon jetzt auf Grund der Vorschrift des §. 19 Nr. 1 des Pensionsgesetzes zulässig, ihnen mit Königlicher Genehmigung auch außerstaatliche Dienstzeiten bei der Pensionirung in Anrechnung zu bringen.

Von einem Mitgliede der Kommission war der Antrag gestellt worden, die Idiotenanstalten in den Artikel I aufzunehmen. Nachdem aber entgegengehalten worden war, daß diese Anstalten Provinzialinstitute seien, deren Verhältnisse durch Allerhöchst bestätigte Regulative geordnet seien, wurde der Antrag zurückgezogen.

Ebenso wurde einem Wunsche, die Taubstummen- und Blindenanstalten zu streichen, nicht Folge gegeben.

Die Kommission gelangte vielmehr nach den Ausführungen der Regierungsvertreter zu der Ueberzeugung, daß kein Bedürfnis vorliege, die Zahl der aufgeführten Anstalten zu vermehren oder vermindern.

Hierauf fand der Antrag: im Artikel I die Worte:

„Dagegen" bis „Kunstschulen"

zu streichen, einstimmige Annahme.

Daraus ergiebt sich von selbst die Aenderung, im Artikel I hinter: „An Stelle" die Worte „des letzten Satzes" einzufügen.

In der ersten Lesung führte bei der Berathung des zweiten

Satzes des Artikel I ein Mitglied der Kommission das Folgende aus. Nach den Motiven zu Artikel I des Gesetzentwurfs sollen den bereits an Staatsanstalten angestellten Lehrern und Beamten diejenigen Rechte erhalten werden, welche ihnen bisher auf Grund der Vorschrift des §. 13 der Verordnung vom 28. Mai 1846 zugestanden seien. Das stehe aber nicht im Artikel I des Gesetzentwurfs, sondern nach dem Wortlaute desselben fänden lediglich die Vorschriften des §. 13 der Verordnung über die Anrechnung im Auslande geleisteter Dienste auf die zur Zeit des Inkrafttretens des gegenwärtigen Gesetzes an den vom Staate allein zu unterhaltenden Unterrichtsanstalten angestellten Lehrern und Beamten auch ferner Anwendung, während der §. 13 a. a. O. auch diejenigen Dienste angerechnet wissen will, welche sie sonst im Staatsdienste oder an öffentlichen Unterrichtsanstalten geleistet haben. Würden die Worte: „über die Anrechnung im Auslande geleisteter Dienste“ nicht beseitigt, so könnten, da der Artikel III des Entwurfs auf Beamte keine Anwendung habe, den bereits angestellten Beamten Dienste, „welche sie sonst im Staatsdienste oder an öffentlichen Unterrichtsanstalten geleistet haben“ — cfr. §. 13 l. c. Satz 2 — nicht angerechnet werden. Er beantrage deshalb, dem zweiten Satze des Artikel I folgende Fassung zu geben:

> „Desgleichen werden den Lehrern und Beamten, welche zur Zeit des Inkrafttretens des gegenwärtigen Gesetzes an den vom Staate allein zu unterhaltenden Unterrichtsanstalten angestellt sind, diejenigen Rechte erhalten, welche ihnen bisher auf Grund der Vorschrift des §. 13 der Verordnung vom 28. Mai 1846 zugestanden sind“

oder die Worte:

> „über die Anrechnung im Auslande geleisteter Dienste“

zu streichen.

Der letztere Antrag wurde, nachdem die Regierungsvertreter dagegen keine Einwendungen geltend gemacht hatten, angenommen.

Ebenso fand ein Antrag, hinter das Wort Dienstzeiten in der vorletzten Zeile des zweiten Satzes des Artikel I die Worte:

> „soweit sie für die Betreffenden günstiger sind“

einzufügen, ohne Debatte Annahme.

Artikel II wird ohne Abstimmung angenommen.

Zu Artikel III wurde der Antrag gestellt: hinter „Schuldienst“ einzuschalten: „oder in einem Dienste an einer solchen nicht öffentlichen Schule, welche öffentlichen Schulzwecken dient,“.

Zur Begründung dieses Antrages wurde ausgeführt, daß wir zur Zeit die Privatschulen gar nicht entbehren könnten, sie seien für viele Verhältnisse und Gegenden eine absolute Nothwendigkeit und deshalb wären sie „im öffentlichen Interesse" vorhanden. Nun sei es eine Ungerechtigkeit, wenn man die Lehrer an eben solchen Schulen nicht ebenso behandeln wollte, wie die an öffentlichen Schulen angestellten. Hierhin gehörten vor Allem auch die Lehrer an Missionsschulen. Dort lehrten ausgezeichnete Kräfte, welche mit Nutzen auch an anderen Anstalten wirken würden. Der Staat oder auch die Kommune brauchen diese Lehrer ja nicht zu übernehmen, thun sie dies aber, dann müssen sie sie auch unter dieses Gesetz stellen.

In gleichem Sinne sprach sich noch ein anderer Abgeordneter aus, während diesem Antrage von verschiedenen Seiten widersprochen wurde. Es sei unmöglich — so führten diese Redner aus — die privaten Schulen den öffentlichen und kommunalen gleichzustellen. Denn in gewissem Grade diene jede Privatschule dem öffentlichen Interesse, wenn sie z. B. bis Quarta eines Gymnasiums vorbereite und dergleichen mehr. Die Kommunen aber zu zwingen, daß sie die Dienstzeit dieser Lehrer bei der Pensionirung an ihren Anstalten anrechneten, sei eine Ungerechtigkeit. Wolle man in dieser Beziehung die Privatschulen den öffentlichen und kommunalen gleich stellen, so werde sich bald als Konsequenz ergeben, daß der Normaletat auch bei den Privatschulen eingeführt werden müsse.

Je nachdem Lehrermangel oder Ueberfluß sei, würde sich ein für den Staat und die Kommunen ungünstiges oder günstiges Verhältnis herausbilden. In ersterem Falle würden den Lehrern von den Privatschulen hohe Gehälter geboten werden und der Staat oder die Kommune würde zu ihrem Nachtheil gezwungen sein, um die nöthige Anzahl Lehrer zu erhalten, auf diese Lehrer unter Anrechnung ihrer Dienstzeit zu recurriren. In anderem Falle — nämlich dem Lehrerüberfluß — würde der Antrag nur den Lehrer schädigen, denn dann würde weder Staat noch Kommune einen solchen Lehrer von einer Privatschule übernehmen.

Schon jetzt könne der Staat oder die Kommune ganz besonders tüchtige Lehrer aus dem Privatdienste übernehmen und es geschehe dies auch oft genug. Es komme hierbei aber nur darauf an, daß vorher eine Vereinbarung über die Anrechnung des Gehaltes bei der dereinstigen Pensionirung getroffen werde.

In gleicher Weise verhielten sich auch die Regierungskommissare dem Antrage gegenüber ablehnend. Sie sprachen sich dahin aus, daß dieser Antrag geradezu ein Schaden für die Unterrichtsanstalten werden würde. Denn es würden dadurch die jungen Lehrer veranlaßt, an Privatschulen zu gehen, auch wenn sie schlechter ausgebildet seien, nur, weil sie dort früher zu Gehalt kämen, als an öffentlichen oder kommunalen Schulen. Die dort zugebrachte Zeit würde ihnen aber später ebenso wie denjenigen Lehrern angerechnet, welche bei geringeren Bezügen im öffentlichen Schuldienste gestanden hätten. Das sei eine Ungerechtigkeit gegen diese.

Die Gleichstellung der privaten mit den öffentlichen Schulen sei aber auch deshalb unmöglich, weil damit das ganze Gesetz durchbrochen würde. Wolle eine Kommune einem Lehrer die an einer Privatschule verbrachte Zeit anrechnen, so könne sie es jetzt schon freiwillig thun, nur müsse ein Zwang dazu vermieden werden.

Der Zusatzantrag wurde darauf mit allen gegen 4 Stimmen abgelehnt.

Die Artikel IV bis VIII wurden in der ersten Lesung und die Artikel II bis VIII in der zweiten Lesung ohne Debatte genehmigt.

Aus der Kommission wurden aber noch zwei Fragen angeregt. Ein Mitglied führte nämlich das Folgende aus:

Der Gang der Verhandlungen habe die Schwierigkeit nachgewiesen, die Einreihung der technischen Schulbeamten in diesem Gesetzentwurf bewirken zu können. Die ganze Schwere dieser Lage der Dinge zeige sich aber, wenn der technische Schulbeamte im Dienste stirbt. Dann ist niemand da, der seine Rechte hinsichtlich der Anrechnung dieser Dienstjahre wahrnehmen kann; und da die Höhe der Reliktengelder von der Höhe der Pension des Verstorbenen abhängig ist, so fällt nun auf die Hinterbliebenen die ganze Konsequenz der gesetzlichen und Verwaltungsbestimmungen. Das muß aber für jeden Schulbeamten, der gewissenhaft auch auf die Zukunft seiner Familienangehörigen sieht, in hohem Grade belastend einwirken. Dazu kommt, daß nach den bestehenden Bestimmungen in solchen Fällen die Bedürftigkeit der Hinterbliebenen geprüft, und auch die Würdigkeit des hingeschiedenen Beamten mit in Betracht gezogen werden soll. So wird ein geschäftlicher Apparat hier in Thätigkeit gesetzt, der doch bei Lage dieser Gesetzgebung, die für die diesen Schulbeamten nachgeordneten Lehrer jetzt vollkommen geordnet ist, nicht weiter aufrecht erhalten werden kann.

Nun sei zwar nicht zu verkennen, daß der jetzige Finanzminister und ebenso der Kultusminister überaus wohlwollend in solchen Fällen verfahren. Aber nicht immer sei dies in früheren Zeiten geschehen, und es fehle die Garantie, daß dies auch bei später folgenden Ministern geschehen werde. Deshalb empfehle sich, da diese Schulbeamten nicht unter das gegenwärtige Gesetz fallen können, doch für sie, wie folgerecht auch für alle hier weiter in Betracht kommenden Staatsbeamten eine Regel dahin,

1) daß bei künftigen Neuanstellungen die Vereinbarung hinsichtlich der anzurechnenden Dienstjahre auf Anregung der Staatsbehörden schon vor dem Diensteintritte getroffen werde, und

2) daß bei den heute schon im Staatsdienste stehenden Beamten die Verhandlungen über eine solche Vereinbarung unmittelbar nach der Veröffentlichung dieses Gesetzes eingeleitet und auf Grund der Novelle zum Pensionsgesetze vom 20. März 1890 baldmöglichst die Allerhöchste Genehmigung hierfür eingeholt werde.

Die Kommissare des Finanzministers erklärten, daß in Zukunft grundsätzliche Bedenken gegen die Ertheilung von Zusicherungen wegen Anrechnung an sich nicht anrechnungsfähiger Dienstzeiten bei Anstellung von Beamten und Lehrern nicht würden erhoben werden. Den Beamten und Lehrern aber Seitens der Staatsbehörden Anregung zur Stellung entsprechender Anträge zu geben und insbesondere die Frage der Anrechnung allgemein noch nachträglich zu regeln, glaubten die Kommissare nicht für angezeigt halten zu können.

Die zweite Frage, welche angeregt wurde, ging dahin, ob es nicht angebracht sei, dem ganzen Pensionsgesetze nach der Abänderung des vorliegenden Entwurfs eine einheitliche Form zu geben? In der hierüber gepflogenen Debatte wurde aber allseitig anerkannt, daß eine solche Zusammenstellung durch die Kommission nicht ohne eine Berathung über den materiellen Inhalt möglich sei. Auch von anderer Seite wurde auf die Unmöglichkeit dieses Vorhabens hingewiesen schon mit Rücksicht darauf, daß der Termin, in welchem das Gesetz von 1872 in Kraft getreten sei, und der Termin für den Beginn dieses Gesetzes verschieden sei. Es würde das ganze Pensionsgesetz zur Berathung gestellt werden müssen, und welche Konsequenzen daraus entstehen würden, sei nicht zu übersehen. In gleichem Sinne sprachen sich die Vertreter der Regierung aus.

Da bestimmte Anträge nicht gestellt waren, wurde über diese Fragen ohne Beschlußfassung hinweggegangen.

Bei der Schlußabstimmung fand der Gesetzentwurf in der aus den Einzelbeschlüssen sich ergebenden Fassung einstimmige Annahme.

Die Kommission beantragt deshalb:

Das Haus der Abgeordneten wolle beschließen,

dem Gesetzentwurfe in Nr. 8 der Drucksachen in der aus der anliegenden Zusammenstellung ersichtlichen Fassung der Kommissionsbeschlüsse die Zustimmung zu ertheilen.

Berlin, den 4. März 1896.

Die Kommission für das Unterrichtswesen.

Dr. Kropatscheck, Vorsitzender. v. Kölichen, Berichterstatter. Dr. Arendt. Bachmann. v. Bonin. Brütt. Dr. Dittrich. Dr. Gerlich. Dr. Glattfelter. v. Heyden. Kache. Dr. Köhler (Trier). Krawinkel. Krebs. Frhr. v. Plettenberg-Mehrum. Schall. v. Schenckendorff. Seyffardt (Magdeburg). Stanke. Wawrzyniak. Wetekamp.

Zusammenstellung des Entwurfs eines Gesetzes, betreffend Abänderungen des Pensionsgesetzes vom 27. März 1872. — Nr. 8 der Drucksachen — nach den Beschlüssen der Kommission.

Regierungsvorlage.	Beschlüsse der Kommission.
Entwurf eines Gesetzes, betreffend Abänderungen des Pensionsgesetzes vom 27. März 1872.	Entwurf eines Gesetzes, betreffend Abänderungen des Pensionsgesetzes vom 27. März 1872.
Wir Wilhelm, von Gottes Gnaden König von Preußen 2c. verordnen, mit Zustimmung beider Häuser des Landtages der Monarchie, was folgt:	**Wir Wilhelm,** von Gottes Gnaden König von Preußen 2c. verordnen, mit Zustimmung beider Häuser des Landtages der Monarchie, was folgt:
Art. I.	Art. I.
An Stelle des §. 6 Abs. 2 des Pensionsgesetzes vom 27. März 1872 (G. S. S. 268) treten nachstehende Vorschriften:	An Stelle des letzten Satzes des §. 6 Absatz 2 des Pensionsgesetzes vom 27. März 1872 (G. S. S. 268) treten nachstehende Vorschriften:
Dagegen sind die Bestimmungen desselben anzuwenden auf die Lehrer und Beamten an Gymnasien, Realgymnasien, Oberrealschulen, Progymnasien, Realprogymnasien, Realschulen (höhere Bürgerschulen), Schullehrer-Seminarien,	

Regierungsvorlage.

Taubstummen- und Blindenanstalten und Kunstschulen.

Wegen Aufbringung der Pension für die Lehrer und Beamten an denjenigen vorbezeichneten Schulen, welche nicht vom Staate allein zu unterhalten sind, bleiben die bestehenden Vorschriften, insbesondere die §§. 4 bis 9 und 16 bis 18 der Verordnung vom 28. Mai 1846 (G. S. S. 214), mit der aus dem Wegfall der Pensionsbeiträge der unmittelbaren Staatsbeamten sich ergebenden Maßgabe in Kraft. Desgleichen finden die Vorschriften des §. 13 der Verordnung über die Anrechnung im Auslande geleisteter Dienste auf die zur Zeit des Inkrafttretens des gegenwärtigen Gesetzes an den vom Staate allein zu unterhaltenden Unterrichtsanstalten angestellten Lehrer und Beamten auch ferner Anwendung. Im Uebrigen treten die Bestimmungen der Verordnung mit der Maßgabe außer Kraft, daß Zusicherungen einer Anrechnung von Dienstzeiten in Geltung bleiben.

Art. II.

Der §. 14 Nr. 5 des Gesetzes vom 27. März 1872 erhält folgende Fassung:

als Lehrer (§. 6 Abs. 2) der vorgeschriebenen praktischen Ausbildung sich unterzogen

Beschlüsse der Kommission.

Wegen Aufbringung der Pension für die Lehrer und Beamten an denjenigen vorbezeichneten Schulen, welche nicht vom Staate allein zu unterhalten sind, bleiben die bestehenden Vorschriften, insbesondere die §§. 4 bis 9 und 16 bis 18 der Verordnung vom 28. Mai 1846 (G. S. S. 214), mit der aus dem Wegfall der Pensionsbeiträge der unmittelbaren Staatsbeamten sich ergebenden Maßgabe in Kraft. Desgleichen finden die Vorschriften des §. 13 der Verordnung auf die zur Zeit des Inkrafttretens des gegenwärtigen Gesetzes an den vom Staate allein zu unterhaltenden Unterrichtsanstalten angestellten Lehrer und Beamten auch ferner Anwendung. Im Uebrigen treten die Bestimmungen der Verordnung mit der Maßgabe außer Kraft, daß Zusicherungen einer Anrechnung von Dienstzeiten, soweit sie für die Betreffenden günstiger sind, in Geltung bleiben.

Art. II.

Unverändert.

Regierungsvorlage.	Beschlüsse der Kommission.
hat. Dabei wird ein vorschriftsmäßig zurückgelegtes Ausbildungsjahr stets zu 12 vollen Monaten gerechnet.	
Art. III.	**Art. III.**
Hinter §. 19 des Gesetzes vom 27. März 1872 wird folgender §. 19a eingeschaltet: Bei der Berechnung der Dienstzeit eines in den Ruhestand zu versetzenden Lehrers an einer im §. 6 Absatz 2 bezeichneten Unterrichtsanstalt muß mit der in dem §. 29a bestimmten Maßgabe die gesammte Zeit angerechnet werden, während welcher der Lehrer innerhalb Preußens oder eines von Preußen erworbenen Landestheils im öffentlichen Schuldienste gestanden hat.	Unverändert.
Art. IV.	**Art. IV.**
Auf die Lehrer und Beamten solcher im §. 6 Absatz 2 des Gesetzes vom 27. März 1872 bezeichneten Unterrichtsanstalten, welche nicht vom Staate allein zu unterhalten sind, finden nachstehende besondere Vorschriften Anwendung:	Unverändert.
§. 1.	§. 1.
Bei der Entscheidung über das Recht auf Pension und bei der Uebertragung der Befugnis zu dieser Entscheidung an eine nachgeordnete Behörde (§§. 22 und 23 des Gesetzes vom 27. März	Unverändert.

Regierungsvorlage.	Beschlüsse der Kommission.
1872 und des Gesetzes vom 30. April 1884 — G. S. S. 126) findet eine Mitwirkung des Finanzministers nicht statt.	
Die Beschwerde über die Entscheidung und die Klage gegen dieselbe steht auch den zur Zahlung der Pension Verpflichteten innerhalb der für die Beamten (Lehrer) bestimmten Fristen offen. Die Klage ist von den Lehrern und Beamten gegen die zur Zahlung der Pension Verpflichteten, von letzteren gegen erstere zu erheben.	
Bis zur endgiltigen Erledigung der Beschwerde oder Klage gegen die getroffene Entscheidung über die zu gewährende Pension wird dieselbe nach Maßgabe dieser Entscheidung vorschußweise an den Bezugsberechtigten gezahlt.	
§. 2.	§. 2.
Von dem in dem §. 20 des Gesetzes vom 27. März 1872 vorgeschriebenen Nachweise der Dienstunfähigkeit kann im Einverständnisse mit dem Unterhaltungspflichtigen abgesehen werden.	Unverändert.
§. 3.	§. 3.
Die Bewilligung einer Pension auf Grund des §. 2 Absatz 2 und des §. 7 des Gesetzes vom 27. März 1872 sowie die Anrechnung von Dienstzeiten, auf welche den	Unverändert.

Regierungsvorlage.	Beschlüsse der Kommission.
Lehrern oder Beamten ein Rechtsanspruch nicht zusteht, erfolgt mit Zustimmung der zur Aufbringung der Pension Verpflichteten durch die für die Entscheidung über den Rechtsanspruch des Lehrers oder Beamten zuständige Behörde (§. 22 des Gesetzes vom 27. März 1872 und des Gesetzes vom 30. April 1884 — G. S. S. 126 —).	
§. 4.	§. 4.
Den Lehrern und Beamten steht ein Anspruch auf Anrechnung einer im Reichs- oder Staatsdienste zurückgelegten Civildienstzeit, abgesehen von dem Falle des §. 19a, nicht zu. Dagegen ist denselben die gesammte Zeit anzurechnen, während welcher sie in einem Amte der zur Aufbringung ihrer Pension ganz oder theilweise verpflichteten Gemeinde oder Stiftung oder des betreffenden größeren Kommunalverbandes gestanden haben.	Unverändert.
Art. V.	Art. V.
Hinter §. 29 des Gesetzes vom 27. März 1872 tritt folgender §. 29a:	Unverändert.
Die in dem §. 27 Nr. 2 sowie in den §§. 28 und 29 für den Fall des Wiedereintritts eines Pensionärs in den Reichs- oder Staatsdienst getroffenen Vorschriften finden auf diejenigen unter die Vor-	

Regierungsvorlage.	Beschlüsse der Kommission:
schriften des §. 6 fallenden pensionirten Lehrer und Beamten, deren Pension nicht aus der Staatskasse zu zahlen ist, nur dann sinngemäße Anwendung, wenn sie im Dienste der zur Aufbringung ihrer Pension ganz oder theilweise verpflichteten Gemeinde oder Stiftung oder des betreffenden Kommunalverbandes wieder angestellt oder beschäftigt werden.	
Ist ein unter die Vorschriften des §. 6 fallender Pensionär, dessen Pension nicht aus der Staatskasse zu zahlen ist, in ein zur Pension berechtigendes Amt des unmittelbaren Staatsdienstes oder an einer der im §. 6 Absatz 2 bezeichneten Unterrichtsanstalten, deren Unterhaltung Anderen, als den zur Aufbringung seiner Pension Verpflichteten obliegt, wieder eingetreten, so bleibt für den Fall des Zurücktretens in den Ruhestand bei der Entscheidung über eine ihm zu gewährende neue Pension die Dienstzeit vor seiner früheren Versetzung in den Ruhestand außer Anrechnung.	
Diese Bestimmung findet auf diejenigen Pensionäre, deren Pension aus der Staatskasse zu zahlen ist, alsdann	

Regierungsvorlage.	Beschlüsse der Kommission.
gleichfalls Anwendung, wenn sie in ein zu Pension berechtigendes Amt an einer der im §. 6 Absatz 2 bezeichneten Unterrichtsanstalten, welche nicht vom Staate allein zu unterhalten sind, wieder eingetreten sind.	
Art. VI.	**Art. VI.**
Der §. 30 des Gesetzes vom 27. März 1872 erhält folgenden Zusatz: Die Bestimmungen der §§. 88 bis 93 des Gesetzes vom 21. Juli 1852 (G. S. S. 465) finden auch auf die Lehrer und Beamten derjenigen im §. 6 Absatz 2 genannten Anstalten Anwendung, welche nicht vom Staate allein zu unterhalten sind.	Unverändert.
Art. VII.	**Art. VII.**
Ist die nach Maßgabe des gegenwärtigen Gesetzes zu bemessende Pension geringer, als die Pension, welche dem Lehrer oder Beamten hätte gewährt werden müssen, wenn er zur Zeit des Inkrafttretens dieses Gesetzes nach den bis dahin für ihn geltenden Bestimmungen pensionirt worden wäre, so wird diese letztere Pension an Stelle der ersteren bewilligt.	Unverändert.

Regierungsvorlage.	Beschlüsse der Kommission.
Art. VIII.	Art. VIII.
Dieses Gesetz tritt mit dem 1. April 1896 in Kraft. Urkundlich 2c.	Unverändert.

c.

Pensions-Gesetz vom 27. März 1872, in der durch die Novellen vom 31. März 1882, vom 30. April 1884, vom 20. März 1890 und vom 25. April 1896 geänderten Fassung.*)

Gesetz, betreffend die Pensionirung der unmittelbaren Staatsbeamten, sowie der Lehrer und Beamten an den höheren Unterrichtsanstalten mit Ausschluß der Universitäten. Vom 27. März 1872 (G. S. S. 268).

Gesetz, betreffend die Abänderung des Pensionsgesetzes vom 27. März 1872. Vom 31. März 1882 (G. S. S. 133).

Gesetz, betreffend Abänderungen des Pensionsgesetzes vom 27. März 1872. Vom 30. April 1884 (G. S. S. 126.)

Gesetz, betreffend die Abänderung des §. 19 Absatz 1 des Pensionsgesetzes vom 27. März 1872. Vom 20. März 1890 (G. S. S. 43).

Gesetz, betreffend Abänderungen des Pensionsgesetzes vom 27. März 1872. Vom 25. April 1896 (G. S. S. 87).

Wir **Wilhelm**, von Gottes Gnaden König von Preußen 2c. verordnen, mit Zustimmung beider Häuser des Landtages Unserer Monarchie, was folgt:

§. 1.

Jeder unmittelbare Staatsbeamte, welcher sein Diensteinkommen aus der Staatskasse bezieht, erhält aus derselben eine lebenslängliche Pension, wenn er nach einer Dienstzeit von wenigstens zehn Jahren in Folge eines körperlichen Gebrechens oder wegen Schwäche seiner körperlichen oder geistigen Kräfte zu der Erfüllung seiner Amtspflichten dauernd unfähig ist, und deshalb in den Ruhestand versetzt wird.

Ist die Dienstunfähigkeit die Folge einer Krankheit, Verwundung oder sonstigen Beschädigung[1]), welche der Beamte bei Ausübung des Dienstes oder aus Veranlassung desselben ohne eigene Verschuldung sich zugezogen hat, so tritt die Pensionsberechtigung auch bei kürzerer als zehnjähriger Dienstzeit ein.

[1]) Siehe das Gesetz, betreffend die Fürsorge für Beamte in Folge von Betriebsunfällen. Vom 18. Juni 1887 (G. S. S. 282).

*) Die Gesetze u. s. w. sind in Orthographie und Interpunktion in der ursprünglichen Form abgedruckt.

Bei Staatsministern, welche aus dem Staatsdienste ausscheiden, ist eingetretene Dienstunfähigkeit nicht Vorbedingung des Anspruchs auf Pension. Diese Bestimmung findet gleichfalls Anwendung auf diejenigen Beamten, welche das fünfundsechszigste Lebensjahr vollendet haben. Ges. v. 1 1882 (G. S.

§. 2.

Die unter dem Vorbehalte des Widerrufs oder der Kündigung angestellten Beamten haben einen Anspruch auf Pension nach Maßgabe dieses Gesetzes nur dann, wenn sie eine in den Besoldungsetats aufgeführte Stelle bekleiden.

Es kann ihnen jedoch, wenn sie eine solche Stelle nicht bekleiden, bei ihrer Versetzung in den Ruhestand eine Pension bis auf Höhe der durch dieses Gesetz bestimmten Sätze bewilligt werden.

Auf die Lehrer und Beamten solcher in §. 6 Abs. 2 des Gesetzes vom 27. März 1872 bezeichneten Unterrichtsanstalten, welche nicht vom Staate allein zu unterhalten sind, finden nachstehende besondere Vorschriften Anwendung. Ges. v. 1 1890 (G. Art.

§. 3.

Die Bewilligung einer Pension auf Grund des §. 2 Absatz 2 und des §. 7 des Gesetzes vom 27. März 1872 sowie die Anrechnung von Dienstzeiten, auf welche den Lehrern oder Beamten ein Rechtsanspruch nicht zusteht, erfolgt mit Zustimmung der zur Aufbringung der Pension Verpflichteten durch die für die Entscheidung über den Rechtsanspruch des Lehrers oder Beamten zuständige Behörde (§. 22 des Gesetzes vom 27. März 1872 und des Gesetzes vom 30. April 1884 — Gesetz-Samml. S. 126 —).

§. 3.

Die bei den Auseinandersetzungsbehörden beschäftigten Oekonomiekommissarien und Feldmesser, sowie die bei Landesmeliorationen beschäftigten Wiesenbautechniker und Wiesenbaumeister haben nur insoweit einen Anspruch auf Pension, als ihnen ein solcher durch den Departementschef besonders beigelegt worden ist.

Wie vielen dieser Beamten und nach welchen Diensteinkommensätzen die Pensionsberechtigung beigelegt werden darf, wird durch den Staatshaushalts-Etat bestimmt. Für jetzt bewendet es bei den hierüber durch Königliche Erlasse gegebenen Vorschriften.

§. 4.

Das gegenwärtige Gesetz findet auch auf die Oberwachtmeister und Gendarmen der Landgendarmerie Anwendung; dagegen erfolgt die Pensionirung der Offiziere der Landgendarmerie nach den für die Offiziere des Reichsheeres geltenden Vorschriften.

§. 5.

Beamte, deren Zeit und Kräfte durch die ihnen übertragenen Geschäfte nur nebenbei in Anspruch genommen, oder welche ausdrücklich nur auf eine bestimmte Zeit oder für ein seiner Natur nach vorübergehendes Geschäft angenommen werden, erwerben keinen Anspruch auf Pension nach den Bestimmungen dieses Gesetzes.

Darüber, ob eine Dienststellung eine solche ist, daß sie die Zeit und Kräfte eines Beamten nur nebenbei in Anspruch nimmt, entscheidet mit Ausschluß des Rechtsweges die dem Beamten vorgesetzte Dienstbehörde.

§. 6.

Auf die Lehrer an den Universitäten ist dieses Gesetz nicht anwendbar.

Dagegen sind die Bestimmungen desselben anzuwenden auf alle Lehrer und Beamten an Gymnasien, Progymnasien, Realschulen, Schullehrer-Seminarien, Taubstummen- und Blinden-
25. April G.S. S.87) 1. Anstalten, Kunst- und höheren Bürgerschulen. Wegen Aufbringung der Pension für die Lehrer und Beamten an denjenigen vorbezeichneten Schulen, welche nicht vom Staate allein zu unterhalten sind, bleiben die bestehenden Vorschriften, insbesondere die §§. 4 bis 9 und 16 bis 18 der Verordnung vom 28. Mai 1846 (Gesetz-Samml. S.214)[1]), mit der aus dem Wegfall der Pensionsbei-

---

[1]) Verordnung, betreffend die Pensionirung der Lehrer und Beamten an den höheren Unterrichtsanstalten, mit Ausnahme der Universitäten. Vom 28. Mai 1846 (G. S. S. 214).

Wir Friedrich Wilhelm, von Gottes Gnaden König von Preußen 2c. 2c. verordnen über die Pensionirung der Lehrer und Beamten an den höheren Unterrichtsanstalten, mit Ausschluß der Universitäten, nach Anhörung Unserer getreuen Stände, auf den Antrag Unseres Staatsministeriums, für den ganzen Umfang Unserer Monarchie, was folgt:

ch auf Kom. (§. 1.

Alle Lehrer und Beamte an Gymnasien und anderen zur Universität entlassenden Lehranstalten, desgleichen an Progymnasien, Schullehrerseminarien, Taubstummen- und Blindenanstalten, Kunst- und höheren Bürgerschulen haben einen Anspruch auf lebenslängliche Pension, wenn sie nach einer bestimmten Dienstzeit ohne ihre Schuld dienstunfähig werden und beim Eintritt ihrer Dienstunfähigkeit definitiv und nicht blos interimistisch oder auf Kündigung angestellt sind.)

träge der unmittelbaren Staatsbeamten sich ergebenden Maßgabe in Kraft. Desgleichen finden die Vorschriften des §. 13

2c. §. 4.

Die Pension wird zunächst aus dem etwa vorhandenen eigenthümlichen Vermögen derjenigen Anstalt, an welcher der Lehrer oder Beamte zur Zeit seiner Pensionirung angestellt ist, gewährt, soweit von den laufenden Einkünften dieses Vermögens, nach Bestreitung des zur Erreichung der Lehrzwecke erforderlichen Aufwandes, ein Ueberschuß verbleibt. Können auf diese Weise die Mittel zur Pensionirung nicht beschafft werden, und sind auch keine anderen hierzu verwendbaren Fonds vorhanden, so ist die Pension von demjenigen aufzubringen, welcher zur Unterhaltung der Anstalt verpflichtet ist. Verpfl zur Zahl Pens

§. 5.

Liegt diese Verpflichtung mehreren ob, so haben sie zu den Pensionen in demselben Verhältniß, wie zu den Unterhaltungskosten der Anstalt, beizutragen.

§. 6.

Aus der bloßen Gewährung eines auf einen bestimmten Betrag beschränkten oder zu einem bestimmten Zweck ausgesetzten Zuschusses zu den Unterhaltungskosten einer Anstalt folgt keine Verpflichtung, die Pensionen mit zu übernehmen.

§. 7.

Wer bei den einzelnen Anstalten, welche gar kein oder kein ausreichendes eigenthümliches Vermögen besitzen, zur Zahlung oder Ergänzung der Pensionen verpflichtet ist, wird, wenn Zweifel deshalb obwalten, nach Maaßgabe der Verhältnisse der einzelnen Anstalten, von Unseren Ober-Präsidenten festgesetzt.

§. 8.

Gegen diese Festsetzung ist der Rekurs an Unseren Minister der geistlichen und Unterrichts-Angelegenheiten und die hierbei sonst noch betheiligten Departementschefs zulässig. Der Rechtsweg findet nur dann Statt, wenn auf Grund eines speziellen Rechtstitels die Befreiung von Beiträgen zu Pensionen behauptet wird. In einem solchen Falle gilt jedoch die im Verwaltungswege getroffene Bestimmung bis zur rechtskräftigen Entscheidung als ein Interimistikum.

§. 9.

Bei solchen Unterrichtsanstalten, zu deren Unterhaltung weder Kommunen, noch der Staat verpflichtet, die vielmehr nur aus ihrem eigenen Vermögen oder von anderen Korporationen, oder von Privatpersonen zu unterhalten sind, wird das Pensionswesen für die Lehrer und Beamten, unter Zuziehung der Betheiligten, durch Unsere Ober-Präsidenten nach Maaßgabe der obwaltenden Verhältnisse für jede einzelne Anstalt besonders geordnet; die streitig bleibenden Punkte werden von Unserem Minister der geistlichen und Unterrichtsangelegenheiten unter Mitwirkung der etwa sonst noch betheiligten Departementschefs und nach vorgängiger Einholung Unserer Genehmigung entschieden. Den Betheiligten sollen jedoch keine größeren Leistungen zugemuthet werden, als bei den übrigen, nicht vom Staate zu unterhaltenden Anstalten derselben Art.

Ist ein Zuschuß oder eine Erhöhung der Dotation bei diesen Anstalten zur Aufbringung der Pensionen erforderlich, so bedarf es hierzu jedenfalls der Zustimmung der betheiligten Korporationen oder Privatpersonen.

2c. §. 16.

Zur Deckung der Pensionen für Lehrer und Beamte an den anderen*)

---

*) d. h. den nicht aus Staatsfonds zu unterhaltenden

der Verordnung auf die zur Zeit des Inkrafttretens des gegenwärtigen Gesetzes an den vom Staate allein zu unterhaltenden Unterrichtsanstalten angestellten Lehrer und Beamten auch ferner Anwendung. Im Uebrigen treten die Bestimmungen der Verordnung mit der Maßgabe außer Kraft, daß Zusicherungen einer Anrechnung von Dienstzeiten, soweit sie für die Betreffenden günstiger sind, in Geltung bleiben.

Anstalten, namentlich auch an denjenigen, welche vom Staate und von Kommunen gemeinschaftlich oder von einzelnen Kommunen oder größeren Kommunalverbänden zu unterhalten sind, werden für jede Anstalt besondere Fonds aus den Einkünften des Vermögens der Anstalt und aus jährlichen Beiträgen sowohl der zu Zahlung der Pension Verpflichteten,*) als auch der definitiv angestellten Lehrer und Beamten gebildet. Den letzteren dürfen jedoch keine höheren Beiträge, als den pensionsberechtigten Zivil-Staatsdienern auferlegt werden.

§. 17.

Der Betrag der zur Bildung dieser Pensionsfonds (§. 16) erforderlichen Zuschüsse wird von Unseren Ober-Präsidenten, unter Vorbehalt des Rekurses an Unseren Minister der geistlichen und Unterrichtsangelegenheiten und die sonst betheiligten Departementschefs, mit Ausschluß des Rechtsweges, festgesetzt.

§. 18.

Ist hiernach der Zuschuß auf das Vermögen der Anstalt zu übernehmen und reichen die Einkünfte der letzteren nicht hin, um den Zuschuß, ohne Beschränkung des zur Erreichung der Lehrzwecke erforderlichen Aufwandes, zu zahlen, so haben die subsidiarisch zur Unterhaltung der Anstalt Verpflichteten auch den laufenden Beitrag zum Pensionsfonds zu ergänzen. Dieselben sind auch in allen Fällen verpflichtet, etwanige Ausfälle bei dem Pensionsfonds zu decken. 2c.

---

*) Allerhöchster Erlaß vom 18. März 1848, wegen Entbindung größerer Stadtgemeinden, denen die alleinige Unterhaltung einer mit zureichendem eigenen Vermögen nicht ausgestatteten höheren Unterrichtsanstalt obliegt, von der im §. 16. der Verordnung vom 28. Mai 1846 vorgeschriebenen Bildung eines besonderen Pensionsfonds für die Lehrer und Beamten solcher Unterrichtsanstalt (G. S. S. 118).

Auf Ihren Antrag vom 4. d. Mts. ermächtige Ich Sie, größere Stadtgemeinden, denen die alleinige Unterhaltung einer mit zureichendem eigenen Vermögen nicht ausgestatteten höheren Unterrichtsanstalt obliegt, von der im §. 16. der Verordnung vom 28. Mai 1846 vorgeschriebenen Bildung eines besonderen Pensionsfonds für die Lehrer und Beamten solcher Unterrichtsanstalt zu entbinden, und ihnen die Einziehung der Pensionsbeiträge der Lehrer und Beamten zur Stadtkasse zu gestatten. Dagegen behält es auch in Fällen dieser Art bei der durch jene Verordnung bestimmten Verbindlichkeit der Stadtgemeinden zur Gewährung der gesetzlichen Pensionen an die gedachten Lehrer und Beamten sein Bewenden.

Berlin, den 18. März 1848.

gez. Friedrich Wilhelm.

An
die Staatsminister Eichhorn und v. Bodelschwingh.

§. 7.

Wird außer dem im zweiten Absatz des §. 1. bezeichneten Falle ein Beamter vor Vollendung des zehnten Dienstjahres dienstunfähig und deshalb in den Ruhestand versetzt, so kann demselben bei vorhandener Bedürftigkeit mit Königlicher Genehmigung eine Pension entweder auf bestimmte Zeit oder lebenslänglich bewilligt werden.

Vergl. bezüglich der Lehrer und Beamten an den nichtstaatlichen höheren Schulen die Einschaltung aus dem Gesetz vom 25. April 1896 Art. IV §. 3, oben bei §. 2 Abs. 2.

§. 8.

Die Pension beträgt, wenn die Versetzung in den Ruhestand Ges. v. 1
nach vollendetem zehnten, jedoch vor vollendetem elften Dienst- 1882(G.
jahre eintritt, 15/60 und steigt von da ab mit jedem weiter zurück- Art
gelegten Dienstjahre um 1/60 des in den §§. 10 bis 12 bestimmten Diensteinkommens.

Ueber den Betrag von 45/60 dieses Einkommens hinaus findet eine Steigerung nicht statt.

In dem im §. 1 Absatz 2 erwähnten Falle beträgt die Pension 15/60, in dem Falle des §. 7 höchstens 15/60 des vorbezeichneten Diensteinkommens.

§. 9.

Bei jeder Pension werden überschießende Thalerbrüche auf volle Thaler abgerundet.

§. 10.

Der Berechnung der Pension wird das von dem Beamten zuletzt bezogene gesammte Diensteinkommen, soweit es nicht zur Bestreitung von Repräsentations- oder Dienstaufwandskosten gewährt wird, nach Maßgabe der folgenden näheren Bestimmungen zu Grunde gelegt.

1) Feststehende Dienstemolumente, namentlich freie Dienstwohnung, sowie die anstatt derselben gewährte Miethsentschädigung,[*]) Feuerungs- und Erleuchtungsmaterial,

---

[*]) Wegen Anrechnung des Wohnungsgeldzuschusses siehe die Bestimmung im §. 6 des Gesetzes vom 12. Mai 1878 (Gesetz-Samml. S. 209): rc. „Bei Bemessung der Pension (§. 10 des Gesetzes, betreffend die Pensionirung der unmittelbaren Staatsbeamten rc. vom 27. März 1872 (Gesetz-Samml. S. 268) wird der Durchschnittssatz des Wohnungsgeldzuschusses für die Servisklassen I bis V in Anrechnung gebracht. Dieser Satz gilt auch für diejenigen Beamten, welche eine Dienstwohnung bezw. eine Miethsentschädigung erhalten rc."

Vergl. ferner §. 5 Abs. 2 des Normaletats vom 4. Mai 1892 (Centrbl. für d. ges. Unterr. Verw. S. 646), welcher die vorstehende Bestimmung auf die dort für die Leiter höherer Unterrichtsanstalten bestimmten Miethsentschädigungen ausdehnt.

Naturalbezüge an Getreide, Winterfutter u. s. w., sowie der Ertrag von Dienstgrundstücken kommen nur insoweit zur Anrechnung, als deren Werth in den Besoldungsetats auf die Geldbesoldung des Beamten in Rechnung gestellt, oder zu einem bestimmten Geldbetrage als anrechnungsfähig bezeichnet ist.

. April S. 126)

2) Dienstemolumente, welche ihrer Natur nach steigend und fallend sind, werden nach den in den Besoldungs-Etats oder sonst bei Verleihung des Rechts auf diese Emolumente deshalb getroffenen Festsetzungen und in Ermangelung solcher Festsetzungen nach ihrem durchschnittlichen Betrage während der drei letzten Etatsjahre vor dem Etatsjahre, in welchem die Pension festgesetzt wird, zur Anrechnung gebracht.

---

3) Blos zufällige Diensteinkünfte, wie widerrufliche Tantième, Kommissionsgebühren, außerordentliche Remunerationen, Gratifikationen und dergleichen kommen nicht zur Berechnung.

4) Das gesammte zur Berechnung zu ziehende Diensteinkommen einer Stelle darf den Betrag des höchsten Normalgehalts derjenigen Dienstkategorie, zu welcher die Stelle gehört, nicht übersteigen.

Ohne diese Beschränkung kommen jedoch solche Gehaltstheile oder Besoldungszulagen, welche zur Ausgleichung eines von dem betreffenden Beamten in früherer Stellung bezogenen Diensteinkommens demselben mit Pensionsberechtigung gewährt sind, zur vollen Anrechnung.

5) Wenn das nach den Bestimmungen dieses Paragraphen ermittelte Einkommen eines Beamten insgesammt mehr als 4000 Rthlr. beträgt, wird von dem überschießenden Betrag nur die Hälfte in Anrechnung gebracht.

§. 11.

Ein Beamter, welcher früher ein mit einem höheren Diensteinkommen verbundenes Amt bekleidet und dieses Einkommen wenigstens Ein Jahr lang bezogen hat, erhält, sofern der Eintritt oder die Versetzung in ein Amt von geringerem Diensteinkommen nicht lediglich auf seinen im eigenen Interesse gestellten Antrag erfolgt oder als Strafe auf Grund des §. 16. des Gesetzes, betreffend die Dienstvergehen der nicht richterlichen Beamten u. s. w., vom 21. Juli 1852 (Gesetz-Samml. S. 465), oder des §. 1. des Gesetzes, betreffend einige Abänderungen des Gesetzes über die Dienstvergehen der Richter vom 7. Mai 1851 u. s. w., vom 22. März 1856 (Gesetz-Samml. S. 201), gegen ihn verhängt ist, bei seiner Versetzung in den Ruhestand eine nach Maßgabe des früheren höheren Diensteinkommens unter Berücksichtigung der gesammten Dienstzeit berechnete Pension; jedoch soll die gesammte Pension das letzte pensionsberechtigte Diensteinkommen nicht übersteigen.

§. 12.

Das mit Nebenämtern oder Nebengeschäften verbundene Einkommen begründet nur dann einen Anspruch auf Pension, wenn eine etatsmäßige Stelle als Nebenamt bleibend verliehen ist.[4])

§. 13.

Die Dienstzeit wird vom Tage der Ableistung des Diensteides gerechnet. Kann jedoch ein Beamter nachweisen, daß seine Vereidigung erst nach dem Zeitpunkte seines Eintritts in den Staatsdienst stattgefunden hat, so wird die Dienstzeit von diesem Zeitpunkte an gerechnet.

Auf die Lehrer und Beamten solcher im §. 6 Abs. 2 des Gesetzes vom 27. März 1872 bezeichneten Unterrichtsanstalten, welche nicht vom Staate allein zu unterhalten sind, finden nachstehende besondere Vorschriften Anwendung: Ges. v. 31 … 1906 (G. … Art.

§. 4.

Den Lehrern und Beamten steht ein Anspruch auf Anrechnung einer im Reichs- oder Staatsdienst zurückgelegten Civildienstzeit, abgesehen von dem Falle des §. 19a nicht zu. Dagegen ist denselben die gesammte Zeit anzurechnen, während welcher sie in einem Amte der zur Aufbringung ihrer Pension ganz oder theilweise verpflichteten Gemeinde oder Stiftung oder des betreffenden größeren Kommunalverbandes gestanden haben.

§. 14.

Bei Berechnung der Dienstzeit kommt auch die Zeit in Anrechnung, während welcher ein Beamter[5]):

1) unter Bezug von Wartegeld im einstweiligen Ruhestand

---

[4]) Vergl. die Allerhöchste Kabinetsorder vom 18. Juli 1889, die für die Folge rücksichtlich der Uebernahme von Nebenämtern durch Staatsbeamte zu beobachtenden Bestimmungen betreffend, §§. 8 und 4 (G. S. S. 285). — Verordnung vom 23. September 1867 §. 1 Nr. 5 (G. S. S. 1619) für die neu erworbenen Landestheile. Gesetz vom 25. Februar 1878 §. 1 Nr. 4 (G. S. S. 97), für den Kreis Herzogthum Lauenburg.

[5]) Für die älteren Beamten des Kunstgewerbemuseums zu Berlin siehe Gesetz vom 19. Juli 1886 (G. S. S. 205).

Für den Kreis Herzogthum Lauenburg Gesetz vom 25. Februar 1878 §. 1 Nr. 2 u. 8 (G. S. S. 97).

nach Maßgabe der Vorschriften des Gesetzes vom 21. Juli 1852 §. 87 Nr. 2 (Gesetz-Samml. S. 465.), der Erlasse vom 14. Juni 1848. (Gesetz-Samml. S. 153.) und 24. Oktober 1848. (Gesetz-Samml. S. 338.) und der Verordnung vom 23. September 1867. §. 1. Nr. 4. (Gesetz-Samml. S. 1619.), oder

2) im Dienste des Norddeutschen Bundes oder des Deutschen Reichs sich befunden hat,

Vergl. bezüglich der Lehrer und Beamten an den nichtstaatlichen höheren Schulen die Einschaltung aus dem Gesetz vom 25. April 1896 Art. IV §. 4, oben bei §. 13,

oder

3) als anstellungsberechtigte ehemalige Militärperson nur vorläufig oder auf Probe im Civildienste des Staats, des Norddeutschen Bundes oder des Deutschen Reichs beschäftigt worden ist, oder

4) eine praktische Beschäftigung außerhalb des Staatsdienstes ausübte, insofern und insoweit diese Beschäftigung vor Erlangung der Anstellung in einem unmittelbaren Staatsamte Behufs der technischen Ausbildung in den Prüfungsvorschriften ausdrücklich angeordnet ist, oder

(5. April G.S. 87) II. 5) als Lehrer (§ 6 Abs. 2) der vorgeschriebenen praktischen Ausbildung sich unterzogen hat. Dabei wird ein vorschriftsmäßig zurückgelegtes Ausbildungsjahr stets zu 12 vollen Monaten gerechnet.

§. 15.

Der Civildienstzeit wird die Zeit des aktiven Militärdienstes hinzugerechnet.

§. 16.

(31. März G.S. 183) I. Die Dienstzeit, welche vor den Beginn des einundzwanzigsten Lebensjahres fällt, bleibt außer Berechnung.

Nur die in die Dauer eines Krieges fallende und bei einem mobilen oder Ersatztruppentheile abgeleistete Militärdienstzeit kommt ohne Rücksicht auf das Lebensalter zur Anrechnung.

Als Kriegszeit gilt in dieser Beziehung die Zeit vom Tage einer angeordneten Mobilmachung, auf welche ein Krieg folgt, bis zum Tage der Demobilmachung.

§. 17.

Für jeden Feldzug, an welchem ein Beamter im Preußischen oder im Reichsheer oder in der Preußischen oder Kaiserlichen Marine derart Theil genommen hat, daß er wirklich vor den Feind gekommen oder in dienstlicher Stellung den mobilen Truppen in das Feld gefolgt ist, wird demselben zu der wirklichen Dauer der Dienstzeit Ein Jahr zugerechnet.

Ob eine militairische Unternehmung in dieser Beziehung als ein Feldzug anzusehen ist, und inwiefern bei Kriegen von längerer Dauer mehrere Kriegsjahre in Anrechnung kommen sollen, dafür ist die nach §. 23. des Reichsgesetzes vom 27. Juni 1871. (Reichsgesetzbl. S. 275.) in jedem Falle ergehende Bestimmung des Kaisers maßgebend.

Für die Vergangenheit bewendet es bei den hierüber durch Königliche Erlasse gegebenen Vorschriften.*)

§. 18.

Die Zeit

a) eines Festungsarrestes von einjähriger und längerer Dauer, sowie
b) der Kriegsgefangenschaft

kann nur unter besonderen Umständen mit Königlicher Genehmigung angerechnet werden.

§. 19.

Mit Königlicher Genehmigung kann zukünftig nach Maßgabe der Bestimmungen in den §§. 13. bis 18. angerechnet werden: Ges. v. 1890 (G. Nr

1) Die Zeit, während welcher ein Beamter,
   a) sei es im In- oder Auslande als Sachwalter oder Notar fungirt, im Gemeinde-, Kirchen- oder Schuldienste, im ständischen Dienste, oder im Dienste einer landesherrlichen Haus- oder Hofverwaltung sich befunden, oder
   b) im Dienste eines fremden Staates gestanden hat;
2) die Zeit praktischer Beschäftigung außerhalb des Staatsdienstes, insofern und insoweit diese Beschäftigung vor Erlangung der Anstellung in einem unmittelbaren Staatsamte herkömmlich war.

Die Anrechnung der unter 1. erwähnten Beschäftigung muß erfolgen bei denjenigen Beamten, welche mit den im Jahre 1866. erworbenen Landestheilen in den unmittelbaren Staatsdienst übernommen worden sind, sofern dieselben auf diese Anrechnung nach den bis dahin für sie maßgebenden Pensionsvorschriften einen Rechtsanspruch hatten.

---

*) Vergl. die Aufzählung der hauptsächlich in Betracht kommenden Königlichen Erlasse in der Anlage a bei 18 zum Cirkularerlaß der Minister des Innern und der Finanzen vom 10. April 1888 (Min. Bl. d. i. Verw. S. 58 und Centrbl. f. d. ges. Unterr. Verw. S. 484); ferner Herrfurth: Das ges. Preuß. Etats-, Kassen- und Rechnungswesen 2c. 2. Auflage 1887. S. 987—989; 3. Auflage 1896, II. Theil, Abschnitt „Pensionen“.

Vergl. bezüglich der Lehrer und Beamten an den nichtstaatlichen höheren Schulen die Einschaltung aus dem Gesetz vom 25. April 1896 Art. IV §. 3, oben bei §. 2 Abs. 2.

§. 19a.

5. April G. S. 87) . III. Bei der Berechnung der Dienstzeit eines in den Ruhestand zu versetzenden Lehrers an einer im §. 6 Absatz 2 bezeichneten Unterrichtsanstalt muß mit der in dem §. 29a bestimmten Maßgabe die gesammte Zeit angerechnet werden, während welcher der Lehrer innerhalb Preußens oder eines von Preußen erworbenen Landestheiles im öffentlichen Schuldienst gestanden hat.

§. 20.

Zum Erweise der Dienstunfähigkeit eines seine Versetzung in den Ruhestand nachsuchenden Beamten ist die Erklärung der demselben unmittelbar vorgesetzten Dienstbehörde erforderlich, daß sie nach pflichtmäßigem Ermessen den Beamten für unfähig halte, seine Amtspflichten ferner zu erfüllen.

Inwieweit noch andere Beweismittel zu erfordern oder der Erklärung der unmittelbar vorgesetzten Behörde entgegen für ausreichend zu erachten sind, hängt von dem Ermessen der über die Versetzung in den Ruhestand entscheidenden Behörde ab.

15. April G. S. 87) IV. Auf die Lehrer und Beamten solcher im §. 6 Abs. 2 des Gesetzes vom 27. März 1872 bezeichneten Unterrichts-Anstalten, welche nicht vom Staate allein zu unterhalten sind, finden nachstehende besondere Vorschriften Anwendung.

§. 2.

Von dem in dem §. 20 des Gesetzes vom 27. März 1872 vorgeschriebenen Nachweise der Dienstunfähigkeit kann im Einverständnisse mit dem Unterhaltungspflichtigen abgesehen werden.

§. 21.

vom il 1884 G. 126). Die Bestimmung darüber, ob und zu welchem Zeitpunkte dem Antrage eines Beamten auf Versetzung in den Ruhestand stattzugeben ist, erfolgt durch den Departementschef.

Bei denjenigen Beamten, welche durch den König zu ihren Aemtern ernannt worden sind, ist die Genehmigung des Königs zur Versetzung in den Ruhestand erforderlich.

Für die Beamten derjenigen Kategorien, deren Anstellung durch eine dem Departementschef nachgeordnete Behörde erfolgt, kann der Departementschef letzterer oder der ihr vorgesetzten Behörde die Bestimmung über den Antrag auf Versetzung in den Ruhestand übertragen.

§. 22.

Die Entscheidung darüber, ob und welche Pension einem Beamten bei seiner Versetzung in den Ruhestand zusteht, erfolgt durch den Departementschef in Gemeinschaft mit dem Finanzminister. Gesetz 30. April (G. S.

Dieselben können die Befugniß zu dieser Entscheidung derjenigen dem Departementschef nachgeordneten Behörde übertragen, welcher die Bestimmung über die Versetzung des Beamten in den Ruhestand zusteht (§. 21 Absatz 3).

Vergl. bezüglich der Lehrer und Beamten an den nichtstaatlichen höheren Schulen die Einschaltung aus dem Gesetz vom 25. April 1896, Art. IV §. 3, oben bei §. 2 Abs. 2, ferner Art. IV §. 1, unten bei §. 23.

§. 23.

Die Beschreitung des Rechtsweges gegen die Entscheidung darüber, ob und welche Pension einem Beamten bei seiner Versetzung in den Ruhestand zu gewähren ist, steht dem Beamten offen, doch muß die Entscheidung des Departementschefs und des Finanzministers der Klage vorhergehen, und letztere sodann bei Verlust des Klagerechts innerhalb sechs Monaten, nachdem dem Beamten diese Entscheidung bekannt gemacht ist, erhoben werden. Der Verlust des Klagerechts tritt auch dann ein, wenn nicht von dem Beamten, über dessen Anspruch auf Pension die dem Departementschef nachgeordnete Behörde Entscheidung getroffen hat (§. 22 Absatz 2), gegen diese Entscheidung binnen gleicher Frist die Beschwerde an den Departementschef und den Finanzminister erhoben ist. Gesetz 30. April (G. S. S

Auf die Lehrer und Beamten solcher im §. 6 Abs. 2 des Gesetzes vom 27. März 1872 bezeichneten Unterrichtsanstalten, welche nicht vom Staat allein zu unterhalten sind, finden nachstehende besondere Vorschriften Anwendung: Ges. v. 2 1896 (G. Art.

§. 1.

Bei der Entscheidung über das Recht auf Pension und bei der Uebertragung der Befugniß zu dieser Entscheidung an eine nachgeordnete Behörde (§§. 22 und 23 des Gesetzes vom 27. März 1872 und des Gesetzes vom 30. April 1884 — Gesetz-Samml. S. 126 —) findet eine Mitwirkung des Finanzministers nicht statt.

Die Beschwerde über die Entscheidung und die Klage gegen dieselbe steht auch den zur Zahlung der Pension Verpflichteten innerhalb der für die Beamten (Lehrer) bestimmten Fristen offen. Die Klage ist von den Lehrern und Beamten gegen die zur Zahlung der Pension Verpflichteten, von letzteren gegen erstere zu erheben.

Bis zur endgültigen Erledigung der Beschwerde oder Klage gegen die getroffene Entscheidung über die zu gewährende Pension wird dieselbe nach Maßgabe dieser Entscheidung vorschußweise an den Bezugsberechtigten gezahlt.

§. 24.

Die Versetzung in den Ruhestand tritt, sofern nicht auf den Antrag oder mit ausdrücklicher Zustimmung des Beamten ein früherer Zeitpunkt festgesetzt wird, mit dem Ablauf des Vierteljahres ein, welches auf den Monat folgt, in welchem dem Beamten die Entscheidung über seine Versetzung in den Ruhestand und die Höhe der ihm etwa zustehenden Pension (§. 22.) bekannt gemacht worden ist.

§. 25.

Die Pensionen werden monatlich im Voraus gezahlt.

§. 26.

Das Recht auf den Bezug der Pension kann weder abgetreten noch verpfändet werden.

In Ansehung der Beschlagnahme der Pensionen bleiben die bestehenden Bestimmungen in Kraft.[7])

§. 27.

Das Recht auf den Bezug der Pension ruht:

1) wenn ein Pensionair das Deutsche Indigenat verliert, bis zu etwaiger Wiedererlangung desselben;
2) wenn und so lange ein Pensionair im Reichs- oder Staatsdienste ein Diensteinkommen bezieht, insoweit als der Betrag dieses neuen Diensteinkommens unter Hinzurechnung der Pension den Betrag des von dem Beamten vor der Pensionirung bezogenen Diensteinkommens übersteigt.

§. 28.

Ein Pensionair, welcher in eine an sich zur Pension berechtigende Stellung des unmittelbaren Staatsdienstes wieder eingetreten ist (§. 27. Nr. 2.), erwirbt für den Fall des Zurücktretens in den Ruhestand den Anspruch auf Gewährung einer nach Maßgabe seiner nunmehrigen verlängerten Dienstzeit und des in der neuen Stellung bezogenen Diensteinkommens be-

[7]) Siehe §. 749 Nr. 8 der Civilprozeßordnung vom 30. Januar 1877 (Reichsgesetzblatt S. 83) und §. 51 Nr. 7 der Verordnung, betreffend das Verwaltungszwangsverfahren wegen Beitreibung von Geldbeträgen, vom 7. September 1879 (G. S. S. 591).

rechneten Pension nur dann, wenn die neu hinzutretende Dienstzeit wenigstens ein Jahr betragen hat.

Mit der Gewährung einer hiernach neu berechneten Pension fällt bis auf Höhe des Betrages derselben das Recht auf den Bezug der früher bezogenen Pension hinweg.

Dasselbe gilt, wenn ein Pensionair im Deutschen Reichsdienste eine Pension erdient.

§. 29.

Die Einziehung, Kürzung oder Wiedergewährung der Pension auf Grund der Bestimmungen in den §§. 27. und 28. tritt mit dem Beginn desjenigen Monats ein, welcher auf das, eine solche Veränderung nach sich ziehende Ereigniß folgt.

Im Falle vorübergehender Beschäftigung im Reichs- oder im Staatsdienste gegen Tagegelder oder eine anderweite Entschädigung wird die Pension für die ersten sechs Monate dieser Beschäftigung unverkürzt, dagegen vom siebenten Monate ab nur zu dem nach den vorstehenden Bestimmungen zulässigen Betrage gewährt.

§. 29a.

Die in dem §. 27 Nr. 2 sowie in den §§. 28 und 29 für den Fall des Wiedereintritts eines Pensionärs in den Reichs- oder Staatsdienst getroffenen Vorschriften finden auf diejenigen unter die Vorschriften des §. 6 fallenden pensionirten Lehrer und Beamten, deren Pension nicht aus der Staatskasse zu zahlen ist, nur dann sinngemäße Anwendung, wenn sie im Dienste der zur Aufbringung ihrer Pension ganz oder theilweise verpflichteten Gemeinde oder Stiftung oder des betreffenden Kommunalverbandes wieder angestellt oder beschäftigt werden. Ges. v. 2 ... 1898 (G. ... Art.

Ist ein unter die Vorschriften des §. 6 fallender Pensionär, dessen Pension nicht aus der Staatskasse zu zahlen ist, in ein zur Pension berechtigendes Amt des unmittelbaren Staatsdienstes oder an einer der im §. 6 Absatz 2 bezeichneten Unterrichtsanstalten, deren Unterhaltung Anderen, als den zur Aufbringung seiner Pension Verpflichteten obliegt, wieder eingetreten, so bleibt für den Fall des Zurücktretens in den Ruhestand bei der Entscheidung über eine ihm zu gewährende neue Pension die Dienstzeit vor seiner früheren Versetzung in den Ruhestand außer Anrechnung.

Diese Bestimmung findet auf diejenigen Pensionäre, deren Pension aus der Staatskasse zu zahlen ist, alsdann gleichfalls Anwendung, wenn sie in ein zu Pension berechtigendes Amt an einer der im §. 6 Absatz 2 bezeichneten Unterrichtsanstalten, welche nicht vom Staate allein zu unterhalten sind, wieder eingetreten sind.

§. 30.

31. März (G.S.133) I. Sucht ein nicht richterlicher Beamter, welcher das fünfundsechszigste Lebensjahr vollendet hat, seine Versetzung in den Ruhestand nicht nach, so kann diese nach Anhörung des Beamten unter Beobachtung der Vorschriften der §§. 20 ff. dieses Gesetzes in der nämlichen Weise verfügt werden, wie wenn der Beamte seine Pensionirung selbst beantragt hätte.

Im Uebrigen behält es in Ansehung der unfreiwilligen Versetzung in den Ruhestand und des dabei stattfindenden Verfahrens bei den Bestimmungen in den §§. 56—64 des Gesetzes, betreffend die Dienstvergehen der Richter und die unfreiwillige Versetzung derselben auf eine andere Stelle oder in den Ruhestand, vom 7. Mai 1851 (Gesetz-Samml. S. 218) und in den §§. 88—93 des Gesetzes, betreffend die Dienstvergehen der nicht richterlichen Beamten, die Versetzung derselben auf eine andere Stelle oder in den Ruhestand, vom 21. Juli 1852 (Gesetz-Samml. S. 465) sein Bewenden.

Wird hiernach gemäß §. 90 des letzterwähnten Gesetzes von dem Rechtsmittel des Rekurses an das Staatsministerium Gebrauch gemacht, so läuft die sechsmonatliche Frist zur Anstellung der Klage wegen unrichtiger Festsetzung des Pensionsbetrages (§. 2. des Gesetzes, betreffend die Erweiterung des Rechtsweges, vom 24. Mai 1861., (Gesetz-Samml. S. 241) erst von dem Tage, an welchem dem Beamten die Entscheidung des Staatsministeriums bekannt gemacht ist.

25. April (G. S.87) VI. Die Bestimmungen der §§. 88 bis 93 des Gesetzes vom 21. Juli 1852 (Gesetz-Samml. S. 465) finden auch auf die Lehrer und Beamten derjenigen in §. 6 Absatz 2 genannten Anstalten Anwendung, welche nicht vom Staate allein zu unterhalten sind.

§. 31.

Hinterläßt ein Pensionair eine Wittwe oder eheliche Nachkommen, so wird die Pension noch für den auf den Sterbemonat folgenden Monat gezahlt.

An wen die Zahlung erfolgt, bestimmt die Provinzialbehörde, auf deren Etat die Pension übernommen war.

Die Zahlung der Pension für den auf den Sterbemonat folgenden Monat kann auf Verfügung dieser Behörde auch dann stattfinden, wenn der Verstorbene Eltern, Geschwister, Geschwisterkinder oder Pflegekinder, deren Ernährer er gewesen ist, in Bedürftigkeit hinterläßt, oder wenn der Nachlaß nicht ausreicht, um die Kosten der letzten Krankheit und der Beerdigung zu decken.

Der über den Sterbemonat hinaus gewährte einmonatliche Betrag der Pension kann nicht Gegenstand einer Beschlagnahme sein.

§. 32.

Ist die nach Maßgabe dieses Gesetzes bemessene Pension geringer als die Pension, welche dem Beamten hätte gewährt werden müssen, wenn er am 31. März 1872.[8]) nach den bis dahin für ihn geltenden Bestimmungen pensionirt worden wäre, so wird diese letztere Pension an Stelle der ersteren bewilligt.

§. 33.

Den in Folge der Aufhebung der Patrimonialgerichtsbarkeit aus dem Privatgerichtsdienst in den unmittelbaren Staatsdienst übernommenen oder bereits vor dieser Aufhebung in den unmittelbaren Staatsdienst übergegangenen Beamten wird die Zeit des Privatgerichtsdienstes nach Maßgabe der Bestimmungen des gegenwärtigen Gesetzes angerechnet.

Den vormals Schleswig-Holsteinischen Beamten wird die Zeit, welche sie als beeidigte Sekretaire oder Volontaire bei den Oberbeamten zugebracht haben, bei Feststellung ihrer Dienstzeit mit angerechnet.

§. 34.

Die Zeit, während welcher ein Beamter in den neu erworbenen Landestheilen oder ein mit einem solchen Landestheile übernommener Beamter auch in einem anderen Theile des Landes, welchem seine Heimath vor der Vereinigung mit Preußen angehört hat, im unmittelbaren Dienste der damaligen Landesherrschaft gestanden hat, wird in allen Fällen bei der Pensionirung nach Maßgabe des gegenwärtigen Gesetzes in Anrechnung gebracht.

§. 35.

Hinsichtlich der Hohenzollernschen, in den Preußischen Staatsdienst übernommenen Beamten bleiben die Bestimmungen unter Nr. 2. und 3. des Erlasses vom 26. August 1854. (Gesetz-Samml. 1855. S. 33.) in Kraft.

§ 36.

Zusicherungen, welche in Bezug auf dereinstige Bewilligung von Pensionen an einzelne Beamte oder Kategorien von Beamten durch den König oder einen der Minister gemacht worden sind, bleiben in Kraft.[9])

Doch finden auf Beamte, hinsichtlich deren durch Staatsverträge die Bewilligung von Pensionen nach den Grundsätzen

[8]) Für die abändernden Bestimmungen des Ges. v. 31. März 1882 (G. S. S. 133) ist der Termin des 31. März 1882 (Art. II), für die des Ges. vom 25. April 1896 (G. S. S. 87) der 1. April 1896 (Art. VII u. VIII) maßgebend; in den beiden Gesetzen vom 30. April 1884 (G. S. S. 126) und vom 20. März 1890 (G. S. S. 48) ist eine gleiche Vorschrift nicht enthalten.

[9]) Vergl. oben §. 6 Abs. 2 letzter Satz.

fremdländischer Pensionsbestimmungen zugesichert worden ist, die Vorschriften des gegenwärtigen Gesetzes insoweit Anwendung, als sie für die Beamten günstiger sind.

§. 37.

Die im §. 79. des Gesetzes, betreffend die Verfassung und Verwaltung der Städte und Flecken in der Provinz Schleswig-Holstein, vom 14. April 1869. (Gesetz-Samml. S. 589.) festgestellte Verpflichtung der Staatskasse zur antheiligen Uebernahme der Pensionen städtischer Beamten wird durch das gegenwärtige Gesetz nicht berührt.

§. 38.

Das gegenwärtige Gesetz tritt mit dem 1. April 1872. in Kraft. Mit diesem Zeitpunkte treten, soweit nicht durch §. 32. Ausnahmen bedingt werden, alle den Vorschriften dieses Gesetzes entgegenstehenden Bestimmungen, insbesondere das Pensionsreglement für die Civil-Staatsdiener vom 30. April 1825. und die dasselbe ergänzenden, erläuternden und abändernden Bestimmungen außer Kraft. Wo in den bestehenden Gesetzen und Verordnungen auf dieselben Bezug genommen wird, kommen die Bestimmungen des gegenwärtigen Gesetzes zur Anwendung.

Urkundlich ꝛc.

…tz vom …ärz 1882 …S. 133).

Art. III. Die Vorschriften dieses Gesetzes finden ausschließlich Anwendung auf unmittelbare Staatsbeamte und die in dem zweiten Absatz des §. 6. des Pensionsgesetzes vom 27. März 1872 genannten Lehrer und Beamten.[10])

Art. IV. Das gegenwärtige Gesetz tritt mit dem 1. April 1882 in Kraft.

Urkundlich ꝛc.

[11])

…tz vom …ärz 1890 …S. 48).

Art. II. Dieses Gesetz tritt mit dem Tage der Verkündigung[12]) in Kraft.

Urkundlich ꝛc.

…tz vom …pril 1896 …S. 87)

Art. VIII. Dieses Gesetz tritt mit dem 1. April 1896 in Kraft.

Urkundlich ꝛc.

---

[10]) Ist ausgedehnt auf mittelbare Staatsbeamte, welche nach den für die unmittelbaren Staatsbeamten bestehenden Grundsätzen zu pensioniren sind, durch das Ges. v. 1. März 1891 (G. S. S. 19), betreffend die Ausdehnung einiger Bestimmungen des Gesetzes vom 31. März 1882, wegen Abänderung des Pensionsgesetzes vom 27. März 1872 auf mittelbare Staatsbeamte, Art. I.

[11]) In dem Gesetz vom 30. April 1884 (G. S. S. 126) ist eine ausdrückliche Bestimmung über den Termin seines Inkrafttretens nicht enthalten. Die betreffende Nr. 15 der Ges. Samml. ist am 12. Mai 1884 veröffentlicht.

[12]) d. i. der 10. April 1890 (Nr. 12 der Ges. Samml.).

120) Ausführung des Stempelsteuergesetzes vom 31. Juli 1895.

Berlin, den 9. Mai 1896.

In Ausführung des am 1. April d. Js. in Kraft getretenen Stempelsteuergesetzes vom 31. Juli v. Js. (G. S. S. 413) sind von dem Herrn Finanzminister die Vollzugsbestimmungen erlassen worden. Dieselben zerfallen in zwei Theile, von denen der eine Theil — die Bekanntmachung vom 13. Februar d. Js. — die das Publikum interessirenden Vorschriften, der andere Theil — die Dienstvorschriften vom 14. Februar d. Js. — die hauptsächlich die Behörden angehenden Bestimmungen enthält.

Nach den gemachten Wahrnehmungen haben die stempelsteuergesetzlichen Vorschriften bei den Behörden nicht immer diejenige Beachtung gefunden, welche das Interesse des Steuerfiskus erfordert. Die Finanzverwaltung hat sich diesem Verhalten der Behörden gegenüber bis jetzt im Allgemeinen darauf beschränkt, die nicht verwendeten Stempel nachzufordern, ohne eine strafrechtliche Ahndung der Steuerhinterziehungen herbeizuführen. Maßgebend für diese milde Praxis war der Umstand, daß die Zusammenhanglosigkeit, Unübersichtlichkeit und Unklarheit der bisherigen stempelsteuerlichen Vorschriften ihre Anwendung in hohem Grade erschwerte und deshalb vielfach angenommen werden mußte, daß der Staatskasse die ihr gebührenden Abgaben ohne böse Absicht vorenthalten würden. Diese Gründe sind weggefallen, nachdem in dem neuen Stempelsteuergesetze und den das Gesetz erläuternden Ausführungsanweisungen das gesammte Stempelwesen übersichtlich geregelt und damit jedem Beamten die Möglichkeit gegeben ist, sich über die steuerliche Behandlung der bei seinen Amtshandlungen vorkommenden Urkunden oder der von ihm Namens einer Behörde abgeschlossenen Verträge zu unterrichten. Sind im Einzelfalle über die Höhe des zu einer Urkunde zu verwendenden Stempels oder darüber, ob eine Verpflichtung zur Entrichtung einer Stempelgebühr überhaupt besteht, Zweifel vorhanden, so gewährt das Gesetz im §. 30 das Mittel zur Beseitigung dieser Zweifel, indem es allen Hauptämtern und Stempelsteuerämtern die Pflicht auferlegt, auf Anfragen Auskunft über die Versteuerung zu ertheilen (vergl. Ziffer 24 der Bekanntmachung). Wird der Stempel dieser Auskunft entsprechend verwendet, so tritt nach §. 20 des Gesetzes ein Strafverfahren nicht ein. Der Einwand, daß die Beibringung des erforderlichen Stempels nicht aus Absicht, sondern aus Unkenntnis der gesetzlichen Bestimmungen unterblieben sei, wird daher in Zukunft nicht mehr so allgemein wie bisher mit Erfolg geltend gemacht werden können.

Die nachgeordneten Behörden veranlasse ich, dafür Sorge zu tragen, daß die an der Ausführung des Gesetzes betheiligten Beamten sich mit den Ausführungs-Bestimmungen genau vertraut machen. Ich bemerke, daß dieselben in amtlicher Ausgabe erschienen und von allen Königlichen Hauptämtern, Zoll- und Steuerämtern zum Preise von 1 *M* — bei Entnahme von mehr als 500 Exemplaren zum Preise von 95 *Pf* — das Stück zu beziehen sind.

Auf folgende Bestimmungen mache ich noch besonders aufmerksam:

1) Ziffer 7 der Dienstvorschriften (Seite 131 und 132 der amtlichen Ausgabe), betreffend die Vermerke über die Verwendung der Stempel:

„Alle Behörden und Beamten haben die Pflicht, die Verwendung der Stempel, mit welchen die von ihnen ausgefertigten Schriftstücke versehen sind, auf den Urschriften, Abschriften 2c. oder, wo dergleichen Urkunden nicht vorhanden sind, durch einen besonderen Vermerk in den Akten zu bescheinigen. Diese Pflicht erstreckt sich nicht auf die in der Ziffer 14 C. Nr. 1 Buchstabe a bis d der Bekanntmachung erwähnten Gewerbelegitimationskarten, Pässe, Paßkarten und Befähigungszeugnisse 2c. für Seeschiffer, Seesteuerleute und Maschinisten."

2c.

„Sofern sich der erforderliche Stempel nicht ohne Weiteres aus der Urkunde berechnen läßt, sind Behörden und Beamte einschließlich der Notare verpflichtet, auf den Urschriften oder Abschriften der ausgefertigten Verhandlungen 2c. oder, wenn solche Urkunden nicht vorhanden sind, an der betreffenden Stelle der Akten eine kurze Stempelberechnung aufzustellen, auch die Berechnung auf den Ausfertigungen 2c. zu vermerken. Bei Stempelbefreiungen und Stempelermäßigungen sind die Befreiungsgründe, sowie die Gründe für die Anwendung eines geringeren als des höchsten Steuersatzes sowohl an gehöriger Stelle in den Akten als auch auf den Ausfertigungen 2c. zu vermerken."

2) Ziffer 33 der Bekanntmachung (Seite 106) und Ziffer 32 der Dienstvorschriften (Seite 153 und 154), betreffend die Versteuerung der Ausfertigungen:

33. „Die Steuerpflicht ist auf Ausfertigungen von bereits vorhandenen Schriftstücken eingeschränkt, sodaß, wenn nicht eine andere Tarifstelle (z. B. Nr. 22, 39 2c.) Anwendung findet, Steuerfreiheit in allen denjenigen Fällen

eintritt, in denen es an einer Urkunde fehlt, von welcher die amtliche Ausfertigung entnommen ist. Alle Behörden und Beamten einschließlich der Notare sind verpflichtet, auf den von ihnen stempelfrei ertheilten Ausfertigungen, insoweit sie nicht unter die Befreiungen zu a und b fallen, den Grund der Stempelfreiheit zu bescheinigen, z. B. „Stempelfrei Mangels Vorhandenseins einer Urschrift.“

32. „Wegen der Verpflichtung der Behörden und Beamten, auf jeder zweiten und weiteren Ausfertigung und jedem Auszuge aus einer stempelpflichtigen Urkunde den zu der Hauptausfertigung oder Urschrift verwendeten Stempel zu vermerken (vergl. §. 9 Absatz 3 des Gesetzes) findet die Bestimmung des zweiten Absatzes der Ziffer 30 dieser Vorschriften entsprechende Anwendung.“

Ziffer 30 Abs. 2. „Auf jeder amtlich beglaubigten Abschrift muß nach §. 9 Absatz 3 des Gesetzes vermerkt werden, welcher Stempel zu der Hauptausfertigung oder Urschrift verwendet worden ist. Der Vermerk wird beispielsweise lauten:

„Beglaubigte Abschrift stempelfrei, weil wegen Zahlung eines Pensionsbetrages ertheilt. Zur Urschrift (bezw. Ausfertigung) 300 ℳ (in Worten) verwendet.“

Berlin, den 1. April 1896.

Amtsstelle.

Schwarzstempel. Unterschrift.

oder:

„Zur beglaubigten Abschrift 1,50 ℳ entwerthet. Zur Urschrift u. s. w. wie vor.“

3) Ziffer 14 C. Nr. 2 Buchstabe a der Bekanntmachung (Seite 78 bis 80) und die Ziffer 33 der Dienstvorschriften (Seite 154), betreffend die Versteuerung der Bestallungen:

14 C. Nr. 2. „Auf Ansuchen von Behörden, Gewerkschaften, Versicherungsgesellschaften und ähnlichen Privatunternehmungen werden gedruckte Formulare oder auch beschriebene Bogen bei dem Haupt-Stempel-Magazin gestempelt.

Abgestempelt können insbesondere folgende Schriftstücke werden:

a. Bestallungen (Tarifstelle 12);

b. ꝛc. ꝛc.

Die Stempelung der Formulare rc. erfolgt durch Aufdruck des preußischen Werthstempels in Schwarzdruck und des Borussia-Trockenstempels, jedoch ohne den für das weiße Stempelpapier vorgeschriebenen farbigen Unterdruck."

33. „Die Versteuerung der Bestallungen einschließlich der Offizierpatente erfolgt entweder durch Verwendung von Stempelbogen oder Stempelmarken seitens der Behörden oder durch Abstempelung der Formulare oder beschriebenen Bogen seitens des Haupt-Stempel-Magazins.

Es ist auch zulässig, den Stempel statt zu der Ausfertigung zu den Akten zu verwenden."

4) Ziffer 47 der Dienstvorschriften (Seite 158), betreffend die Versteuerung der Pacht-, Mieth- rc. Verträge, bei denen Behörden betheiligt sind:

„Behörden steht es frei, in Ansehung derjenigen Verträge, welche sie als Verpächter, Vermiether u. s. w. abgeschlossen haben, die Versteuerung der Verzeichnisse selbst zu bewirken. Hinsichtlich der Verträge, welche sie als Pächter, Miether u. s. w. abgeschlossen haben, liegt ihnen die Verpflichtung ob, demjenigen Stempelsteueramt, in dessen Geschäftsbezirk der Vertrag errichtet ist, eine Abschrift einzusenden oder ihm den Namen der Verpächter, Vermiether u. s. w., das Grundstück, den Zins bezw. die Nutzung, die Dauer des Vertrages, die Vereinbarungen wegen stillschweigender Verlängerungen, sowie sonstige für die Stempelpflicht in Betracht kommende Abreden mitzutheilen."

5) Ziffer 35 der Bekanntmachung Seite 106 und 107), betreffend die Versteuerung der Apothekerkonzessionen:

„Behufs Ermittelung des stempelpflichtigen Werthes vererblicher oder veräußerlicher Konzessionen ist zunächst der die Konzession Nachsuchende zur Werthangabe und zur Vorlegung des über den Verkauf der Apotheke etwa geschlossenen Vertrages aufzufordern. Falls ein solcher Vertrag vorhanden ist, so ist aus ihm festzustellen, ob und was die Vertragschließenden über die Vergütung für den Uebergang der Konzession auf den neuen Erwerber verabredet haben. Wird der angegebene Werth für zu niedrig erachtet und findet eine Einigung mit dem Steuerpflichtigen nicht statt, so ist der Werth, falls ihn die die Konzession ertheilende Behörde nicht selbst zu begutachten vermag, nach der Vorschrift des §. 7 Absatz 3 des Gesetzes und unter Beachtung der Vorschrift der Ziffer 6 dieser

Bekanntmachung anderweitig zu ermitteln, wobei unter Umständen auch die in früheren Verträgen über das Entgeld für die betreffende Konzession getroffenen Vereinbarungen als Anhaltspunkte werden dienen können. Den Ober-Präsidenten bleibt es überlassen, zur Ermittelung der Konzessionswerthe die Mitwirkung der Provinzial-Steuer-Direktoren in Anspruch zu nehmen.

Insoweit der Werthstempel unstreitig ist, muß seine Verwendung auf der Konzessionsurkunde innerhalb der im §. 15 Absatz 1 des Gesetzes angegebenen Frist erfolgen, während der Stempel für den etwaigen nachträglich ermittelten Mehrwerth später auf der Urkunde zu entwerthen ist."

Der Minister der geistlichen 2c. Angelegenheiten.
Bosse.

An
die nachgeordneten Behörden des Ministeriums.
G. III. Nr. 1098.

121) Erläuterung der Bestimmungen wegen Vereinigung der Büreaubeamten I. und II. Klasse zu einer Besoldungsklasse.

Berlin, den 8. Juni 1896.

Ew. Hochwohlgeboren lasse ich in Verfolg meiner Verfügung vom 25. April d. Js. (Centrbl. S. 387 und 402) beifolgend Abschrift des Runderlasses der Herren Minister der Finanzen und des Innern vom 1. Mai d. Js., betreffend Erläuterung der Bestimmungen wegen Vereinigung der Büreaubeamten I. und II. Klasse zu einer Besoldungsklasse, zur gefälligen Kenntnisnahme und Beachtung ergebenst zugehen.

Der Minister der geistlichen 2c. Angelegenheiten.
Bosse.

An
die nachgeordneten betheiligten Behörden.
G. III. Nr. 1568. G. I. U. II. U. III. B.

Berlin, den 1. Mai 1896.

Auf den gefälligen Bericht vom 9. v. Mts. erwidern wir Ew. Hochwohlgeboren ergebenst, daß die Bestimmung unter Nr. 5 des Erlasses vom 13. März d. Js.*), betreffend die Vereinigung der Büreaubeamten I. und II. Klasse zu einer Besoldungsklasse,

*) Ministerium der geistlichen, Unterrichts- und Medizinal-Angelegenheiten. Nr. 4 des Erlasses vom 25. April d. Js.

wonach bei denjenigen Beamten, welche bereits vor dem 1. April dieses Jahres Sekretär- bezw. Buchhalterstellen inne hatten und welche nach weniger als 3 Jahren vom Assistenten zum Sekretär bezw. Buchhalter befördert worden sind, das seitherige Besoldungsdienstalter als Sekretär bezw. Buchhalter um 3 Jahre vorzudatiren ist, dahin zu verstehen ist, daß die Assistentendienstzeit von demjenigen Zeitpunkte zu berechnen ist, auf welchen unter etwaiger Anrechnung früherer, bezw. diätarischer Dienstzeit oder einer Zeit des Militärdienstes das Besoldungsdienstalter als Assistent festgesetzt war bezw. festzusetzen gewesen wäre.

Der Regierungs-Hauptkassen-Buchhalter B. daselbst ist nach dem Berichte vom 9. v. Mts. am 1. Juni 1872 als Civil-Supernumerar eingetreten, am 1. April 1881 als Kassenassistent etatsmäßig angestellt und am 1. Dezember 1883 zum Buchhalter befördert worden. Sein Dienstalter als Diätar rechnet vom 1. Juni 1875 und da die erste etatsmäßige Anstellung sich über 5 Jahre verzögert hat, so wäre sein Besoldungsdienstalter als Assistent auf den 1. Juni 1880 — 5 Jahre nach Beginn des Diätariats — festzusetzen gewesen. Von diesem Zeitpunkte ab gerechnet bis zur Beförderung zum Buchhalter (1. Dezember 1883) ergiebt einen längeren als 3jährigen Zeitraum, sodaß in diesem Falle nicht die vorerwähnte, sondern die unmittelbar vorhergehende Bestimmung in Nr. 5 des Erlasses Anwendung findet, wonach das Besoldungsdienstalter in der vereinigten Klasse von demjenigen Zeitpunkte ab zu berechnen ist, auf welchen das Besoldungsdienstalter als Assistent festgesetzt war. Dieser Zeitpunkt ist nach Vorstehendem bei dem ꝛc. B. der 1. Juni 1880.

Der Regierungs-Hauptkassen-Buchhalter S. daselbst ist am 22. Januar 1881 definitiv als Militär-Supernumerar angenommen, am 1. April 1889 als Sekretariats-Assistent etatsmäßig angestellt und am 1. Juni 1891 zum Buchhalter befördert worden. Da die erste etatsmäßige Anstellung vor dem 1. Januar 1892 erfolgt ist, so hatte eine Anrechnung von Militärdienstzeit nicht stattzufinden. Dagegen hat sich die Anstellung über 5 Jahre verzögert, weshalb das Besoldungsdienstalter als Assistent auf den 22. Januar 1886 — 5 Jahre nach Beginn des Diätariats — festzusetzen gewesen wäre. Von diesem Zeitpunkte ab gerechnet bis zur Beförderung zum Buchhalter (1. Juni 1891) ergiebt einen längeren als 3jährigen Zeitraum; auch in diesem Falle ist daher das Besoldungsdienstalter in der vereinigten Klasse auf denjenigen Zeitpunkt festzusetzen, auf welchen das Besoldungsdienstalter als Assistent festgesetzt war.

Dieser Zeitpunkt ist nach Vorstehendem bei dem rc. S. der 22. Januar 1886.

An
den Königlichen Regierungs-Präsidenten
Herrn N., Hochwohlgeboren zu N.

Abschrift übersenden wir Ew. Hochwohlgeboren zur gefälligen Kenntnisnahme und Beachtung.

Der Finanzminister. Miquel.

Der Minister des Innern. In Vertretung: Braunbehrens.

An
sämmtliche Herren Ober-Präsidenten und Regierungs-Präsidenten, mit Ausnahme des Regierungs-Präsidenten zu N., sowie den Herrn Dirigenten der Königlichen Ministerial-, Militär- und Baukommission zu Berlin.

F. M. I. 6585. — M. d. J. I. A. 4506.

---

122) Voraussetzungen für den Anspruch eines Beamten auf Umzugskosten.

In Sachen des Königlich Preußischen Justizfiskus, vertreten durch den Königlichen Oberstaatsanwalt . . ., Beklagten und Revisionsklägers,

wider

den Amtsgerichts-Sekretär a. D. B. in M., Kläger und Revisionsbeklagten,

hat das Reichsgericht, vierter Civilsenat, auf die mündliche Verhandlung vom 30. März 1896 für Recht erkannt:

Die Revision gegen das Urtheil des Ersten Civilsenats des Königlich Preußischen Oberlandesgerichts zu N. vom 13. November 1895 wird zurückgewiesen; die Kosten der Revisionsinstanz werden dem Revisionskläger auferlegt.

Von Rechts Wegen.

Thatbestand.

Der Kläger wurde, während er in M. als etatsmäßiger Gerichtsschreibergehilfe des dortigen Amtsgerichts wohnte, von dem Oberlandesgerichts-Präsidenten zu H. für die Zeit vom 1. September 1894 ab bei dem Amtsgerichte zu S. zum Gerichtsschreiber unter gleichzeitiger Uebertragung der Geschäfte des Gefängnisinspektors und unter Ueberweisung der Dienstwohnung ernannt. Er trat das Amt in S. unter Uebernahme der Dienstwohnung am 1. September 1894 an, bestellte auch die von ihm für die Verwaltung des eisernen Vorschusses zu leistende Kaution von 200 ℳ. Nach Bestellung der Kaution erhielt er den von ihm bereits am 1. September erbetenen Urlaub auf drei Tage bewilligt, trat ihn am 6. September an und reiste nach M. zurück. Von hier aus suchte er schriftlich einen längeren Urlaub zur Wiederherstellung seiner zerrütteten Gesundheit nach, der ihm schließlich auf Grund eines Kreisphysikatsattestes bis zum 1. Dezember 1894 gewährt wurde. Die von ihm demnächst von M. aus erbetene Verlängerung dieses Urlaubs wurde ihm abgeschlagen, worauf er seine Entlassung aus dem Justizdienste nachsuchte und erhielt. Als er mit dem 1. September 1894 sein Amt als Gerichtsschreiber in S. übernommen, hatte er unter Hinweis auf den Umstand, daß er Witwer und Vater von vier Kindern war, die gesetzlichen Umzugskosten mit 264 ℳ und außerdem, da er seine Wohnung in M gekündigt und für die Monate September und Oktober die Miethe für dieselbe mit 91,67 ℳ dem Hauswirthe zu vergüten hatte, den letztgenannten Betrag als Miethsentschädigung vom Fiskus beansprucht. Mit beiden Ansprüchen wurde er zurückgewiesen. Die von ihm hierauf erhobene Klage auf Verurtheilung des Fiskus zur Zahlung hat das Landgericht für begründet erachtet und das Berufungsgericht hat die Berufung des Fiskus zurückgewiesen. Der Fiskus hat deshalb Revision eingelegt und seinen Berufungsantrag auf Abweisung der Klage wiederholt. Der Kläger hat beantragt, die Revision zurückzuweisen.

Entscheidungsgründe.

Der Fiskus hat für seine Zahlungsverweigerung zwei Gründe geltend gemacht, einmal, daß der Kläger nicht die Absicht gehabt habe, das ihm übertragene Amt in S. dauernd zu übernehmen, und dann, daß der Kläger seinen Umzug nach S. nicht bewirkt habe. Die Verwerfung des ersten Grundes seitens des Berufungsgerichts giebt zu rechtlichen Bedenken keinen Anlaß. Als Einrede der Simulation in dem Sinne, daß der Kläger nur zum Scheine das Amt übernommen habe, ist die Behauptung des Beklagten nicht aufgestellt; auf die Absicht der dauernden Uebernahme kommt es aber, wenn die Uebernahme ernstlich erfolgt ist, nicht weiter an (Urtheil des Preußischen Obertribunals vom 12. Mai 1876 in Striethorst Archiv Bd. 96 S. 83). Auch liegt, wie das Berufungsurtheil weiter ausführt, kein Anlaß zu der Annahme vor, daß der Kläger arglistig seine Absicht der nicht dauernden Uebernahme der Dienstbehörde gegenüber unterdrückt habe, um die Vortheile aus einer Versetzung für sich zu gewinnen. In dem Ergebnisse, daß auch der zweite von dem

Beklagten vorgebrachte Grund, der die Nichtausführung des Umzuges betrifft, zu verwerfen sei, ist dem Berufungsgerichte gleichfalls beizutreten, nicht aber in der Begründung. Das Berufungsgericht stellt sich auf den Standpunkt, daß lediglich auf Grund der zur Ausführung gekommenen Versetzung, ohne Rücksicht auf die Ausführung des Umzuges, der Fiskus zur Zahlung der Umzugskosten verpflichtet sei. Das soll sich aus dem §. 1 des Gesetzes vom 24. Februar 1877, betreffend die Umzugskosten der Staatsbeamten, ergeben, der folgenden Wortlaut hat: „Die Staatsbeamten erhalten bei Versetzungen eine Vergütung für Umzugskosten." Aus dieser Bestimmung ist jedoch nicht zu entnehmen, daß Umzugskosten zu zahlen sind, wenn kein Umzug erfolgt ist. Die Fassung „Vergütung für Umzugskosten" ergiebt vielmehr, daß ein Umzug stattgefunden haben muß und die Kosten desselben durch die gesetzlich festgesetzte Vergütung abgegolten werden sollen. In welcher Art der Umzug bewirkt sein müsse, ist allerdings eine Thatfrage. Es kann sehr wohl als Umzug angesehen werden, wenn der Beamte nur einen Theil seiner Möbel nach dem Orte seines neuen Amtssitzes mitnimmt und in der dort von ihm gemietheten Wohnung aufstellt, wie es in dem der oben genannten Entscheidung des Obertribunals zu Grunde liegenden Falle geschehen war. Nicht aber kann als Umzug gelten, wenn der Beamte seine Familie in der bisherigen Wohnung des bisherigen Wohnorts zurücklassen, allein ohne irgend welche Möbel nach dem Orte seines neuen Amtes reisen, von hier nach Uebernahme des Amtes alsbald auf Urlaub zu seiner Familie nach dem bisherigen Wohnorte in die bisherige Wohnung zurückkehren und dort bis zu seiner Dienstentlassung verbleiben würde. So aber hat der Kläger hier auch nicht verfahren. Er hat nach den thatbestandsmäßigen Unterlagen seiner Miethsentschädigungsforderung seine Wohnung in M. alsbald nach Empfang seiner Ernennung zum Gerichtsschreiber in S. gekündigt und vor seiner Abreise nach S. geräumt. Er hat ferner, als er sich nach S. begab, unstreitig seine Kinder von M. fortgeschafft und bei Verwandten in W. und L. untergebracht. Bei dieser Sachlage ist die Annahme, daß der Kläger in Folge seiner Versetzung nach S. auf die Ausführung seines Umzuges von M. Kosten verwendet hat, gerechtfertigt und deshalb außer seiner Miethsentschädigungsforderung auch sein Anspruch auf Umzugskosten begründet.

Die Revision hat hiernach auf Kosten des Revisionsklägers zurückgewiesen werden müssen.

B. Universitäten.

123) Gleichstellung der Versuchsstation des Landwirthschaftlichen Centralvereins der Provinz Sachsen zu Halle a. S. mit den zur Zeit noch fehlenden staatlichen Anstalten zur technischen Untersuchung von Nahrungs- und Genußmitteln behufs Ausbildung von Nahrungsmittel-Chemikern.

Auf Grund des §. 16 Abs. 4 der Vorschriften, betreffend die Prüfung der Nahrungsmittel-Chemiker, ist den zur Zeit noch fehlenden staatlichen Anstalten zur technischen Untersuchung von Nahrungs- und Genußmitteln, an welchen die nach Nr. 4 im ersten Absatz des genannten Paragraphen nachzuweisende praktische Ausbildung erworben werden kann, die Versuchsstation des Landwirthschaftlichen Centralvereins der Provinz Sachsen zu Halle a. S. (Vorsteher Geheimer Regierungsrath Professor Dr. Maercker) gleichgestellt worden.

Berlin, den 26. Mai 1896.

Der Minister der geistlichen ꝛc. Angelegenheiten.
Im Auftrage: de la Croix.

Bekanntmachung.
U. I. 2411 II.

C. Akademien, Museen ꝛc.

124) Organisirung der Denkmalspflege in Preußen.

Berlin, den 6. Juni 1896.

Die von der Königlichen Staatsregierung in Anregung gebrachte einheitliche Organisirung der Denkmalspflege ist nunmehr von sämmtlichen Provinzial-Verbänden angenommen und in allen Theilen der Preußischen Monarchie, mit Ausnahme des Regierungsbezirks Wiesbaden, durchgeführt worden. Es sind Provinzial- bezw. Bezirks-Kommissionen zur Erforschung und zum Schutze der Denkmäler gebildet, denen der betreffende Ober-Präsident und zumeist der Landesdirektor, Delegirte des Kreisausschusses, des Konsistoriums, der bischöflichen Organe, sowie Mitglieder der größeren Geschichts- und Alterthumsvereine angehören, und welchen als sachverständiger Beirath und zugleich als staatlicher Delegirter der Provinzial- bezw. Bezirks-Konservator zur Seite steht. Letzterer fungirt, ebenso wie die Mitglieder der Denkmäler-Kommissionen im Ehrenamte.

Zu Provinzial- bezw. Bezirks-Konservatoren sind ernannt:
für die Provinz Ostpreußen der Architekt Adolf Bötticher zu Königsberg i. Pr.,
für die Provinz Westpreußen der Landes-Bauinspektor Heise zu Danzig,
für die Provinz Brandenburg der Landes-Baurath Geheime Baurath Bluth zu Berlin,
für die Provinz Pommern der Gymnasial-Direktor Professor Lemcke zu Stettin,
für die Provinz Posen der Landes-Bibliothekar und Direktor des Provinzial-Museums Dr. Schwartz zu Posen,
für die Provinz Schlesien der Land-Bauinspektor Lutsch zu Breslau,
für die Provinz Sachsen der Archiv-Assistent Dr. Theuner zu Magdeburg,
für die Provinz Schleswig-Holstein der Gymnasial-Oberlehrer Professor Dr. Haupt zu Schleswig,
für die Provinz Hannover der Direktor des Provinzial-Museums Dr. Reimers zu Hannover,
für die Provinz Westfalen der Provinzial-Bauinspektor Ludorff zu Münster,
für den Regierungsbezirk Cassel Dr. Bickell zu Marburg,
für die Rheinprovinz der Privatdozent Dr. phil. Paul Clemen zu Bonn,
für die Hohenzollernschen Lande der Architekt Wilhelm Friedrich Laur zu Sigmaringen.

Da die Genannten für ihren Amtsbezirk in jeder Hinsicht den Konservator der Kunstdenkmäler zu Berlin vertreten, so sind an sie auch alle bezüglichen Anzeigen und Anträge zu richten.

Der Minister der geistlichen rc. Angelegenheiten.
Bosse.

U. IV. 2880.

D. Höhere Lehranstalten.

125) Anatomische Wandtafeln für den naturgeschichtlichen Unterricht an höheren Lehranstalten von Dr. Ferdinand Frenkel.

Berlin, den 16. Mai 1896.

Die anatomischen Wandtafeln für den naturgeschichtlichen Unterricht an höheren Lehranstalten von Dr. Ferdinand Frenkel,

Professor am Königlichen Gymnasium zu Göttingen, herausgegeben von Gustav Fischer in Jena, enthalten nach einem diesseits eingezogenen sachverständigen Urtheil gut ausgewählte, für ihren Zweck sehr geeignete Abbildungen. Auch die Ausführung ist als gut anerkannt worden.

Das gesammte Werk umfaßt 8 Tafeln, von welchen bis jetzt zwei erschienen sind. Die übrigen Tafeln werden demnächst in mäßigen Zwischenräumen zur Ausgabe gelangen. Der Preis für eine unaufgezogene Tafel beträgt 5 *M*, derjenige für eine auf Leinwand gezogene und mit lackirten Holzrollen versehene Tafel 10 *M*, sodaß das ganze Werk 40 bezw. 80 *M* kosten würde.

Das Königliche Provinzial-Schulkollegium beauftrage ich, die Leiter der Ihm unterstellten höheren Lehranstalten auf dieses Werk aufmerksam zu machen.

Der Minister der geistlichen ꝛc. Angelegenheiten.
Im Auftrage: Stauder.

An
sämmtliche Königliche Provinzial-Schulkollegien.
U. II. 417.

---

126) Folgen der Weigerung von Kandidaten des höheren Schulamtes, einer Einberufung zu einer kommissarischen Beschäftigung seitens des betreffenden Provinzial-Schulkollegiums Folge zu leisten.

Berlin, den 22. Mai 1896.

In Folge der Weigerung von Kandidaten des höheren Schulamtes, einer Einberufung zu einer kommissarischen Beschäftigung seitens des betreffenden Provinzial-Schulkollegiums Folge zu leisten, sind nicht selten Unzuträglichkeiten entstanden. Um diesen zu begegnen, bestimme ich hiermit, unter Aufhebung der Nr. 4 Absatz 2 meines Erlasses vom 7. August 1892 — U. II. 1388 — (Centr. Bl. S. 816), daß auch bezüglich der Ablehnung einer seitens des zuständigen Provinzial-Schulkollegiums angebotenen nicht unter drei Monaten dauernden kommissarischen Beschäftigung, mit welcher eine Remuneration von mindestens 125 *M* monatlich verbunden ist, in Zukunft die in Nr. 4 Absatz 3 für den Fall der Ablehnung einer definitiven Anstellung angedrohten Maßregeln Platz greifen, d. h. daß ein Kandidat, welcher eine der vorbezeichneten Beschäftigungen zur Zeit oder für einen bestimmten Ort ablehnt, durch Beschluß des Provinzial-Schulkollegiums um ein halbes Jahr zurückgesetzt wird, im Wiederholungsfalle aber mit meiner Genehmigung von der

Anciennetätsliste gestrichen werden kann. Vorausgesetzt wird dabei, daß die von dem Kandidaten geltend gemachten Gründe der Weigerung von dem Provinzial-Schulkollegium als berechtigte nicht anerkannt worden sind. Ob die angebotene Beschäftigung an einer staatlichen oder an einer nichtstaatlichen Anstalt stattfinden sollte, macht keinen Unterschied.

Bezüglich der Zuweisung von kürzeren Kommissorien ist für die Provinzial-Schulkollegien vor allem die Möglichkeit einer raschen Aushilfe entscheidend.

Im Anschlusse hieran mache ich wiederholt darauf aufmerksam, daß bei der ersten definitiven Anstellung von Kandidaten an den vom Staate unterhaltenen und den auch bezüglich des Besetzungsrechts von Lehrerstellen unter staatlicher Verwaltung stehenden Schulen das unter Nr. 2 des oben bezeichneten Erlasses grundsätzlich zugestandene Anciennetätsprinzip nicht nur den dort unter Nr. 3 Absatz 1 und 2 vorgesehenen Beschränkungen unterliegt, welche durch Konfession, Lehrbefähigung und Unterrichtsbedürfnis im allgemeinen geboten sind, sondern daß für die Deckung des Unterrichtsbedürfnisses im besonderen auch die in Nr. 2 b. Absatz 4 meines Erlasses vom 22. November 1892 — U. II. 2100 — (Centr. Bl. S. 821) betonte praktische Bewährung der Kandidaten und die bezüglichen seitens der Unterrichts-Verwaltung wiederholt abgegebenen Erklärungen zu beachten sind. Wenn im einzelnen Falle einem Provinzial-Schulkollegium wegen Mangels an Kandidaten es nicht möglich ist, das Unterrichtsbedürfnis aus älteren Jahrgängen zu decken, so ist mir davon Anzeige zu machen, damit ich einen älteren Kandidaten aus einer anderen Provinz überweisen kann.

Halten die Provinzial-Schulkollegien sich diese Bestimmungen stets gegenwärtig und prüfen Sie in jedem einzelnen Falle gewissenhaft, in wie weit die für eine erste definitive Anstellung nach ihrer Anciennetät, ihrer Lehrbefähigung und ihrer Konfession in Betracht zu ziehenden Kandidaten auch bezüglich ihrer seitherigen praktischen Bewährung für die Deckung des Unterrichtsbedürfnisses unter den gegebenen Verhältnissen geeignet sind, so wird sich eine billige Ausgleichung der Interessen der Kandidaten und der der höheren Schulen von selbst finden. Bei ungefähr gleicher Lehrbefähigung und praktischer Bewährung entscheidet selbstredend die Anciennetät der betreffenden Kandidaten.

Der Minister der geistlichen 2c. Angelegenheiten.
Bosse.

An
sämmtliche Königliche Provinzial-Schulkollegien.
U. II. 2182/95.

127) Verleihung des Ranges der Räthe vierter Klasse an Direktoren von Nichtvollanstalten und an Professoren höherer Lehranstalten.

Seine Majestät der König haben Allergnädigst geruht, den nachbenannten Direktoren an Nichtvollanstalten und Professoren an höheren Lehranstalten den Rang der Räthe vierter Klasse zu verleihen:

A. den Direktoren:

Meißner am Realprogymnasium zu Pillau,
Dr. Klipstein am Realprogymnasium zu Freiburg,
Dr. Klausing an der Realschule zu M.=Gladbach.

B. den Professoren:

Hübner am Kneiphöfischen Gymnasium zu Königsberg i. Pr.,
Dr. Schulz am Friedrich=Wilhelms=Realgymnasium zu Stettin,
Böhme am Gymnasium zu Stolp,
Jobst am Marienstifts=Gymnasium zu Stettin,
Dr. Schmolling am Marienstifts=Gymnasium zu Stettin,
Lic. Dr. Lehmann am Gymnasium zu Nakel,
Dr. Kroll am Progymnasium zu Striegau,
Dr. Schneider am Gymnasium zu Görlitz,
Zorn am Gymnasium zu Ohlau,
Zopf am Realgymnasium zum heiligen Geist zu Breslau,
Dr. Baer an der Oberrealschule zu Kiel,
Fiedler am Gymnasium zu Schleswig,
König " " " Meldorf,
Dr. Hoppe " " Andreanum zu Hildesheim,
Wendlandt am Rathsgymnasium zu Osnabrück,
Bosing am Gymnasium zu Hadamar,
Güth an der Oberrealschule zu Wiesbaden,
Dr. Müller am Gymnasium zu Weilburg,
Dr. Reuß am Städtischen Gymnasium zu Frankfurt a. M.

Bekanntmachung.
U. II. 1398.

E. Schullehrer= und Lehrerinnen=Seminare 2c., Bildung der Lehrer und deren persönliche Verhältnisse.

128) Bewilligung von Gnadenkompetenzen an die Hinterbliebenen von Volksschullehrern von den staatlichen Dienstalterszulagen.

Berlin, den 25. April 1896.

Auf den Bericht vom 29. März d. Js., betreffend die Gnadenbewilligung von dem Gehalte des verstorbenen Konrektors L. in G., erwidere ich der Königlichen Regierung, daß nach meinem Runderlasse vom 27. Juli 1892 — U. III. E. 2075 — den Hinterbliebenen von Volksschullehrern von den staatlichen Dienstalterszulagen die nämlichen Gnadenkompetenzen zustehen, wie von dem sonstigen vorbehaltlos gewährten Diensteinkommen. Die Bewilligung der Gnadenkompetenzen hängt außerdem nicht von dem freien Ermessen der Schulgemeinden ab, sondern es ist nach den Bestimmungen der Allerhöchsten Erlasse vom 27. April 1816 und 15. November 1819 vielmehr den Ministern als Departements-Chefs freigelassen, geeigneten Falls die Anweisung zu ertheilen.

Da nun der Konrektor L. zu G., wie anzunehmen ist, in einem kollegialischen Verhältnisse gestanden hat, so würde der Schwester desselben eventl. auch von dem gesammten Diensteinkommen desselben das Gnadenquartal zu gewähren sein. 2c.

Der Minister der geistlichen 2c. Angelegenheiten.
Im Auftrage: Kügler.

An
die Königliche Regierung zu N.
U. III. D. 1655.

129) Wirkungen der freiwilligen Aufgabe der bisherigen Dienstwohnung seitens eines vom Amte suspendirten Lehrers.

Berlin, den 4. Mai 1896.

Der Königlichen Regierung sende ich auf den Bericht vom 28. März d. Js. anbei die Beschwerde von Mitgliedern des Schulvorstandes zu S., Kreis N., mit dem Bemerken zurück, daß mir dieselbe insoweit begründet erscheint, als der Schulverband S. nicht für verpflichtet erachtet werden kann, dem vom Amte suspendirten Lehrer B., welcher seine bisherige Dienstwohnung daselbst freiwillig, nicht aber auf Anordnung des Herrn Präsidenten der Königlichen Regierung bei Verhängung der Amtssuspension wider ihn verlassen und aufgegeben hat, von diesem Zeitpunkt ab während der Amtssuspension auch die Hälfte des Geldwerthes der Dienstwohnung zu zahlen. Hierauf hat der p. B. keinen Anspruch.

Die Königliche Regierung wolle daher die Beschwerdeführer hiernach entsprechend bescheiden und das Weitere veranlassen.

Der Minister der geistlichen 2c. Angelegenheiten.
Im Auftrage: Kügler.

An
die Königliche Regierung zu N.
U. III. C. 1104.

130) Auszahlung der im voraus zahlbaren Dienstbezüge der Elementarlehrer und Lehrerinnen, sowie der aus den Ruhegehaltskassen zahlbaren Bezüge der pensionirten Lehrer und Lehrerinnen, wenn der Fälligkeitstag auf einen Sonn- oder Festtag fällt.

Berlin, den 9. Mai 1896.

Im Anschluß an den Runderlaß vom 26. Juni 1894 — G. III. 1891 — (Centrbl. S. 531) bestimme ich im Einverständnisse mit dem Herrn Finanzminister, daß auch die aus Staatsmitteln im voraus zahlbaren Dienstbezüge der Geistlichen, sowie der Elementarlehrer und Lehrerinnen, wenn der Fälligkeitstag auf einen Sonn- oder Festtag fällt, schon am letztvorhergehenden Werktage gezahlt werden dürfen. Diese Bestimmung erstreckt sich auch auf die in Gemäßheit des Gesetzes vom 23. Juli 1893 (G. S. S. 194) aus der Ruhegehaltskasse zahlbaren Bezüge der pensionirten Lehrer und Lehrerinnen.

Der Minister der geistlichen ꝛc. Angelegenheiten.
In Vertretung: von Weyrauch.

An
sämmtliche Königliche Regierungen.
U. III. E. 521 G. III. G. I. G. II. U. III. D.

---

131) Zulassung von Bewerberinnen zur Lehrerinnenprüfung, die ihre Vorbildung außerhalb eines Seminars gewonnen haben.

Berlin, den 26. Mai 1896.

Dem Königlichen Provinzial-Schulkollegium erwidere ich auf die Berichte vom 6. und 15. Mai d. Js., betreffend Zulassung zur Lehrerinnenprüfung in N., daß die Zurückweisung der nicht in Lehranstalten mit dreijährigem Kursus vorgebildeten Bewerberinnen von der Lehrerinnenprüfung durch den Erlaß vom 2. Januar 1893 — U. III. C. 4489 — (Centrbl. S. 252) nicht begründet werden kann. Abgesehen davon, daß dieser Erlaß nicht die Bedingungen für die Zulassung zur Prüfung betrifft, sondern nur die Einrichtung der Lehrerinnen-Bildungsanstalten, ist überhaupt der Besuch einer solchen Anstalt für die angehenden Lehrerinnen bekanntlich nicht vorgeschrieben und der §. 4 der Prüfungsordnung vom 24. Februar 1874 läßt keinen Zweifel darüber, daß auch solche Bewerberinnen zur Prüfung zuzulassen sind, die ihre Vorbildung außerhalb eines Seminars gewonnen haben. Selbstverständliche Voraussetzung hierbei ist nur, daß diese Vorbildung eine inländische sei, weil allein eine solche die Gewähr bieten kann, daß die Bewerberin in die Grundsätze unserer Jugenderziehung eingedrungen ist und für die Ziele unserer Schule ein Verständnis besitzt.

Der Minister der geistlichen 2c. Angelegenheiten.
In Vertretung: von Weyrauch.

An
das Königliche Provinzial-Schulkollegium zu N.
U. III. D. 2406.

132) Form der Zeugnisse über die bestandene Schulvorsteherinnen-Prüfung.

Berlin, den 27. Mai 1896.

Nach §. 1 der Prüfungsordnung vom 31. Mai 1894 wird die Befähigung zur Anstellung als Leiterin einer höheren Mädchenschule durch die Ablegung einer wissenschaftlichen Prüfung bedingt. In denjenigen Fällen, in welchen die Schulvorsteherinnen-Prüfung vor der wissenschaftlichen Prüfung abgelegt wird, ist nach meiner allgemeinen Verfügung vom 31. Mai 1894 — U. III. D. 1260b — (Centrbl. S. 483) in dem Zeugnisse über die bestandene Schulvorsteherinnen-Prüfung zu vermerken, daß die Befähigung für die Leitung von höheren Mädchenschulen noch von der späteren Ablegung der wissenschaftlichen Prüfung abhängig bleibt.

Wie ich aus einem bei mir zur Sprache gebrachten Einzelfalle ersehen habe, haben sich aus der Fassung eines Zeugnisses, welches die Befähigung für die Leitung mittlerer und höherer Mädchenschulen bestätigt, und dem darauf folgenden vorbezeichneten Vermerke Widersprüche ergeben, und es erscheint eine jeden Zweifel ausschließende Fassung der bezüglichen Zeugnisse geboten.

Ich bestimme daher, daß fortan für die Zeugnisse über die bestandene Schulvorsteherinnen-Prüfung die beifolgenden Formulare A und B allgemein zur Anwendung gelangen.

An
die sämmtlichen Königlichen Provinzial-Schulkollegien

Abschrift erhält die Königliche Regierung unter Anschluß je eines Exemplares der Zeugnisformulare zur Kenntnis.

Der Minister der geistlichen 2c. Angelegenheiten.
Im Auftrage: de la Croix.

An
die sämmtlichen Königlichen Regierungen.
U. III. D. 828.

A.

Frau , geboren zu am , Bekenntnisses, ist im Auftrage des Königlichen Provinzial-Schulkollegiums zu am zur Schulvorsteherinnen-Prüfung zugelassen worden. Auf Grund der in der Prüfung hervorgetretenen Gesammtleistungen wird derselben hiermit bezeugt, daß sie zur Leitung von mehrklassigen öffentlichen und privaten Mädchenschulen, elche nach dem Lehrplane der Volksschule arbeiten, befähigt istw

, den ten

Die Königliche Prüfungs-Kommission.

(L. S.)

B.

Frau , geboren zu am , Bekenntnisses, ist im Auftrage des Königlichen Provinzial-Schulkollegiums zu am zur Schulvorsteherinnen-Prüfung zugelassen worden. Auf Grund der in der Prüfung hervorgetretenen Gesammtleistungen wird derselben hiermit bezeugt, daß sie zur Leitung von Mädchenschulen befähigt ist.

Die Befugnis zur Leitung von höheren Mädchenschulen bleibt jedoch noch von der s äteren erfolgreichen Ablegung der wissenschaftlichen Prüfung derpLehrerinnen abhängig.

, den ten

Die Königliche Prüfungs-Kommission.

(L. S.)

133) Anerkennung der Seminar-Präparandenanstalten als öffentliche Schulen.

Berlin, den 6. Juni 1896.

Im Einverständnisse mit dem Herrn Finanzminister eröffne ich dem Königlichen Provinzial-Schulkollegium, daß eine erneute Prüfung der Verhältnisse der mit Schullehrer-Seminaren verbundenen Präparandenanstalten dahin geführt hat, diejenigen Anstalten der bezeichneten Art als öffentliche Anstalten anzuerkennen, welche in Uebereinstimmung mit den Grundsätzen meines Runderlasses vom 15. Juli 1892 — U. III. 2261 — organisirt sind, bei welchen also namentlich für die innere und äußere Leitung der maßgebende Einfluß der Schulbehörde in jeder Beziehung gesichert ist. Den vollbeschäftigten Lehrern an derartig organisirten Seminar-Präparandenanstalten ist daher die an denselben abgeleistete Dienstzeit bei Gewährung von Alterszulagen und bei der Pensionirung als im öffentlichen Schuldienste zugebracht anzurechnen.

Der vielfach beklagte Uebelstand, daß nicht immer geeignete Lehrer für die Seminar-Präparandenanstalten zu finden und bezw. an denselben für längere Zeit zu halten sind, wird unter diesen Umständen, wie ich hoffe, in Zukunft weniger hervortreten.

Die Direktoren derjenigen Schullehrer-Seminare, mit welchen Präparandenanstalten verbunden sind, wolle das Königliche Provinzial-Schulkollegium hiervon in Kenntnis setzen.

An
sämmtliche Königliche Provinzial-Schulkollegien.

Abschrift erhält die Königliche Regierung zur Kenntnisnahme und Beachtung.

Der Minister der geistlichen ꝛc. Angelegenheiten.
Bosse.

An
sämmtliche Königliche Regierungen.
U. III. 2088 U. III. D.

---

134) Turnlehrerinnen-Prüfung im Herbst 1896.

Für die Turnlehrerinnen-Prüfung, welche im Herbst 1896 in Berlin abzuhalten ist, habe ich Termin auf Montag, den 23. November d. Js. und die folgenden Tage anberaumt.

Meldungen der in einem Lehramte stehenden Bewerberinnen sind bei der vorgesetzten Dienstbehörde spätestens bis zum 1. Oktober d. Js., Meldungen anderer Bewerberinnen bei derjenigen Königlichen Regierung, in deren Bezirk die Betreffende wohnt, ebenfalls bis zum 1. Oktober d. Js. anzubringen.

Die in Berlin wohnenden Bewerberinnen, welche in keinem Lehramte stehen, haben ihre Meldungen bei dem Königlichen Polizei-Präsidium in Berlin bis zum 1. Oktober d. Js. einzureichen.

Die Meldungen können nur dann Berücksichtigung finden, wenn ihnen die nach §. 4 der Prüfungsordnung vom 15. Mai 1894 vorgeschriebenen Schriftstücke ordnungsmäßig beigefügt sind.

Die über Gesundheit, Führung und Lehrthätigkeit beizubringenden Zeugnisse müssen in neuerer Zeit ausgestellt sein.

Die Anlagen jedes Gesuches sind zu einem Hefte vereinigt einzureichen.

Berlin, den 9. Juni 1896.

Der Minister der geistlichen 2c. Angelegenheiten.
Im Auftrage: Kügler.

Bekanntmachung.
U. III. B. 1896.

---

135) Termin für die wissenschaftliche Prüfung der Lehrerinnen.

Zur Abhaltung der durch meine allgemeine Verfügung vom 31. Mai 1894 eingeführten wissenschaftlichen Prüfung der Lehrerinnen habe ich den nächsten Termin auf

Donnerstag, den 17. Dezember d. Js., Vormittags 9 Uhr,

im Gebäude der hiesigen Augustaschule, Kleinbeerenstraße Nr. 16/19, angesetzt.

Die Meldungen zu dieser Prüfung sind bis spätestens zum 17. September d. Js. und zwar seitens der im Lehramte stehenden Bewerberinnen durch die vorgesetzte Dienstbehörde, seitens anderer Bewerberinnen unmittelbar an mich einzureichen.

Ich mache noch besonders darauf aufmerksam, daß nach §. 4 der Prüfungsordnung vom 31. Mai 1894 der Meldung ein selbstgefertigter Lebenslauf sowie die Zeugnisse über die bestandenen Prüfungen und die bisherige Lehrthätigkeit beizufügen sind, auch die Bewerberinnen die Fächer zu bezeichnen haben, in welchen sie die Prüfung abzulegen wünschen.

Berlin, den 26. Juni 1896.

Der Minister der geistlichen 2c. Angelegenheiten.
Im Auftrage: Schneider.

Bekanntmachung.
U. III. D. 2932.

F. Höhere Mädchenschulen.

136) Ueberführung von höheren Mädchenschulen aus dem Geschäftsbereiche verschiedener Königlicher Regierungen in den Geschäftsbereich der betreffenden Königlichen Provinzial-Schulkollegien.

(Vergl. Centralblatt für 1896 Seite 289.)

In neuerer Zeit sind die städtischen höheren Mädchenschulen zu Landsberg a. W. (Provinz Brandenburg) und zu Cassel (Provinz Hessen-Nassau) aus dem Geschäftsbereiche der betreffenden Königlichen Regierungen in den Geschäftsbereich der betreffenden Königlichen Provinzial-Schulkollegien übergeführt worden.

G. Oeffentliches Volksschulwesen.

137) Weitergewährung staatlicher Dienstalterszulagen für Lehrer und Lehrerinnen an öffentlichen Volksschulen a. in Orten, welche am 1. April 1890 bereits mehr als 10 000 Einwohner (Civilbevölkerung) zählten — Nr. 10 des Erlasses vom 28. Juni 1890 Centralblatt S. 614 — b. in Orten, deren Civilbevölkerung nach der endgiltigen Feststellung des Ergebnisses einer nach dem 1. April 1890 stattgehabten amtlichen Volkszählung diese Zahl von 10 000 überschritten hat. — Nr. 7 a. a. O. —

Berlin, den 22. Mai 1896.

In Erwiderung auf den Bericht vom 21. Dezember 1895 stimme ich der Königlichen Regierung darin bei, daß dem im Jahre 1892 nach N. berufenen Lehrer N. staatliche Dienstalterszulagen nicht gewährt werden können und überlasse der Königlichen Regierung, denselben entsprechend zu bescheiden.

Im Uebrigen geben mir die Ausführungen des Berichts zu folgenden Bemerkungen Anlaß: Nr. 10 des Erlasses vom 28. Juni 1890 (Centrbl. f. d. U. V. S. 614) findet nur auf Orte Anwendung, deren Seelenzahl schon bei der letzten vor dem 1. April 1890 erfolgten amtlichen Volkszählung die Ziffer von 10 000 überstiegen hatte.

Diejenigen Lehrer und Lehrerinnen in diesen Orten, welche sich am 1. April 1890 bereits im Genuß staatlicher Dienstalterszulagen befanden, sollen diese für die Dauer ihres Verbleibens im öffentlichen Volksschuldienste des betreffenden Schulverbandes in der bisherigen Höhe behalten.

Für diejenigen Orte, deren Seelenzahl erst bei einer nach dem 1. April 1890 vorgenommenen amtlichen Volkszählung die Ziffer 10 000 überschreitet, bestimmt Nr. 7 a. a. O., daß allen Lehrern und Lehrerinnen an öffentlichen Volksschulen die staatlichen Alterszulagen fort und neu zu gewähren sind, welche zur Zeit der endgiltigen amtlichen Feststellung des Ergebnisses der Volkszählung in dem betreffenden Orte angestellt waren.

Zu den Orten dieser Kategorie gehört die Stadt N. Die

bei der unter dem 30. November 1891 veröffentlichten endgiltigen Feststellung des Ergebnisses der amtlichen Volkszählung vom 1. Dezember 1890 dortselbst an den Volksschulen angestellten Lehrer und Lehrerinnen erhalten daher in demselben Umfange staatliche Alterszulagen, wie die Volksschullehrer und Lehrerinnen in Orten mit 10000 und weniger Einwohnern, gleichviel welche Dienstzeit sie zur Zeit der vorerwähnten Feststellung zurückgelegt hatten.

§. 3 des Besoldungsregulativs der Stadt N. vom 9./22. August 1893 konnte hiernach also für Volksschullehrer daselbst keine praktische Anwendung finden, wenn die Königliche Regierung der Vorschrift unter Nr. 7 a. a. O. gemäß für alle vor Feststellung des Ergebnisses der Volkszählung vom 1. Dezember 1890 in N. angestellten Lehrpersonen die staatlichen Alterszulagen angewiesen hat.

Soweit dies versäumt ist, wolle die Königliche Regierung alsbald die Anweisung nachholen und mir anzeigen, welche Beträge von der Stadt derartigen Lehrern ersatzweise bisher gezahlt worden sind.

Der Königlichen Regierung überlasse ich, der Stadtgemeinde zur Erwägung zu stellen, ob sie aus den bei Ausführung dieses Erlasses für sie eintretenden Ersparnissen dem Lehrer N. eine entsprechende Zuwendung machen will.

Der Minister der geistlichen 2c. Angelegenheiten.
Im Auftrage: Kügler.

An
die Königliche Regierung zu N.
U. III. E. 8092.

---

138) Aufbringung der Kosten der Vertretung eines im vereinigten Schul- und Kirchenamte angestellten erkrankten Lehrers im Kirchendienste.

Berlin, den 26. Mai 1896.

Dem Königlichen Konsistorium lasse ich nach Benehmen mit dem Evangelischen Ober-Kirchenrath die Anlagen des Berichts vom 31. Juli v. Js. mit dem Bemerken wieder zugehen, daß ich die Schulgemeinden G. und S. nicht für verpflichtet erachten kann, die Kosten der Vertretung des im vereinigten Schul-, Kantor-, Küster- und Organistenamte angestellten erkrankten Lehrers in G. im Kirchendienste zu tragen, die Zahlung dieser Kosten vielmehr den Kirchengemeinden G. und S. obliegt.

Der Minister der geistlichen 2c. Angelegenheiten.
Im Auftrage: de la Croix.

An
das Königliche Konsistorium zu N.
G. I. 11295 U. III. D.

139) Unzulässigkeit der Heranziehung an Bord kommandirter Seeoffiziere ohne selbstgewählten wirklichen Wohnsitz an Land zu Schulunterhaltungskosten.

Im Namen des Königs.

In der Verwaltungsstreitsache

des Kapitäns z. S. und Kommandanten S. M. S. Mars, N. zu Wilhelmshaven, Klägers und Revisionsklägers,

wider

den Schulvorstand zu Wilhelmshaven, Beklagten und Revisionsbeklagten,

hat das Königliche Oberverwaltungsgericht, Erster Senat, in seiner Sitzung vom 14. April 1896 für Recht erkannt,

daß auf die Revision des Klägers die Entscheidung des Bezirksausschusses zu Aurich vom 5. Februar 1895 aufzuheben und auf die Berufung des Beklagten diejenige des Kreisausschusses des Kreises Wittmund vom 13. September 1894 zu bestätigen; sowie die Kosten der Berufungs- und der Revisions-Instanz — unter Festsetzung des Werths des Streitgegenstandes auf 36,48 ℳ — dem Beklagten zur Last zu legen.

Von Rechts Wegen.

Gründe.

Zum 1. Oktober 1893 war der damalige Korvetten-Kapitän, jetzige Kapitän zur See N. von Kiel nach Wilhelmshaven versetzt und zugleich an Bord S. M. S. Mars, des Artillerie-Schulschiffs der Kaiserlichen Marine, kommandirt worden, mit welchem er als dessen Kommandant demnächst während der Zeit vom 13. Dezember 1893 bis zum 31. März 1894 in dem Kriegshafen Wilhelmshaven lag. Gestützt auf die Annahme, daß er dadurch Hausvater der Schulgemeinde Wilhelmshaven geworden sei, deren Bezirk sich mit demjenigen der Stadtgemeinde Wilhelmshaven deckt, zog der Schulvorstand ihn zu den Schulunterhaltungskosten für das zweite Halbjahr des Rechnungsjahres 1893/94 mit einem Beitrage von 36,48 ℳ heran. Mit seiner hiergegen nach fruchtlosem Einspruche erhobenen Klage auf Freistellung ist er in erster Instanz durchgedrungen, in der zweiten aber abgewiesen und hat nunmehr fristzeitig noch Revision eingelegt, der auch, entgegen dem Antrage des beklagten Schulvorstandes, stattgegeben werden mußte.

Im Jadegebiete, zu dem die Stadt Wilhelmshaven gehört, hat auf Grund des Gesetzes vom 23. März 1873 (Gesetzsammlung Seite 107) das Allgemeine Landrecht gesetzliche Geltung. Nach dessen Vorschriften in §§. 29 ff. Titel 12 Theil II liegt die Unterhaltung der Volksschulen in Ermangelung abweichender ortsrechtlicher Normen, die hier von keiner Seite behauptet sind, den „Hausvätern jedes Orts“, d. i. den physischen, wirthschaftlich selbständigen Personen ob, welche im Schulbezirke ihren Wohnsitz haben. Von der Verpflichtung, zur Unterhaltung der Sozietätsschulen ihres Wohnorts Hausväterbeiträge zu leisten, sind auch die dem Offizierstande angehörenden aktiven Militärpersonen nicht befreit. An diesem Grundsatze hat der Gerichtshof betreffs der Offiziere des Landheeres in gleichmäßiger Rechtsprechung festgehalten und er muß, im Wesentlichen aus denselben Gründen, welche in dem Revisionsurtheil vom 13. April 1889 — Band XVIII. Seite 155 ff. der veröffentlichten Entscheidungen des Oberverwaltungsgerichts — dargelegt sind, auch hinsichtlich der Offiziere der Kaiserlichen Marine als dem bestehenden Rechte entsprechend anerkannt werden.

Demgemäß macht Kläger eine Exemtion von der Schulbeitragspflicht, welche ihm Kraft Gesetzes in seiner Eigenschaft als Marineoffizier zustehe, nicht geltend. Er will jedoch durch die Versetzung von Kiel nach Wilhelmshaven und durch die Kommandirung an Bord des bis dahin innegehabten Wohnsitzes in Kiel, woselbst er unbestritten seine Familie in einer eingerichteten Wohnung zurückgelassen hatte, nicht verlustig gegangen sein und stellt namentlich in Abrede, Kraft jener dienstlichen Anordnungen oder zufolge seines Aufenthaltes mit und auf dem Schiffe im Hafen von Wilhelmshaven einen Wohnsitz in der Stadt Wilhelmshaven und also im Bezirke der dortigen Schule erlangt zu haben.

Der Vorderrichter hat in letzterer Hinsicht das Gegentheil angenommen. Er geht davon aus, daß mit einem fingirten Wohnsitze bei Schulsteuerstreitigkeiten allerdings nicht gerechnet werden könne, ist aber der Ansicht, daß, da laut Auskunft des Kaiserlichen Reichsmarineamtes die Besatzung des Artillerie-Schulschiffs Mars zur Garnison Wilhelmshaven gehöre, das Schiff, wenn in Wilhemshaven befindlich, im Bezirke der Stadtgemeinde Wilhelmshaven, folglich auch der Schule daselbst liege, und daß dies auch während der Abwesenheit des Schiffs zu Uebungszwecken und zwar selbst dann fortdauere, wenn die Abwesenheit sich häufiger wiederhole und vielleicht sogar die Dauer der Anwesenheit im Hafen übersteige. Als Kommandant des Schiffs habe Kläger — so fährt der Vorderrichter fort — „nach den dem Bezirksausschusse insoweit bekannten Verhältnissen der Kaiserlichen Marine“ an Bord eine eigentliche Wohnung, nicht blos einen Aufenthaltsraum zur Verrichtung dienstlicher Obliegenheiten gehabt. Das Wohnen in dieser müsse, trotz der dienstlichen Unzulässigkeit eines Mitwohnens der Familien an Bord, als Wohnsitz begründend angesehen werden, sofern sich nicht aus besonderen Umständen ein anderweiter Wohnsitz ergebe, und dies sei hier nicht der Fall, da der persönliche Wohnsitz des Klägers durch den Aufenthalt seiner Familie nicht bestimmt werde. Für einen Wohnsitz des Klägers in Wilhelmshaven spreche zudem die des Näheren erörterte Regelung der Dienstbezüge an Wohnungsgeldzuschuß und Servis, welche Kläger auch an Bord stets nach den Tarifsätzen für Wilhelmshaven empfange, sowie ferner der Umstand, daß er sich zugeständlich und anscheinend mit gutem Grunde, gemäß §. 38^{10} der Marinereiseordnung vom 28. März 1892, zur Forderung von Umzugskosten nach den für Verheirathete giltigen Sätzen für berechtigt erachte, wenn er auch solche bisher noch nicht liquidirt und gezahlt erhalten habe.

Diesen Ausführungen kann nur insoweit, als sie die Zulässigkeit der Fingirung eines in Wirklichkeit nicht vorhandenen Wohnsitzes als Rechtsgrund für die Schulsteuerpflicht verneinen, beigetreten werden. Im Uebrigen gehen sie fehl.

Ueber die in Betracht kommenden Verhältnisse der Kaiserlichen Marine geben die für dieselbe durch Allerhöchste Kabinetsordre vom 14. Juni 1888 erlassenen „organisatorischen Bestimmungen" nachstehenden erschöpfenden Aufschluß:

> Die deutschen Küsten und die sie begrenzenden Meerestheile, die heimischen Gewässer, sind in zwei Bezirke, die heimischen Stationen, eingetheilt: die Station der Ostsee und die Station der Nordsee, von denen erstere die Gewässer der Ostsee und alle an derselben liegenden deutschen Küsten und Häfen, letztere die Gewässer der Nordsee innerhalb näher angegebener Linien sowie alle an diesem Meere liegenden deutschen Häfen und Küsten umfaßt (§. 2^{2}). Jeder der beiden heimischen Stationen steht ein Marine-Stationskommando als oberste Territorialbehörde der Marine und als Kommandobehörde der ihnen besonders unterstellten Marinetheile, der Stationschef in Wilhelmshaven zugleich mit den Rechten und Pflichten eines Festungskommandanten vor (ebenda sowie §§. 1^{4} und 10^{3}). Die soeben genannten Marinetheile bestehen aus solchen zur See (Flotte — Schiffe und Fahrzeuge) und solchen an Lande (§§. 1^{3} und 5); jene sind entweder in oder *außer Dienst gestellt* (§. 4^{7}); zu ihnen gehört das Artillerieschulschiff (§§. 4^{5}, 19^{1}). Ein Glied des Offizierkorps der Marine bildet das Seeoffizierkorps, welches — abgesehen von den Offizieren der Admiralität — in den Verband des Seeoffizierkorps der Marinestation der Ostsee bezw. der Nordsee zerfällt. Alle Seeoffiziere, welche eine Dienststelle im Bezirke eines der

beiden heimischen Marine-Stationskommandos inne haben, gehören zum Verbande des Seeoffizierkorps des betreffenden Stationskommandos. Eingeschiffte Seeoffiziere verbleiben während des Bordkommandos — mit einer hier nicht interessirenden Ausnahme — in demselben Verbande, welchem sie vor der Einschiffung angehörten (§. 24). An Bord werden die Stellen der Kommandanten auf allen Schiffen durch Kaiserliche „Ernennung" besetzt; Versetzungen von einer Garnison in die andere erfolgen gemeinhin durch den Chef der Admiralität, bezw. jetzt (siehe Allerhöchsten Erlaß vom 30. März 1889, Reichsgesetz-Blatt Seite 47) durch das Oberkommando der Marine, sofern sie nicht ohne Weiteres als Folge einer Ernennung einzutreten haben oder ausdrücklich — bei der Admiralität und dem Seebataillon — der Allerhöchsten Entschließung vorbehalten sind (§§. 26[8, 9], 28). —

Der bestehenden Organisation gemäß trat somit der Kläger zufolge seiner Versetzung von Kiel nach Wilhelmshaven, ungeachtet gleichzeitiger Kommandirung an Bord des Artillerieschulschiffs Mars, mit dem 1. Oktober 1893 zum Verbande des Seeoffizierkorps der Station der Nordsee über und verblieb in diesem, gleichviel ob das Schiff in Wilhelmshaven oder in Kiel lag oder zur Abhaltung von Schießübungen, sei es in den Gewässern der Ostsee oder der Nordsee auslief. Von demselben Zeitpunkte ab gehörte Kläger ohne Unterschied je nach dem Aufenthalte des Schiffs im Hafen oder auf See der Garnison Wilhelmshaven an. Daraus ergaben sich, neben den rein marinedienstlichen, auch sonstige öffentlich-rechtliche Wirkungen, insbesondere die: daß Kläger fortan zur Militär-Kirchengemeinde seines Garnisonortes Wilhelmshaven gehörte (§. 279 Titel 11 Theil II. des Allgemeinen Landrechts), — daß er in letzterem Wohnsitz in Ansehung des Gerichtsstandes hatte (§. 14 der Civilprozeßordnung), — und daß sich nach dem Garnisonorte sein dienstlicher Wohnsitz im Sinne der die Staatseinkommensteuerpflicht der Militärpersonen sowie der die Pflicht derselben zur Entrichtung von persönlichen Abgaben an die bürgerlichen Gemeinden regelnden gesetzlichen Vorschriften bestimmte (§. 2 Abs. 3 des Gesetzes zur Vermeidung der Doppelbesteuerung vom 13. Mai 1870 — Bundesgesetzblatt Seite 119 —, §. 1 Nr. 2b. des Einkommensteuergesetzes vom 24. Juni 1891 — Gesetzsammlung Seite 175 —, §§. 1, 3 Abs. 2 des Gesetzes, betreffend die Heranziehung von Militärpersonen zu Abgaben für Gemeindezwecke, vom 29. Juni 1886 — Gesetzsammlung Seite 181). Der dienstliche, lediglich fingirte Wohnsitz braucht aber, worauf die letztgedachte Gesetzesstelle noch besonders hinweist, mit dem wirklichen Wohnsitze nicht übereinzustimmen; es ist vielmehr sehr wohl möglich, daß eine Militärperson nur den dienstlichen und sonst gar keinen, oder umgekehrt, daß sie außer dem dienstlichen anderwärts und selbst an mehreren Orten einen wirklichen Wohnsitz im Inlande hat. Unter den Abgaben an bürgerliche Gemeinden sind ferner die aus dem Schulverbande entspringenden Lasten keineswegs einbegriffen, — es müßte denn sein, daß jene zufolge freiwilliger Entschließung entweder die Schule als Kommunalanstalt oder die Leistungspflicht der Hausväter gegenüber der als Sozietätseinrichtung fortbestehenden Schule übernommen haben, was in Wilhelmshaven nicht geschehen ist. Auf dem Gebiete des Schulrechts ist endlich ein dienstlicher Wohnsitz der Militärpersonen nicht vorgesehen; an der Schulunterhaltungslast nehmen darum Offiziere sowohl der Armee wie der Marine nur Theil, wenn sie Einwohner des Schulbezirks sind.

Wohnsitz hat nach Preußischem Rechte eine physische Person an demjenigen Orte, welchen sie durch Willensbestimmung und entsprechendes Handeln zum Mittelpunkte ihrer Lebensverhältnisse und Geschäfte macht. Die Frage, ob und wie durch Aufenthalt auf einem Schiffe Wohnsitz für einen Ort am Lande begründet werden kann, ist nach folgenden Gesichtspunkten zu beantworten:

Schiffe sind nicht, wie Kläger meint, Immobilien, sondern bewegliche Sachen. Dies erhellt nach der Terminologie des Allgemeinen Landrechts klar daraus, daß sie, ihrer Substanz ungeachtet, von einer Stelle zur anderen gebracht werden können (§. 6 Titel 2 Theil I a. a. O.) und hat in der Gesetzgebung mehrfach Anerkennung in ausdrücklichen Worten gefunden (§§. 299 ff. Titel 20 Theil I a. a. O., §. 2 zu II der Allerhöchsten Deklaration vom 16. Juli 1785 — N. C. C. Band VII Seite 3149). Darin ändert die Thatsache nichts, daß positive Satzungen einzelne Schiffsfahrzeuge, nämlich hinsichtlich der Reallastenablösung die Schiffsmühlen, wenn sie Pertinenzien einer Mühlengerechtigkeit sind, und hinsichtlich der Zwangsvollstreckung Kauffahrteischiffe und gewisse zur Frachtschiffahrt bestimmte Schiffsgefäße dem unbeweglichen Vermögen beizählen (§. 7 des Ablösungsergänzungsgesetzes vom 11. März 1850 — Gesetzsammlung Seite 146 —, §. 1 der Subhastationsordnung vom 13. Juli 1883 — Gesetzsammlung Seite 131). Nach althergebrachter Gewohnheit in Verbindung mit der Gerichtspraxis und Doktrin besteht jedoch die, zu internationaler Geltung gelangte, in ihrem letzten Grunde auf das Bedürfnis der Rechtssicherheit im Allgemeinen und der Rechtsordnung auf See im Besonderen zurückzuführende Rechtsfiktion, daß Schiffe, wo sie auch immer sein mögen, Theile ihres Heimathsstaates, wandelnde Gebietstheile darstellen, welche ihre Nationalität, äußerlich gekennzeichnet durch die Flagge, mit sich führen, deren Rechtsboden daher derselbe wie derjenige ihres Staates überhaupt ist. Auf dieser Annahme beruht die Jurisdiktionsgewalt des Heimathsstaates über die auf freiem Meere befindlichen Schiffe, wie sie in der Deutschen Reichsgesetzgebung, so in §. 10 des Strafgesetzbuches, §. 102 der Seemannsordnung vom 27. Dezember 1872 (Reichsgesetzblatt Seite 409) und in sonstigen hierher gehörigen Stellen des Näheren geregelt ist. Nicht minder ist jenes Prinzip für die privatrechtlichen Verhältnisse in der Wissenschaft und Rechtsprechung dahin anerkannt, daß bei Kauffahrteischiffen, weil sie in ihrer Verwendung durch den Eigenthümer fremde Orte nur vorübergehend und mit der Bestimmung der Rückkehr an denjenigen Ort berühren, an welchem der Sitz ihrer Rechtsverhältnisse sich befindet, dieser Ausgangsort die Richtschnur aller ihrer rechtlichen Beziehungen bildet (siehe Perels Seerecht Seite 47, 71 und die dort angezogenen Entscheidungen des vormaligen Obertribunals und Reichs-Oberhandelsgerichts). Im Einklange hiermit verordnen die Art. 435, 448, 455, 495 ff. des Handelsgesetzbuches, daß der Heimathshafen eines zum Erwerbe durch die Seefahrt bestimmten Schiffs, d. i. derjenige Hafen, von welchem aus mit dem Schiffe die Seefahrt betrieben werden soll, als das Domizil des Schiffs und als der Mittelpunkt der Geschäftsführung des Rheders gelte, und schreibt weiter Art. 53 §§. 2 ff. des Einführungsgesetzes zum Handelsgesetzbuche vom 24. Juni 1861 (Gesetzsammlung S. 449) vor, daß in das für diesen Hafen geführte Schiffsregister das Schiff von dem Handelsgerichte des Bezirks, dessen Stelle jetzt das zuständige Amtsgericht einnimmt, einzutragen sei. Schiffe sind nun an sich geeignet, zur Wohnung von Menschen zu dienen, worauf das Gesetz selbst hinweist, indem es im Strafgesetzbuche §§. 243 Nr. 7 und 306 Nr. 2 von „bewohnten Schiffen“ spricht. Daraus läßt sich allerdings nicht etwa herleiten, daß das Wohnen auf einem Schiffe, sofern der damit zugleich gewonnene Aufenthalt am Ausgangsorte des Schiffereibetriebes durch regelmäßige Rückkehr dorthin nach Beendigung der einzelnen Fahrten fortgesetzt wird, den zivilrechtlichen Wohnsitz an jenem Orte nothwendig und namentlich selbst dann begründe, wenn ein vorher anderwärts gewählter Wohnsitz beibehalten war. Wohl aber ist die rechtliche Möglichkeit gegeben, durch Wohnungnehmen an Bord eines registrirten Seeschiffs Wohnsitz im Hafenorte zu begründen, und ebendasselbe gilt hinsichtlich der, dem Registrirungszwange gemäß Art. 438 des Handelsgesetzbuches landesgesetzlich nicht unterworfenen (kleineren) Schiffsfahrzeuge, wie es denn, nebenbei bemerkt, nach der Rechtsprechung des Bundesamtes für das Heimathwesen (siehe Wohlers Entscheidungen Heft IV Seite 6, Heft V Seite 77, Heft XI Seite 6) beim Zutreffen der vorgedachten Voraussetzung regelmäßiger Rückkehr in den Heimathshafen nicht ausgeschlossen ist, durch Wohnen auf einem „Kahne" auch den Unterstützungswohnsitz als am Hafenorte begründet anzusehen. Wer aber durch Wohnen auf einem Schiffe gegebenen Falles Wohnsitz im Hafenorte aufschlägt, wird dadurch von selbst beitragspflichtiges Mitglied der Schulgemeinde dieses Ortes; denn daß die Schulbezirke auf das Festland beschränkt seien, sich auf Schiffe, die im Wasser schwimmen, bezw. deren Bewohnerschaft nicht erstrecken könnten, wie der Kläger meint, ist weder im Allgemeinen Landrechte noch irgendwo sonst im Gesetze gesagt und aus der Natur der Sache keineswegs zu entnehmen.

Wesentlich anders ist dagegen die Wohnsitzfrage zu beurtheilen, wenn es sich um Kriegsschiffe und deren Besatzung, namentlich an Offizieren handelt. Zwar trifft die Rechtsfiktion, welche Seeschiffe auch auf offener See als eine Art Fortsetzung des Heimathsstaates ansieht, für Kriegsschiffe ganz besonders zu, weil sie ein Theil der bewaffneten Macht des letzteren und mit allen Prärogativen desselben, vorzüglich den Souveränitätsrechten ausgestattet sind (siehe Perels a. a. O.). Andererseits ist aber dem Seekriegswesen der Begriff des Heimathshafens in dem oben dargelegten Sinne fremd. Speziell nach den organisatorischen Bestimmungen für die Deutsche Marine stehen freilich alle Marinetheile zur See der Regel nach in dem Befehlsverbande des Stationskommandos zu Kiel oder Wilhelmshaven und gehören ihre Offiziere unbedingt einer jener beiden Stationen, sowie einer im Territorialbereiche derselben gelegenen Garnison mit den oben gekennzeichneten Rechtswirkungen an (§§. 24, 28² a. a. O.). Einen Heimathshafen aber, der als solcher mit dem am Hafenorte geltenden gesetzlichen oder Partikularrechte hinsichtlich der an Bord kommandirten Seeoffiziere bestimmend wäre, giebt es für Schiffe und Fahrzeuge der Flotte nicht (siehe Makower, Handelsgesetzbuch, 7. Auflage Seite 427 Note 2). Derselbe ist insbesondere nicht etwa in demjenigen Hafen zu erblicken, wo ein Kriegsschiff oder Kriegsfahrzeug in den Dienst gestellt ist oder wo es — nach dem von dem Beklagten, jedoch ohne Anhalt dafür in den organisatorischen Bestimmungen, gebrauchten Ausdrucke — „stationirt" ist, d. i. in den es nach Beendigung jeder einzelnen Uebung oder der gesammten Jahresübungen so lange zurückkehrt, bis etwas Anderes befohlen wird.

Im vorliegenden Falle ist es deshalb unerheblich, daß das

Artillerieschulschiff Mars früher fast 15 Jahre lang nur in den Gewässern der Nordsee manövrirt und erst 1893 seine Schießübungen in die Ostsee verlegt hat, sowie ob sich dies, was in der mündlichen Verhandlung vor dem unterzeichneten Gerichtshofe der Vertreter des Schulvorstandes als sehr wahrscheinlich glaubte bezeichnen zu können, in Zukunft wieder ändern wird. Auch auf die unter den Parteien streitigen Ursachen, aus welchen das Schiff zu Beginn des Winters 1893/94 in den Kriegshafen Wilhelmshaven eingelaufen ist, und auf die Dauer seines damaligen Aufenthalts daselbst, oder auf die Beschaffenheit der Unterkunfts- bezw. Wohn- oder Dienstwohnungsräume, welche dem Kläger an Bord angewiesen waren, kommt es nicht im Mindesten an; denn durch keinen wie immer gearteten Aufenthalt des Schiffs und seiner Besatzung im Hafen wurden, weil eben das Schiff als Kriegsschiff eines Heimathshafens in der gesetzlichen Bedeutung dieses Wortes entbehrt, zwischen der Stadt Wilhelmshaven und den Schiffsoffizieren mit Einschluß des das Kommando führenden Klägers rechtliche Beziehungen erzeugt, welche Letzterem, obschon er einen Wohnsitz am Lande nicht hatte, die Eigenschaft eines Hausvaters der Ortsschule hätten aufprägen können. Dazu würde es einer, die Rechtswirkung des fingirten dienstlichen Wohnsitzes am Garnisonorte auf die Steuerpflicht auch gegenüber der Schulgemeinde ausdehnenden positiven Norm bedurft haben, die aber nirgends erlassen und am wenigsten in den gesetzlichen und instruktionellen Bestimmungen zu erblicken ist, welche die Ansprüche an Bord kommandirter Offiziere auf Wohnungsgeld- und Serviszuschuß nach den für den Garnisonort geltenden Sätzen oder auf Umzugskosten in Folge einer Versetzung regeln. Völlig belanglos ist endlich die Namens des Schulvorstandes in der mündlichen Verhandlung noch vorgetragene Behauptung, daß der Kläger neuerdings persönlich und mit seiner Familie Wohnung in der Stadt Wilhelmshaven genommen habe; denn dadurch könnte unmöglich seine Schulsteuerpflicht mit rückwirkender Kraft für den hier in Rede stehenden Zeitraum begründet werden, in welchem er eben Wohnsitz in Wilhelmshaven noch nicht gehabt hat.

Vorstehende Erwägungen entsprechen auch mit ihrem Endergebnis durchaus den Grundgedanken, welche das landrechtliche Schulunterhaltungssystem beherrschen. Denn der gesetzgeberische Grund für die Schulunterhaltungspflicht der „Hausväter jedes Orts“ liegt einmal in dem Interesse an dem Unterricht und der Erziehung der Jugend, welches bei den Einwohnern des Schulbezirks ohne Unterschied, ob sie Kinder haben oder nicht, vorausgesetzt werden muß, und ferner darin, daß jedem Hausvater mit Kindern in schulpflichtigem Alter ein Anspruch auf die Dienste der Schule als Gegenleistung für die von ihm zu entrichtenden Beiträge zusteht. Solche Gesichtspunkte treffen aber auf Seiten eines eingeschifften Seeoffiziers ohne selbstgewählten wirklichen Wohnsitz an Land im Bezirke der Schulgemeinde offenbar nicht zu, da er sich weder in örtliche Gemeinschaft mit den Schulbezirkseinwohnern begeben hat, noch wegen der Unstatthaftigkeit des Mitwohnens von Frauen und Kindern an Bord jemals und selbst nicht während des Aufenthalts des Schiffs im Hafen des Schulortes in die Lage kommen kann, von den Diensten der Schule Gebrauch zu machen. Wollte man ihn gleichwohl als Mitträger der Schulunterhaltungslast am Garnisonorte ansehen, was in der Rechtsprechung nicht einmal bei Offizieren der Armee geschehen ist, welche an ihrem Garnisonorte keinen anderen als den fingirten dienstlichen Wohnsitz haben, so müßte er Leistungen ohne irgend welches denkbare Interesse an dem Verwendungszwecke und ohne daß auch nur die Möglichkeit ausgleichender Gegenleistungen gegeben wäre, auf sich nehmen, was den Intentionen des Gesetzgebers direkt zuwiderlaufen würde.

Nach alledem war die Vorentscheidung, weil sie auf unrichtiger Anwendung des bestehenden Rechts beruht, aufzuheben und bei freier Beurtheilung auf die Berufung des beklagten Schulvorstandes das erste Erkenntnis, durch welches er zur Zurückzahlung der erhobenen Schulsteuer verurtheilt ist, wiederherzustellen.

Die Bestimmung über den Kostenpunkt rechtfertigt sich aus §. 103 des Gesetzes über die allgemeine Landesverwaltung vom 30. Juli 1883 (Gesetzsammlung Seite 195).

Urkundlich unter dem Siegel des Königlichen Oberverwaltungsgerichts und der verordneten Unterschrift.

(L. S.) Persius.

O. V. G. Nr. I. 489.

---

140) Rechtsgrundsätze des Königlichen Oberverwaltungsgerichts.

a. 1) Es handelt sich in der vorliegenden Sache nicht darum, ob ein von der zuständigen Behörde festgesetzter Abgabenregulirungsplan die Rechtsregel der §§. 29 und 34 Titel 12 Theil II des Allgemeinen Landrechts allgemein oder doch nur für einen bestimmten örtlichen Bezirk beseitigen kann, sondern um die hiervon völlig verschiedene Frage, ob seine Festsetzungen für den einzelnen Fall formales, von den gesetzlichen Vorschriften abweichendes Recht schaffen können.

Wenn der Vorderrichter dies schon deshalb bejaht, weil die

Abgabenvertheilungspläne nicht privatrechtliche Vereinbarungen, sondern öffentlich-rechtliche Festsetzungen der Verwaltungsbehörden sind und sich als Theil und Quelle der Ortsverfassung, hier der örtlichen Schulverfassung, darstellen, so ist dies rechtsirrig. Die Ortsverfassung kann zwar etwas von subsidiärischen Regeln der Gesetze Abweichendes bestimmen, aber sie darf nicht mit dem Gesetze in Widerspruch treten. Dies selbst dann nicht, wenn sie auf bestätigten Gemeindebeschlüssen oder Festsetzungen der Aufsichtsbehörden beruht (zu vergleichen Entscheidungen des Gerichtshofes Band II Seite 110—112). Dadurch also, daß der Abgabenregulirungsplan vom 24. Januar 1857 als ein Theil der Ortsverfassung anzusehen ist, wird eine Prüfung, ob seine Festsetzungen dem Gesetze entsprechen, nicht ausgeschlossen.

Ebensowenig ist dies aus der rechtlichen Natur des Abgabenvertheilungsplanes zu folgern. Gegenstand und Ziel der Regulirung ist nicht die Schaffung neuer Verbindlichkeiten, sondern nur die Vertheilung der bestehenden. Voraussetzung derselben bleibt aber die Ermittelung der zu vertheilenden Lasten, deren Ergebnisse in den Abgabenregulirungsplan aufzunehmen sind. Es fragt sich daher, ob diejenigen Feststellungen, welche die Vertheilungsbehörden hinsichtlich der Existenz, des Umfanges und der rechtlichen Natur der zu vertheilenden Lasten treffen und den Festsetzungen des Vertheilungsplanes zu Grunde legen, für die Betheiligten nach positiver gesetzlicher Bestimmung unanfechtbar werden.

Das ist hinsichtlich der nach dem Gesetze vom 25. August 1876 aufgestellten Abgabenregulirungspläne zu verneinen. Nach §. 11 a. a. O. ist die Entscheidung von Streitigkeiten über die Existenz, den Umfang und die rechtliche Natur der zu vertheilenden Lasten den Gerichten verblieben. Hieraus folgt, daß der endgiltig festgesetzte Vertheilungsplan nur insoweit Kraft hat, als es sich um die Vertheilung selbst, den Vertheilungsmaßstab handelt, daß er jedoch den Trennstücksbesitzer nicht hindert, darzuthun, die Voraussetzung, von welcher die vertheilende Behörde ausgegangen ist, beruhe auf einem Irrthum, daß vielmehr dem Trennstücksbesitzer das Recht, welches jeder Besitzer eines ungetheilten Grundstücks hat, nachzuweisen, daß er zu der von der Behörde geforderten Leistung nicht verpflichtet sei, nicht versagt werden kann. Deshalb ist in dem im Band XII Seite 209 der Entscheidungen des Oberverwaltungsgerichts abgedruckten Urtheil gerade in einem Falle, in welchem Hausväterbeiträge als dingliche Lasten behandelt und als solche vertheilt waren, der Klage des Trennstücksbesitzers gegen die Heranziehung zu den auf ihn vertheilten Leistungen darum stattgegeben worden, weil er nachwies, daß er nicht Hausvater sei.

Abweichende Vorschriften enthält das Gesetz vom 3. Januar 1845 (Gesetzsammlung Seite 25). Nach §. 20 a. a. O. hat die Regierung Streitigkeiten über öffentliche Abgaben und Leistungen, welche sich „bei" der Regulirung ergeben, selbst zu entscheiden, wenn sie sich zur Feststellung im Verwaltungswege eignen, dagegen zur Entscheidung der Gerichte zu verweisen, falls sie zur gerichtlichen Erörterung geeignet sind. Damit war der Regierung die Befugnis ertheilt, Streitigkeiten über Existenz, Umfang und rechtliche Natur der zu vertheilenden Lasten unter gewissen Voraussetzungen zu entscheiden und auch darüber zu befinden, ob die Voraussetzung ihrer Zuständigkeit vorlag. Aus den folgenden Bestimmungen über das an eine Frist gebundene Rechtsmittel des Rekurses (§. 22 a. a. O.) könnte man also vielleicht den Schluß ziehen, daß die Feststellungen der Regierung über die zu vertheilenden Lasten als Theil der im Regulirungsplane zu treffenden Festsetzung mit diesem unanfechtbar werden.

Dieser Schluß trifft indes deshalb nicht zu, weil der von der Regierung bestätigte oder durch Rekursentscheidung festgesetzte Plan nach §. 23 a. a. O. nur die Wirkung einer gerichtlich bestätigten und vollstreckbaren Urkunde haben soll. Gerichtlich bestätigte Urkunden unterliegen der Anfechtung sowohl im Falle eines bei der Aufnahme vorgefallenen Irrthums als auch im Falle innerer Mängel des beurkundeten Rechtsgeschäfts, was für den ersten Fall im §. 126 Titel 10 Theil I der Allgemeinen Gerichtsordnung vorgeschrieben ist und für den letzteren Fall aus den von gerichtlich bestätigten Verträgen handelnden §§. 200 bis 204 Titel 5 Theil I des Allgemeinen Landrechts sich ergiebt, da hier die Erhebung von Einwendungen nicht ausgeschlossen, sondern nur prozessualisch erschwert wird. Die rechtliche Möglichkeit, gerichtlich bestätigte Urkunden anzufechten, fällt auch nicht dann weg, wenn sie für vollstreckbar erklärt sind; denn dies hat nur die Bedeutung, daß Einwendungen die Vollstreckung nicht aufhalten. Durch die Bestimmung des Gesetzes vom 3. Januar 1845 ist also die Anfechtung der Abgabenregulirungspläne nicht ausgeschlossen, sondern im Gegentheil zugelassen. Auch in der Verwaltungspraxis ist angenommen worden, daß die nach dem Gesetze vom 3. Januar 1845 aufgestellten Abgabenregulirungspläne nicht unanfechtbare und unwiderrufliche Entscheidungen darstellen, sondern auf Anrufen eines Betheiligten aufgehoben oder abgeändert werden können, wenn ihnen ein Irrthum zu Grunde liegt (Ministerial-Erlaß vom 31. Mai 1863 — Ministerialblatt der inneren Verwaltung Seite 168), und insbesondere dann aufzuheben sind, wenn Lasten vertheilt sind, die nach den gesetzlichen Vorschriften nicht zu vertheilen waren, so z. B. dann, wenn bei Zerstückelung eines Grundstücks, das einen selbständigen Gutsbezirk bildet, die den Gemeindelasten entsprechenden Leistungen des Gutsherrn auf die Erwerber der Trennstücke vertheilt sind (Ministerialerlaß vom 23. April 1873 — Ministerialblatt der inneren Verwaltung Jahrgang 1874 Seite 123). Dieser Verwaltungspraxis entspricht die Rechtsprechung des Gerichtshofes, da in dem im Band XII Seite 174 der Entscheidungen abgedruckten Urtheile die Bestimmung eines nach dem Gesetze vom 3. Januar 1845 aufgestellten Regulirungsplanes, welche die kommunalen Lasten eines Gutsbezirks auf die Erwerber der Trennstücke vertheilt hatte, für rechtsunwirksam erklärt ist.

Hiernach ist die Ansicht, daß die Festsetzungen des Abgabenregulirungsplanes einer Nachprüfung nicht unterliegen, eine rechtsirrige.

2) Es handelt sich nicht um eine steuerartige Leistung, sondern um Einziehung der Kosten für Naturaldienste, welche für Rechnung der Klägerin geleistet sind. Auf die Naturaldienste und ihre Kosten findet aber das Gesetz vom 18. Juni 1840 keine Anwendung (zu vgl. Band V Seite 100, 101 der Entscheidungen des Gerichtshofes).

(Entscheidung des Königlichen Oberverwaltungsgerichts vom 17. Januar 1896 — I. 69 —.)

---

b. Wo das partikulare Ortsrecht mit der Vertheilung der Lasten nach dem Maßstabe der Staatssteuern lediglich das System der Zuschläge zu den vollen Staatssteuern eingeführt hat, ist nach der gleichmäßigen Rechtsprechung des Gerichtshofes (siehe die Sammlung der Entscheidungen Band XX Seite 147 nebst Allegaten) die veranlagende Behörde allerdings nicht befugt, an Stelle solcher Zuschläge ihrerseits den Steuerpflichtigen zu einem fingirten Steuersatze einzuschätzen und dann von diesem einen Zuschlag zu fordern. Demgemäß ist zwar beispielsweise im Bereiche des Kommunalabgabengesetzes vom 27. Juli 1885 (Gesetzsammlung Seite 327) stets daran festgehalten worden, daß eine politische Gemeinde, nach deren bisheriger Steuerverfassung Abgaben von dem Einkommen aus Grundbesitz nur durch Zuschläge zu der staatlichen Einkommensteuer erhoben wurden, zuvörderst eine besondere direkte Gemeindeeinkommensteuer in formell verbindlicher Weise einführen müsse, um den Fiskus von seinem Grundbesitze im Gemeindebezirke nach einer fingirten Einkommensteuer belasten zu können. Anders verhält es sich dagegen bei den auf dem Grundbesitze haftenden oder mit Rücksicht auf Grundbesitz zu entrichtenden Abgaben und Leistungen an kommunale Verbände im weitesten Sinne des Wortes. Diesen sind, gleich dem Forensalbesitze überhaupt, so auch die fiskalischen Liegenschaften — mit Ausnahme der zum öffentlichen Dienste bestimmten Grundstücke — von jeher unterworfen gewesen (Entscheidungen des Oberverwaltungsgerichts Band II Seite 100, Band III Seite 112, Band XI Seite 62); sie können daher von den politischen Gemeinden ohne Weiteres auch dem Fiskus gegenüber, obwohl dieser von der Grund- und Gebäudesteuer, nicht etwa kraft eines ihm zustehenden Privilegiums, sondern aus Zweckmäßigkeitsgründen befreit ist, und zwar auch in Gestalt von Zuschlägen zu fingirt zu veranlagenden Prinzipalsteuersätzen geltend gemacht werden (ebenda Band VII Seite 161/2). Ebendasselbe Recht zur Besteuerung fiskalischen Grundbesitzes steht den Schulverbänden zu, sofern die Schulunterhaltungslast, sei es nach der unmittelbar maßgebenden gesetzlichen oder einer partikularen Norm, dinglicher Natur ist. Die Ausübung dieses Rechts der Schulverbände ist ferner, je nach deren örtlichen Steuerverfassung, in mannigfach verschiedener Weise möglich, so können dingliche Verbandslasten von fiskalischen Grundstücken nachbargleich nach dem Flächenmaß oder dergleichen mehr, sie können aber auch nach dem Ertrage und nicht minder, was speziell in Schulsteuerstreitigkeiten von dem Gerichtshofe wiederholt anerkannt ist (siehe Entscheidungen Band XVI Seite 278, Band XVIII Seite 225), unter fingirter Veranlagung der Grund- und Gebäudesteuer in Gestalt prozentualer Zuschläge ausgeschrieben werden. Denn bei an sich begründeter Steuerpflicht ist es keineswegs begriffswidrig oder auch nur ungebräuchlich, da, wo es an wirklich zur Staatskasse — beziehungsweise jetzt nach Ueberweisung der Realsteuern an die Gemeinden zur Gemeindekasse — fließenden Steuersätzen fehlt, Prozentsätze von den an deren Stelle fiktiv eingeschätzten Prinzipalsteuersätzen unter der Bezeichnung als Zuschläge zu erheben. Selbst die Sprache der Gesetzgebung wendet den Ausdruck „Zuschläge“ in diesem Sinne an, wie denn z. B. §. 10 Abs. 1 der Kreisordnung für die Provinz Hannover vom 6. Mai 1884 (Gesetzsammlung Seite 181) die Erhebung der Kreisabgaben „durch Zuschläge zu den direkten Staatssteuern beziehungsweise zu den nach §§. 14 und 15 zu ermittelnden fingirten Steuersätzen der Forensen 2c.“ vorschreibt.

(Entscheidung des Königlichen Oberverwaltungsgerichts vom 4. Februar 1896 — Nr. I. 125 —.)

---

c. Das Hypothekenbuch ist, wie der Gerichtshof bereits bei früherer Gelegenheit ausgesprochen hat (Entscheidungen des Oberverwaltungsgerichts Band XXIII Seite 334), wesentlich zur Regelung civilrechtlicher Verhältnisse bestimmt. Die Einleitung zur Preußischen Hypothekenordnung vom 20. Dezember 1783 (N. C. C. tom. VII pag. 2566 ff.) bringt dies mit den Worten zum Ausdruck, daß der „Haupt-Endzweck" des Hypothekenwesens in der „Feststellung der Eigenthumsrechte und des Kredits der Besitzer unbeweglicher Grundstücke sowie in der Sicherung des Publikums bei den darauf gemachten Anlehnen" zu finden und daß an diesen Grundsätzen festzuhalten sei. Allerdings heißt es im Art. V der Verordnung vom 15. Dezember 1830 (Gesetzsammlung 1832 Seite 9) wegen der nach dem Gesetze vom 27. März 1824, die Anordnung der Provinzialstände im Großherzogthum Posen betreffend, vorbehaltenen Bestimmungen, daß im Stande der Ritterschaft, die sonstigen gesetzlichen Erfordernisse vorausgesetzt, wahlberechtigt und wählbar seien die Besitzer derjenigen Güter, welche in den Hypothekenbüchern der Landgerichte zu Posen und Bromberg als Rittergüter aufgeführt ständen. Diese ersichtlich öffentlich-rechtliche Verhältnisse berührende Vorschrift beruht aber auf positiver Satzung, über deren Inhalt hinaus nicht gegangen werden darf. An ähnlichen positiven Vorschriften, durch die den Eintragungen im Hypothekenbuche für die vorliegenden Zwecke öffentlich-rechtliche Bedeutung beigelegt wäre, fehlt es gänzlich.

Wenn die Hypothekenakten ergeben, daß N. niemals ein eigenes Hypothekenblatt gehabt habe und bereits bei der Preußischen Besitzergreifung 1794/95 mit der Herrschaft G. vereinigt gewesen, ferner daß seitdem in letzterem Verhältnisse eine Aenderung nicht eingetreten sei, so beweist dies nichts weiter, als daß N. von je her und bis jetzt denselben Eigenthümer wie G. gehabt hat, läßt aber die öffentlich rechtliche Stellung von N. als selbständiges Gut durchaus unberührt. Nach §. 39 der Preußischen Hypothekenordnung vom 20. Dezember 1783, auf deren Grundlage nach dem bei Raabe Band III Seite 126 ff. abgedruckten Patente vom 10. August 1795 die Einrichtung des Hypothekenwesens im damaligen Südpreußen erfolgte, sollten,

> wenn mehrere einzelne Güter von ein und eben demselben Eigenthümer in einer solchen Verbindung besessen werden, daß sie zusammengenommen ein Ganzes oder eine sogenannte Herrschaft konstituiren, auf dem Titelblatt die Nummer und Benennung der Herrschaft ausgedrückt und die Namen der einzelnen Güter, woraus solche besteht, darunter verzeichnet

werden. Die Vereinigung mehrerer, demselben Eigenthümer gehöriger Güter auf einem und demselben Hypothekenfolium äußerte Folgen lediglich auf die Eigenthums- und Kreditsverhältnisse. Es lag deshalb durchaus kein Hindernis vor, Güter verschiedener

Art auf einem und demselben Hypothekenfolium zu vereinigen; im Gesetze waren die Fälle vorgesehen, wo die solchergestalt vereinigten Güter in verschiedenen Gerichts-, ja in verschiedenen Obergerichtsbezirken belegen waren (§. 16 der Verordnung vom 2. Januar 1849, betreffend die Aufhebung der Privatgerichtsbarkeit 2c. — Gesetzsammlung Seite 1). Daß auch Rittergüter mit zweifelsfrei öffentlich-rechtlicher Selbständigkeit, auf einem Folium vereinigt werden durften und daß es statthaft war, solche Güter späterhin wieder auf besondere Folien zu schreiben, ergiebt das bei Rauer, Ständische Gesetzgebung der Preußischen Staaten, Band II Seite 144 im Zusatz 276 mitgetheilte Justizministerial-Reskript vom 1. November 1836 unzweideutig.

Vollends unerheblich für die Frage, ob das Gut N. im öffentlich-rechtlichen Sinne als ein selbständiges anzusehen sei, ist die vom Vorderrichter den Hypothekenakten entnommene Thatsache, daß N. nach einer Erklärung der Frau von G. aus dem Jahre 1795 schon damals seit langer Zeit zu G. „gehört" habe, ferner, „daß N. in den Grundakten stets als Pertinenz oder Vorwerk von G. bezeichnet wird". Diese Thatsachen beweisen nicht mehr, als daß N. und G. schon vor dem Jahre 1795 sich in einer und derselben Hand befunden haben und man gewöhnt war, G. als das bedeutendere und wesentlichere Gut anzusehen.

Diese Verhältnisse geben kein Hindernis dafür ab, daß N. seine besonderen Unterthanen behalten hatte, die nach §. 309 Titel 7 Theil II Allgemeinen Landrechts auf einem anderen Gute außerhalb N. Dienste zu leisten nicht verpflichtet waren. Daß derartige Beziehungen zwischen dem Gute N. und den bäuerlichen Wirthen zu N. noch in den dreißiger Jahren dieses Jahrhunderts bestanden, ergiebt der Auseinandersetzungsrezeß ganz unzweifelhaft. In dem durch diesen Rezeß zum Abschluß gebrachten Verfahren trat jenen Wirthen nicht die Gutsherrschaft G., sondern das Gut N. gegenüber, und als ein Zubehör des Gutes N. werden im §. 4 des Rezesses die den bäuerlichen Wirthen für Erlaß der Dienste und Verleihung des Eigenthums an ihren Stellen auferlegten Renten konstituirt.

(Entscheidung des Königlichen Oberverwaltungsgerichts vom 11. Februar 1896 — I. 197 —.)

---

d. Nach §. 47 Absatz 1 und 2 des Zuständigkeitsgesetzes vom 1. August 1883 (Gesetzsammlung Seite 237) hat über die öffentlich-rechtliche Verpflichtung zur Aufbringung der Schulbaukosten, sowie über deren Vertheilung auf Gemeinden (Gutsbezirke), Schulverbände und Dritte, statt derselben oder neben denselben Verpflichtete, sofern Streit entsteht, die Schulaufsichtsbehörde, vorbehaltlich der Verwaltungsklage, zu beschließen. Der Abs. 3 ebendaselbst verweist „auch im Uebrigen . . . Streitigkeiten der Betheiligten (Abs. 1)“ über ihre im öffentlichen Rechte begründeten Schulbaupflichten der Entscheidung im Verwaltungsstreitverfahren. Zu den Betheiligten im Sinne des Abs. 3 gehört, wie aus dem in Klammern beigefügten Zusatze „Abs. 1“ klar erhellt, im Bereiche des Allgemeinen Landrechts gleich der Schulgemeinde so auch der Gutsherr des Schulortes, da er nicht Mitglied der ersteren ist, vielmehr neben dieser die ihm in §. 36 Titel 12 Theil II a. a. O. auferlegten besonderen Bauleistungen übernehmen muß. Zweifellos stand daher dem Fiskus als Gutsherrn behufs Geltendmachung des von ihm verfolgten Anspruchs die Klage gegen den korporativen Verband der Schulgemeinde zu. Wenn die Revision meint, die Klage hätte nur gegen die einzelnen Hausväter als diejenigen gerichtet werden können, welchen die Beschaffung des Bauholzes obgelegen haben würde, wenn es nicht vom Fiskus hergegeben wäre, so übersieht sie den Unterschied, welcher zwischen den Interessentenklagen aus dem dritten Absatze in §. 46 und §. 47 des Zuständigkeitsgesetzes obwaltet. Nur Erstere finden, mag es sich um untervertheilte Baubeiträge oder um sonstige Abgaben und Leistungen an die Schule handeln, ausschließlich unter den innerhalb der Gemeinden rc. stehenden pflichtigen Einzelkontribuenten statt, während letztere nach der positiven Vorschrift des Gesetzes gerade dazu dienen, Streitigkeiten zwischen den Gemeinden rc. selbst oder mit Dritten zum Austrage zu bringen, welche, ohne jenen anzugehören, wirklich oder vermeintlich Träger oder Mitträger der Baulast sind (Entscheidungen des Oberverwaltungsgerichts Band XXV Seite 174 ff., besonders 184/185).

(Entscheidung des Königlichen Oberverwaltungsgerichts vom 3. März 1896 — I. 295 —.)

---

e. 1) Unzweifelhaft ging der Wille der beiden Vertragstheile dahin, die künftige Betheiligung des Gutsbezirks an den Schulunterhaltungskosten nicht von dem jeweiligen Bedürfnisse abhängig zu machen, sondern durch Zahlung einer ein für alle Male festgesetzten jährlichen Pauschalsumme zu regeln. Eine derartige Vertragsabrede enthält unter allen Umständen eine Aenderung der bisherigen Ortsschulverfassung, welche in Ermangelung sonstiger die Betheiligung der Verbandsgenossen an den Bedürfnissen des Schulverbandes regelnder Normen die Gleichmäßigkeit der Betheiligung zur Voraussetzung hatte. Eine solche Aenderung der Ortsschulverfassung konnte aber allein durch Abmachungen der Verbandsgenossen unter sich nicht bewirkt werden. Dazu war vielmehr die Mitwirkung der Schulaufsichtsbehörde erforderlich; erst wenn diese die unter den Verbandsgenossen getroffene Vereinbarung genehmigte, erhielt die Vereinbarung einen öffentlich-rechtlichen Charakter und konnte sie ein Theil der Ortsschulverfassung werden (Entscheidungen des Oberverwaltungsgerichts Band XI Seite 166/9, Band XIV Seite 213, Band XIX Seite 169 ff.; Preußisches Verwaltungsblatt Jahrgang XIII Seite 6).

2) Anlangend den zwischen der Gemeinde und dem Gutsbezirke bei den strittigen Schulbaukosten anzuwendenden Vertheilungsmaßstab, so hat der Gerichtshof bereits in dem im Band XVIII Seite 215 ff. seiner Entscheidungen abgedruckten Endurtheile vom 4. Mai 1889 des Näheren ausgeführt und seitdem in gleichmäßiger Rechtsprechung festgehalten, daß, soweit nicht durch Observanz oder rechtsgiltige Vereinbarung etwas anderes bestimmt ist, der Maßstab nach den direkten Staatssteuern — abgesehen von der Steuer für das Gewerbe im Umherziehen — gerechtfertigt sei, sowohl weil er eine billige Vertheilung nach dem Vermögen und Einkommen ermöglicht, als auch weil für Schulzwecke im Gesetze auf diesen Maßstab verwiesen ist (§. 3 der Verordnung vom 29. Juli 1867, betreffend das Diensteinkommen der öffentlichen Volksschullehrer im Regierungsbezirk Cassel — Gesetzsammlung Seite 1245 — §. 4 des Gesetzes vom 22. Dezember 1869, betreffend die Witwen- und Waisenkassen der Elementarlehrer — Gesetzsammlung 1870 Seite 1).

(Entscheidung des Königlichen Oberverwaltungsgerichts vom 13. März 1896 — I. 342 —.)

---

f. Die Volksschule im vormaligen Kurfürstenthum Hessen, ursprünglich als eine Einrichtung der Kirche in das Leben gerufen, hat sich seit den ersten Dezennien des gegenwärtigen Jahrhunderts zu einem organisch dem Staate eingegliederten, mit eigener Rechtspersönlichkeit ausgestatteten Institute entwickelt, dem als Träger der Unterhaltungslast gemeinhin die bürgerlichen Gemeinden und selbständigen Gutsbezirke gegenüberstehen (siehe §. 3 der Preußischen Verordnung vom 29. Juli 1867 — Gesetzsammlung Seite 1245 — in Verbindung mit §. 37, Absatz 2 der Kreisordnung für die Provinz Hessen-Nassau vom 7. Juni 1885 — Gesetzsammlung Seite 193). Nicht durchweg ebenso verhält es sich im Bereiche des Konsistorial-Ausschreibens und Regulativs, „die Beiträge zur Unterhaltung der Mutterkirchen wie auch der Pfarr-, Küster- und Schulgebäude ꝛc. betreffend", vom 28. Februar 1766 (neue Sammlung der Landesordnungen, Band III, Seite 175). Diese mit Gesetzeskraft erlassene und bisher im Wege der Gesetzgebung nicht beseitigte Verordnung legt die Baulast den Eingepfarrten auf. Sie behandelt aber, was aus der Ueberschrift und dem nachfolgenden Texte klar erhellt, nur die geistlichen Gebäude am Orte der Mutterkirche. Alle außer den Bauten erforderlichen Aufwendungen für die Schule am Orte der Mutterkirche, desgleichen die Kosten überhaupt für die „übrigen" Schulen bilden zufolge des Uebergangs der Fürsorge für die Schule von der Kirche auf den Staat eine Last der bürgerlichen Gemeinden und selbständigen Gutsbezirke. Dieser Grundsatz, den der Gerichtshof in dem Revisionsurtheile vom 4. Mai 1889 — Band XVIII Seite 215 ff. der Sammlung — des Näheren dargelegt hat, gilt insbesondere auch hinsichtlich der Küsterschulen an kirchlichen Filialorten. In voller Uebereinstimmung mit jenem veröffentlichten Erkenntnisse faßt das in dem H.'er Schulbaustreite ergangene vom 24. September 1890 — I. 948 — das bestehende Recht nochmals in den Sätzen zusammen: daß die bauliche Unterhaltung der Küsterschule am Mutterkirchorte nach Maßgabe des Konsistorial-Ausschreibens von 1766 eine kirchliche Last der Eingepfarrten darstelle, dahingegen die sonstige Unterhaltung dieser Schule sowie der „übrigen" Schulen überhaupt sich nach dem Kommunalprinzipe regele. Hieran schließt sich dann die Bemerkung, bezüglich der Küsterschule (nämlich in matre) liege mithin wie anderwärts, wo die Fürsorge für die Schule als staatliche Aufgabe anerkannt sei, beispielsweise im Gebiete des Preußischen Allgemeinen Landrechts, so auch nach Kurhessischem Rechte die bauliche Unterhaltung des Gebäudes dem Kirchenverbande, die Aufbringung der sonstigen Kosten dem Schulverbande ob. Mit den „übrigen" Schulen sollten indes sowohl hier wie in dem abgedruckten älteren Urtheile, welches denselben Ausdruck gebrauchte, lediglich die nicht als Küsterschulen am Orte der Mutterkirche zu beurtheilenden Schulen bezeichnet werden. Es kam damals ausschließlich darauf an, den Gegensatz zwischen den unter das Konsistorial-Ausschreiben fallenden Küsterschulen in matre einerseits und allen anderen, jener Gattung nicht beizuzählenden Schulen andererseits hervorzuheben, und die konkrete Lage der Fälle bot nicht den mindesten Anlaß dar, die letztgedachte Kategorie, d. i. die „außerhalb des Ortes der Mutterkirche im Kirchspiele vorhandenen oder errichteten Schulen", noch weiter in die beiden Unterarten der gewöhnlichen und der mit der Küsterei einer Filialkirche verbundenen Schulen zu theilen und etwaigen, daraus für die Baupflicht herzuleitenden Unterscheidungen nachzugehen.

Speziell von den in Filialgemeinden zugleich dem Küster zur Wohnung dienenden oder doch mit der Kirche und Küsterei verbundenen Schulgebäuden ist zum allerersten Male in der den Fall A. betreffenden Entscheidung vom 3. November 1891 — I. 1054 — die Rede. Dort heißt es: das Küsterschulhaus müsse — wie am Orte der Mutterkirche nach den Grundsätzen des Konsistorial-Ausschreibens von 1766, so — in Filialen „nach dem für diese maßgebenden gemeinen Rechte" als ein kirchliches Gebäude, falls es ein solches schon vor dem Eintritte des Staates in die Fürsorge für die Schule gewesen sei und auch ferner bleiben solle, nicht von den bürgerlichen Gemeinden (und den selbständigen Gutsbezirken), sondern von den Eingepfarrten im bisherigen Umfange baulich unterhalten werden, während bei Erweiterungsbauten im Schulinteresse möglicherweise, ähnlich wie unter der Herrschaft des Preußischen Gesetzes vom 21. Juli 1846 (Gesetzsammlung Seite 392), der Schulverband pflichtig sein möge. Unter dem „gemeinen" Rechte war aber an jener Stelle das Deutsche evangelische Kirchenrecht verstanden, welchem gemäß auch in Kurhessen die Unterhaltung der zur Küsterpfründe gehörigen Baulichkeiten nicht anders als diejenige der Kirchen- und Pfarrgebäude auf der Kirchenfabrik und bei deren Unvermögen auf den Kirchspielsbewohnern ruhte, soweit nicht der Pfründeninhaber selbst oder vermöge besonderer Rechtsverhältnisse ein Dritter, namentlich der Patron als Nießbraucher kirchlichen Gutes eintreten mußte (Kirchenrecht von Eichhorn Band II Seite 628, 803 und von Friedberg Seite 156, 424; — Kurhessisches Kirchenrecht von Ledderhose Seite 430, 434/5; — vergl. auch Entscheidung des Reichsgerichts in Gruchot, Beiträge zur Erläuterung des Preußischen bezw. Deutschen Rechts, Band XXVI Seite 1018, und Entscheidungen des Oberverwaltungsgerichts Band XXI Seite 205/6). Nicht weiter verfolgt wurde damals, weil der Streit einen reinen Schul-, nicht einen Küsterschulbau zum Gegenstande hatte, die danach in den Hintergrund tretende Frage, ob es bei dem angedeuteten ursprünglichen Rechtszustande, wie ihn das Konsistorial-Ausschreiben von 1766 für die bauliche Unterhaltung der Küsterschulhäuser am Mutterkirchorte grundsätzlich aufrecht erhalten hat, in Ansehung derartiger Gebäude in Filialgemeinden auch in der Folge geblieben oder inwieweit derselbe betreffs der letzteren von der Umwandlung der Schule aus einer kirchlichen in eine staatliche Anstalt mit ergriffen worden sei.

Bestimmte Stellungnahme hierzu erforderte nunmehr aber der gegenwärtige Streitfall, und der Gerichtshof hat kein Bedenken getragen, dem Vorderrichter darin beizutreten, daß in Kurhessen, außerhalb des Geltungsbereiches des Konsistorial-Ausschreibens von 1766, der Eigenschaft einer Schule als

Küsterschule keine Bedeutung für die Baupflicht zukommt, diese vielmehr bei Küsterschulen sich nach ebendenselben Normen wie bei gewöhnlichen Schulen regelt und folglich — vorbehaltlich nur besonderer ortsrechtlicher, hier jedoch von keiner Seite behaupteter Verhältnisse, — den Gemeinden und Gutsbezirken als den subsidiären Trägern der gesammten Schulunterhaltungslast obliegt.

Die neuere Kurhessische Gesetzgebung, soweit in ihr bereits die Auffassung von dem staatlichen Charakter der Volksschule in einer Reihe von theils organisatorischen, theils materiellen Einzelbestimmungen und im §. 137 der Verfassungsurkunde vom 5. Januar 1831 auch in einem grundsätzlichen Ausspruche hervortritt (vergl. die erschöpfende Zusammenstellung bei Strippelmann, neue Sammlung 2c. Theil III Seite 282 ff.), kennt keinen Unterschied mehr zwischen Küster- und Nichtküsterschulhäusern und thut jener als einer abweichend von diesen zu behandelnden Unterart überhaupt keine Erwähnung. Ebenso wurde (siehe das Nähere Band XVIII Seite 220 der Entscheidungen des Oberverwaltungsgerichts) von den Faktoren der Gesetzgebung bei den Verhandlungen über die Gemeindeordnung vom 13. Oktober 1834 die Schulunterhaltungspflicht der bürgerlichen Gemeinden als durch die Rechtsentwickelung von selbst gegeben angesehen und mit keinem Worte des Fortbestehens der ehedem im gemeinen Rechte begründet gewesenen Pflicht der Filialeingepfarrten gedacht, ihr Küsterschulhaus in derselben Weise baulich zu unterhalten, wie solches das Konsistorial-Ausschreiben von 1766 für das Küsterschulhaus am Orte der Mutterkirche positiv verordnet hat.

Nicht minder hat die Hessische oberstgerichtliche Rechtsprechung (siehe beispielsweise Strippelmann a. a. O. Seite 302, 326, sowie Häuser Annalen Band XII Seite 280, Band XIII Seite 272) fortgesetzt die Baukosten der Ortsschulen in Fällen, wo nicht das Konsistorial-Ausschreiben Platz griff, für eine Last der bürgerlichen Gemeinden erklärt, ohne, soviel ersichtlich, die Entscheidung davon abhängig zu machen oder auch nur zu erörtern, ob das betreffende Schulhaus einstmals ein kirchliches gewesen sei, oder gar noch jetzt dem Küster zur Wohnung diene.

Dieser Standpunkt erfreute sich des Beifalls auch der Rechtslehrer. Während Ledderhose in seinem oben angezogenen, schon 1821 herausgegebenen Kirchenrecht noch mit dem älteren Rechtszustande, d. i. mit der gemeinrechtlichen Schulunterhaltungspflicht der Eingepfarrten rechnet, kennzeichnet Bueff, dessen Kirchenrecht erst 1861 erschienen ist, auf Seite 978 bezw. 908/9 die neuere Entwickelung dahin, daß nun, da die Kirche zu der von ihr getrennten Schule nur noch die Küsterpfründe beitrage, im Allgemeinen (d. i. abgesehen von besonderen Verbindlichkeiten dritter Personen) die bürgerlichen Gemeinden zu der gesammten Schullast, insonderheit auch zur Erhaltung der ganz in den Schulhäusern aufgegangenen Küsterhäuser rechtlich verbunden seien; der innere Grund hierfür liege darin, daß alle Kosten für Zwecke einer Gesellschaft von dieser, in deren unmittelbarem Interesse sie aufgewendet werden, aufgebracht werden müßten.

Zu demselben Ergebnisse gelangt Strippelmann a. a. O. Seite 292, 295/6; auch er betont die Erwägung, daß der Regel nach und soweit nicht das Gesetz oder die Ortsverfassung ein Anderes bestimme, die Schulen von Denjenigen zu unterhalten seien, zu deren Nutzen zunächst sie dienen, und stellt mit Rücksicht hierauf betreffs der Volksschulen ohne Ausscheidung der Küsterschulen als Träger der Unterhaltungs- einschließlich der Baulast die „bürgerlichen Gemeinden" hin, „welchen dann die weitere Repartition überlassen bleibe".

In dem Werke eines Ungenannten „die Verfassung und Verwaltung der Gemeinden" Cassel 1854, findet sich zwar, nachdem Seite 91 ff. ebenfalls ausgeführt worden, daß zu allen Ausgaben und Aufwendungen für die Volksschule, als eine von der Kirche auf den Staat übergegangenen Anstalt, die zugeschlagenen Ortsgemeinden verpflichtet seien, im Anschlusse hieran die Bemerkung, diese Verpflichtung der Gemeinden trete „bei rein kirchlichen (Parochial-) Schulen" nicht ein. Mit den letztgedachten sind indeß offenbar lediglich diejenigen wenigen Schulen gemeint, welche ausweislich der sogleich zu erwähnenden Regierungsakten ausnahmsweise für Konfessionsminderheiten eingerichtet sind und von den Konfessionsverwandten unterhalten werden, hier aber nicht in Betracht kommen, weil weder behauptet noch anzunehmen ist, daß ihnen die Schule in J. beizuzählen sei.

Gesetzgebung, Rechtsprechung und Wissenschaft gehen sonach schon in Hessischer Zeit völlig gleichmäßig davon aus, daß — immer abgesehen von den Satzungen des Konsistorial-Ausschreibens von 1766 — die bauliche Unterhaltung der Schulhäuser, selbst wenn sie kirchlichen Ursprungs und früher von den Eingepfarrten unterhalten bezw. noch jetzt die eingewiesenen Lehrer zugleich als Küster angestellt sind, einen Bestandtheil der Schullast ausmache, für welche die Gemeinden (und Gutsbezirke) aufzukommen haben.

Im Einklange hiermit steht endlich die thatsächliche Uebung auch seit der Einverleibung des Kurstaates in die Preußische Monarchie. Im Jahre 1889 hatte die beklagte Regierungsabtheilung, wie ihre zum Zwecke der Beweisaufnahme über das provinzielle Gewohnheitsrecht in der mündlichen Verhandlung vorgelegten bezüglichen Akten darthun, einen auf Anweisung des Unterrichtsministers ausgearbeiteten Gesetzentwurf, der die Aufhebung des Konsistorial-Ausschreibens von 1766 und eine anderweite Regelung der Schulbaulast für dessen Gebiet vorschlug, den nachgeordneten Behörden, namentlich den Kreislandräthen, zur Begutachtung und gleichzeitigen Aeußerung u. A. darüber zugehen lassen, in welcher Weise die Schulbau- und Unterhaltungskosten, soweit das Konsistorial-Ausschreiben nicht Anwendung finde, aufgebracht würden. In einem hiernächst an den Minister erstatteten Berichte gab die Regierung den wesentlichen Inhalt der eingelaufenen Aeußerungen zutreffend mit den Worten wieder:

> „In den nicht in den Geltungsbereich des Konsistorial-Ausschreibens fallenden Theilen des Regierungsbezirks würden die Schulbaukosten den übrigen Schullasten gleichgestellt“ —

und betreffs dieser lautete der Bericht dahin, daß sie, möge das Konsistorial-Ausschreiben räumlich oder wegen Fehlens seiner materiellen Voraussetzungen außer Betracht bleiben, der allgemeinen Regel nach, welcher allerdings in den örtlichen Verbänden nicht selten durch statutarische Vereinbarungen oder hergebrachte Gewohnheiten derogirt werde, von den bürgerlichen Gemeinden sowie den nicht inkommunalisirten selbständigen Gutsbezirken getragen, in zusammengesetzten Schulverbänden aber nach dem Verhältnisse der Staatssteuern auf die Verbandsgenossen vertheilt würden.

Nach alledem kann nicht füglich ein Zweifel an dem Bestehen einer ungeschriebenen, in der Ueberzeugung von der rechtlichen Nothwendigkeit wurzelnden und in langdauernder gleichmäßiger Uebung bethätigten provinziellen Norm obwalten, welche, partikularen Sondergestaltungen freien Spielraum lassend, in deren Ermangelung die Gemeinden und Gutsbezirke verpflichtet, für die in der Schulunterhaltungslast einbegriffenen Baukosten der Küsterschulhäuser mit Ausnahme jedoch derjenigen am Orte der Mutterkirche, — und zwar ohne Unterschied zwischen Bauten zur Erhaltung oder Wiederherstellung der Gebäude im bisherigen Umfange und Erweiterungsbauten im Schulinteresse aufzukommen. —

Da das Gesetz einen Maßstab für die Vertheilung von Schulbaukosten zwischen mehreren, zu derselben Schule gewiesenen Gemeinden oder Gutsbezirken nicht vorgesehen hat, war die Aufsichtsbehörde kraft der ihr durch §. 18 der Regierungsinstruktion vom 23. Oktober 1817 (Gesetzsammlung Seite 248) übertragenen Machtvollkommenheiten an sich befugt, über den Beitragsfuß zu befinden, und der Verwaltungsrichter zu dessen Nachprüfung nicht nach Gesichtspunkten der Zweckdienlichkeit, sondern nur nach der Richtung hin berufen, ob er den Normen des bestehenden Rechts nicht widerstreite. In dieser Beziehung giebt die getroffene Anordnung aber zu Ausstellungen keinen Anlaß. Denn nachdem die Regierung den Staatssteuerfuß gewählt hat, folgt aus der Bestimmung im §. 37 Absatz 2 der Kreisordnung, daß sich der Beitrag auch des Klägers nach der ganzen Steuerkraft des Gutsbezirks und seiner Einsassen, nämlich sowohl nach den wirklich aufkommenden, wie nach den fingirten direkten Steuern bemißt.

(Entscheidung des Königlichen Oberverwaltungsgerichts vom 27. März 1896 — I. 411 —.)

Nichtamtliches.

1) Siebenundsiebzigster Jahresbericht über die Wirksamkeit der Schlesischen Blinden-Unterrichtsanstalt im Jahre 1895.

	Zahl der Zöglinge							Religionsverhältnis			Aus dem Regierungsbezirke			Aus anderen Provinzen oder dem Auslande
	überhaupt	in der Anstalt				außer der Anstalt								
		Zöglinge		Heimbewohner	Summe	männliche	weibliche	evangelisch	katholisch	jüdisch	Breslau	Liegnitz	Oppeln	
		m.	w.	w.										
Ende 1894 verblieben . . .	128	77	41	—	118	7	3	67	58	3	75	13	39	1
Aufgenommen wurden im Laufe des Jahres 1895 .	34	18	7	3	28	4	2	16	18	—	16	12	5	1
Im Laufe 1895 waren Zöglinge	162	95	48	3	146	11	5	83	76	3	91	25	44	2
Im Laufe 1895 gingen ab	29	15	9	—	24	3	2	18	10	1	18	4	7	—
Ende 1895 verblieben . . .	133	80	39	3	122	8	3	65	66	2	73	21	37	2

	Schul-Unterricht			Musik-Unterricht			Als Erwachsene nur Arbeitsunterricht								
							männliche	weibliche	Summe	als Erwachsene aufgenommen			aus der Schule der Anstalt ausgetreten		
	männliche	weibliche	Summe	männliche	weibliche	Summe				m.	w.	S.	m.	w.	S.
Ende 1894 verblieben . . .	31	17	48	39	7	46	36	20	56	—	—	—	—	—	—
Dazu kamen 1895	3	3	6	9	—	9	29	7	36	20	5	25	9	2	11
Unterricht erhielten im ganzen	34	20	54	48	7	55	65	27	92	—	—	—	—	—	—
Im Laufe von 1895 gingen ab	9	5	14	9	1	10	32	5	37	—	—	—	—	—	—
Ende 1895 verblieben . . .	25	15	40	39	6	45	33	22	55	—	—	—	—	—	—

Personal-Veränderungen, Titel- und Ordensverleihungen.

A. Behörden und Beamte.

Der bisherige Seminar-Direktor Tobias zu Bromberg ist zum Regierungs- und Schulrath bei der Regierung zu Königsberg i. Pr. ernannt worden.

In gleicher Eigenschaft ist versetzt worden der Kreis-Schulinspektor Schulrath Dr. Hüppe von Cosel nach Ratibor.

Der bisherige Seminarlehrer Moslehner ist zum Kreis-Schulinspektor ernannt worden.

B. Universitäten.

Universität Königsberg.

Dem ordentlichen Professor in der Juristischen Fakultät der Universität Königsberg Dr. Salkowski ist der Charakter als Geheimer Justizrath verliehen worden.

Universität Halle-Wittenberg.

Das Prädikat „Professor“ ist beigelegt worden:

dem Privatdozenten in der Philosophischen Fakultät der Universität Halle und Assistenten am dortigen Landwirthschaftlichen Institut Dr. Baumert und

dem Privatdozenten in der Medizinischen Fakultät der Universität Halle Dr. Heßler.

Universität Kiel.

Dem Privatdozenten in der Philosophischen Fakultät der Universität Kiel Dr. Eugen Wolff ist das Prädikat „Professor“ beigelegt worden.

Universität Göttingen.

Dem ordentlichen Professor in der Philosophischen Fakultät der Universität Göttingen Dr. Lexis ist der Charakter als Geheimer Regierungsrath verliehen worden.

Das Prädikat „Professor“ ist beigelegt worden:

den Privatdozenten in der Philosophischen Fakultät der Universität Göttingen Dr. Bürger und Dr. Des Coudres sowie

dem Privatdozenten in der Theologischen Fakultät der Universität Göttingen Lic. Dr. Rahlfs.

Universität Marburg.

Dem ordentlichen Professor in der Medizinischen Fakultät der Universität Marburg Dr. Marchand ist der Charakter als Geheimer Medizinalrath verliehen worden.

Universität Bonn.

Der außerordentliche Professor Dr. Bartheil zu Marburg ist in gleicher Eigenschaft in die Philosophische Fakultät der Universität Bonn versetzt worden.

Das Prädikat „Professor“ ist beigelegt worden:

den Privatdozenten in der Medizinischen Fakultät der Universität Bonn Dr. Dr. Bohland, Oberarzt an der dortigen Medizinischen Klinik, und Thomsen sowie

den Privatdozenten in der Philosophischen Fakultät der Universität Bonn Dr. Dr. Rauff, Schenck und Voigt.

C. Technische Hochschulen.

Berlin.

Die Wahl des Geheimen Regierungsraths Professors Dr. Hauck zum Rektor der Technischen Hochschule zu Berlin für die Amtsperiode vom 1. Juli 1896 bis dahin 1897 ist bestätigt worden.

Der Charakter als Geheimer Regierungsrath ist verliehen worden:

dem derzeitigen Rektor der Technischen Hochschule zu Berlin Professor Müller-Breslau und

dem Professor an derselben Hochschule Riedler.

Das Prädikat „Professor“ ist beigelegt worden:

dem Dozenten Leist, dem Privatdozenten Lynen und dem Dozenten Dr. Carl Müller an der Technischen Hochschule zu Berlin.

Zu etatsmäßigen Professoren an der Technischen Hochschule zu Berlin sind ernannt worden:

der Ober-Ingenieur und Privatdozent Joffe zu Berlin,

der Ober-Ingenieur Kammerer zu Hamburg und

der bisherige Professor an der Großherzoglichen Technischen Hochschule zu Darmstadt Reichel.

Hannover.

Der Dozent an der Technischen Hochschule zu Hannover Professor Ernst Müller ist zum etatsmäßigen Professor an dieser Anstalt ernannt worden.

Aachen.

Dem derzeitigen Rektor der Technischen Hochschule zu Aachen Professor Intze ist der Charakter als Geheimer Regierungsrath verliehen worden.

D. Museen u. s. w.

Es ist verliehen worden:

dem Professor Dr. med. Weigert zu Frankfurt a. M. der Charakter als Geheimer Sanitätsrath und

dem Büreau-Vorsteher am Kunstgewerbe-Museum zu Berlin Scheringer der Charakter als Rechnungsrath.

Das Prädikat „Professor“ ist beigelegt worden:

dem Chemiker Dr. Bischof zu Wiesbaden,

dem praktischen Arzt Dr. med. Kehr zu Halberstadt,

den Direktorial-Assistenten bei den Königlichen Museen zu Berlin Dr. Menadier und Dr. Springer und

dem praktischen Arzt Sanitätsrath Dr. Ruge zu Berlin.

E. Höhere Lehranstalten.

Es ist verliehen worden:

dem Direktor des Realprogymnasiums zu Arolsen Professor Dr. Ebersbach, schultechnischem Beirathe des dortigen Landesdirektors, der Charakter als Schulrath mit dem Range eines Rathes vierter Klasse;

dem Gymnasial-Direktor Dr. Zahn zu Mörs der Adler der Ritter des Königlichen Hausordens von Hohenzollern;

der Rothe Adler-Orden vierter Klasse

dem Gymnasial-Direktor Professor Dr. Weicker zu Eisleben,

den Gymnasial-Oberlehrern Professor Dr. Größler und Professor Mehlis daselbst sowie

dem Gymnasial-Oberlehrer Professor Dr. Wimmenauer zu Mörs.

Der Charakter als „Professor“ ist beigelegt worden:

dem Oberlehrer am Gymnasium zu Erfurt Brandis,

dem Oberlehrer an der Klosterschule zu Ilfeld Dr. Meyer sowie

den Oberlehrern am Gymnasium zu Rastenburg Schlicht und Dr. Zimmermann.

In gleicher Eigenschaft sind versetzt worden:

der Direktor Dr. Kiehl vom Realgymnasium zu Bromberg an das Realgymnasium zu Rawitsch;

die Oberlehrer

Professor Beck vom Gymnasium zu Glatz an das Matthias-Gymnasium zu Breslau,

Beller vom Gymnasium zu Bielefeld an die Realschule daselbst,

Dr. Meier von der Oberrealschule zu Crefeld an das Realgymnasium daselbst und

Dr. Mühlan vom Gymnasium zu Gleiwitz an das Gymnasium zu Glatz.

Es sind befördert worden:

der Oberlehrer am Gymnasium zu Bochum Professor Dr. Darpe zum Direktor des Gymnasiums zu Coesfeld und

der Oberlehrer am Realgymnasium zu Rawitsch Kesseler zum Direktor des Realgymnasiums zu Bromberg.

Es sind angestellt worden als Oberlehrer:

am Gymnasium

zu Warendorf der Hilfslehrer Hirschmann,
zu Elberfeld der Hilfslehrer Dr. Jahnke,
zu Mülheim a. d. R. der Hilfslehrer Dr. Kirchner,
zu Spandau der Hilfslehrer Lamprecht,
zu Schwedt a. O. der Hilfslehrer Dr. Schreiber,
zu Gleiwitz der Hilfslehrer Schubert und
zu Sigmaringen der Religionslehrer Strobel;

am Progymnasium

zu Weißenfels der Hilfslehrer Dr. Fischer,
zu Frankenstein der Hilfslehrer Dr. Anton Müller und
zu Donndorf (Klosterschule) der Hilfslehrer Weis;

an der Realschule

zu Wriezen der Hilfslehrer Dr. Böttger,
zu Berlin (12.) der Hilfslehrer Engel,
zu Schöneberg der Hilfslehrer Dr. Gruber,
zu Quedlinburg der Hilfslehrer Dr. Koch,
zu Berlin (1.) der Hilfslehrer Dr. Ruck,
zu Berlin (11.) der Hilfslehrer Dr. Pierson,
zu Breslau (1. evangel.) die Hilfslehrer Dr. Reichel und Dr. Rohr,
zu Berlin (11.) der Gemeindeschullehrer, Schulamtskandidat Dr. Kube und
zu Berlin (3.) der Vorschullehrer am Dorotheenstädtischen Realgymnasium, Schulamtskandidat Dr. Richert;

am Realprogymnasium

zu Höchst a. M. der Hilfslehrer Franke.

F. Schullehrer- und Lehrerinnen-Seminare.

Es ist befördert worden:

zum Direktor des Schullehrer-Seminars zu Bromberg der bisherige Pastor Reichert daselbst.

Es sind angestellt worden:
als ordentliche Lehrer
am Schullehrer-Seminar zu Brühl der Lehrer Faßbinder zu Trier,
am Schullehrer-Seminar zu Usingen der Rektor Kröner zu Hessisch-Oldendorf,
am Schullehrer-Seminar zu Pr. Friedland der bisherige Rektor der Stadtschule zu Gilgenburg O. Pr. Dumare und
am Schullehrer-Seminar zu Paradies der Lehrer Weißenstein zu Nordhausen.

G. Oeffentliche höhere Mädchenschulen.

Es sind angestellt worden:
als ordentliche Lehrer
an der Viktoriaschule zu Berlin der Hilfslehrer Dr. Hintz und
an der Sophienschule zu Berlin der Hilfslehrer Kühne.

H. Ausgeschieden aus dem Amte.

1) Gestorben:

Lichtenstein, Oberlehrer an der Wöhlerschule zu Frankfurt a. M.,
Moureau, Realprogymnasial-Oberlehrer zu Biedenkopf,
Mittell, Professor, Gymnasial-Oberlehrer zu Hildesheim und
Dr. Schaper, Realprogymnasial-Direktor zu Nauen.

2) Ausgeschieden wegen Eintritts in ein anderes Amt im Inlande:

Hülskötter, Realprogymnasial-Oberlehrer zu Geisenheim.

Inhalts-Verzeichnis des Juli-August-Heftes.

Druck von J. F. Starcke in Berlin.

Centralblatt
für
die gesammte Unterrichts-Verwaltung in Preußen.

Herausgegeben in dem Ministerium der geistlichen, Unterrichts- und Medizinal-Angelegenheiten.

№ 9. Berlin, den 20. September 1896.

Ministerium der geistlichen ꝛc. Angelegenheiten.

Seine Majestät der König haben Allergnädigst geruht,

dem Unter-Staatssekretär im Ministerium der geistlichen, Unterrichts- und Medizinal-Angelegenheiten D. Dr. von Weyrauch den Königlichen Kronen-Orden zweiter Klasse mit dem Stern zu verleihen.

A. Behörden und Beamte.

141) Verordnung, betreffend die Kautionen der Beamten aus dem Bereiche des Ministeriums der geistlichen, Unterrichts- und Medizinal-Angelegenheiten. Vom 25. Juni 1896.

Wir **Wilhelm**, von Gottes Gnaden König von Preußen 2c. verordnen auf Grund der §§. 3, 7, 8 und 14 des Gesetzes, betreffend die Kautionen der Staatsbeamten, vom 25. März 1873 — G. S. S. 125 — was folgt:

Einziger Paragraph.

Den zur Kautionsleistung verpflichteten Beamtenklassen aus dem Bereiche des Ministeriums der geistlichen, Unterrichts- und Medizinal-Angelegenheiten tritt hinzu:

der zweite etatsmäßige Inspektionsbeamte bei dem Universitäts-Krankenhause zu Greifswald.

Die Höhe der von dem Inhaber dieser Stelle zu leistenden Amtskaution wird auf Eintausendzweihundert Mark festgesetzt.

Im Uebrigen finden die Vorschriften der Verordnung vom 10. Juli 1874, betreffend die Kautionen der Beamten aus dem Bereiche des Staatsministeriums und des Finanzministeriums — G. S. S. 260 — Anwendung.

Urkundlich unter Unserer Höchsteigenhändigen Unterschrift und beigedrucktem Königlichen Insiegel.

Gegeben Kiel, den 25. Juni 1896.

(L. S.) **Wilhelm** R.

Miquel. Bosse.

---

142) Denkschrift über „Blattern und Schutzpockenimpfung".

Berlin, den 4. August 1896.

Das Kaiserliche Gesundheitsamt hierselbst hat eine Denkschrift über „Blattern und Schutzpockenimpfung" ausarbeiten lassen, durch welche der Nutzen des Impfgesetzes erwiesen und die von den Impfgegnern erhobenen Einwände gegen dasselbe widerlegt werden.

Das Königliche Provinzial-Schulkollegium, die Königliche Regierung, mache ich auf dieses Werk, das im Verlage von Julius Springer hierselbst zum Einzelpreise von 80 Pfennigen erschienen und dessen thunlichste Verbreitung erwünscht ist, mit dem Bemerken besonders aufmerksam, daß die Anschaffung desselben sich empfiehlt

1) für die Bibliotheken der Königlichen Provinzial-Schulkollegien und Königlichen Regierungen,

2) für die Bibliotheken sämmtlicher Lehrer- und Lehrerinnen-Seminare, sowie der Präparandenanstalten,

3) für sämmtliche Lehrerbibliotheken.

Der Minister der geistlichen ꝛc. Angelegenheiten.
In Vertretung: von Weyrauch.

An
sämmtliche Königliche Provinzial-Schulkollegien
und Königliche Regierungen.
U. III. A. 1929 U. II. 1786.

---

143) Prüfungs-Ordnung für die im Bureaudienste bei den Königlichen Provinzial-Schulkollegien anzustellenden Subalternbeamten.

Berlin, den 15. August 1896.

In der Anlage erhalten Ew. Excellenz 2 Exemplare der von mir unter dem heutigen Tage erlassenen Prüfungs-Ordnung für die im Bureaudienste bei den Königlichen Provinzial-Schulkollegien anzustellenden Subalternbeamten mit der Veranlassung, von dem Inhalte dieser Bestimmungen den beim dortigen Königlichen Provinzial-Schulkollegium beschäftigten Civilsupernumeraren und Militäranwärtern alsbald Kenntnis zu geben.

Die Anordnung der Prüfung soll dazu beitragen, die Anwärter für den Bureaudienst in allen Zweigen desselben sowohl durch angemessene dienstliche Beschäftigung wie auch durch private Arbeit möglichst gründlich vorzubereiten. Dieserhalb die erforderlichen Bestimmungen im Einzelnen zu treffen, überlasse ich den Präsidien.

Die in Nr. V bezw. Nr. IX angeordnete Berichterstattung erwarte ich das erste Mal zum 1. Oktober 1896.

Der Minister der geistlichen ꝛc. Angelegenheiten.
In Vertretung: von Weyrauch.

An
die Präsidenten der Königlichen Provinzial-Schulkollegien.
U. II. 1931.

Prüfungs-Ordnung für die im Bureaudienste bei den Königlichen Provinzial-Schulkollegien anzustellenden Subalternbeamten.

I. Die im Subalterndienste bei den Provinzial-Schulkollegien beschäftigten Civilsupernumerare und Militäranwärter haben sich einer Prüfung zu unterwerfen, von deren Ablegung ihre etatsmäßige Anstellung als Büreaubeamte bei den Provinzial-Schulkollegien abhängig ist.

II. Die Prüfung ist abzulegen vor einer Prüfungs-Kommission, welche je nach Bedarf für die Anwärter eines oder mehrerer Bezirke am Sitze eines Provinzial-Schulkollegiums gebildet wird und aus einem Vorsitzenden und zwei Mitgliedern besteht. Der Minister beruft den Vorsitzenden und die beiden Mitglieder für eine oder mehrere Prüfungen in der Regel aus den Mitgliedern und Beamten der Provinzial-Schulkollegien oder in geeigneten Fällen durch Entsendung von Kommissaren.

Der Vorsitzende leitet den Gang der Prüfungen. Die Prüfungs-Kommission faßt ihre Beschlüsse nach Stimmenmehrheit.

III. Die Zulassung zur Prüfung soll für die Civilsupernumerare in der Regel erst nach abgelegtem Triennium erfolgen; für die Militäranwärter kann die Vorbereitungszeit bei dargelegter ausreichender Qualifikation auf zwei Jahre abgekürzt werden.

IV. Reisekosten und Tagegelder werden den Anwärtern für die Hin- und Rückreise nicht gewährt.

V. Die Meldung zur Prüfung ist Seitens des Anwärters unter Beifügung eines selbstgeschriebenen Lebenslaufes an den Präsidenten des Provinzial-Schulkollegiums zu richten, bei welchem er zur Zeit der Meldung beschäftigt ist. Hält der Präsident den Anwärter noch nicht für genügend vorbereitet, so hat er die Meldung zurückzuweisen. Anderenfalls überreicht er die Meldung nebst Lebenslauf mit Begleitbericht nach anliegendem Formulare an den Minister zur Ueberweisung des Anwärters an die Prüfungs-Kommission.

Die Berichte sind zum 1. April und 1. Oktober jedes Jahres vorzulegen. Einer Fehlanzeige bedarf es nicht.

Der Minister überweist die Anwärter der Prüfungs-Kommission. Die Vorladung derselben zur Prüfung geschieht Seitens des Vorsitzenden der Prüfungs-Kommission durch Vermittelung der Präsidenten der Provinzial-Schulkollegien.

VI. 1) Die Prüfung ist eine schriftliche und eine mündliche und soll thunlichst den Zeitraum von 2 Tagen nicht überschreiten.

2) Die schriftliche Prüfung geht der mündlichen voraus.

Die Aufgaben, deren Zahl — etwa 6 — der Vorsitzende der Kommission bestimmt, sind dem Gebiete der praktischen Thätigkeit der Bureau-Subalternbeamten bei den Provinzial-Schulkollegien, insbesondere auch dem Gebiete des Kassen- und Rechnungswesens zu entnehmen. Für die Bearbeitung einer jeden Aufgabe ist eine bestimmte, für einen mäßig Begabten ausreichende Zeit festzusetzen. Zur Bearbeitung der Aufgaben dürfen nur diejenigen Quellen benutzt werden, welche der Vorsitzende der Prüfungs-Kommisson zugelassen hat.

Die Bearbeitung der Aufgaben erfolgt am Sitze der Prüfungs-Kommission unter Aufsicht eines Beamten.

3) Erachtet die Prüfungs-Kommission die sämmtlichen Arbeiten für völlig mißlungen, so gilt die Prüfung als nicht bestanden. Die Prüfungs-Kommission kann die Prüfung auch alsdann für nicht bestanden erachten, wenn der größere Theil der Arbeiten oder auch nur die Kassen- und Rechnungsarbeiten völlig mißlungen sind. In den vorgedachten Fällen unterbleibt die mündliche Prüfung.

4) Die mündliche Prüfung ist, ohne daß wissenschaftliche Anforderungen bezüglich der Gesetzeskenntnis der Anwärter zu stellen sind, darauf zu richten, ob der Anwärter sich die für den praktischen Dienst im Expeditions- und Registratursache, sowie im Kassen- und Rechnungswesen erforderlichen Kenntnisse erworben hat. Derselbe muß mit den im Geschäftsbereiche der Provinzial-Schulkollegien häufiger zur Anwendung kommenden Gesetzen, Reglements u. s. w. vertraut sein, sowie eine gründliche Kenntnis von der Behörden-Organisation und den Beamtenverhältnissen, ferner von den auf das Rechnungswesen und die Kassenverwaltung bezüglichen Bestimmungen, welche im Geschäftsbereiche der Provinzial-Schulkollegien zur Anwendung kommen, besitzen.

5) Die mündliche Prüfung ist nicht öffentlich. Zu einem Prüfungstermine sollen in der Regel nicht mehr als 6 Anwärter zugelassen werden.

Die Entscheidung darüber, ob die Prüfung überhaupt bestanden und im Bejahungsfalle, ob dieselbe „ausreichend", „gut", oder „mit Auszeichnung" bestanden sei, erfolgt nach dem Gesammtergebnisse der schriftlichen und mündlichen Prüfung und ist den Anwärtern im Anschluß an die Prüfung mitzutheilen.

Ueber den Gang der mündlichen Prüfung im Allgemeinen und das Gesammtergebnis der Prüfung ist eine Verhandlung zu den Akten aufzunehmen.

Ueber das Ergebnis der Prüfung erhält der Anwärter ein Zeugnis nach folgendem Formulare:

Der Civilsupernumerar (Militäranwärter) ..... hat vor

der unterzeichneten Prüfungs-Kommission die für die Bureaubeamten bei den Königlichen Provinzial-Schulkollegien vorgeschriebene Prüfung ..... bestanden.

......., den .. ten ....

Die Prüfungs-Kommission
bei dem Königlichen Provinzial-Schulkollegium.
Der Vorsitzende.

VII. Die Wiederholung der nicht bestandenen Prüfung ist nur einmal und zwar frühestens nach Ablauf einer weiteren Vorbereitungszeit von 6 Monaten zulässig.

Anwärter, welche innerhalb 5 Jahren seit Beginn des Vorbereitungsdienstes die Prüfung nicht bestehen, sind in der Regel zu entlassen.

VIII. Der Vorsitzende der Prüfungs-Kommission hat im Anschluß an die Prüfung über die in derselben gemachten Erfahrungen unter Beifügung einer Abschrift des Prüfungsprotokolls und unter Beifügung der Zeugnisse an den Minister zu berichten. Letzterer übermittelt die Zeugnisse an die Präsidenten der Provinzial-Schulkollegien.

IX. Der Minister behält sich vor, auf Antrag des Präsidenten des Provinzial-Schulkollegiums diejenigen Civilsupernumerare, welche am 1. Juli 1896 zwei Jahre und diejenigen Militäranwärter, welche zu demselben Zeitpunkte ein Jahr der Vorbereitungszeit zurückgelegt haben, von Ablegung der Prüfung zu entbinden. Mit dem desfallsigen Antrage ist der Gang der bisherigen geschäftlichen Ausbildung darzulegen und ein Urtheil über die Befähigung und Führung des Anwärters abzugeben.

Berlin, den 15. August 1896.

Der Minister der geistlichen 2c. Angelegenheiten.
In Vertretung: von Weyrauch.

Verzeichnis

der zur Prüfung für den Bureau- und Kassendienst bei den Königlichen zuzulassenden Civilsupernumerare und Militäranwärter.

Laufende Nr.	Vor- und Zuname.	Lebensalter.	Dienstalter als Civilsupernumerar.	Dienstalter als Militäranwärter.	Bemerkungen. (Frühere Dienstbeschäftigung, kurze Darstellung der Beschäftigung im Vorbereitungsdienste, Urtheil des Präsidenten über Befähigung und Leistungen.)
1.	2.	3.	4.	5.	6.

144) Unterhaltung der Gasglühlichtapparate in den Dienstwohnungen von Staatsbeamten.

Berlin, den 21. August 1896.

Den nachgeordneten Behörden lasse ich einen Abdruck der Rundverfügung der Herren Minister der Finanzen und der öffentlichen Arbeiten vom 3. August d. Js., betreffend die Unterhaltung der Gasglühlichtapparate in den Dienstwohnungen von Staatsbeamten, zur Kenntnisnahme und gleichmäßigen Beachtung zugehen.

Der Minister der geistlichen ꝛc. Angelegenheiten.
In Vertretung: von Weyrauch.

An
die nachgeordneten Behörden des diesseitigen Geschäftsbereiches.
G. III. 2559.

Berlin, den 3. August 1896.

Ein Spezialfall giebt uns Veranlassung, darauf hinzuweisen, daß die Inhaber derjenigen Dienstwohnungen, in welchen Gasglühlichtbeleuchtung eingeführt worden ist, die Ausgaben für die Instandhaltung dieser Einrichtung, insbesondere auch für die Erneuerung der Glühkörper aus eigenen Mitteln zu bestreiten haben. Die Glühlichtapparate werden mit dem Gebäude nicht in dauernde Verbindung gebracht und gehören als bewegliche Theile der Gasleitung zu den unter den Begriff der Mobilien fallenden Beleuchtungsgegenständen, welche nach §. 14 Absatz h des Regulativs über die Dienstwohnungen der Staatsbeamten vom 26. Juli 1880 (Min. Bl. f. d. i. V. für 1880 S. 263) von den Wohnungsinhabern zu unterhalten sind. Letztere werden übrigens für die Uebernahme der fraglichen Kosten durch die nicht unwesentliche Ersparnis an dem Gasverbrauche entschädigt.

Der Finanzminister.
In Vertretung:
Meinecke.

Der Minister der öffentlichen Arbeiten.
Im Auftrage: von Kügelgen.

An
die sämmtlichen Herren Ober-Präsidenten und Regierungs-Präsidenten, die Königliche Ministerial-Bau-Kommission zu Berlin und die Königliche Kanal-Kommission zu Münster i. W.

M. d. ö. A. III. 28050/95. 2. Ang. IV. b. B. 7879/96.
F. M. I. 12700. II. 10440. III. 10828.

145) Behandlung der Bauangelegenheiten bei den staatlichen höheren Lehranstalten und Schullehrer-Seminaren.

Königsberg i. Pr., den 29. Juli 1896.

Im Einverständnisse mit den Herren Regierungs-Präsidenten der Provinz, sowie in Uebereinstimmung mit den Ministerial-Erlassen vom 13. Juli, 15. August 1879 und 12. Juli 1889 — III. 8682. M. d. ö. A., U. II. 1861 M. d. g. A. — III. 12925 M. d. ö. A., U. II. 2128 U. III. und III. 13194 M. d. ö. A., U. III. 2100 M. d. g. A. — und mit den Vorschriften der Dienstanweisung für die Bauinspektoren der Hochbauverwaltung bestimmen wir hierdurch unter Aufhebung unserer Cirkular-Verfügung vom 4. April 1894 Nr. 1420 S., daß die Behandlung der Bauangelegenheiten in Zukunft in nachstehender Weise zu erfolgten hat:

1) Die Kreis-Bauinspektoren untersuchen im Frühjahre jedes Jahres gemäß §§. 110 und 121 der Dienstanweisung in Gemeinschaft mit den Anstaltsdirektoren sämmtliche staatlichen Schulgebäude und stellen die Kosten der in technischer Beziehung erforderlichen Bauarbeiten überschläglich fest.

2) In die hierüber aufzunehmende Verhandlung sind sämmtliche Wünsche und Anträge der Anstaltsdirektoren in Bezug auf Veränderungen, Verschönerungen des Bestehenden oder bauliche Maßnahmen anderer Art mit aufzunehmen und die Kosten derselben, soweit diese Wünsche von dem Kreis-Baubeamten für gerechtfertigt erachtet werden, ebenfalls überschläglich zu ermitteln. Ueber Anträge, denen der Kreis-Baubeamte nicht beitreten zu können glaubt, ist zunächst unsere Entscheidung einzuholen.

3) Auch in Bezug auf die Kostendeckung sind die Aeußerungen der Anstaltsdirektoren in die Verhandlung aufzunehmen, namentlich Angaben darüber, in welcher Höhe etatsmäßige Fonds der Anstalten zur Deckung der überschläglich ermittelten Gesammtkosten zur Verfügung stehen würden.

4) Hinsichtlich der Ausführung baulicher Instandsetzungen muß unterschieden werden zwischen solchen, deren Kosten auf mehr als 500 ℳ veranschlagt sind (unter Nr. 8 und 9) und anderen, welche mit einem geringeren Kostenaufwande ausgeführt werden können (unter Nr. 5, 6 und 7). Unter den letzteren sind diejenigen außergewöhnlichen Arbeiten noch besonders hervorzuheben, welche Eingriffe in die Konstruktion des Gebäudes erforderlich machen oder besondere sachverständige Kenntnisse voraussetzen (unter Nr. 5, letzter Satz und Nr. 9).

5) Geringfügige Instandsetzungen, deren Kosten sich in den

Grenzen des Dispositionsfonds der Anstaltsdirektoren bewegen, können, sofern die am Schlusse der Nr. 4 gedachte Voraussetzung nicht zutrifft, auf der Grundlage des von dem Kreis-Baubeamten anläßlich der jährlichen Besichtigung aufgestellten Ueberschlages von den Anstaltsdirektoren ohne Weiteres verdungen und von den letzteren auch die Rechnungen über die Ausführung der Arbeiten bezüglich ihrer Richtigkeit bescheinigt und zur Zahlung angewiesen werden, ohne daß eine technische Prüfung der Beläge erforderlich wäre. Anderenfalls dagegen greifen die Festsetzungen der Nr. 9 (unten) Platz.

6) Zur Disposition der Direktoren bleibt der Theil des Baufonds, welcher durch Arbeiten über 500 *M* nicht beansprucht wird. Reicht für alle als nothwendig anerkannten Arbeiten der Baufonds nicht aus, so ist in allen Fällen doch ein Dispositionsquantum für den Direktor zu reserviren.

7) Zur Ausführung von gewöhnlichen Bauarbeiten, deren Kosten den Betrag von 500 *M* nicht erreichen, bedarf es nur in dem Falle unserer vorgängigen Genehmigung, wenn die Kosten aus dem Dispositionsfonds nicht gedeckt werden können. Eine Mitwirkung des Lokal-Baubeamten findet indes auch dann nicht statt, wenn bei Bauten unter dem Kostenbetrage von 500 *M* unsere Genehmigung nothwendig ist; insbesondere ist die Aufstellung spezieller Kostenanschläge nicht erforderlich.

8) Für die Ausführung der größeren Arbeiten (über 500 *M*) ist unsere Genehmigung stets erforderlich.

9) Beläuft sich der Kostenaufwand aller baulichen Instandsetzungen an einem der zur Anstalt gehörigen Gebäude auf mehr als 500 *M* oder sind außergewöhnliche Arbeiten im Sinne des letzten Satzes der Nr. 4 erforderlich, so ist der Kreis-Baubeamte auch ohne besonderen Auftrag verpflichtet, einen speziellen Kostenanschlag für die Instandsetzungen an sämmtlichen zur Anstalt gehörigen Gebäuden und Nebenanlagen auszuarbeiten, welcher mit der Verhandlung über die alljährliche Besichtigung dem Herrn Regierungs-Präsidenten behufs Herbeiführung der technischen Prüfung einzureichen ist. Tritt hiernach die Mitwirkung der Kreis-Baubeamten bei Instandsetzungen staatlicher Anstaltsgebäude ein, so stellen wir dem Herrn Regierungs-Präsidenten den für das ganze Etablissement erforderlichen bezw. bewilligten Geldbetrag zur Verfügung und bezeichnen die Kasse, welche mit der Zahlung der seitens des Staats-Baubeamten angewiesenen Rechnungsbeläge beauftragt worden ist. Gleichzeitig geht auch die Befugnis zur Vergebung der Arbeiten und Lieferungen, zum Abschluß von Verträgen und dergleichen, wie die Wahrnehmung des fiskalischen Interesses überhaupt auf den Kreis-Baubeamten

bezw. den diesem vorgesetzten Herrn Regierungs-Präsidenten über. Es haben sich daher die Anstaltsdirektoren jeder Betheiligung an der Vergebung der Arbeiten u. s. w. — selbst im Einvernehmen mit dem Kreis-Baubeamten, welchem die volle Verantwortung ausschließlich obliegt — unbedingt zu enthalten.

10) Ist die Ausführung eines unter Nr. 8 oder 9 bezeichneten Baues beendet, so gelangen die sämmtlichen Beläge und Abrechnungsarbeiten durch Vermittelung des Kreis-Baubeamten an den Herrn Regierungs-Präsidenten zur technischen Prüfung und rechnerischen Feststellung. Erst nachdem diese bewirkt und sämmtliche etwa erforderlichen Berichtigungen der geleisteten Zahlungen durch Vermittelung des Kreis-Bauinspektors erfolgt sind, wird uns seitens des Herrn Regierungs-Präsidenten erledigende Mittheilung über die gesammte Bauausführung unter Vorlage der Rechnungs-Justifikatorien und der genehmigten Bauanschläge gemacht.

11) Hinsichtlich der Verrechnung der Kosten der unter Nr. 5, 6 und 7 bezeichneten gewöhnlichen Bauten bewendet es bei den unter Nr. 5 gegebenen Vorschriften.

12) Da der in Vorstehendem beschriebene Geschäftsgang gegen die bisherige Behandlung der Bauangelegenheiten wesentliche Vortheile bietet und, sofern er in allen Punkten zur Durchführung gelangt, die jetzt in manchen Fällen obwaltende Unklarheit in Bezug auf die Rechte und Pflichten der Anstaltsdirektoren und der Staats-Baubeamten dauernd beseitigen wird, veranlassen wir Euer Hochwohlgeboren, fortan nach den vorstehenden Vorschriften zu verfahren.

Königliches Provinzial-Schulkollegium.
Maubach.

An
die Herren Direktoren der Königlichen höheren Lehranstalten und Schullehrer-Seminare.
S. 3648.

B. Universitäten.

146) Kommissionen für die Prüfungen der Nahrungsmittel-Chemiker für die Zeit vom 1. April 1896 bis Ende März 1897.

Es wird hiermit zur Kenntnis gebracht, daß die Kommissionen für die Prüfungen der Nahrungsmittel-Chemiker für die Zeit vom 1. April 1896 bis Ende März 1897, wie folgt, zusammengesetzt sind:

A. Vorprüfung.

1) Prüfungs-Kommission an der Königlichen Technischen Hochschule in Aachen:
   Vorsitzender: Ober-Regierungsrath von Bremer.
   Examinatoren: die Professoren der Chemie Geheimer Regierungsrath Dr. Claßen und Dr. Claisen, der Dozent der Botanik Dr. Wieler und der Professor der Physik Geheimer Regierungsrath Dr. Wüllner.
2) Prüfungs-Kommission an der Königlichen Universität in Berlin:
   Vorsitzender: der Verwaltungs-Direktor des Königlichen Klinikums Geheimer Ober-Regierungsrath Spinola.
   Examinatoren: die ordentlichen Professoren der Chemie Dr. E. Fischer und Geheimer Regierungsrath Dr. Landolt, der ordentliche Professor der Botanik Geheimer Regierungsrath Dr. Engler und der ordentliche Professor der Physik Dr. Warburg.
3) Prüfungs-Kommission an der Königlichen Technischen Hochschule zu Berlin:
   Vorsitzender: der Ober-Verwaltungsgerichtsrath Syndikus Arnold.
   Examinatoren: die Professoren der Chemie Dr. Rüdorff und Dr. Liebermann, der Dozent der Botanik Professor Dr. Karl Müller und der Professor der Physik Dr. Paalzow.
4) Prüfungs-Kommission an der Königlichen Universität in Bonn:
   Vorsitzender: der kommissarische Universitäts-Kurator Wirklicher Geheimer Rath Dr. von Rottenburg.
   Examinatoren: der ordentliche Professor der Chemie Geheimer Regierungsrath Dr. Kekule von Stradonitz*), sowie vertretungsweise der außerordentliche Professor der Chemie Dr. Partheil, der ordentliche Professor der Botanik Geheimer Regierungsrath Dr. Strasburger und der ordentliche Professor der Physik Dr. Kayser.
5) Prüfungs-Kommission an der Königlichen Universität in Breslau:
   Vorsitzender: der Universitäts-Kuratorialrath Geheimer Regierungsrath von Frankenberg-Proschlitz.

---

*) Inzwischen verstorben.

Examinatoren: die ordentlichen Professoren der Chemie Geheime Regierungsräthe Dr. Ladenburg und Dr. Poleck, der ordentliche Professor der Botanik Dr. Pax und der ordentliche Professor der Physik Geheimer Regierungsrath Dr. O. E. Meyer.

6) Prüfungs-Kommission an der Königlichen Universität in Göttingen:

Vorsitzender: der Königliche Universitäts-Kurator Geheimer Ober-Regierungsrath Dr. Höpfner.

Examinatoren: der ordentliche Professor der Chemie Dr. Wallach, der außerordentliche Professor der Agrikulturchemie Dr. Tollens, der ordentliche Professor der Botanik Dr. Peter und der ordentliche Professor der Physik Dr. Riecke.

7) Prüfungs-Kommission an der Königlichen Universität in Greifswald:

Vorsitzender: der Königliche Universitäts-Kurator, Geheimer Regierungsrath von Hausen.

Examinatoren: die ordentlichen Professoren der Chemie Geheimer Regierungsrath Dr. Limpricht und Dr. Schwanert, der ordentliche Professor der Physik Dr. Richarz und der ordentliche Professor der Botanik Dr. Schütt.

8) Prüfungs-Kommission an der Königlichen Universität in Halle a. S.:

Vorsitzender: der Kreisphysikus Sanitätsrath und Privatdozent Dr. Risel.

Examinatoren: der ordentliche Professor der Chemie Geheimer Regierungsrath Dr. Volhard, der außerordentliche Professor der Chemie Dr. Doebner, der ordentliche Professor der Botanik Dr. Kraus und der ordentliche Professor der Physik Dr. Dorn.

9) Prüfungs-Kommission an der Königlichen Technischen Hochschule zu Hannover:

Vorsitzender: der Regierungs- und Medizinalrath Dr. Becker.

Examinatoren: der Professor der Chemie Dr. Seubert, der Dozent der Chemie Professor Dr. Behrend, der Professor der Botanik Dr. Heß und der Professor der Physik Dr. Dieterici.

10) Prüfungs-Kommission an der Königlichen Universität in Kiel:

Vorsitzender: der Geheime Medizinalrath und außerordentliche Professor Dr. Bockendahl.

Examinatoren: der ordentliche Professor der Chemie Geheimer Regierungsrath Dr. Curtius, der außerordentliche Professor der Chemie Dr. Rügheimer, der ordentliche Professor der Botanik Geheimer Regierungsrath Dr. Reinke und der ordentliche Professor der Physik Dr. Ebert.

11) Prüfungs-Kommission an der Königlichen Universität in Königsberg i. Pr.:
Vorsitzender: der Geheime Medizinalrath Dr. Nath.
Examinatoren: der ordentliche Professor der Chemie Geheimer Regierungsrath Dr. Lossen, der ordentliche Professor der Agrikulturchemie Dr. Ritthausen, der ordentliche Professor der Botanik Dr. Lürßen und der ordentliche Professor der Physik Dr. Pape.

12) Prüfungs-Kommission an der Königlichen Universität in Marburg:
Vorsitzender: der Königliche Universitäts-Kurator Geheimer Ober-Regierungsrath Steinmetz.
Examinatoren: die ordentlichen Professoren der Chemie Geheimer Regierungsrath Dr. Schmidt und Dr. Zincke, der ordentliche Professor der Botanik Dr. A. Meyer und der ordentliche Professor der Physik Geheimer Regierungsrath Dr. Melde.

13) Prüfungs-Kommission an der Königlichen Akademie in Münster i. W.:
Vorsitzender: der Geheime Medizinalrath Dr. Hölker.
Examinatoren: der ordentliche Professor der Chemie Dr. Salkowski, der ordentliche Honorarprofessor der Nahrungsmittelchemie Dr. König, der ordentliche Professor der Botanik Dr. Brefeld und der ordentliche Professor der Physik Dr. Ketteler.

B. Hauptprüfung.

1) Prüfungs-Kommission in Berlin:
Vorsitzender: der ärztliche Direktor der Königlichen Charité, General-Arzt, Geheimer Ober-Medizinalrath Dr. Schaper.
Examinatoren: In Vertretung des Dozenten der Nahrungsmittelchemie an der Königlichen Technischen Hochschule Geheimen Regierungsraths Professors Dr. Sell der technische Hilfsarbeiter im Kaiserlichen Gesundheitsamt und Privatdozent an der Königlichen Universität Dr. Windisch, der Professor der chemischen Technologie an der Königlichen Technischen Hochschule Dr. Witt und der Professor der Botanik an der Königlichen

Universität Geheimer Regierungsrath Dr. Schwendener.

2) Prüfungs-Kommission in Bonn:
Vorsitzender: der außerordentliche Universitäts-Professor Medizinalrath Dr. Ungar.
Examinatoren: der Vorsteher der landwirthschaftlichen Versuchsstation des landwirthschaftlichen Vereins für Rheinpreußen Professor Dr. Stutzer, der außerordentliche Professor der Chemie Dr. Anschütz und der außerordentliche Professor der Botanik Dr. Schimper.

3) Prüfungs-Kommission in Breslau:
Vorsitzender: der Stadtphysikus und Sanitätsrath Professor Dr. Jacobi.
Examinatoren: der außerordentliche Professor der Chemie Dr. Weiske, der Direktor des städtischen chemischen Untersuchungsamtes Dr. Fischer und der ordentliche Professor der Botanik Geheimer Regierungsrath Dr. Cohn.

4) Prüfungs-Kommission in Göttingen:
Vorsitzender: der Königliche Universitäts-Kurator Geheimer Ober-Regierungsrath Dr. Höpfner.
Examinatoren: der außerordentliche Professor der Chemie Dr. Polstorff, der Dirigent der Kontrolstation des land- und forstwirthschaftlichen Hauptvereins Dr. Kalb und der ordentliche Professor der Botanik Dr. Berthold.

5) Prüfungs-Kommission in Hannover:
Vorsitzender: der Regierungs- und Medizinalrath Dr. Becker.
Examinatoren: der Leiter des städtischen Lebensmittel-Untersuchungsamtes Dr. Schwartz, der Professor der technischen Chemie an der Königlichen Technischen Hochschule Dr. Ost und der Professor der Botanik an dieser Anstalt Dr. Heß.

6) Prüfungs-Kommission in Königsberg i. Pr.:
Vorsitzender: der Geheime Medizinalrath Dr. Rath.
Examinatoren: der ordentliche Professor der Agrikulturchemie Dr. Ritthausen, der Vorsteher der Versuchsstation des Ostpreußischen landwirthschaftlichen Centralvereins Dr. Klien und der ordentliche Professor der Botanik Dr. Lürßen.

7) Prüfungs-Kommission in Münster i. W.:
Vorsitzender: der Oberpräsidialrath von Viebahn.
Examinatoren: der ordentliche Honorarprofessor der Nahrungsmittelchemie Dr. König, der außerordent-

liche Professor der pharmazeutischen Chemie Dr. Kaßner und der ordentliche Professor der Botanik Dr. Brefeld.

Berlin, den 10. Juli 1896.

Der Minister der geistlichen ꝛc. Angelegenheiten.
In Vertretung: von Weyrauch.

Bekanntmachung.
U. I. 1545. M.

---

147) Zulassung von Frauen zum gastweisen Besuche von Universitätsvorlesungen.

Berlin, den 16. Juli 1896.

Der gastweise Besuch von Universitätsvorlesungen durch Frauen in Abweichung von dem Erlasse meines Herrn Amtsvorgängers vom 9. August 1886 — U. I. 2403 — ist auf Antrag im Einzelfalle bisher von hier aus gestattet worden, indem die zuständige akademische Behörde veranlaßt worden ist, bei der Frage wegen Zulassung der Antragstellerin zu bestimmter bezeichneten Vorlesungen vorbehaltlich der Prüfung aller sonstigen Erfordernisse, insbesondere auch der genügenden Vorbildung, und vorbehaltlich des Einverständnisses der betreffenden Lehrer aus der Zugehörigkeit zum weiblichen Geschlechte ein Bedenken nicht herzuleiten.

Ew. Hochwohlgeboren ermächtige ich hierdurch, künftig in gleichem Sinne von dort aus Verfügung zu treffen, ohne daß es der Einholung meiner Genehmigung im Einzelfalle bedarf.

Ew. Hochwohlgeboren ersuche ich ergebenst, gefälligst hiernach das Erforderliche zu veranlassen. Wegen Einreichung eines Verzeichnisses der zugelassenen Hospitantinnen bewendet es bei meinem Erlasse vom 17. März d. Js. — U. I. 271 —.

Der Minister der geistlichen ꝛc. Angelegenheiten.
In Vertretung: von Weyrauch.

An
sämmtliche Herren Universitäts-Kuratoren, den kommissarischen Universitäts-Kurator zu Bonn, die Herren Kuratoren der Königlichen Akademie zu Münster i. W. und des Lyceum Hosianum zu Braunsberg, sowie das Königliche Universitäts-Kuratorium zu Berlin.
U. I. 1689.

148) Zulassung zum Praktiziren in den Universitäts-Kliniken und Polikliniken.

Berlin, den 22. August 1896.

Euerer Hochwohlgeboren lasse ich hierneben ergebenst einen Erlaß, betreffend die Zulassung zum Praktiziren in den Universitäts-Kliniken und Polikliniken, vom heutigen Tage in . . . Abzügen mit dem Ersuchen zugehen, denselben gefälligst der Medizinischen Fakultät und den betheiligten klinischen bezw. poliklinischen Direktoren zur Beachtung mitzutheilen, sowie auch durch Anschlag am schwarzen Brett zur Kenntnis der Studirenden zu bringen.

Der Minister der geistlichen 2c. Angelegenheiten.
In Vertretung: von Weyrauch.

An
die sämmtlichen Herren Universitäts-Kuratoren einschl. Bonn und das Universitäts-Kuratorium zu Berlin.
U. I. 1211. M. II.

Berlin, den 22. August 1896.

Im Interesse eines geordneten Ganges der medizinischen Studien bestimme ich hierdurch, daß Studirende zum Praktiziren in den Universitäts-Kliniken und Polikliniken seitens der Direktoren erst dann zugelassen werden dürfen, wenn sie die ärztliche Vorprüfung innerhalb des deutschen Reiches oder eine entsprechende Prüfung im Auslande vollständig bestanden haben.

Dieser Erlaß tritt mit dem Beginn des bevorstehenden Wintersemesters in Kraft.

Der Minister der geistlichen 2c. Angelegenheiten.
In Vertretung: von Weyrauch.

U. I. 1211. M. I.

C. Akademien, Museen 2c.

149) Nachweis ausreichender schulwissenschaftlicher Bildung behufs Zulassung zur Zeichenlehrer- oder Zeichenlehrerinnen-Prüfung.

Berlin, den 25. Juni 1896.

Für junge Leute, welche die Zeichenlehrer- oder Zeichenlehrerinnen-Prüfung ablegen wollten, haben sich bei ihrer Meldung zu dieser Prüfung häufig dadurch Schwierigkeiten ergeben, daß sie die geforderte schulwissenschaftliche Bildung nicht nachzuweisen vermochten, somit auf ihre zeichnerische Ausbildung Zeit und Mühe verwandt hatten, ohne das erstrebte Ziel zu erreichen.

Um solche Vorkommnisse zu vermeiden, ist für die staatlichen Anstalten, welche Zeichenlehrer und Zeichenlehrerinnen ausbilden, die Anordnung getroffen, daß die Schüler schon bei ihrem Eintritt in die Anstalt Zeugnisse über ihre Schulbildung vorzulegen und bei ungenügendem Befunde derselben sich einer Prüfung vor dem Königlichen Provinzial-Schulkollegium zu unterwerfen haben, von deren Ergebnisse die Aufnahme in die Anstalt abhängig zu machen ist.

Dem Vereine empfehle ich, junge Damen, welche sich zum Eintritt in die Zeichen- und Malschule des Vereins mit der Absicht melden, Zeichenlehrerinnen zu werden, auf die Anforderungen, welche an die Schulbildung der Zeichenlehrerinnen gestellt werden, aufmerksam zu machen, und in geeigneter Weise darauf hinzuwirken, daß Zöglinge, deren Zeugnisse in dieser Beziehung nicht genügen, rechtzeitig bei mir die Erlaubnis einholen, durch eine besondere Prüfung vor dem Provinzial-Schulkollegium eine ausreichende schulwissenschaftliche Bildung nachweisen zu dürfen.

Der Minister der geistlichen 2c. Angelegenheiten.
Im Auftrage: Schöne.

An
den Verein der Künstlerinnen und Kunstfreundinnen
zu Berlin.
U. IV. 2607.

---

150) Verleihung von Medaillen aus Anlaß der in diesem Jahre zur Feier des zweihundertjährigen Bestehens der hiesigen Akademie der Künste veranstalteten internationalen Kunstausstellung hierselbst.

Seine Majestät der König haben Allergnädigst geruht, aus Anlaß der in diesem Jahre zur Feier des zweihundertjährigen Bestehens der hiesigen Akademie der Künste veranstalteten internationalen Kunstausstellung hierselbst für hervorragende Leistungen folgende Medaillen zu verleihen:

I. die große goldene Medaille:

1) dem Maler Julius L. Stewart in Paris,
2) = Maler Evarisse Carpentier in La Hulpe,
3) = Bildhauer J. Lambeaux in Brüssel,
4) = Bildhauer Onslow Ford in London,
5) = Maler G. H. Breitner in Amsterdam,
6) = Maler Pietro Fragiacomo in Venedig,
7) = Maler Otto Sinding in Lysaker,

8) dem Bildhauer Josef Myslbek in Prag,
9) = Maler Casimir Pochwalski in Wien,.
10) = Maler G. Graf von Rosen in Stockholm,
11) = Maler A. Zorn daselbst,
12) = Maler Joaquin Sorolla=Bastida in Madrid,
13) = Bildhauer Augustin Querol daselbst,
14) = Maler Professor Gotthardt Kuehl in Dresden,
15) = Maler Adolf Echter in München,
16) = Maler Professor Karl Marr daselbst,
17) = Maler Oskar Frenzel in Berlin,
18) = Bildhauer Professor Ludwig Manzel daselbst,
19) = Bildhauer Michel Lock daselbst und
20) = Architekten Geheimen Regierungsrath Professor J. Raschdorff daselbst;

II. die kleine goldene Medaille:

1) dem Maler Walter Gay in Paris,
2) = Maler George Hitchcock daselbst,
3) = Maler C. van Leemputten in Brüssel,
4) = Maler Pierre J. van der Ouderaa in Antwerpen,
5) = Maler Jean de la Hoese in Brüssel,
6) = Maler J. C. Gotch in Newlyn,
7) = Maler Henry Woods in Venedig,
8) = Maler G. W. Joy in London,
9) = Maler E. A. Waterlow daselbst,
10) der Malerin Frau Laura Alma=Tadema daselbst,
11) dem Maler C. L. Dake in Amsterdam,
12) = Maler G. Poggenbeck daselbst,
13) = Maler W. Martens in Haag,
14) der Bildhauerin Fräulein M. Bosch=Reitz in Amsterdam,
15) dem Maler Arturo Faldi in Florenz,
16) = Maler V. Caprile in Neapel,
17) = Bildhauer A. Rivalta in Florenz,
18) = Bildhauer F. Cifariello in Rom,
19) = Maler Hans Heyerdahl in Christiania,
20) = Maler Fritz Thaulow in Dieppe,
21) = Maler R. von Ottenfeld in Wien,
22) = Maler Eduard Veith daselbst,
23) = Maler Rudolf Bacher daselbst,
24) = Maler Hans Temple daselbst,
25) = Maler A. F. Seeligmann daselbst,
26) = Maler Alois Delug in München,
27) = Maler Karl Moll in Wien,
28) = Bildhauer Hans Scherpe daselbst,
29) = Bildhauer Stefan Schwartz daselbst,

30) dem Kupferstecher Ludwig Michalek in Wien,
31) = Maler Alexander von Augustynowicz in Lemberg,
32) = Maler A. von Kowalski-Wierusch in München,
33) = Maler J. V. Salgado in Lissabon,
34) = Bildhauer A. Teixeira-Lopes in Villa Nova de Gaya,
35) = Maler Ilias Repin in St. Petersburg,
36) = Maler Victor Simow in Moskau,
37) = Maler Wladimir Makowsky in St. Petersburg,
38) = Maler Paul Robert in Bienne,
39) = Maler B. Liljefors in Upsala,
40) = Maler C. Larsson in Stockholm,
41) = Maler E. Josephson daselbst,
42) = Bildhauer W. Akerman in Göteborg,
43) = Kupferstecher Ricardo de Los Rios in Paris,
44) = Maler Jacques Schenker in Dresden,
45) = Maler Karl Bantzer daselbst,
46) = Bildhauer Erich Hoesel daselbst,
47) = Maler Karl Becker in Düsseldorf,
48) = Maler Hans Bachmann daselbst,
49) = Maler Willy von Beckerath daselbst,
50) = Maler Hans Petersen daselbst,
51) = Maler Kaspar Ritter in Karlsruhe,
52) = Kupferstecher Wilhelm Krauskopf daselbst,
53) = Maler Charles J. Palmié in München,
54) = Maler Fritz Bär daselbst,
55) = Maler Richard Falkenberg daselbst,
56) = Maler Karl Blos daselbst,
57) = Bildhauer Heinrich Waderé daselbst,
58) = Maler Fritz Fleischer in Weimar,
59) = Maler Franz Bunke daselbst,
60) = Maler Fritz Mackensen in Worpswede,
61) der Malerin Frau Sophie Koner in Berlin,
62) dem Maler Adolf Männchen in Danzig,
63) = Maler Willy Hamacher in Berlin,
64) = Maler Ludwig von Hofmann daselbst,
65) = Maler Konrad Lessing daselbst,
66) = Bildhauer Otto Petri in Pankow bei Berlin,
67) = Architekten Professor Georg Frentzen in Aachen,
68) = Architekten Alfred Messel in Berlin und
69) = Architekten Professor Friedrich Thiersch in München.

Bekanntmachung.
U. IV. 8428.

D. Höhere Lehranstalten.

151) Anwendbarkeit des Artikels 1 des Gesetzes vom 19. Juni 1889, betreffend Abänderung des Gesetzes über die Erweiterung, Umwandlung und Neuerrichtung von Witwen- und Waisenkassen für Elementarlehrer vom 22. Dezember 1869, auf alle Lehrer an öffentlichen Schulen einschließlich der Emeriten.

Berlin, den 15. Juni 1896.

Auf den Bericht vom 11. Mai d. Js. erwidere ich der Königlichen Regierung unter Hinweis auf die Erlasse vom 24. September 1889 — G. III. 2073 — und 9. Dezember 1889 — G. III. 2469 — Centralbl. f. d. g. U. V. 1890 S. 206), daß der Art. 1 des Gesetzes vom 19. Juni 1889, betreffend Abänderung des Gesetzes über die Erweiterung, Umwandlung und Neuerrichtung von Witwen- und Waisenkassen für Elementarlehrer vom 22. Dezember 1869, auf alle Lehrer an öffentlichen Schulen einschließlich der Emeriten anzuwenden und es bedeutungslos ist, ob der Lehrer als Volksschullehrer oder an einer höheren Schule angestellt ist. Dagegen sind von der Zahlung der persönlichen Beiträge diejenigen Kassenmitglieder nicht befreit, welche, ohne durch körperliche oder Geisteskrankheit dazu genöthigt zu sein, ihr Amt niedergelegt haben, oder in ein geistliches Amt übergetreten sind und sich die Mitgliedschaft der Kasse auf Grund der §§. 7 und 10 des revidirten Kassenstatuts für den dortseitigen Regierungsbezirk vom 26. Dezember 1885, 20. Mai 1886 erhalten haben; denn bei diesen Kassenmitgliedern ist die Voraussetzung des Art. 1, die Bekleidung des Lehramtes an einer öffentlichen Schule bezw. die Emeritirung aus einem solchen, in Wegfall gekommen.

Der Minister der geistlichen ꝛc. Angelegenheiten.
Im Auftrage: de la Croix.

An
die Königliche Regierung zu N.
U. II. 1278. U. III. D. G. III.

---

152) Gleichwerthigkeit der Zeugnisse der realen Abtheilung eines Progymnasiums mit denen eines Realprogymnasiums für die Befähigung zum einjährig-freiwilligen Militärdienste.

Berlin, den 1. Juli 1896.

Auf den Bericht des Königlichen Provinzial-Schulkollegiums von 4. April d. Js. bestimme ich im Einverständnisse mit dem

Herrn Kriegsminister und dem Herrn Minister des Innern, daß denjenigen Schülern, welche ohne das Ziel der Klasse erreicht zu haben, ein Jahr lang die Untersekunda des Realprogymnasiums in Münden besucht haben und nach dem Eingehen und der Umwandlung dieser Anstalt zu Ostern dieses Jahres in die reale Abtheilung der Untersekunda des Progymnasiums aufgenommen worden sind, nach dem Bestehen der Reifeprüfung zu Michaelis dieses Jahres — also nach halbjährigem Besuche dieser Klasse — das Zeugnis über die wissenschaftliche Befähigung für den einjährig-freiwilligen Dienst ertheilt werden kann, da die realen Abtheilungen des Progymnasiums und ein Realprogymnasium wesentlich Anstalten derselben Kategorie sind.

Zur Vermeidung von Weiterungen seitens der Prüfungskommissionen für Einjährig-Freiwillige ist in die Befähigungszeugnisse ein Vermerk dahin aufzunehmen, daß in dem vorliegenden Falle die Ertheilung des Zeugnisses mit meiner und des Herrn Kriegsministers sowie des Herrn Ministers des Innern Ermächtigung erfolgt ist.

An
das Königliche Provinzial-Schulkollegium zu Hannover.

Abschrift erhält das Königliche Provinzial-Schulkollegium zur Kenntnisnahme und künftigen gleichmäßigen Beachtung.

Der Minister der geistlichen ꝛc. Angelegenheiten.
Im Auftrage: de la Croix.

An
sämmtliche Königliche Provinzial-Schulkollegien mit Ausnahme von Hannover.
U. II. 6886.

---

153) Uebersichtlichkeit der statistischen Mittheilungen in den von den Provinzial-Schulkollegien zu erstattenden Verwaltungsberichten.

Berlin, den 8. Juli 1896.

Die im dreijährigen Turnus von den Königlichen Provinzial-Schulkollegien zu erstattenden Verwaltungsberichte sollen nach der Rundverfügung vom 23. März 1887 — Wiese-Kübler II. S. 209 — gewisse statistische Angaben enthalten. Neben den fortlaufenden oder aus besonderer Veranlassung eingeforderten statistischen Mittheilungen sollen diese Angaben einen zusammenfassenden Ueberblick über die fraglichen Verhältnisse während der Berichtsperiode geben und Vergleiche zwischen verschiedenen Perioden, verschiedenen Schularten, verschiedenen Provinzen u. dergl. möglich machen.

Hierzu ist eine möglichst übersichtliche und möglichst gleichmäßige Darstellung dieser Verhältnisse erforderlich. Um eine solche in den Punkten zu erzielen, welche in dem gedachten Erlasse als nothwendig bezeichnet werden, bestimme ich hierdurch Folgendes:

1) Bei der Gruppirung der verschiedenen Schularten sind Gymnasien und Progymnasien und bei den Realanstalten lateintreibende (Realgymnasien und Realprogymnasien) und lateinlose (Oberrealschulen und Realschulen) zu unterscheiden.

2) Außer der Frequenzbewegung im Allgemeinen ist das Verhältnis der Besuchsziffer der oberen Klassen (Ia Ib IIa) zu der der mittleren (IIb IIIa IIIb) und der unteren (IV V VI) Klassen zu betrachten.

3) Um ein Maß für die Betheiligung der Bevölkerung an dem Besuche der höheren Schulen zu gewinnen, sind die Ergebnisse der letzten Volkszählung für die betreffende Provinz oder, wo es erforderlich ist, für einzelne Bezirke derselben zu Grunde zu legen. Hiernach ist anzugeben:

Unter 10000 männlichen Einwohnern waren Schüler

	im letzten Semester der vorigen Verwaltungsperiode	im letzten Semester der jetzigen Verwaltungsperiode
a. an Gymnasien		
b. an Progymnasien . . .		
zusammen:		

oder

	im Winterhalbjahre 1894/5	im Winterhalbjahre 1897/8
a. an Realgymnasien . . .		
b. " Realprogymnasien .		
a u. b zusammen:		
c. an Oberrealschulen . . .		
d. " Realschulen		
c u. d zusammen:		
Hauptsumme a—d:		

In derselben Weise ist anzugeben:

Unter 10000 evangelischen, katholischen 2c. oder, falls die Nationalität in Frage kommt, deutschen, polnischen . . . . . 2c. männlichen Einwohnern waren evangelische, katholische 2c. Schüler an.

a. Gymnasien,

b. 2c.

4) Angaben über die Betheiligung einzelner Berufsstände an dem Schulbesuche können nur insoweit besonderen Werth haben, als dadurch Schlüsse auf die Betheiligung des Elternhauses an den Aufgaben der Schule möglich werden.

Dazu wird es, wo derartige Betrachtungen überhaupt möglich sind, in der Regel genügen, die Berufsstände nach diesem Gesichtspunkte in möglichst umfassende Gruppen zu ordnen.

5) In Bezug auf die Versetzungen genügen zunächst Durchschnittsangaben über den Prozentsatz der Versetzten und das Wachsen oder Fallen dieses Prozentsatzes; erhebliche Abweichungen von diesem Durchschnittssatze bei einzelnen Klassen oder Schulen sind aber besonders hervorzuheben.

6) Wie bei den Reifeprüfungen, so ist auch für die Abschlußprüfungen bei jeder einzelnen Schule festzustellen, ob die Schüler an das erreichte Ziel in der vorgeschriebenen Zeit von 9 bezw. 6 Jahren gelangt sind und zwar wird hierzu folgendes Schema empfohlen:

1) Name der Anstalt.
2) Gesammtzahl der Schüler, welche die Abschluß- (bezw. Reife-) Prüfung a. bestanden — b. nicht bestanden haben.
3) Der Schulbesuch der für bestanden erklärten Schüler (2a) hat die normale Zeit (6 bezw. 9 Jahre) a. innegehalten bei . ., b. überschritten bei . . Schülern.
4) Bei den unter Nr. 3b angegebenen Schülern hat die Verlängerung des Schulbesuches betragen:

½ Jahr	1 Jahr	1½ Jahr	2 Jahr	2½ Jahr	3 Jahr

Die obigen Bestimmungen sind, soweit das erforderliche Material vorhanden ist, schon im diesjährigen Verwaltungsberichte der Gymnasien, und demnächst in den folgenden Verwaltungsberichten zur Ausführung zu bringen.

Der Minister der geistlichen ꝛc. Angelegenheiten.
Im Auftrage: de la Croix.

An
sämmtliche Königliche Provinzial-Schulkollegien.
U. II. 420.

154) Betreffend die Anrechnung der von Lehrern höherer Unterrichtsanstalten an Landwirthschaftsschulen zugebrachten Dienstzeiten.

Berlin, den 19. Juli 1896.

In Uebereinstimmung mit den zwischen dem Herrn Minister

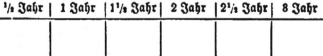

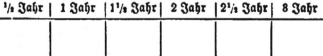

für Landwirthschaft, Domänen und Forsten und dem Herrn Finanzminister bezüglich der Stellung der Lehrer an Landwirthschaftsschulen vereinbarten Grundsätzen bestimme ich hiermit, daß den wissenschaftlichen Lehrern staatlicher höherer Lehranstalten die von ihnen als etatsmäßige Lehrer an Landwirthschaftsschulen zurückgelegte Dienstzeit in Betreff der Gewährung von Dienstalterszulagen in allen denjenigen Fällen in vollem Umfange anzurechnen ist, in welchen die feste Anstellung an der Landwirthschaftsschule nach erfolgter Einführung des Normal-Besoldungsetats vom 4. Mai 1892 an derselben stattgefunden hat.

Bezüglich solcher Lehrer dagegen, welche schon vor Einführung des Normaletats bei einer Landwirthschaftsschule an dieser angestellt gewesen sind, kann auch in Zukunft, entsprechend der bisherigen Praxis, die fragliche Dienstzeit auf Grund besonderer Prüfung der einzelnen Fälle nur insoweit angerechnet werden, daß diese Lehrer gegenüber anderen nicht benachtheiligt werden. Die Entscheidung darüber, ob diese Voraussetzung vorliegt, ist vorkommenden Falles unter Beachtung der Vorschriften des Runderlasses vom 5. Juni 1895 — U. II. 1425 — (Centrbl. S. 573) bei mir einzuholen.

Erläuternd bemerke ich hierbei, daß der Normal-Besoldungsetat vom 4. Mai 1892 an den Landwirthschaftsschulen zu Heiligenbeil, Flensburg und Bitburg seit dem 1. April 1893, an der Landwirthschaftsschule zu Samter seit dem 1. April 1895, an allen übrigen Landwirthschaftsschulen, nämlich denjenigen zu Marggrabowa, Marienburg, Dahme, Schivelbein, Eldena, Brieg, Liegnitz, Hildesheim, Lüdinghausen, Herford, Weilburg und Cleve seit dem 1. April 1894 zur Einführung gelangt ist.

Was im Uebrigen die Anrechnung der von wissenschaftlichen Lehrern staatlicher höherer Lehranstalten an Landwirthschaftsschulen zurückgelegten Dienstzeit, einschließlich der Dienstzeit als Hilfslehrer sowie des Probejahres, für den Fall ihrer Pensionirung betrifft, so regelt sich dieselbe nach Maßgabe der Bestimmungen der Pensionsgesetznovelle vom 25. April d. Js. bezw. der Vorschriften der Ausführungsverfügung vom 1. Juni d. Js. — U. II. 1088 U. III. U. IV. — (Centrbl. S. 445 bezw. 448).

Der Minister der geistlichen 2c. Angelegenheiten.
Im Auftrage: de la Croix.

An
sämmtliche Königliche Provinzial-Schulkollegien.
U. II. 1549.

155) Abzweigung der Stiftungskapitalien aus dem Kapitalientitel in den Etats der staatlichen höheren Unterrichtsanstalten.

Berlin, den 14. August 1896.

Die Etats der staatlichen höheren Unterrichtsanstalten weisen unter Titel II der Einnahme (Zinsen von Kapitalien) in Unterabtheilungen nach:

Zinsen. A von Kapitalien, welche nicht unter die Abtheilungen B und C fallen,

B von Kapitalien, welche aus Ersparnissen der laufenden Verwaltung seit 1. April 1879 herrühren,

C von Stiftungskapitalien.

In Abänderung dieser Eintheilung bestimme ich im Einverständnisse mit dem Herrn Finanzminister für die künftige Aufstellung der Anstaltsetats, daß die Zinsen von Stiftungskapitalien (C) in einem besonderen, hinter Titel II einzuschaltenden Titel aufgeführt werden. Diesem neuen Titel ist, wie dies schon jetzt meist der Fall, ein korrespondirender Ausgabetitel gegenüberzustellen.

Aus Vorstehendem ergiebt sich die Nothwendigkeit einer anderweiten Bezeichnung des Textes der vorerwähnten Etatstitel bezw. Positionen und zwar in folgender Fassung:

Einnahme: Titel II. Zinsen von Kapitalien, die den allgemeinen Zwecken der Anstalt selbst dienen.

A von Kapitalien, welche nicht aus Ersparnissen der laufenden Verwaltung seit 1. April 1879 herrühren.

B von Kapitalien, welche aus Ersparnissen der laufenden Verwaltung seit 1. April 1879 herrühren.

Titel III. Zinsen von Stiftungskapitalien — unter Hinweis auf den nachbenannten korrespondirenden Ausgabetitel —.

Ausgabe: „Zu stiftungsmäßigen Zwecken" — mit Hinweis auf den korrespondirenden Einnahmetitel —.

Schließlich bemerke ich, daß, wie bereits in der Rundverfügung vom 10. April 1886 — U. II. 489 — (Centrbl. S. 372) vorgeschrieben, alle Aenderungen in dem Kapitalbestande der den Anstalten zugewiesenen Stiftungen sowohl in Einnahme als auch in Ausgabe unter den ebenerwähnten Titeln, nicht beim Titel Insgemein, nachzuweisen sind.

Der Minister der geistlichen 2c. Angelegenheiten.
Im Auftrage: de la Croix.

An
sämmtliche Königliche Provinzial-Schulkollegien.
U. II. 1581. I.

156) Bestätigung gewählter Mitglieder der Kuratorien nichtstaatlicher höherer Unterrichtsanstalten durch die Provinzial-Schulkollegien.

Berlin, den 20. August 1896.

ꝛc.

Von der Aufnahme einer Bestimmung zu §. 5 des Entwurfs dahin, daß die nach Nr. 3 und 4 zu wählenden Mitglieder des Kuratoriums der Bestätigung durch das Königliche Provinzial-Schulkollegium bedürfen, kann nicht abgesehen werden. Den Ausführungen des Magistratsberichtes in diesem Punkte ist ein entscheidendes Gewicht nicht beizulegen. Wenn auch Schwierigkeiten aus dem Nichtvorhandensein einer solchen Bestimmung beim Gymnasium in N. bisher nicht hervorgetreten sind, so ist dies doch für die Zukunft nicht unbedingt ausgeschlossen. Jedenfalls sind bereits in anderen Fällen sehr erhebliche Unzuträglichkeiten aus dem Mangel einer entsprechenden Bestimmung entstanden; es liegt also ein praktisches Bedürfnis für einen solchen Zusatz allerdings vor. Daß in einer Anzahl älterer Statuten für andere Unterrichtsanstalten das Bestätigungsrecht der Aufsichtsbehörde nicht ausdrücklich vorbehalten worden ist, hat darin seinen Grund, daß diese aus dem Aufsichtsrechte des Staates sich ergebende Befugnis als selbstverständlich angesehen ist, und nicht angenommen wurde, daß dieselbe seitens der städtischen Behörden in Abrede gestellt werden würde. Dies letztere ist zwar anscheinend auch seitens des Magistrats in N. nicht beabsichtigt, da nur auf angebliche Unzuträglichkeiten aus der Geltendmachung dieses Rechts hingewiesen wird. Indessen bemerke ich zur Klarstellung doch, daß das Bestätigungsrecht des Staates auch abgesehen von dem allgemeinen Aufsichtsrechte, auch aus dem Schulaufsichtsgesetze vom 11. März 1872 — G. S. S. 183 — sich ergiebt, nach welchem alle mit der Schulaufsicht betrauten Behörden und Beamten im Auftrage des Staates handeln. Dem letzteren muß daher die Möglichkeit gewahrt werden, sein Einverständnis mit der Bestallung der in seinem Auftrage handelnden Personen, also auch der Mitglieder der Schulkuratorien, zu erklären, d. h. die Bestätigung der Gewählten auszusprechen, und erforderlichenfalls durch Versagung der Bestätigung ungeeignete Personen von der Theilnahme an der Aufsichtsführung über Schulen auszuschließen.

Es handelt sich also hier um eine aus dem Hoheitsrechte des Staates abzuleitende Befugnis, auf die nicht verzichtet werden kann. Wird der §. 5 entsprechend ergänzt, so kann von der im

§. 11 vorgesehenen Bestätigung des zur Prüfungskommission zu entsendenden Kuratorialmitgliedes abgesehen werden.

Der Minister der geistlichen rc. Angelegenheiten.
In Vertretung: von Weyrauch.

An
das Königliche Provinzial-Schulkollegium zu N.
U. II. 11624.

157) Beilegung des Charakters als „Professor" an Oberlehrer höherer Lehranstalten.

Den Oberlehrern
Stein am Gymnasium zu Groß-Lichterfelde,
Dr. Nägler am Realgymnasium zu Nordhausen,
Kobley am Gymnasium zu Frankfurt a. O.,
Eickhoff am Gymnasium zu Wandsbeck,
Dr. Meurer am Realgymnasium zu Aachen,
Dr. Ortmann am Progymnasium zu Neumünster,
Dr. Spitta am Humboldt-Gymnasium zu Berlin,
Dr. Becker an der 9. Realschule zu Berlin,
Baumm am Gymnasium zu Kreuzburg O.-Schl.,
Knaacke am Realgymnasium zu Tilsit,
Opitz an der 8. Realschule zu Berlin,
Jahr am Humboldt-Gymnasium zu Berlin,
Dr. Köhler am Louisen-Gymnasium zu Berlin,
Dr. Harder am Louisenstädtischen Gymnasium zu Berlin,
Kluth am Gymnasium zu Eberswalde,
Dr. Krollick an der 5. Realschule zu Berlin,
Dr. Porrath am Realprogymnasium zu Wollin,
Gaebel am Stadtgymnasium zu Stettin,
Dr. Schwanke am Gymnasium zu Bromberg,
Dr. Sagawe am Magdalenen-Gymnasium zu Breslau,
Dr. Kirchner am Gymnasium zu Brieg,
Dr. Herstowski am Gymnasium zu Kiel,
Dr. Roeßler am Realgymnasium zu Celle,
Toegel am Progymnasium zu Nienburg,
Dr. Rinke am Gymnasium zu Münster,
Dr. Schlag am Realgymnasium zu Siegen,
Hersel am Realgymnasium zu Iserlohn,
Dr. Mädge an der Realschule zu Elberfeld Nordstadt,
Dr. Neide am Gymnasium zu Landsberg a. W.,
Naumann am Realgymnasium zu Posen,
Dr. Hoffmann am Gymnasium zu Kattowitz,
Dr. Kiel am Lyceum I zu Hannover,

Dr. Melchior an der Realschule zu Fulda,
Dr. Eckerlin am Domgymnasium zu Halberstadt,
Dr. Rose am Gymnasium zu Glückstadt,
Begemann am Gymnasium zu Altona,
Biesenthal am Gymnasium nebst Realgymnasium zu Insterburg,
Bordihn am Gymnasium zu Culm,
Hafner am Gymnasium zu Hersfeld,
Dr. Wulff am Stadtgymnasium zu Frankfurt a. M.
ist der Charakter als Professor beigelegt worden.

Bekanntmachung.
U. II. 1682.

---

158) Warnung der Schüler vor dem Baden an verbotenen oder nicht ausdrücklich erlaubten Stellen.

Breslau, den 25. Juni 1896.

Vor Kurzem hat ein Quintaner des Gymnasiums zu D. beim Baden an einer nicht erlaubten Stelle in der Oder seinen Tod gefunden, ohne daß seine in der Nähe befindlichen Mitschüler ihm zu helfen im Stande waren.

Euer Hochwohlgeboren beauftragen wir, diesen betrübenden Vorfall zur Kenntnis der Ihrer Fürsorge anvertrauten Schüler zu bringen und dieselben im Verein mit den Lehrern der Ihrer Leitung unterstellten Anstalt wiederholt, jedenfalls aber regelmäßig zu Beginn der Badezeit, vor dem Baden an verbotenen oder nicht ausdrücklich erlaubten Stellen dringend zu warnen, auch etwaige Zuwiderhandlungen gegebenenfalls nachdrücklich zu ahnden.

Königliches Provinzial-Schulkollegium.
Willdenow.

An
sämmtliche Leiter der höheren Lehranstalten der Provinz Schlesien einschl. der Lehrer-Seminare.
P. S. C. 9255. IV.

E. Schullehrer- und Lehrerinnen-Seminare ꝛc., Bildung der Lehrer und deren persönliche Verhältnisse.

159) Anträge auf Bewilligung außerordentlicher Kredite zur Beschaffung von Lehrmitteln für die Schullehrer- und Lehrerinnen-Seminare.

Berlin, den 12. Juni 1896.

Die Anträge auf Bewilligung außerordentlicher Kredite zur

Beschaffung von Lehrmitteln, insbesondere von Musikinstrumenten, für die Schullehrer- und Lehrerinnen-Seminare haben einen derartigen Umfang angenommen, daß bei der Beschränktheit des betreffenden Centralfonds — soweit nicht der Fonds bei Kapitel 15 des Extraordinariums des Staatshaushaltsetats pro 1896/97 Titel 56 (besondere Seminar-Einrichtungen wegen Verlängerung der militärischen Dienstzeit der Volksschullehrer) in Betracht kommt — nur die dringlichsten befriedigt werden können. Um hierbei mit Sicherheit erwägen zu können, welchen Gesuchen zu entsprechen ist, werden künftig die eingehenden Anträge der bezeichneten Art, soweit dieselben nicht ganz besonders dringlich sind, hier gesammelt und wird über dieselben erst Entscheidung getroffen werden, sobald sich das Gesammtbedürfnis des Jahres einigermaßen übersehen läßt.

Ich erwarte, daß das Königliche Provinzial-Schulkollegium alle dort eingehenden derartigen Gesuche einer sorgfältigen Prüfung unterzieht und nur die wirklich begründeten zur Vorlage bringt.

Der Minister der geistlichen ꝛc. Angelegenheiten.
Im Auftrage: Kügler.

An
sämmtliche Königliche Provinzial-Schulkollegien.
U. III. 2162.

---

160) Anrechnung der Urlaubszeit auf die Dienstzeit der Lehrer.

Berlin, den 13. Juni 1896.

Auf die Eingabe vom 7. Dezember v. Js. erwidere ich der städtischen Schul-Deputation, daß eine Ertheilung des Urlaubs an Lehrer unter der Bedingung einer Nichtanrechnung der Dauer des Urlaubs bei Berechnung der Dienstzeit und Bemessung der Alterszulagen dem Pensionsgesetze bezw. der bestehenden Besoldungsordnung widersprechen würde und deshalb von dem Königlichen Provinzial-Schulkollegium nicht genehmigt werden konnte. Selbstverständlich wird aber bei Ertheilung von Urlaub, der nicht durch Gesundheitsrücksichten geboten ist, nicht unerwogen bleiben, ob die Ertheilung des Urlaubs den Interessen der Gemeinde widerstreitet, und es wird die Stellung, welche die städtische Schul-Deputation zu dem Antrage einnimmt, für die Beantwortung dieser Frage seitens der Aufsichtsbehörde von wesentlicher Bedeutung sein.

Der Minister der geistlichen ꝛc. Angelegenheiten.
Bosse.

An
die städtische Schul-Deputation zu N.
U. III. E. 375. U. III D. U. III. C.

161) Gnadenkompetenzen für die Hinterbliebenen eines an einer zweiklassigen oder an einer dreiklassigen Schule mit zwei Lehrkräften angestellten Lehrers.

Berlin, den 17. Juni 1896.

Nachdem die Verhandlungen über die Frage, ob den Hinterbliebenen eines Lehrers, welcher an einer zweiklassigen oder an einer dreiklassigen Schule mit zwei Lehrkräften angestellt war, das Gehalt des Verstorbenen für ein Gnadenquartal oder nur für einen Gnadenmonat zusteht, abgeschlossen sind, eröffne ich der Königlichen Regierung im Anschluß an den Erlaß vom 23. März d. Js. — U. III. E. 1180, U. III. D. — daß den Hinterbliebenen nur in denjenigen Fällen, in denen thatsächlich die Vertretung des verstorbenen Lehrers kostenlos hat erfolgen können, das Gnadenquartal nach Analogie der Vorschrift unter Nr. 2 der Allerhöchsten Kabinetsordre vom 27. April 1816 gezahlt werden kann. Im vorliegenden Falle hat die Vertretung des verstorbenen Lehrers K. in E., Kreis G., besondere Kosten erfordert. Ich bin daher nur in der Lage, dem Vater des 2c. K. das Einkommen seines Sohnes für den Monat Januar d. Js. als Gnadenkompetenz zu bewilligen.

Die Königliche Regierung veranlasse ich, dafür Sorge zu tragen, daß das vom 1. Februar d. Js. ab verfügbare Stelleneinkommen zur Deckung der Vertretungskosten verwendet werde.

Der Minister der geistlichen 2c. Angelegenheiten.
Im Auftrage: Kügler.

An
die Königliche Regierung zu N.
U. III. E. 8120.

---

162) Unzulässigkeit der Fortsetzung der Mitgliedschaft eines Mittelschullehrers an der Provinzial-Elementarlehrer-Witwen- und Waisenkasse nach Aufgabe der bisherigen Lehrerstelle.

Berlin, den 20. Juni 1896.

Auf den Bericht vom 16. Mai d. Js. erwidere ich dem Königlichen Provinzial-Schulkollegium das Nachstehende:

Der bisher an der gehobenen Volksschule (Mittelschule) in G. angestellte Lehrer B. hat diese Stelle am 1. April d. Js. aufgegeben und die Stelle des zweiten Direktors an der Gewerbeschule in G. übernommen.

Bis zum 1. April d. Js. hat der Magistrat in G. für ihn die Mitgliedschaft an der Elementarlehrer-Witwen- und Waisenkasse der Provinz Hannover gemäß §. 7 Absatz 3 des Gesetzes, betreffend das Ruhegehalt der Lehrer und Lehrerinnen an den öffentlichen nichtstaatlichen mittleren Schulen und die Fürsorge für ihre Hinterbliebenen, vom 11. Juni 1894 (G. S. S. 109) mit Recht fortgesetzt. Nach den anderweitigen Bestimmungen des §. 7 kann ꝛc. B. aber nicht für berechtigt erachtet werden, auf Grund des §. 6a der Statuten der Elementarlehrer-Witwen- und Waisenkasse der Provinz Hannover vom 16. September 1894 vom 1. April d. Js. ab selbst die Mitgliedschaft an der Kasse unter Weiterzahlung der Stellen- und Gemeindebeiträge fortzusetzen.

Der Minister der geistlichen ꝛc. Angelegenheiten.
Im Auftrage: de la Croix.

An
das Königliche Provinzial-Schulkollegium zu N.
G. III. 1720. U. III. D.

---

163) Abhaltung von Aufnahmeprüfungen bei der Aufnahme in Lehrerinnen-Bildungsanstalten.

Berlin, den 8. Juli 1896.

Wie ich in Erfahrung gebracht habe, erfolgt die Aufnahme in die Lehrerinnen-Bildungsanstalten in den verschiedenen Provinzen der Monarchie nicht nach einheitlichen Grundsätzen.

Während für einzelne derartige Anstalten in jedem Falle die Aufnahme von dem vorherigen Bestehen einer Aufnahmeprüfung abhängig gemacht wird, werden bei anderen Lehrerinnen-Bildungsanstalten solche Bewerberinnen, welche den Kursus einer vollständig organisirten höheren Mädchenschule ganz absolvirt haben und über den günstigen Erfolg ihres Schulbesuches ein Zeugnis des Lehrerkollegiums der betreffenden Schule beizubringen vermögen, von Ablegung der Aufnahmeprüfung entbunden, wenn nicht ein längerer Zeitraum als ein Jahr seit dem Abgange von der Schule verflossen ist. Diese Befreiung gründet sich auf die Verhandlungen, welche in der Zeit vom 18. bis zum 23. August 1873 im Unterrichtsministerium in Betreff der mittleren und höheren Mädchenschule gepflogen worden sind (Centrbl. S. 569 ff.).

Zur Herbeiführung einer Einheitlichkeit bei der Behandlung der in Rede stehenden Angelegenheit bestimme ich hiermit, daß fortan in allen Fällen ohne Ausnahme der Aufnahme in Lehrerinnen-Bildungsanstalten, sei es in öffentliche oder private Anstalten, eine Aufnahmeprüfung vorherzugehen hat.

Der Minister der geistlichen ꝛc. Angelegenheiten.
In Vertretung: von Weyrauch.

An
sämmtliche Königliche Provinzial-Schulkollegien und Regierungen.
U. III. D. 2849.

---

164) Uebersicht von der Frequenz der staatlichen Schullehrer- und Lehrerinnen-Seminare der Monarchie im Sommersemester 1896.

Lfd. Nr.	Provinz.	Bezeichnung der Anstalt.	Zahl der Internen. ev.	Internen. kath.	Internen. Sa.	Externen. ev.	Externen. kath.	Externen. Sa.	Gesammt-Zahl.	Zahl der Zöglinge im Jahrgang I. (3. Klasse).	II. (2. Klasse).	III. (1. Klasse).
1.	Ostpreußen . . .		536	76	612	40	18	53	665	287	220	208
2.	Westpreußen . . .		269	266	585	82	.	82	617	201	215	201
3.	Brandenburg . .		573	.	573	610 (2 jüdische)	3	615	1188	409	408	371
4.	Pommern . . .		552	.	552	51	.	51	603	199	206	198
5.	Posen		151	223	874	214 (8 jüdische)	134	356	730	277	212	241
6.	Schlesien		314	576	890	384	467	851	1741	567 (Vorkursus 152)	507	515
7.	Sachsen . . . }		493	60	553	527	.	527	1080	391	357	332
		Droyßig	94	.	94	.	.	.	94	16	41	37
8.	Schleswig-Holstein .		149	2	151	441	.	441	592	209	191	192
9.	Hannover		457	.	457	494	53	547	1004	369	315	320
10.	Westfalen		202	250	452	278	171	444	896	319	281	296
11.	Hessen-Nassau . .		228	60	288	151	110	261	549	189	178	182
		Ausländer	16	.	16	8	3	6	22	8	7	7
12.	Rheinland . . .		284	519	803	208	589	797	1600	581	517	502
	Im Sommersemester 1896 Sa. . . .		4318	2032	6350	3478 (10 jüdische)	1543	5031	11881	4124	3655	3602
	Im Wintersemester 1895/96 waren vorhanden		4327	2033	6360	3416 (13 jüdische)	1491	4920	11280	3944	3690	3646
	Danach sind jetzt { mehr		.	.	.	59	52	111	101	180	.	.
	{ weniger		9	1	10	.	.	.	.		35	44
											79	
									ab	79		
									sind mehr	101		

165) Uebersicht von der Frequenz der staatlichen Präparandenanstalten der Monarchie im Sommersemester 1896.

Lfd. Nr.	Provinz.	Bezeichnung der Anstalt.	Zahl der Internen. ev.	Zahl der Internen. kath.	Zahl der Internen. Sa.	Zahl der Externen. ev.	Zahl der Externen. kath.	Zahl der Externen. Sa.	Gesammtzahl.	Zahl der Zöglinge im Jahrgang I. (3. Klasse).	II. (2. Klasse).	III. (1. Klasse.)
1.	Ostpreußen		.	.	.	286	.	286	286	.	126	110
2.	Westpreußen		42	.	42	74	182	206	248	.	121	127
3.	Brandenburg		.	.	.	.	.	.	.	.	.	.
4.	Pommern		.	.	.	282	.	282	282	.	116	116
5.	Posen		40	.	40	86	196	282	322	.	158	164
6.	Schlesien		.	.	.	149	400	549	549	96	230	223
7.	Sachsen		.	.	.	187	50	187	187	.	104	88
8.	Schleswig-Holstein		.	.	.	116	.	116	116	.	60	56
9.	Hannover		.	.	.	262	.	262	262	61	103	98
10.	Westfalen		.	.	.	88	.	89	89	32	31	26
						1 jüdischer						
11.	Hessen-Nassau		.	.	.	70	58	128	128	28	48	47
12.	Rheinland		.	.	.	34	25	59	59	.	31	28
	Im Sommersemester 1896 Sa.		82	.	82	1484	856	2341	2428	217	1128	1078
						1 jüdischer						
	Im Wintersemester 1895/96 waren vorhanden		75	.	75	1441	849	2291	2366	216	1124	1026
						1 jüdischer						
	Danach sind jetzt mehr		7	.	7	43	7	50	57	1	4	52
	Danach sind jetzt weniger		.	.	.	.	.			.	.	.
										sind mehr	57	

166) Frist zur Ablegung der zweiten Volksschullehrerprüfung.

Berlin, den 31. Juli 1896.

Dem Königlichen Provinzial-Schulkollegium erwidere ich auf den Bericht vom 18. Juli d. Js., daß das Verfahren, die für Ablegung der zweiten Volksschullehrerprüfung zu gewährende Frist von der ersten provisorischen Anstellung zu berechnen, zu Mißständen Anlaß gegeben hat. Es ist daher in Zukunft entsprechend dem Wortlaute des §. 16 der Prüfungsordnung für Volksschullehrer vom 15. Oktober 1872 bei der Berechnung der Frist nicht das Datum der ersten Anstellung, sondern das Datum der ersten Prüfung zu Grunde zu legen. Ich finde jedoch nichts dagegen zu erinnern, daß bei denen, welche sich innerhalb des fünften auf die Ablegung der ersten Prüfung folgenden Kalenderjahres zur zweiten Prüfung melden, von der Einholung meiner Erlaubnis auch dann Abstand genommen wird, wenn die Zwischenzeit zwischen dem Tage der ersten und der zweiten Prüfung den Zeitraum von fünf Jahren um mehrere Monate übersteigt.

Der Minister der geistlichen 2c. Angelegenheiten.
Im Auftrage: Kügler.

An
das Königliche Provinzial-Schulkollegium zu N.
U. III. C. 2263.

---

167) Auflösung des Anstellungsverhältnisses einer Lehrerin im Falle der Verheirathung.

Die Ansprüche, welche die Klägerin aus der Eigenschaft eines mittelbaren Staatsbeamten für sich herleitet, würden nun einer weiteren Erörterung nicht bedürfen, wenn die von der Beklagten erhobenen Einreden der Unzulässigkeit des Rechtsweges und der mangelnden Passivlegitimation begründet wären. Dies ist aber nicht der Fall.

In ersterer Hinsicht beruft sich die Beklagte auf §. 2 des Gesetzes vom 24. Mai 1861, betreffend die Erweiterung des Rechtsweges, indem sie behauptet, daß die Klägerin nicht innerhalb der daselbst vorgeschriebenen Frist von sechs Monaten, nachdem ihr die Entscheidung des Verwaltungschefs bekannt geworden, die Klage angebracht habe. Das Berufungsgericht hat diesen Einwand unter der Erwägung verworfen, daß den mittelbaren Staatsbeamten schon vor Erlaß des Gesetzes vom 24. Mai 1861 wegen ihrer Ansprüche auf Gehalt u. s. w. der Rechtsweg eröffnet gewesen sei. Dieser Ausführung war beizutreten. Denn die Vorschrift der Kabinetsordre vom 7. Juli 1830, durch welche der Rechtsweg für Besoldungsansprüche der Staatsbeamten ausgeschlossen wurde, bezog sich nur auf die unmittelbaren Staatsbeamten. Nur bezüglich dieser lag daher eine Veranlassung vor, zu ihren Gunsten den Rechtsweg zu erweitern, wie dies durch das Gesetz vom 24. Mai 1861 geschehen ist. Hinsichtlich der mittelbaren Staatsbeamten hat dieses Gesetz den bestehenden Rechtszustand unberührt gelassen.

von Rönne, Staatsrecht der Preußischen Monarchie, 4. Auflage, Band 1 Seite 495,

Oppenhoff, die Preußischen Gesetze über die Ressortverhältnisse, Seite 547 Note 2, Seite 552 Note 8,

Entscheidungen des Reichsgerichts in Civilsachen, Band 28 Seite 356.

Aus der Nichtbeachtung des §. 2 des Gesetzes vom 24. Mai 1861 kann daher ein Einwand nicht hergeleitet werden.

Was nun die materiell rechtliche Begründung der von der Klägerin erhobenen Ansprüche anbelangt, so ist der Klägerin darin beizutreten, daß die Lehrer an den städtischen Schulen, als mittelbare Staatsbeamte, dem staatlichen Disziplinargesetze unterworfen sind. Als solches kommt im vorliegenden Falle das Gesetz vom 21. Juli 1852, betreffend die Dienstvergehen der nicht richterlichen Beamten u. s. w., in Betracht. Hieraus folgt aber nicht, daß die Klägerin, wie sie meint, nur gemäß §. 11 dieses Gesetzes im Wege des förmlichen Disziplinarverfahrens hätte entlassen werden dürfen. Denn diese Vorschrift betrifft nur die Entlassung als Strafe für ein Dienstvergehen, und um ein solches handelt es sich hier nicht. In Erwägung zu ziehen ist vielmehr die Vorschrift des §. 83 des gedachten Gesetzes, wonach Beamte, welche auf Probe, auf Kündigung oder sonst auf Widerruf angestellt sind, ohne ein förmliches Disziplinarverfahren von der Behörde, welche ihre Anstellung verfügt hat, entlassen werden können. Denn die Beklagte hat den Einwand erhoben, daß nach §. 6 der Gehalts- und Pensionsordnung vom 5. November 1878, welche bei der Anstellung der Klägerin in Geltung gewesen sei, im Falle der Verheirathung einer Lehrerin die Auflösung des Anstellungsverhältnisses erfolgen sollte, und daß die Anstellung der Klägerin auf Grund dieser Gehalts- und Pensionsordnung geschehen sei. Die Ansicht, daß diesem Einwande die Bestimmung des §. 56 Nr. 6 der Städteordnung vom 30. Mai 1853 entgegenstehe, wonach die Anstellung der Gemeindebeamten, abgesehen von hier nicht in Betracht kommenden Fällen, auf Lebenszeit erfolgt, wird von dem Berufungsgericht nicht aufgestellt, wie die Revision anzunehmen scheint. Diese Ansicht würde auch fehl gehen, da die *Lehrer an den städtischen Schulen* nicht Gemeindebeamte sind, die Vorschrift des §. 56 Nr. 6 a. a. O. sich daher auf diese Lehrer und deren Anstellung nicht bezieht (vergl. Entscheidungen des Oberverwaltungsgerichts Band 14 Seite 75). Das Berufungsgericht führt aber aus, es habe sich entsprechend der an der erwähnten Stelle der Städteordnung hinsichtlich der Gemeindebeamten getroffenen Bestimmung, in der neueren Zeit bezüglich aller Beamten der Grundsatz herausgebildet, daß die Anstellung nur auf Lebenszeit erfolgen solle. Dieser Grundsatz leide, als dem öffentlichen Recht angehörend, keine Privatvereinbarungen, inhalts deren die Dauer der Anstellung auf eine bestimmte Zeit eingeschränkt oder durch den Eintritt eines Ereignisses beendigt werde. Die definitive Anstellung der Klägerin charakterisire sich demnach als eine lebenslängliche, und eine Bestimmung, wie sie der §. 6 der gedachten Gehalts- und Pensionsordnung enthalte, vermöge das Recht der Klägerin nicht zu beeinflussen.

Der Revision ist darin beizutreten, daß diese Ausführungen rechtsnormwidrig sind. Das Berufungsgericht verkennt, daß der Grundsatz der lebenslänglichen Anstellung der Beamten in der behaupteten Allgemeinheit in den Rechtsquellen, insbesondere in der Gesetzgebung nirgends Anerkennung gefunden hat. Der oben erwähnte §. 83 des Disciplinargesetzes vom 21. Juli 1852 steht, indem er bezüglich der auf Probe, auf Kündigung oder sonst auf Widerruf angestellten Beamten Bestimmungen trifft, der Rechtsauffassung des Berufungsgerichts direkt entgegen. Es kann demnach die Anstellung eines Beamten, soweit nicht durch besondere Bestimmungen das Gegentheil vorgeschrieben ist, sowohl auf Lebenszeit, als auch auf Kündigung und selbst auf willkürlichen Widerruf erfolgen.

> Urtheil des Reichsgerichts vom 6. Dezember 1888 in Gruchot, Beiträge Band 33 Seite 1038 ff., Allgemeines Landrecht §. 102 Theil II Titel 10, §. 169 Theil II Titel 6.

Hiernach muß, da eine besondere Ausnahmebestimmung bezüglich der Lehrer an den städtischen Schulen nicht gegeben ist, davon ausgegangen werden, daß es gesetzlich zulässig war, die Klägerin in anderer Weise, als auf Lebenszeit anzustellen, und daraus folgt, daß die auf die entgegengesetzte Rechtsanschauung gestützten Erwägungen des Berufungsgerichts die angefochtene Entscheidung nicht rechtfertigen können.

Ebensowenig kann aber auch nach der Begründung des erstinstanzlichen Urtheils der Anspruch der Klägerin für gerechtfertigt erachtet werden. Die Ausführungen des Landgerichts sind im Wesentlichen dagegen gerichtet, daß die Beklagte eingewendet hat, es sei der Klägerin durch ihre seitens der Regierung erfolgte

Entlassung unmöglich geworden, ihrerseits den mit ihr geschlossenen Dienstvertrag zu erfüllen, und die Beklagte sei auch in Folge der Verheirathung der Klägerin wegen veränderter Umstände berechtigt, von dem Vertrage zurückzutreten. Mit Recht hat das Gericht erster Instanz unter Beitritt des Berufungsgerichts diese Einwendungen für unbegründet erachtet, weil die bezüglichen Bestimmungen der §§. 360 ff., 377 ff. Allgemeinen Landrechts Theil I Titel 5 mit Rücksicht auf die öffentlich rechtliche Natur des Beamtenverhältnisses auf dieses keine Anwendung finden.

Urtheile des Reichsgerichts vom 19. Mai 1881 und 22. Mai 1890 in Gruchot, Beiträge Band 27 Seite 999, Band 34 Seite 924.

Dieser Gesichtspunkt ist aber nicht entscheidend. Vielmehr kommt ferner in Betracht, daß der Natur des Beamtenverhältnisses die Begrenzung seiner Dauer durch Zeitablauf oder durch Verabredung einer auflösenden Bedingung nicht entgegensteht, und deshalb müßte eine bei dem Abschluß des Anstellungsvertrages oder auch nachträglich vereinbarte Bedingung des Inhalts, daß die Verheirathung der Klägerin die Aufhebung ihrer Anstellung als Lehrerin zur Folge haben sollte, als rechtswirksam und die Klägerin bindend angesehen werden.

Der Einwand, daß die Klägerin sich dieser Bedingung unterworfen habe, ist in der Behauptung der Beklagten zu erblicken, daß die Anstellung der Beklagten auf Grund der Gehalts- und Pensionsordnung vom 5. November 1878 geschehen sei, welche in §. 6 die Bestimmung enthalte, daß im Falle der Verheirathung einer Lehrerin die Auflösung des Anstellungsverhältnisses erfolgen solle. Die Klägerin hat diesem Einwande widersprochen und namentlich behauptet, daß die Gehalts- und Pensionsordnung vom 5. November 1878 ihr niemals bekannt gemacht worden sei. In den Vorinstanzen sind aber nähere Feststellungen über den Inhalt der gedachten Gehalts- und Pensionsordnung, sowie einer von den Parteien erwähnten späteren Gehalts- und Pensionsordnung aus dem Jahre 1891 und darüber, ob die Klägerin sich den darin enthaltenen bezüglichen Bestimmungen bei Eingehung des Anstellungsvertrages oder durch späteres Uebereinkommen unterworfen hat, nicht getroffen worden. Die beiläufige Bemerkung in den Entscheidungsgründen des Berufungsurtheils, daß in der Vokationsurkunde die in A. geltende Gehalts- und Pensionsordnung nur insofern in Bezug genommen sei, als nach deren Grundsätzen das Gehalt der Klägerin aufsteigen solle, rücksichtlich der Auflösung des Dienstverhältnisses dagegen dieselbe nicht erwähnt werde, läßt nicht erkennen, daß das Berufungsgericht auf Grund des erwähnten Inhalts der Vokationsurkunde hat feststellen wollen, es habe eine der Gehalts- und Pensionsordnung entsprechende Bestimmung über die Auflösung des Dienstverhältnisses in dem Anstellungsvertrage nicht Aufnahme finden sollen. Wenn aber anzunehmen wäre, daß eine solche Feststellung von dem Berufungsgerichte beabsichtigt worden sei, so würde sie der erforderlichen Begründung entbehren.

Sollte sich bei erneuter Verhandlung der Sache ergeben, daß eine vertragliche Festsetzung, wonach die Verheirathung der Klägerin die Aufhebung ihrer Anstellung zur Folge haben sollte, nicht getroffen worden ist, so würde der Anspruch der Klägerin begründet erscheinen, da alsdann ihre Entlassung nicht gerechtfertigt wäre, diese Entlassung daher auch nicht den Verlust der der Klägerin durch den Anstellungsvertrag zugesicherten Vortheile nach sich ziehen könnte.

(Erkenntnis des vierten Civilsenates des Reichsgerichts vom 30. April 1896 — IV. 416. 1895 —.)

F. Höhere Mädchenschulen.

168) Voraussetzungen für die Ablegung der Oberlehrerinnenprüfung.

Berlin, den 8. August 1896.

Auf die Eingabe vom 18. Juli d. Js. erwidere ich Ew. Wohlgeboren, daß, sofern Sie zur wissenschaftlichen Lehrerinnenprüfung, welche jährlich einmal zu Berlin abgehalten wird und wozu Meldungen hierher zu richten sind, zugelassen werden wollen, Sie nachzuweisen haben, daß Sie die erste Lehrerinnenprüfung abgelegt (das Zeugnis über bestandene Sprachlehrerinnenprüfung genügt nicht) und ferner fünf Jahre, darunter zwei Jahre in Schulen, unterrichtet haben. Wie Sie Sich zur wissenschaftlichen Prüfung vorbereiten wollen, insbesondere ob durch Theilnahme an den Fortbildungskursen des Viktoria-Lyceums zu Berlin oder an den Fortbildungskursen zu Göttingen oder durch Theilnahme an Universitätsvorlesungen, bleibt vorbehaltlich der Erfüllung der für diesen Zweck bestehenden Voraussetzungen Ihnen überlassen.

Der Minister der geistlichen 2c. Angelegenheiten.
In Vertretung: von Weyrauch.

An
Fräulein N. Wohlgeboren zu N.
U. III. D. 8792.

G. Oeffentliches Volksschulwesen.

169) Gewährung der gesetzlichen Staatsbeiträge für die Lehrerstellen an den besonderen Schulanstalten für nicht vollbefähigte Kinder.

Berlin, den 16. Juni 1896.

In mehreren größeren Orten bestehen, wie sich aus den Erlassen vom 14. November 1892, 16. Juni 1894 — U. III. A. 3018, 1030. (Centrbl. für 1893 S. 248 und für 1894 S. 568) — ergiebt, neben den öffentlichen Volksschulen Schulanstalten für solche schwachsinnige Kinder, die zwar nicht so hilflos sind, daß sie in Internaten untergebracht werden müssen, die aber doch für das Leben und die Arbeit in der Volksschule als ungeeignet erscheinen.

Es ist die Frage angeregt worden, ob für die ersten Lehrerstellen an diesen Schulen oder Hilfsklassen der in dem Gesetz vom 14. Juni 1888, 31. März 1889, für die Stelle eines alleinstehenden oder eines ersten ordentlichen Lehrers ausgeworfene Staatsbeitrag von jährlich 500 *M* oder nur der für die Stelle eines anderen ordentlichen Lehrers vorgesehene Staatsbeitrag von jährlich 300 *M* zu zahlen ist. Ich trage kein Bedenken, mich dahin auszusprechen, daß für die Lehrerstellen an den gedachten Schulanstalten, sofern es sich nicht etwa um die Stelle eines zweiten oder folgenden Lehrers an denselben handelt, der höhere Staatsbeitrag von jährlich 500 *M* angewiesen werden muß. Voraussetzung ist aber, daß bei den fraglichen Schulen nach einem besonderen Lehrplane unterrichtet wird, wie dies die Verfügung vom 16. Juni 1894 des Näheren erörtert.

Der Königlichen Regierung bleibt überlassen, hiernach in vorkommenden Fällen das Weitere zu verfügen.

Der Minister der geistlichen ꝛc. Angelegenheiten.
Im Auftrage: Kügler.

An
sämmtliche Königliche Regierungen.
U. III. A. 1208. U. III. E.

---

170) Bewilligung laufender Beihilfen zu den sächlichen Schulunterhaltungskosten.

Berlin, den 21. Juni 1896.

Nach der bisherigen Zweckbestimmung des unter Kap. 121 Tit. 34 des Staatshaushalts-Etats ausgesetzten Fonds: „Zu Beihilfen an Schulverbände wegen Unvermögens für das Stelleneinkommen der Lehrer und Lehrerinnen" konnten unvermögenden Schulverbänden laufende Beihilfen nur für das Stelleneinkommen der Lehrer und Lehrerinnen gewährt, zu den sächlichen Schulunterhaltungskosten aber nur einmalige Beihilfen und zwar aus den Ersparnissen des Titels bewilligt werden.

Dieses Verfahren hatte den Nachtheil, daß die Schulverbände auch dann, wenn ein Bedürfnis zur Bewilligung der Beihilfen zu sächlichen Ausgaben für längere Zeit anerkannt werden mußte, durch die Form der Bewilligung beunruhigt und in der Aufstellung ihrer Haushaltspläne gestört wurden, sowie daß eine alljährliche, mit erheblichem Schreibwerk verbundene Ueberweisung der erforderlichen Mittel nothwendig war. Zur Vermeidung dieser Unzuträglichkeiten ist durch den Staatshaushalts-Etat für 1. April 1896/97 die Zweckbestimmung des Fonds Kap. 121 Tit. 34 dahin abgeändert worden, daß es künftig auch möglich ist, aus demselben laufende Beihilfen zu sächlichen Schulunterhaltungskosten zu gewähren. Die Zweckbestimmung des Fonds hat nunmehr folgende Fassung:

„Zu Beihilfen an Schulverbände wegen Unvermögens für die laufenden Ausgaben der Schulunterhaltung."

Durch diese veränderte Zweckbestimmung soll aber an dem bisherigen Grundsatze, nach welchem die Gemeinden die sächlichen Schulunterhaltungskosten in der Regel selbst ohne Beihilfe des Staates aufzubringen haben, im Allgemeinen nichts geändert werden. Die Bewilligung laufender Beihilfen zu diesen Kosten soll vielmehr auch in Zukunft nur ausnahmsweise und nur zu solchen Aufwendungen erfolgen, welche, wie z. B. die Kosten für die Ertheilung des Unterrichts in weiblichen Handarbeiten, die Beiträge zur Ruhegehaltskasse und zur Lehrerwitwenkasse, die Kosten für die Heizung und Reinigung der Schulräume, die Kosten für die Anmiethung von Klassenzimmern, die Zins- und Amortisationsraten für aufgenommene Baudarlehne u. s. w., dauernd oder wenigstens für eine längere Reihe von Jahren erforderlich sind.

Soweit es sich aber um die Unterstützung von Gemeinden bei wirklich einmaligen Aufwendungen, z. B. für Vertretung erkrankter, beurlaubter, verhinderter Lehrer, für Anschaffung von Lehr- und Lernmitteln, Schulutensilien ꝛc., handelt, sind die erforderlichen Beihilfen nach wie vor aus den Ersparnissen des Fonds Kap. 121 Tit. 34 zu gewähren. Es ist dagegen nicht gestattet, diese Ersparnisse auch zu Unterstützungen für aktive oder ausgeschiedene Lehrer und Lehrerinnen an öffentlichen oder privaten Schulen oder zu denjenigen Zwecken zu verwenden, für welche die Fonds Tit. 1 bis 16 Kap. 121 für Seminare und Präparandenanstalten bestimmt sind.

Hiernach ermächtige ich im Einverständnisse mit dem Herrn Finanzminister und der Königlichen Ober-Rechnungskammer die Königliche Regierung, vom 1. April d. Js. ab unvermögenden Schulverbänden in geeigneten Fällen unter genauer Beachtung der vorstehenden Bestimmungen auch zu den sächlichen Schulunterhaltungskosten widerrufliche laufende Beihilfen aus Ihrem Antheile an dem Fonds Kap. 121 Tit. 34 des Staatshaushalts-Etats zu gewähren. Eine Verstärkung Ihres Antheils kann aber aus diesem Anlaß nicht eintreten.

In den dortseits zu erlassenden Bewilligungs-Verfügungen sind die Beihilfen nicht allgemein „zur Bestreitung der sächlichen Schulunterhaltungskosten" anzuweisen, sondern es sind die Aufwendungen, für welche sie bewilligt werden, genau zu bezeichnen und diese Bezeichnungen in die Jahresrechnungen der Regierungs-Hauptkasse beziehungsweise in die Zahlungsnachweisungen der Spezialkassen zu übernehmen.

In Verbindung hiermit bestimme ich, um den Schulverbänden zum Bewußtsein zu bringen, daß sie es sind, welche in erster Linie die Schullasten zu tragen haben, und um gleichzeitig die aus der bisherigen Zahlungsweise der Staatsbeihilfen vielfach entstandenen Unzuträglichkeiten zu beseitigen, daß diese Beihilfen und zwar sowohl die zur Lehrerbesoldung als auch die zu den sächlichen Schulunterhaltungskosten bewilligten, fernerhin nicht mehr direkt an die Lehrer, sondern an die Schulverbände bezw. in gleicher Weise, wie die gesetzlichen Staatsbeiträge, an diejenigen Kassen gezahlt werden, aus welchen die Schulunterhaltungskosten bestritten werden. Den Schulverbänden liegt es alsdann ob, ihrerseits sowohl das volle Stelleneinkommen an die Lehrer zu zahlen als auch die sonstigen Schulausgaben zu leisten.

Damit aber diese abgeänderte Form der Zahlungsleistung der Beihilfen nicht zu einer Verringerung der bisher, namentlich im Falle der Vakanz der Lehrerstellen, eingetretenen Ersparnisse an den zur Lehrerbesoldung bewilligten Beihilfen führt, ordne ich zugleich an, daß in Zukunft, wie es bei richtigem Verfahren schon bisher zu geschehen hatte, in jedem Falle der Erledigung einer Lehrerstelle, für welche eine Beihilfe gezahlt wird, der betreffenden Kasse eine Anweisung zur Einstellung der Zahlung dieser Beihilfe und nach erfolgter ordnungsmäßiger Wiederbesetzung der Stelle eine fernere Anweisung zur Weiterzahlung der Beihilfe gegeben wird. Außerdem bestimme ich, daß die Quittungen der Schulverbände bezw. Kassen, soweit solche sich auf widerruflich laufende Beihilfen zu Lehrer- und Lehrerinnen-Besoldungen beziehen, mit einer Bescheinigung des Schulvorstandes 2c. darüber zu versehen sind, daß die Stellen, für welche die Besoldungsbeihilfen aus der Staatskasse gewährt worden sind, während des Zeitraums, für den diese Zahlung geleistet worden, ordnungsmäßig besetzt waren. Auf solche Weise wird erreicht, daß der auf die Vakanzzeit entfallende Theilbetrag der Beihilfe nicht gezahlt, sondern als erspart zu meiner Verfügung abgeführt wird. Falls jedoch eine Beihilfe für die Vakanzzeit oder einen Theil derselben zu Unrecht gezahlt worden ist, sei es weil die Abgangsordre erst nach erfolgter Zahlung bei der betreffenden Kasse einging, sei es aus einem anderen Grunde, so ist der zuviel gezahlte Betrag von dem Schulverbande unverzüglich wieder einzuziehen bezw. auf die nächste Rate der Beihilfe in Anrechnung zu bringen. Jedenfalls hat die Königliche Regierung dafür Sorge zu tragen, daß der zuviel gezahlte Betrag noch vor dem Jahresabschlusse der Regierungs-Hauptkasse erstattet werde, da sonst derselbe in der Rechnung für das folgende Etatsjahr unter Kap. 34 Tit. 6 in Rückeinnahme gebracht werden müßte und damit dem Fonds Kap. 121 Tit. 34 entzogen werden würde.

Aehnlich wird in Fällen, wo die Besoldungsordnung für einstweilig angestellte oder für junge Lehrer ein minderes Einkommen vorschreibt, die Staatsbeihilfe aber nach der Höhe der Besoldung für einen definitiv angestellten Lehrer bemessen ist, zu scheiden sein.

Obige Anordnung bezieht sich selbstverständlich nur auf die zu den Lehrerbesoldungen bewilligten laufenden Beihilfen. Bei den zu den sächlichen Schullasten bewilligten gleichen Beihilfen werden im Laufe der Bewilligungsperiode Ersparnisse im Allgemeinen nicht eintreten, da die Königliche Regierung vor Anweisung dieser Beihilfen eine eingehende Prüfung darüber stattfinden lassen muß, in welcher Höhe und für welche Zeit die Beihilfen erforderlich sind und danach die Dauer der Bewilligung zu bemessen hat. Tritt jedoch trotzdem der Fall ein, daß eine zu den sächlichen Schulunterhaltungskosten bewilligte laufende Beihilfe zeitweise gekürzt oder ganz zurückgezogen werden kann, so hat die Königliche Regierung wegen Inabgangstellung des ersparten Betrages der betreffenden Kasse in jedem Falle besondere Anweisung unverzüglich zu ertheilen.

Die vorstehende Verfügung findet auch auf die betreffenden Zahlungen aus dem Fonds Kap. 121 Tit. 36 des Staatshaushalts-Etats sinngemäße Anwendung.

Der Minister der geistlichen 2c. Angelegenheiten.
Im Auftrage: Kügler.

An
sämmtliche Königliche Regierungen.
U. III. E. 8219.

171) Bescheinigung der Schulvorstände über die ordnungsmäßige Besetzung der Lehrerstellen, für welche widerrufliche Staatsbeihilfen aus dem Fonds Kap. 121 Tit. 34 des Staatshaushalts-Etats gezahlt werden.

Berlin, den 29. Juli 1896.

Auf den Bericht vom 15. Juli d. Js. erwidere ich der Königlichen Regierung, daß durch den Runderlaß vom 21. Juni d. Js. — U. III. E. 3219 — (siehe oben Nr. 170) in der bisherigen Vorauszahlung der unvermögenden Schulverbänden bewilligten widerruflichen Staatsbeihilfen nichts geändert werden soll. Demzufolge erkläre ich mich damit einverstanden, daß die Bescheinigungen der Schulvorstände 2c. über die ordnungsmäßige Besetzung der Lehrerstellen erst am Jahresschlusse ausgestellt und den Jahresquittungen der Schulverbände bezw. Kassen nachträglich beigefügt werden. Da, wie in dem Erlasse vom 21. Juni d. Js. ausdrücklich bestimmt ist, die Königliche Regierung in jedem Falle der Erledigung einer Lehrerstelle, für welche eine Beihilfe gezahlt wird, der betreffenden Kasse eine Anweisung zur Einstellung der Zahlung der Beihilfe und nach erfolgter ordnungsmäßiger Wiederbesetzung der Stelle eine fernere Anweisung zur Weiterzahlung der Beihilfe zu geben und auf diese Weise dafür Sorge zu tragen hat, daß die Beihilfe nicht auch während der Vakanzzeit gezahlt wird, so ist es unbedenklich, die oben gedachten Bescheinigungen der Schulvorstände erst am Schlusse des Etatsjahres (31. März) ausstellen zu lassen. Selbstverständlich würde, wenn sich in einzelnen Fällen erst aus diesen Bescheinigungen ergeben sollte, daß die Beihilfe für einen Theil des Jahres zu Unrecht gezahlt worden ist, von der Königlichen Regierung wegen der Wiedereinziehung des zuviel gezahlten Betrages vor dem Jahresabschlusse der Regierungs-Hauptkasse das Erforderliche sofort zu veranlassen sein.

Der Minister der geistlichen 2c. Angelegenheiten.
Im Auftrage: Kügler.

An
die Königliche Regierung zu N.
U. III. E. 4287.

---

172) Behandlung der Anträge auf Einführung von Lesebüchern für Mittelschulen.

Berlin, den 24. Juli 1896.

Auf den Bericht vom 10. Juli d. Js. erwidere ich der Königlichen Regierung, daß das durch den Runderlaß vom 24. August 1893 — U. III. A. 2215 — (Centrbl. für 1894 S. 747) vorgeschriebene Verfahren auch dann zu beobachten ist, wenn es sich um Einführung von Lesebüchern für Mittelschulen handelt.

Der Minister der geistlichen ꝛc. Angelegenheiten.
Im Auftrage: Kügler.

An
die Königliche Regierung zu N.
U. III. D. 3494.

---

173) Mitglieder des Schulvorstandes unterliegen nicht dem Beamten-Disciplinar-Gesetze.

Berlin, den 8. August 1896.

Seitens des Unterrichts-Ministeriums ist, wie ich der Königlichen Regierung auf den Bericht vom 29. Mai d. Js. erwidere, daran festgehalten worden, daß die Mitglieder des Schulvorstandes den Disciplinarvorschriften des Gesetzes vom 21. Juli 1852, betreffend die Dienstvergehen der nicht richterlichen Beamten ꝛc., nicht unterliegen. Diesen bisher festgehaltenen Standpunkt aufzugeben, liegt keine Veranlassung vor. Dagegen ist es ein selbstverständlicher Ausfluß des Schulaufsichtsrechts der Königlichen Regierung, solche Mitglieder des Schulvorstandes, welche sich durch ihr Verhalten unwürdig oder unfähig zeigen, die als Schulvorstandsmitglied übernommenen Pflichten zu erfüllen, auch außerhalb des im Gesetze vom 21. Juli 1852 vorgeschriebenen förmlichen Verfahrens ihrer Funktionen zu entheben.

Hiernach überlasse ich der Königlichen Regierung, in dem vorliegenden Falle weitere Maßnahmen zu treffen.

Der Minister der geistlichen ꝛc. Angelegenheiten.
In Vertretung: von Weyrauch.

An
die Königliche Regierung zu N.
U. III. B. 1898. G. I.

174) Uebersicht über die Zahl der bei dem Landheere und bei der Marine in dem Ersatzjahre 1895/96 eingestellten Preußischen Mannschaften mit Bezug auf ihre Schulbildung.

(Centrbl. für 1895 Seite 782.)

Laufende Nr.	Regierungs-Bezirk, Provinz	Eingestellt a. bei dem Landheere, b. bei der Marine	Zahl der eingestellten Mannschaften: mit Schulbildung: in der deutschen Sprache	nur in der nicht deutschen Muttersprache	zusammen	ohne Schulbildung	überhaupt	ohne Schulbildung Prozent	Im Ersatzjahr 1877/78 ohne Schulbildung Prozent
1.	Königsberg .	a. L.	7872	3	7875	55	7430	0,74	
		b. M.	840	4	844	1	845	0,20	
	Summe	a. und b.	7712	7	7719	56	7775	0,72	6,04
2.	Gumbinnen	a. L.	4998	1	4999	89	5088	0,77	
		b. M.	152	3	155	1	156	0,64	
	Summe	a. und b.	5150	4	5154	40	5194	0,77	7,18
I.	**Ostpreußen** .	a. L.	12370	4	12374	94	12468	0,76	
		b. M.	492	7	499	2	501	0,40	
	Summe	a. und b.	**12862**	**11**	**12873**	**96**	**12969**	0,74	6,46
3.	Danzig . .	a. L.	3123	1	3124	14	3138	0,45	
		b. M.	270	7	277	—	277	0,00	
	Summe	a. und b.	3393	8	3401	14	3415	0,41	7,50
4.	Marienwerder . . .	a. L.	5242	16	5258	44	5302	0,83	
		b. M.	66	—	66	—	66	0,00	
	Summe	a. und b.	5308	16	5324	44	5368	0,82	11,33
II.	**Westpreußen**	a. L.	8365	17	8382	58	8440	0,69	
		b. M.	336	7	343	—	343	0,00	
	Summe	a. und b.	**8701**	**24**	**8725**	**58**	**8783**	0,66	9,79
5.	Potsdam mit Berlin . .	a. L.	10586	2	10588	7	10595	0,07	
		b. M.	209	—	209	—	209	0,00	
	Summe	a. und b.	10795	2	10797	7	10804	0,06	0,33
6.	Frankfurt a./O. . .	a. L.	6810	—	6810	15	6825	0,22	
		b. M.	89	—	89	—	89	0,00	
	Summe	a. und b.	6899	—	6899	15	6914	0,22	0,31
III.	**Brandenburg**	a. L.	16896	2	16898	22	16920	0,13	
		b. M.	298	—	298	—	298	0,00	
	Summe	a. und b.	**17194**	**2**	**17196**	**22**	**17218**	0,13	0,41

Laufende Nr.	Regierungs-Bezirk, Provinz	Eingestellt a. bei dem Landheere, b. bei der Marine	Zahl der eingestellten Mannschaften: mit Schulbildung: in der deutschen Sprache	nur in der nicht deutschen Muttersprache	zusammen	ohne Schulbildung	überhaupt	ohne Schulbildung Prozent	Im Ersatzjahr 1877/78 ohne Schulbildung Prozent
7.	Stettin . .	a. L.	3989	—	3989	1	3990	0,03	
		b. M.	423	1	424	—	424	0,00	
	Summe	a. und b.	4412	1	4413	1	4414	0,02	0,34
8.	Köslin . .	a. L.	3050	—	3050	2	3052	0,07	
		b. M.	132	1	133	1	134	0,75	
	Summe	a. und b.	3182	1	3183	3	3186	0,09	1,35
9.	Stralsund .	a. L.	968	—	968	—	968	0,00	
		b. M.	166	3	169	—	169	0,00	
	Summe	a. und b.	1134	3	1137	—	1137	0,00	1,20
IV.	Pommern .	a. L.	8007	—	8007	3	8010	0,04	
		b. M.	721	5	726	1	727	0,14	
	Summe	a. und b.	8728	5	8733	4	8737	0,05	0,54
10.	Posen . .	a. L.	7025	441	7466	92	7558	1,22	
		b. M.	41	—	41	—	41	0,00	
	Summe	a. und b.	7066	441	7507	92	7599	1,21	11,92
11.	Bromberg .	a. L.	3472	54	3526	12	3538	0,34	
		b. M.	52	—	52	—	52	0,00	
	Summe	a. und b.	3524	54	3578	12	3590	0,33	9,60
V.	Posen . . .	a. L.	10497	495	10992	104	11096	0,94	
		b. M.	98	—	98	—	98	0,00	
	Summe	a. und b.	10590	495	11085	104	11189	0,93	11,30
12.	Breslau . .	a. L.	6917	—	6917	3	6920	0,04	
		b. M.	139	—	139	1	140	0,71	
	Summe	a. und b.	7056	—	7056	4	7060	0,06	0,86
13.	Liegnitz . .	a. L.	4819	2	4821	3	4824	0,06	
		b. M.	86	—	86	—	86	0,00	
	Summe	a. und b.	4855	2	4857	3	4860	0,06	1,12
14.	Oppeln . .	a. L.	6818	160	6978	42	7020	0,60	
		b. M.	144	1	145	—	145	0,00	
	Summe	a. und b.	6962	161	7123	42	7165	0,59	4,43
VI.	Schlesien . .	a. L.	18554	162	18716	48	18764	0,26	
		b. M.	319	1	320	1	321	0,31	
	Summe	a. und b.	18873	163	19036	49	19085	0,26	2,22

Laufende Nr.	Regierungs-Bezirk, Provinz	Eingestellt a. bei dem Landheere, b. bei der Marine	Zahl der eingestellten Mannschaften: mit Schulbildung: in der deutschen Sprache	nur in der nicht deutschen Muttersprache	zusammen	ohne Schulbildung	überhaupt	ohne Schulbildung Prozent	Im Ersatzjahr 1877/78 ohne Schulbildung Prozent
15.	Magdeburg	a. L.	4424	—	4424	2	4426	0,05	
		b. M.	109	—	109	—	109	0,00	
	Summe	a. und b.	4533	—	4533	2	4535	0,04	0,22
16.	Merseburg .	a. L.	4461	—	4461	1	4462	0,02	
		b. M.	85	—	85	—	85	0,00	
	Summe	a. und b.	4546	—	4546	1	4547	0,02	0,26
17.	Erfurt . .	a. L.	2067	—	2067	2	2069	0,10	
		b. M.	36	—	36	—	36	0,00	
	Summe	a. und b.	2103	—	2108	2	2105	0,10	0,52
VII.	**Sachsen . .**	a. L.	10952	—	10952	5	10957	0,05	
		b. M.	280	—	280	—	280	0,00	
	Summe	**a. und b.**	**11182**	—	**11182**	**5**	**11187**	**0,04**	0,29
18.	Schleswig .	a. L.	5955	4	5959	—	5959	0,00	
		b. M.	619	14	633	—	633	0,00	
VIII.	**Schleswig-Holstein** Summe	a. und b.	**6574**	**18**	**6592**	—	**6592**	**0,00**	**0,41**
19.	Hannover .	a. L.	2486	—	2486	1	2487	0,04	
		b. M.	74	—	74	—	74	0,00	
	Summe	a. und b.	2560	—	2560	1	2561	0,04	
20.	Hildesheim .	a. L.	2025	—	2025	1	2026	0,05	
		b. M.	34	—	34	—	34	0,00	
	Summe	a. und b.	2059	—	2059	1	2060	0,05	
21.	Lüneburg .	a. L.	1932	—	1932	2	1934	0,10	
		b. M.	40	—	40	—	40	0,00	
	Summe	a. und b.	1972	—	1972	2	1974	0,10	
22.	Stade . .	a. L.	1473	—	1473	1	1474	0,07	
		b. M.	196	—	196	—	196	0,00	
	Summe	a. und b.	1669	—	1669	1	1670	0,06	
23.	Osnabrück .	a. L.	1466	—	1466	—	1466	0,00	
		b. M.	16	—	16	—	16	0,00	
	Summe	a. und b.	1482	—	1482	—	1482	0,00	
24.	Aurich . .	a. L.	1010	—	1010	—	1010	0,00	
		b. M.	166	—	166	—	166	0,00	
	Summe	a. und b.	1176	—	1176	—	1176	0,00	
IX.	**Hannover .**	a. L.	10892	—	10392	5	10897	0,05	
		b. M.	526	—	526	—	526	0,00	
	Summe	**a. und b.**	**10918**	—	**10918**	**5**	**10923**	**0,05**	**0,42**

Laufende Nr.	Regierungs-Bezirk, Provinz	Eingestellt a. bei dem Landheere, b. bei der Marine	Zahl der eingestellten Mannschaften: mit Schulbildung: in der deutschen Sprache	nur in der nicht deutschen Muttersprache	zusammen	ohne Schulbildung	überhaupt	ohne Schulbildung Prozent	Im Ersatzjahr 1877/78 ohne Schulbildung Prozent
25.	Münster . .	a. L.	2384	—	2384	2	2886	0,08	
		b. M.	189	4	148	—	148	0,00	
	Summe	a. und b.	2528	4	2527	2	2529	0,08	0,31
26.	Minden . .	a. L.	2992	—	2992	—	2992	0,00	
		b. M.	173	—	178	—	173	0,00	
	Summe	a. und b.	8165	—	8165	—	8165	0,00	0,34
27.	Arnsberg .	a. L.	6511	—	6511	—	6511	0,00	
		b. M.	370	—	870	—	870	0,00	
	Summe	a. und b.	6881	—	6881	—	6881	0,00	0,45
X.	**Westfalen** .	a. L.	11887	—	11887	2	11889	0,02	
		b. M.	682	4	686	—	686	0,00	
	Summe	a. und b.	**12569**	4	**12573**	2	**12575**	**0,02**	**0,38**
28.	Cassel . . .	a. L.	4029	—	4029	—	4029	0,00	
		b. M.	35	—	85	—	85	0,00	
	Summe	a. und b.	4064	—	4064	—	4064	0,00	0,31
29.	Wiesbaden	a. L.	3860	—	3860	1	3861	0,03	
		b. M.	51	—	51	—	51	0,00	
	Summe	a. und b.	3911	—	8911	1	8912	0,03	0,00
XI.	**Hessen-Nassau**	a. L.	7889	—	7889	1	7890	0,01	
		b. M.	86	—	86	—	86	0,00	
	Summe	a. und b.	**7975**	—	**7975**	**1**	**7976**	**0,01**	**0,17**
30.	Coblenz . .	a. L.	3679	—	8679	—	8679	0,00	
		b. M.	41	—	41	—	41	0,00	
	Summe	a. und b.	8720	—	8720	—	8720	0,00	0,00
31.	Düsseldorf .	a. L.	9208	—	9208	—	9208	0,00	
		b. M.	554	—	554	—	554	0,00	
	Summe	a. und b.	9762	—	9762	—	9762	0,00	0,44
32.	Cöln . . .	a. L.	4004	—	4004	—	4004	0,00	
		b. M.	49	—	49	—	49	0,00	
	Summe	a. und b.	4058	—	4053	—	4058	0,00	0,29
33.	Trier . .	a. L.	3459	—	3459	—	3459	0,00	
		b. M.	19	—	19	—	19	0,00	
	Summe	a. und b.	8478	—	3478	—	8478	0,00	0,41
34.	Aachen . .	a. L.	2887	—	2887	—	2887	0,00	
		b. M.	43	—	48	—	43	0,00	
	Summe	a. und b.	2930	—	2980	—	2980	0,00	0,33
XII.	**Rheinprovinz**	a. L.	23237	—	28287	—	28287	0,00	
		b. M.	706	—	706	—	706	0,00	
	Summe	a. und b.	**23943**	—	**23943**	—	**23943**	**0,00**	**0,32**

Laufende Nr.	Regierungs-Bezirk, Provinz	Eingestellt a. bei dem Landheere, b. bei der Marine	Zahl der eingestellten Mannschaften					ohne Schulbildung Prozent	Im Etatsjahr 1877/78 ohne Schulbildung Prozent
			mit Schulbildung			ohne Schulbildung	überhaupt		
			in der deutschen Sprache	nur in der nicht deutschen Muttersprache	zusammen				
85.	Sigmaringen	a. L.	289	—	289	—	289	0,00	
		b. M.	2	—	2	—	2	0,00	
XIII	Summe Hohenzollern	a. und b.	291	—	291	—	291	0,00	0,00

Wiederholung.

I.	Ostpreußen	a. Landheer	12370	4	12874	94	12468	0,75	
II.	Westpreußen		8865	17	8882	58	8440	0,49	
III.	Brandenburg		16896	2	16898	22	16920	0,13	
IV.	Pommern		8007	—	8007	8	8010	0,04	
V.	Posen		10497	495	10992	104	11096	0,94	
VI.	Schlesien		18554	162	18716	48	18764	0,26	
VII.	Sachsen		10952	—	10952	5	10957	0,05	
VIII.	Schleswig-Holstein		5955	4	5959	—	5959	0,00	
IX.	Hannover		10392	—	10392	5	10397	0,05	
X.	Westfalen		11887	—	11887	2	11889	0,02	
XI.	Hessen-Nassau		7889	—	7889	1	7890	0,01	
XII.	Rheinprovinz		28287	—	28287	—	28287	0,00	
XIII	Hohenzollern		289	—	289	—	289	0,00	
	Summe	a. Landheer	145290	684	145974	842	146816	0,22	
I.	Ostpreußen	b. Marine	492	7	499	2	501	0,40	
II.	Westpreußen		886	7	848	—	848	0,00	
III.	Brandenburg		298	—	298	—	298	0,00	
IV.	Pommern		721	5	726	1	727	0,14	
V.	Posen		98	—	98	—	98	0,00	
VI.	Schlesien		319	1	320	1	321	0,31	
VII.	Sachsen		280	—	230	—	280	0,00	
VIII.	Schleswig-Holstein		619	14	688	—	688	0,00	
IX.	Hannover		526	—	526	—	526	0,00	
X.	Westfalen		682	4	686	—	686	0,00	
XI.	Hessen-Nassau		86	—	86	—	86	0,00	
XII.	Rheinprovinz		706	—	706	—	706	0,00	
XIII	Hohenzollern		2	—	2	—	2	0,00	
	Summe	b. Marine	5110	38	5148	4	5152	0,08	
	Dazu Summe	a. Landheer	145290	684	145974	842	146816	0,22	
	Ueberhaupt Monarchie		150400	722	151122	846	151468	0,22	2,11

175) Rechtsgrundsätze des Königlichen Oberverwaltungsgerichts.

a. Kläger wenden gegen ihre, auf Grund des §. 46 Abs. 1 des Zuständigkeitsgesetzes erfolgte Heranziehung zu den Schulunterhaltungskosten in A. in erster Linie ein, daß die ihnen als Besitzer des Rittergutes A. zukommende Befreiung von diesen Kosten in einem zwischen ihnen und der Gemeinde A. anhängig gewesenen Civilprozesse durch das unstreitig rechtskräftig gewordene Urtheil des Landgerichts zu C. vom 17. April 1882 anerkannt worden sei.

Der Heranziehung der Kläger zu den Schulunterhaltungskosten für das Jahr 1893/94 steht in der That der Einwand durchschlagend entgegen, daß eine die Kläger von dem Ganzen dieses Anspruchs — von der Schulunterhaltungslast überhaupt — befreiende gerichtliche Entscheidung rechtskräftig ergangen ist. Die hiergegen vorgebrachten Bedenken sind unbegründet.

Verfehlt sind auch die weiteren Ergebnisse, zu welchen der Vorderrichter gelangt ist und welche für seine Entscheidung bestimmend gewesen sind: daß nämlich das gerichtliche rechtskräftige Urtheil nur privatrechtliche Wirkungen zu erzeugen vermöge, die öffentlich-rechtliche Verbindlichkeit der Kläger ganz unberührt lasse und daher für das vorliegende Verwaltungsstreitverfahren bedeutungslos sei. Im Gegentheil ist zu sagen: daß das rechtskräftige gerichtliche Urtheil die alleinige Grundlage des zwischen den Parteien bestehenden Rechtsverhältnisses bildet, welches übrigens lediglich öffentlich-rechtlicher Natur ist und für ein Danebenbestehen „privatrechtlicher" Wirkungen keinen Raum läßt. Daß es ein Civilgericht ist, welches über die öffentlich-rechtliche Schulunterhaltungspflicht erkannt hat und nach den Gründen seiner Entscheidung zweifellos auch hat erkennen wollen, ändert an jener Wirkung der Rechtskraft des Urtheils nichts; das Gericht hat den Rechtsweg für zulässig erachtet und seine Entscheidung ist rechtskräftig geworden, ohne daß zuvor der Kompetenzkonflikt mit Erfolg beschritten ist (Verordnung vom 16. September 1867, betreffend die Zulässigkeit des Rechtsweges in den neuen Provinzen — G. S. S. 1515), daher „bleibt die Entscheidung des Gerichts maßgebend" (§. 17 Abs. 2 Nr. 4 des Gerichtsverfassungsgesetzes). Daraus folgt zugleich, daß eine nachträgliche Prüfung, ob das Civilgericht seine Zuständigkeit (u. A. mit Rücksicht auf die Bestimmungen des Gesetzes vom 24. Mai 1861) überschritten habe, ausgeschlossen ist. Völlig zutreffend hat hiernach die Revision ausgeführt, daß die öffentlich-rechtliche Freiheit der Kläger von der Schulunterhaltungslast (abgesehen immer von der Baulast) rechtskräftig und endgiltig festgestellt ist.

Daß das mehrerwähnte, die Kläger gegen die Heranziehung zu den streitigen Lasten schützende Urtheil nicht etwa durch den §. 37 der Kreisordnung vom 7. Juni 1885 im Wege der Gesetzgebung beseitigt ist — wie der erste Richter angenommen hat —, ist vom Berufungsgericht mit zutreffenden Gründen nachgewiesen und kann auf die desfallsigen Ausführungen hier verwiesen werden.

(Erkenntnis des Königlichen Oberverwaltungsgerichts vom 3. März 1896 — I. 291 —.)

---

b. Die vertragsmäßige Festlegung der Grundsätze für die lediglich und allein dem öffentlichen Rechte angehörende Schulbesteuerung war, da sie weder einer allgemeinen noch einer provinzialgesetzlichen Vorschrift zuwiderlief, an sich zulässig und sie erlangte durch die Genehmigung der Aufsichtsbehörde verbindliche Geltung. Die so geschaffene ortsrechtliche Norm vermochte indes eine weitere Entwickelung der Abgabenverfassung auch in Bezug auf die Patrone nicht zu hindern. Wäre aber etwa, was dahin gestellt bleiben mag, der Bestimmung, daß auch in Zukunft unter keinen Umständen der Beitrag der Patrone höher als nach Maßgabe des vereinbarten Verhältnisses zu den Leistungen der sogen. Fuhrleute bemessen werden dürfe, nach der Absicht der Kontrahenten die Bedeutung eines Verzichtes des Schulvorstandes auf eine den Patronen nachtheilige Aenderung der Abgabenverfassung beizulegen, so würde sie insoweit, trotz ihrer Billigung von Aufsichtswegen, unwirksam gewesen sein. Denn das Gesetz vom 14. Oktober 1848 (Hannoversche Gesetz-Sammlung Seite 301) giebt im §. 19 Nr. 6 den Schulvorständen das Recht, den Beitragsfuß mit vorgängiger Zustimmung der ihnen Vorgesetzten zu ändern, und auf dieses Recht konnte der beklagte Schulvorstand nach den von dem Gerichtshofe auf verwandten Gebieten gleichmäßig festgehaltenen Grundsätzen niemals, am allerwenigsten vermöge eines Abkommens mit einzelnen Personen, verzichten (Entscheidungen des Oberverwaltungsgerichts Band XII Seite 120 ff.; Band XIV Seite 186 ff.).

(Erkenntnis des Königlichen Oberverwaltungsgerichts vom 6. März 1896 — I. 311 —.)

---

c. Dadurch, daß die beklagte Landgemeinde laut Beschlusses vom . . . . . . die Unterhaltungskosten für die katholische Volksschule des Ortes auf den Kommunaletat übernahm und in der Folge jene Kosten aus der Gemeindekasse hergab, wurde die genannte Schule keine kommunale Anstalt und die gesetzliche Verpflichtung der Hausväter zu ihrer Unterhaltung nicht aufgehoben.

Die Hausvätersozietät blieb so lange bestehen, als sie nicht mit Genehmigung der Schulaufsichtsbehörde aufgelöst und von dieser ein Anderer als Schulunterhaltungspflichtiger an ihrer Statt angenommen war (vergl. Entscheidungen des Oberverwaltungsgerichts Band XXIV Seite 136). Weder ist ihre Auflösung angeordnet noch sind die Hausväter nach Eintritt eines Dritten in deren Verpflichtungen ihrer Obliegenheit bezüglich der Schulunterhaltung entlassen.

Zutreffend sind deshalb ungeachtet jenes Beschlusses die durch die Schulerweiterung um eine zweite Lehrerstelle entstehenden Mehrkosten Seitens der Schulaufsichtsbehörde von der katholischen Schulgemeinde erfordert, in Ermangelung deren Einverständnisses auf Grund des §. 2 des Gesetzes vom 26. Mai 1887 (G. S. S. 175) festgestellt, und schließlich gemäß §. 48 des Zuständigkeitsgesetzes vom 1. August 1883 (G. S. S. 237) zwangsetatisirt. In der That ist die katholische Hausvätersozietät noch gegenwärtig Trägerin der Schulunterhaltungslast und es ändert darin der Umstand nichts, daß die beklagte Landgemeinde wegen Erfüllung der im Beschlusse vom ..... übernommenen Verpflichtung in Anspruch genommen werden kann.

Ist aber die katholische Hausvätersozietät (Schulgemeinde) das abgabenforderungsberechtigte Rechtssubjekt, so hatte sie gemäß Absatz 1 §. 46 des Zuständigkeitsgesetzes durch ihr die Ortsschulbehörde darstellendes Organ, den Schulvorstand, den ihr Pflichtigen heranzuziehen und im Uebrigen abzuwarten, ob der Herangezogene gegen die Heranziehung Einspruch erhob.

In die Bahnen des Verwaltungsstreitverfahrens konnte sonach der gegen die beklagte Landgemeinde erhobene Anspruch nur für den Fall gelenkt werden, daß von dieser gegen den ihren Einspruch zurückweisenden Beschluß des Schulvorstandes Klage angestrengt wurde.

Wenn die Schulgemeinde, statt die beklagte Landgemeinde heranzuziehen und eventuell sich in der Rolle der Beklagten von dieser belangen zu lassen, selbst in der Rolle der Klägerin aufgetreten ist, so hat sie übersehen, daß das Verwaltungsstreitverfahren für eine solche Klage nicht gegeben und deshalb unzulässig ist (§. 7 Absatz 2 des Gesetzes über die allgemeine Landesverwaltung vom 30. Juli 1883, G. S. S. 195). Insbesondere ist die Statthaftigkeit der Klage nicht etwa aus Absatz 3 §. 46 des Zuständigkeitsgesetzes herzuleiten. Denn die Klage aus Absatz 3 §. 46 steht nur den Kontribuenten unter einander zu, und zu diesen gehört das forderungsberechtigte Rechtssubjekt nicht (vergl. Entscheidungen des Oberverwaltungsgerichts Band XXV Seite 174 ff.).

Der Schulvorstand hat sich zur Verhandlung vom .... im Voraus damit einverstanden erklärt, daß die Schulunterhaltungskosten auf den Etat der politischen Gemeinde übernommen werden. Nachdem diese demnächst den Beschluß vom ..... gefaßt hatte, hat die Hausvätersozietät, da sie die zur Deckung der Schulbedürfnisse bestimmten Beträge aus der Gemeindekasse annahm, durch konkludente Handlungen, welche einer ausdrücklichen Willensäußerung gleich zu erachten sind (§§. 58ff. Titel 4 Theil I des Allgemeinen Landrechts), ihr Einvernehmen mit diesem Beschlusse zu erkennen gegeben. Wie die beklagte Gemeinde in der Revisionsschrift selbst erwähnt, ist dann auch vom Schulvorstande am ...... der Anspruch erhoben, daß sie die der Schulsozietät obliegenden Lasten zu tragen habe. Nach alle dem wird in der Revisionsschrift zu Unrecht bestritten, daß die Hausvätersozietät dem Beschlusse der Beklagten vom ...... beigetreten sei. Die Schulaufsichtsbehörde hat diesen Beitritt ihrerseits genehmigt. Eine ausdrückliche Genehmigung ist zwar aus dem vorliegenden Aktenmaterial nicht nachweisbar; ein solcher Nachweis ist aber entbehrlich, wenn Thatsachen dafür sprechen, aus denen die Genehmigung gefolgert werden darf. An solchen Thatsachen fehlt es nicht.

Bei dieser Sachlage sind alle Vorbedingungen gegeben, unter denen die Schulgemeinde aus dem erwähnten Beschlusse durch Heranziehung der Beklagten zu den Schulbedürfnissen Rechte geltend machen kann.

(Erkenntnis des Königlichen Oberverwaltungsgerichts vom 10. April 1896 — I. 475. —)

---

d. Ein einmal erlassenes Schulbauresolut, dessen förmliche Zurücknahme die Behörde verweigert, behält für die davon Betroffenen verbindliche Geltung so lange, bis es durch richterliches Urtheil außer Kraft gesetzt wird. Die solchen Ausspruch begehrende Klage kann aber nicht blos mit der Behauptung, daß ein Bedürfnis zu dem angeordneten Baue niemals obgewaltet habe, sondern nicht minder mit der Behauptung begründet werden, daß das einstmals vorhanden gewesene Bedürfnis wegen veränderter Umstände nicht mehr bestehe, mithin die thatsächlichen Voraussetzungen für den Erlaß des Resoluts fortgefallen seien. Auf dieses Fundament kann sogar noch, nachdem ein Resolut unanfechtbar geworden war, die Klage gegen ein auf der Grundlage desselben erlassenes ferneres Resolut gestützt werden, wie der Gerichtshof in dem, die rechtliche Natur der Schulbauresolute erläuternden Revisionsurtheile Band XXV, Seite 191 der veröffentlichten Entscheidungen dargelegt hat. Und mit dem Fortfalle der thatsächlichen Voraussetzungen des Resoluts ist ganz besonders gerade dann zu rechnen, wenn nach Erlaß desselben auf andere als die dort vorgeschriebene Art dem Bedürfnisse zweckdienlich bereits abgeholfen ist. Zu der Feststellung, daß dem so sei, sind aber auch die Verwaltungsgerichte wohl befugt, da sie in Schulbaustreitigkeiten — vorbehaltlich nur der ihnen materiell durch §. 49 Abs. 2, 3 des Zuständigkeitsgesetzes und formell durch §. 79 Satz 3 des Landesverwaltungsgesetzes gezogenen Schranken — in demselben Umfange und in demselben Maße, wie dies den Regierungen vor Einführung der Verwaltungsgerichtsbarkeit nach §. 18 der Regierungsinstruktion zustand und also vornehmlich auch über die Fortdauer oder den Wegfall des Baubedürfnisses zu befinden haben. Erachtete daher hier der Vorderrichter für dargethan, daß von den Baupflichtigen die erforderlichen Räume durch Tausch anstatt durch Bauen beschafft seien und es zufolge dauernder Sicherstellung ihrer Verwendung für Schulzwecke der Errichtung neuer Schulgebäude nicht erst bedürfe, so mußte er das dann hinfällig gewordene, gleichwohl aber von der Regierung vertheidigte Resolut außer Kraft setzen.

Zum Erwerbe wie zur Veräußerung von Grundeigenthum durch Kirchengemeinden ist außer der Genehmigung der kirchlichen Aufsichtsbehörde die der Staatsbehörde erforderlich; letztere zu ertheilen, steht bei Werthgegenständen von mehr als 10 000 *M* dem Kultusminister, sonst dem Regierungs-Präsidenten zu (§§. 194, 219, 468, Titel 11, Theil II des Allgemeinen Landrechts; Art. 24 Nr. 1 des Kirchenverfassungsgesetzes vom 3. Juni 1876 — G. S. S. 125 — und Art. I Nr. 2, III Nr. 4 der Ausführungsverordnung vom 9. September 1876 — G. S. S. 395 —). Hinsichtlich der Grund-Erwerbungen und Veräußerungen bei Schulen gelten die gleichen Normen mit der Maßgabe, daß die Entschließung über die Genehmigung gemeinhin den Regierungen übertragen, jedoch in Fällen der Veräußerung von ganzen Landgütern und Häusern, wie eine solche hier in Frage stand, dem Unterrichtsminister vorbehalten ist (§. 19, Titel 12, Theil II des Allgemeinen Landrechts; Ministerialerlaß vom 15. März 1867 bei Schneider und von Bremen, Volksschulwesen, Band II, §. 315, Nr. 1, Seite 761). Mag daher das alte Küstergrundstück Eigenthum der Kirchengemeinde sein, wovon der Vorderrichter anscheinend ausgeht, oder mag es dieser in Gemeinschaft mit der Schulgemeinde oder ausschließlich der letzteren gehören, in keinem Falle war die Regierung befugt, abschließend über die Annehmbarkeit des Tauschgeschäfts zu entscheiden. Dazu hätte es, wenn nicht der Genehmigung des Konsistoriums bezw. des

Evanglischen Ober-Kirchenraths (s. dessen Erlaß vom 11. Dezember 1880, Kirchliches Gesetz- und Verordnungsblatt Seite 190), so doch unbedingt derjenigen des Regierungs-Präsidenten oder des Ministers bedurft.

(Erkenntnis des Königlichen Oberverwaltungsgerichts vom 17. April 1896 — I. 507. —.)

---

e. Unter den Parteien herrscht darüber kein Streit, daß der Vertheilungsplan, betreffend die Beiträge zu der Ruhegehaltskasse des Regierungsbezirks X. für das Rechnungsjahr 1894/95, gemäß §. 10 des Gesetzes vom 23. Juli 1893 (G. S. S. 194) von der Bezirksregierung durch das Amtsblatt bekannt gemacht worden ist, und daß der Schulverband N. über die ihm in diesem Vertheilungsplane angesonnene Leistung von 102 ℳ die Klage gegen die Bezirksregierung gemäß §. 12 a. a. O. innerhalb der vorgeschriebenen Frist von vier Wochen nach der Bekanntmachung des Vertheilungsplanes nicht angestellt hat. Dadurch war die Anforderung an den Schulverband der Schulaufsichtsbehörde gegenüber unanfechtbar geworden. Zwar war der Schulverband nicht gehindert, seinerseits den Fiskus, wenn er diesen zur Zahlung des erwähnten Beitrages aus öffentlich-rechtlichen Gründen für materiell verpflichtet erachtete, zu dessen Leistung heranzuziehen, wodurch der Fiskus in die Lage gekommen wäre, Einspruch und eventuell Klage im Verwaltungsstreitverfahren gegen den Schulvorstand zu erheben; die Schulaufsichtsbehörde war aber durchaus befugt, alsbald gegen den Schulverband die Beitreibung der 102 ℳ im Verwaltungszwangsverfahren anzuordnen. Einer Maßnahme, wie sie im §. 48 des Zuständigkeitsgesetzes vom 1. August 1883 (G. S. S. 237) vorgesehen ist, bedurfte es überhaupt nicht. Allerdings hat der mitbeklagte Königliche Landrath in der mit der Klage angegriffenen Verfügung auf diese Gesetzesstelle Bezug genommen, in Wirklichkeit aber eine Anwendung von ihr nicht gemacht. Denn er hat nicht angeordnet, daß die 102 ℳ in den Etat des Schulverbandes eingestellt bezw. als außerordentliche Ausgabe festgestellt würden, sondern er hat verfügt, daß die fragliche Summe von den Hausvätern des Schulbezirks N. durch eine Seitens des Schulvorstandes auf die Hausväter zu vertheilende Umlage aufzubringen sei. Diese Verfügung enthielt somit lediglich eine der Rechtskontrole entzogene dienstliche Anweisung über die Beschaffung der Bedarfssumme durch Untervertheilung innerhalb der Schulgemeinde, aber nicht eine Zwangsetatisirung gegenüber der Korporation der Schulgemeinde, welche zum Gegenstande einer Klage aus §. 48 des Zuständigkeitsgesetzes hätte gemacht werden können.

(Entscheidung des Königlichen Oberverwaltungsgerichts vom 24. April 1896 — I. 550 —.)

f. Die Beschlußbehörden sind zwar befugt, in dem durch das Gesetz vom 26. Mai 1887 — G. S. S. 175 — geordneten Feststellungsverfahren, soweit nicht positive Vorschriften des bestehenden Rechts jedes behördliche Ermessen ausschließen, auch allgemeine Gesichtspunkte in den Kreis ihrer Erwägungen zu ziehen und zu grundsätzlichen Fragen grundsätzlich Stellung zu nehmen; diese Stellungnahme darf aber nicht in der Anordnung einer generellen Regel gipfeln; sondern muß lediglich dem Zwecke dienen, eine sachgemäße Entscheidung über diejenigen Fragen zu finden und zu begründen, welche in dem stets auf einzelne, bestimmte Neu- oder Mehranforderungen beschränkten Feststellungsverfahren nach Vorschrift der Gesetze zum Austrag zu bringen sind.

Ein Provinzialrath, welcher eine abstrakte Rechtsnorm dahin aufstellen wollte, daß die Stadtgemeinden nicht verpflichtet seien, den Volksschullehrern die auswärtige Dienstzeit anzurechnen, würde seine Zuständigkeit überschreiten.

Die rechtliche Unterscheidung zwischen Stadt- und Landschullehrern und zwischen den in Städten vor oder nach der erstmaligen Stellungnahme eines Provinzialrathes zu der Anrechnung der auswärtigen Dienstzeit angestellten Lehrern würde eine Verletzung des bestehenden Rechts enthalten.

(Erkenntnis des Königlichen Oberverwaltungsgerichts vom 12. Mai 1896 — I. 626 —.)

g. Die Zulässigkeit der Heranziehung des Klägers zu Schulbeiträgen für die katholische Schule zu E. hängt davon ab, ob er zu den Hausvätern des dortigen Schulverbandes gehört (§§. 29 ff. Titel 12 Theil II des Allgemeinen Landrechts). Das ist der Fall, wenn er im dortigen Schulbezirke seinen Wohnsitz hat (Entscheidungen des Oberverwaltungsgerichts Band II Seite 200, Band III Seite 138, Band VI Seite 177, Band VII Seite 226, Band IX Seite 127). Indem der Kreisausschuß dies verneint, stützt er sich auf die im §. 1 Abs. 2 des Reichsgesetzes vom 13. Mai 1870 gegebene Bestimmung des Begriffs eines Wohnsitzes. Danach befindet sich der Wohnsitz an dem Orte, wo man eine Wohnung unter Umständen inne hat, welche auf die Absicht der dauernden Beibehaltung einer solchen schließen lassen. Allein diese, zunächst nur für die Heranziehung zu den direkten Staatssteuern gegebene und später auch in andere Gesetze übergegangene Bestimmung des Wohnsitzbegriffs (vergl. Landgemeindeordnung für die sieben östlichen Provinzen vom 3. Juli 1891 §. 7 Abs. 2) kann als eine allgemein giltige nicht angesehen werden (Entscheidungen des Oberverwaltungsgerichts Band XV Seite 101, Band XVII Seite 145, Band XVIII Seite 85; Entscheidungen desselben Gerichtshofes in Staatssteuersachen Band 1 Seite 86, im Preußischen Verwaltungsblatt Jahrgang XV Seite 483 ff.; Entscheidungen des Reichsgerichts Band XXIX Seite 24 ff.). Zur Begründung, zum Haben und Beibehalten eines Wohnsitzes gehört vielmehr sonst nach Preußischem wie nach Gemeinem Rechte einmal der Wille, einen bestimmten Ort zum Mittelpunkt der Lebensverhältnisse zu machen, und außerdem die Verwirklichung dieses Willens durch entsprechendes Handeln (Entscheidungen des Oberverwaltungsgerichts Band XV Seite 61, Band X Seite 3; Entscheidungen des Reichsgerichts Band XV Seite 367. 368, Band XXX Seite 348). Demgemäß sind auch zum Aufgeben eines Wohnsitzes Kriterien zu verlangen, die im direkten Gegensatz zu den für die Begründung eines Wohnsitzes erforderlichen Voraussetzungen stehen (facta contraria — L. 20 D. 50,1 —); es muß also zu der entsprechenden Erklärung ein positives, dieser Willensrichtung konformes Handeln hinzukommen (Entscheidung des Oberverwaltungsgerichts im Preußischen Verwaltungsblatt Jahrgang XV Seite 483; Dernburg, Preußisches Privatrecht, 5. Auflage Band I §. 27 Nr. 2; Förster-Eccius Band I §. 11, 5. Auflage Seite 54; Entwurf des Bürgerlichen Gesetzbuches, 2. Lesung, §. 17 Abs. 3; Motive zum Entwurfe, 1. Lesung, Band I Seite 70). Die Innehabung einer Wohnung — wie nach dem Reichsgesetze vom 13. Mai 1870 — ist für die Beibehaltung des Wohnsitzes danach nicht entscheidend (Entscheidungen des Reichsgerichts Band XXX Seite 349). Trotz des Mangels einer Wohnung in E. kann der Wohnsitz daselbst fortbestehen. Wenn es also in dem ersten Urtheile heißt:

> „Einen Wohnsitz hat Kläger in E. zweifellos nicht, da er daselbst keine Wohnung besitzt",

so ist dies nicht schlüssig. Der Kreisausschuß ist sonach zur Verneinung des Wohnsitzes in E. durch unrichtige Anwendung des Reichsgesetzes vom 13. Mai 1870 bezw. der in diesem Gesetze enthaltenen, nicht allgemein und namentlich auch nicht für den Wohnsitz im Schulbezirke giltigen, Begriffsbestimmung gelangt. Derselbe Vorwurf trifft aber den Berufungsrichter, da dieser auf die von ihm als zutreffend bezeichnete Ausführung des Vorderrichters verweist. Allerdings wird in der Begründung des Berufungsurtheils außerdem bemerkt, daß der Kläger durch die beigebrachten Bescheinigungen sowohl seine vorschriftsmäßige Abmeldung in E. und demnächstige Niederlassung in B. wie auch seine Aufnahme in den Schaumburg-Lippeschen Unterthanenverband dargethan habe. Der Erwerb der Schaumburg-Lippeschen Staatsangehörigkeit, welcher für die Heranziehung zur Staatseinkommensteuer nach dem Gesetze vom 24. Juni 1891 von Bedeutung ist, berührt nicht unmittelbar die Frage, ob der Kläger als Hausvater zur katholischen Schulgemeinde in E. gehört, was der Fall sein kann, ohne daß er die Preußische Staatsangehörigkeit besitzt. Nur insofern kommt hier die Aufnahme in den Schaumburg-Lippeschen Staatsverband in Betracht, als sie nach Inhalt der Aufnahmeurkunde „in Folge seiner Niederlassung in B." geschehen ist, also der Kläger danach gemäß §. 7 des Reichsgesetzes vom 1. Juni 1870 seine Niederlassung ebenda nachgewiesen hat. Allein abgesehen davon, ob sich der Verwaltungsrichter damit begnügen darf, daß das Schaumburg-Lippesche Ministerium den Nachweis der Niederlassung für geführt erachtet hat, und ob sich nicht der Verwaltungsrichter einer selbständigen Prüfung der Unterlagen dieses Nachweises unterziehen muß, ist völlig unberücksichtigt geblieben, daß aus der Aufnahmeurkunde höchstens eine im Laufe des Steuerjahres erfolgte Niederlassung in B. hervorgeht. Hat aber der Kläger seinen Wohnsitz in E. erst im Laufe des Steuerjahres aufgegeben, so kann er nicht darum gänzliche Freilassung von der Schulsteuer für dieses Jahr verlangen (§. 1 Abs. 4, §. 14 des Gesetzes vom 18. Juni 1840, G. S. S. 140). Der Berufungsrichter konnte also nicht der Aufnahmeurkunde entnehmen, daß dem Kläger der für die Zulässigkeit einer Heranziehung zur Schulsteuer erforderliche Wohnsitz in E. überhaupt gefehlt habe.

(Entscheidung des Königlichen Oberverwaltungsgerichts vom 19. Mai 1896 — I. 664 —.)

---

h. Die hinsichtlich des Brennholzantheiles für das Gut B. getroffene Entscheidung des Vorderrichters hat nicht bestätigt werden können, da sie auf unrichtigen Grundsätzen über den Begriff der sogenannten „kommunalfreien" Grundstücke beruht. Als solche sind Grundstücke anzusehen, welche für sich weder Gemeinden noch Gutsbezirke bilden, noch zu diesen oder jenen gehören. Diese Begriffsbestimmung ergiebt sich, wenn auch die Gesetze den Ausdruck „kommunalfrei" nicht gebrauchen, doch aus der Natur der Sache und liegt u. A. der Vorschrift im §. 8 des Armenpflegegesetzes vom 31. Dezember 1842 zu Grunde. Das Gut B. hatte bis zum Beschlusse vom . . . . . . einem fiskalischen Gutsbezirke angehört; wenn jener, zweifellos auf Grund des §. 4 Abs. 2 der Landgemeindeordnung vom 3. Juli 1891 ergangene Beschluß das Gut für „kommunalfrei" erklärte, so ist freilich nicht verständlich, weshalb der Kreisausschuß zu dieser Beschlußfassung gelangt ist, trotzdem aber die aus dieser zu entnehmende Folge nicht abzulehnen, daß nämlich, so lange der Beschluß in Kraft bleibt, das Gut einem fiskalischen Gutsbezirke nicht mehr angehört. Ist aber das Gut aus dem räumlichen Bereiche der fiskalischen Gutsherrschaft ausgeschieden, so kann auch nicht weiter von der Möglichkeit der Ausübung herrschaftlicher Rechte und Pflichten über das Gut die Rede sein. Der Vorderrichter irrt, wenn er ausführt, daß das Gut B., obwohl für „kommunalfrei" erklärt, dennoch in dem früheren „gutsherrlichen Verhältnisse" geblieben sei; die für diese Auffassung in Bezug genommenen Aussprüche des Ministers der geistlichen, Unterrichts- und Medizinal-Angelegenheiten und des unterzeichneten Gerichtshofes sind dafür durchaus nicht verwendbar. In dem Erlasse vom 19. September 1883 (Schneider und von Bremen, Volksschulwesen, Band II, Seite 331 ff.) handelt es sich um die Verpflichtung des Fiskus für Gemeinden, welche auf einem der gutsherrschaftlichen Gewalt des Fiskus unterworfenen Gebiete neu gebildet sind; wenn in diesem Falle die Patronatslast aus den §§. 44—47 der Schulordnung für fortbestehend erklärt worden ist, so erscheint dies vollkommen zutreffend und entspricht auch der Rechtsprechung des Gerichtshofes, da nach dieser (vergl. z. B. Entscheidungen Band XII Seite 221) die gutsherrschaftlichen Rechte und Pflichten allen Hintersassen gegenüber stattfinden — gleichgiltig, ob diese zu Gemeinden vereinigt sind oder nicht. Dagegen ist von „kommunalfreien" Ortschaften im eigentlichen Sinne in dem Reskripte gar keine Rede. — Und wenn der Vorderrichter für seine Auffassung die diesseitige Entscheidung in Sachen Fiskus (Marienwerder) wider den Schulvorstand M. vom 30. Oktober 1894 — I. 1242. — verwerthen zu können vermeint, so ist aus dieser vielmehr das Gegentheil zu entnehmen; denn es ist dort ausgeführt, daß durch die Eingemeindung der für gemeindefrei erklärten Ortschaft F. in die der Gutsherrschaft des Fiskus unterworfene Gemeinde M. die Schulbrennholzverpflichtungen der Gutsherrschaft nicht erweitert werden können: das entspricht gerade dem Grundsatze, daß eine Gutsherrschaft „kommunalfreien" Grundstücken gegenüber herrschaftliche Rechte und Pflichten nicht auszuüben hat, und zwar selbst dann nicht, wenn diese der herrschaftlichen Gemeinde im Wege der Bezirksveränderung einverleibt werden.

(Entscheidung des Königlichen Oberverwaltungsgerichts vom 29. Mai 1896 — I. 711. —.)

i. 1. Verfehlt ist die Ansicht des Klägers, daß er wegen seiner Eigenschaft als Vorsänger der jüdischen Gemeinde zu den „Kirchendienern" im Sinne der Verordnung vom 23. September 1867 zu rechnen sei. Da die Verordnung in ihrem Eingange als Ziel bezeichnet, die in den älteren Landestheilen bestehenden Vorschriften über die Heranziehung der Staatsdiener zu den Gemeindelasten auf die neu erworbenen Landestheile auszudehnen und die in diesen angestellten Staatsdiener denen in der übrigen Monarchie gleichzustellen, so ist dem Vorderrichter darin beizutreten, daß für die Auslegung der Bestimmungen der neueren Verordnung dasjenige Recht, auf dem die Bestimmungen des Gesetzes vom 11. Juli 1822 und die Vorschriften der sich daran anschließenden Gemeindeverfassungsgesetze fußen, maßgebend ist. Danach kann es aber nicht zweifelhaft sein, daß unter den Geistlichen und Kirchendienern im Sinne des §. 1 Nr. 3 der Verordnung vom 23. September 1867 nur die Diener der vom Staate ausdrücklich aufgenommenen christlichen Kirchengesellschaften und nicht auch die anderer, vom Staate genehmigter Religionsgesellschaften zu verstehen sind; denn nur den Ersteren sind gleiche Rechte mit anderen Beamten verliehen worden (zu vergl. §§. 17, 19 und 20 Titel 11 Theil II des Allgemeinen Landrechts).

2) Mit Recht ist der Vorderrichter davon ausgegangen, daß dem Kläger das Steuervorrecht der Elementarschullehrer nur dann zusteht, wenn die israelitische Religionsschule, an der er als Lehrer fungirt, als eine öffentliche Volksschule anzuerkennen ist, und er hat auch den jüdischen Schulen, welche lediglich der Ertheilung des israelitischen Religionsunterrichts dienen, diesen Charakter mit Recht abgesprochen.

Bei der Prüfung, ob einer Schule der Charakter einer öffentlichen Schule beiwohnt, ist von dem im Band XX Seite 124/125 und im Band XVII Seite 117 ff. und 162/163 der veröffentlichten Entscheidungen des Gerichtshofes entwickelten Grundsatze auszugehen, daß Elementarschulen — Volksschulen — die der allgemeinen Schulpflicht dienenden, von den öffentlich-rechtlichen Trägern der Schullast erzwingbaren Schulen sind, deren Besuch obligatorisch ist und die keinem im Schulbezirke sich regelmäßig aufhaltenden Kinde verschlossen bleiben dürfen; es ist aber das Zutreffen dieser Voraussetzung im vorliegenden Falle zu verneinen.

Anzuerkennen ist, daß auch nach dem Kurhessischen Gesetze vom 30. Dezember 1823 den jüdischen Gemeinden die Fürsorge für den Unterricht der jüdischen Jugend in der Religion obliegt. Zwar ist dies nicht so klar ausgesprochen wie in dem Preußischen Gesetze über die Verhältnisse der Juden vom 23. Juli 1847, welches im §. 62 Abs. 2 die Synagogengemeinden ausdrücklich verpflichtet, solche Einrichtungen zu treffen, daß es keinem jüdischen Kinde während des schulpflichtigen Alters an dem erforderlichen Religionsunterrichte fehlt; aber es ist aus der Vorschrift des Kurhessischen Gesetzes zu entnehmen, nach welcher die jüdischen Gemeinden entweder jede für sich oder doch gemeinsam mit anderen Rabbiner anzustellen haben, deren Aufgabe neben der Seelsorge auch den Unterricht der Jugend in der Religion umfaßt. Durch diese Vorschriften ist jedoch die Fürsorge für den jüdischen Religionsunterricht nicht als ein Theil der Schullast hingestellt. Nach den allgemeinen Bestimmungen über die Aufgaben und Ziele der Volksschule, wie sie in der Verfügung des Unterrichtsministers vom 15. Oktober 1872 (bei Schneider und von Bremen Band III Seite 403) zusammengefaßt sind, ist zwar der Religionsunterricht zu den Lehrgegenständen der Volksschule zu zählen (zu vergl. §. 13 Seite 405 a. a. O.). Dabei ist indes, wie die folgenden näheren Bestimmungen zeigen, nur der christliche Religionsunterricht ins Auge gefaßt. Nur dieser ist in den Vorschriften der §§. 14—21 der angezogenen Verfügung geregelt, während der jüdische Religionsunterricht dort überhaupt nicht erwähnt und auch anderweit nicht durch allgemeine Verfügungen der Unterrichts-Verwaltung geordnet ist (zu vergl. Seite 405 und 406 a. a. O.). Daraus folgt, daß der jüdische Religionsunterricht nicht ein Theil des schulplanmäßigen Unterrichts in der Volksschule ist, sondern lediglich den Charakter gemeinsamer Religionsübung und der Unterweisung und Vorbereitung für diese hat, ebenso wie der Beichtunterricht der katholischen und der Konfirmandenunterricht der evangelischen Kirchen, wenn er auch zeitlich einen größeren Umfang als diese hat. Die Pflicht zur Fürsorge für denselben kann daher auch nicht als ein Theil der Schullast, sondern nur als ein Ausfluß der Verbindlichkeit, für die zur gemeinsamen Religionsübung erforderlichen Einrichtungen Sorge zu tragen, angesehen werden. Wollte man aber auch den jüdischen Religionsunterricht als Theil des regelmäßigen Unterrichts der Volksschule ansehen, so würde doch eine Einrichtung, die sich lediglich auf Ertheilung dieses Unterrichts beschränkt, nicht als eine der allgemeinen Schulpflicht dienende aufgefaßt werden können, da sie nur einen einzelnen Gegenstand aus dem Unterrichte der Volksschule herausgreifen und im Uebrigen hinsichtlich der Erfüllung der Schulpflicht auf andere Einrichtungen verweisen würde.

Entscheidung des Königlichen Oberverwaltungsgerichts vom 29. Mai 1896 — I. 714. —)

k. 1) Die Kurhessische Provinzial-Gesetzgebung, in deren Bereiche die Unterhaltung der Volksschule den bürgerlichen Gemeinden und selbständigen Gutsbezirken obliegt (Entscheidungen des Oberverwaltungsgerichts Band XVIII Seite 215 ff.), hat allerdings unentschieden gelassen, in welchem Verhältnisse mehrere im Einzelfalle betheiligte kommunale Körper die in der Unterhaltungslast einbegriffene Baulast tragen sollen. Deshalb sind, wie bei ähnlicher Rechtslage in anderen Landestheilen, beispielsweise in Schlesien bei katholischen Schulen, so auch im vormals Kurhessischen Gebiete die Regierungen berufen, kraft des Staatshoheitsrechts im Streit- oder Bedarfsfalle beim Mangel giltiger Vereinbarungen oder rechtsbeständiger Gewohnheiten nach pflichtmäßigem Ermessen festzusetzen, was von jedem Kontribuenten, Gemeinden und Gutsbezirken, zu leisten ist. Solche, nur mittelst Beschwerde bei dem Unterrichtsminister anfechtbare Festsetzung hatte das diesseitige, in dem Holzheimer Schulbaustreite ergangene Revisionsurtheil vom 24. September 1890 — I. 948 — zum Gegenstande, auf welches der Vorderrichter hinweist. Von einer Festsetzung dieses Inhalts, d. i. der Festsetzung einer Norm als Grundlage für die Vertheilung ist aber deren demnächstige Anwendung auf den streitigen Baufall, die resolutorische Entscheidung aus §. 47 Abs. 1 des Zuständigkeitsgesetzes wesentlich und grundsätzlich verschieden. Gegen letztere findet nach Abs. 2 a. a. O. die Klage im Verwaltungsstreitverfahren statt. Wird von der Regierung, wie es hier geschehen ist, in einer und derselben Verfügung sowohl der Vertheilungsmaßstab bestimmt wie auch die Vertheilung selbst bewirkt, so mag ein derartiges Verfahren wegen der Verschiedenheit der gegen jede von beiden Maßnahmen zulässigen Rechtsbehelfe unzweckmäßig sein; es verstößt indes nicht gegen das Gesetz. Dem als baupflichtig Herangezogenen steht alsdann der Ausweg offen, die Klage gegen das Resolut innerhalb der zweiwöchentlichen Präklusivfrist anzustellen, gleichzeitig aber, sofern er auch den Vertheilungsmaßstab als unbillig mit der Beschwerde anfechten will, Aussetzung des Streitverfahrens bis zur Entscheidung über diese zu beantragen (siehe Entscheidungen des Oberverwaltungsgerichts Band XX Seite 189 ff.; besonders Seite 197/8).

2) Ueber das Baubedürfnis sowie die angemessenen Mittel und Wege zu seiner Befriedigung haben, wie der Gerichtshof bereits in der im Band XII Seite 223 der Sammlung abgedruckten Entscheidung dargelegt, und seitdem in gleichmäßiger Rechtsprechung festgehalten hat, die Verwaltungsgerichte in demselben Umfange und in demselben Maße zu befinden, wie dies den Regierungen vor Einführung der Verwaltungsgerichtsbarkeit

nach Maßgabe der Instruktion zu ihrer Geschäftsführung vom 23. Oktober 1817 (G. S. S. 248) zustand. Eine Schranke besteht in dieser Beziehung — abgesehen von der aus der Natur des Streitverfahrens folgenden Vorschrift im §. 79 des Gesetzes über die allgemeine Landesverwaltung vom 30. Juli 1883, wonach die Entscheidungen nur die Parteien und die von denselben erhobenen Ansprüche betreffen dürfen — einzig und allein dahin, daß gemäß dem §. 49 Abs. 2 und 3 des Zuständigkeitsgesetzes eine Nachprüfung der von den Schulaufsichtsbehörden innerhalb ihrer gesetzlichen Zuständigkeit getroffenen (generellen) Anordnungen über die Ausführung von Schulbauten, sowie ihrer die Errichtung neuer oder die Theilung vorhandener Schulverbände betreffenden Maßnahmen ausgeschlossen ist. Wäre daher die Frage, ob die von der Regierung angeordnete Errichtung eines abgesonderten Gebäudes auf einem anzukaufenden Platze, oder, dem Verlangen der Kläger gemäß, ein Neubau auf dem alten Küsterschulgrundstück den Vorzug verdiene, schon jetzt zum Austrage zu bringen gewesen, so hätte der Vorderrichter sich der von dem Ermessen der Regierung völlig unabhängigen Aufgabe nicht entziehen können, zu derselben seinerseits Stellung zu nehmen und sie, geeignetenfalls nach Erhebung des angetretenen oder erforderlichen Beweises, nach seiner eigenen freien Ueberzeugung zu entscheiden.

Bei richtiger Gesetzesanwendung scheidet indes jene Frage gänzlich aus. Sie kann überhaupt erst aufgeworfen werden, wenn feststeht, ob das Interesse des Unterrichts und der Erziehung die Begründung einer zweiten Lehrerstelle in der That erheischt. Ueber die Vermehrung der Lehrkräfte und die zu deren Besoldung aufzubringenden Mittel zu bestimmen, steht aber nicht mehr, wie ehedem, den Schulaufsichtsbehörden allein und ebensowenig den Verwaltungsgerichten zu. Nach dem Gesetze vom 26. Mai 1887 (G. S. S. 175) sind vielmehr zur Feststellung der den Verpflichteten hierfür aufzuerlegenden neuen oder erhöhten Leistungen in Ermangelung des Einverständnisses derselben die Beschlußbehörden, d. i. bei Landschulen der Kreisausschuß vorbehaltlich der Beschwerde an den Provinzialrath berufen. Seitdem kann, wie das Oberverwaltungsgericht in Uebereinstimmung mit den Erlassen des Unterrichtsministers vom 8. August und 10. Oktober 1887 (Centralblatt für die Unterrichts-Verwaltung Seite 657. 784) stets angenommen hat, die Nothwendigkeit einer baulichen Anlage, welche mit der Errichtung einer neuen Lehrerstelle in untrennbarem Zusammenhange steht, erst bejaht werden, nachdem vorher die letztere, sei es durch Zustimmung sämmtlicher Träger der Unterhaltungslast oder durch vollstreckbare Feststellung der Beschlußbehörde rechtlich gesichert ist.

3) Wie der Gerichtshof anderweit (Erkenntnis in Sachen Bellnhausen c./a. Itzenhain vom 27. März 1896 — I. 411 —) ausgesprochen hat, besteht nach Kurhessischem Provinzialrechte, außerhalb des Konsistorial-Ausschreibens und Regulativs vom 28. Februar 1766 (neue Sammlung der Landesordnungen Band III Seite 175) hinsichtlich der Schulbaupflicht der Gemeinden und Gutsbezirke, sofern nicht ortsverfassungsmäßige Normen Abweichendes bestimmen, kein rechtlicher Unterschied zwischen gewöhnlichen und den mit einer Küsterei verbundenen Schulen. Demgemäß und da das gedachte Konsistorialausschreiben in dem erst nach Erlaß desselben mit Kurhessen vereinigten Kreise Hünfeld keine Geltung hat, sind die Kläger vermöge der Zugehörigkeit ihrer Güter zum Schulverbande W. der dortigen Küsterschule baubeitragspflichtig, es müßte denn sein, daß ihnen besondere Befreiungsgründe zur Seite stehen.

4) Kläger behaupten ein Recht auf Freilassung unter Anderem um deswillen, weil ihre Güter vormals reichsritterliches Territorium seien. Soweit indes Sonderrechte des früheren Reichsadels zu gesetzlicher Anerkennung gelangt sind, stehen sie nicht dem zur Zeit der Mediatisirung im Besitze von Reichsrittern gewesenen Grund und Boden subjektiv dinglich, sondern den Mitgliedern der mediatisirten Familien persönlich zu. Aber angenommen selbst, die Kläger seien, was sie nicht behauptet haben, für ihre Personen dem einstmals unmittelbaren Reichsadel beizuzählen, so entbehrt gleichwohl die von ihnen beanspruchte Immunität jedweden gesetzlichen Anhalts.

Völlig belanglos sind zunächst die Zusicherungen, welche der Kurfürst Wilhelm von Hessen durch Patent vom Jahre 1803 den Reichsrittern im Buchschen Quartier ertheilte, als er dieses, in welchem das damals reichsritterschaftliche Amt W. mit den jetzt im Besitze der Kläger befindlichen Gütern lag, militärisch okkupirte; denn er mußte das Land in Folge Reichshofrathsdekrets vom 25. Januar 1804 wieder räumen und damit verlor selbstverständlich sein Besitzergreifungspatent jede Bedeutung, die ihm bis dahin etwa zugekommen sein könnte. Die reichsritterlichen Familien im Buchschen Quartier blieben hiernächst im Besitze der Landeshoheit bis die Rheinbundakte vom 12. Juli 1806 der gesammten, nicht schon vorher mediatisirten Ritterschaft alle politischen Rechte nahm und ihr nur das Privateigenthum an ihren einstigen Gebieten beließ. Das Amt W. fiel nunmehr an Kurhessen, bald darauf an das Königreich Westfalen und gelangte — nach mehrfachen ferneren, hier im Einzelnen nicht interessirenden Besitzwechseln —

durch die Wiener Kongreßakte vom 9. Juni 1815 an Preußen, von dem es zusammen mit anderen Bezirken durch Vertrag vom 16. Oktober 1815 — 5. Februar 1816 — an Kurhessen abgetreten wurde (zu vergl. Kersting, Sonderrechte im Kurfürstenthum Hessen, Einleitung Seite IV, — Bluntschli und Brater, Deutsches Staatswörterbuch Band X Seite 163 ff., namentlich Seite 166)

Entscheidend für die staatsrechtliche Stellung der erst 1806 mittelbar gewordenen ehemaligen (Reichsstände und) Reichsangehörigen, somit auch der Reichsritter in der Herrschaft W., sind die Bestimmungen der Deutschen Bundesakte vom 8. Juni 1815 (G. S. 1818, Anhang S. 143). Diese sicherte im Artikel XIV den ehemaligen Reichsadligen, welche nicht zu den reichsständischen (fürstlichen und gräflichen) Geschlechtern gehörten, zwar gleich den letzteren unbeschränkte Freiheit des Aufenthalts und der Familienverträge, außerdem aber nur: „Antheil der Begüterten an der Landstandschaft, Patrimonial- und Forstgerichtsbarkeit, Ortspolizei und den privilegirten Gerichtsstand nach Maßgabe der landesgesetzlichen Vorschriften“ zu. Dagegen gewährte sie ihnen nicht Befreiung von öffentlichen Lasten gegenüber dem Staate, zu welchem sie als Mediatisirte erst durch ihre Subjektion in ein staatsrechtliches Verhältnis getreten waren, geschweige denn Lastenfreiheit gegenüber den Gemeinden oder Schulen, zu welchen ihre Besitzungen schon vor der Subjektion in einem durch diese in keiner Weise berührten öffentlich-rechtlichen Verhältnisse gestanden hatten.

Hierbei behielt es sein Bewenden auch nach der Wiener Schlußakte vom 24. Juni 1820 (G. S. S. 113), durch welche nur im Art. LXIII (wie den Standesherren, so dem übrigen) ehemaligen Reichsadel ein — später durch Bundesbeschlüsse im Einzelnen geregelter — Rekurs an die Bundesversammlung gegen landesgesetzliche Verkümmerung ihrer Sonderrechte oder gegen Verweigerung der gesetzlichen Rechtshilfe im Staate zugestanden wurde (zu vergl. Weiske, Rechtslexikon Band IX Seite 447/48, — Zöpfl, Deutsches Staatsrecht Theil II Seite 155, 151/52).

Als eine für sie sprechende landesgesetzliche Bestimmung meinen die Kläger nun die während der Zugehörigkeit des Amtes W. zur Preußischen Monarchie ergangene Königliche Verordnung, betreffend die Verhältnisse der vormals unmittelbaren Deutschen Reichsstände, vom 21. Juni 1815 (G. S. S. 105) geltend machen zu können, indes mit Unrecht. Die Verordnung handelt zwar nicht, wie der Vorderrichter wohl im Hinblick auf ihre Ueberschrift und Einleitung annimmt, ausschließlich von den Standesherren, vielmehr insofern auch von den „Reichsangehörigen", als sie die durch Art. XIV der Wiener Schlußakte „dem ehemaligen Reichsadel" ohne Reichsstandschaft versicherten Rechte ebenfalls erwähnt und unter Wiederholung „von Wort zu Wort" noch besonders bestätigt. Andererseits beschränkt sich die Verordnung aber hierauf; irgend welche Rechte, aus welchen eine, sei es persönliche oder dingliche Befreiung der Familien reichsritterlicher Abstammung von Kommunallasten hergeleitet werden könnte, hat sie nicht hinzugefügt. Ebensowenig ist dies in dem Patente vom 31. Januar 1816, durch welches der Kurfürst von Hessen den Besitz der ihm von Preußen abgetretenen Landestheile ergriff (G. S. S. 3) oder später durch die Kurhessische bezw. seit der Einverleibung von Kurhessen in die Preußische Monarchie durch die Preußische Gesetzgebung oder die des neuen Deutschen Reiches geschehen.

Richtig ist, daß in Kurhessen das ritterschaftliche Grundeigenthum erst zufolge Verordnung vom 10. Dezember 1823 (G. S. S. 69) bezw. Gesetzes vom 26. August 1848 (G. S. S. 67) zur staatlichen Grundsteuer voll herangezogen wurde. Allein dies gestattet schon nach dem oben Gesagten nicht entfernt die daraus von den Klägern gezogene Schlußfolgerung, als dürfe eine Person reichsritterlicher Abstammung im Falle ihrer Begüterung Mangels entsprechender ausdrücklicher Gesetzesvorschriften auch nicht mit Lasten beschwert werden, welche im kommunalen Schulverbande wurzeln. Die Verordnung von 1823 und das Gesetz von 1848 beziehen sich zudem allgemein auf das ritterschaftliche Grundeigenthum, ohne zwischen ehemals reichsritterlichen und althessischen, gleichviel wann und von woher unter die Kurfürstliche Souveränität gekommenen Gütern zu unterscheiden. Nach der Deduktion der Kläger müßten mithin alle adligen Güter in Kurhessen oder deren jeweiligen Eigenthümer von der Schulunterhaltungslast befreit sein, und daß dem nicht so ist, steht in der Rechtsprechung fest; der von den Klägern aufgestellte Satz beweist zu viel und ebendeshalb überhaupt nichts.

Kraft allgemeinen Gesetzes steht demnach den Klägern die begehrte Immunität zweifellos nicht zu, und daß sie ihnen durch besonderes Privilegium verliehen sei, haben sie nicht erwiesen.

(Erkenntnis des Königlichen Oberverwaltungsgerichts vom 9. Juni 1896 — I. 768 —.)

Nichtamtliches.

1) Preußischer Beamten-Verein.
Protektor Seine Majestät der Kaiser.

Der Preußische Beamten-Verein in Hannover, welcher seine Geschäftsthätigkeit am 1. Juli 1876 eröffnet hat, sucht auf der Grundlage der Gegenseitigkeit und Selbsthilfe die wirthschaftlichen Bedürfnisse des Beamtenstandes zu befriedigen.

Aufnahmefähig sind Reichs-, Staats- und Kommunalbeamte, Standesbeamte, Beamte der Sparkassen, Genossenschaften und Kommanditgesellschaften, Geistliche, Lehrer, Rechtsanwälte, Architekten und Ingenieure, Redakteure, Aerzte und Apotheker, Zahnärzte und Thierärzte, Offiziere z. D. und a. D., Militär-Aerzte, Militär-Apotheker und sonstige Militär-Beamte, sowie die auf Wartegeld oder Ruhegehalt gesetzten Beamten, ferner weibliche Beamte (z. B. Lehrerinnen, Aufseherinnen), alle im Vorbereitungsdienste zur Beamtenlaufbahn befindlichen und die im Heere auf Civilversorgung dienenden Personen, Beamte der Standesherrschaften, Wirthschafts-Inspektoren und Gutsverwalter, Molkereibeamte, Grubenbeamte, Fabrikbeamte, Beamte der Dampfkessel-Revisions-Vereine und sonstige Privatbeamte.

Der Verein schließt Lebens-, Kapital-, Leibrenten- und Begräbnisgeld-Versicherungen ab und gewährt seinen Mitgliedern Kautions- und andere Policen-Darlehen.

Die Lebens-Versicherung behält auch im Kriegsfalle bis zur Höhe von 20000 *M* ohne Zahlung eines Prämienzuschlages oder einer Kriegsprämie ihre Giltigkeit.

Der Versicherungsbestand betrug nach dem jetzt erschienenen 19. Geschäftsberichte Ende 1895

24312	Lebensversicherungs-Policen über . .	109787710 *M*
8662	Kapitalversicherungs-Policen über . .	20252950 „
8594	Begräbnisgeldversicherungs-Policen über	3607100 „
41568	Policen über	133647760 *M*

Kapital und 794 Leibrentenversicherungs-Policen über 291915 *M* jährliche Rente.

Im Geschäftsjahre 1895 wurde ein Ueberschuß von 1241557 *M* 61 *Pf* oder 33,61 % der Prämien für Lebensversicherungen (gegen 1159281 *M* 65 *Pf* im Jahre 1894) erzielt.

Die Gewinn- und Verlustrechnung für 1895 sowie die Bilanz lauten nach dem Geschäftsberichte wie folgt:

Einnahme. **A. Gewinn- und Verlust-**

	M	Pf	M	Pf
1. Ueberträge aus dem Vorjahre:				
a. Ueberschuß aus 1894, zu vertheilen in 1895	—	—	1 159 281	65
b. Prämien-Reserven:				
1. für Lebensversicherungen	14265249	79		
2. „ Sterbekassenversicherungen	847 751	25		
3. „ Rentenversicherungen	1 691 898	28		
4. „ Kapitalversicherungen	8 446 296	51		
5. „ Kapitalien aus Lebensversicherungs-Dividenden	678 545	56	25 429 286	84
c. Prämienüberträge	—	—	—	—
d. Schaden-Reserve:				
für Sterbefälle der Lebensversicherung . .	99 600	—		
„ unerhobene Guthaben aus fällig gewordenen Kapitalansammlungen der Lebensversicherungs-Dividenden	528	60	100 828	60
e. Dividenden zur Auszahlung an die auf Todesfall Versicherten:				
1. Ende 1894 nicht abgehobene Lebensversicherungs-Dividenden	51 546	68		
2. Aus dem Ueberschusse von 1894 sind den Lebensversicherten als Dividende überwiesen	641 226	34	692 773	02
f. Sonstige Reserven:				
1. Sicherheitsfonds	1 892 458	30		
Zuweisung aus dem Ueberschusse von 1894	347 784	50	2 240 242	80
2. Kriegs-Reservefonds	528 079	49		
Zuweisung aus dem Ueberschusse v. 1894	34 778	45	562 857	94
3. Beamten-Pensionsfonds	96 875	54		
Zuwachs im Jahre 1895	23 035	02	119 910	56
4. Dividenden-Ergänzungsfonds	245 721	27		
Zuweisung aus dem Ueberschusse v. 1894	65 492	36	311 213	63
5. Kautionsfonds	82 240	21		
Zuwachs im Jahre 1895	12 206	40	94 446	61
6. Sicherheitsfonds für Verluste an Policendarlehen	—	—	7 256	24
7. Töchterfonds	1 118	41		
Zuwachs im Jahre 1895	44	74	1 163	15
8. Fonds für Kursverluste	—	—	50 000	—
9. Nicht erhobene Rückkaufswerthe aus Lebensversicherungen	—	—	8 429	84
10. Nicht erhobene Guthaben vorzeitig aufgehobener Kapitalversicherungen	—	—	14 448	58
11. Nicht erhobene Guthaben aus aufgehobenen Kapitalansammlungen der Lebensversicherungs-Dividenden	—	—	184	90
2. Prämien-Einnahme:				
a. für Kapitalversicherungen auf den Todesfall .	3 698 787	79		
b. „ Kapitalversicherungen auf den Erlebensfall	—	—		
c. „ Sterbekassenversicherungen	115 551	23		
d. „ Rentenversicherungen	474 896	71		
e. „ Kapitalversicherungen	1 436 492	58		
f. „ zur Kapitalansammlung verwandte Lebensversicherungs-Dividenden	147 052	19	5 867 780	50

Rechnung für das Jahr 1895. **Ausgabe.**

	ℳ	Pf	ℳ	Pf
1. Vertheilung des Ueberschusses a. d. Jahre 1894:				
a. zum Sicherheitsfonds	847 784	50		
b. „ Kriegs-Reservefonds	84 778	45		
c. zu Dividenden an Lebensversicherte. . . .	641 226	34		
d. zum Beamten-Pensionsfonds	20 000	—		
e. „ Dividenden-Ergänzungsfonds	65 492	36		
f. „ Fonds für Kursverluste	50 000	—	1 159 281	65
2. Schäden aus dem Vorjahre:				
Sterbefälle der Lebensversicherung:				
a. gezahlt	99 500	—		
b. zurückgestellt	800	—	99 800	—
Fällig gewordene Kapitalansammlungen aus Lebensversicherungs-Dividenden:				
a. gezahlt	859	74		
b. zurückgestellt	168	86	528	60
3. Schäden im Rechnungsjahre:				
a. Bei Todesfallversicherungen:				
1. durch Sterbefälle in der Lebensversicher.-Abtheilung:				
α. gezahlt	619 900	—		
β. zurückgestellt	102 600	—	722 500	—
2. durch Ablauf der Versicherungszeit . . .	—	—	52 800	—
3. durch Sterbefälle in der Begräbnißgeld-Versicherungs-Abtheilung:				
α. gezahlt	25 961	50		
β. zurückgestellt	800	—	26 761	50
b. für Kapitalien auf den Erlebensfall .	—	—	—	—
c. Renten:				
α. gezahlt	127 845	—		
β. zurückgestellt	—	—	127 845	—
d. sonstige fällig gewordene Versicher.:				
1. Kapitalversicherung:				
α. gezahlt	631 000	—		
β. zurückgestellt	2 000	—	633 000	—
2. Kapitalansammlungen aus Lebensversicher.-Dividenden:				
α. gezahlt	8 800	02		
β. zurückgestellt	167	17	8 967	19
4. Ausgaben für vorzeitig aufgelöste Versicherungen:				
a. zurückgekaufte Lebensversicherungen:				
α. gezahlt für die Vorjahre . 814,04 ℳ, für 1895 29 917,94 ℳ =	80 231	98		
β. zurückgestellt f. d. Vorjahre 8 115,80 ℳ, für 1895 887,00 ℳ =	3 502	80	83 784	78
b. aufgehobene Kapitalversicherungen:				
α. gezahlt für die Vorjahre . 12 850,85 ℳ, für 1895 96 170,77 ℳ =	109 021	12		
β. zurückgestellt f. d. Vorjahre 1 598,28 ℳ, für 1895 19 556,88 ℳ =	21 155	11	180 176	28

Einnahme. | A. Gewinn- und Verlust-

	ℳ	Pf	ℳ	Pf
3. Zinsen und Miethserträge.				
a. Zinsen:				
für Hypotheken	1 118 867	99		
„ Kautions- und Policendarlehen . . .	187 561	19		
auf Effekten	50 591	40		
„ Bankguthaben	12 072	89	1 818 592	97
b. Miethserträge aus den Wohnungen im Geschäftshause Raschplatz 18	—	—	8 652	50
4. Kursgewinn aus verkauften Effekten	—	—	—	—
5. Vergütung der Rückversicherer	—	—	—	—
6. Sonstige Einnahmen	—	—	8 726	85
			37 980 476	18

	ℳ	Pf	ℳ	Pf
c. aufgehobene Kapitalansammlungen aus Lebensversicherungs-Dividenden:				
α. gezahlt für die Vorjahre. 39,30 ℳ, für 1895 28 156,76 ℳ =	28 196	06		
β. zurückgestellt f. d. Vorjahre 145,60 ℳ, für 1895 2,32 ℳ =	147	92	28 348	98
d. aufgehobene Rentenversicherungen:				
α. gezahlt für 1895	118	56		
β. zurückgestellt für 1895	—	—	118	56
5. Lebensversicherungs-Dividenden an die Versicherten:				
a. gezahlt für 1894	581 551	08		
„ „ die Vorjahre	44 541	21		
b. zurückgestellt für 1894	59 675	26		
„ „ die Vorjahre	7 005	47	692 778	02
6. Rückversicherungs-Prämien	—	—	—	—
7. Agenturprovisionen	—	—	—	—
8. Verwaltungskosten einschl. der Steuern	—	—	118 098	85
9. Abschreibungen:				
1% auf Grundstück Raschplatz Nr. 13 von 228 406,71 ℳ	2 284	07		
75% auf Utensilien von 3 166,94 „	2 375	21	4 609	28
10. Kursverluste auf verkaufte Effekten und Valuten:				
Kursrückgang der eigenen Effekten	—	—	945	66
11. Prämienüberträge	—	—	—	—
12. Prämien-Reserven Ende 1895:				
a. für Lebensversicherungen	16683454	48		
b. „ Sterbekassenversicherungen	409 958	18		
c. „ Rentenversicherungen	2 188 125	53		
d. „ Kapitalversicherungen	9 464 249	66		
e. „ Kapitalien aus Lebensversicherungs-Dividenden	818 898	22	29 514 686	07
13. Sonstige Reserven:				
1. Sicherheitsfonds	2 240 242	80		
2. Kriegs-Reservefonds	562 857	94		
3. Beamten-Pensionsfonds	119 910	56		
4. Dividenden-Ergänzungsfonds	311 218	63		
5. Kautionsfonds	94 446	61		
6. Sicherheitsfonds für Verluste an Policendarlehen	7 254	24		
7. Töchterfonds	1 163	15		
8. Fonds für Kursverluste	49 054	84	3 386 148	27
14. Sonstige Ausgaben:				
a. aus dem Sicherheitsfonds für Verluste an Policendarlehen	2	—		
b. für Einrichtung einer elektrischen Beleuchtungsanlage	2 802	98	2 804	98
15. Ueberschuß	—	—	1 241 557	61
			37 980 476	18

Activa. **B. Bilanz vom**

	M	Pf	M	Pf
1. **Wechsel der Aktionäre oder Garanten** . . .	—	—	—	—
2. **Grundbesitz:**				
Geschäftshaus in Hannover, Raschplatz 13 . .	228 406	71		
Ab 1% Abschreibung	2 234	07	221 172	64
(Miethsertrag 1895 = 3652 M 50 Pf.)				
3. **Hypotheken**	—	—	29 171 865	93
4. **Darlehen auf Werthpapiere**	—	—	—	—
5. **Werthpapiere:**				
a. Staatspapiere:				
800 000 M 4% Preuß. konf. Staatsanleihe, Kurswerth am 31./12. 1895 bezw. Ankaufspreis . . . . 841 303,34 M				
551 500 M 3½% Deutsche Reichsanleihe, Ankaufspreis . 568 984,55 „	1 410 287	89		
b. Pfandbriefe	—	—		
c. Kommunalpapiere	—	—		
d. Sonstige Werthpapiere:				
200 000 M 3½% Hann. Landeskreditanstalt-Obligationen, Ankaufspreis	200 285	—	1 610 472	89
6. **Darlehen auf Policen:**				
a. Policendarlehen innerhalb des Rückkaufswerthes	1 220 547	89		
b. Policendarlehen unter Stellung von Bürgen	889 638	50	1 610 186	89
7. **Kautions-Darlehen an versicherte Beamte** . .	—	—	1 261 686	99
8. **Reichsbankmäßige Wechsel**	—	—	—	—
9. **Guthaben bei Bankhäusern:**				
a. Guthaben bei der Reichsbank	16 150	47		
b. Bankier-Guthaben, gedeckt durch Faustpfand an Werthpapieren	569 450	48	612 600	90
10. **Guthaben bei anderen Versicherungs-Gesellschaften**	—	—	—	—
11. **Rückständige Zinsen:**				
Am 31. Dezember 1895 noch nicht fällige, auf das Jahr 1895 fallende Zinsen	—	—	802 007	02
12. **Ausstände bei Agenten**	—	—	—	—
13. **Gestundete Prämien**	—	—	—	—
14. **Baare Kasse am 31./12. 1895**	—	—	38 037	95
15. **Inventar**	3 166	94		
Ab Abschreibung 75%	2 375	21	791	73
16. **Sonstige Aktiva:**				
Eiserne und sonstige laufende Vorschüsse . . .	—	—	105	10
			34 828 927	54

31. Dezember 1895. **Passiva.**

	ℳ	Pf	ℳ	Pf
1. **Aktien- oder Garantie-Kapital** . . . . . . (Siehe die unter 2 und 3 speciell aufgeführten, in Baar vorhandenen Reservefonds.)	—	—	—	—
2. **Kapital-Reservefonds:**				
Sicherheitsfonds	—	—	2 240 242	80
3. **Special-Reserven:**				
a. Kriegs-Reservefonds	562 857	94		
b. Beamten-Pensionsfonds	119 910	56		
c. Dividenden-Ergänzungsfonds	311 218	68		
d. Kautionsfonds	94 446	61		
e. Sicherheitsfonds für Verluste an Policendarlehen	7 254	24		
f. Töchterfonds	1 163	15		
g. Fonds für Kursverluste	49 054	34	1 145 900	47
4. **Schaden-Reserven:**				
a. für angemeldete Sterbefälle der Lebensversicherung	102 900	—		
b. für angemeldete Sterbefälle der Begräbnisgeldversicherung	800	—		
c. für unerhobene fällige Kapitalversicherungen	2 000	—		
d. für unerhobene Guthaben aus fällig gewordenen Kapitalansamml. der Dividenden	336	08	106 036	08
5. **Prämienüberträge**	—	—	—	—
6. **Prämien-Reserven:**				
a. für Lebensversicherungen	16683454	48		
b. „ Sterbekassenversicherungen	409 958	13		
c. „ Leibrentenversicherungen	2 188 125	58		
d. „ Kapitalversicherungen	9 464 249	66		
e. „ Kapitalien a. Lebensversicherungs-Divid.	818 898	22	29 564 686	07
7. **Gewinn-Reserven der Versicherten**	—	—	—	—
8. **Guthaben anderer Versicherungs-Anstalten bezw. Dritter**	—	—	—	—
9. **Baar-Kautionen**	—	—	—	—
10. **Sonstige Passiva:**				
a. Vordem Fälligkeitstermine geleistete Zahlungen:				
1. Lebensvers.-Prämien . . . 12 941,95 ℳ				
2. Sterbekassen-Prämien . . . 880,71 „				
3. Leibrentenvers.-Prämien . . 61 854,98 „				
4. Kapitalvers.-Beiträge . . . 67 477,12 „				
5. Verschiedene Asservate . . . 95 363,24 „	238 518	—		
b. Lombarddarlehen bei der Reichsbank . . .	250 500	—		
c. Nicht abgehob. z. Zahlung stehende Beträge:				
1. Lebensversicherungs-Dividenden für 1894 .	59 675	26		
2. Desgleichen für die Vorjahre	7 005	47		
3. Rückkaufswerthe aus Lebensversicherungen	3 502	80		
4. Guthaben aus Kapitalversicherungen . .	21 155	11		
5. Guthaben aus vorzeitig aufgelösten Kapitalansammlungen der Dividenden	147	92	580 504	56
11. **Ueberschuß**			1 241 557	61
			34 828 927	54

Das eigene Vermögen des Vereins, welchem direkte Passiva nicht gegenüberstehen, beläuft sich bereits auf 3 877 589 *M* 22 *Pf*. Aus den Zinsen dieser Fonds können sämmtliche Verwaltungskosten bestritten werden, so daß die ganzen Ueberschüsse den Versicherten zu Gute kommen.

Für die ersten 19 Geschäftsjahre sind den Vereinsmitgliedern 4 742 829 *M* 46 *Pf* Dividende gezahlt worden, wovon auf das Jahr 1895 750 111 *M* 66 *Pf* entfallen.

In demselben Zeitraume wurden an fälligen Lebensversicherungssummen 5 702 434 *M* 92 *Pf* gezahlt.

Die Kapitalversicherung eignet sich auch zu Aussteuer-, Studiengeld- und Militärdienstversicherungen.

In der Sterbekasse kann ein Begräbnisgeld bis zu 500 *M* auch auf das Leben der Frau und sonstiger Familienangehörigen versichert werden, ohne daß es zur Aufnahme einer ärztlichen Untersuchung bedarf.

Die Stellung von Kautionen übernimmt der Preußische Beamten-Verein für seine Mitglieder unter den vortheilhaftesten Bedingungen.

Die Direktion des genannten Vereins in Hannover versendet auf Anfordern die Drucksachen desselben unentgeltlich und portofrei, ertheilt auch bereitwilligst jede gewünschte Auskunft.

---

2) Zusammenstellung der im Ressort des Ministeriums der geistlichen &c. Angelegenheiten während des Jahres 1895 durch Allerhöchste Erlasse genehmigten Schenkungen und letztwilligen Zuwendungen. (Nach Kategorien geordnet.)

Auch im Jahre 1895 hat sich der Wohlthätigkeitssinn der Bevölkerung durch Schenkungen und Zuwendungen an inländische Korporationen und andere juristische Personen in reger Weise bethätigt.

Soweit das Ressort des Ministeriums der geistlichen &c. Angelegenheiten hierbei in Betracht kommt, sind wir in der Lage, eine nach Kategorien geordnete Zusammenstellung derjenigen Zuwendungen, welche im einzelnen Falle den Betrag von 3000 *M* übersteigen und demnach gemäß den Bestimmungen im §. 2 des Gesetzes vom 23. Februar 1870 der Allerhöchsten Genehmigung bedurften, nachstehend mitzutheilen:

1. Laufende Nr.	2. Bezeichnung der einzelnen Kategorien.	3. Betrag der in Geld gemachten Zuwendungen. M	Pf	4. Werth der nicht in Geld gemachten Zuwendungen. M	Pf	5. Summe der Spalten 3 und 4. M	Pf	6. Anzahl der gemachten Zuwendungen.
1	Evangelische Kirchen und Pfarrgemeinden . . .	1 449 716	56	420 880	—	1 870 546	56	117
2	Evangelisch-kirchliche Anstalten, Stiftungen, Gesellschaften und Vereine	812 888	45	20 000	—	882 888	45	27
3	Bisthümer und die zu denselben gehörenden Institute	592 405	—	344 000	—	936 405	—	24
4	Katholische Pfarr-Gemeinden und Kirchen	1 259 798	50	308 841	58	1 568 640	08	128
5	Katholisch-kirchliche Anstalten, Stiftungen 2c.	384 701	—	268 300	—	603 001	—	37
6	Universitäten und die zu denselben gehörigen Institute	127 800	—	44 000	—	171 800	—	10
7	Höhere Lehranstalten und die mit denselben verbundenen Stiftungen 2c.	191 229	75	40 000	—	231 229	75	18
8	Volksschulgemeinden, Elementarschulen bzw. die den letzteren gleichstehenden Institute . .	36 100	—	5 000	—	41 110	—	6
9	Taubstummen- und Blindenanstalten	58 000	—	—	—	58 000	—	8
10	Waisenhäuser und andere Wohlthätigkeitsanstalten	76 000	—	—	—	76 000	—	8
11	Kunst- und wissenschaftliche Institute, Anstalten 2c.	6 000	—	8 000	—	14 000	—	8
12	Heil- 2c. Anstalten . . .	144 600	—	8 000	—	152 600	—	9
	Im Ganzen	5 088 184	26	1 466 971	58	6 555 155	79	380

Personal-Veränderungen, Titel- und Ordensverleihungen.

A. Behörden und Beamte.

Es ist verliehen worden:

dem Konservator der Kunstdenkmäler Geheimen Ober-Regierungsrath und vortragenden Rath im Ministerium der geistlichen, Unterrichts- und Medizinal-Angelegenheiten Persius die Königliche Krone zum Rothen Adler-Orden zweiter Klasse mit Eichenlaub,

dem Geheimen Regierungsrath und vortragenden Rath in demselben Ministerium Steinhausen der Königliche Kronen-Orden dritter Klasse.

dem Geheimen expedirenden Sekretär und Kalkulator in demselben Ministerium Rechnungsrath Hesse der Charakter als Geheimer Rechnungsrath,

dem Stadtschulrath Dr. Fürstenau zu Berlin der Charakter als Geheimer Regierungsrath,

dem Kreis-Schulinspektor Wernicke zu Neustadt W. Pr. der Charakter als Schulrath mit dem Range eines Rathes vierter Klasse und

dem Oekonomie-Inspektor am Charité-Krankenhause zu Berlin Hirschmann der Charakter als Rechnungsrath.

Es sind ernannt worden:

der bisherige Seminar-Direktor Dr. Schroller zu Rawitsch zum Regierungs- und Schulrath bei der Regierung zu Oppeln und

der bisherige Prediger Sakobielski zu Hohenstein zum Kreis-Schulinspektor.

B. Universitäten.

Universität Berlin.

Die Wahl des ordentlichen Professors in der Juristischen Fakultät Geheimen Justizrathes Dr. Brunner zum Rektor der Königlichen Friedrich-Wilhelms-Universität zu Berlin für das Studienjahr 1896/97 ist bestätigt worden.

Der bisherige außerordentliche Professor Dr. Lesser zu Bern ist zum außerordentlichen Professor in der Medizinischen Fakultät der Königlichen Friedrich-Wilhelms-Universität zu Berlin ernannt worden.

Dem Privatdozenten in der Philosophischen Fakultät der Königlichen Friedrich-Wilhelms-Universität zu Berlin Dr. Wien ist das Prädikat „Professor" beigelegt worden.

Universität Greifswald.

Dem ordentlichen Professor in der Philosophischen Fakultät der Universität Greifswald Dr. Schwanert ist der Charakter als Geheimer Regierungsrath verliehen worden.

Es ist beigelegt worden das Prädikat „Professor":
den Privatdozenten in der Philosophischen Fakultät der Universität Greifswald Dr. Biltz und Dr. Semmler.

Universität Breslau.

Es sind versetzt worden in gleicher Eigenschaft:
der ordentliche Professor Dr. Sdralek zu Münster i. W. in die Katholisch-theologische Fakultät der Universität Breslau und
der ordentliche Professor an der Universität Marburg Dr. Uhthoff in die Medizinische Fakultät der Universität Breslau.

Der bisherige außerordentliche Professor in der Philosophischen Fakultät der Universität Breslau Dr. von Rümker ist zum ordentlichen Professor in derselben Fakultät ernannt worden.

Dem Lehrer der Zahnheilkunde am provisorischen Zahnärztlichen Institut der Universität Breslau Zahnarzt Dr. Sachs ist das Prädikat „Professor" beigelegt worden.

Universität Halle-Wittenberg.

Der bisherige außerordentliche Professor Dr. Stein zu Leipzig ist zum ordentlichen Professor in der Juristischen Fakultät der Universität Halle-Wittenberg ernannt worden.

Universität Kiel.

Den Privatdozenten in der Medizinischen Fakultät der Universität Kiel Dr. Doehle und Dr. Hochhaus ist das Prädikat „Professor" beigelegt worden.

Universität Göttingen.

Der ordentliche Professor Geheime Regierungsrath Dr. Fleischmann zu Königsberg i. Pr. ist in gleicher Eigenschaft in die Philosophische Fakultät der Universität Göttingen versetzt worden.

Universität Marburg.

Es ist beigelegt worden das Prädikat „Professor":
dem Privatdozenten in der Theologischen Fakultät der Universität Marburg Lic. Beß,
dem Privatdozenten in der Philosophischen Fakultät der Universität Marburg Dr. Küster und

dem Privatdozenten in der Medizinischen Fakultät der Universität Marburg Dr. Sandmeyer.

Universität Bonn.

Der bisherige ordentliche Professor Dr. Cosack zu Freiburg i. B. ist zum ordentlichen Professor in der Juristischen Fakultät der Universität Bonn ernannt worden.

Akademie Münster.

Dem ordentlichen Professor in der Philosophischen Fakultät und Direktor des Botanischen Instituts der Akademie Münster Dr. Brefeld ist der Charakter als Geheimer Regierungsrath verliehen worden.

Der bisherige Privatdozent Dr. Koepp zu Berlin ist zum außerordentlichen Professor in der Philosophischen Fakultät der Akademie Münster ernannt worden.

C. Technische Hochschulen.

Hannover.

Der Eisenbahn-Bauinspektor Troske ist zum etatsmäßigen Professor an der Technischen Hochschule zu Hannover ernannt worden.

Aachen.

Der Dozent an der Technischen Hochschule zu Berlin Professor Lynen ist zum etatsmäßigen Professor an der Technischen Hochschule zu Aachen ernannt worden.

D. Museen u. s. w.

Es sind bestätigt worden:

die Wahl des Geheimen Regierungsrathes Professors Ende zu Berlin zum Präsidenten der Königlichen Akademie der Künste daselbst für die Zeit vom 1. Oktober 1896 bis dahin 1897 und die Wahl des Professors Dr. Blumner zum Stellvertreter des Präsidenten der Königlichen Akademie der Künste zu Berlin für denselben Zeitraum sowie

die von der Akademie der Wissenschaften zu Berlin vollzogene Wahl des Direktors der Königlichen Staatsarchive und des Geheimen Staatsarchivs Dr. Koser daselbst zum ordentlichen Mitgliede der Philosophisch-historischen Klasse der Akademie.

Dem Gesanglehrer Professor Stockhausen in Frankfurt a. M. ist die Große Goldene Medaille für Kunst verliehen worden.

Es ist beigelegt worden das Prädikat „Professor“:

dem ordentlichen Lehrer an der Kunst- und Kunstgewerbe-Schule zu Breslau Banke,

dem praktischen Arzte Dr. Fröhlich zu Berlin,
dem vereideten Chemiker der Gerichte und der Handelskammer zu Breslau Dr. Hulwa und
dem Lehrer am Hoch'schen Konservatorium zu Frankfurt a. M. Komponisten Humperdinck.

Es sind ernannt worden:
der Dr. Friedrich Müller und
der bisherige außerordentliche Professor an der Akademie Münster Dr. Winnefeld zu Direktorial-Assistenten bei den Königlichen Museen zu Berlin.

E. Höhere Lehranstalten.

Es ist beigelegt worden das Prädikat „Professor“:
dem Oberlehrer am Städtischen Gymnasium zu Frankfurt a. M. Hauschild und
dem Oberlehrer am Gymnasium zu Glückstadt Dr. Koch.

Das Prädikat „Oberlehrer“ ist verliehen worden:
den Lehrern
Mettlich am Realgymnasium zu Trier,
Heinrich Joseph Müller am Kaiser Wilhelms-Gymnasium zu Aachen,
Otto am Gymnasium zu Saarbrücken,
Thomas am Realgymnasium zu Ruhrort und
Wreden am Gymnasium zu Crefeld sowie
den Zeichenlehrern Herrmann am Realgymnasium zu Siegen und Lubitz am Realgymnasium zu Dortmund.

In gleicher Eigenschaft sind versetzt bezw. berufen worden:
der Direktor der Realschule zu Charlottenburg Dr. Gropp an die Oberrealschule daselbst;
die Oberlehrer
Dr. Albrecht vom Gymnasium zu Beuthen an das Gymnasium zu Neustadt O. S.,
Aydam vom Gymnasium zu Neustadt O. S. an das Gymnasium zu Beuthen,
Professor Dr. Güldenpenning vom Gymnasium zu Dramburg an das Gymnasium zu Kolberg,
Mann vom Realgymnasium zu Bromberg an das Realgymnasium zu Rawitsch,
Weisker vom Realprogymnasium zu Freiburg an das Realgymnasium zu Tarnowitz und
Winkler vom Gymnasium zu Sagan an das Matthias-Gymnasium zu Breslau.

Es sind befördert worden:
der Professor am Gymnasium zu Frankfurt a. M. Dr. Baier zum Direktor des daselbst zu Neujahr 1897 ins Leben tretenden Lessing-Gymnasiums,
der Professor am Städtischen Lyceum II zu Hannover Schäfer zum Direktor dieser Anstalt und
der bisherige Leiter der Realschule zu Meiderich Schnüran zum Direktor dieser Anstalt.

Es sind angestellt worden als Oberlehrer:
am Gymnasium
zu Ploen der Hilfslehrer Dr. Adrian,
zu Lyck der Hilfslehrer Beckmann,
zu Wiesbaden der Hilfslehrer Bosse,
zu Prüm der Hilfslehrer Donsbach,
zu Burgsteinfurt der Hilfslehrer Dreyer,
zu Münstereifel der Hilfslehrer Dr. Fischer,
zu Sagan der Hilfslehrer Grützner,
zu Dramburg der Hilfslehrer Hoenicke,
zu Bedburg (Ritter-Akademie) der Hilfslehrer Dr. Nießen,
zu Marburg der Hilfslehrer Dr. Schaefer,
zu Hanau der Hilfslehrer Schlitt,
zu Potsdam der Hilfslehrer Schneider,
zu Cassel (Wilhelms-Gymnasium) der Hilfslehrer Watermeyer und
zu Züllichau (Pädagogium) der Schulamtskandidat Ammerlahn;
am Realgymnasium
zu Frankfurt a. O. der Hilfslehrer Dr. Baldow,
zu Trier der Hilfslehrer Berkenbusch,
zu Marburg der Hilfslehrer Focke,
zu Bromberg der Hilfslehrer Rückert und
zu Coblenz der Hilfslehrer Dr. Schmidt;
am Progymnasium
zu Saarlouis der Hilfslehrer Dr. Wallraff;
an der Realschule
zu Berlin (12.) die Hilfslehrer Hoerenz und Markgraf,
zu Berlin (9.) der Hilfslehrer Kaumann,
zu Steglitz der Hilfslehrer Dr. August Schmidt und
zu Unna der Hilfslehrer Vollmer.

F. Schullehrer- und Lehrerinnen-Seminare.

Es ist verliehen worden:
dem Seminar-Oberlehrer Professor Dr. Fritze zu Coepenick der Rothe Adler-Orden vierter Klasse.

In gleicher Eigenschaft ist versetzt worden:
der Seminar-Oberlehrer Gebler von Eckernförde nach Alfeld.

Es sind befördert worden:
zum Direktor des Schullehrer-Seminars zu Waldau
der bisherige Seminar-Oberlehrer Reddner zu Königsberg N.-M.;
zur ordentlichen Seminarlehrerin
an den Evangelischen Bildungs- und Erziehungs-Anstalten zu Droyßig die bisherige Hilfslehrerin Liman;
zu ordentlichen Seminarlehrern
am Schullehrer-Seminar zu Barby der Präparandenlehrer Gerlach aus Genthin,
am Schullehrer-Seminar zu Osterburg der bisherige Seminarhilfslehrer Hergt aus Erfurt und
am Schullehrer-Seminar zu Ortelsburg der bisherige Seminarhilfslehrer Wiedenberg.

Es sind angestellt worden:
als ordentliche Lehrer
am Schullehrer-Seminar zu Usingen der Pfarramtskandidat Bonsac zu Burg bei Magdeburg,
am Schullehrer-Seminar zu Uetersen der Kantor und Mädchenschullehrer Ebert zu Oldesloe und
am Schullehrer-Seminar zu Mettmann der bisherige kommissarische Lehrer am Schullehrer-Seminar zu Barby Luedecke;
als Hilfslehrer
am Schullehrer-Seminar zu Ortelsburg der kommissarische Lehrer Boettcher.

G. Oeffentliche höhere Mädchenschulen.

Der ordentlichen Lehrerin an der Städtischen höheren Mädchenschule zu Schönebeck Olga Schultze ist das Prädikat „Oberlehrerin“ verliehen worden.

H. Ausgeschieden aus dem Amte.

1) Gestorben:
Dr. Bernecker, Gymnasial-Oberlehrer zu Allenstein,
Dr. Beyrich, Geheimer Bergrath, ordentlicher Professor in der Philosophischen Fakultät der Königlichen Friedrich-Wilhelms-Universität zu Berlin und Mitglied der Königlichen Akademie der Wissenschaften,
Bothe, Oberlehrer an der Oberrealschule zu Gleiwitz,

Bueren, Professor, Gymnasial-Oberlehrer zu Osnabrück,
Dr. Curtius, Wirklicher Geheimer Rath, Excellenz, ordentlicher Professor in der Philosophischen Fakultät der Königlichen Friedrich-Wilhelms-Universität zu Berlin und Mitglied der Königlichen Akademie der Wissenschaften,
Dr. Dreinhöfer, Gymnasial-Oberlehrer zu Nordhausen,
Hemmersbach, Seminar-Oberlehrer zu Xanten,
Dr. phil. et med. Kekule von Stradonitz, Geheimer Regierungsrath, ordentlicher Professor in der Philosophischen Fakultät der Universität Bonn und Mitglied der Königlichen Akademie der Wissenschaften zu Berlin,
Majewski, Gymnasial-Oberlehrer zu Lyck,
Milse, Realschul-Oberlehrer zu Unna,
Dr. Minnigerode, ordentlicher Professor in der Philosophischen Fakultät der Universität Greifswald,
Dr. Saegert, Professor, Gymnasial-Oberlehrer zu Demmin,
Saltzmann, Gymnasial-Oberlehrer zu Cleve,
Dr. Siemering, Realgymnasial-Oberlehrer zu Tilsit und
Dr. Wiemann, Direktor des Realprogymnasiums zu Eilenburg.

2) In den Ruhestand getreten:

May, Professor, Gymnasial-Oberlehrer zu Ploen,
Meyer, Professor, Realgymnasial-Oberlehrer zu Breslau, unter Verleihung des Rothen Adler-Ordens vierter Klasse,
Dr. Otto, Gymnasial-Oberlehrer zu Breslau,
Rademechers, Progymnasial-Oberlehrer zu Saarlouis und
Schütz, Professor, Gymnasial-Oberlehrer zu Burgsteinfurt, unter Verleihung des Adlers der Ritter des Königlichen Hausordens von Hohenzollern.

3) Ausgeschieden wegen Eintritts in ein anderes Amt im Inlande:

Dr. Barth, außerordentlicher Professor in der Medizinischen Fakultät der Universität Marburg,
Bencke, Seminarhilfslehrer zu Osterburg und
Bertling, Gymnasial-Oberlehrer zu Schleswig.

Inhalts-Verzeichnis des September-Heftes.

Druck von J. F. Starcke in Berlin.

Centralblatt

für

die gesammte Unterrichts-Verwaltung in Preußen.

Herausgegeben in dem Ministerium der geistlichen, Unterrichts- und Medizinal-Angelegenheiten.

№ 10. Berlin, den 20. Oktober 1896.

A. Behörden und Beamte.

176) Verordnung, betreffend die Kautionen der Beamten aus dem Bereiche des Ministeriums der geistlichen, Unterrichts- und Medizinal-Angelegenheiten. Vom 26. August 1896. (G. S. S. 179.)

Wir **Wilhelm**, von Gottes Gnaden König von Preußen 2c. verordnen auf Grund der §§. 3, 7, 8 und 14 des Gesetzes, betreffend die Kautionen der Staatsbeamten, vom 25. März 1873 — G. S. S. 125 — was folgt:

Einziger Paragraph.

Den zur Kautionsleistung verpflichteten Beamtenklassen aus dem Bereiche des Ministeriums der geistlichen, Unterrichts- und Medizinal-Angelegenheiten tritt hinzu:

der Inspektor der chirurgischen Klinik der Universität zu Marburg.

Die Höhe der von dem Inhaber dieser Stelle zu leistenden Amtskaution wird auf Eintausendachthundert Mark festgesetzt.

Im Uebrigen finden die Vorschriften der Verordnung vom 10. Juli 1874, betreffend die Kautionen der Beamten aus dem Bereiche des Staatsministeriums und des Finanzministeriums — G. S. S. 260 — Anwendung.

Urkundlich unter Unserer Höchsteigenhändigen Unterschrift und beigedrucktem Königlichen Insiegel.

Gegeben Neues Palais, den 26. August 1896.

(L. S.) **Wilhelm** R.

Für den Finanzminister und den Minister der geistlichen 2c. Angelegenheiten. Schönstedt.

177) Berücksichtigung der Produzenten bei Lieferungen für staatliche Anstalten.

Berlin, den 17. Juni 1896.

Das Königliche Staatsministerium hat unterm 30. April d. Js. beschlossen, den Verwaltungsorganen zur Pflicht zu machen, soweit dies ohne Schädigung fiskalischer oder allgemeiner Interessen und ohne grundsätzliche Ausschließung des legitimen Handels ausführbar erscheint:

a. die Bedürfnisse der Verwaltungen an landwirthschaftlichen Erzeugnissen thunlichst direkt von den Produzenten zu erwerben;

b. zu diesem Zwecke insbesondere auch direkte Beziehungen zu bereits bestehenden Verkaufsgenossenschaften anzuknüpfen, auch möglichst — um den Anforderungen der Verwaltungsorgane besser als zur Zeit genügen zu können — auf den Zusammenschluß der Produzenten zu Verkaufsgenossenschaften an geeigneten Orten hinzuwirken und die Bildung solcher Genossenschaften durch Berücksichtigung bei der Vergebung von Lieferungen zu fördern;

c. sofern eine öffentliche Submission für die Lieferung der in Frage stehenden landwirthschaftlichen Erzeugnisse stattfindet, Zwischenhändler nur dann zu berücksichtigen, wenn sie sich von vornherein am Submissionsverfahren betheiligt und günstigere Gebote bezüglich der ausgeschriebenen Lieferung abgegeben haben, als die übrigen Bewerber.

Die Befugnis der Verwaltungsorgane, das Verdingungsverfahren unter Umständen aufzuheben und eine anderweite Bedarfsdeckung eintreten zu lassen, soll hierdurch nicht berührt werden.

Die nachgeordneten Behörden weise ich an, nach Vorstehendem zu verfahren.

Der Minister der geistlichen 2c. Angelegenheiten.
Im Auftrage: de la Croix.

An
die nachgeordneten Behörden.
G. III. 1516.

---

178) Berichterstattung bei Berufungen in Disciplinarsachen.

Berlin, den 3. Juli 1896.

Nach §. 16 Nr. 2 des Disciplinargesetzes vom 21. Juli 1852 kann im Disciplinarverfahren gegen Beamte und Lehrer in der Entscheidung der Disciplinarbehörde zugleich festgesetzt werden, daß dem zur Dienstentlassung verurtheilten Angeschuldigten ein

Theil des reglementsmäßigen bezw. gesetzlichen Pensionsbetrages auf Lebenszeit oder auf gewisse Jahre als Unterstützung zu verabreichen sei.

Mit Rücksicht auf diese Bestimmung ersuche ich Ew. Hochwohlgeboren ergebenst, gefälligst künftig in den an mich zu erstattenden Berichten über Disciplinar-Untersuchungen gegen Lehrer und zwar in denjenigen Fällen, in denen die Akten dem Königlichen Staatsministerium zur Beschlußfassung auf die gegen die Entscheidung erster Instanz eingelegte Berufung vorzulegen sind, zugleich anzugeben, wieviel Dienstjahre der betreffende Lehrer im öffentlichen Schuldienste zurückgelegt hat bezw. wie hoch seine pensionsfähige Dienstzeit ist und welches pensionsfähige Diensteinkommen er zuletzt bezogen hat.

Der Minister der geistlichen rc. Angelegenheiten.
Im Auftrage: Kügler.

An
sämmtliche Königliche Regierungs-Präsidenten.
U. III. C. 1887.

B. Universitäten.

179) Kommission für die Vorprüfung der Nahrungsmittel-Chemiker an der Universität zu Bonn.

(Centrbl. für 1896 S. 562.)

Bei der Kommission für die Vorprüfung der Nahrungsmittel-Chemiker an der Universität zu Bonn ist an Stelle des verstorbenen Geheimen Regierungsraths Professors Dr. Kekule von Stradonitz der außerordentliche Professor der Chemie Dr. Anschütz für die Zeit bis Ende März 1897 als Examinator berufen worden.

Bekanntmachung.
U. I. 2124. M.

180) Zulassung der außerpreußischen Reichsangehörigen zur Promotion an den preußischen Universitäten und der Akademie zu Münster i. W.

Berlin, den 14. September 1896.

Mit Bezug auf die zufolge meines Erlasses vom 27. März d. Js. — U. I. 756 — eingegangenen Berichte will ich hierdurch unter Abänderung der entgegenstehenden Vorschriften bestimmen, daß, wie dies bezüglich der Friedrich-Wilhelms-Universität zu Berlin bereits durch Erlaß vom 10. Februar 1894 — U. I. 5169 — angeordnet ist, auch an den übrigen Universitäten einschl. der Akademie zu Münster außerpreußische Reichsangehörige künftighin hinsichtlich der bei Zulassung zur Promotion beizubringenden Reifezeugnisse nach denselben Grundsätzen zu behandeln sind wie preußische Staatsangehörige.

Die Herren Kuratoren ersuche ich, hiernach gefälligst das Erforderliche wegen Mittheilung an die akademischen Behörden und Bekanntmachung an die Studirenden zu veranlassen.

Der Minister der geistlichen rc. Angelegenheiten.
Im Auftrage: Althoff.

An
die sämmtlichen Herren Universitäts-Kuratoren, den kommiss. Universitäts-Kurator zu Bonn und den Herrn Kurator der Akademie zu Münster i. W.
U. I. 1620.

C. Akademien, Museen rc.

181) Geschäftliche Behandlung der Anträge auf Abbruch von Baulichkeiten von künstlerischem, geschichtlichem oder sonst wissenschaftlichem Werthe (einschließlich der Kirchen, Stadtmauern, Thore und Thürme rc.) sowie auf bauliche Veränderungen an solchen.

Berlin, den 16. September 1896.

In Abänderung meines Runderlasses vom 3. November 1893 — U. IV. 3969 G. II. G. III. A. — ermächtige ich Ew. Hochwohlgeboren ergebenst, künftig über Anträge auf Abbruch von Baulichkeiten von künstlerischem, geschichtlichem oder sonst wissenschaftlichem Werthe (einschließlich der Kirchen, Stadtmauern, Thore und Thürme rc.) sowie auf bauliche Veränderungen an solchen selbständig zu entscheiden, sofern Ihr Urtheil über die Bedeutung des betreffenden Gebäudes mit der einzuholenden gutachtlichen Aeußerung des Provinzial-Konservators übereinstimmt.

Bei Meinungsverschiedenheiten sowie in besonders zweifelhaften oder wichtigen Fällen ist auch in Zukunft die Entscheidung der Centralinstanz einzuholen.

Der Minister der geistlichen rc. Angelegenheiten.
Im Auftrage: de la Croix.

An
sämmtliche Herren Regierungs-Präsidenten.
U. IV. 8598. G. II. G. III. A.

D. Höhere Lehranstalten.

182) Einführung von Religionslehrbüchern in den Schulgebrauch.

Berlin, den 22. Februar 1896.

In der mit dem Berichte vom 4. Februar d. Js. eingereichten Tabelle der für die dortige Provinz zur Einführung in den Schulgebrauch vorgeschlagenen Lehrbücher findet sich unter I. Religion. die Bemerkung: „Die beantragten Lehrbücher werden zunächst der in diesem Jahre zusammentretenden Provinzialsynode vorgelegt.“

Welcher Art diese beantragten Lehrbücher sind, ist nicht ersichtlich. Jedenfalls scheint es nicht unangebracht, besonders darauf aufmerksam zu machen, daß unter den im §. 65 unter 3 der Kirchengemeinde- und Synodalordnung vom 10. September 1873 genannten „Religionslehrbüchern“, wie sich aus einem Vergleiche mit §. 7 unter 3 der Generalsynodalordnung vom 20. Januar 1876 ergiebt, nur solche Lehrbücher zu verstehen sind, die für den kirchlichen Gebrauch, z. B. beim Konfirmandenunterricht, nicht aber für den Schulgebrauch bestimmt sind.

Der Minister der geistlichen ꝛc. Angelegenheiten.
In Vertretung: von Weyrauch.

An
das Königliche Provinzial-Schulkollegium zu N.
U. II. 307. I. G. I.

---

183) Aufstellung der Entwürfe zu den Etats für die höheren Lehranstalten.

1.

Coblenz, den 17. August 1896.

Mit dem 1. April 1898 beginnt für die höheren Lehranstalten unseres Amtsbereiches die neue dreijährige Etatsperiode. Da die Etatsentwürfe für die neue Periode noch im Laufe des vorletzten Jahres der gegenwärtigen Etatsperiode dem Herrn Minister der geistlichen, Unterrichts- und Medizinal-Angelegenheiten von uns einzureichen sind, so ist mit der Aufstellung des Entwurfs zu dem Etat der dortigen Anstalt und der sonstigen uns unterstellten Fonds für 1. April 1898/1901 alsbald zu beginnen.

Der Entwurf ist, soweit nachstehend nichts Abweichendes bestimmt wird, in Form und Inhalt genau nach Maßgabe des jetzt geltenden Etats anzufertigen und zwar in der Art, daß, wie das anliegende Schema ergiebt, der Inhalt des künftigen Etats auf der linken Seite eingetragen wird und auf der rechten Seite die Spalten: der vorige Etat setzt aus, mithin für den 1. April 1898/1901 mehr oder weniger, Nummer der Beläge und Bemerkungen hinzugesetzt werden. Jede beantragte Abweichung von dem jetzt geltenden Etat bedarf einer eingehenden Begründung, welche regelmäßig in der Spalte Bemerkungen, sonst etwa in einem besonderen Berichte, nie aber auf der linken Seite zwischen dem Etatsinhalt zu vermerken ist. Die für bereits genehmigte Abweichungen vom Voretat maßgebenden Verfügungen, Verträge u. s. w. sind als Beläge in Abschrift beizufügen.

Bei Anfertigung des Entwurfs sind zunächst alle diejenigen Anordnungen zu befolgen, welche bei oder nach Vollziehung des geltenden Etats erlassen sind und deren Erledigung ausdrücklich für die Neuaufstellung des Etats zurückgestellt ist.

Im Uebrigen ist Folgendes zu beachten:

1) Der Entwurf ist weitläufig zu schreiben. Zwischen den einzelnen Etatspositionen ist ein freier Raum von mindestens 2 cm zu lassen. Die Wiederholungen der Einnahmen und der Ausgaben, sowie der Schluß des Etats sind auf besondere Seiten zu schreiben und auch hier das Mehr oder Minder gegen den Voretat hervorzuheben.

2) Der Entwurf ist zu foliiren, in starkes Papier zu heften und als „Entwurf zum Etat des Gymnasiums (der Realschule rc.) zu N. für 1. April 1898/1901“ zu bezeichnen. Zu dem Entwurfe und zu den Belägen ist ausschließlich Papier von der vorgeschriebenen Größe (Reichsformat) zu verwenden.

3) Auf dem Titelblatte ist der Kautionsvermerk anzubringen, welcher dahin zu lauten hat, daß der Kassenführer (Name und Stand) eine Kaution von . . *M* in nach Art, Nummer und Nennwerth zu bezeichnenden Papieren gestellt hat, welche bei der Königlichen Regierungs-Hauptkasse zu . . . hinterlegt ist.

Die Amtskaution ist auf das Doppelte des durch 50 theilbaren Jahresbetrages der für die Kassenführung gewährten Vergütung zu bemessen. Sollten hiervon Abweichungen vorgekommen sein und die Kaution nicht in dem vorgeschriebenen Verhältnisse zu der gegenwärtigen Remuneration des Rendanten stehen, so sehen wir alsbaldiger Anzeige entgegen.

4) Zur Erleichterung der Verwaltung und Aufsicht ist eine einheitliche Bezeichnung und Bezifferung der einzelnen Titel der Etats der höheren Lehranstalten erwünscht. Es sind daher folgende Titel in den Entwürfen auszubringen:

Einnahme:

I. Vom Grundeigenthum.

II. Zinsen von Kapitalien.

III. Berechtigungen.
IV. Hebungen aus Staats- und anderen Fonds.
V. Hebungen von Schülern.
VI. Insgemein.

Ausgabe:

I. Besoldungen.
II. Miethsentschädigungen bezw. Wohnungsgeldzuschüsse.
III. Andere persönliche Ausgaben.
IV. Unterrichtsmittel.
V. Geräthschaften.
VI. Heizung und Beleuchtung.
VII. Unterhaltung der Gebäude und Gärten.
VIII. Abgaben und Lasten.
IX. Stipendien und Unterstützungen.
X. Ausgaben auf Grund des Invaliditäts- und Altersversicherungsgesetzes.
XI. Insgemein.

Bei den nichtstaatlichen Anstalten treten in Einnahme und Ausgabe noch drei weitere Titel hinzu, — so daß Titel Insgemein mit IX bezw. XIV bezeichnet wird —, nämlich

Einnahmetitel VI, Ausgabetitel XI: für Pensionen der Lehrer und Beamten;

VII bezw. XII für die Versorgung der Hinterbliebenen von Lehrern und Beamten;

VIII bezw. XIII Fonds zur Sicherstellung der Dienstalterszulagen.

Werden bei einzelnen Anstalten weitere Titel erforderlich, so sind diese an geeigneter Stelle als VIIa, VIIIa u. s. w. einzuschieben. Sind Einnahmen oder Ausgaben unter den obenbezeichneten Titeln nicht nachzuweisen, so ist der Titel gleichwohl in den Etat aufzunehmen, das Fehlen eines Betrages in der Spalte Jahresbetrag aber durch einen Punkt anzudeuten.

Die einzelnen Etatspositionen werden mit Nummern bezeichnet, welche innerhalb der Titel fortlaufen.

5) Der Titel I der Einnahme zerfällt in die Abtheilungen:

A. Zur eigenen Benutzung.
B. An Zeitpächten.

Sämmtliche Grundstücke sind unter Angabe des Flächeninhaltes aufzuführen.

Auf Grund der Kataster-Auszüge ist die Nummer der Grundsteuermutterrolle, in welcher das Grundeigenthum eingetragen ist, sowie der Name des im Kataster eingetragenen Eigenthümers zu verzeichnen. Sollte das Grundeigenthum in das Grundbuch eingetragen sein, so ist anstatt dessen die grundbuchmäßige Bezeichnung anzugeben.

Wenn das Recht der Anstalt an dem Grundbesitze einer Beschränkung unterliegt, namentlich wenn für den Fall einer Aufhebung oder Umwandlung der Schule oder ihrer Lehrverfassung Rechte eines früheren Patrons oder sonstiger Dritter auf den Grundbesitz in Kraft treten, so ist dies gleichfalls zu vermerken.

Bei den Grundstücken zur eigenen Benutzung ist ersichtlich zu machen, für welche dienstliche oder Unterrichtszwecke sie verwendet werden; die in denselben vorhandenen Dienstwohnungen und zu ihnen gehörigen Gärten sind aufzuführen.

Bei den Einnahmen aus Pachtzinsen ist Name und Wohnort des Pächters, Dauer, Anfangs- und Endtermin des Pachtvertrages und Zahlungstag des Pachtzinses zu vermerken.

Wird ein ausgedehnter Grundbesitz einer Anstalt in kleineren Parzellen verpachtet, so werden diese Pachteinnahmen nur gruppenweise nach Belegenheit und Pachtperioden getrennt unter Angabe der Zahl der Pächter, der Gesammtgröße der Parzellen und der Pachtgelder dargestellt.

6) Im Titel II*) sind drei Abtheilungen zu unterscheiden:

A. Kapitalien, welche nicht unter die Abtheilungen B und C fallen,

B. Kapitalien, welche aus Ersparnissen der laufenden Verwaltung seit 1. April 1879 herrühren,

C. Stiftungskapitalien.

In jeder Abtheilung sind Hypotheken, Inhaberpapiere und sonstige Kapitalien (z. B. anzulegende Bestände) gesondert aufzuführen und bei größerem Kapitalbesitz durch besondere Ueberschriften von einander zu trennen.

Bei den Einnahmen an Zinsen ist der Kapitalbetrag und der Zinsfuß anzugeben.

Neben den Hypothekenzinseneinnahmen sind der Name des Schuldners, der Tag der Schuldurkunde und des Zinstermins, die Kündigungsfrist und die Stelle, an welcher das Kapital im Grundbuche bezw. Hypothekenregister eingetragen ist, zu vermerken.

Inhaberpapiere sind nach Nennwerth, Serie, Nummer, Zinsfuß und Zinstermin zu bezeichnen. Gleichartige Papiere werden innerhalb der einzelnen Abtheilung (A—C) zusammen aufgeführt.

Nach Eintragung im Schuldbuche sind nicht mehr die Nummern und Beträge der einzelnen Stücke, sondern nur noch die Nummern und die Höhe des für die Anstalt angelegten Kontos zu vermerken.

---

*) Vergl. hierzu den Runderlaß des Herrn Ministers der geistlichen rc. Angelegenheiten vom 14. August d. Js. — U. II. 1581 I. — (Centrbl. S. 577).

In der Spalte Bemerkungen ist neben den unter B nachgewiesenen Ersparniskapitalien anzugeben, ob und welche Ersparnisse außer den in den Etat aufgenommenen Beträgen zur Zeit der Etataufstellung bei der Anstalt vorhanden sind. Ist etwa die Verwendung dieser, sowie sonstiger in dem Etat nachgewiesenen Ersparnisse zu Gunsten dringender Bedürfnisse der Anstalt für die nächste Zeit in Aussicht genommen, so ist dies unter Hinweis auf die betreffende höhere Verfügung zu erläutern und die Nichtaufnahme der betreffenden Beträge in dem festzustellenden Etat zu begründen.

7) Im Titel IV der Einnahme sind folgende Abtheilungen zu unterscheiden:

A. Aus allgemeinen Staatsfonds.
 1) Aus rechtlicher Verpflichtung.
 2) Zur Deckung des Bedürfnisses.

B. Aus anderen Fonds.

Bei A. 2 ist der staatliche Bedürfniszuschuß

„Aus der Regierungs-Hauptkasse zu . . . . laut Etat der geistlichen und Unterrichts-Verwaltung"

vorzutragen. Aenderungen, welche im Laufe der Etatsperiode bei dem staatlichen Bedürfniszuschusse in Folge ministerieller Anordnung eingetreten sind, müssen durch Beifügung beglaubigter Abschriften der betreffenden Verfügungen belegt werden. Alle Aenderungen sind in den Bemerkungen übersichtlich zur Darstellung zu bringen, so daß bezüglich des in dem Etatsentwurfe gegen den Voretat nachgewiesenen Mehr- oder Minderbetrages ohne Weiteres ersichtlich ist, wie weit diese Abweichung bereits ministeriell genehmigt, ob sie lediglich durch Bewilligung oder Absetzung von Alters- und festen Zulagen herbeigeführt ist oder erst durch die in dem Etatsentwurfe beantragten Aenderungen eintreten soll. Der Beifügung von Abschriften unserer die Bewilligung von Alterszulagen genehmigenden Verfügungen bedarf es nicht, dagegen sind die durch Versetzungen und anderweite Festsetzung des Dienstalters eingetretenen Aenderungen durch die betreffenden diesseitigen Verfügungen zu belegen.

Bei dem Bedarfe an Zuschuß für die Alterszulagen ist der am 1. April 1898 zu erwartende Stand zu berücksichtigen (cf. zu Nr. 12).

8) Bei vertragsmäßigen Zahlungen aus anderen Fonds ist die Zahlungsweise — ob vierteljährlich, ob im Voraus — sowie Datum und Geschäftsnummer der betreffenden Urkunde (Vertrag, Beschluß oder dergl.) genau zu verzeichnen.

Bei der Darstellung des bei den nichtstaatlichen Anstalten

seitens der Städte oder sonstigen Patronate gewährten Bedürfniszuschusses sind zu trennen:

a. fester Zuschuß,

b. veränderlicher Zuschuß.

Letzterer bildet sich aus den über die Mindestsätze der Gehälter der Leiter und wissenschaftlichen Lehrer — die Gehälter der Elementarlehrer und des Schuldieners bleiben hierbei außer Betracht —, sowie der Remunerationen der Hilfslehrer hinaus zu gewährenden Alterszulagen. Sind also z. B. drei Lehrer mit 3000, 2700 und 2400 *M* Gehalt an der Anstalt angestellt, so würden von dem städtischen Zuschusse die über das Mindestgehalt von 2100 *M* hinausgehenden Beträge von 900 + 600 + 300 *M* = 1800 *M* als veränderlicher Zuschuß zu bezeichnen sein. Die vorgeschriebenen festen Zulagen von 900 *M* werden dem festen, nicht dem veränderlichen Zuschusse zugerechnet.

9) Bei den Einnahmen an Schulgeld ist in dem Etatsentwurfe die zu erwartende Schülerzahl nicht nur für die Gesammtanstalt, sondern auch für die einzelnen Klassen und falls Klassentheilungen stattgefunden haben oder stattfinden sollen, für die einzelnen Abtheilungen (Coeten) darzustellen. In gleicher Weise sind in der bei diesem Titel in der Spalte „Bemerkungen" einzutragenden Durchschnittsberechnung die jetzige Schülerzahl, sowie die Schülerzahlen in den vier Halbjahren 1894/95 und 1895/96 unter Benutzung des folgenden Schemas ersichtlich zu machen.

Klasse.	Schülerzahl					Durchschnitt der beiden Jahre.	Gegenwärtig.
	nach dem laufenden Etat.	1894/95		1895/96			
		I. Halbjahr.	II. Halbjahr.	I. Halbjahr.	II. Halbjahr.		
Oberprima . .							
Unterprima . .							
Obersekunda . .							
Untersekunda I .							
„ II .							
Obertertia I .							
„ II .							
Untertertia I .							
„ II .							
u. s. w.							
Zusammen							

Da die Einnahmen an Schulgeld auf die Vermögensverwaltung der Anstalt während der Etatsperiode von entscheidendem Einflusse sind, muß der Einstellung der Schülerzahl in den Entwurf die genaueste Prüfung aller in Betracht kommenden Verhältnisse vorausgehen. Im Allgemeinen soll sich die Schülerzahl des Entwurfs nach dem Ergebnisse der Durchschnittsberechnung richten. Sofern aber nach den gemachten Beobachtungen Abweichungen von diesem Ergebnisse geboten erscheinen, so ist dies, sowie auffällige Abweichungen von der Schülerzahl des laufenden Etats näher zu erläutern.

Grundsätzlich wird es zu vermeiden sein, in dem Etat für einzelne Klassenabtheilungen Schülerzahlen einzustellen, welche über die zulässigen Zahlen von 50 bezw. 40 bezw. 30 Schülern hinausgehen. Auch wenn solche Zahlen in den Vorjahren vorübergehend geduldet sein sollten, ist daran festzuhalten, daß in solchen Fällen entweder Klassentheilungen eintreten oder, falls diese aus räumlichen oder sonstigen Gründen nicht möglich sind, die Schüleraufnahme auf das zulässige Maß eingeschränkt wird.

Ergiebt sich nach dem Ergebnisse der angestellten Erwägungen die Nothwendigkeit, die Frequenz gegen den geltenden Etat herabzusetzen, so wird gleichzeitig zu erörtern sein, ob etwa durch zulässige Zusammenlegung bis dahin getheilter Klassenabtheilungen eine der Verminderung der Einnahme entsprechende Herabsetzung des Aufwandes für die Unterrichtsertheilung erzielt werden kann.

Die von den Schülern bei einigen Anstalten bisher erhobenen Gebühren für Abgangs- und Reifezeugnisse kommen vom 1. April 1898 ab gemäß ministerieller Bestimmung in Wegfall und sind in dem Entwurfe bei der Einnahme des Titels V nicht mehr vorzusehen.

Bemerkt wird hierbei, daß Aufnahme- (Einschreibe-) Gebühren, wo dieselben bisher erhoben worden sind, auch ferner beizubehalten sind.

10) Die bei den nichtstaatlichen Anstalten auszuwerfenden Einnahmetitel für Pensionen, Reliktenversorgung und Dienstalterszulagen weisen jeder in der Einnahme gesondert nach

a. Zinsen von Kapitalien,
b. Zuschuß aus der Anstaltskasse

und in der Ausgabe

a. die zu zahlenden Pensionen,
b. die zur Ansammlung bestimmten Beträge.

Werden derartige Zahlungen nicht aus der Anstaltskasse, sondern aus anderen Kassen (z. B. direkt aus der Stadtkasse) geleistet, so ist in den Titeln zu vermerken, welche Kassen zur Zahlung der Gehälter, Reliktengelder und Zulagen verpflichtet sind und ob bezw. in welcher Höhe Beiträge aus der Anstaltskasse an diese entrichtet werden.

Die Höhe des Zuschusses zu dem Pensionsfonds wird durch Entscheidung des Herrn Ober-Präsidenten bestimmt. Der Zuschuß zu dem Reliktenfonds richtet sich nach dem betreffenden Statute. Die Etatisirung der Einnahme und Ausgabe des Fonds zur Sicherstellung der Alterszulagen ist nach dem anliegenden Formulare zu bewirken.

Erläuternd wird zu demselben bemerkt, daß bei Berechnung desjenigen Betrages, um welchen der thatsächliche Gesammtaufwand an Gehältern und Remunerationen den bezüglichen Gesammtdurchschnittsbetrag übersteigt oder hinter demselben zurückbleibt, die Gehälter der vollbeschäftigten Zeichenlehrer in Berücksichtigung zu ziehen, dagegen die jeweilig zahlbaren Gehälter der übrigen technischen, der Elementar und Vorschullehrer, sowie der Schuldiener außer Betracht zu lassen sind.

Der [so] eingeklammerte Passus im Text der Einnahme und Ausgabe mit dem Wortlaute: „oder den besonders bestimmten Betrag" bleibt fort, insofern eine bestimmte Vereinbarung wegen der Höhe des zu kapitalisirenden Minderbedarfs mit den Patronaten nicht getroffen ist.

11) Unter dem Einnahmetitel „Insgemein" werden unter anderem die Vergütungen verrechnet, welche „von dem Schuldiener für die ihm widerruflich gestattete Entnahme des Heizungsmaterials zum eigenen Bedarf aus den Vorräthen der Anstalt" zu entrichten sind.

Die zu erhebende Entschädigung beträgt bei den etatsmäßig angestellten, aus Titel I besoldeten Schuldienern drei und einhalb Prozent des Durchschnittsgehalts von 1000 *M*, bei den anderen Beamten drei und einhalb Prozent der von ihnen wirklich bezogenen Remuneration.

12) Der Titel I der Ausgabe: „Besoldungen" ist unter Zugrundelegung des beifolgenden Formulars derart aufzustellen, daß hinter einander ausgebracht werden:

a. der Anstaltsleiter,
b. die Oberlehrer in der Reihenfolge ihres für die Alterszulagen maßgebenden Dienstalters, die Dienstälteren voran, und zwar unter Vermerk ihres Titels und des ihnen etwa verliehenen höheren Ranges,
c. die definitiv angestellten mit 24, darunter mit mindestens 14 Stunden Zeichenunterricht beschäftigten Zeichenlehrer, sowie die ihnen etwa durch besondere Verfügung gleichgestellten Lehrer mit seminaristischer Bildung,
d. die sonstigen technischen Elementar- und Vorschullehrer,
e. die vollbeschäftigten Schuldiener.

Der Stand der Besoldungen ist in der Höhe zum Ansatz

zu bringen, wie er bei Bewilligung der fälligen Alterszulagen am 1. April 1898 voraussichtlich sich ergeben wird. Neu zu errichtende oder sonst unbesetzte Stellen sind mit dem Mindestgehalt in den Etat einzustellen.

Wie bei Einnahmetitel IV so bedarf es auch hier der Beifügung unserer die Bewilligung der Alterszulagen genehmigenden Verfügungen nicht, dagegen sind die Verfügungen, welche sich auf den etwaigen Fall der einstweiligen Versagung einer Alterszulage beziehen, der betreffenden Etatsposition als Belag beizugeben.

Unter jeder Besoldungsposition sind sämmtliche Emolumente zu verzeichnen, welche der betreffende Lehrer oder Beamte außer der Besoldung noch an Gehalt, Civil- oder Militär- (Invaliden-, Gendarm-) Pension, freier Wohnung, Feuerung, Licht oder dergl. aus Anstaltsfonds oder aus andern staatlichen oder öffentlichen Fonds etwa bezieht.

Bei staatlichen Anstalten ist unter dem Abschlusse des Titels zu verwerken:

Ersparnisse an Alterszulagen und festen Zulagen fließen den allgemeinen Staatsfonds zu.

Mehrausgaben an Alterszulagen und festen Zulagen sind zu Lasten der allgemeinen Staatsfonds zu verrechnen.

Am Schlusse des Ausgabetitels I der nichtstaatlichen unterstützten Anstalten bedarf es eines Hinweises auf den Ausgabefonds zur Sicherstellung der Alterszulagen, wie dies auf dem bei Nr. 10 anliegenden Formulare ersichtlich gemacht ist.

Hinsichtlich der Fassung des Vermerks bei den vom Staate und Anderen gemeinschaftlich zu unterhaltenden Anstalten wird auf den im C. Bl. f. d. g. U. V. f. 1895 S. 679 abgedruckten Erlaß vom 24. 7. 1895 — U. II. 942II — verwiesen.

Ist bei nicht staatlichen Anstalten die Zahl der festen Zulagen von 900 *M* für mehrere unter einem Patronate vereinigte Anstalten zu berechnen, so ist im Etat jeder Anstalt anzugeben, welche Anstalten dieser Gemeinschaft zugehören, wieviel Oberlehrerstellen an jeder derselben vorhanden, wieviel feste Zulagen insgesammt zu zahlen und wie diese auf die einzelnen Anstalten vertheilt sind.

13) Bei den einzelnen Gehältern ist der Zeitpunkt, von welchem ab das für Gehaltszulagen maßgebende Dienstalter zu berechnen ist, sowie der Zeitpunkt der nächsten Zulage zu bemerken.

Wegen der dem Titel beizufügenden Beläge der Personalveränderungen verweisen wir auf das im Eingange bezw. bei Nr. 12 dieser Verfügung Bestimmte.

14) Im Titel II ist der Gesammtbetrag der Wohnungsgeldzuschüsse bezw. Wohnungsentschädigungen nur in einer Summe „Nach Titel I" aufzuführen.

15) Unter Titel III ist der in der Linie in einer Summe auszuwerfende Bedarf mit dem Vermerk „Hieraus werden bis auf Weiteres gezahlt"; vor der Linie zu erläutern. Hierbei sind zunächst die Remunerationen der vollbeschäftigten wissenschaftlichen Hilfslehrer — nach ihrem Dienstalter, der Dienstältere voran, — aufzuführen und dabei das für die Zulagen maßgebende Dienstalter und der Zeitpunkt, mit welchem die nächste Zulage zu bewilligen ist, anzugeben.

Unter dieser Position ist bei staatlichen Anstalten der Vermerk einzutragen:

Ersparnisse an Alterszulagen fließen den allgemeinen Staatsfonds zu.

Mehrausgaben an Alterszulagen sind zu Lasten der allgemeinen Staatsfonds zu verrechnen.

Bei nichtstaatlichen Anstalten tritt der Vermerk wie zu Nr. 12 ein.

Diese Position ist in gleicher Weise wie Titel I zu belegen.

16) Hinter der Remuneration für Hilfslehrer sind die Remunerationen für sonstigen wissenschaftlichen und technischen Unterricht unter Angabe der wöchentlichen Stundenzahl und sodann die Remunerationen für die Verwaltung der Bibliothek, für die Kassenverwaltung u. s. w. aufzuführen.

Die Remuneration für die Verwaltung der Lehrer- und der Schülerbibliothek ist nicht in einer Summe auszuwerfen, sondern, falls dies bisher noch nicht geschehen, dem Umfange der beiden Bibliotheken entsprechend zu theilen, damit die für Lehrer- und Schülerbibliothek erforderlichen Beträge getrennt ersichtlich werden.

Die Remuneration für die Kassenverwaltung soll in einem festen Betrage ausgeworfen werden und 1 Prozent der Gesammteinnahme nicht übersteigen. Ein hiervon abweichender Vorschlag würde näher zu begründen und dabei anzuzeigen sein, ob etwa anderweite rechtsverbindliche unkündbare Abmachungen mit dem Kassenführer vorliegen.

17) Als Beilage zu den Titeln I bis III ist von dem Anstaltsdirektor eine Berechnung über den Bedarf an Lehrkräften aufzustellen, für welche der Herr Minister der geistlichen, Unterrichts- und Medizinal-Angelegenheiten die beiden hier anliegenden Formulare vorgeschrieben hat.

Bei Ausfüllung der zweiten und folgenden Seiten der beiden Formulare ist ein breiter Rand zur Aufnahme diesseitiger Aenderungen oder Zusätze offen zu lassen.

Die Gründe der Entlastung einzelner Lehrer von der vorgeschriebenen Maximalstundenzahl, wie Alter und Kränklichkeit der betreffenden Lehrer, Ueberfüllung der betreffenden Klassen, Belastung mit verschiedenen Korrekturen, Vermehrung derselben durch die größere Zahl von Schülern, Heranziehung von Lehrern zu besonderen Dienstleistungen im Interesse der Schule, z. B. bei Religionslehrern, sind in jedem einzelnen Falle genau anzugeben.

In Formular B sind insbesondere auch Angaben darüber aufzunehmen, wieviel Schüler im Ganzen, sowie in den gebildeten einzelnen Klassen bezw. Abtheilungen an dem Religionsunterrichte der beiden christlichen Konfessionen theilnehmen. Bei Gymnasien ist ferner die Zahl der im Hebräischen und Englischen unterrichteten Schüler und bei Anstalten mit Ergänzungsunterricht die Zahl der an diesem Theil nehmenden in gleicher Weise näher zu bezeichnen.

Der Feststellung des Bedürfnisses ist die nach der in der neuen Etatsperiode zu erwartenden Frequenz erforderliche Zahl von Klassenabtheilungen zu Grunde zu legen und darauf zu achten, daß, sofern dies nicht bereits geschehen, die Vorschriften der Lehrpläne vom 2. März 1892 über die Theilungen der Sekunden und Tertien und über die Zahl der Unterrichtsstunden (insbesondere auch im Turnen, Zeichnen und wahlfreien Englisch) vollständig zur Durchführung gelangen.

Sofern im Titel III besondere Remunerationen für wissenschaftlichen oder technischen Unterricht ausgeworfen sind, ist nachzuweisen, daß dieser Unterricht von den angestellten Lehrern entweder wegen voller Belastung mit anderen Stunden oder wegen mangelnder Lehrbefähigung nicht ertheilt werden kann.

18) Soweit ein bisher nur remuneratorisch aus Titel III besoldeter Schuldiener durch seine Dienstthätigkeit an der Anstalt als voll beschäftigt anzusehen ist, so daß er ein anderes Amt oder Gewerbe daneben nicht ausüben kann, so ist sein Einkommen auf Titel I zu übernehmen. Das Mindestgehalt eines Schuldieners beträgt neben dem Wohnungsgeldzuschusse oder freier Wohnung 800 *M* jährlich und steigt in drei Jahren auf 900 *M* und dann von drei zu drei Jahren um je 50 *M* bis auf 1200 *M*.

19) Soweit es sich nicht um vertragsmäßig feststehende Pauschalsätze handelt, sind sämmtlichen einzelnen Positionen der sächlichen Titel in der Spalte Bemerkungen Durchschnittsberechnungen beizugeben, welche die wirklich geleisteten Ausgaben der Jahre 1894/95 und 1895/96 enthalten und in ihren Ergebnissen auf volle Mark abzurunden sind.

Dieselben sind in folgender Form einzutragen:

Die Ausgaben betragen:

1894/95	ℳ
1895/96	„
Zusammen:	ℳ
Durchschnitt:	ℳ

Bei Bemessung der Höhe der sächlichen Ausgaben ist das im Allgemeinen aus dem Durchschnitte sich ergebende dauernde Bedürfnis in Betracht zu ziehen. Ein vorübergehender Mehr- oder Minderbedarf rechtfertigt daher eine Abweichung von dem bisherigen Etatsansatze nicht. Ebenso ist, falls das Bedürfnis der Anstalt sich dauernd abweichend von dem Ergebnisse der Durchschnittsberechnung gestalten sollte, unter näherer Begründung der wirkliche Bedarf in den Entwurf einzustellen.

20) Im Titel IV sind die Beträge „zur Unterhaltung und Vermehrung der Lehrerbibliothek", „zur Unterhaltung und Vermehrung der Schülerbibliothek", sowie „zur Unterhaltung und Vermehrung der naturwissenschaftlichen und physikalischen Sammlungen" und „zu Vorschriften, Landkarten, Musikalien, Tinte, Kreide und Schwämme", sofern dies nicht bereits geschehen, getrennt von den sonstigen Ausgaben auszuwerfen.

21) Dem Titel VII, welcher als erste und meist einzige Position den Betrag „zur Unterhaltung der Gebäude und Plätze" auszuwerfen hat, ist der Vermerk anzuschließen:

Bestände können zur Verwendung in die folgenden Jahre übertragen werden.

22) Aenderungen in den bisherigen Sätzen für Bauunterhaltung, Heizung, Beleuchtung und Wasserversorgung können nur auf Grund eines den Belägen beizufügenden bautechnischen Gutachtens erfolgen.

Sofern die Direktoren bezw. Verwaltungsräthe staatlicher Anstalten auf unsere Anfrage vom 6. März d. Js. — 2612 — eine Aenderung in diesen Etatssätzen gewünscht haben, sind die betreffenden Gutachen von uns inzwischen eingezogen. Dieselben werden mittels besonderer Verfügung mitgetheilt werden. Ihre Ergebnisse sind in den Entwurf aufzunehmen.

23) Die Ausgaben zu stiftungsmäßigen Zwecken müssen mit den bei Titel II C nachgewiesenen Einnahmen des betreffenden Stiftungsfonds genau übereinstimmen. Andere Theile des Anstaltsvermögens dürfen zu solchen Stiftungsausgaben in keinem Falle verwendet werden.

Die stiftungsmäßigen Voraussetzungen des Empfangs der Stipendien u. s. w. sind im Etat in gedrängter Kürze zu vermerken.

24) Bei dem Titel Insgemein sind sämmtliche wieder-

kehrenden Ausgaben aus der Position für unvorhergesehene Ausgaben auszuscheiden und unter besonderen Positionen auszubringen. Die Ermittelung derartiger Ausgaben wird an der Hand der letzten beiden Jahresrechnungen ohne Schwierigkeiten stattfinden können.

Als besondere Position ist auch nach Maßgabe des durch die Rundverfügung vom 20. Januar d. Js. — 12839 — dorthin mitgetheilten Ministerial-Erlasses vom 24. August 1895 — U. II. 1721 — (Centrbl. S. 683) auszubringen:

„Dem Direktor für die Anfertigung von Reinschriften"

(0,25 M für den Kopf der etatsmäßigen Zahl an Schülern), während die Entschädigung für den Verbrauch von Schreibmaterialien

„Dem Direktor für Schreibmaterial 2c."

allgemein auf 30 M festgesetzt ist. Zu bemerken bleibt, daß eine Kürzung bisher etwa bewilligter höherer Entschädigungen für die gegenwärtig im Amte befindlichen Direktoren nicht stattzufinden hat.

Bei Titel „Insgemein" sind ferner insbesondere auszubringen

„Druckkosten der Programme",

„Beitrag zu den Kosten des Progammaustausches" 9 M,

„Druck der Zeugnisse, Klassenbücher und sonstiger Formulare, sowie Einbinden der Klassenbücher",

„Beitrag zu den zeitweiligen Direktoren-Versammlungen der Provinz" 38 M

— bei den nichtstaatlichen Anstalten einschließlich Porto 38,20 M —,

„Für Reinigung der Schornsteine mit Ausnahme des auf die Dienstwohnungen des Direktors entfallenden Betrages",

„Für Reinigung der Aborte",

„Für Versicherung der Bibliothek und der Sammlungen gegen Feuersgefahr",

„Dem Schuldiener Entschädigung für Arbeitshilfe bei der Reinigung und Beschaffung der Reinigungsgeräthe",

„Für Bekanntmachungen",

„Zur Feier von vaterländischen und sonstigen Anstaltsfesten",

„Beitrag zu dem Vereine der Alterthumsfreunde in der Rheinprovinz" 10 M.

25) Bei den erhöhten Ansprüchen, welche an die Reinhaltung und Lüftung der Schulräume gestellt werden, wird es sich fragen, ob die bereits ausgeworfene Entschädigung in der Art bemessen ist, daß der Schuldiener bei voller Verwerthung der eigenen Kräfte ohne Zuschuß aus eigenen Mitteln im Stande ist, die ihm auferlegten Pflichten in vollem Umfange zu erfüllen.

26) Die letzte Position des Titels Insgemein ist dahin zu fassen:

Zu unvorhergesehenen Ausgaben und zu Unterstützungen an im Dienste befindliche mittlere und Unterbeamte der Anstalt bis zur Höhe von 50 *M* durch das Provinzial-Schulkollegium zu Coblenz, darüber hinaus nur mit Genehmigung des Ministers der geistlichen, Unterrichts- und Medizinal-Angelegenheiten.

Hieran schließt sich bei staatlichen Anstalten folgender Vermerk:

Dieser Position fließen alle Mehreinnahmen mit Ausnahme derjenigen von Stiftungsfonds, Einnahmetitel II C, und alle Ausgabe-Ersparnisse zu, letztere jedoch ausschließlich derjenigen bei den Alterszulagen und festen Zulagen unter Titel I und III, bei dem Baufonds und den Fonds zu stiftungsmäßigen Zwecken, wogegen aus derselben alle Einnahme-Ausfälle und Mehrausgaben, ausschließlich derjenigen zu Alterszulagen und festen Zulagen sowie zu stiftungsmäßigen Zwecken, zu decken sind. Verfügbare Bestände können zur Verwendung in den folgenden Jahren übertragen, auch kapitalisirt werden.

Bei den vom Staate und Anderen gemeinschaftlich zu unterhaltenden Anstalten erhält der Vermerk die folgende Fassung:

Dieser Position fließen alle Mehreinnahmen mit Ausnahme derjenigen der Stiftungsfonds und alle Ausgabe-Ersparnisse zu, letztere jedoch ausschließlich derjenigen bei den Alterszulagen und festen Zulagen unter Titel I und III, bei dem Baufonds und bei den Fonds zu stiftungsmäßigen Zwecken, wogegen aus derselben alle Einnahme-Ausfälle und Mehrausgaben, ausschließlich derjenigen zu Alterszulagen und festen Zulagen sowie zu stiftungsmäßigen Zwecken, zu decken sind.

Die vorstehenden Anordnungen ersuchen wir, bei der Anfertigung und Vorprüfung der Etatsentwürfe möglichst vollständig zur Durchführung gelangen zu lassen, damit die hier vorzunehmende Bearbeitung und Begutachtung der einzelnen Entwürfe ohne Zeitverlust und ohne weitere Rückfragen stattfinden und die für die Anmeldung neuer Zuschüsse auf den Staatshaushalts-Etat vorgeschriebene Frist pünktlich inne gehalten werden kann.

Dem Eingange der Etatsentwürfe sehen wir spätestens zum **1. November d. Js.** entgegen.

Bei dem großen Geschäftsandrange, welcher in Folge der Prüfung der eingehenden Entwürfe entstehen wird, müssen wir dringend wünschen, daß ein Theil der Etats bereits erheblich vor dem Fälligkeitstermine eingereicht und uns damit die allmähliche Erledigung der Etatsangelegenheiten ermöglicht wird.

Für den Kassenführer, dem zunächst die Aufstellung des

Entwurfs obliegen wird, ist ein Abdruck dieser Verfügung und deren Beilagen beigefügt.

Königliches Provinzial-Schulkollegium.
Im Auftrage: Linnig.

An
die Direktoren und die Verwaltungsräthe der staatlichen und die Kuratorien rc. der vom Staate unterstützten nichtstaatlichen höheren Lehranstalten unseres Amtsbereiches.

S. C. 10060.

1.

1. Titel.	2. Nr.	3.	4. Jahres-Betrag M	Pf	5. Der vorige Etat setzt aus M	Pf	6. Mithin sind für 1. April 18.. mehr M	Pf	7. weniger M	Pf	8. Nr. der Beläge.	9. Bemerkungen.

2.

Titel.	Nr.	Einnahme.	Kapital M	Pf	Betrag für 1. April 18.. M	Pf	Der vorige Etat setzt aus M	Pf	Mithin sind für 18.. mehr M	Pf	weniger M	Pf	Bemerkungen.
		Fonds zur Sicherstellung der Alterszulagen.											
	1.	Zinsen von Kapitalien											
		Titel											
		Vermerk: Die Zinsen und erforderlichen Falles die Kapitalien dieses Fonds sind insoweit in Anspruch zu nehmen, als der thatsächliche Gesammt-Aufwand an Gehältern beziehungsweise Remunerationen (Tit. I Nr.... bis ... und Tit. III Nr.... der Ausgabe) den bezüglichen Gesammt-Durchschnittsbetrag [oder den besonders bestimmten Betrag] übersteigt.											
		Ausgabe.											
		Fonds zur Sicherstellung der Alterszulagen.											
	1.	Zur zinsbaren Anlegung: a. Kapitalzinsen nach Tit.... Nr. 1 der Einnahme . . b. Der Betrag, um welchen der thatsächliche Gesammt-Aufwand an Gehältern bezw. Remunerationen (Tit. I Nr.... bis ... und Tit. III Nr. ... der Ausgabe) hinter dem bezüglichen Gesammt-Durchschnittsbetrage [oder dem besonders bestimmten Betrage] zurückbleibt, zum Nachweis											
		Titel											

I.	(Am Schlusse zu vermerken): Siehe Tit.... Nr. 1 b. der Ausgabe.	Hinweis auf vorstehenden Ausgabefonds.
III.	(Hinter den die Remunerationen der vollbeschäftigten wissenschaftlichen Hilfslehrer nachweisenden Positionen zu vermerken): Siehe Tit.... Nr. 1 b. der Ausgabe.	

3.

1. Titel.	2. Nr.	3. Amtsbezeichnung und Amtscharakter.	4. Name.	5. Zeitpunkt, welcher für die Berechnung des Dienstalters maßgebend ist.	6. Bezeichnung der Nebenämter und der Bezüge aus denselben.	7. Sonstiges.	8. Miethsentschädigung bezw. Wohnungsgeldzuschüsse M
		Ausgabe.					

9. Jahres-Betrag M	9. Pf	10. Darunter feste Zulage M	11. Von dem Betrage Spalte 9 sind künftig wegfallend M	11. Pf	12. Der vorige Etat setzt aus M	12. Pf	13. Mithin sind für 1. April 1895/96 mehr M	13. Pf	14. weniger M	14. Pf	15. Zeitpunkt der nächsten Zulage.	Bemerkungen.

Uebersicht 4.

der bei de . . Königl. . . . . zu . . . .
zu ertheilenden Unterrichtsstunden.

Lfd. Nr.	Unterrichtsgegenstand.	I A.	I B.	II A.	II B.	III A.	III B.	IV.	V.	VI.	Zusammen.
1.	Religion . . a. evang. b. kathol. c. jüdisch										
2.	Deutsch und Geschichtserz.										
3.	Lateinisch										
4.	Griechisch										
5.	Französisch										
6.	Englisch										
7.	Hebräisch										
8.	Polnisch										
9.	Geschichte und Erdkunde										
10.	Rechnen und Mathematik										
11.	Naturbeschreibung . . .										
12.	Physik, Chemie, Mineralogie										
13.	Schreiben										
14.	Zeichnen										
15.	Singen										
16.	Turnen										
	Zusammen										
	Angabe der Frequenz a. bei Beginn des letzten Sommerhalbjahres (18..) . . . b. am 1. Februar des laufenden Jahres (18..) . . .										

Klassentheilungen und Mehrstunden,

welche nach Maßgabe der allgemeinen Lehrpläne vom 6. Januar 1892 seit der Aufstellung des letzten Etats bereits hinzugetreten sind, oder mit der neuen Etatsperiode eintreten sollen, sind in Folgendem hervorzuheben und, soweit dieselben fakultativ gelassen werden können, aber geboten erscheinen, eingehend zu begründen.

B. 5.

Nach Uebersicht A beträgt die bei de . . Kgl. . . . . . . in . . . . zu deckende Gesammtzahl der Unterrichtsstunden . . . . . .

Von diesen sollen nach dem Entwurfe zum neuen Etat aus Titel III besonders remunerirt werden:

a. . . . ischer Religionsunterricht . . . Std.
b. . . . Std.
c.

Bleiben . . . . Unterrichtsstunden.

Zur Deckung derselben durch die etatsmäßigen definitiv angestellten Lehrkräfte stehen bei Ansetzung der Maximalstundenzahl zur Verfügung:
a. der Direktor mit . . . . Std.
b. . . . Oberlehrer mit Zulage mit zusammen . . . . Std.
c. . . . Oberlehrer ohne Zulage mit zusammen . . . . Std.
d. . . . technische Lehrer mit . . . . . Std.

Zusammen . . . . Unterrichtsstunden

Nach der Berechnung auf Seite 8 gehen davon in Folge der gebotenen Entlastung des Direktors oder einzelner Lehrer ab . . . . Unterrichtsstunden.

Durch die etatsmäßigen definitiv angestellten Lehrkräfte können also gedeckt werden . . . . Unterrichtsstunden.

Mithin . . . . Stunden mehr weniger, als das Unterrichtsbedürfnis erfordert.

Vorschlag und Begründung
für die Deckung der Unterrichtsstunden, welche hiernach nicht von definitiv angestellten Lehrkräften ertheilt werden können.

Begründung
für das Herabgehen unter die Pflichtstundenzahl bei einzelnen Lehrern.

Lfd. Nr.	Name des Lehrers.	Gründe für die Entlastung.	Zahl der abzusetzenden Stunden.

2.

Coblenz, den 29. September 1896.

Nachdem durch den mittels diesseitiger Verfügung vom 27. August d. Js. — 11944 — dorthin mitgetheilten Erlaß des Herrn Ministers der geistlichen, Unterrichts- und Medizinal-Angelegenheiten vom 14. dess. Mts. — U. II. 1531 I. — angeordnet worden ist, daß vom 1. April 1898 ab die bisher unter Einnahme-Titel II Abtheilung C der Etats der staatlichen höheren Lehranstalten aufgeführten Stiftungskapitalien in einem besonderen, hinter Titel II einzuschaltenden Titel ausgebracht werden sollen, muß die in Ziffer 4 unserer Rundverfügung vom 17. August d. Js. — S. C. 10060 — angegebene Bezeichnung und Bezifferung der einzelnen Titel der Etats eine entsprechende Abänderung erfahren und sind in die Entwürfe der Etats für 1. April 1898/1901 folgende Titel nunmehr einzutragen:

Einnahme:

I. Vom Grundeigenthum.
II. Zinsen von Kapitalien, die den allgemeinen Zwecken der Anstalt selbst dienen.
III. Zinsen von Stiftungskapitalien.
IV. Berechtigungen.
V. Hebungen aus Staats- und anderen Fonds.
VI. Hebungen von den Schülern.
VII. Insgemein.

Ausgabe:

I. Besoldungen.
II. Miethsentschädigungen bezw. Wohnungsgeldzuschüsse.
III. Andere persönliche Ausgaben.
IV. Unterrichtsmittel.
V. Geräthschaften.
VI. Heizung und Beleuchtung.
VII. Unterhaltung der Gebäude und Gärten.
VIII. Abgaben und Lasten.
IX. Zu stiftungsmäßigen Zwecken.
X. Ausgaben auf Grund des Invaliditäts- und Altersversicherungsgesetzes.
XI. Insgemein.

Bei den nichtstaatlichen Anstalten treten in Einnahme und Ausgabe noch drei weitere Titel hinzu — so daß Titel „Insgemein“ mit X bezw. XIV bezeichnet wird —, nämlich

Einnahme-Titel VII, Ausgabe-Titel XI: für Pensionen der Lehrer und Beamten;

VIII bezw. XII: für die Versorgung der Hinterbliebenen von Lehrern und Beamten;

IX bezw. XIII Fonds zur Sicherstellung der Dienstalterszulagen.

Zu Ziffer 6 der Rundverfügung vom 17. August d. Js. ist sodann zu bemerken, daß in Einnahme-Titel II jetzt noch zwei Abtheilungen zu unterscheiden sind, nämlich:

A. von Kapitalien, welche nicht aus Ersparnissen der laufenden Verwaltung seit 1. April 1879 herrühren,

B. von Kapitalien, welche aus Ersparnissen der laufenden Verwaltung seit 1. April 1879 herrühren.

Ein Abdruck dieser Verfügung für den Rechnungsführer liegt bei.

An
die Direktoren und die Verwaltungsräthe der staatlichen und die Kuratorien 2c. der vom Staate unterstützten nichtstaatlichen höheren Lehranstalten unseres Amtsbereiches.

Abschrift übersenden wir in Verfolg unserer Verfügungen vom 17. und 27. August d. Js. — S. C. 10060 und 11944 — zur gefälligen Kenntnisnahme und event. gleichmäßigen Beachtung.

Königliches Provinzial-Schulkollegium.
Wentzel.

An
die Kuratorien der nicht staatlichen und nicht staatlich unterstützten höheren Lehranstalten.
S. C. 18808.

E. Schullehrer- und Lehrerinnen-Seminare 2c., Bildung der Lehrer und deren persönliche Verhältnisse.

184) Befähigungszeugnis für einen Lehrer als Vorsteher an Taubstummenanstalten.

In der zu Berlin im Monat August 1896 abgehaltenen Prüfung für Vorsteher an Taubstummenanstalten hat der Lehrer an der Taubstummenanstalt zu Breslau Johannes Karth das Zeugnis der Befähigung zur Leitung einer Taubstummenanstalt erlangt.

Bekanntmachung.
U. III. A. 2185.

185) Turnlehrerprüfung zu Berlin im Jahre 1897.

Für die im Jahre 1897 in Berlin abzuhaltende Turnlehrerprüfung ist Termin auf Dienstag den 23. Februar 1897 und die folgenden Tage anberaumt worden.

Meldungen der in einem Lehramte stehenden Bewerber sind bei der vorgesetzten Dienstbehörde spätestens bis zum 1. Januar 1897, Meldungen anderer Bewerber bei derjenigen Königlichen Regierung, in deren Bezirk der Betreffende wohnt, ebenfalls bis zum 1. Januar k. Js. anzubringen.

Nur die in Berlin wohnenden Bewerber, welche in keinem Lehramte stehen, haben ihre Meldungen bei dem Königlichen Polizei-Präsidium hierselbst bis zum 1. Januar k. Js. einzureichen.

Die Meldungen können nur dann Berücksichtigung finden, wenn ihnen die nach §. 4 der Prüfungsordnung vom 15. Mai 1894 vorgeschriebenen Schriftstücke ordnungsmäßig beigefügt sind.

Die über Gesundheit, Führung und Lehrthätigkeit beizubringenden Zeugnisse müssen in neuerer Zeit ausgestellt sein.

Die Anlagen jedes Gesuches sind zu einem Hefte vereinigt vorzulegen.

Berlin, den 15. September 1896.

Der Minister der geistlichen ꝛc. Angelegenheiten.
Im Auftrage: Kügler.

Bekanntmachung.
U. III. B. 2604.

---

186) Militärdienst der Volksschullehrer.

Berlin, den 16. September 1896.

Nachdem die staatlichen Lehrerseminare durch Erlaß des Herrn Reichskanzlers vom 19. Februar d. Js. — Centrbl. f. d. ges. Unterrichts-Verwaltung S. 284 — als Lehranstalten anerkannt worden sind, die giltige Zeugnisse über die wissenschaftliche Befähigung für den einjährig-freiwilligen Dienst ausstellen dürfen, erhalten künftig die Seminarzöglinge nach bestandener Abgangsprüfung ein Zeugnis nach dem Muster 18 zu §. 90 der Deutschen Wehrordnung vom 22. November 1888. Auf Grund dieses Nachweises können sie die Berechtigung zum einjährig-freiwilligen Dienst nachsuchen.

Hierbei ist Folgendes zu beachten.

Solche Lehramtsbewerber, welche diese Berechtigung zu erlangen wünschen, aber nicht in der Lage sind, die Entlassungsprüfung bis zum 1. April ihres ersten Militärjahres — d. i. des Kalenderjahres, innerhalb dessen sie ihr 20. Lebensjahr vollenden, — abzulegen, haben beim Eintritt in dieses Alter ihre

Zurückstellung in Gemäßheit des §. 32, 2 f. der Wehrordnung unter Beifügung einer entsprechenden Bescheinigung des Seminar-Direktors bei der Ersatzkommission wie schon bisher zu beantragen. Diese Zurückstellung kann von der Ersatzkommission (§. 29 4b der Wehrordnung) bis zum fünften Militärpflichtjahre genehmigt und geeignetenfalls in der Ministerialinstanz noch verlängert werden (§. 29, 7 Abs. 2 daselbst).

Haben die zurückgestellten Seminaristen die Abgangsprüfung bestanden und das Zeugnis über die wissenschaftliche Befähigung zum einjährig-freiwilligen Dienste erhalten, so müssen sie sich behufs Erlangung der Berechtigung hierzu nach §. 89, 7 der Wehrordnung unter Beifügung der übrigen in §. 89, 4 derselben vorgeschriebenen Papiere sofort, außerterminlich mit schriftlichem Gesuche an die Ersatzkommission wenden.

Es wird sich empfehlen, daß die Seminarzöglinge zur geeigneten Zeit auf die vorstehenden Bestimmungen hingewiesen werden, weshalb ich den Provinzial-Schulkollegien anheimgebe, den Königlichen Seminar-Direktoren das Erforderliche zu eröffnen.

An
die Königlichen Provinzial-Schulkollegien.

Abschrift erhält die Königliche Regierung zur Kenntnisnahme.

Der Minister der geistlichen ꝛc. Angelegenheiten.
Im Auftrage: de la Croix.

An
sämmtliche Königliche Regierungen.
U. III. C. 2506.

F. Oeffentliches Volksschulwesen.

187) Räumung von Lehrer-Dienstwohnungen im Wege des Zwanges.

Berlin, den 5. September 1896.

Auf den Bericht vom 9. Mai d. Js., betreffend das Gesuch des Lehrers N. zu N., erwidere ich der Königlichen Regierung, daß ich die Niederschlagung der von der Königlichen Regierung unter dem 12. Mai 1894 über den p. N. verhängten Ordnungsstrafe von 50 ℳ für geboten erachte.

Zwar kann darüber kein Zweifel obwalten, daß die von N. hierfür geltend gemachten Gründe unzutreffend sind.

Denn, wie bereits in dem Erlasse meines Herrn Amtsvorgängers vom 12. März 1881 — Centrbl. f. d. ges. Unterr.-Verw.

1881 S. 469 — angenommen wird, ist das Recht der Lehrer an den ihnen von den dazu Verpflichteten gewährten Dienstwohnungen lediglich ein mit Rücksicht auf das Amt und die Person des Inhabers des Amtes bewilligtes Gebrauchs- oder Wohnungsrecht, nicht aber ein Nießbrauchsrecht. Dem Lehrer steht also nicht ein dingliches Recht auf die von ihm innegehabte Wohnung, sondern nur ein persönlicher, durch das Dienstinteresse beschränkter Anspruch auf Gewährung einer normalmäßigen Wohnung zu. Die vokationsmäßige Verpflichtung eines Schulverbandes ist daher nicht verletzt, wenn derselbe mit Genehmigung der Schulaufsichtsbehörde aus dienstlich zureichenden Gründen dem Lehrer die Räumung der ihm bisher zugewiesenen Dienstwohnung aufgiebt, ihm aber zugleich eine andere Wohnung oder statt derselben die nöthigen Mittel zur Beschaffung einer solchen gewährt.

Ein Streit über die Räumung der Dienstwohnung zwischen dem Schulverbande und dem Lehrer kann hiernach ausschließlich nur die Frage betreffen, ob ausreichende dienstliche Gründe für die Räumungsanordnung vorliegen.

Diese Frage ist nicht im Rechtswege, sondern von den Schulaufsichtsbehörden zu entscheiden.

Einer derartigen Auffassung steht auch die von N. citirte Entscheidung des Oberverwaltungsgerichts vom 4. Mai 1892 — Centrbl. 1893 S. 261 — nicht entgegen. Sie spricht nur aus, daß ein Streit über den Ersatz von Aufwendungen, die der Lehrer in seinem persönlichen Interesse zur Ausstattung der Dienstwohnung gemacht hat, vor den Civilrichter gehöre. Sie bestätigt damit im Gegentheil die hier vertretene Rechtsanschauung, da die Dienstwohnung, um deren Räumung es sich handelt, nicht von dem Lehrer in seinem persönlichen Interesse, sondern von dem Schulverbande im Dienstinteresse zu beschaffen ist.

Hiernach war also die Königliche Regierung berechtigt, da ausreichende dienstliche Gründe vorlagen, dem Beschlusse des Schulvorstandes entsprechend, dem Lehrer N. die Räumung seiner bisherigen Dienstwohnung zum 1. Mai 1894 aufzugeben.

Wenn ich gleichwohl nicht in der Lage bin, die zur Erzwingung der verweigerten Räumung dem p. N. auferlegte Ordnungsstrafe von 50 ℳ aufrecht zu erhalten, so geschieht dies, weil eine Disciplinarstrafe nicht das nach den Vorschriften der Gesetze anzuwendende richtige Mittel war, um die Räumung der Dienstwohnung, also die Leistung einer Handlung seitens des p. N. zu erzwingen.

Nach §. 48 der Verordnung vom 26. Dezember 1808 (Anlage zur Reg.-Instruktion vom 31. Oktober 1817) in Verbindung mit Art. XII der Allerh. Kab.-Ordre vom 31. Dezember 1825

— Schneider u. von Bremen, Volksschulwesen Bd. II S. 511 — hätte die Königliche Regierung die dort geordneten Executivmaßregeln anwenden und eventuell durch Erlaß von Strafbefehlen bis zur Höhe von 300 ℳ eventuell vier Wochen Haft den p. N. zur Räumung der Wohnung anhalten müssen.

Für die Auferlegung einer Disciplinarstrafe wäre erst nach Erschöpfung der Executivmaßnahmen Raum gewesen und hätte es hierfür auch einer Feststellung bedurft, daß der p. N. über die Unrichtigkeit seiner Rechtsanschauung eingehend belehrt worden wäre, was nach dem Berichte der Königlichen Regierung keineswegs mit Sicherheit feststeht.

Ich veranlasse daher die Königliche Regierung, Ihre Hauptkasse wegen Rückerstattung der bereits eingezahlten Ordnungsstrafe mit Anweisung zu versehen und den p. N. auf sein wieder beifolgendes Gesuch vom 11. April d. Js. in meinem Namen entsprechend zu bescheiden.

Der Minister der geistlichen ꝛc. Angelegenheiten.
In Vertretung: von Weyrauch.

An
die Königliche Regierung zu N.
U. III. C. 2105.

---

188) Uebersicht über den gegenwärtigen Stand des Unterrichts schwachbegabter Kinder.

Berlin, den 28. August 1896.

Der Königlichen Regierung übersende ich im Verfolg des Erlasses vom 16. Juni 1894 — U. III. A. 1030. — (Centrbl. S. 568) eine Uebersicht über den gegenwärtigen Stand des Unterrichts schwachbegabter Kinder in besonderen Schulen. Wie die Entwickelung dieser Hilfsklassen zeigt, hat die Erkenntnis ihrer großen Bedeutung fortwährend zugenommen. Die Gesammtzahl der in ihnen untergebrachten Kinder beläuft sich auf 2017 gegen etwa 700 im Jahre 1894. Neben den auch jetzt bezeugten guten Erfolgen der Hilfsklassen ist besonders erfreulich, daß die frühere Abneigung vieler Eltern gegen die Absonderung ihrer schwachbegabten Kinder von der Volksschule erkennbar zu weichen beginnt.

Indem ich vertraue, daß die Königliche Regierung diesen segensreichen Veranstaltungen auch ferner Ihre besondere Theilnahme zuwenden und die dahin gerichteten opferwilligen Bestrebungen vieler Städte nach Möglichkeit fördern werde, behalte ich mir weitere Anordnungen in dieser Angelegenheit vor.

Der Minister der geistlichen ꝛc. Angelegenheiten.
Im Auftrage: Schneider.

An
die Königlichen Regierungen.

Uebersicht der vorhandenen Schuleinrichtungen für

(Rund-Erlaß vom 18. Januar 1896

1.	2.	3.					
		Zahl der					
		a.	b.	c.	d.	e.	f.
Regierungs-Bezirk.	Name der Stadt.	Anstalten.	Kinder.	Klassen.	Stufen.	Lehrkräfte (1. Lehrer, 2. Lehrerinnen).	wöchentlichen Schulstunden.
1. Königsberg.	Königsberg i. Pr.	2	42 u. 17.	3 u. 1.	2 u. 1.	I. 1 Lehrer u. 2 Lehrerinnen. II. 1 Lehrer.	I. Schule 24 bezw. 18. II. Schule 22.
2. Potsdam.	Brandenburg a. H.	1	19	1	1	1 Lehrer. 1 Handarbeitslehrerin.	15
3. „	Charlottenburg.	1	86	4	4	4 Lehrer. 1 technische Lehrerin.	22 bis 27.
4. Frankfurt a. O.	Guben.	1	8 (5 Knaben, 3 Mädchen).	1	1	1 städt. Lehrer.	6 nebenamtlich.
5. Stettin.	Stettin.	1	22 (14 Knaben, 8 Mädchen).	1	1	1 städt. Lehrer.	15
6. Breslau.	Breslau.	6 (3 evangelische, 3 katholische).	111 (57 evangelische, 54 katholische).	6 und 2 um Ostern 1896 gegründet.	1 (mit Abtheilungen und Ergänzungsunterricht für die Fortgeschrittenen der 4 älteren Klassen in 6 Stunden).	3 städt. Lehrer, 3 städt. Lehrerinnen (Hilfslehrerinnen).[2]	18—24
7. Liegnitz.	Görlitz.	1	45 (I. Klasse 24, II. „ 21).	2	5	2 städt. Lehrer.	I. Klasse 28 Stunden (wozu 2 Stunden Turnen für Knaben und 2 Stunden Handarbeitsunterricht für Mädchen treten). II. Klasse 19 Stunden.

[1]) 1 Knabe ist in die Blindenanstalt aufgenommen im Jahre 1891/92. Die entlassenen 14 jährigen Kinder haben sich als erwerbsfähig erwiesen.

[2]) Die Anstalt ist am 4. November 1893 mit 2 Klassen und 47 Schulkindern eröffnet worden als „Hilfsschule für schwachbefähigte Kinder". Die geschicktesten Kinder der 1., 2. und 3. Klasse nehmen zugleich an dem für Knaben und Mädchen eingeführten Handfertigkeitsunterrichte mit gutem Erfolge Theil, während die Kinder der 4. Klasse und die schwachen aus den 3 ersten Klassen vorbereitend für den späteren Handfertigkeitsunterricht mit „Froebelschen Kinderarbeiten" beschäftigt werden.

nicht normal begabte Kinder schulpflichtigen Alters.
— U. III. A. 3059.)

4. Die Anstalten		5.	6.	7. In die Volksschule sind zurückversetzt			8. Wie viel Kinder sind			9.
sind gegründet im Jahre	werden unterhalten von	Erfolgt die Aufnahme der Kinder unter ärztlicher Mitwirkung?	Wird von den Lehrkräften über jedes Kind und seine Entwickelung von einem Halbjahre zum andern sorgfältig Buch geführt?	a. wie viel Kinder?	b. in welchem Alter?	c. auf welcher Unterrichtsstufe?	a. in Idiotenanstalten übergeführt?	b. wegen eingetretener Epilepsie ausgeschieden?	c. Erziehungsanstalten überwiesen?	Bemerkungen.
—	der Stadtgemeinde.	ja.	nein.	In den Schuljahren 1888/89 bis 1894/95 zusammen 9 Kinder (6 Knaben, 3 Mädchen).	Im Alter von $9\frac{1}{2}$ bis $12\frac{1}{2}$ Jahren.	Mittelstufe 8, Unterstufe 1.	jährlich 2—3.	—	1	[1])
1895	desgl.	nein.	ja.	—	—	—	—	—	—	
1893	desgl.	ja.	vom 1. April 1898 ab geschehen.	4	von 8 bis 12 Jahren.	I und III.	1	—	—	[2])
1886	desgl.	nein.	ja.	—	—	—	1	1	—	[3])
1892	desgl.	ja.	nein.	—	—	—	1	—	—	[4])
—	desgl.	ja.	ja.	—	—	—	4	1	—	[5])
1893	desgl.	ja.	ja.	4	von 9 bis 10 Jahren.	V. Klasse der Volksschule.	—	1	—	[6])

[3]) 2 Knaben und 1 Mädchen haben sich als ganz bildungsunfähig erwiesen.

[4]) Der Lehrer der Hilfsklasse, welche seit 1. April 1892 besteht, erhält neben seinem Gehalte 150 ℳ Remuneration jährlich. Die Schüler bilden im Religions- und Anschauungsunterrichte eine, im Lesen und Schreiben 3 Abtheilungen, während im Rechnen Einzelunterricht ertheilt wird. Unterricht halbstündlich.

[5]) Eine Rückversetzung von Kindern in die Volksschule hat bisher nicht stattgefunden, doch können voraussichtlich 6 Schüler im Alter von 10—12 Jahren in die 5. Klasse der Volksschule zurückversetzt werden. Bei vielen Kindern hat sich ein Defekt der Sinnesorgane gezeigt.

[6]) Der Unterricht wird in Klasse I $\frac{3}{4}$ stündlich, in Klasse II $\frac{1}{2}$ stündlich ertheilt.

1.	2.	3. Zahl der					
		a.	b.	c.	d.	e.	f.
Regierungs-Bezirk.	Name der Stadt.	Anstalten.	Kinder.	Klassen.	Stufen.	Lehrkräfte (1. Lehrer, 2. Lehrerinnen)	wöchentlichen Schulstunden.
8. Magdeburg.	Magdeburg.	5	130	5	1	5 städt. Lehrer, 5 Handarbeitslehrerinnen.	28
9. "	Halberstadt.	1	42	2	2	2 städt. Lehrer.	a. Oberklasse: a. für Knaben (einschl. 4 Stunden für Handfertigkeitsunterricht) 30, b. für Mädchen 27; b. Unterklasse: für Knaben 20, für Mädchen 22.
10. Merseburg.	Halle a. S.	1	27 (13 Knaben, 14 Mädchen).	1	2	1 städt. Lehrer, 1 Handarbeitslehrerin.	1. Stufe 23, 2. " 26.
11. Erfurt.	Erfurt.	1	71	5	2 (Unter- und Mittelstufe).	2 städt. Lehrer, 1 städt. Handarbeitslehrerin.	20 bis 26
12. "	Nordhausen.	1	22	1	4	1 städt. Lehrer, 1 städt. Handarbeitslehrerin.	28
13. Schleswig.	Altona.	1	118 (77 Knaben, 41 Mädchen).	5	3	3 städt. Lehrer, 2 städt. Lehrerinnen, 1 Handarbeitslehrerin.	24 und 6 Std. Handarbeitsunterricht.
14. Hannover.	Hannover.	1	128 (73 Knaben, 55 Mädchen).	6	6	6 städt. Lehrer, 1 städt. Handarbeitslehrerin.	20 bis 30 nach Klassen steigend.
15. Hildesheim.	Göttingen.	1	21	1	2	1 städt. Lehrer, 1 Handarbeitslehrerin.	24
16. Lüneburg.	Lüneburg.	1	—	—	—	—	—

[1]) Wegen Bildungsunfähigkeit haben in den 3 Schuljahren 1893/94 bis 1895/96 zusammen 14 Kinder aus den Hilfsklassen entlassen werden müssen.

[2]) Die Schüler konnten nach $2^1/_2$ bis 6jährigem Besuche der Hilfsschule in die Volksschule zurückversetzt werden.

4. Die Anstalten		5.	6.	7. In die Volksschule sind zurückversetzt			8. Wie viel Kinder sind			9.
sind gegründet im Jahre	werden unterhalten von	Erfolgt die Aufnahme der Kinder unter ärztlicher Mitwirkung?	Wird von den Lehrkräften über jedes Kind und seine Entwickelung von einem Halbjahre zum andern sorgfältig Buch geführt?	a. wie viel Kinder?	b. in welchem Alter?	c. auf welcher Unterrichtsstufe?	a. in Idiotenanstalten übergeführt?	b. wegen eingetretener Epilepsie ausgeschieden?	c. Erziehungsanstalten überwiesen?	Bemerkungen.
—	der Stadtgemeinde.	nein.	bisher noch nicht, aber jetzt angeordnet.	50 im Ganzen.	9 3/4 Jahre durchschnittlich.	V. Klasse der Volksschule. (Stufe des 2. Schuljahres.)	—	—	—	1)
—	dsgl.	ja.	nein (wird aber angeordnet).	3	im Alter von 11 bezw. 12 Jahren.	IV. Klasse der (6 klassigen) Volksschule.	1	—	—	
1893	dsgl.	nein.	ja.	11 (Im Schuljahre 1894/95 = 4, 1895/96 = 7).	—?	V. Klasse der Volksschule.	4 (1894/95 = 1, 1895/96 = 3.)	2	—	
—	dsgl.	ja.	ja.	—	—	—	1	—	—	
—	Magistrat zu Nordhausen.	ja.	ja.	—	—	—	2	—	–	
1889	Stadtgemeinde.	ja.	ja.	16 im Ganzen	im Alter von 8 bis 13 Jahren.	12. Mittelstufe, 4. Oberstufe.	5	3	—	2)
1892	dsgl.	ja.	ja.	3	im Alter von 9 bis 11 Jahren.	V. und VI. Klasse der Bürgerschule.	3	—	—	3)
1895	dsgl.	ja.	ja.	—	—	—	—	—	—	
1896	dsgl.	—	—	—	—	—	—	—	—	4)

3) Die Klassen zählen je 20—23 Kinder. Sehr sorgfältige Prüfung vor d. Aufnahme, daher selten Rückversetzung in die Volksschule.

4) Ergebnisse liegen noch nicht vor.

1.	2.	3. Zahl der					
		a.	b.	c.	d.	e.	f.
Regierungs-Bezirk.	Name der Stadt.	Anstalten.	Kinder.	Klassen.	Stufen.	Lehrkräfte (1. Lehrer, 2. Lehrerinnen).	wöchentlichen Schulstunden.
17. Arnsberg.	Dortmund.	1 (evangelische Hilfsklasse).	22	1	3 bis 4 Abtheilungen.	1 Lehrer.	24
18. "	"	1 (katholische Hilfsklasse).	37	1	1	1 Lehrer.	24
19. Cassel.	Cassel.	1	101 (50 Knaben, 51 Mädchen).	5	3	1 städt. Hauptlehrer als Leiter, 3 städt. Lehrer, 1 techn. Lehrerin (für Handarbeit und Turnen).	22 bis 24
20. Wiesbaden.	Frankfurt a. M.	1	136 (75 Knaben, 61 Mädchen).	6	6	3 städt. Lehrer, 3 städt. Lehrerinnen.	24
21. Düsseldorf.	Düsseldorf.	1 (parität.)	117 (63 Knaben, 54 Mädchen).	4	4	3 städt. Lehrer, 1 städt. Lehrerin.	24 und 26
22. "	Crefeld.	1 (parität.)	81 (46 Knaben, 35 Mädchen).	3	3	2 städt. Lehrer, 1 städt. Lehrerin.	22 bis 30
23. "	Elberfeld.	1 (paritäl.)[3]	103 (58 Knaben, 45 Mädchen).	4	3	4 städt. Lehrer.	22 bis 30
24. "	Essen.	1 evangel.	28 (17 Knaben, 11 Mädchen).	1	1	1 städt. Lehrer.	26
25. "	"	1 kathol.	27 (14 Knaben, 13 Mädchen).	1	1	1 städt. Lehrer.	26

[1]) Die Zahl der schwachbegabten ist zu etwa 2—3 vom Tausend aller schulpflichtigen Kinder ermittelt.

[2]) Es sind vorhanden 2 parall. Unterklassen, 2 parall. Mittelklassen und 1 Oberklasse. Zu Ostern 189[illegible] wird eine neue Parallelklasse zur Oberklasse eingerichtet mit 2 weiteren Lehrkräften. 1 Mädchen wurde in eine Taubstummenanstalt übergeführt.

[3]) Acht Kinder mußten aus der Hilfsschule entlassen werden, da sie auch in dieser nicht gefördert werden konnten. Etat 20 053 ℳ.

[4]) 3 Kinder sind als bildungsunfähig in das Elternhaus entlassen. Epileptische Kinder werden grundsätzlich in die Hilfsschule nicht aufgenommen.

4. Die Anstalten		5.	6.	7. In die Volksschule sind zurückversetzt			8. Wie viel Kinder sind			9.
sind gegründet im Jahre	werden unterhalten von	Erfolgt die Aufnahme der Kinder unter ärztlicher Mitwirkung?	Wird von den Lehrkräften über jedes Kind und seine Entwickelung von einem Halbjahre zum andern sorgfältig Buch geführt?	a. wie viel Kinder?	b. in welchem Alter?	c. auf welcher Unterrichtsstufe?	a. in Idiotenanstalten übergeführt?	b. wegen eingetretener Epilepsie ausgeschieden?	c. Erziehungsanstalten überwiesen?	Bemerkungen.
1888	der evangelischen Schulgemeinde in Dortmund.	— ?	ja.	alljährlich etwa 25 % d. h. = 5.	im Durchschnittsalter von 10 Jahren.	V. bezw. VI. Klasse der Volksschule.	3 (innerhalb 12 Jahren).	1	—	1)
1893	der katholischen Schulgemeinde in Dortmund.	— ?	ja.	jährlich 10 durchschnittlich.	im Alter von 8 bis 13 Jahren.	V. Klasse der Volksschule (3. Schuljahr).	—	—	—	
1868	der Stadtgemeinde Cassel.	in einzelnen Fällen.	ja.	4 im Ganzen.	im Alter von 9 bis 11 Jahren.	Mittelstufe.	3	—	—	2)
—	der Stadt Frankfurt a. M.	ja.	ja.	7 im Ganzen.	im Alter von 10 bis 14 Jahren.	in die VI. bezw. V. und III. Klasse der Volksschule.	2	—	—	3)
—	der Stadt Düsseldorf.	ja.	ja.	1	im Alter von 11 Jahren.	Mittelstufe.	7	—	—	4)
—	der Stadt Crefeld.	ja.	ja.	6 im Ganzen.	im Alter von $8^1/_2$ bis $13^1/_2$ Jahren.	Mittelstufe und Unterstufe.	7	5	6	5)
1879	der Stadt Elberfeld.	ja.	ja.	13 im Ganzen.	im Alter von 8 bis 13 Jahren.	Ober- und Mittelstufe.	5	18	—	6)
1895	der Stadt Essen.	ja.	ja.	—	—	—	—	—	—	7)
1895	der Stadt Essen.	ja.	ja.	—	—	—	—	—	—	8)

5) 10 Kinder wurden als bildungsunfähig dem Elternhause wieder zugeführt.

6) 15 Kinder sind in Folge Verlegung des Wohnsitzes der Eltern in die Volksschule wieder aufgenommen und 1 neunjähriges Kind auf Wunsch der Eltern zurückversetzt. 11 Kinder sind als bildungsunfähig entlassen, davon 5 der Idiotenanstalt überwiesen, 6 den Eltern zurückgegeben.

7) Erweiterung geplant.

8) Ergebnisse liegen noch nicht vor.

1.	2.	3.					
		Zahl der					
		a.	b.	c.	d.	e.	f.
Regierungs-Bezirk.	Name der Stadt.	Anstalten.	Kinder.	Klassen.	Stufen.	Lehrkräfte (1. Lehrer, 2. Lehrerinnen.)	wöchentlichen Schulstunden.
26 Cöln.	Cöln.	2 (I. 3 Kl. für Knaben und Mädchen, II. 2 Kl. für Knaben und Mädchen).	I. Schule 154, II. Schule 126.	I. Schule 6, II. „ 4.	I. Schule 3, II. „ 3.	I. Schule 3 Lehrer und 3 Lehrerinnen, II. Schule 2 Lehrer und 2 Lehrerinnen.	26
27. Aachen.	Aachen.	1 je 3klassige Knaben- und Mädchenschule.	174 (88 Knaben, und 86 Mädchen).	6	3	3 Lehrer, 3 Lehrerinnen.	20 bis 30
			2017				

[1]) 4 Kinder sind in eine Taubstummenanstalt überwiesen, 4 in Irrenanstalten, 2 gestorben, 8 den Eltern zurückgegeben; 94 haben Erwerb gefunden. Bewährt hat sich die fortgesetzte Sorge der Anstalt für die Zöglinge nach deren Entlassung, wobei Vereine helfen.

[2]) Der Name Hilfsschule hat zur Beseitigung der früheren Abneigung vieler Eltern gegen diese Schule beigetragen.

189) Rechtsgrundsätze des Königlichen Oberverwaltungsgerichts.

a. Besondere Bestimmungen über Gewährung der Sommerweide für das Vieh des Lehrers sind in dem, die Schulen in den Domänendörfern behandelnden §. 45 der Schulordnung vom 11. Dezember 1845 nicht enthalten; es greift sonach für den vorliegenden Fall die Regel des §. 41 a. a. O. Platz, wonach die die Sommerweide gewährende Ortschaft die Entschädigung dafür von den übrigen zur Unterhaltung der Schule Verpflichteten nach Maßgabe des §. 39 a. a. O. verlangen kann. §. 39 bestimmt, daß die Schule von den zu ihr gehörigen Ortschaften unterhalten werden muß, sofern keine besonderen Stiftungen und keine durch besondere Rechtsgründe dazu verpflichtete Personen vorhanden sind oder deren Beiträge nicht ausreichen. Die klagenden Ortschaften wollen von der Entschädigungsverpflichtung lediglich um deshalb befreit sein, weil sie früher niemals eine Entschädigung gewährt haben; sie stützen deshalb ihren Anspruch vor Allem auf Herkommen, und wollen dies als besonderen

4. Die Anstalten		5.	6.	7. In die Volksschule sind zurückversetzt			8. Wie viel Kinder sind			9.
sind gegründet im Jahre	werden unterhalten von	Erfolgt die Aufnahme der Kinder unter ärztlicher Mitwirkung?	Wird von den Lehrkräften über jedes Kind und seine Entwickelung von einem Halbjahre zum andern sorgfältig Buch geführt?	a. wie viel Kinder?	b. in welchem Alter?	c. auf welcher Unterrichtsstufe?	a. in Idiotenanstalten übergeführt?	b. wegen eingetretener Epilepsie ausgeschieden?	c. Erziehungsanstalten überwiesen?	Bemerkungen.
I. Schule 1880, II. Schule 1890.	der Stadt Cöln.	ja.	ja.	6	im Alter von 10 bis 12 Jahren.	Mittelstufe.	12	5	5	[1])
1888	der Stadt Aachen.	—	noch nicht, ist aber beschlossen.	35 im Ganzen, jährlich 2—7.	im Alter von 8 bis 12 Jahren.	Unter- bis Oberstufe.	3	—	—	[2])

In Berlin sind die schwachsinnigen Kinder, soweit sie gesondert unterrichtet werden, in Privatkursen untergebracht, und zwar haben sie theils neben dem Unterrichte in der Gemeindeschule Privatunterricht oder theils ausschließlich Privatunterricht. Im letzten Halbjahre sind 43 Knaben und 52 Mädchen unterrichtet worden.

Rechtsgrund im Sinne des §. 39 a. a. O. angesehen wissen. Dem ist mit Recht entgegengetreten.

Es ist aus der Entstehungsgeschichte der Preußischen Schulordnung und aus deren Wortlaute in den §§. 6 und 47, wo Herkommen neben den besonderen Rechtstiteln genannt wird, sowohl von dem früheren Obertribunal (Entscheidungen Band 70 Seite 335 ff.), als auch vom Oberverwaltungsgericht, von Letzterem in ständiger Rechtsprechung (z. B. Entscheidungen Band XII Seite 214, Band XIV Seite 207), gefolgert, daß Herkommen kein besonderer Rechtstitel im Sinne der §§. 38 und 40 der Schulordnung sei. Zwar spricht §. 39 a. a. O. nicht von besonderen Rechtstiteln, sondern von besonderen Rechtsgründen; nach dem Zusammenhange der §§. 38, 39 und 40 kann aber darüber kein Zweifel bestehen, daß mit dem Ausdrucke „Rechtsgrund" im §. 39 nichts anderes gemeint ist, als mit dem Ausdrucke „Rechtstitel" in den §§. 38 und 40. Das Herkommen kommt also als ein besonderer Rechtsgrund, auf den der Klageanspruch gestützt werden könnte, nicht in Betracht. Es bestimmt §. 509 Titel 9 Theil I des Allgemeinen Landrechts, daß das Recht, jährliche Leistungen und Abgaben von der Person oder dem Grundstücke eines Anderen zu fordern, durch den bloßen Nichtgebrauch verjährt werden könne. Es ist aber anerkannten Rechtens, daß diese Bestimmung sich nur auf Privatlasten bezieht und daß die Freiheit von öffentlichen Abgaben und Lasten durch Verjährung nur auf dem im §. 656 a. a. O. bezeichneten Wege erworben werden kann (Entscheidungen des früheren Obertribunals Band 67 Seite 157 ff.; Entscheidungen des Oberverwaltungsgerichts Band I Seite 134). Nach letzterer Gesetzesstelle, auf welche der von der Steuerbefreiung durch Verjährung handelnde §. 5 Titel 14 Theil II des Allgemeinen Landrechts ausdrücklich verweist, greift bei Lasten und Abgaben, wozu jemand nach seinem Stande und Verhältnisse an sich verpflichtet war, die Vermuthung, daß er die Befreiung auf eine rechtsgiltige Weise erlangt habe, nur dann Platz, wenn er, zu der Last oder Abgabe aufgefordert, sich deren Leistung geweigert hat, und wenn er seitdem rechtsverjährte Zeit hindurch frei geblieben ist. Wenn der Vorderrichter angenommen hat, daß die klagenden Gemeinden die behauptete Befreiung von der Entschädigungspflicht, soweit Verjährung in Betracht kommt, nur im Wege der Ersitzung eines Rechts auf unentgeltliche Gewährung der Sommerweide, nicht aber in Folge bloßen Nichtgebrauchs des Rechts auf Entschädigung erwerben konnten, so ist er von durchaus richtigen Erwägungen geleitet worden. Die im §. 41 der Preußischen Schulordnung den Außenortschaften auferlegte Verpflichtung, die Schulortschaft für die dem Lehrer gewährte Sommerweide schadlos zu halten, wurzelt in der Gemeinschaftlichkeit der Verpflichtung zur Schulunterhaltung, also unzweifelhaft in einem öffentlich-rechtlichen Verhältnisse, und der Entschädigungsanspruch der Schulortschaft hat die Natur nicht einer privaten, sondern einer öffentlichen Last.

(Entscheidung des Königlichen Oberverwaltungsgerichts vom 19. Mai 1896 — I. 661 —.)

---

b. Eine den Kirchenpatron befreiende Observanz, betreffend Bauten an dem Küsterschulhause, läßt die Verpflichtung des Gutsherrn, zu solchen Bauten Beiträge zu leisten, welche durch die Entwickelung der Schulanstalt erforderlich werden, unberührt; denn eine solche Observanz betrifft lediglich die Küsterei und hindert nach §. 6 des Gesetzes vom 21. Juli 1846 keineswegs die Anwendung des §. 3, der für einen Fall wie den vorliegenden, wo das Bedürfnis eingetreten ist, eine zweite Schulklasse und eine Wohnung für einen zweiten Lehrer zu beschaffen, gerade die Baupflicht denjenigen zuweist, welchen in Ermangelung eines Küsterhauses der Bau und die Unterhaltung einer gemeinen Schule am Orte obliegen. Zu diesen gehört der Gutsherr des Schulorts mit den im §. 36 Titel 12 Theil II des Allgemeinen Landrechts vorgesehenen Obliegenheiten.

(Erkenntnis des Königlichen Oberverwaltungsgerichts vom 2. Juni 1896 — I. 732 —.)

---

c. Zulässigkeit einer Anordnung auf Eintragung einer Leistung zu Schulzwecken in den Etat der verpflichteten Gemeinde auf mehrere Jahre im Voraus.

Der Ansicht des Vorderrichters, daß eine Anordnung, welche die Eintragung einer Leistung zu Schulzwecken in den Etat der verpflichteten Gemeinde für mehrere Jahre im Voraus anordnet, schlechthin unzulässig sei, ist nicht beizutreten. Der in das diesseitige Urtheil vom 12. Juni 1894 (Entscheidungen Band XXVII Seite 127 ff.) aufgenommene Satz: „Es stehe nichts entgegen, daß bei dauernden oder doch über mehrere Jahre sich erstreckenden Leistungen deren jedesmalige Eintragung in jeden der zukünftigen Jahresetats von vornherein und ein für alle Mal verfügt werde (a. a. O. Seite 135), ist allerdings vom Gerichtshofe bisher nicht ausführlich begründet, aber sowohl vor als nach Erlaß des angeführten Erkenntnisses stets in gleichmäßiger Rechtsprechung festgehalten worden. Beispiele seiner Anwendung finden sich nicht nur in dem vom Vorderrichter angeführten Urtheile vom 19. April 1895 (Preußisches Verwaltungsblatt Jahrgang XVI Seite 631 ff., insbesondere Seite 633 a. a. O.), sondern auch in anderen veröffentlichten Entscheidungen (zu vergl. Entscheidungen Band XXIII Seite 108, Band XXVI Seite 141, Band XXVIII Seite 69). Zwar ist dort die Zulässigkeit von Verfügungen, welche die Eintragung wiederkehrender Leistungen in die jedesmaligen zukünftigen Jahresetats anordnen, nicht ausdrücklich ausgesprochen, aber es sind Klagen, welche sich gegen Verfügungen dieser Art richteten, zurückgewiesen worden, ohne daß es auch nur für nöthig erachtet wurde, die rechtliche Möglichkeit solcher Anordnungen zu begründen; sie ist vielmehr für selbstverständlich angesehen worden. Von dieser bisher vertretenen Rechtsauffassung abzuweichen, bieten die Ausführungen des Vorderrichters keinen Anlaß. Seine Meinung, daß eine auf mehrere Jahre hinaus wirkende Zwangsetatisirung der Natur des Jahresetats widerspreche, ist nicht zu billigen. Der Jahresetat hat die Natur eines zusammenfassenden Voranschlages über die innerhalb eines Jahres zu erwartenden Einnahmen und Ausgaben. Daraus folgt aber nicht, daß jede einzelne Ausgabeposition alljährlich von Neuem zu prüfen und festzustellen ist; vielmehr enthält jeder Etat eine Reihe von Ausgabepositionen, die sich dauernd gleich bleiben, weil sie auf einer dem Grunde und Betrage nach feststehenden Verpflichtung beruhen und eine Reihe anderer, deren Höhe sich zwar nach dem wechselnden Bedürfnisse richtet, die jedoch wegen der Gleichmäßigkeit der Verhältnisse in längeren Zeiträumen sich gleich bleiben. Wenn aber der Vorderrichter anzunehmen scheint, daß die Weigerung, eine Leistung auf den Haushaltsetat zu bringen, erst dann gegeben sei, wenn bei Berathung und Feststellung des **Jahresetats** die Aufnahme einer entsprechenden Ausgabe versagt werde, so übersieht er, daß in der Weigerung, die Pflicht zu dauernd wiederkehrenden Leistungen zu übernehmen, auch die Weigerung liegt, die einzelnen Jahresleistungen auf den Haushaltsetat zu bringen, und deshalb die Befugnis der Aufsichtsbehörde, die Aufnahme in den Haushalt anzuordnen, nicht von einer jährlichen Wiederholung der Weigerung abhängig gemacht werden kann. Ebensowenig ist anzuerkennen, daß durch die Zulassung dauernder Zwangsetatisirung irgend welche Unzuträglichkeiten entstehen können. Wenn der Vorderrichter ausführt, daß die Zwangsetatisirung **thatsächlich** völlig illusorisch werde, gleichwohl aber **rechtlich** fortbestehe, wenn die Gemeinde sich später zu der ihr angesonnenen Leistung bereit finden lasse, so ist dies nicht zutreffend; denn durch die nachträgliche Bereitwilligkeit wird die in der Zwangsetatisirung enthaltene Auflage nicht „illusorisch" gemacht, sondern erfüllt; es tritt also in diesem Falle ein Widerspruch zwischen **thatsächlicher** Wirkung und **formalem** Recht ebensowenig ein, wie in dem Falle, daß ein Privatmann einer polizeilichen Auflage nachträglich aus freien Stücken nachkommt, oder daß ein zur Zahlung einer Geldsumme verurtheilter Schuldner diese nicht wegen drohender Zwangsvollstreckung, sondern im Bewußtsein seiner Verpflichtung leistet. Daß veränderte Umstände eine Aenderung der auf die Dauer wirkenden Zwangsetatisirungs-Verfügung erforderlich machen können, ist gewiß anzuerkennen; allein in der durch das Urtheil vom 19. April 1895 (Preußisches Verwaltungsblatt Jahrgang XVI Seite 631) hervorgehobenen Befugnis der in Anspruch genommenen Gemeinde, die Aufhebung oder Abänderung der erlassenen Anordnung zu beantragen und gegen die darauf ergangene Verfügung zu klagen, ist ein ausreichendes Korrektiv gegeben. Wenn der Vorderrichter dagegen bemerkt, daß auf diese Weise eine Nachprüfung der Zweckmäßigkeit und Angemessenheit der Zwangsetatisirung nicht zu erreichen sei, so übersieht er, daß auch bei einer jährlich wiederkehrenden Zwangsetatisirung die Nachprüfung der Zweckmäßigkeit und Angemessenheit im Verwaltungsstreitverfahren nicht verlangt, sondern nur durch Beschwerde bei den Aufsichtsinstanzen erreicht werden kann. Die Anrufung dieser behufs Prüfung, ob eine auf die Dauer erlassene Zwangsetatisirung zur Zeit noch aufrecht zu erhalten oder ganz oder theilweise aufzuheben sei, bleibt der in Anspruch genommenen Gemeinde unbenommen. Die Annahme des Vorderrichters, daß die Lage der Gemeinden durch auf die Dauer wirkende Zwangsetatisirungen in irgend einer Weise verschlechtert würde, ist daher verfehlt. Dagegen ist der Ausführung der Berufungsschrift, daß die Ansicht des Vorderrichters zu unnützen Weiterungen führe, beizutreten. Die Möglichkeit, die wiederholte Zwangsetatisirung alljährlich mit aufschiebender Wirkung anzufechten, würde die Gemeinden in die Lage versetzen, die Erfüllung wiederkehrender Leistungen chikanöser Weise zu verschleppen, z. B. mißliebigen Gemeindebeamten und Lehrern gegenüber, für die von Aufsichtswegen eine Gehaltserhöhung durchgesetzt ist.

(Entscheidung des Königlichen Oberverwaltungsgerichts vom 2. Juni 1896 — I. 734[1] —.)

---

d. 1) Das Verwaltungsstreitverfahren ist nur in denjenigen Fällen statthaft, in denen es vom Gesetze besonders vorgesehen ist (§. 7 Abs. 2 des Gesetzes über die allgemeine Landesverwaltung vom 30. Juli 1883 — G. S. S. 195), und es fehlt an einer Bestimmung, wonach Mitglieder des Schulverbandes die Frage ihrer Leistungspflicht im Allgemeinen gegen den Vorstand des Schulverbandes im Verwaltungsstreitverfahren zum Austrage bringen können. Insbesondere ist eine solche Bestimmung nicht im §. 46 Abs. 3 des Zuständigkeitsgesetzes vom 1. August 1883 (G. S. S. 237) enthalten, weil die dort den Betheiligten gegebene Klage nur den Verbandsgenossen untereinander zusteht (Entscheidungen des Oberverwaltungsgerichts Band XXV Seite 174 ff.). Mit dem Schulvorstande, der zu den Betheiligten im Sinne des erwähnten Abs. 3 nicht gehört, konnten die Kläger gemäß Abs. 1 des §. 46 a. a. O. nur in Betreff einzelner, bereits zur Hebung gestellter Anforderungen streiten; Gegenstand des Angriffs gegen ihn konnte nur sein: der den Einspruch gegen die Heranziehung zu bestimmten Leistungen zurückzuweisende Beschluß.

2) Wie die Revisionskläger in der Revisionsschrift anerkannt haben, ist die gesetzlich für die Erhebung des Einspruchs vorgesehene Frist von drei Monaten bezüglich der Heranziehung zu den Schulbeiträgen für 1894 nicht beachtet. Dadurch ist die Anforderung dem Schulvorstande gegenüber unanfechtbar geworden (Abs. 1 und 2 des §. 1 des Gesetzes vom 18. Juni 1840, betreffend die Verjährungsfristen bei öffentlichen Abgaben — G. S. S. 140). In Betreff der Schulbeiträge für 1894 mußte danach die Reklamationsklage für ausgeschlossen erachtet werden.

3) Insbesondere bedurfte es einer Zuziehung der Gemeinde, wie die Kläger behaupten, weder bei der Beschlußfassung über die Nothwendigkeit des Schulbaues, noch bei der Beschlußfassung über die Aufnahme des Darlehns. Denn nach den §§. 18, 26, 27 des Gesetzes vom 14. Oktober 1848 über die Kirchen- und Schulvorstände vertritt der Schulvorstand die Schulgemeinde in vermögensrechtlicher Beziehung und verwaltet das Vermögen der Volksschule; nach §. 19 a. a. O. war zu seinem Beschlusse, betreffend den Neubau und betreffend die Darlehnsaufnahme, nicht die Zustimmung der Gemeinde, sondern die „der ihm Vorgesetzten“ erfordentlich und diese Zustimmung ist ertheilt worden. Zu einer Beschlußfassung der Schulaufsichtsbehörde gemäß Abs. 1 des §. 47 des Zuständigkeitsgesetzes vom 1. August 1883, wie die Kläger vermeinen, fehlte es an jeder Voraussetzung.

(Entscheidung des Königlichen Oberverwaltungsgerichts vom 9. Juni 1896 — I. 766 —.)

---

e. Nach Ansicht des Vorderrichters ist in der Provinz Posen, in der das Gesetz vom 26. Mai 1887 (G. S. S. 175) keine Anwendung findet, in solchen Fällen, wo von der Schulaufsichtsbehörde Anforderungen gestellt werden, die durch neue oder erhöhte Leistungen der Schulunterhaltungspflichtigen zu gewähren sind, in Ermangelung des Einverständnisses der Verpflichteten die Anforderung durch ausdrückliche Verfügung der Schulaufsichtsbehörde endgiltig festzusetzen, und es muß in Fällen, wo die Anforderung einen Schulbau nach sich zieht, diese dem im §. 47 des Zuständigkeitsgesetzes vorgesehenen Beschlusse vorausgehen, weil sonst die Pflichtigen das Rechtsmittel der Beschwerde bei der obersten Aufsichtsinstanz verlieren und überhaupt die nothwendigen Grundlagen für das nachfolgende Verwaltungsstreitverfahren fehlen würden.

Da §. 47 Abs. 1 des Zuständigkeitsgesetzes vom 1. August 1883 der Schulaufsichtsbehörde die Beschlußfassung über Streitigkeiten nur insofern zuweist, als die Anordnung von Neu- und Reparaturbauten bei Volksschulen, die öffentlich-rechtliche Verpflichtung zur Aufbringung der Baukosten sowie deren Vertheilung auf die Betheiligten in Frage kommen, so war für die Bestimmung, daß ein zweiter Lehrer anzustellen sei, in dem angegriffenen Beschlusse an sich kein Raum. Es mag auch zweckwidrig gewesen sein, letztere Bestimmung, die nur mit der nicht befristeten Beschwerde bei der Aufsichtsinstanz angegriffen werden konnte, zusammen mit jener Anordnung, gegen die eine Klage im Verwaltungsstreitverfahren mit Präklusivfrist statthaft war, in einem und demselben Beschlusse zum Ausdrucke zu bringen. Rechtswidrig war eine derartige Verbindung indessen nicht. Denn der Schulvorstand war nicht gehindert, die Beschwerde bei der Aufsichtsinstanz und die Klage im Verwaltungsstreitverfahren zu erheben und in letzterem nach Wahrung der Klagefrist die Vertagung der Sache auf so lange, bis Bescheid auf die Beschwerde ergangen sei, in Antrag zu bringen (vergl. Entscheidungen des Oberverwaltungsgerichts Band XX Seite 197/198). Daraus, daß in dem Beschlusse eine Bestimmung enthalten ist, die für diesen an sich entbehrlich war, konnte keinerlei Schluß bezüglich der Rechtsgiltigkeit seines sonstigen Inhalts gezogen werden. Es kommt hinzu, daß die beklagte Regierungsabtheilung im Laufe des Streitverfahrens deutlich zu erkennen gegeben hat, wie sie keinerlei Werth darauf legt, daß neben der als Hauptsache bezeichneten Anordnung aus §. 47 a. a. O. im Beschlusse noch der Anstellung eines zweiten Lehrers Erwähnung geschehen sei, vielmehr den Beschluß auf jene Anordnung eingeschränkt wissen will; zu einer derartigen Einschränkung des angegriffenen Beschlusses war die beklagte Regierungsabtheilung zweifellos befugt.

Mit dieser Einschränkung aber bewegt sich der angegriffene Beschluß durchaus in den Grenzen des §. 47 Abs. 1 a. a. O.

Wegen Ueberfüllung der Schule erachtete die Schulaufsichtsbehörde die Einrichtung einer zweiten Schulklasse und der Wohnung für einen zweiten Lehrer für erforderlich; dem widersprach die Schulgemeinde; diese Meinungsverschiedenheit bedurfte der Entscheidung, und letztere erging dahin, daß eine zweite Schulklasse und die Wohnung für einen zweiten Lehrer zu beschaffen seien. Allerdings erwähnt der Beschluß nicht einen Bau. Es ist dies aber um deshalb unerheblich, weil, wie anerkannten Rechtens ist (von Brauchitsch, Verwaltungsgesetze, Band I Note 24 zu §. 47 a. a. O.) der nach §. 47 Abs. 1 a. a. O. von der Schulaufsichtsbehörde zu fassende Beschluß sich nicht auf Fälle beschränkt, wo eigentliches Bauen, d. h. das Zusammenfügen von Materialien zum Zwecke der Herstellung eines Gebäudes, in Betracht kommt, sondern alle Fälle der Bereitstellung der im Schulinteresse benöthigten Räumlichkeiten umfaßt, insbesondere also auch die miethsweise Beschaffung entsprechender Räumlichkeiten. Der angegriffene Beschluß überließ der Schulgemeinde zunächst, auf welchem Wege sie die erforderlichen Zimmer für den Unterricht und die Unterbringung des zweiten Lehrers beschaffen wollte, wies zwar in den Gründen auf die Möglichkeit und Angemessenheit einer Anmiethung im Klostergebäude zu M. hin, beschränkte sich aber im Tenor darauf, im Prinzipe die Nothwendigkeit der Bereitstellung der nöthigen Räumlichkeiten auszusprechen. Im Uebrigen bestimmte der Beschluß, daß die dadurch entstehenden Kosten gemäß §. 34 Titel 12 Theil II des Allgemeinen Landrechts der Schulgemeinde zur Last fielen, traf jedoch über deren Leistungsfähigkeit noch keine unbedingte Entscheidung, weil zu einem bestimmten Projekte, wie der Anforderung zu genügen sei, Stellung überhaupt noch nicht genommen war.

Es ist nicht zu verkennen, daß aus dem Beschlusse ein exekutiver Titel zur Beitreibung einer bestimmten Geldsumme nicht entstehen kann. Wenn dieser Titel beschafft werden soll, bedarf es eines weiteren Beschlusses, in welchem bestimmtere Anordnungen über die erforderlichen Einrichtungen zu treffen sind und danach die Leistungsfähigkeit der Bauverpflichteten zu bemessen ist.

Zur vorläufigen Entscheidung der erwähnten Prinzipienfragen war die Schulaufsichtsbehörde aber an sich wohlbefugt, weil weitere Streitfragen durch spätere Beschlußfassung ihre Erledigung finden können (Entscheidungen des Oberverwaltungsgerichts Band XXV Seite 186).

(Entscheidung des Königlichen Oberverwaltungsgerichts vom 12. Juni 1896 — Nr. I. 779 —.)

---

f. Kläger irrt auch, wenn er meint, es fehle an einer gesetzlichen Bestimmung, daß Gendarmen von ihrem Diensteinkommen zu diesen Lasten herangezogen werden dürfen. Denn nach §§. 29 und 30 Titel 12 Theil II des Allgemeinen Landrechts hat, sofern keine Stiftungen für die Volksschule vorhanden sind, jeder Ortseinwohner zu deren Unterhalt beizutragen; es hätte also einer besonderen Vorschrift bedurft, wenn die Gendarmen bezüglich ihres Diensteinkommens hiervon ausgenommen sein sollten, und eine solche Vorschrift besteht nicht. Die Heranziehung des Klägers zu den Schulunterhaltungskosten wäre also an sich gerechtfertigt gewesen, wenn sich Zuschläge zu seiner Staatseinkommensteuer hätten berechnen lassen.

An dieser Voraussetzung fehlt es aber. Es herrscht darüber kein Streit, daß Kläger anderes Einkommen als seine Dienstbezüge nicht besitzt. Seine Behauptung, daß diese Dienstbezüge zur Staatseinkommensteuer nicht veranlagt seien, hat der beklagte Schulvorstand nicht bestritten; sie erscheint auch durchaus glaubhaft, weil das Diensteinkommen der Gendarmen normgemäß von der Veranlagung auszuschließen ist. Zwar erwähnt §. 6 Nr. 3 des Einkommensteuergesetzes vom 24. Juni 1891 (G. S. S. 175) als von der Besteuerung ausgeschlossenes Einkommen nur das Militäreinkommen der Personen des Unteroffizierstandes, so daß die Anwendbarkeit dieser Vorschrift auf die Gendarmen um deshalb zweifelhaft sein könnte, weil diese kein Militäreinkommen, sondern ein aus den Fonds des Ministeriums des Innern zahlbares Diensteinkommen beziehen. Nach der bei der Berathung des Gesetzes von dem Finanzminister in der Kommission des Herrenhauses abgegebenen Erklärung soll aber unter dem Militäreinkommen der Personen des Unteroffizierstandes im Sinne jener Gesetzesstelle auch das Diensteinkommen der Wachtmeister und Gendarmen der Landgendarmerie einbegriffen sein (Fuisting, Einkommensteuergesetz, Anm. 10 zu §. 6 Nr. 3 a. a. O.). Demgemäß ist in der nach §. 85 a. a. O. gegebenen Ausführungsanweisung vom 5. August 1891 im Art. 3 Nr. 3 das Diensteinkommen der Wachtmeister und Mannschaften der Landgendarmerie ausdrücklich dem Militäreinkommen der Personen des Unteroffizierstandes gleichgestellt.

Wenn der beklagte Schulvorstand darauf hinweist, daß die nicht zur Staatseinkommensteuer veranlagten Personen bisher nach den fingirten Steuersätzen zu Schulbeiträgen herangezogen seien, so mag dies insoweit zulässig gewesen sein, als die im §. 74 des Einkommensteuergesetzes erwähnten fingirten Normalsteuersätze in Betracht kamen. Letztere betreffen aber nur die Einkommen von nicht mehr als 900 *M.*, lassen also das hier in Frage stehende höhere Diensteinkommen des Klägers unberührt.

Ersichtlich hat sich der beklagte Schulvorstand, der weder bei der ursprünglichen Veranlagung des Klägers zu einem Jahresbeitrage von 21 *M.*, noch bei dessen Ermäßigung auf 16 *M* einen Prinzipalsteuersatz erwähnt hat, für befugt erachtet, den fingirten Steuersatz selbst festzusetzen und allein danach die für Schulzwecke zu erhebenden Zuschläge berechnet. Hierzu war der Schulvorstand aber nicht ohne Weiteres befugt.

Fehlte danach in Ermangelung einer von zuständiger Stelle festgesetzten Prinzipalsteuer, von der allein Zuschläge für Schulzwecke hätten berechnet werden können, der Heranziehung des Klägers der gesetzliche Boden, so war die Klage für begründet zu erachten und dem entsprechend die vorderrichterliche Entscheidung abzuändern.

(Entscheidung des Königlichen Oberverwaltungsgerichts vom 19. Juni 1896 — I. 821 —.)

---

g. 1) Die katholische Schule in M. hat als Pfarrschule in Verbindung mit der katholischen Kirche daselbst schon im vergangenen Jahrhundert und zwar neben einer evangelischen Ortsschule bestanden, wie aus dem vom Kläger vorgelegten Schöppenbuche hervorgeht. Demgemäß kommt es für die Frage nach dem die Unterhaltungspflicht regelnden Gesetzesrechte nur bei der evangelischen, dagegen nicht bei der katholischen Schule darauf an, ob am 10. Juli 1801, dem Tage der Publikation des katholischen Schulreglements vom 18. Mai 1801, das „Dorf ein solches vermischter Religion“ gewesen ist. Wenn der Kreisausschuß für die Annahme des Gegentheiles auf die diesseitige Entscheidung vom 26. September 1891 — I. 1024 — in Sachen des Grafen S. wider den Schulvorstand zu W. verweist, so hat er übersehen, daß es sich damals um eine evangelische Schule handelte. Hier steht von den beiden Schulen in M. die katholische in Rede. Die Unterhaltung katholischer Schulen in Schlesien bestimmt sich aber auch dann nach dem Provinzialrecht, wenn sie in einem ganz protestantischen Dorfe bezw. für eine Mehrzahl solcher Dörfer am Normaltage, sei es allein oder neben einer evangelischen Schule, bereits vorhanden waren, und folgt dem Allgemeinen Landrecht nur unter der Voraussetzung, daß die Schule erst nach dem Normaltage und daß sie ferner als Sonderschule im Sinne der §§. 6, 22 des Reglements von 1801 errichtet ist. Betreffs der Unterhaltung der M.er katholischen Schule würde daher, wenn ausschließlich die allgemeinen gesetzlichen Vorschriften maßgebend wären, auf das Reglement von 1801 und auf das durch dieses ergänzte ältere Reglement vom 3. November 1765 zurückzugehen sein, obschon nach der Behauptung des Klägers die Schulaufsichtsbehörde bei Bauten an den Gebäuden der Schule wiederholt das Landrecht angewendet haben soll.

Die unmittelbar maßgebenden gesetzlichen Normen greifen indes nicht Platz, soweit eine ordnungsmäßig zu Stande gekommene Schulverfassung Abweichendes vorschreibt. Im vorliegenden Falle hat nun übereinstimmend mit dem ersten Richter der Bezirksausschuß aus dem Protokolle vom 14. November 1811 eine zwischen den betheiligten Gemeinden und Dominien mit Genehmigung der Schulaufsichtsbehörde errichtete, auf vertragsmäßiger Vereinbarung beruhende Schulverfassung entnommen, welcher gemäß der Kläger als Besitzer des Gutes M. dauernd verpflichtet sei, zum Diensteinkommen des katholischen Lehrers die nunmehr auch zum Maßstabe seiner Heranziehung zur Pensionslast gemachten Jahresbeiträge zu leisten.

2) Zum Begriff und Wesen einer Ortsschulverfassung gehört indes nicht, daß sie mit der Absicht immerwährend unveränderter Geltung errichtet und so auch beibehalten werde. Ihre Normen sind vielmehr grundsätzlich der Fortentwickelung, sei es durch Observanz, sofern nicht das maßgebende Gesetzesrecht eine solche ausschließt, oder durch autonome Beschlüsse der Betheiligten, vorbehaltlich der Genehmigung der zuständigen Aufsichtsbehörde, fähig.

3) Zuzugeben ist der Revision, daß bei den Vereinbarungen an eine dereinstige Heranziehung der Gutsherren zu Pensionsbeiträgen nach Maßgabe der von ihnen übernommenen Besoldungsbeiträge schwerlich gedacht sein wird, da damals eine auf Gesetz beruhende allgemeine Pflicht der Schulverbände zur Gewährung von Pensionen an dienstuntauglich gewordene Volksschullehrer noch nicht zu Recht bestand (Entscheidungen des Oberverwaltungsgerichts Band XXII Seite 143). Seitdem ist aber das Gesetz, betreffend die Pensionirung der Lehrer und Lehrerinnen an den öffentlichen Volksschulen, vom 6. Juli 1885 (G. S. S. 298) ergangen und dieses, unter dessen Herrschaft die streitige Heranziehung erfolgt ist, legt im Art. I §. 26 die Aufbringung des durch den Staatsbeitrag bis zur Höhe von 600 *M* nicht gedeckten Theiles der Pension beim Nichtvorhandensein besonderer Träger der Pensionslast, an welchen es im vorliegenden Falle unbestritten fehlt, den zur Unterhaltung des Lehrers während der Dienstzeit Verpflichteten auf. Zu letzteren gehört aber hier der Kläger, der sich sonach seiner, insoweit unmittelbar aus dem Gesetze entspringenden Pflicht nicht entziehen konnte, in demselben Verhältnisse, wie er nach Maßgabe der rechtsbeständigen Schulverfassung zum Lehrerdiensteinkommen beiträgt, auch zur Aufbringung des dem Schulverbande zur Last fallenden Theiles der Pension beizutragen.

4) Irrig ist ferner die Ansicht des Klägers, daß von dem Staatsbeitrage von 500 *M*, welcher auf Grund der Gesetze vom 14. Juni 1888 und 31. März 1889 (G. S. S. 240 bezw. S. 64) zum Diensteinkommen des Lehrers gewährt wird, der zur Uebertragung der baaren Besoldung angeblich nicht verbrauchte Theil, welchem er die Bezeichnung „Ueberschuß" beilegt, in erster Linie zur Minderung der Pensionsbeiträge zu verwenden gewesen wäre. Nach dem klaren Wortlaute der §§. 1 und 2 (siehe auch §. 3) des Gesetzes von 1888 ist der dort vorgesehene, durch die Novelle von 1889 gesteigerte Staatsbeitrag nur zur Bestreitung zunächst des baaren, dann des sonstigen Diensteinkommens des Lehrers einschließlich der Aufwendungen für nicht vollbeschäftigte Lehrkräfte bestimmt und darf er also zu anderen Zwecken, namentlich zur Erleichterung der Unterhaltungspflichtigen bei der Aufbringung von Pensionsbeiträgen — an deren Stelle seit dem Erlaß des Gesetzes betreffend Ruhegehaltskassen für die Lehrer und Lehrerinnen an den öffentlichen Volksschulen, vom 23. Juli 1893 (G. S. S. 194) die Ruhegehaltskassenbeiträge getreten sind — unter keinen Umständen verwendet werden, dem letzteren Bedürfnisse dient vielmehr einzig und allein eben der Beitrag von

600 *M*, bis zu welchem hin die Pension aus der Staatskasse gezahlt wird.

(Entscheidung des Königlichen Oberverwaltungsgerichts vom 19. Juni 1896 — I. 826 —.)

Verleihung von Orden ꝛc.

Aus Anlaß der diesjährigen Anwesenheit Sr. Majestät des Kaisers und Königs in den Provinzen Posen und Schlesien haben nachbenannte, dem Ressort der Unterrichts-Verwaltung ausschließlich oder gleichzeitig angehörige Personen erhalten:

A. in der Provinz Posen:

den Stern zum Rothen Adler-Orden zweiter Klasse mit Eichenlaub und der Königlichen Krone:

Freiherr von Wilamowitz-Möllendorff, Ober-Präsident der Provinz Posen, zu Posen;

den Rothen Adler-Orden dritter Klasse mit der Schleife:

Luke, Geheimer Regierungsrath, Provinzial-Schulrath zu Posen,
Warnitz, Superintendent und Pfarrer, Kreis-Schulinspektor zu Obornik;

den Rothen Adler-Orden vierter Klasse:

Böttcher, Superintendent und Pfarrer, Kreis-Schulinspektor zu Neutomischel,
Dr. Dolega, Gymnasial-Direktor zu Rogasen, Kreis Obornik,
Dr. Eichner, Gymnasial-Direktor zu Inowrazlaw,
Dr. Günther, Professor am Gymnasium zu Krotoschin,
Lust, Schulrath, Kreis-Schulinspektor zu Rogasen, Kreis Obornik,
Dr. Martin, Gymnasial-Direktor zu Gnesen;

den Königlichen Kronen-Orden zweiter Klasse mit dem Stern:

von Tiedemann, Regierungs-Präsident, Wirklicher Geheimer Ober-Regierungsrath zu Bromberg;

den Königlichen Kronen-Orden vierter Klasse:

Lehmann, Rektor zu Posen;

den Adler der Ritter des Königlichen Haus-Ordens von Hohenzollern:

Skladny, Geheimer Regierungsrath, Regierungs- und Schulrath zu Posen;

den Adler der Inhaber des Königlichen Haus-Ordens von Hohenzollern:

Antaszek, katholischer Lehrer zu Grodzisko, Kreis Pleschen,
Dropinski, katholischer Lehrer zu Palczyn, Kreis Wreschen,
Hildebrandt, evangelischer Lehrer zu Obergörzig, Kreis Meseritz,
Hoch, Lehrer zu Prondy, Kreis Bromberg,
Mertner, Hauptlehrer zu Neustadt b. P., Kreis Neutomischel,
Pawlak, Hauptlehrer zu Gurtschin, Kreis Posen-Ost;

das Allgemeine Ehrenzeichen:

Legans, Schuldiener am Gymnasium zu Bromberg,
Nowakowski, Schuldiener am Gymnasium zu Schrimm.

Aus dem gleichen Anlaß haben erhalten:

die Kreis-Schulinspektoren Eberhardt zu Schildberg und Grubel zu Fraustadt den Charakter als Schulrath mit dem Range der Räthe vierter Klasse.

B. in der Provinz Schlesien:

das Großkreuz des Rothen Adler-Ordens:

Fürst von Hatzfeldt-Trachenberg, Ober-Präsident der Provinz Schlesien zu Breslau;

die Königliche Krone zum Rothen Adler-Orden zweiter Klasse mit Eichenlaub:

Dr. von Heydebrand und der Lasa, Regierungs-Präsident zu Breslau;

den Rothen Adler-Orden zweiter Klasse mit Eichenlaub:

Dr. Heidenhain, Geheimer Medizinalrath und ordentlicher Professor an der Universität zu Breslau;

den Rothen Adler-Orden dritter Klasse mit der Schleife:

von Dallwitz, Ober-Regierungsrath zu Liegnitz,
Dr. Hasse, Geheimer Medizinalrath, ordentlicher Professor und Direktor der Anatomie der Universität zu Breslau,
Dr. Meyer, Geheimer Regierungsrath und ordentlicher Professor an der Universität zu Breslau,
von Wallenberg, Ober-Regierungsrath zu Breslau;

den Rothen Adler-Orden vierter Klasse:

Altenburg, Regierungs- und Schulrath zu Liegnitz,
Anschütz, Professor an der Königlichen Ritter-Akademie zu Liegnitz,
Dr. Brock, Gymnasial-Direktor zu Oels,
Dr. Brüll, Gymnasial-Direktor zu Oppeln,
Dr. Fischer, Ober-Landesgerichtsrath und ordentlicher Professor an der Universität zu Breslau,

Hauer, Schulrath, Kreis-Schulinspektor zu Ratibor,
Dr. Ladenburg, Geheimer Regierungsrath und ordentlicher Professor an der Universität zu Breslau,
Lic. Dr. Leimbach, Provinzial-Schulrath zu Breslau,
Dr. Meister, Professor am St. Marien-Magdalenen-Gymnasium zu Breslau,
D. Dr. Müller, Karl, ordentlicher Professor an der Universität zu Breslau,
Dr. Schäfer, ordentlicher Professor an der Universität zu Breslau,
Thaiß, Regierungs- und Schulrath zu Breslau;

den Königlichen Kronen-Orden zweiter Klasse mit dem Stern:

Dr. von Bitter, Regierungs-Präsident zu Oppeln,
Dr. von Heyer, Regierungs-Präsident zu Liegnitz.

den Königlichen Kronen-Orden zweiter Klasse:

Dr. Dahn, Geheimer Justizrath und ordentlicher Professor an der Universität zu Breslau;

den Königlichen Kronen-Orden vierter Klasse:

Rauhut, Seminar-Oberlehrer zu Zülz, Kreis Neustadt,
Tiemann, Konservator am Zoologischen Museum der Universität zu Breslau;

den Adler der Ritter des Königlichen Haus-Ordens von Hohenzollern:

Dr. Montag, Provinzial-Schulrath zu Breslau;

den Adler der Inhaber des Königlichen Haus-Ordens von Hohenzollern:

Hoberg, evangelischer Hauptlehrer und Organist zu Jordansmühl, Kreis Nimptsch,
Kapler, Gymnasial-Vorschullehrer zu Waldenburg,
Karger, Hauptlehrer zu Zweibrodt,
Pater, katholischer Hauptlehrer zu Leschnitz, Kreis Groß-Strehlitz,
Sciuk, katholischer Hauptlehrer und Organist zu Godullahütte, Kreis Beuthen,
Seiler, evangelischer Hauptlehrer zu Klein-Zabrze, Kreis Zabrze,
Surma, katholischer Hauptlehrer und Organist zu Landsberg, Kreis Rosenberg,
Weber, evangelischer Lehrer und Organist zu Tarnowitz;

das Allgemeine Ehrenzeichen:

Holubitzky, Institutsdiener im Botanischen Garten der Universität zu Breslau,
Lebiotzki, Schuldiener am Königlichen Realgymnasium zu Tarnowitz,

Leschni, Schuldiener am Königlichen Gymnasium zu Brieg,
Poost, Bibliothekdiener in der Königlichen und Universitäts-Bibliothek zu Breslau,
Sagawe, Diener bei dem pharmazeutischen Institut der Universität zu Breslau,
Scholz, Kastellan des städtischen Gymnasiums zu Waldenburg,
Schulz, Schuldiener am Königlichen Gymnasium zu Wohlau,
Winter, Hausmeister bei der Universitäts-Frauenklinik zu Breslau.

Aus dem gleichen Anlaß haben erhalten:

der Rittergutsbesitzer und Professor, Mitglied der Königlichen Akademie der Künste Ferdinand Graf von Harrach auf Tiefhartmannsdorf, Kreis Schönau, den Charakter als Wirklicher Geheimer Rath mit dem Prädikat „Excellenz",

der ordentliche Professor in der Medizinischen Fakultät der Universität zu Breslau Dr. Kast den Charakter als Geheimer Medizinalrath,

der ordentliche Professor in der Juristischen Fakultät der Universität zu Breslau Dr. Leonhard den Charakter als Geheimer Justizrath,

die Kreis-Schulinspektoren Schink zu Gleiwitz und Zopf zu Militsch den Charakter als Schulrath mit dem Range der Räthe vierter Klasse,

die Provinzial-Schulsekretäre Kraft und Renner zu Breslau den Charakter als Rechnungsrath.

Personal-Veränderungen, Titel- und Ordensverleihungen.

A. Behörden und Beamte.

Es sind ernannt worden:

der Regierungs- und Baurath Spitta zum Geheimen Baurath und vortragenden Rath im Ministerium der geistlichen, Unterrichts- und Medizinal-Angelegenheiten und der frühere Bureau-Assistent bei der Invaliditäts- und Alters-Versicherungsanstalt der Provinz Brandenburg Unger zum Geheimen expedirenden Sekretär und Kalkulator bei demselben Ministerium.

B. Universitäten.

Universität Königsberg.

Dem ordentlichen Professor in der Philosophischen Fakultät der Universität Königsberg Dr. Spirgatis ist der Charakter als Geheimer Regierungsrath verliehen worden.

Der außerordentliche Professor Dr. Backhaus zu Göttingen ist in gleicher Eigenschaft in die Philosophische Fakultät der Universität Königsberg versetzt worden.

Universität Berlin.

Dem ordentlichen Professor in der Philosophischen Fakultät der Königlichen Friedrich-Wilhelms-Universität zu Berlin Dr. Johannes Schmidt ist der Charakter als Geheimer Regierungsrath verliehen worden.

Dem Privatdozenten in der Medizinischen Fakultät derselben Universität Stabsarzt Dr. Wernicke ist das Prädikat „Professor" beigelegt worden.

Universität Breslau.

Dem außerordentlichen Professor in der Philosophischen Fakultät der Universität Breslau Dr. Weiske ist der Charakter als Geheimer Regierungsrath verliehen worden.

Der außerordentliche Professor Dr. Hoffmann zu Königsberg ist in gleicher Eigenschaft in die Philosophische Fakultät der Universität Breslau versetzt worden.

Der bisherige Privatdozent in der Philosophischen Fakultät der Universität Breslau Dr. Skutsch ist zum ordentlichen Professor in derselben Fakultät ernannt worden.

Universität Kiel.

Dem Privatdozenten in der Philosophischen Fakultät der Universität Kiel Dr. Schneidemühl ist das Prädikat „Professor" beigelegt worden.

Universität Marburg.

Der bisherige außerordentliche Professor an der Universität Leipzig Dr. Heß ist zum ordentlichen Professor in der Medizinischen Fakultät der Universität Marburg ernannt worden.

C. Museen u. s. w.

Das Prädikat „Professor" ist beigelegt worden:

dem Vorstande des Meister-Ateliers für Bildhauerei am Schlesischen Museum der bildenden Künste Bildhauer Behrens zu Breslau,

dem dirigirenden Arzte am St. Hedwigs-Krankenhause zu Berlin Dr. Rotter und

dem praktischen Arzte Dr. med. Zabludowski zu Berlin.

Dem Preußischen Staatsangehörigen Herzoglich Anhaltischen Hoforganisten Bartmuß zu Dessau ist das Prädikat „Königlicher Musik-Direktor" verliehen worden.

D. Höhere Lehranstalten.

Das Prädikat „Professor“ ist beigelegt worden:
dem Oberlehrer am Gymnasium zu Treptow a. R. Kalmus,
dem Oberlehrer am Französischen Gymnasium zu Berlin Dr. Rothe und
dem Oberlehrer an der Wöhlerschule zu Frankfurt a. M. Dr. Werner.

Es sind befördert worden:
der Oberlehrer Dr. Fries am Realgymnasium zu Wiesbaden zum Direktor des Realprogymnasiums zu Nauen,
der Professor an der Klosterschule zu Ilfeld Dr. Mücke zum Direktor des Gymnasiums zu Aurich und
der Oberlehrer Dr. Reese am Gymnasium zu Bielefeld zum Direktor der daselbst zu Ostern d. Js. neu eröffneten Realschule.

Es sind angestellt worden als Oberlehrer:
am Gymnasium
zu Quedlinburg der Hilfslehrer Grüning,
zu Coesfeld der Hilfslehrer Haines,
zu Groß-Lichterfelde der Hilfslehrer Dr. Hartmann,
zu Weilburg der Hilfslehrer Hirschfeld,
zu Fulda der Hilfslehrer Dr. Küster,
zu Bielefeld der Hilfslehrer Dr. Reimke,
zu Hamm der Hilfslehrer Pohlmann und
zu Emden der Schulamtskandidat Ritter;
am Realgymnasium
zu Frankfurt a. M. (Wöhlerschule) der Hilfslehrer Schmidt;
an der Oberrealschule
zu Frankfurt a. M. (Klingerschule) der Hilfslehrer Diehl;
am Progymnasium
zu Grevenbroich der Lehrer Dr. Appel, sowie die Hilfslehrer Dr. Hippenstiel, Milau und Zumbusch;
an der Realschule
zu Meiderich der Hilfslehrer Henkel und
zu M. Gladbach der Hilfslehrer Dr. Kallmann;
am Realprogymnasium
zu Diez der Hilfslehrer Dr. Hoefer.

E. Schullehrer- und Lehrerinnen-Seminare.

In gleicher Eigenschaft sind versetzt worden:
der Seminar-Direktor Dr. Heilmann von Usingen nach Ratzeburg und
der Seminar-Direktor Stolzenburg von Sagan nach Bromberg.

Es ist befördert worden:

am Schullehrer-Seminar zu Berent der bisherige ordentliche Seminarlehrer Lessel zum Seminar-Oberlehrer.

Es sind angestellt worden:

als ordentliche Lehrer

am Königlichen Waisenhause zu Bunzlau der Lehrer Hahm zu Schmiegrode, Kreis Militsch, und

am Schullehrer-Seminar zu Droffen der bisherige kommissarische Lehrer Techter.

F. Ausgeschieden aus dem Amte.

1) Gestorben:

Dr. Bernard, Professor, Realgymnasial-Oberlehrer zu Barmen,

Dr. Güldenpenning, Professor, Gymnasial-Oberlehrer zu Kolberg,

Haas, Realprogymnasial-Direktor zu Limburg a. d. L.,

Dr. Lehmann, Oberlehrer an der Oberrealschule zu Cassel,

Dr. Willdenow, Ober- und Geheimer Regierungsrath, Direktor des Königlichen Provinzial-Schulkollegiums und Universitäts-Richter zu Breslau und

Winkler, Professor, Progymnasial-Oberlehrer zu Jülich.

2) Ausgeschieden wegen Eintritts in ein anderes Amt im Inlande:

Dr. Barth, außerordentlicher Professor in der Medizinischen Fakultät der Universität Marburg.

3) Ausgeschieden wegen Berufung außerhalb der Preußischen Monarchie:

Dr. von Lilienthal, ordentlicher Professor in der Juristischen Fakultät der Universität Marburg, und

Dr. Marx, ordentlicher Professor in der Philosophischen Fakultät der Universität Breslau.

Inhalts-Verzeichnis des Oktober-Heftes.

Druck von J. F. Starcke in Berlin.

Centralblatt

für

die gesammte Unterrichts-Verwaltung in Preußen.

Herausgegeben in dem Ministerium der geistlichen, Unterrichts- und Medizinal-Angelegenheiten.

№ 11. Berlin, den 20. November 1896.

A. Behörden und Beamte.

190) Aenderung der Grundsätze für die Berechnung der Reise- und Umzugskosten der Preußischen Staatsbeamten.

Berlin, den 18. September 1896.

Den nachgeordneten Behörden lasse ich beglaubigte Abschrift des Beschlusses des Königlichen Staatsministeriums vom 12. August d. Js., betreffend die Aenderung der Grundsätze für die Berechnung der Reise- und Umzugskosten, zur Kenntnisnahme und Beachtung zugehen.

Der Minister der geistlichen 2c. Angelegenheiten.
Im Auftrage: de la Croix.

An
die nachgeordneten Behörden des Ministeriums.
G. III. 2884.

Das Königliche Staatsministerium hat beschlossen, die Bestimmung unter B 3 der durch den Staatsministerialbeschluß vom 13. Mai 1884 (Centrbl. S. 397) für die Berechnung der Reisekosten der Preußischen Staatsbeamten als maßgebend erklärten „Zusammenstellung einiger Grundsätze, nach welchen bei Berechnung der Reise- und Umzugskosten der Reichsbeamten zu verfahren ist", durch folgende zu ersetzen:

a. Als Ort im Sinne der vorstehenden Bestimmungen gilt der hauptsächlich von Gebäuden oder eingefriedigten Grundstücken eingenommene Theil eines Gemeinde-(Guts-)Bezirks, so daß die Ortsgrenze ohne Rücksicht auf vereinzelte Ausbauten oder Anlagen durch die Außenlinie jenes Bezirkstheiles gebildet wird. Derartig räumlich zusammenhängende, demselben Gemeinde-(Guts-)Bezirke angehörende Komplexe von Gebäuden und eingefriedigten Grundstücken gelten auch dann als ein einziger Ort, wenn etwa für einzene Theile besondere Ortsbezeichnungen üblich sind.

I b. Sind in einem Gemeinde-(Guts-)Bezirke mehrere, getrennt von einander liegende, geschlossene Ortschaften vorhanden, so ist jede solche Ortschaft für sich als Ort in dem vorbezeichneten Sinne anzusehen. Als Anfangspunkt der Reise gilt in diesen Fällen die Grenze der Ortschaft, worin der Beamte seinen dienstlichen Wohnsitz hat, als Endpunkt die Mitte des Ortes, in dem das Dienstgeschäft verrichtet wird.

c. Für Gemeinde-(Guts-)Bezirke, in denen ein durch die geschlossene Lage der Wohnstellen gekennzeichneter Ortschaftsbering überhaupt nicht vorhanden ist, gilt als Anfangspunkt der Reise das Wohngehöft der Beamten, als Endpunkt stets die Stelle, wo das Dienstgeschäft verrichtet wird.

d. Hat der Beamte seinen dienstlichen Wohnsitz in einem Gemeinde-(Guts-)Bezirke mit einer oder mehreren Ortschaften außerhalb eines geschlossenen Ortsringes isolirt auf dem Lande, so ist das Wohngehöft als Ausgangspunkt der Reise anzusehen.

Berlin, den 12. August 1896.

Königliches Staatsministerium.

Fürst zu Hohenlohe. von Boetticher. Thielen.
Freiherr von der Recke.

Beschluß.
St. M. 8871/96.

---

191) Beitragspflicht zu den Kreisabgaben. Durch das neue Kommunalabgabengesetz hat das Kreissteuerrecht keine Erweiterung dahin erfahren, daß fortan auch von solchen Gebäuden (Dienstgrundstücken 2c.), die bisher kreissteuerfrei waren, nunmehr aber als der Gemeindebesteuerung unterworfen vom Staate zur Gebäudesteuer veranlagt werden, Zuschläge zu dieser, ferner auch von solchen Rechtssubjekten (eingetragenen Genossenschaften 2c.), die bisher nicht kreissteuerpflichtig waren, nunmehr aber als der Gemeindebesteuerung unterworfen vom Staate zur Gewerbesteuer veranlagt werden, Zuschläge zu dieser erhoben werden dürften.

Der §. 91 des Kommunalabgabengesetzes vom 14. Juli 1893, der den zweiten, von Kreis- und Provinzialsteuern handelnden Theil des Gesetzes einleitet, enthält zunächst an der Spitze den Satz, daß die bestehenden Vorschriften über die Aufbringung jener

Steuern unberührt bleiben „mit folgenden Maßgaben", und weiter unten Nr. 2 die Maßgabe,

daß bei der Vertheilung der Kreissteuern die Grund-, Gebäude- und die Gewerbesteuer der Klassen I und II in der Regel mit dem gleichen Betrage desjenigen Prozentsatzes heranzuziehen sind, mit welchem die Staatseinkommensteuer belastet wird.

Der letzteren Bestimmung fügt die Ausführungsanweisung vom 10. Mai 1894 (Art. 59) folgenden Satz hinzu:

„Unter der Grund- und Gebäudesteuer ist die vom Staate veranlagte Steuer derjenigen Liegenschaften und Gebäude zu verstehen, welche der Gemeindebesteuerung unterworfen sind (§. 26 Abs. 3).

In Gleichem ist unter der Gewerbesteuer — und zwar nicht nur der Klassen I und II, sondern sämmtlicher Klassen — die vom Staate veranlagte Steuer derjenigen Gewerbebetriebe einschließlich des Bergbaues zu verstehen, welche der Gemeindebesteuerung unterliegen (§. 30 Abs. 3)." *)

Als eine Konsequenz dieses Satzes der Ausführungsanweisung hatte der Kreisausschuß des Kreises S. (Regierungsbezirk N.) bei Ausschreibung der Kreissteuern für das Jahr 1895/96 die angesehen, daß nunmehr auch von dem Dienstwohnungsgebäude der Provinzial-Irrenanstalt zu S., obschon dasselbe bisher nach §. 17 der Kreisordnung vom 13. Dezember 1872 Befreiung von Kreissteuern genossen hatte, Zuschläge zur Gebäudesteuer, desgleichen von dem Gewerbebetriebe einer eingetragenen Genossenschaft, dem Kreditverein zu S., obschon derselbe zu den im §. 14 der Kreisordnung als abgabepflichtig aufgeführten Rechtssubjekten nicht gehört, Zuschläge zur Gewerbesteuer zu entrichten seien, Beides aus dem Grunde, weil jenes Gebäude, nicht minder aber auch dieser Gewerbebetrieb, nunmehr als der Gemeindebesteuerung unterliegend, zugleich von der staatlichen Veranlagung erfaßt würden.

Der Provinzialverband sowohl, als auch der genannte Verein, dementsprechend herangezogen, nahmen klagend Freistellung in

---

*) Die hier in Bezug genommenen Bestimmungen des Kommunalabgabengesetzes lauten: §. 26 Abs. 3. Die (staatliche) Veranlagung hat sich auf sämmtliche Grundstücke und Gebäude zu erstrecken, welche der Gemeindebesteuerung unterliegen (§§. 3, 4 des Gesetzes wegen Aufhebung direkter Staatssteuern). §. 30 Abs. 3. Die (staatliche) Veranlagung hat sich auf sämmtliche Gewerbebetriebe, einschließlich des Bergbaues, zu erstrecken, welche der Gemeindebesteuerung unterliegen (§§. 3, 4 des Gesetzes wegen Aufhebung direkter Staatssteuern).

Anspruch, wurden indes vom Bezirksausschusse, der lediglich dem Kreisausschusse beitrat, abgewiesen. Dagegen erkannte das Oberverwaltungsgericht den eingelegten Revisionen gegenüber nach Aufhebung der Vorentscheidungen auf die verlangte Freistellung, in beiden Sachen aus folgenden gleichlautenden

Gründen:

Für die Rechtsauffassung des Beklagten und des Vorderrichters sind im Wesentlichen nur die §§. 91, 24, 28 des Kommunalabgabengesetzes und die §§. 3, 4, 5 des Gesetzes wegen Aufhebung direkter Staatssteuern vom 14. Juli 1893 in Verbindung mit §. 10 der Kreisordnung herangezogen worden. Der §. 91 stellt nun an die Spitze der wenigen auf die Kreisbesteuerung bezüglichen Vorschriften den Satz: „Die bestehenden Vorschriften über die Aufbringung der Kreis- und Provinzialsteuern bleiben mit folgenden Maßgaben unberührt."

.... Angesichts dieser klaren Aufrechterhaltung des bisherigen Rechtszustandes hätte es anderweit einer völlig unzweideutigen Bestimmung bedurft, um innerhalb des Kreissteuersystems die Veränderung herbeizuführen, welche der Beklagte als herbeigeführt ansieht, und welche nicht nur die sachlichen Privilegien des §. 17 der Kreisordnung größtentheils beseitigen, sondern auch — durch Heranziehung der Realitäten ohne Rücksicht auf die Persönlichkeit ihrer Inhaber — eine dem Kreissteuersystem sonst fremde Loslösung der Realsteuern von den Steuersubjekten, eine reine Besteuerung der Objekte einführen würde. Die in dem leitenden Satze des §. 91 vorbehaltenen „Maßgaben" enthalten eine derartige tief einschneidende Bestimmung nicht. Zwar sprechen sie unter Nr. 2 aus, daß bei Vertheilung der Kreissteuern die Realsteuern in der Regel mit dem gleichen Betrage desjenigen Prozentsatzes heranzuziehen sind, mit welchem die Staatseinkommensteuer belastet wird. Es ist aber unmöglich, in diesen Worten auch nur die Andeutung einer Vorschrift über die Art der Aufbringung der Realsteuern zu finden. Die Nr. 2 enthält nur Regeln für die Vertheilung des Steuerbedarfs auf die einzelnen Steuerarten, und vollends läßt der sonstige Inhalt des §. 91 das hier fragliche Gebiet ganz unberührt.

Da der §. 91 wegen der Abänderung des bestehenden Rechts ausschließlich auf die in ihm selbst ausgesprochenen „Maßgaben" verweist, so wäre es kaum einmal zulässig, daneben noch auf das gleichzeitig mit dem Kommunalabgabengesetze ergangene und mit ihm eng verbundene Gesetz wegen Aufhebung direkter Staatssteuern hinüberzugreifen; aber selbst wenn — im Hinblick auf die bei Berathung des §. 91 gepflogenen Verhandlungen — das sogenannte Aufhebungsgesetz zu den „bestehenden Vorschriften“ des §. 91 gerechnet und bei dem Aufsuchen einer das Recht der Kreisordnung vom 13. Dezember 1872 abändernden Satzung berücksichtigt wird, so ist doch auch in ihm keine Bestimmung zu finden, welcher die vom Beklagten behauptete Tragweite zuzuerkennen wäre. Seiner Meinung nach soll sie in den §§. 4 und 5 enthalten sein.

Der §. 5 sagt, daß die bestehenden gesetzlichen Bestimmungen, welche von der Veranlagung zu den (den Gemeinden überwiesenen) Realsteuern anderweite Rechtsfolgen, insbesondere die Begründung von Rechten oder Pflichten abhängig machen, aufrecht erhalten bleiben, und daß, soweit hierbei die Entrichtung solcher Steuern vorausgesetzt wird, an die Stelle der zu entrichtenden die veranlagten Beträge treten, und ferner gebietet der §. 4 die Ausdehnung der staatlichen Veranlagung auf alle Liegenschaften, Gebäude und Gewerbebetriebe, welche von der entsprechenden Staatssteuer frei geblieben, aber gemäß den Bestimmungen des Kommunalabgabengesetzes (§§. 24, 26 Abs. 3, §§. 28, 30 Abs. 3) der Kommunalsteuerpflicht unterworfen sind. Hieraus will der Beklagte, ausgehend von der Erwägung, daß der §. 10 der Kreisordnung die Kreissteuerpflicht durch das Zuschlagssystem an die Entrichtung von Staatssteuern knüpfe, folgern, daß jetzt, wo nach §. 5 an die Stelle der zu entrichtenden Staatssteuern die veranlagten Beträge träten, und wo die Veranlagung nach §. 4 alle der Gemeindebesteuerung unterliegenden Realitäten erfasse, der Kreis der Objekte für die Realsteuern der Kreise und der für die der Gemeinden sich mit einander decken. Dabei wird aber übersehen, daß weder die Kreisordnung noch irgend eines der neueren Gesetze eine Bestimmung enthält, nach welcher seitens des Kreises auf jeden dem Staate zu entrichtenden Realsteuerbetrag ein Zuschlag gelegt werden dürfte. Die Kreisordnung macht die Kreissteuerpflicht zwar in erster Linie abhängig von der Entrichtung von Staatssteuern oder der Veranlagung zu Staatssteuersätzen (§. 10); außerdem aber knüpft sie dieselbe noch an die beiden weiteren Bedingungen, daß erstens der Censit zu den Rechtssubjekten gehört, welche sie der Kreisbesteuerung unterwirft, und daß zweitens von ihr der Realität Abgabenfreiheit versagt geblieben ist. In beiden Hinsichten giebt sie Beschränkungen; ihr §. 14 engt den Kreis der Steuerschuldner ein, indem er als solche, abgesehen von den physischen Personen, nur einige von den durch das sonstige Recht anerkannten Rechtssubjekten benennt, und ihre §§. 17 und 18 scheiden aus dem Kreise der Steuerobjekte die von ihnen aufgeführten Realitäten aus. Wie einerseits der Kreisbesteuerung durch §. 14 gewisse Rechtssubjekte überwiesen wurden, denen eine Steuerpflicht dem Staate gegenüber nicht oblag, so sind ihr andererseits die im

§. 14 nicht genannten nichtphysischen Rechtsträger und die in den §§. 17, 18 bezeichneten Gegenstände — lediglich durch diese, die Wirkung des §. 10 begrenzenden Sondervorschriften — entzogen worden ohne Rücksicht darauf, ob dieselben der Staatssteuer unterliegen oder nicht, mit anderen Worten: ihre Befreiung ist nicht abhängig gemacht von der Nichtveranlagung zur Staatssteuer, sondern sie ist gewährleistet selbst für den Fall der Heranziehung seitens des Staates — eine Möglichkeit, die, ohne zu einer Kreisbesteuerung zu führen, z. B. bei solchen Genossenschaften verwirklicht worden ist, die nach §. 5 des Gewerbesteuergesetzes vom 24. Juni 1891 der staatlichen Gewerbesteuer unterworfen sind, und bei denjenigen Konsumvereinen, welchen durch §. 1 des Einkommensteuergesetzes vom 24. Juni 1891 die staatliche Einkommensteuer auferlegt ward. — Hatte aber jene Steuerbefreiung nicht ihren Grund in einer — vielleicht zufälligerweise gleichfalls vorhandenen — Freiheit von der Staatssteuer, so konnte sie auch nach §. 5 a. a. O. nicht dadurch untergehen, daß jetzt eine staatliche Veranlagung für Zwecke der Gemeindebesteuerung stattfindet. Denn dann trifft ja die Voraussetzung für die vom §. 5 angeblich gewollte Ausdehnung der Steuerpflicht nicht zu, daß nämlich die Heranziehung oder Nichtheranziehung zur Staatssteuer für die Kreisbesteuerung maßgebend, daß die Steuerfreiheit im Kreise eine „Rechtsfolge" der Nichtheranziehung zu den Staatssteuern war.

Eine andere Frage ist es, ob etwa durch die neue Steuergesetzgebung diejenigen Objekte kreissteuerpflichtig geworden sind, welche bisher nicht durch Eigenthümlichkeiten des Kreissteuerwesens, sondern einzig und allein in Folge ihrer Befreiung von der Staatssteuer der Kreisbesteuerung entgingen, auf die das Zuschlagssystem an sich wohl hätte angewendet werden dürfen, auf die es aber wegen des Fehlens einer Prinzipalsteuer nicht angewendet werden konnte.

Diese Frage braucht für jetzt nicht beantwortet zu werden, weil hier die beanspruchte Steuerfreiheit aus den Sondervorschriften der Kreisordnung hergeleitet wird, deren thatsächliche Voraussetzungen unbestritten und zweifellos vorliegen; es genügt, festgestellt zu haben, daß dieses Sonderrecht durch kein Gesetz abgeändert ist.

Nach den Verhandlungen des Abgeordnetenhauses scheint es allerdings die Absicht wenigstens eines Theiles der gesetzgebenden Faktoren gewesen zu sein, den mehrfach erwähnten Gesetzesvorschriften die ihnen hier aberkannte Tragweite beizulegen; zur Verwirklichung einer solchen Absicht genügt aber nicht ihre bloße Aeußerung bei der Berathung eines Gesetzes, dessen Fassung den gewollten Sinn ausschließt, und ebensowenig hat die in das bisherige Recht so tief einschneidende Bestimmung durch die ministerielle Ausführungsanweisung ersetzt werden können, da diese nur bestimmt ist, das Gesetz auszuführen, welches selbst im §. 91 die bestehenden Vorschriften aufrecht erhält. Uebrigens sei hier noch darauf hingewiesen, daß — wie anderweit dem Gerichtshofe neuerlich bekannt geworden ist — aus dem Ministerium für Landwirthschaft, Domänen und Forsten schon unter dem 18. September 1895 ein Cirkular-Erlaß an die Regierungen ergangen ist, welcher den §. 17 der Kreisordnung als gegenüber dem Kommunalabgabengesetze vom 14. Juli 1893 noch zu Recht bestehend und die Dienstwohnungen der Forstbeamten als demzufolge von den Kreislasten fortdauernd befreit bezeichnet; es sollen — wird darin angeordnet — gegen die Heranziehung dieser Dienstwohnungen die zulässigen Rechtsmittel eingelegt werden, und das ist denn auch bereits im weitesten Umfange geschehen.

Der Anspruch des Klägers war demnach für gerechtfertigt zu erachten.

(Erkenntnis des II. Senates des Königlichen Oberverwaltungsgerichts vom 29. April 1896 — II. C. 24/96, 32/96.)

B. Universitäten.

192) Stempelverwendung zu den Verpflichtungsscheinen der Studirenden der Universitäten über die Zahlung des gestundeten Honorars und zu den Bürgschaftserklärungen der Eltern.

Berlin, den 28. September 1896.

Nach Benehmen mit dem Herrn Finanzminister erwidere ich Ew. Excellenz auf den gefälligen Bericht vom 28. Mai d. Js. ganz ergebenst Folgendes:

Zu den Verpflichtungsscheinen der Studirenden der dortigen Universität über die Zahlung der gestundeten Honorarien, welche nach dem dort gebrauchten Muster von dem Universitätsrichter aufgenommen werden, ist nach §. 15. des Stempelgesetzes vom 31. Juli 1895 und Ziffer 10 Absatz 2 der Bekanntmachung zur Ausführung dieses Gesetzes vom 13. Februar 1896 der gedachte Beamte (nicht der Quästor) den Stempel, und zwar vor deren Aushändigung, spätestens aber binnen 2 Wochen nach dem Tage der Ausstellung selbst zu entwerthen verpflichtet, vorausgesetzt, daß die Schuldsumme den Betrag von 150 *M* übersteigt. Der §. 8. des Gesetzes findet hier nicht Anwendung, da nach dem gedachten Muster der Betrag der Schuld aus der Urkunde völlig bestimmt hervorgeht.

Was die Stempelverwendung zu den Bürgschaftserklärungen der Eltern in der dort üblichen Form angeht, so hat sich der Herr Finanzminister, wenngleich die Vorschrift der Ziffer 10 Absatz 2 und die Vorschriften der Ziffer 15 A II 2 der Ausführungs-Bekanntmachung nicht unmittelbar zutreffen, dennoch damit einverstanden erklärt, daß die Quästoren der Universität zu diesen Schriftstücken die erforderlichen Stempel beibringen und daß diese Entwerthung, da hier thatsächlich der Werth des Geschäfts von vornherein nicht bestimmt werden kann, nach Maßgabe der Ziffer 8 der Ausführungs-Bekanntmachung erfolgt, sobald sich die Stempelpflichtigkeit ergiebt bezw. sich der Werth des Gegenstandes feststellen läßt. Einer Mitwirkung der Steuerbehörden bedarf es nach dem letzten Absatze der Ziffer 8 nicht.

Zu den Ausführungen des Promemoria des Universitätsrichters vom 4. Mai 1896 bemerke ich ganz ergebenst, daß die Stempelfreiheit der Abgangszeugnisse der Studirenden von der Universität durch den Runderlaß vom 23. Mai 1876 — M. 2717 — U. I. 2730 — (Centrbl. S. 363) ohne Rücksicht darauf anerkannt ist, ob die Zeugnisse zum Zwecke der Immatrikulation auf einer anderen Universität oder behufs Zulassung zur Prüfung ertheilt werden. Das neue Stempelgesetz enthält keine Bestimmung, welche eine Aenderung dieser Entscheidung bedingt.

Ew. Excellenz ersuche ich ganz ergebenst, hiernach das Erforderliche anzuordnen.

An
den Königlichen Universitäts-Kurator zu N.

Abschrift erhalten Ew. Hochwohlgeboren zur gefälligen Kenntnisnahme und Beachtung.

Der Minister der geistlichen ꝛc. Angelegenheiten.
Im Auftrage: de la Croix.

An
die übrigen Königlichen Universitäts-Kuratoren, die Kuratoren der Königlichen Akademie zu Münster i. W. und des Lyceums Hosianum zu Braunsberg, sowie den Herrn Rektor und den Senat der Königlichen Friedrich-Wilhelms-Universität zu Berlin.

U. I. 2098. G. III.

---

193) Johann Christian Jüngken-Stiftung.

Aus den Einkünften der bei der Universität Berlin bestehenden Johann Christian Jüngken-Stiftung sind an Studirende, insbesondere Söhne von Universitäts-Professoren und von höheren Staatsbeamten, wenn sie von einer höheren Bildungsanstalt mit dem Zeugnis der Reife entlassen sind, während ihrer Berliner Studienzeit und auch über ihre Studienzeit hinaus, behufs Erlangung einer höheren wissenschaftlichen Ausbildung, Unterstützungen von jährlich 900 bis 1800 *M* zu vergeben.

Die dem Einzelnen zu gewährende Unterstützung wird immer nur auf ein Jahr bewilligt, kann jedoch demselben Stipendiaten, sofern er sich bewährt, 4 bis 5 Jahre hintereinander zuertheilt werden. Zur Zeit der erstmaligen Bewerbung muß der Antragsteller jedenfalls auf der hiesigen Universität immatrikulirt sein.

Studirende haben ihrer Bewerbung das Zeugnis der Reife, das Anmeldungsbuch, die Abgangszeugnisse etwa früher besuchter Universitäten und ein Dekanatzeugnis, in welchem ausdrücklich hervorgehoben sein muß, daß die Prüfung behufs Bewerbung um eine Unterstützung aus der Johann Christian Jüngken-Stiftung erfolgt ist, beizufügen.

Wiederbewerber, welche nicht mehr auf der hiesigen Universität immatrikulirt sind, müssen ihr Reifezeugnis, ihre Universitätszeugnisse sowie Zeugnisse über ihre sittliche Führung und ihre wissenschaftliche Tüchtigkeit einreichen.

Das Kuratorium ist außerdem berechtigt, von jedem Bewerber vor der Verleihung einen eingehenden Bericht über seine wissenschaftliche Thätigkeit sowie eine Darlegung seiner wissenschaftlichen Ziele zu erfordern, kann auch im Falle der Bewerbung um eine erneute Verleihung einen Bericht über die Studien des letztvergangenen Verleihungsjahres verlangen.

Bewerbungen um die für das Jahr 1. April 1897/98 zu vergebenden Unterstützungen sind schriftlich an den unterzeichneten Vorsitzenden des Kuratoriums bis zum 31. Dezember d. Js. einzureichen.

Berlin, den 16. Oktober 1896.

Das Kuratorium der Johann Christian Jüngken-Stiftung.
Brunner,
z. Rektor der Universität.

Bekanntmachung.

C. Akademien, Museen rc.

194) Wettbewerb um den Preis der Zweiten Michael Beer'schen Stiftung auf dem Gebiete der Musik für das Jahr 1897.

Der Wettbewerb um den Preis der Zweiten Michael Beer'schen Stiftung, zu welchem Bewerber aller Konfessionen zugelassen werden, wird im Jahre 1897 für Musiker eröffnet.

Es wird als Aufgabe gestellt:

> Ein aus mehreren Sätzen bestehender Psalm nach Worten der heiligen Schrift für Chor, Soli und Orchester.

Der Termin für die kostenfreie Ablieferung der Konkurrenzarbeiten an den Senat der Königlichen Akademie der Künste ist auf den 1. April 1897 festgesetzt.

Die eingesandten Arbeiten und das schriftliche Bewerbungsgesuch müssen von folgenden Attesten und Schriftstücken begleitet sein:

1) einem amtlichen Atteste, aus dem hervorgeht, daß der Konkurrent ein Alter von 22 Jahren erreicht, jedoch das 32. Lebensjahr noch nicht überschritten hat;

2) einem Nachweise, daß der Bewerber seine Studien auf einer deutschen höheren Lehranstalt für musikalische Komposition gemacht hat;

3) einen kurzen selbstgeschriebenen Lebenslauf, aus welchem der Studiengang des Bewerbers ersichtlich ist;

4) einer schriftlichen Versicherung an Eidesstatt, daß die eingereichte Arbeit ohne jede Beihilfe von dem Bewerber ausgeführt ist.

Eingesandte Arbeiten, denen die verlangten Schriftstücke zu 1 bis 4 nicht vollständig beiliegen, werden nicht berücksichtigt.

Der Preis besteht in einem Stipendium von 2250 ℳ zu einer einjährigen Studienreise nach Italien. Der Stipendiat ist verpflichtet, sich acht Monate in Rom aufzuhalten, vor Ablauf der ersten sechs Monate über den Fortgang seiner Studien dem Senat der Akademie schriftlichen Bericht zu erstatten und, zum Zweck des Studiennachweises, eigene Arbeiten beizufügen.

Der Genuß des Stipendiums beginnt mit dem 1. Oktober 1897.

Die Zuerkennung des Preises erfolgt spätestens im Monat Juni 1897.

Berlin, den 20. September 1896.

Der Senat der Königlichen Akademie der Künste, Sektion für Musik.
Dr. M. Blumner.

Bekanntmachung.

D. Höhere Lehranstalten.

195) Amtsbezeichnung für die an höheren Lehranstalten angestellten seminarisch gebildeten Lehrer.

Berlin, den 23. September 1896.

Dem Königlichen Provinzial-Schulkollegium erwidere ich auf den Bericht vom 7. August d. Js., betreffend das Gesuch der Lehrer NN. an der Realschule in N. um Belassung ihres seitherigen Titels „Mittelschullehrer", daß es einen Titel „Mittelschullehrer" nicht giebt. Wie einerseits ein für Mittelschulen geprüfter Lehrer, wenn er an Volksschulen thätig ist, die Amtsbezeichnung „Volksschullehrer", und umgekehrt ein für Volksschulen geprüfter Lehrer, wenn er an Mittelschulen unterrichtet, die Amtsbezeichnung „Lehrer an der Mittelschule" führt, so ist in analoger Weise durch den Erlaß vom 7. April 1894 — U. II. 462 — (Centrbl. S. 354) auch an höheren Schulen die Amtsbezeichnung für seminarisch gebildete Lehrer — seien sie nun für Elementarschulen oder überdies auch für Mittelschulen ge r t — geregelt worden. Die Amtsbezeichnung „Lehrer an der Realschule" bezeichnet nichts weiter als eine Funktion, ist aber kein Titel. Von dieser allgemeinen Anordnung für die oben genannten 3 Lehrer an der Realschule zu N. eine Abweichung eintreten zu lassen, liegt kein Grund vor.

Im Uebrigen ist es selbstredend, daß an den den Lehrern NN. vokationsmäßig zustehenden Rechten durch die neue Amtsbezeichnung nichts geändert worden ist.

Das Königliche Provinzial-Schulkollegium wolle die Genannten auf die Eingabe vom 3. August d. Js. nach Vorstehendem mit Bescheid versehen.

Der Minister der geistlichen ꝛc. Angelegenheiten.
Im Auftrage: de la Croix.

An
das Königliche Provinzial-Schulkollegium zu N.
U. II. 6859.

---

196) Lehrern höherer Unterrichtsanstalten sind in der Regel nicht mehr als sechs Turnstunden in der Woche zuzuweisen.

Berlin, den 28. Oktober 1896.

Seit dem Erlasse der Lehrpläne vom 6. Januar 1892 ist insgesammt fast 300 akademisch vorgebildeten Lehrern und über 50 Studirenden nach Theilnahme an einem Kursus bei der hiesigen Königlichen Turnlehrer-Bildungsanstalt oder nach Ablegung der Turnlehrerprüfung vor einer staatlichen Prüfungskommission die Befähigung für Ertheilung von Turnunterricht ordnungsmäßig zuerkannt worden, und ich vertraue, daß es auch ferner unter den Kandidaten des höheren Lehramtes an solchen nicht fehlen wird' die in rechter Würdigung der hohen Bedeutung des Turnunterrichtes für die erziehliche Aufgabe der Schule in der persönlichen Mitwirkung bei dessen Förderung eine wichtige Berufspflicht erkennen.

Man hegt aber, wie mir bekannt geworden ist, in den betreffenden Kreisen vielfach die Befürchtung, daß die Lehrbefähigung im Turnen für deren Besitzer nicht blos eine verhältnismäßig zu starke Heranziehung zum Turnunterrichte überhaupt, sondern auch eine unerwünschte Beschränkung der Betheiligung am wissenschaftlichen Unterrichte zur Folge haben könnte, und in der That sind Fälle zu meiner Kenntnis gekommen, in denen einzelnen wissenschaftlichen Lehrern eine bedenklich hohe Zahl von Turnstunden innerhalb der auf sie entfallenden wöchentlichen Pflichtstunden zugewiesen worden ist.

Ich nehme Veranlassung, ausdrücklich festzustellen, daß Professoren, Oberlehrern und wissenschaftlichen Hilfslehrern innerhalb ihrer Pflichtstunden, soweit es die besonderen Verhältnisse der Anstalt irgend zulassen, in der Regel nicht mehr als sechs Turnstunden in der Woche zuzuweisen sind.

Das Königliche Provinzial-Schulkollegium wolle die Direktoren der höheren Lehranstalten Seines Aufsichtsbezirkes mit entsprechender Weisung versehen und bei der Prüfung der Uebersichten über die Vertheilung des Unterrichtes unter die Lehrer darauf achten, daß nach dem oben dargelegten Grundsatze überall gleichmäßig verfahren wird.

Der Minister der geistlichen 2c. Angelegenheiten.
In Vertretung: von Weyrauch.

An
sämmtliche Königliche Provinzial-Schulkollegien.
U. II. 2467. U. III. B.

E. Schullehrer- und Lehrerinnen-Seminare 2c., Bildung der Lehrer und deren persönliche Verhältnisse.

197) Kursus zur Ausbildung von Turnlehrerinnen im Jahre 1897.

Zur Ausbildung von Turnlehrerinnen wird auch im Jahre 1897 ein etwa drei Monate währender Kursus in der Königlichen Turnlehrer-Bildungsanstalt in Berlin abgehalten werden.

Termin zur Eröffnung desselben ist auf Freitag den 2. April k. Js. anberaumt worden.

Meldungen der in einem Lehramte stehenden Bewerberinnen sind bei der vorgesetzten Dienstbehörde spätestens bis zum 15. Januar k. Js., Meldungen anderer Bewerberinnen bei derjenigen Königlichen Regierung, in deren Bezirk die Betreffende wohnt, ebenfalls bis zum 15. Januar k. Js. anzubringen.

Die in Berlin wohnenden, in keinem Lehramte stehenden Bewerberinnen haben ihre Meldungen bei dem Königlichen Polizei-Präsidium in Berlin ebenfalls bis zum 15. Januar k. Js. anzubringen.

Den Meldungen sind die im §. 3 der Aufnahmebestimmungen vom 15. Mai 1894 bezeichneten Schriftstücke geheftet beizufügen, die Meldung selbst ist aber mit diesen Schriftstücken nicht zusammenzuheften.

Berlin, den 28. September 1896.

Der Minister der geistlichen 2c. Angelegenheiten.
Im Auftrage: Kügler.

Bekanntmachung.
U. III. B. 2715.

---

198) Anstellung von Lehrern im öffentlichen Volksschuldienste, welche ihre Befähigung nur durch Prüfungszeugnisse außerpreußischer Prüfungsbehörden des Deutschen Reiches darthun.

Berlin, den 29. September 1896.

Ew. Wohlgeboren erwidere ich auf die Anfrage vom 11. September d. Js., daß Lehrer, welche ihre Befähigung nur durch Prüfungszeugnisse außerpreußischer Prüfungsbehörden des deutschen Reiches darthun, im diesseitigen Schuldienste unter Erlaß der ersten Prüfung provisorisch, aber unter der Bedingung angestellt werden können, daß sie die in Preußen vorgeschriebene zweite Prüfung nach Maßgabe der Prüfungsordnung vom 15. Oktober 1872 vor einer preußischen Prüfungsbehörde ablegen. Da jedoch eine hinreichende Anzahl von Schulamtsbewerbern, welche in preußischen Seminaren vorgebildet sind, zur Verfügung steht, wird zu Ihrer Verwendung im diesseitigen Schuldienste schwerlich Gelegenheit sein.

Der Minister der geistlichen ꝛc. Angelegenheiten.
Im Auftrage: Kügler.

An
den Küster und Lehrer Herrn N. Wohlgeboren zu N.
U. III. C. 2860.

---

199) Mittheilung über die gerichtliche Bestrafung von Schulamtskandidaten und Seminaristen.

Berlin, den 9. Oktober 1896.

Es ist neuerdings der Fall vorgekommen, daß ein Schulamtskandidat als Hilfslehrer an einer Volksschule angestellt worden ist, obwohl derselbe wegen Sittlichkeitsvergehens mit Gefängnis bestraft war.

Daß die Anstellung dieses Schulamtskandidaten erfolgen konnte, ist dem Umstande zuzuschreiben, daß die betreffende Regierung von der erfolgten Bestrafung keine Kenntnis erlangt hatte.

Um ähnlichen Vorkommnissen für die Zukunft zu begegnen, hat der Herr Justizminister auf mein Ansuchen durch den Erlaß vom 8. Juli d. Js. die Ziffer 12 der allgemeinen Verfügung vom 25. August 1879, betreffend die von den Beamten der Staatsanwaltschaft an andere Behörden zu machenden Mittheilungen, — Just. Min. Bl. S. 251 — durch den Zusatz erweitert, daß die unter Nr. 10 der letzteren Verfügung vorgeschriebenen Mittheilungen auch hinsichtlich der Schulamtskandidaten und Seminaristen zu machen sind, und zwar bezüglich der Schulamtskandidaten an dasjenige Provinzial-Schulkollegium, in dessen Bezirk der Kandidat die Prüfung für das Amt eines Volksschullehrers bestanden hat, bezüglich der Seminaristen an den betreffenden Seminar-Direktor.

Der Erlaß des Herrn Justizministers vom 8. Juli d. Js.*) ist im diesjährigen Justizministerialblatt Seite 243 zum Abdruck gelangt.

Das Königliche Provinzial-Schulkollegium veranlasse ich, die Seminar-Direktoren der dortigen Provinz hiervon in Kenntnis zu setzen, und von den seitens der Königlichen Staatsanwaltschaften dort eingehenden Mittheilungen über die Bestrafung von

*) nachstehend abgedruckt.

Schulamtskandidaten in jedem Falle umgehend derjenigen Regierung Mittheilung zu machen, welcher der betreffende Kandidat überwiesen ist.

An
sämmtliche Königliche Provinzial-Schulkollegien.

Abschrift erhält die Königliche Regierung zur Kenntnisnahme, wobei ich zugleich wiederholt auf die genaue Innehaltung der in dem Runderlasse vom 4. April 1891 — U. IIIa. 14247/90 — (Centrbl. S. 365) gegebenen Vorschriften hinweise.

Der Minister der geistlichen ꝛc. Angelegenheiten.
Im Auftrage: Kügler.

An
sämmtliche Königliche Regierungen.
U. III. C. 2118. U. III.

Allgemeine Verfügung vom 8. Juli 1896 — enthaltend zusätzliche Bestimmungen zu der Allgemeinen Verfügung vom 25. August 1879 —, betreffend die von den Beamten der Staatsanwaltschaft an andere Behörden zu machenden Mittheilungen (Just. Min. Bl. S. 251).

Die Ziffer 12 der Allgemeinen Verfügung vom 25. August 1879 — betreffend die von den Beamten der Staatsanwaltschaft an andere Behörden zu machenden Mittheilungen (Just. Min. Bl. S. 251), erhält folgende Zusätze:

Absatz 1 bei d: Schulamtskandidaten und Seminaristen,

Absatz 2 zu d: hinsichtlich der Schulamtskandidaten an dasjenige Provinzial-Schulkollegium, in dessen Bezirk der Kandidat die Prüfung für das Amt eines Volksschullehrers bestanden hat, hinsichtlich der Seminaristen an den betreffenden Seminar-Direktor.

Berlin, den 8. Juli 1896.

Der Justizminister.
In deßen Vertretung: Nebe-Pflugstaedt.

F. Oeffentliches Volksschulwesen.

200) Anschluß der Lehrer und Beamten der Waisen- und Rettungshäuser an die Provinzial-Pensions-, Witwen- und Waisenkassen.

Berlin, den 29. August 1896.

Nach dem auf den Runderlaß vom 9. Juni 1893 — I. B. 3208 erstatteten Berichte vom . . . . . hat die dortige Provinzialverwaltung den Anschluß der Lehrer und Beamten der Waisen- und Rettungshäuser an die Provinzial-Pensions-, Witwen- und Waisenkasse unter der Bedingung für zulässig erklärt, daß die Anstalten Korporationsrechte besitzen, ihren Lehrern und Beamten Pensionsberechtigung gewähren und das erforderliche Einkaufsgeld bezw. die entsprechenden Nachschüsse zahlen. Um demgemäß den Beitritt der erwähnten Lehrer und Beamten zur Provinzial-Pensions-, Witwen- und Waisenkasse zu ermöglichen, ist den Anstalten und Gemeinden, welche solche Anstalten erhalten, zu empfehlen, den Lehrern und Beamten Pensionsberechtigung zu gewähren und sodann mit der Provinzialverwaltung wegen des Beitrittes zur Provinzial-Pensions-, Witwen- und Waisenkasse in Verbindung zu treten. Zugleich wollen Sie auf die Provinzialverwaltung dahin einwirken, daß sie den Anträgen der Anstalten und Gemeinden thunlichst willfahre.

Ueber das Geschehene wollen Sie binnen Jahresfrist berichten.

An
sämmtliche Herren Ober-Präsidenten ausgenommen
Danzig, Stettin, Schleswig und Coblenz.

Abschrift erhalten Sie zur Kenntnisnahme auf den Bericht vom . . . . . mit dem Ersuchen, die dortige Provinzialverwaltung mit Rücksicht auf die in den übrigen Provinzen gezeigte Bereitwilligkeit, den Beitritt der Lehrer an den Waisen- und Rettungshäusern zur Provinzial-Pensions-, Witwen- und Waisenkasse unter gewissen Bedingungen zu gewähren, zu einem gleichen Entgegenkommen zu bewegen und über das Geschehene binnen Jahresfrist zu berichten

Der Minister der geistlichen 2c. Angelegenheiten.
In Vertretung: von Weyrauch.

Der Minister des Innern.
Im Auftrage: Haase.

An
die Herren Ober-Präsidenten zu Stettin und Coblenz.
M. d. g. A. U. III. D. 3989.
M. d. J. I. B. 8661.

201) Veröffentlichung des Vertheilungsplanes über die Beiträge der Schulverbände zu den nach dem Gesetze vom 23. Juli 1893 (G. S. S. 194) gebildeten Ruhegehaltskassen.

Berlin, den 25. September 1896.

Auf den Bericht vom 19. Mai d. Js. erwidern wir der Königlichen Regierung, daß die Veröffentlichung des Vertheilungsplanes über die Beiträge der Schulverbände zu den nach dem Gesetze vom 23. Juli 1893 (G. S. S. 194) gebildeten Ruhegehaltskassen in der ausführlichen Weise, wie dies dortseits geschehen, nicht als erforderlich anerkannt werden kann. Der Bestimmung im §. 10 des gedachten Gesetzes wird genügt, wenn aus dem Vertheilungsplane die Gesammtsumme des nach §. 7 des Gesetzes beitragspflichtigen Diensteinkommens der Lehrer und Lehrerinnen der einzelnen Schulverbände und die von den letzteren zu zahlenden Beiträge zur Ruhegehaltskasse ersichtlich ist. Gegen eine solche einfachere Veröffentlichung, wie sie übrigens in der weitaus größeren Zahl von Regierungsbezirken erfolgt, lassen sich auch wesentliche praktische Bedenken nicht geltend machen.

Die Königliche Regierung wolle daher künftig hiernach verfahren.

Der Finanzminister.
In Vertretung: Meinecke.

Der Minister der geistlichen 2c. Angelegenheiten.
Im Auftrage: Kügler.

An
die Königliche Regierung zu N.
F. M. I. 9965.
M. d. g. A. U. III. D. 2520.

---

202) Auslegung des Art. I §. 22 Abs. 1 des Volksschullehrer-Pensionsgesetzes vom 6. Juli 1885.

Berlin, den 29. September 1896.

Auf den Bericht vom 6. Mai d. Js. erwidere ich der Königlichen Regierung im Einverständnisse mit dem Herrn Finanzminister, daß die darin enthaltenen Ausführungen bezüglich der Berechnung der Pension des in den Ruhestand versetzten Lehrers N. zu N. als zutreffend nicht erachtet werden können.

Wenn der §. 22 Abs. 1 des Volksschullehrer-Pensionsgesetzes vom 6. Juli 1885 bestimmt:

„Ist die nach Maßgabe dieses Gesetzes bemessene Pension geringer als die Pension, welche dem Lehrer hätte gewährt werden müssen, wenn er am 31. März 1886 nach den bis dahin für ihn geltenden Bestimmungen pensionirt worden wäre, so wird diese Pension an Stelle der ersteren bewilligt",

so kann danach für die Bemessung des Ruhegehalts, welches dem Lehrer am 31. März 1886 hätte gewährt werden müssen, nur das damalige, nicht aber das Stelleneinkommen zur Zeit der späteren Pensionirung zu Grunde gelegt werden. Es ergiebt sich dies mit Nothwendigkeit aus dem Wortlaute und der Zweckbestimmung der Vorschrift, welche das zur Zeit des Erlasses des Gesetzes bereits erdiente Ruhegehalt dem auf Grund des Gesetzes später zu gewährenden gegenüberstellen und das erstere bewilligen will, wenn es sich höher als das letztere herausstellen sollte. Die in dem Berichte der Kommission des Abgeordnetenhauses gemachten Anführungen lassen nicht mit Zuverlässigkeit erkennen, daß es in der Absicht gelegen habe, weiter zu gehen und auch bei der Berechnung des Ruhegehalts zur Zeit des 31. März 1886 und nach den bis dahin geltenden Bestimmungen das Stelleneinkommen im Zeitpunkte der späteren Pensionirung zu Grunde zu legen. Sollte diese Absicht aber auch bestanden haben, so ist sie thatsächlich in der ergangenen Gesetzesvorschrift nicht zum Ausdruck und zur Verwirklichung gebracht, kann daher auch bei der Anwendung des Gesetzes gegenüber dem Wortlaute desselben nicht maßgebend sein. Denn ist der Wortlaut eines Gesetzes klar und bietet derselbe für die Auslegung keinen Zweifel, so können dem entgegenstehende Ausführungen einzelner Abgeordneten, wie sie durch den Kommissionsbericht wiedergegeben sind, eine Abweichung davon nicht rechtfertigen. Dazu kommt, daß der §. 22 Abs. 1 a. a. O. eine wörtliche Nachbildung des §. 32 des Civilbeamten-Pensionsgesetzes vom 27. März 1872 darstellt, daß letzterer nach seiner Begründung lediglich die zur Zeit des Inkrafttretens des Gesetzes vom 27. März 1872 bereits wohlerworbenen Rechte zu wahren bestimmt war und daß daher hier nach der konstanten Praxis auch nur das Diensteinkommen bei der Berechnung der Pension zu Grunde gelegt ist und gelegt werden konnte, welches der Beamte am 31. März 1872 bezogen hatte. Derselbe Grundsatz ergiebt sich auch aus §. 3 und namentlich aus §. 5 der Verordnung vom 6. Mai 1867, betreffend die Pensionsansprüche der in den neuerworbenen Landestheilen angestellten und der mit diesen Gebieten übernommenen unmittelbaren Civil-Staatsbeamten (Ges. S. S. 713).

Die Pension des p. N. wäre hiernach, sofern ihm eine solche nach Maßgabe der Bestimmung des §. 22 Abs. 1 des Gesetzes vom 6. Juli 1885 bewilligt werden sollte, nur unter Zugrundelegung desjenigen Diensteinkommens, welches er am 31. März 1886 bezog, zu berechnen gewesen.

Der Minister der geistlichen 2c. Angelegenheiten.
Im Auftrage: Kügler.

An
die Königliche Regierung zu N.
U. III. D. 3848.

203) Aufnahme der Ortsgeistlichen in die Schuldeputationen (Schulvorstände) bei Uebertragung erweiterter Aufsichtsbefugnisse an die Leiter von Schulanstalten mit sechs und mehr aufsteigenden Klassen*).

Berlin, den 3. Oktober 1896.

Der in dem Berichte vom 26. Juni d. Js. entwickelten Ansicht, daß bei der Ausstattung der Rektoren von Schulen mit sechs und mehr aufsteigenden Klassen mit erweiterten Befugnissen von der Aufnahme des Ortsgeistlichen in die Schuldeputationen bezw. Schulvorstände dann abzusehen sei, wenn der bis zu der Neueinrichtung mit der Ortsschulinspektion betraute Geistliche gleichzeitig Kreis-Schulinspektor ist, kann ich nicht beipflichten.

Der Umstand, daß beide Aemter in einer Hand vereinigt sind, ist ein zufälliger. Das Nebenamt in der Schulaufsicht ist dem Wechsel unterworfen. Meine Absicht ist aber, bei Fortfall der Ortsschulaufsicht dem bis dahin die Aufsicht führenden Ortsgeistlichen in jedem Falle einen Platz in der Schuldeputation (Schulvorstand) zu sichern.

Die Königliche Regierung wolle hiernach in Zukunft verfahren und in den Fällen von . . . . . und . . . . . nachträglich geeignete Schritte thun, das Versäumte nachzuholen. Dies wird für Sozietätsgemeinden unbedenklich durch Erlaß einer zusätzlichen Aenderung der Instruktion vom 14. November 1872 angebahnt werden können.

Der Minister der geistlichen 2c. Angelegenheiten.
Bosse.

U. III. B. 2272.

204) Berufung von Lehrern in den Schulvorstand.

Berlin, den 10. Oktober 1896.

Nach dem gefälligen Berichte vom 21. Juli d. Js. ist die Aufnahme des Lehrers in den Schulvorstand auf dem Lande

*) Vergl. Erlaß vom 11. Oktober 1894 (Centrbl. 1894 S. 751).

z. Zt. in den drei schlesischen Regierungsbezirken übereinstimmend abhängig von der Wahl des Lehrers in seiner Eigenschaft als Hausvater durch den Gutsherrn und Orts-Schulinspektor, unterliegt aber insofern vielfach Bedenken, als hierdurch die ohnehin gering bemessene Zahl der gewählten Hausväter beschränkt wird. Um hierin die für erwünscht erachtete Aenderung eintreten zu lassen, ersuche ich Ew. Durchlaucht ganz ergebenst, die Regierungen zu veranlassen, die in Geltung befindlichen Bestimmungen über die Bildung von Schulvorständen durch einen Zusatz zu ergänzen, nach welchem neben den gewählten Hausvätern den Schulvorständen als Mitglied hinzutritt der Lehrer der Schule, vorausgesetzt, daß er definitiv angestellt ist, oder wenn mehrere Lehrer im Schulbezirke vorhanden sind, einer der definitiv angestellten, von der Regierung hierzu bestimmten Lehrer. Entsprechende Anordnung ist bezüglich des Eintritts eines Rektors oder Lehrers in die städtischen Schuldeputationen oder Kommissionen zu treffen.

Der Minister der geistlichen 2c. Angelegenheiten.
Bosse.

An
den Königlichen Ober-Präsidenten, Fürsten von Hatzfeldt-Trachenberg Durchlaucht zu Breslau.
U. III. B. 2455.

Nichtamtliches.

1) Preußischer Beamten-Verein.
Protektor: Seine Majestät der Kaiser.

Hannover, September 1896.

Einliegend beehren wir uns ein Exemplar unseres neu bearbeiteten Druckheftes*) „Einrichtungen und Erfolge" zur gefälligen Kenntnisnahme mit dem ergebensten Bemerken zu übersenden, daß die in der 19. ordentlichen Generalversammlung des Preußischen Beamten-Vereins am 12. Juni d. Js. beschlossenen Aenderungen der Statuten und Reglements am 1. dieses Monats in Kraft getreten sind und wir von jetzt ab Versicherungen nur noch unter Zugrundelegung dieser neuen Bestimmungen abschließen.

Die in Rede stehenden Aenderungen sind zum Theil dadurch veranlaßt, daß der Zinsfuß für mündelsichere Kapitalanlagen so

---

*) Gelangt nicht zum Abdruck.

wesentlich gesunken ist, daß eine Umrechnung der Tarife sich als durch haushälterische Vorsicht geboten darstellte (statt des bisherigen 3½%igen Zinsfußes ist eine Verzinsung von 3% bezw. 3¼% zu Grunde gelegt). Für die weiteren umfangreichen Neuerungen war aber die Rücksicht maßgebend, daß die Gesammtleitung des Vereins sich durch die bisherigen guten Erfolge ermuthigt fühlt, dem gemeinsamen Interesse der deutschen Beamtenschaft noch mehr entgegenzukommen, als bisher der Fall war.

Als Aenderungen und neugewährte Vortheile wollen wir hier u. A. erwähnen:

a. bezüglich der Lebensversicherung:

1) Die Prämien für Versicherungen nach Tarif II und III sind niedriger als bisher. Die Prämien für Versicherungen nach Tarif I sind in Folge der Umrechnung zwar etwas höher, jedoch beträgt der Unterschied bei den jährlichen Prämien für 100 *M* Versicherungskapital nur 10—14 *Pf.* Außerdem wird diese unbedeutende Mehrzahlung dadurch ausgeglichen, daß die Prämienreserve entsprechend höher wird, und daß die nach dem neuen Tarif I Versicherten deshalb höhere Dividenden erhalten werden. Tarif II und III werden dagegen in Betreff des Dividenden-Bezugsrechts dem Tarif I gleichgesetzt.

2) Die Bedingungen für Reisen in Europa und nach überseeischen Ländern sind wesentlich erleichtert.

3) Die Konventionalstrafe bei Wiederinkraftsetzung der durch Nichtzahlung der Prämie erloschenen Policen, welche bislang ½% der Versicherungssumme betrug, ist auf 5 *M* herabgesetzt und kann bei Versicherungen bis zu 3000 *M* noch ermäßigt werden.

4) Die Policen sind bereits rückkaufsfähig, wenn die Prämien für 2 volle Jahre (bisher 3 Jahre) gezahlt sind.

5) Die die Kriegsversicherung beschränkende Bestimmung, daß die Versicherung am Mobilmachungstage mindestens drei Monate in Kraft gewesen sein mußte, ist aufgehoben.

6) Die volle Versicherungssumme wird auch dann gezahlt, wenn der Versicherte sein Leben im Duell verloren hat;

b. Kapitalversicherungen können auch von anderen als den nach §. 3 der Statuten zur Aufnahme berechtigten oder zugelassenen Personen beantragt werden.

Die Vortheile dieser Einrichtung stehen demnach Jedermann zur Benutzung frei;

c. bezüglich der Sterbekasse:

1) Gegen Zahlung eines Prämienzuschlages kann die Aufnahme auch Personen mit nicht ganz normaler Gesundheit ermöglicht werden;

2) die Konventionalstrafe bei Wiederinkraftsetzung erloschener Versicherungen ist auf ½ % des versicherten Begräbnisgeldes (mindestens aber 1 ℳ) herabgesetzt. Früher betrug dieselbe 2 % des versicherten Begräbnisgeldes;

3) die Todesursache bleibt ohne Einfluß auf die Zahlung des Begräbnisgeldes. Danach wird also auch bei Selbstmord ohne weiteres das volle Begräbnisgeld gezahlt;

d. bezüglich der Kautions-Darlehen sind die von den Darlehnsnehmern zu zahlenden Vergütungen ermäßigt. Ferner werden in Zukunft auch Kautions-Darlehen gewährt, ohne daß es der Hinterlegung einer Lebensversicherungs-Police bedarf.

Näheres über die Vortheile der Versicherungs- und Darlehns-Einrichtungen des Preußischen Beamten-Vereins ist in dem anliegenden Druckhefte enthalten.

Die Vergleichung mit den Einrichtungen und Leistungen anderer Gesellschaften wird jeden Unparteiischen zu der Ueberzeugung führen müssen, daß bei dem Preußischen Beamten-Verein lediglich die Rücksicht auf das Gesammt-Interesse der deutschen Beamtenschaft als maßgebende Norm gewirkt hat. Wir können daher auch an dieser Stelle allen Beamten in ihrem eigenen Interesse nur die Benutzung der Einrichtungen des Preußischen Beamten-Vereins dringend empfehlen.

Weitere Drucksachen, auch zur evtl. Vertheilung halten wir jederzeit kosten- und portofrei zur Verfügung. Für die Aufgabe von Adressen, an welche zweckmäßig unsere Drucksachen gesandt werden könnten, würden wir sehr dankbar sein.

Die Direktion des Preußischen Beamten-Vereins.

Personal-Veränderungen, Titel- und Ordensverleihungen.

A. Behörden und Beamte.

In gleicher Eigenschaft ist versetzt worden:
der Regierungs- und Schulrath Schulze von Merseburg nach Minden.

Zu Kreis-Schulinspektoren sind ernannt worden:
der bisherige Rektor Buhrow und
der bisherige Gymnasial-Oberlehrer Klewe.

B. Universitäten.

Universität Königsberg.

Es sind ernannt worden:
der bisherige außerordentliche Professor Dr. Hölder zu Tübingen

zum ordentlichen Professor in der Philosophischen Fakultät der Universität Königsberg und

der bisherige Privatdozent Dr. Falkenheim zu Königsberg i. Pr. zum außerordentlichen Professor in der Medizinischen Fakultät der dortigen Universität.

Universität Berlin.

Es ist verliehen worden:

dem ordentlichen Professor in der Philosophischen Fakultät der Königlichen Friedrich-Wilhelms-Universität und beständigen Sekretar der Akademie der Wissenschaften zu Berlin Dr. Diels der Charakter als Geheimer Regierungsrath und

dem außerordentlichen Professor in der Medizinischen Fakultät der Königlichen Friedrich-Wilhelms-Universität und dirigirenden Arzte am Augusta-Hospitale zu Berlin Dr. Ewald der Charakter als Geheimer Medizinalrath.

Das Prädikat „Professor" ist beigelegt worden:

den Privatdozenten in der Philosophischen Fakultät der Königlichen Friedrich-Wilhelms-Universität zu Berlin Dr. Dessau, Dr. Seeliger und Dr. Traube.

Universität Breslau.

Das Prädikat „Professor" ist beigelegt worden:

den Privatdozenten in der Philosophischen Fakultät der Universität Breslau Dr. London und Dr. Mez.

Universität Göttingen.

Der bisherige außerordentliche Professor Dr. von Seelhorst zu Jena ist zum außerordentlichen Professor in der Philosophischen Fakultät der Universität Göttingen ernannt worden.

C. Museen u. s. w.

Dem beständigen Sekretar der Königlichen Akademie der Wissenschaften Geheimen Regierungsrath Professor Dr. Auwers zu Berlin ist die Große Goldene Medaille für Wissenschaft verliehen worden.

Das Prädikat „Professor" ist beigelegt worden:

dem Zweiten Hausarchivar am Königlichen Haus-Archive Archivrath Dr. Berner,

den Malern Friese und Schnars-Alquist zu Berlin,

dem Bibliothekar und Lehrer des Arabischen an dem Seminare für Orientalische Sprachen der Königlichen Friedrich-Wilhelms-Universität zu Berlin Dr. Moritz,

dem Organisten Königlichen Musikdirektor Rebling zu Magdeburg und

dem Architekten Schmitz zu Berlin.

D. Höhere Lehranstalten.

Es ist verliehen worden:
der Rothe Adler-Orden vierter Klasse:
dem Gymnasial-Direktor Dr. Brock zu Oels,
dem Gymnasial-Direktor Dr. Brüll zu Oppeln,
dem Gymnasial-Direktor Professor Dr. Heynacher und dem Professor Reuffel zu Aurich,
dem Professor Dr. Meister am Magdalenen-Gymnasium zu Breslau; sowie
dem Lehrer an der Realschule zu Kreuznach Niebergall der Titel „Oberlehrer".

In gleicher Eigenschaft sind versetzt worden:
die Direktoren
Professor Dr. Heynacher vom Gymnasium zu Aurich an das Gymnasium Andreanum zu Hildesheim und
Dr. Schulze vom Gymnasium zu Landsberg a. W. an das Gymnasium zu Nordhausen;
die Oberlehrer
Professor Dr. Diebitsch vom Gymnasium zu Ostrowo an das Gymnasium zu Neustadt O.-Schl.,
Floeck vom Gymnasium zu Düsseldorf an das Kaiserin-Augusta-Gymnasium zu Coblenz,
Graßmann vom Gymnasium zu Köslin an das Gymnasium zu Treptow a. R.,
Dr. Hau vom Gymnasium zu Münstereifel an das Gymnasium zu Düsseldorf,
Dr. Hoefer vom Gymnasium zu Trarbach an das Gymnasium zu Wesel,
Professor Dr. van Hoffs vom Friedrich-Wilhelm-Gymnasium zu Trier an das Kaiserin-Augusta-Gymnasium zu Coblenz,
Peters vom Pädagogium zu Putbus an das Gymnasium zu Demmin,
Dr. Pitschel von der Realschule zu Quedlinburg an die Musterschule (Realgymnasium) zu Frankfurt a. M.,
Schröder vom Pädagogium zu Putbus an das Gymnasium zu Köslin,
Professor Toegel vom Progymnasium zu Nienburg an das Gymnasium Andreanum zu Hildesheim,
Professor Wingen von dem Kaiserin-Augusta-Gymnasium zu Coblenz an das Friedrich-Wilhelm-Gymnasium zu Trier,
Professor Witte vom Gymnasium zu Wesel an das Gymnasium zu Cleve und

Dr. Zawadzki vom Realgymnasium zu Ruhrort an das Gymnasium zu Essen.

Es sind befördert worden:

der Professor Dr. Coste zum Direktor des in der Entwickelung begriffenen Gymnasiums zu Deutsch-Wilmersdorf bei Berlin und

der Professor am Gymnasium zu Beuthen O.-S. Dr. Holleck zum Direktor des Gymnasiums zu Leobschütz.

Es sind angestellt worden als Oberlehrer:

am Gymnasium

zu Coblenz der Hilfslehrer Dr. Bastgen,
zu Wittstock der Hilfslehrer Finzelberg,
zu Berlin (Französisches Gymnasium) der Hilfslehrer Franck,
zu Neustettin der Hilfslehrer Froese,
zu Ratibor der Hilfslehrer Dr. Geisler,
zu Dramburg der Hilfslehrer Dr. Haeger,
zu Gleiwitz die Hilfslehrer Hampel und Meier,
zu Berlin (Luisen-Gymnasium) der Hilfslehrer Harnack,
zu Neiße der Hilfslehrer Dr. Hennig,
zu Trarbach der Hilfslehrer Hummrich,
zu Putbus (Pädagogium) die Hilfslehrer Dr. Kausche, Klohe und Paeplow,
zu Oels der Hilfslehrer Lohde,
zu Lauban der Hilfslehrer Mertens,
zu Lingen der Hilfslehrer K. Meyer,
zu Charlottenburg der Hilfslehrer Nauck,
zu Berlin (Köllnisches Gymnasium) der Hilfslehrer Dr. Rosenberg,
zu Ilfeld (Klosterschule) der Hilfslehrer Rothfuchs,
zu Kreuzburg der Hilfslehrer Schimmel,
zu Breslau (Matthias-Gymnas.) der Hilfsl. Paul Schmidt,
zu Neuß der Hilfslehrer Joseph Schmitz,
zu Breslau (Friedrichs-Gymnasium) der Hilfslehrer Dr. Schneege,
zu Wohlau der Hilfslehrer Schöfinius,
zu Düren der Hilfslehrer Dr. Schoop,
zu Münstereifel der Hilfslehrer Schulteis,
zu Königshütte der Hilfslehrer Schwarz,
zu Hameln der Hilfslehrer Dr. Steininger,
zu Husum der Hilfslehrer Dr. Tomby,
zu Paderborn der Hilfslehrer Uppenkamp,
zu Oppeln der Hilfslehrer Dr. Wilpert,
zu Ostrowo der Hilfslehrer Dr. Wundrack und
zu Berlin (Wilhelms-Gymnasium) der Hilfslehrer Zeisiger;

am Realgymnasium
zu Berlin (Königliches) der Hilfslehrer Nobbe,
zu Posen der Lehrer Dr. Sachs und
zu Charlottenburg der Hilfslehrer Dr. Trautwein;
an der Oberrealschule
zu Kiel der Hilfslehrer Dr. Krause,
zu Flensburg (in der Entwickelung zu einer Oberrealschule begriffene Realschule) die Hilfslehrer Dr. Gerber, Dr. Kötschau und Lietz,
zu Cöln der Hilfslehrer Musmacher;
am Progymnasium
zu Grevenbroich der Hilfslehrer Mein und
zu Nienburg der Hilfslehrer Willems;
an der Realschule
zu Berlin (10.) die Hilfslehrer Dr. Busse, Grassau und Dr. Walther,
zu Schöneberg der Hilfslehrer Günther,
zu Elmshorn (in der Entwickelung begriffene Realschule) der Hilfslehrer Rüschmann,
zu Berlin (12.) der Hilfslehrer Dr. Wersche und
zu Itzehoe (in der Entwickelung zu einer Realschule begriffenes Realprogymnasium) der Hilfslehrer Dr. Wichers;
am Realprogymnasium
zu Schmalkalden der Hilfslehrer Elschner und
zu Forst i. L. der Hilfslehrer Dr. Roellig.

E. Schullehrer- und Lehrerinnen-Seminare.

In gleicher Eigenschaft sind versetzt worden:
die ordentlichen Seminarlehrer Plenkner und Plügge von Segeberg nach Ratzeburg sowie
der Seminarhilfslehrer Fiebig von Löbau W.-Pr. nach Bromberg.

Es ist befördert worden:
zum Oberlehrer
am Schullehrer-Seminar zu Königsberg N.-M. der bisherige kommissarische Lehrer an dieser Anstalt ordentliche Seminarlehrer Reiber aus Erfurt.

Es sind angestellt worden:
als ordentliche Lehrer
am Schullehrer-Seminar zu Mörs der Lehrer Frech aus Bendorf bei Coblenz und
am Schullehrer-Seminar zu Herdecke der bisherige kommissarische Lehrer an dieser Anstalt Hofmann.

F. Oeffentliche höhere Mädchenschulen.

Dem Oberlehrer an der Städtischen Luisenschule zu Berlin Dr. Jenkner ist das Prädikat „Professor“ beigelegt worden.

G. Ausgeschieden aus dem Amte.

1) Gestorben:

Dr. Eichler, Professor, Gymnasial-Oberlehrer zu Frankfurt a. O.,

Hechtenberg, Regierungs- und Schulrath zu Minden.

Richter, Realprogymnasial-Oberlehrer zu Naumburg a. S.,

Dr. Schaper, Oberlehrer an der Ritterakademie zu Brandenburg a. H. und

Wetzel, Präparandenlehrer zu Rummelsburg i. P.

2) In den Ruhestand getreten:

Dr. Althaus, Professor, Gymnasial-Oberlehrer zu Spandau, unter Verleihung des Rothen Adler-Ordens vierter Klasse,

Dr. Bach, Realgymnasial-Direktor zu Berlin, unter Verleihung des Rothen Adler-Ordens dritter Klasse mit der Schleife,

Dr. Biermann, Professor, Oberlehrer an der Ritterakademie zu Brandenburg a. H.,

Dr. Grosch, Gymnasial-Direktor zu Nordhausen, unter Verleihung des Rothen Adler-Ordens dritter Klasse mit der Schleife,

Dr. Hasberg, Oberrealschul-Oberlehrer zu Kiel,

Heuser, Professor, Realgymnasial-Oberlehrer zu Cassel, unter Verleihung des Rothen Adler-Ordens vierter Klasse,

Dr. Hoche, Gymnasial-Direktor zu Hildesheim, unter Verleihung des Rothen Adler-Ordens dritter Klasse mit der Schleife,

Jeron, Kreis-Schulinspektor zu Carlsruhe, unter Beilegung des Charakters als Schulrath mit dem Range eines Rathes vierter Klasse,

Dr. Israel-Holtzwart, Professor, Gymnasial-Oberlehrer zu Frankfurt a. M., unter Verleihung des Rothen Adler-Ordens vierter Klasse,

Klopsch, Realprogymnasial-Oberlehrer zu Itzehoe,

Kottenhahn, Professor, Realgymnasial-Oberlehrer zu Ruhrort, unter Verleihung des Rothen Adler-Ordens vierter Klasse,

Dr. Menges, Gymnasial-Oberlehrer zu Neustettin,

Meyer, Professor, Gymnasial-Oberlehrer zu Osnabrück,

Plehwe, Professor, Realgymnasial-Oberlehrer zu Posen,
Dr. Röhrig, Professor, Gymnasial-Oberlehrer zu Lingen, unter Verleihung des Rothen Adler-Ordens vierter Klasse,
Schneemelcher, Professor, Gymnasial-Oberlehrer zu Anklam, unter Verleihung des Rothen Adler-Ordens vierter Klasse,
Dr. Sénéchaute, Professor, Gymnasial-Oberlehrer zu Düren, unter Verleihung des Rothen Adler-Ordens vierter Klasse,
Singer, Seminarlehrer zu Mörs,
Stern, Oberlehrer an der Oberrealschule zu Cassel, unter Verleihung des Rothen Adler-Ordens vierter Klasse und
Willers, Professor, Gymnasial-Oberlehrer zu Emmerich.

3) Ausgeschieden wegen Eintritts in ein anderes Amt im Inlande:

Dr. Fries, Realgymnasial-Oberlehrer zu Wiesbaden und
Scheubel, Realprogymnasial-Oberlehrer zu Fulda.

4) Ausgeschieden wegen Berufung außerhalb der Preußischen Monarchie:

Dr. Minkowski, ordentlicher Professor in der Philosophischen Fakultät der Universität Königsberg und
Schoeler, Pastor, Gymnasial-Oberlehrer zu Kiel.

5) Auf eigenen Antrag ausgeschieden:

Dr. Neumann, Gymnasial-Oberlehrer zu Frankfurt a. O.

Inhalts-Verzeichnis des November-Heftes.

Druck von J. F. Starcke in Berlin.

Centralblatt
für
die gesammte Unterrichts-Verwaltung in Preußen.

Herausgegeben in dem Ministerium der geistlichen, Unterrichts- und Medizinal-Angelegenheiten.

№ 12. Berlin, den 20. Dezember 1896.

A. Behörden und Beamte.

205) Kostenansatz in Disziplinarsachen.

Berlin, den 3. November 1896.

Das Königliche Staatsministerium hat zur Herbeiführung eines gleichmäßigen Verfahrens unterm 9. Oktober d. Js. bestimmt, daß zu den als baare Auslagen anzusehenden Kosten, deren Erstattung dem im Disziplinarverfahren Verurtheilten gemäß §. 123 des Gerichtskostengesetzes vom 25. Juni 1895 auferlegt wird, auch die in dem Verfahren erwachsenen Portokosten und Schreibgebühren zu rechnen sind.

Die nachgeordneten Behörden setze ich hiervon zur Nachachtung in Kenntnis.

Der Minister der geistlichen 2c. Angelegenheiten.
In Vertretung: von Weyrauch.

An
sämmtliche nachgeordnete Behörden.
G. III. 8170.

---

206) Herstellung von Gipsestrich bei staatlichen Bauausführungen.

Berlin, den 13. November 1896.

Den nachgeordneten Behörden meines Ministeriums lasse ich in der Anlage Abschrift des Runderlasses des Herrn Ministers der öffentlichen Arbeiten vom 24. Oktober d. Js., betreffend die Herstellung von Gipsestrich bei staatlichen Bauausführungen, mit dem Auftrage zugehen, die darin getroffenen Bestimmungen auch bei allen mein Ressort berührenden Bauten, deren Kosten ganz oder theilweise aus Staatsfonds oder solchen Stiftungsfonds, die unter Staatsverwaltung stehen, gedeckt werden, in vollem Umfange zur Anwendung zu bringen.

Der Minister der geistlichen ꝛc. Angelegenheiten.
In Vertretung: von Weyrauch.

An
die nachgeordneten Behörden des diesseitigen Ressorts.
G. III. A. 2881.

Berlin, den 24. Oktober 1896.

Bei der unter Tit. V. e. des Nachtrags zur Geschäftsanweisung für das technische Büreau der Abtheilung für das Bauwesen des Ministeriums der öffentlichen Arbeiten vom 16. Mai 1890 — mitgetheilt durch Runderlaß von demselben Tage, III 8686 — empfohlenen Ausführung von Gipsestrichen auf Dachbalkenlagen ist in einzelnen Fällen infolge zu frühen Abschlusses der Luft ein vollständiges Austrocknen der Balken erschwert und dadurch die Gefahr der Schwammbildung und der Trockenfäule der Balken hervorgerufen worden. Bei der Anwendung des Gipsestriches wird daher hinfort mit ganz besonderer Vorsicht zu verfahren und in jedem einzelnen Falle sorgfältig zu prüfen sein, ob die zur Fertigstellung des Gebäudes verfügbare Zeit ausreicht um ein vollständiges Austrocknen der Dachbalken abzuwarten, ehe der Gipsestrich aufgebracht wird.

Sollte bei den zur Zeit in der Ausführung begriffenen Staatsgebäuden die Anwendung eines Gipsestriches im Kostenanschlage vorgesehen sein, sich aber Zweifel über dessen Zweckmäßigkeit ergeben, so sehe ich Abänderungsanträgen mit dem Bemerken (ergebenst) entgegen, daß die Rücksichten auf Feuersicherheit genügend gewahrt erscheinen, wenn in denjenigen Dachräumen, welche keiner oder nur einer beschränkten Benutzung unterliegen, die Balkenfache bis zur Oberkante mit glatt gestrichenem Lehm ausgefüllt, in den zu wirthschaftlichen Zwecken benutzten Dachräumen aber über dieser Lehmausfüllung die Fußböden mit Brettern gedielt werden.

Ew. Hochgeboren (Hochwohlgeboren) ersuche ich ergebenst, (die Königliche Ministerial-Baukommission veranlasse ich), hiernach in Zukunft zu verfahren, auch die betheiligten Lokalbaubeamten mit entsprechender Anweisung zu versehen.

Der Minister der öffentlichen Arbeiten.
Im Auftrage: Schultz.

An
sämmtliche Herren Regierungs-Präsidenten sowie an die Königliche Ministerial-Baukommission zu Berlin.
III. 13214. 2. Ang.

B. Höhere Lehranstalten.

207) Das gesammte Erziehungs- und Unterrichtswesen in den Ländern deutscher Zunge von Professor Dr. Karl Kehrbach.

Berlin, den 3. Oktober 1896.

Der Professor Dr. Karl Kehrbach hierselbst hat mir die ersten vier Hefte seines im Auftrage der Gesellschaft für deutsche Erziehungs- und Schulgeschichte herausgegebenen großen bibliographischen Werkes „Das gesammte Erziehungs- und Unterrichtswesen in den Ländern deutscher Zunge“ mit der Bitte um Empfehlung vorgelegt.

Die Königlichen Provinzial-Schulkollegien mache ich auf dies Werk hierdurch besonders aufmerksam.

Der Minister der geistlichen 2c. Angelegenheiten.
Bosse.

An
sämmtliche Königliche Provinzial-Schulkollegien.
U. II. 2178.

---

208) Verhütung der körperlichen und geistigen Ueberbürdung von Schülern höherer Lehranstalten 2c.

Berlin, den 21. Oktober 1896.

Die Berichte des Königlichen Provinzial-Schulkollegiums vom 21. Dezember v. Js. und vom 19. Februar d. Js. über verschiedene gegen Einrichtungen der Schule in der Presse erhobene Anklagen habe ich mit anderen derartigen Klagen der Königlichen Wissenschaftlichen Deputation für das Medizinalwesen zur Begutachtung zugehen lassen. Einen Auszug aus dem hierauf erstatteten Gutachten vom 1. Juli d. Js. sowie einen Nachtrag zu diesem Gutachten von demselben Datum theile ich dem Königlichen Provinzial-Schulkollegium in den anliegenden Abschriften zur Kenntnisnahme und Beachtung mit.

Was insbesondere die bemängelten Einrichtungen des Stundenplanes betrifft, so wird das Königliche Provinzial-Schulkollegium daran festhalten, daß ein sechsstündiger zusammenhängender Unterricht nur als ein Nothbehelf zugelassen werden kann zur Vermeidung einer allzugroßen Ausdehnung des Nachmittagsunterrichts in größeren Städten. Die von dem Königlichen Provinzial-Schulkollegium durch die Verfügung vom 27. Februar 1891 bereits angeordneten Einschränkungen eines solchen sechsstündigen Unterrichts, sowie die beabsichtigte Festsetzung einer längeren Zwischenpause vor der letzten Unterrichtsstunde sind zweckmäßig, nur wird auch die Auswahl und Lage der zugelassenen 5 wissenschaftlichen Unterrichtsstunden bei der Kontrole der Stundenpläne zu beachten sein.

Die zur Verhütung eines übergroßen Gewichts der Schulmappen von dem Königlichen Provinzial-Schulkollegium zu treffenden Anordnungen sind auf alle Schulen, insbesondere auch auf die höheren Mädchenschulen auszudehnen.

An
das Königliche Provinzial-Schulkollegium zu N.

Abschrift der vorstehenden Verfügung und der Anlagen übersende ich dem Königlichen Provinzial-Schulkollegium zur Kenntnisnahme und Beachtung.

Der Minister der geistlichen rc. Angelegenheiten.
Im Auftrage: de la Croix.

An
die übrigen Königlichen Provinzial-Schulkollegien.
U. II. 12406. U. III. D.

Betrifft verschiedene Klagen in der Presse über Mängel der Schulpläne und körperliche und geistige Ueberbürdung der Schüler.

Ew. Excellenz haben uns durch Erlasse vom 7. und 8. Februar d. Js. mit Gutachten über verschiedene, theils in der politischen, theils in der Fachpresse veröffentlichten Klagen beauftragt, welche gegen Schulpläne und gegen sonstige Einrichtungen höherer Schulen sich wendeten. Indem wir die uns gleichzeitig übersendeten Berichte der amtlichen Organe hierbei zurückreichen, erstatten wir im Nachstehenden ganz gehorsamst das von uns erforderte Gutachten:

Die ausgesprochenen Beschwerden sind von dem Professor Dr. N. hierselbst . . . . . erhoben worden, und zwar . . . . . vorzugsweise gegen das . . . . . Gymnasium . . . . . Aus den amtlichen Berichten ergiebt sich, daß ein nicht geringer Theil der Beschwerden ungerechtfertigt ist und daß ein anderer Theil nicht den Direktoren der Schulen zur Last fällt. . . . . .

Im Uebrigen ist . . . . . nachgewiesen, daß die Lektionspläne, insbesondere die freien Zwischenpausen, durchweg innerhalb der vorgeschriebenen Grenzen angeordnet sind. Die erhobenen Beschwerden würden daher im Sinne der Beschwerdeführer nur beseitigt werden können, wenn die generellen Vorschriften geändert würden. . . . . .

Jedenfalls scheint das auch offiziell gemachte Zugeständnis, an einzelnen Tagen hintereinander 6 Unterrichtsstunden zuzulassen, zu weit gehend, auch wenn eine dieser Stunden eine Turnstunde ist. Wir theilen die von dem einen Beschwerdeführer ausgesprochene Ansicht, daß das Turnen eine körperliche Anstrengung und keine Erholung sei, nicht, wenigstens nicht in dem allgemeinen Sinne, daß jede turnerische Uebung als eine Anstrengung zu betrachten sei; auch hier kommt Alles darauf an, wie der Turnunterricht ertheilt wird. Wenn aber nur die Wahl gelassen wird zwischen einem 6 stündigen Vormittagsunterrichte und einer Verlegung der Turnstunde auf den Nachmittag, so würden wir das Letztere, zumal in nicht zu großen Städten, vorziehen.

Ew. Excellenz haben mit Rücksicht auf Angaben des Professors N. über das Gewicht der (gefüllten) Schulmappen und über die in Folge zu starker Belastung nach der Angabe einer hiesigen Zeitung sich vermehrenden Verkrümmungen der Wirbelsäule, uns ferner beauftragt, in unserem Gutachten anzugeben,

> ob und eventuell welche weiteren Erhebungen wegen des Gewichts der Schulmappen der Knaben von 9—14 Jahren an unseren höheren Schulen zu veranlassen seien, und ob eine Feststellung bezüglich der Rückgratsverkrümmungen angezeigt erscheine.

Da irgend welche statistischen Angaben über die behauptete Vermehrung der Rückgratsverkrümmungen nicht gemacht, auch uns sonst nicht bekannt sind, so vermögen wir das Bedürfnis einer daraufhin gerichteten Untersuchung nicht zu erkennen. Jedenfalls würde eine solche Untersuchung nicht so sehr auf das Gewicht der Mappen, als auf die unzweckmäßige Art des Tragens derselben sich erstrecken müssen, da es sich hauptsächlich um seitliche Verkrümmungen (Skoliose) handeln müßte. Diese dürfte aber mehr bei Mädchen, welche die Mappen vielfach in der Hand oder am Arme und nicht, wie bei den Knaben gewöhnlich, auf dem Rücken tragen, zu überwachen sein.

Dagegen halten wir es aus anderen Gründen für angezeigt, wiederholt Erhebungen über das Gewicht der (gefüllten) Schulmappen anzustellen. Zunächst würde es dann erforderlich sein, festzustellen, welches Gewicht Mappe und Schulbücher zusammen ausmachen, wenn keine anderen Schulbücher in die Mappe gethan werden, als die für die Unterrichtsstunden des betreffenden Tages erforderlichen. Sollte sich dabei eine ungehörige Belastung herausstellen, so müßte eine entsprechende Aenderung in der Vertheilung der Lehrgegenstände oder in den Lehrbüchern vorgenommen werden. Insbesondere müßte streng darauf gehalten werden, daß keine überflüssigen Lehrbücher mitgeschleppt werden.

Die vorliegenden Untersuchungen deuten darauf hin, daß

gegenwärtig das Gewicht der Schulmappen von Sexta bis Quarta zwischen 5—6¾ Pfund schwankt, freilich auch die Maximalhöhe von 7,2—8,3 Pfund erreicht. Die Beurtheilung über die Zulässigkeit solcher Zahlen wird freilich wesentlich beeinflußt durch die Weite des Weges vom Hause bis zur Schule und durch die Art der etwaigen Beförderung, indes wird jede Verminderung der Last als eine Wohlthat und bei schwächlichen Kindern als ein Beförderungsmittel der Gesundheit anzusehen sein; und schon aus diesem Grunde erscheint uns jede mögliche Reduktion als eine Nothwendigkeit.

Auf die von dem einen Beschwerdeführer behauptete Ueberbürdung der Lehrer gehen wir nicht ein, da ausreichende Unterlagen für eine Begutachtung nicht geboten sind, Ew. Excellenz diese auch nicht erfordert haben.

Berlin, den 1. Juli 1896.

Königliche Wissenschaftliche Deputation für das Medizinalwesen.

Nachtrag zu dem Berichte der Königlichen Wissenschaftlichen Deputation für das Medizinalwesen.

Nachträglich ist uns auf Anordnung Ew. Excellenz Abschrift eines Berichtes des Königlichen Provinzial-Schulkollegiums zu N. vom 19. Februar d. Js. zur Kenntnisnahme zugegangen. Nachdem wir dieses Schriftstück, das wir unter Anlage zurückreichen, geprüft haben, erlauben wir uns zu dem vorletzten Absatze unseres Berichtes Folgendes hinzuzufügen:

Das Königliche Provinzial-Schulkollegium hat in 68 Quarten, 66 Quinten und 64 Sexten höherer Schulen an den 6 Schultagen einer Woche die Mappen wiegen lassen. Danach ergiebt sich, daß die Angaben des Professors N. über das Wochendurchschnittsgewicht der gefüllten Mappen für jede Kategorie von Klassen zu hoch sind. Wir möchten aber darauf aufmerksam machen, das dieses Gewicht für die Beurtheilung der Belastung nur einen sehr unsicheren Maßstab abgiebt. Mit Recht ist daher neben den Durchschnittsberechnungen auch das Gewicht der einzelnen Mappen in Betracht gezogen worden. Darauf allein kann es hier ankommen, da nach dem Berichte des Provinzial-Schulkollegiums die schon in unserem ersten Gutachten gerügte Unsitte, auch Bücher und Hefte, die für den betreffenden Tag gar nicht gebraucht werden, in die Klasse mitzubringen, noch immer besteht. Es wird ausdrücklich angeführt, daß in Quarta gefüllte Mappen von 9½ Pfund Gewicht in 6 Fällen aufgefunden worden sind, und daß das Gewicht des „mitgeschleppten Ballastes“ in einzelnen Fällen nicht weniger als 2—2,5 kg betrug. Das Gewicht der leeren Mappen stieg „nicht selten bis auf 1,5, bisweilen bis auf 2, ja in einzelnen Fällen bis auf 2,5 kg", und das der mitgebrachten Atlanten bis 2 kg, das der leeren Federkästen bis auf 230 g. Die Bibeln allein, welche manche Schüler nicht in dem Klassenschrank zurücklassen können, wiegen „nicht selten 1—2 kg."

Daß dies Unzuträglichkeiten sind, welche beseitigt werden können, läßt auch das Königliche Provinzial-Schulkollegium zu. Es lehnt jedoch die Verantwortlichkeit dafür von der Schule ab und schiebt sie „dem Hause" also im Wesentlichen den Eltern zu. Es will daher auch hier die Abhilfe suchen. Dazu werden zwei Maßregeln vorgeschlagen: einmal ein genügender Hinweis an das Haus etwa in den Programmen der betreffenden Anstalten, zum anderen gelegentliche Revision der Mappen durch die Klassenordinarien.

Beides ist nach dem Mitgetheilten nicht nur zweckmäßig, sondern auch nothwendig. Was die erstere Maßregel betrifft, so mag es dahin gestellt bleiben, ob der Hinweis in den Programmen ausreicht, da es nicht sicher ist, ob derselbe von den Eltern auch gelesen wird. Uns würde es richtiger erscheinen, wenn den Eltern bei der Zuführung der Kinder zur Schule ein gedrucktes Blatt eingehändigt würde, auf welchem die Vorschriften für die Mappen und die Benutzung derselben kurz und bestimmt angegeben sind. Noch wichtiger aber würde es sein, wenn für jede Klasse im Anschlusse an den Stundenplan eine Anweisung ertheilt würde, welche Bücher für jeden Tag mitgebracht werden sollen. Es könnte dann auch im Voraus durch Wiegung ermittelt werden, welches Gewicht diese Bücher haben und eventuell eine Aenderung des Stundenplanes herbeigeführt werden. Die zweite Maßregel, die der gelegentlichen Revision der Mappen, müßte daneben festgehalten werden.

Hier tritt die Thatsache hervor, daß auch die Schule ihren Antheil an der Ueberlastung der Schulkinder hat und daß sie nicht berechtigt ist, die Verantwortlichkeit ganz „dem Hause" zuzuschreiben. Es genügt nicht, den Nachweis zu führen, daß „im Allgemeinen" die Belastung nicht über das zulässige Maß hinausgeht, sondern es muß durch rechtzeitige Belehrung und wiederholte Kontrole sichergestellt werden, daß auch der einzelne Schüler nicht über Gebühr belastet wird oder sich selbst belastet.

Wenn das Königliche Provinzial-Schulkollegium den Nachweis erbringt, daß die Selbstbelastung der Schüler in der Quinta und Sexta größer ist, als in der Quarta, so folgt daraus gerade, daß Belehrung und Kontrole schon in der Sexta einsetzen müssen. Es mag richtig sein, wenn die genannte Behörde annimmt, daß bei einem Schüler der unteren Klasse die Belastung höchstens 1/8 des Körpergewichts betragen sollte, aber es wird in dieser Beziehung wohl kaum eine auf das einzelne Individuum gerichtete Kontrole ausführbar sein. Praktisch ausführbar dagegen ist es, das Maximalgewicht der mitzubringenden Bücher, Hefte, Federkasten u. s. w., kurz der gefüllten Mappe anzugeben, welche für jede Klasse und für jeden Tag zugelassen werden soll. Nachdem sich thatsächlich herausgestellt hat, daß „in einzelnen, nicht sehr zahlreichen Fällen das Mappengewicht mehr als 1/8 des Körpergewichts" betragen hat, so wird bei der Feststellung des zulässigen Gewichts „im Allgemeinen" doch eher weniger, als mehr von dem Körpergewichte als Norm angenommen werden müssen.

Damit scheinen uns die Hauptgesichtspunkte gegeben zu sein, nach welchen diese gewiß nicht unwichtige Angelegenheit behandelt werden sollte.

Berlin, den 1. Juli 1896.

Königliche Wissenschaftliche Deputation für das Medizinalwesen.

---

209) Selbständige Anweisung der Umzugs- und Reisekosten-Liquidationen von Lehrern und Beamten an den höheren Unterrichtsanstalten durch die Provinzial-Schulkollegien.

Berlin, den 29. Oktober 1896.

Nach dem Runderlasse vom 19. August 1891 — G. III. 1850 U. II. — (Centrbl. S. 573) sind die Königlichen Provinzial-Schulkollegien bisher nur ermächtigt gewesen, die Liquidationen der Lehrer und Beamten an den höheren Unterrichtsanstalten Ihres Verwaltungsbezirkes über Umzugs- und Reisekosten selbständig zur Zahlung anzuweisen, wenn zur Deckung dieser Kosten in der betreffenden Anstaltskasse ausreichende Mittel vorhanden waren, während Denselben im anderen Falle die Verpflichtung oblag, wegen Bereitstellung der aus Centralfonds zu gewährenden Mittel vor der beabsichtigten Versetzung an mich zu berichten.

Zur Erleichterung des Geschäftsverkehrs will ich die Königlichen Provinzial-Schulkollegien nunmehr ermächtigen, die Liquidationen der Lehrer und Beamten an den höheren Unterrichtsanstalten Ihres Verwaltungsbezirkes künftig in allen Fällen, gleichviel ob diese Kosten aus Anstaltsmitteln bestritten werden können oder aus dem Centralfonds Kap. 126 Tit. 3 zu decken sind, nach Maßgabe des Runderlasses vom 29. Mai 1891 —

G. III. 944 — (Centrbl. S. 437) selbständig zur Zahlung anzuweisen. Dies geschieht jedoch nur in der bestimmten Voraussetzung, daß die Königlichen Provinzial-Schulkollegien bei der Versetzung eines Lehrers und Beamten eine strenge Prüfung darüber eintreten lassen werden, ob die betreffende Anstaltskasse zur Uebernahme der Umzugs- und Reisekosten im Stande ist.

Am 1. Juni jedes Jahres ist eine Nachweisung der im vorhergegangenen Etatsjahre für Rechnung des gedachten Centralfonds angewiesenen Umzugs- und Reisekosten mir vorzulegen.

An
sämmtliche Königliche Provinzial-Schulkollegien.

Abschrift erhält die Königliche Regierung zur Kenntnisnahme und entsprechenden Anweisung Ihrer Hauptkasse.

Der Minister der geistlichen zc. Angelegenheiten.
In Vertretung: von Weyrauch.

An
sämmtliche Königliche Regierungen.
G. III. 8199. U. II.

---

210) Verleihung des Ranges der Räthe vierter Klasse an Direktoren von Nichtvollanstalten und an Professoren höherer Lehranstalten.

Seine Majestät der König haben Allergnädigst geruht,
dem Direktor des Realprogymnasiums zu Sonderburg Dr. Spanuth und den nachbenannten Professoren an höheren Lehranstalten den Rang der Räthe vierter Klasse zu verleihen:

dem Professor Kownatzki am Gymnasium zu Rastenburg,
" " Borowski am Gymnasium zu Culm i. W.,
" " Wittko am Realprogymnasium zu Culm i. W.,
" Dr. Stroetzel am Französischen Gymnasium zu Berlin,
" Dr. Schlegel am Wilhelms-Gymnasium zu Berlin,
" Prawitz am Gymnasium zu Friedeberg,
" Dr. Haase am Gymnasium zu Küstrin,
" Gottschick am Gymnasium zu Charlottenburg,
" Dr. Förster am Königlichen Realgymnasium zu Berlin,
" Dr. Stäckel am Königlichen Realgymnasium zu Berlin,
" Dr. Ehlerding am Realprogymnasium zu Nauen,
" Dr. Westphal am Gymnasium zu Freienwalde,

dem Professor Dr. Althaus an der Friedrich-Werderschen Oberrealschule zu Berlin,
- " Dr. Bieling am Lessing-Gymnasium zu Berlin,
" Roeder am Sophien-Realgymnasium zu Berlin,
" Dr. Kallenberg am Friedrich-Werderschen Gymnasium zu Berlin,
" Dr. Friedrich Müller am Realgymnasium zu Brandenburg a. H.,
" Dr. Knorr am Gymnasium zu Belgard.
" Dr. Grosse am Gymnasium zu Greifenberg,
" Dr. Rühl am Stadtgymnasium zu Stettin,
" Weise am Marienstifts-Gymnasium zu Stettin,
" Dr. Haenicke am König Wilhelms-Gymnasium zu Stettin,
" Köhler am Friedrich Wilhelms-Gymnasium zu Posen.
" Dr. Lorenz am Gymnasium zu Ratibor,
" Dr. Blau am Gymnasium zu Görlitz,
" Vollheim am Gymnasium zu Eisleben,
" Dr. Blath am Domgymnasium zu Magdeburg,
" Dr. von Hagen am Gymnasium zu Schleusingen,
" Maennel am Realgymnasium zu Halle a. S.,
" Dr. Gidionsen am Gymnasium zu Rendsburg,
" Dr. Ohlsen am Realgymnasium zu Altona,
" Dr. Hagge am Gymnasium zu Hadersleben,
" Dr. Zimmermann am Gymnasium zu Celle,
" Dr. Deiter am Gymnasium zu Aurich,
" Dr. Hovesstadt am Realgymnasium zu Münster,
" Dr. Wilbrand am Gymnasium nebst Realgymnasium zu Bielefeld,
" Gustav Adolf Rübel am Gymnasium nebst Realgymnasium zu Bielefeld,
" Dr. Karl Rübel am Realgymnasium zu Dortmund,
" Dr. Keulen am Gymnasium zu Düren,
" " Dr. Joseph Schmitz am Gymnasium zu Bonn.

Bekanntmachung.
U. II. 2692.

C. Akademien, Museen 2c.

211) Allerhöchste Bestimmung über den zum Andenken an Schiller gestifteten Preis für Werke der deutschen dramatischen Kunst aus den letzten drei Jahren.

Seine Majestät der Kaiser und König haben den durch

Allerhöchstes Patent vom 9. November 1859 zum Andenken an Friedrich von Schiller gestifteten Preis nach dem Vorschlage der zur Prüfung von dramatischen Werken der letzten drei Jahre eingesetzten Kommission dem Dichter Ernst von Wildenbruch zu Berlin für die Tragödie „Heinrich und Heinrichs Geschlecht" zu verleihen geruht. Der Preis besteht nach Allerhöchster Bestimmung in dem doppelten Geldpreise zum Betrage von zusammen Zweitausend Thalern Gold, gleich Sechstausend achthundert Mark, und in einer goldenen Denkmünze im Werthe von Einhundert Thalern Gold.

Im Allerhöchsten Auftrage bringe ich dies hierdurch zur öffentlichen Kenntnis.

Berlin, den 10. November 1896.

Der Minister der geistlichen zc. Angelegenheiten.
Bosse.

Bekanntmachung.
B. 2699.

---

212) Wettbewerb um den großen Staatspreis auf dem Gebiete der Architektur für das Jahr 1897.

Der Wettbewerb ist hinsichtlich der Wahl des Gegenstandes ein freier. Konkurrenzfähig sind:

a. alle Arten selbständig durchgeführter Entwürfe von Monumentalbauten, die ausgeführt oder für die Ausführung entworfen sind, aus denen ein sicherer Schluß auf die künstlerische und praktische Befähigung des Bewerbers gezogen werden kann. Perspektiven sind obligatorisch.

b. Photogramme des Innern und des Aeußern derartiger Gebäude, die durch Grundrisse und Schnitte erläutert sind.

Die für diesen Wettbewerb bestimmten Arbeiten nebst schriftlichem Bewerbungsgesuche sind nach Wahl der Bewerber bei dem unterzeichneten akademischen Senate, den Kunst-Akademien zu Düsseldorf, Königsberg und Cassel oder dem Staedel'schen Kunstinstitute zu Frankfurt a. M. bis zum 13. März 1897, Nachmittags 3 Uhr, einzuliefern.

Der Einsendung sind beizufügen:

1) eine Lebensbeschreibung des Bewerbers, aus welcher der Gang seiner künstlerischen Ausbildung ersichtlich ist, nebst den Zeugnissen über die letztere,

2) Zeugnisse darüber, daß der Bewerber ein Preuße ist und daß er zur Zeit der Bewerbung das zweiunddreißigste Lebensjahr noch nicht überschritten hat,

3) die schriftliche Versicherung an Eidesstatt, daß die eingereichten Arbeiten von dem Bewerber selbständig entworfen sind.

Eingesandte Arbeiten, denen die vorstehend unter 1 bis 3 aufgeführten Schriftstücke und Atteste nicht vollständig beiliegen, werden nicht berücksichtigt.

Die Kosten der Ein- und Rücksendung nach und von dem Einlieferungsorte hat der Bewerber zu tragen.

Der Preis besteht in einem Stipendium von 3000 *M* zu einer einjährigen Studienreise nebst 300 *M* Reisekosten-Entschädigung und ist zahlbar in zwei halbjährigen Raten. Der Genuß des Stipendiums beginnt mit dem 1. April 1897.

Der Stipendiat ist hinsichtlich seiner Reiseziele nicht beschränkt; er hat aber Italien zu besuchen, falls er es noch nicht kennen sollte. Vor Ablauf von sechs Monaten hat der Stipendiat über den Fortgang seiner Studien dem Senate der Königlichen Akademie der Künste schriftlichen Bericht zu erstatten. Der Studiennachweis ist durch Skizzenbücher zu führen.

Die Zuerkennung des Preises erfolgt im Monat März 1897. Nach getroffener Entscheidung findet eine öffentliche Ausstellung der eingegangenen Konkurrenzarbeiten statt.

Berlin, den 15. Oktober 1896.

Der Senat der Königlichen Akademie der Künste,
Sektion für die bildenden Künste.
H. Ende.

---

213) Wettbewerb um den großen Staatspreis auf dem Gebiete der Bildhauerei für das Jahr 1897.

Der Wettbewerb ist hinsichtlich der Wahl des Gegenstandes ein freier; indessen soll in den Werken das bewußte Streben erkennbar sein, größere und höhere Vorstellungen entsprechend zu gestalten. Insbesondere wird Werth auf den nothwendig engen Zusammenhang der drei Schwesterkünste gelegt und demgemäß auf die vom Bewerber bewiesene Fähigkeit, in diesem Sinne zu arbeiten.

Einzureichen sind runde Figuren und Reliefs, erwünscht außerdem zeichnerische Entwürfe und gegebenen Falles Photogramme nach ausgeführten Werken.

Die für diesen Wettbewerb bestimmten Arbeiten nebst schriftlichem Bewerbungsgesuche sind nach Wahl der Bewerber bei dem unterzeichneten Senate der Akademie, den Kunst-Akademien zu Düsseldorf, Königsberg und Cassel oder bei dem Staedel'schen Kunstinstitute zu Frankfurt a. M. bis zum 12. März 1897, Nachmittags 3 Uhr, einzuliefern.

Der Einsendung sind beizufügen:

1) eine Lebensbeschreibung des Bewerbers, aus welcher der Gang seiner künstlerischen Ausbildung ersichtlich ist, nebst den Zeugnissen über die letztere,

2) Zeugnisse darüber, daß der Bewerber ein Preuße ist und daß er zur Zeit der Bewerbung das zweiunddreißigste Lebensjahr noch nicht überschritten hat,

3) die schriftliche Versicherung an Eidesstatt, daß die eingereichten Arbeiten von dem Bewerber selbständig erfunden und ohne fremde Beihilfe ausgeführt sind.

Eingesandte Arbeiten, denen die vorstehend unter 1 bis 3 aufgeführten Schriftstücke und Atteste nicht vollständig beiliegen, werden nicht berücksichtigt.

Die Kosten der Ein- und Rücksendung nach und von dem Einlieferungsorte hat der Bewerber zu tragen.

Der Preis besteht in einem Stipendium von 3000 ℳ zu einer einjährigen Studienreise nebst 300 ℳ Reisekosten-Entschädigung und ist zahlbar in zwei halbjährigen Raten. Der Genuß des Stipendiums beginnt mit dem 1. April 1897.

Der Stipendiat hat den größten Theil seiner Studienzeit den Kunstwerken Italiens zu widmen; eine Unterbrechung dieser Thätigkeit zum Besuche anderer Länder ist gestattet. Vor Ablauf von sechs Monaten hat der Stipendiat über den Fortgang seiner Studien dem Senate der Akademie der Künste schriftlichen Bericht zu erstatten und, zum Zweck des Studiennachweises, zeichnerische Aufnahmen und Skizzen beizufügen.

Die Zuerkennung des Preises erfolgt im Monat März 1897. Nach getroffener Entscheidung findet eine öffentliche Ausstellung der Konkurrenzarbeiten statt.

Berlin, den 15. Oktober 1896.

Der Senat der Königlichen Akademie der Künste,
Sektion für die bildenden Künste.
H. Ende.

---

214) Wettbewerb um das Stipendium der Dr. Paul Schultze-Stiftung für das Jahr 1897.

Auf Grund des Statuts der Dr. Paul Schultze-Stiftung, die den Zweck hat, jungen befähigten Künstlern deutscher Abkunft ohne Unterschied der Konfession, welche als immatrikulirte Schüler einer der bei der hiesigen Königlichen Akademie der Künste bestehenden Unterrichts-Anstalten für die bildenden Künste (der akademischen Hochschule für die bildenden Künste oder den akademischen Meister-

Ateliers) dem Studium der Bildhauerkunst obliegen, die Mittel zu einer Studienreise nach Italien zu gewähren, wird hiermit zur Theilnahme an dem für die Erlangung des Stipendiums eröffneten Wettbewerb für das Jahr 1897 eingeladen.

Als Preisaufgabe ist gestellt eine durchgeführte Reliefskizze, darstellend:

„Christliche Märtyrer in einem römischen Zirkus".

Die Größe der zur Darstellung gelangenden Hauptfiguren erwachsener Personen soll etwa 60 cm betragen.

Die kostenfreie Ablieferung der Konkurrenzarbeiten nebst schriftlichem Bewerbungsgesuche an den Senat der Königlichen Akademie der Künste muß bis zum 15. März 1897 erfolgt sein.

Der Bewerber hat gleichzeitig einzureichen:

1) einen von ihm verfaßten Lebenslauf, aus welchem der Gang seiner künstlerischen Ausbildung ersichtlich ist,

2) verschiedene während seiner bisherigen Studienzeit von ihm selbst gefertigte Arbeiten,

3) eine schriftliche Versicherung an Eidesstatt, daß er die von ihm eingelieferte Konkurrenzarbeit selbst erfunden und ohne fremde Beihilfe ausgeführt habe,

4) Zeugnisse darüber, daß der Bewerber ein Deutscher ist und zur Zeit der Bewerbung als immatrikulirter Schüler einer der obenbezeichneten akademischen Unterrichts-Anstalten dem Studium der Bildhauerkunst obliegt.

Eingesandte Arbeiten, denen die vorbezeichneten Schriftstücke und Zeugnisse nicht vollständig beiliegen, werden nicht berücksichtigt.

Der Preis besteht in einem Stipendium von 3000 ℳ zu einer Studienreise nach Italien.

Der Genuß des Stipendiums beginnt mit dem 1. Oktober 1897. Die Auszahlung der ersten Rate im Betrage von 1500 ℳ erfolgt beim Antritt der Studienreise; die zweite Rate in gleicher Höhe wird gezahlt, wenn der Stipendiat nach Verlauf von sechs Monaten über den Fortgang seines Studiums an den Senat der Akademie der Künste einen für genügend erachteten Bericht erstattet hat.

Eine Theilung des Stipendiums an mehrere Bewerber ist ausgeschlossen.

Die Zuerkennung des Preises erfolgt Ende März 1897. Nach getroffener Entscheidung kann auf Bestimmung des unterzeichneten Senates eine öffentliche Ausstellung der Bewerbungsarbeiten stattfinden.

Die preisgekrönte Konkurrenzarbeit wird Eigenthum der Akademie der Künste.

Berlin, den 15. Oktober 1896.

Der Senat der Königlichen Akademie der Künste,
Sektion für die bildenden Künste.
H. Ende.

215) Wettbewerb um den Preis der ersten Michael Beer'schen Stiftung auf dem Gebiete der Bildhauerei für das Jahr 1897.

Der Wettbewerb um den Preis der ersten Michael Beer'schen Stiftung für Maler und Bildhauer jüdischer Religion wird hiermit für das Jahr 1897 für Bildhauer eröffnet.

Die Wahl des darzustellenden Gegenstandes bleibt dem eigenen Ermessen des Konkurrenten überlassen. Die Komposition kann in einem runden Werke oder einem Relief, in Gruppen oder in einzelnen Figuren bestehen, nur muß sie ganze Figuren enthalten und zwar für runde Werke nicht unter einem Meter; das Relief aber soll in der Höhe nicht unter 70 cm und in der Breite nicht unter einem Meter messen.

Die kostenfreie Ablieferung der Konkurrenzarbeiten nebst schriftlichem Bewerbungsgesuche an den Senat der Königlichen Akademie der Künste muß bis zum 13. März 1897, Nachmittags 3 Uhr, erfolgt sein.

Es haben außerdem die Bewerber gleichzeitig einzusenden:

1) eine in Relief ausgeführte Skizze, darstellend: „Verschmachtende finden eine Quelle";

2) einige Studien nach der Natur, die zur Beurtheilung des bisherigen Studienganges des Bewerbers dienen können;

3) eine amtliche Bescheinigung, aus der hervorgeht, daß der Bewerber zur Zeit der Einsendung ein Alter von 22 Jahren erreicht, jedoch das 32. Lebensjahr noch nicht überschritten hat und daß derselbe sich zur jüdischen Religion bekennt;

4) eine Bescheinigung darüber, daß der Bewerber seine Studien auf einer deutschen Akademie gemacht hat;

5) einen Lebenslauf, aus dem insbesondere der Studiengang des Konkurrenten ersichtlich ist;

6) eine schriftliche Versicherung an Eidesstatt, daß die eingereichten Arbeiten von dem Bewerber selbst erfunden und ohne fremde Beihilfe ausgeführt sind.

Eingesandte Arbeiten, denen die vorstehend unter 3 bis 6

aufgeführten Schriftstücke nicht vollständig beiliegen, werden nicht berücksichtigt.

Der Preis besteht in einem Stipendium von 2250 *M* zu einer Studienreise nach Italien unter der Bedingung, daß der Prämiirte sich acht Monate in Rom aufhalten und über seine Studien vor Ablauf der ersten sechs Monate an die Akademie Bericht erstatten muß.

Der Genuß des Stipendiums beginnt mit dem 1. Oktober 1897.

Die Zuerkennung des Preises erfolgt im Monat März 1897.

Berlin, den 15. Oktober 1896.

Der Senat der Königlichen Akademie der Künste,
Sektion für die bildenden Künste.
H. Ende.

D. Schullehrer- und Lehrerinnen-Seminare ꝛc., Bildung der Lehrer und deren persönliche Verhältnisse.

216) Nichtanrechnung der an Seminar-Präparanden-anstalten zugebrachten Dienstzeit auf die Gewährung von Alterszulagen an Seminarlehrer.

Berlin, den 20. November 1896.

Auf den Bericht vom 6. November d. Js., betreffend die anderweite Festsetzung des Besoldungsdienstalters für den ordentlichen Seminarlehrer N. zu N., erwidere ich dem Königlichen Provinzial-Schulkollegium, daß der Cirkular-Erlaß vom 6. Juni d. Js. — U. III. 2083. U. III. D. — (Centrbl. S. 516) auf die Gewährung von Alterszulagen an Seminarlehrer keine Anwendung findet.

Dem Königlichen Provinzial-Schulkollegium überlasse ich, den ꝛc. N. hiernach zu bescheiden.

An
das Königliche Provinzial-Schulkollegium zu N.

Abschrift erhält das Königliche Provinzial-Schulkollegium zur Kenntnisnahme.

Der Minister der geistlichen ꝛc. Angelegenheiten.
Im Auftrage: Kügler.

An
die übrigen Königlichen Provinzial-Schulkollegien.
U. III. 8807.

---

217) Anstellung von Kandidaten der Theologie und des höheren Schulamtes im Volksschuldienste. — Anzeige sittlicher Vergehungen von Lehrern an Privatschulen durch die Leiter der letzteren.

Berlin, den 23. November 1896.

Es ist zu meiner Kenntnis gelangt, daß ein Lehrer, welcher wegen Sittlichkeitsverbrechen gerichtlich bestraft war, unter der Vorlegung gefälschter Zeugnisse in einem anderen Regierungsbezirke wieder Anstellung gefunden hat. Ich nehme hieraus Anlaß im Anschluß an den Erlaß vom 4. April 1891 — U. III. A. 14247/90 — (Centrbl. S. 365) und unter Bezugnahme auf den Erlaß vom 9. Oktober d. Js. — U. III. C. 2118. U. III. — (Centrbl. S. 706) zu bestimmen, daß auch bei Kandidaten der Theologie und des höheren Schulamtes, welche sich um Anstellung im Volksschuldienste bewerben, eine Aeußerung derjenigen Regierung, in deren Aufsichtskreise dieselben früher beschäftigt gewesen sind, einzuholen ist. Namentlich ist bei Personen, welche Beschäftigung im Privatschuldienste erstreben, wenn das Vorleben derselben nicht anderweitig genügend bekannt ist, die Prüfung der vorgelegten Zeugnisse durch geeignete direkte Anfragen zu vervollständigen.

Den Leitern von Privatschulen ist unter Androhung der Entziehung der Konzession zur Pflicht zu machen, daß sie etwaige sittliche Vergehungen der von ihnen beschäftigten Lehrpersonen ungesäumt zur Kenntnis der nächstvorgesetzten Aufsichtsbehörde zu bringen haben.

Der Minister der geistlichen ꝛc. Angelegenheiten.
Bosse.

An
das Königliche Provinzial-Schulkollegium zu Berlin und sämmtliche Königliche Regierungen.
U. III. C. 8298.

E. Höhere Mädchenschulen.

218) Führung der Amtsbezeichnung „Oberlehrerin".

Berlin, den 2. November 1896.

Auf die Anfrage vom 22. Oktober d. Js. erwidere ich Ew. Wohlgeboren, daß die früher übliche Entlassungsprüfung aus den wissenschaftlichen Fortbildungskursen bei dem hiesigen Viktoria-Lyceum einen Ersatz für die durch meine allgemeine Verfügung vom 31. Mai 1894 eingeführte wissenschaftliche Prüfung der Lehrerinnen nicht bietet. Nach dem Wortlaute der erwähnten Verfügung bleiben aber diejenigen Lehrerinnen, welche bei Erlaß derselben bereits Befähigungen erworben haben, im Besitze der letzteren, sie können daher auch ohne nachträgliche Ablegung der wissenschaftlichen Prüfung andere gleichartige Stellen übernehmen oder innerhalb der Grenzen ihrer Befähigung in höhere Stellen aufsteigen.

Die Berechtigung zur Führung des Oberlehrerintitels giebt auch das Bestehen der wissenschaftlichen Prüfung an sich nicht. Die Lehrerinnen, welche diese Prüfung bestanden haben, sind gleichfalls erst dann zur Führung der Amtsbezeichnung „Oberlehrerin berechtigt, wenn ihnen eine etatsmäßige Oberlehrerinstelle an einer öffentlichen höheren Mädchenschule übertragen worden ist.

Der Minister der geistlichen ꝛc. Angelegenheiten.
Im Auftrage: Kügler.

An
die Schulvorsteherin Fräulein N. Wohlgeboren zu N.
U. III. D. 4677.

F. Oeffentliches Volksschulwesen.

219) Uebernahme von Volksschulen auf den Haushalt der politischen Gemeinden unter Auflösung der Schulsozietäten.

Berlin, den 26. Oktober 1896.

Auf die Berichte vom 16. Juli 1894 und vom 28. Mai v. Js. betreffend die Uebernahme der Volksschulen auf den Haushalt der politischen Gemeinden unter Auflösung der Schulsozietäten, erwidere ich der Königlichen Regierung Folgendes:

Die von der Königlichen Regierung empfohlene bedingungslose Uebereignung des Schulvermögens auf die bürgerlichen Gemeinden kann schon dann nicht ohne Weiteres für zweckmäßig erachtet werden, wenn es sich bei Auflösung einer Schulsozietät ausschließlich um das Vermögen einer nicht organisch verbundenen Schul- und Kirchendienerstelle handelt.

Auch in solchen Fällen wird bei Uebernahme der betreffenden Volksschule auf den Etat der bürgerlichen Gemeinde darauf hinzuwirken sein, daß das Schulvermögen der „Schule" bezw. „der

Schulstelle" als besonderer juristischer Persönlichkeit erhalten bleibt und insbesondere das Grundeigenthum und die Gebäude der Schule auf den Namen der Schule im Grundbuche eingetragen und nicht ohne Weiteres auf die bürgerliche Gemeinde umgeschrieben werden.

Anderenfalls entzieht sich eine Verwendung des Grundvermögens für andere als Schulzwecke der bestimmenden Einwirkung und Prüfung der Schulaufsichtsbehörden, da die politischen Gemeinden hierbei nicht an die Genehmigung derselben gebunden wären.

Ganz besonders bedenklich aber mußte der Königlichen Regierung das eingeschlagene Verfahren in den zahlreichen Fällen erscheinen, in denen es sich um organisch verbundene Schul- und Kirchendienerstellen und das Vermögen derselben handelte, da hierbei gerade diejenigen Schwierigkeiten und Unzuträglichkeiten erwachsen, zu deren Verhütung mein in Uebereinstimmung mit dem Evangelischen Ober-Kirchenrath ergangener Erlaß vom 21. März 1893 — G. I. 3150 U. III. D. — bestimmt war.

Es ist vielmehr auch hier darauf zu halten, daß das Vermögen der vereinigten Stelle als besonderen juristischen Persönlichkeit erhalten bleibt und soweit eine Veränderung in den Eigenthums- und Nutzungsrechten eintritt, solche nur unter Zuziehung und nach vorgängigem Einvernehmen mit den kirchlichen Lokal- und Aufsichtsorganen erfolgt.

Die Königliche Regierung wolle hiernach in Zukunft verfahren und die schwebenden Fälle erledigen.

Der Minister der geistlichen 2c. Angelegenheiten.
Bosse.

An
die Königliche Regierung zu N.
U. III. D. 8146. G. I.

---

220) Wenn einem Schulverbande für mehrere Schulstellen aus dem Fonds Kap. 121 Tit. 34 des Staatshaushalts-Etats Beihilfen bewilligt sind, müssen dieselben in den Zahlungsnachweisungen und Quittungen einzeln aufgeführt werden.

Berlin, den 27. November 1896.

Auf den Bericht vom 9. November d. Js. erwidere ich der Königlichen Regierung, daß, wenn ein Schulverband für mehrere Schulstellen Staatsbeihilfen aus dem Fonds Kap. 121 Tit. 34 des Staatshaushalts-Etats bezieht, diese Beihilfen sowohl in den Zahlungsnachweisungen der Kreiskassen als auch in den Quittungen der Schul- 2c. Kassen **einzeln** aufzuführen sind. Die Nothwendigkeit hierfür ergiebt sich schon daraus, daß die zu den Lehrerbesoldungen bewilligten Beihilfen nicht ohne Weiteres für das ganze Rechnungsjahr, sondern nur während der ordnungsmäßigen Besetzung der Schulstellen, also nicht auch während der Vakanzzeit gezahlt werden (vergl. Erlaß vom 21. Juni d. Js. — U. III. E. 3219 — Centrbl. S. 591).

Der Minister der geistlichen 2c. Angelegenheiten.
Im Auftrage: Kügler.

An
die Königliche Regierung zu N.
U. III. E. 5911.

---

221) Strafbarkeit der unentschuldigten Versäumnis von Schulfeiern.

Der Vorderrichter legt den Begriff der Lehrstunden, deren regelmäßiger Besuch durch die Kabinets-Ordre vom 14. Mai 1825 Ziffer 2 angeordnet ist, zu enge aus. Wenn bei einer Schulfeier, wie solche am Kaisersgeburtstage abgehalten wird, eine Ansprache an die Kinder stattfindet und die Letzteren ihre Leistungen auf dem Gebiete des Unterrichts (Gesang, Vorträgen oder Spielen) zeigen, so kann es nicht dem geringsten Zweifel unterliegen, daß diese Feier einen Theil der unterrichtlichen und erziehlichen Aufgaben der Schule bildet. Eine solche Feier hat für das schulpflichtige Kind den vollen Werth einer Lehrstunde, denn sie trägt zur Lösung der Aufgabe bei, welche der Schulunterricht durch Erweckung und Stärkung des vaterländischen Gefühls lösen soll.

Der Angeklagte, dessen Kind ohne Entschuldigung am 27. Januar 1896 die Schule versäumt hat, ist gemäß der angeführten Kabinets-Ordre vom 20. Juni 1835 und des §. 13 des Gesetzes vom 23. April 1883 zu bestrafen.

(Auszug aus dem Erkenntnisse der Ferien-Strafkammer des Königlichen Landgerichts zu Elberfeld vom 6. August 1896.)

---

222) Rechtsgrundsätze des Königlichen Oberverwaltungsgerichts.

a. 1) Der angegriffene Beschluß des Schulvorstandes würde nicht haltbar sein, wenn zu der Sitzung, in der er gefaßt wurde, Personen, die zur Mitwirkung zu berufen waren, nicht zugezogen, oder bei seinem Zustandekommen Personen, denen die Befugnis zur Beschlußfassung fehlte, thätig gewesen wären. Die Einstimmigkeit, mit der nach Angabe des Beklagten der angegriffene Beschluß gefaßt ist, würde, worauf der Kläger mit Recht hingewiesen hat, darin nichts ändern; denn als rechtswirksamer Beschluß des Schulvorstandes kann nur eine Willensäußerung der zur Vertretung der Ortsschulbehörde befugten Personen gelten (vergl. Erkenntnis des früheren Ober-Tribunals vom 17. Dezember 1872 — Striethorst's Archiv Band 87 S. 274 —.)

2) Fehlsam ist vorweg die Annahme des Vorderrichters, daß die Zusammensetzung der Schulvorstände an den katholischen Landschulen der Provinz Schlesien nicht durch gesetzliche, sondern nur durch Bestimmungen der Verwaltungsbehörden geregelt werde. Die gesetzlichen Bestimmungen sind im §. 13 Titel 12 Theil II des Allgemeinen Landrechts und im Abschnitte 49 des Reglements für die niederen katholischen Schulen in den Städten und auf dem platten Lande von Schlesien und der Grafschaft Glatz vom 18. Mai 1801 enthalten; die Instruktion des Departements für den Kultus und öffentlichen Unterricht vom 28. Oktober 1812 sowie die Bekanntmachung der Königlichen Regierung zu Oppeln vom 14. Dezember 1816 konnten nur den inneren Ausbau jener Bestimmungen zum Zwecke haben.

Die Einladung der Gutsherrschaft zu der Sitzung des Schulvorstandes durfte allerdings nicht unterbleiben; denn, wenn nach der erwähnten Instruktion in den Versammlungen des Schulvorstandes dem Gutsherrn, falls er persönlich zugegen ist, der Vorsitz gebührt, und dieser nur in Abwesenheit des Gutsherrn auf den „Prediger“ übergehen soll, so folgt daraus, daß dem Gutsherrn Gelegenheit zum Erscheinen in den Versammlungen gegeben werden muß.

3) Dem Schulvorstande war es nicht verwehrt, in Abwesenheit des Gutsherrn in die Tagesordnung der Sitzung einzutreten. Es fehlt an einer Bestimmung, daß die Schulvorstände nicht beschlußfähig seien, wenn ordnungsmäßiger Einladung sämmtlicher Betheiligten ungeachtet einer derselben der Sitzung fern bleibt; im Gegentheil wird, wie bereits erwähnt, der Fall, daß der Gutsherr abwesend ist, in der oben genannten Instruktion vom 28. Oktober 1812 in der Weise ausdrücklich vorgesehen, daß der Schulvorstand unter dem Vorsitze des Ortsgeistlichen zu tagen hat.

Es kommt hinzu, daß es sich bei der Beschlußfassung des Schulvorstandes über den Einspruch des Gutsherrn gegen seine Heranziehung zu den Mieths- und Beheizungskosten um einen Gegenstand handelte, welcher den Gutsherrn selbst betraf, so daß er oder sein Vertreter bei dessen Berathung und Entscheidung überhaupt nicht hätte Theil nehmen dürfen (vergl. die analoge

Bestimmung im §. 89 Absatz 3 der Landgemeindeordnung vom 3. Juli 1891 — G. S. S. 233.)

4) Nicht minder verfehlt erschien aber der Einwand, daß die Schulvorsteher M. und S., weil ihre Wahl schon vor länger als sechs Jahren erfolgt war, nicht mehr als Mitglieder des Schulvorstandes hätten zugezogen werden dürfen.

Zwar bestimmen die Instruktion vom 28. Oktober 1812 und die Bekanntmachung der Königlichen Regierung zu Oppeln vom 14. Dezember 1816, daß die Amtsführung der gewählten Mitglieder der Schulvorstände sechs Jahre dauert; es kann daraus aber keineswegs, wie es der Vorderrichter gethan hat, gefolgert werden, daß die Amtsführung eine rechtswidrige gewesen sei, wenn die Gewählten in Ermangelung einer Neuwahl auch nach Ablauf jener Zeit weiter in Thätigkeit blieben.

Wenn es auch im §. 102 Titel 10 Theil II des Allgemeinen Landrechts heißt, daß Amtsverbindungen, deren Dauer durch die Natur des Geschäftes oder durch ausdrücklichen Vorbehalt auf eine gewisse Zeit eingeschränkt ist, mit dem Ablaufe dieser Zeit von selbst erlöschen, so ergiebt doch die dieser Bestimmung in Klammern beigefügte Bezugnahme auf §. 97 a. a. O., daß sie nur mit der im §. 97 vorgesehenen Beschränkung gelten soll. Nach §. 97 a. a. O. darf aber der abgehende Beamte seinen Posten in keinem Falle eher verlassen, als bis wegen Wiederbesetzung oder einstweiliger Verwaltung desselben Verfügung getroffen ist. In sehr zahlreichen, die Amtsthätigkeit auf Zeit gewählter Beamten betreffenden Einzelgesetzen findet sich deshalb übereinstimmend die Vorschrift, daß die Ausscheidenden ungeachtet des Ablaufes der Zeit, für die sie gewählt sind, so lange im Amte bleiben, bis ihre Nachfolger eintreten. So auf dem durchaus verwandten Gebiete der kirchlichen Vermögensverwaltung im §. 43 der Kirchengemeinde- und Synodal-Ordnung vom 10. September 1873 (G. S. S. 417) und im §. 33 des Gesetzes über die Vermögensverwaltung in den katholischen Kirchengemeinden vom 20. Juni 1875 (G. S. S. 241). Aehnliche Bestimmungen sind ergangen für die ausscheidenden Mitglieder des Kreis- und Stadtausschusses (§. 133 der Kreisordnung vom 13. Dezember 1872, 19. März 1881 — G. S. 1881 S. 155 — und §. 38 des Gesetzes über die allgemeine Landesverwaltung vom 30. Juli 1883 — G. S. S. 195), des Provinzialausschusses (§. 49 der Provinzialordnung vom 29. Juni 1875, 22. März 1881 — G. S. 1881 S. 233), des Provinzialraths und des Bezirksausschusses (§§. 12, 28 des Gesetzes über die allgemeine Landesverwaltung vom 30. Juli 1883). Alle diese Einzelbestimmungen enthalten lediglich eine Nutzanwendung des das gesammte

Preußische Beamtenrecht beherrschenden Grundsatzes, wie er unbeschadet der eine Neuwahl erforderlich machenden Vorschrift des §. 102 Titel 10 Theil II des Allgemeinen Landrechts im §. 97 a. a. O. zum Ausdrucke gekommen ist, so daß nicht etwa gesagt werden kann, daß jene Einzelbestimmungen nur für die in ihnen behandelten Behörden positive, eine analoge Anwendung ausschließende Satzungen aufstellen.

Es ist unbestrittenen Rechts, daß den gewählten Mitgliedern der Schulvorstände in dieser Stellung die Eigenschaft öffentlicher Beamten beiwohnt. (Entscheidungen des Königlichen Gerichtshofs zur Entscheidung der Kompetenz-Konflikte vom 30. Januar 1858 und 13. September 1879 — Justiz-Ministerialblatt 1858 S. 202, Centrbl. 1879 S. 698; Entscheidungen des früheren Königlichen Ober-Tribunals vom 13. April 1866 — Striethorst's Archiv Band 62 S. 284 — und des Oberverwaltungsgerichts vom 28. April 1882 — Schneider und von Bremen Volksschulwesen Band I S. 95). Es ändert darin auch nichts, daß die gewählten Mitglieder des Schulvorstandes, wie in den Erlassen des Unterrichtsministers vom 11. März 1863 (a. a. O. Band I S. 97) und vom 8. August 1896 (Centrbl. S. 596) ausgesprochen, den Disziplinarvorschriften des Gesetzes vom 21. Juli 1852, betreffend die Dienstvergehen der nicht richterlichen Beamten (G. S. S. 465) nicht unterliegen.

Die Anwendung jenes allgemeinen Grundsatzes auf die gewählten Mitglieder der Schulvorstände mußte für um so unbedenklicher erachtet werden, als das öffentliche Interesse es unbedingt erheischt, daß in Ermangelung einer Neuwahl nicht Zustände eintreten, welche eine geregelte Fortführung der Geschäfte der Schulvorstände unmöglich machen könnten. Uebrigens findet sich sowohl in der allgemeinen Instruktion vom 28. Oktober 1812 als auch in der für den Regierungsbezirk Oppeln erlassenen besonderen Bekanntmachung vom 14. Dezember 1816 eine Bestimmung, welche auf jenen Grundsatz verweist. Dort wie hier wird in Anknüpfung an die Anordnung, daß die Amtsdauer der gewählten Schulvorsteher eine sechsjährige sei, vorgeschrieben:

> „es sollen aber nicht die sämmtlichen Schulvorsteher zugleich abgehen, sondern jedesmal nur zwei“,

eine Vorschrift, die ersichtlich den Zweck verfolgt, die Beschlußfähigkeit der Schulvorstände und damit die Kontinuität in deren Geschäftsführung sicher zu stellen, und zu diesem Behufe es zuläßt, die der Regel nach auf sechs Jahre angenommene Amtsdauer darüber hinaus zu erstrecken. —

5) Um neue oder erhöhte Anforderungen, die von der Schul-

aufsichtsbehörde an den Schulverband gestellt werden, handelt es sich nicht, sondern um die Untervertheilung bestehender Verpflichtungen des Verbandes unter die Verbandsgenossen. Die Voraussetzungen zur Anwendung des §. 2 des Gesetzes vom 26. Mai 1887 (G. S. S. 175) sind danach in keiner Weise gegeben. Ebensowenig liegt ein Thatbestand vor, wie ihn die von dem Kläger angezogene diesseitige Entscheidung vom 15. April 1893 (Centrbl. 1894 S. 313) im Auge hat; denn zu decken sind lediglich Kosten der laufenden Verwaltung, und im Streite befangen ist nur die Frage, ob und wie die Verbandsgenossen dazu heranzuziehen sind.

Entscheidend dafür ist die Ortsschulverfassung. In dieser Beziehung bedarf es der Beweiserhebung über die in der Berufungsschrift aufgestellten Behauptungen, daß Miethsausgaben für den 2. Lehrer überhaupt nicht erforderlich gewesen, weil er die ihm vokationsmäßig zugesagte freie Wohnung im Schulhause erhalten habe, ferner daß vertragsmäßig die Kosten für die Beheizung der Schulzimmer von der Gemeinde übernommen seien.

Soweit durch die Beweisaufnahme der Streit nicht zu entscheiden ist, bleibt zu beachten, daß der im §. 19a des Schulreglements vom 18. Mai 1801 für das Brennmaterial des Lehrers und dessen baare Besoldung aufgestellte Vertheilungsmaßstab eine analoge Anwendung auf die hier streitigen Schulunterhaltungskosten nicht zuläßt, daß der Vertheilungsmaßstab für derartige Ausgaben beim Mangel rechtsbeständiger Vereinbarungen oder Gewohnheiten vielmehr von der Schulaufsichtsbehörde zu bestimmen ist (Entscheidungen des Oberverwaltungsgerichts Band XV S. 235 und 236 u. ö.). Im Uebrigen wäre zu unterscheiden zwischen den angeforderten Miethskosten und den angeforderten Beheizungskosten. Da jene die rechtliche Natur ner Ausgaben für Bauten an sich tragen (Entscheidungen des Oberverwaltungsgerichts Band XX S. 178), wäre ein Streit zwischen Gemeinde und Dominium über die Vertheilung zunächst durch einen gemäß §. 47 Abs. 1 des Zuständigkeitsgesetzes vom 1. August 1883 (G. S. S. 237) abzufassenden Beschluß von der Schulaufsichtsbehörde zu entscheiden gewesen. Anlangend aber die Beheizungskosten für die Unterrichtsräume, so bliebe zu prüfen, ob die vom Schulvorstande in dem Beschlusse vom 22. April v. Js. in Bezug genommene Verfügung vom 11. Juli 1889 den Schulvorstand ermächtigte, den von ihm seiner Heranziehung zu Grunde gelegten Maßstab zur Anwendung zu bringen, und, wenn dies zu verneinen, ob es angängig wäre, die etwa nachträglich beschaffte Ermächtigung der Schulaufsichtsbehörde zuzulassen.

(Erkenntnis des I. Senates des Königlichen Oberverwaltungsgerichts vom 18. September 1896 — I. 1098 —.)

b. 1) Die Nothwendigkeit des Schulbaues und die Art seiner Ausführung ist nicht Gegenstand des Streites; streitig und durch Beschluß der beklagten Königlichen Regierung vorläufig entschieden ist nur die Frage, wer zur Tragung des der Klägerin als angeblicher Gutsherrin von N. angesonnenen Drittels der Baukosten verpflichtet sei. Der Natur der streitigen Frage entsprechend hat die Klägerin in der Aufschrift der Klage die Schulgemeinde N. als Beklagte genannt und in den Schlußworten noch einmal erklärt, daß sie gegen diese mitklage, „weil die durch das Regierungsresolut auferlegten Kosten die Schulgemeinde treffen würden". Hierdurch hatte sie, obwohl in der Antragsformel nur Befreiung von der angesonnenen Leistung verlangt war, deutlich zu erkennen gegeben, daß sie die ihr auferlegte Leistung auf die Schulgemeinde N. abwälzen wollte, und damit der Bestimmung im §. 47 Abs. 2 des Zuständigkeitsgesetzes vom 1. August 1883 genügt. Die Vorderrichter hatten daher nicht nur zu prüfen, ob von der Klägerin die ihr angesonnene Verpflichtung mit Recht gefordert sei, sondern auch, ob die von der Klägerin in Anspruch genommene Schulgemeinde anstatt ihrer zu der geforderten Leistung verpflichtet sei, und mußten, wenn sie diese Frage verneinten, die Klage abweisen, anderenfalls aber aussprechen, daß die mitbeklagte Schulgemeinde die öffentlich-rechtlich Verpflichtete sei; in keinem Falle aber durften sie den Beschluß der Königlichen Regierung, wie geschehen, aufheben, ohne etwas Anderes an seine Stelle zu setzen, und die Frage, wer der öffentlich-rechtlich, also der Schulaufsichtsbehörde gegenüber zur Leistung Verpflichtete sei, offen lassen. Beide Vorderrichter haben sonach die Bedeutung der Vorschrift im §. 47 Abs. 2 des Zuständigkeitsgesetzes vom 1. August 1883 verkannt und ihr Verfahren mit einem wesentlichen Mangel belastet. Der Berufungsrichter hat aber noch eines weiteren sich dadurch schuldig gemacht, daß er die Zuziehung der mitbeklagten Schulgemeinde zum Verfahren unterlassen hat; denn die Frage, wer zu der von der Klägerin geforderten Leistung verpflichtet sei; konnte zwischen den Parteien nur einheitlich entschieden werden. Es lag daher bei der Stellung, welche die Königliche Regierung zum Streite genommen hatte, nothwendige Streitgenossenschaft zwischen ihr und der mitbeklagten Schulgemeinde vor, weshalb auch ohne deren Zuziehung darüber, wer verpflichtet sei, weder nach der positiven noch nach der negativen Seite hin entschieden werden durfte. Dadurch, daß dies dennoch geschehen, und in Folge dessen auch eine positive

Feststellung des Verpflichteten unterblieben ist, hat der Vorderrichter auch die Rechte der beklagten Regierung berührt; ihre Revision erscheint daher begründet und zieht die Aufhebung der Vorentscheidung gemäß §§. 94 Nr. 1 und 2 und 98 des Landesverwaltungsgesetzes vom 30. Juli 1883 nach sich.

2) Die beklagte Königliche Regierung irrt in der Annahme, daß der unterzeichnete Gerichtshof sich bisher einer eingehenderen Begründung der in seinen veröffentlichten Entscheidungen Band XIV Seite 236 und Band XXI Seite 185 aufgestellten Rechtsansicht enthalten und lediglich auf die in den dort angeführten Urtheilen des vormaligen Königlichen Ober-Tribunals gegebene verwiesen habe. In der That hat der Gerichtshof in mehrfachen Urtheilen seine Rechtsauffassung, daß sich eine die Verpflichtungen der Gutsherren ändernde Observanz gegenüber den Vorschriften in §§. 34 und 36 Titel 12 Theil II des Allgemeinen Landrechts nach Einführung dieses Gesetzbuches nicht mehr habe bilden können, wiederholt in der eingehendsten Weise begründet und ist dabei auf sämmtliche Momente, welche die Revisionsschrift für die entgegengesetzte Ansicht anführt, eingegangen, insbesondere auf die Ausführungen in den von der beklagten Königlichen Regierung angezogenen Ministerialerlassen und auf den vermeintlichen Widerspruch mit dem in den veröffentlichten Entscheidungen des unterzeichneten Gerichtshofs Band I Seite 183 ff. abgedruckten Urtheile. Unter anderen ist dies in dem im Jahrgang XIII Seite 255 ff. des Preußischen Verwaltungsblattes abgedruckten Erkenntnisse geschehen.

Hiernach hätte sich eine die Gutsherrschaft verpflichtende Observanz nur in der Zeit vor Einführung des Landrechts bilden können, die in der vormals Sächsischen Oberlausitz durch das Patent vom 15. November 1816 (G. S. S. 233) erfolgt ist.

(Erkenntnis des I. Senates des Königlichen Oberverwaltungsgerichts vom 2. Oktober 1896 — I. 1158 —.)

---

c. Aus der Natur einer Schule als einer katholischen Pfarrschule kann für das hier in Betracht zu ziehende Schlesische Provinzialrecht nur dreierlei gefolgert werden: Mitwirkung des Kirchenpatronats bei der Lehrerberufung, Anwendung des Reglements de gravaminibus (Korn'sche Sammlung Band V Seite 411) bei Bauten, Anrechnung der fixirten Einnahmen aus dem Kirchenamte auf das Lehrerdiensteinkommen (Abschnitt 13 des Schulreglements vom 18. Mai 1801, Korn'sche Sammlung Band VII Seite 266). Im Uebrigen unterscheiden sich die auf kirchlichem Boden erwachsenen Schulen, sofern sie der allgemeinen Schulpflicht dienen, nicht von den sonstigen Volksschulen; denn bei Ansetzung neuer Lehrkräfte übt das Berufungsrecht derjenige aus, dem diese Befugnis zustände, wenn die Schule nicht den Charakter der Pfarrschule hätte; Erweiterungsbauten, die lediglich in Folge der Entwickelung der Schulanstalt erforderlich werden, liegen nach Vorschrift des Gesetzes vom 21. Juli 1846 (G. S. S. 392) denen ob, welche in Ermangelung eines Pfarrschulhauses den Bau und die Unterhaltung einer gemeinen Schule am Orte zu besorgen haben (Entscheidungen des früheren Ober-Tribunals Band 60 Seite 219 ff.); die Aufbesserung des Lehrergehalts sowie die Besoldung weiterer Lehrkräfte haben nicht die kirchlichen Interessenten zu tragen, sondern die Schulunterhaltungspflichtigen (Entscheidungen des Oberverwaltungsgerichts Band XV Seite 275). Die Bezeichnung einer Schule als Pfarrschulen küpft also lediglich an ihren Ursprung und insbesondere an die von der Kirche erhaltene Dotation an; im Uebrigen schließt aber dieser ursprüngliche Charakter der Schule nicht aus, daß an ihr allerlei Veränderungen eintreten können, sei es nach Gesetzesrecht, sei es nach Observanz, sei es nach Uebereinkommen der Betheiligten. Treten solche Veränderungen ein, so spielt der ursprüngliche Charakter der Schule als einer Pfarrschule insoweit eine weitere Rolle nicht mehr.

(Erkenntnis des I. Senates des Königlichen Oberverwaltungsgerichts vom 2. Oktober 1896 — I. 1159 —.)

Personal-Veränderungen, Titel- und Ordensverleihungen.

A. Behörden und Beamte.

Dem Provinzial-Schulrath Hoppe zu Breslau ist der Charakter als Geheimer Regierungsrath verliehen worden.

Der Justitiar und Verwaltungsrath bei dem Provinzial-Schulkollegium zu Coblenz Regierungsrath Dr. Mager ist zum Ober-Regierungsrath ernannt und demselben die Stelle als Direktor des Provinzial-Schulkollegiums zu Breslau übertragen worden.

Der bisherige Oberlehrer Dr. Seehausen ist zum Kreis-Schulinspektor ernannt worden.

B. Universitäten.

Universität Berlin.

Der ordentliche Professor Geheime Regierungsrath Dr. von Wilamowitz-Moellendorff zu Göttingen ist in gleicher Eigenschaft in die Philosophische Fakultät der Friedrich-Wilhelms-Universität zu Berlin versetzt worden.

Zu außerordentlichen Professoren sind ernannt worden:

der bisherige Privatdozent in der Philosophischen Fakultät der Königlichen Friedrich-Wilhelms-Universität zu Berlin Professor Dr. Jahn und

der bisherige Privatdozent in der Medizinischen Fakultät derselben Universität Dr. Nagel.

Das Prädikat „Professor“ ist beigelegt worden:

dem Privatdozenten in der Juristischen Fakultät der Königlichen Friedrich-Wilhelms-Universität zu Berlin Amtsrichter Dr. Konrad Bornhak, sowie

den Privatdozenten in der Philosophischen Fakultät derselben Universität, Mitglied des Kaiserlichen Patentamts Dr. Friedheim und Dr. Pringsheim.

Universität Marburg.

Dem Privatdozenten in der Philosophischen Fakultät der Universität Marburg Dr. Judeich ist das Prädikat „Professor“ beigelegt worden.

Universität Bonn.

Der bisherige kommissarische Universitäts-Kurator zu Bonn Wirkliche Geheime Rath Dr. von Rottenburg ist zum Kurator der Universität Bonn ernannt worden.

Akademie Münster.

Der bisherige Privatdozent Dr. Pieper zu Münster i. W. ist zum außerordentlichen Professor in der Theologischen Fakultät der dortigen Akademie ernannt worden.

C. Museen u. s. w.

Dem Inspektor der Kunstakademie zu Düsseldorf Bauer ist der Charakter als Rechnungsrath verliehen worden.

Das Prädikat „Professor“ ist beigelegt worden:

dem Sanitätsrath und Hofarzt Dr. Boer zu Berlin,
dem Stadtarchivar zu Cöln Dr. Hansen und
dem Privatgelehrten Dr. phil. Karl Müller zu Halle a. S.

Das Prädikat „Königlicher Musik-Direktor“ ist beigelegt worden:

dem Chordirigenten bei der katholischen Pfarrkirche zu Oppeln Musiklehrer Hauptmann und

dem Organisten und Gymnasialgesanglehrer Springer zu Kolberg.

Der Porträt- und Genremaler Dr. Seeger ist zum Direktorial-Assistenten bei der Königlichen akademischen Hochschule für die bildenden Künste zu Berlin ernannt worden.

D. Höhere Lehranstalten.

Es ist verliehen worden:

der Rothe Adler-Orden vierter Klasse

dem Direktor Dr. Flebbe an der in der Entwickelung zu einer Oberrealschule begriffenen Realschule (verbunden mit Landwirthschaftsschule) zu Flensburg,

dem Direktor Strehlow an der Realschule zu Altona-Ottensen und

dem Gymnasial-Oberlehrer Professor Kaiser zu Trier;

der Königliche Kronen-Orden dritter Klasse

dem Gymnasial-Direktor Dr. Dronke zu Trier.

In gleicher Eigenschaft sind versetzt worden die Oberlehrer:

Dr. Cramer vom Gymnasium zu Ratibor an das Gymnasium zu Erfurt,

Dr. Koch von der Realschule zu Quedlinburg an die Realschule zu Elberfeld (Nordstadt),

Professor Dr. Meinecke vom Gymnasium zn Hamm an das Gymnasium zu Kiel,

Dr. Prellwitz vom Gymnasium zu Bartenstein an das Gymnasium zu Tilsit,

Dr. Ruchhöft vom Realprogymnasium zu Forst i. L. an die Realschule zu Cottbus,

Dr. Schuld vom Realprogymnasium zu Gardelegen an das Gymnasium zu Neu-Ruppin,

Strotkötter vom Progymnasium zu Dorsten an das Gymnasium zu Arnsberg,

Dr. Teitz vom Progymnasium zu Neumark an das Gymnasium zu Culm nnd

Theill vom Gymnasium zu Gnesen an das Gymnasium zu Nordhausen.

Es ist befördert worden:

der Oberlehrer am Falk-Realgymnasium zu Berlin Professor Dr. Schellbach zum Direktor dieser Anstalt.

Es sind angestellt worden als Oberlehrer:

am Gymnasium

zu Spandau der Schulamtskandidat Ashelm,

zu Ratibor der Hilfslehrer Brachmann,

zu Linden der Hilfslehrer Dr. Burghard,

zu Münster die Hilfslehrer Döring und Dr. Kahle,

zu Gütersloh der Hilfslehrer Dr. Graeber,

zu Clausthal der Hilfslehrer Grevemeyer,

zu Brandenburg (Ritterakademie) der Hilfslehrer Krüger,

zu Gnesen die Hilfslehrer Kühn und Schulze,

zu Beuthen der Schulamtskandidat Menschig,

zu Nordhausen der Hilfslehrer Dr. Neubauer,
zu Paderborn der Hilfslehrer Peters,
zu Rößel der Hilfslehrer Poetschki,
zu Breslau (Elisabeth-Gymnasium) der Hilfslehrer Schnobel,
zu Thorn der Hilfslehrer Semrau und
zu Leer (und Realgymnasium) der Hilfslehrer Dr. Tammen;

am Realgymnasium
zu Ruhrort die Hilfslehrer Dr. Barth und Dähne,
zu Essen der Hilfslehrer Köstler und
zu Mülheim a. Rh. der Hilfslehrer Pohl;

an der Oberrealschule
zu Crefeld der Hilfslehrer Dr. Puff;

am Progymnasium
zu Löbau der Hilfslehrer Müller,
zu Jülich der Hilfslehrer Schenke und
zu Wipperfürth der Hilfslehrer Steffens;

an der Realschule
zu Quedlinburg der Hilfslehrer Dr. Dörge und
zu Görlitz der Hilfslehrer Liewald;

am Realprogymnasium
zu Gardelegen der Hilfslehrer Dr. Wächter.

E. Schullehrer- und Lehrerinnen-Seminare.

Dem ordentlichen Seminarlehrer Knabe zu Soest ist das Prädikat „Königlicher Musik-Direktor" beigelegt worden.

In gleicher Eigenschaft sind versetzt worden:
die ordentlichen Seminarlehrer
Genähr von Waldau nach Friedeberg N. M.,
Glage von Pr. Friedland nach Marienburg und
Jaeschke von Löbau nach Waldau.

Es sind befördert worden:
zum Oberlehrer
am Schullehrer-Seminar zu Karalene der bisherige ordentliche Seminarlehrer Tomuschat zu Ortelsburg;

zu ordentlichen Seminarlehrern
am Schullehrer-Seminar zu Ortelsburg der bisherige Seminar-Hilfslehrer Molloisch zu Osterode,
am Schullehrer-Seminar zu Heiligenstadt der bisherige Seminar-Hilfslehrer Pauly zu Prüm,
am Schullehrer-Seminar zu Karalene der bisherige Seminar-Hilfslehrer Röber zu Waldau,
am Schullehrer-Seminar zu Hohenstein O. Pr. der bis-

herige Zweite Präparandenlehrer Skorczyk zu Friedrichshof und

am Schullehrer-Seminar zu Segeberg der bisherige Seminar-Hilfslehrer Stamm zu Liegnitz.

Es sind angestellt worden:

als Seminar-Hilfslehrer

am Schullehrer-Seminar zu Osterode der bisherige Präparandenanstalts-Hilfslehrer Chrosciel zu Hohenstein,

am Schullehrer-Seminar zu Prüm der bisher am Schullehrer-Seminar zu Wittlich kommissarisch beschäftigte Lehrer Lennarz und

am Schullehrer-Seminar zu Waldau der Lehrer Seidler zu Algawischken.

F. Oeffentliche höhere Knabenschulen.

Dem wissenschaftlichen Lehrer bei der Städtischen höheren Knabenschule zu Gevelsberg Dr. Schwarz ist der Titel „Oberlehrer" beigelegt worden.

G. Ausgeschieden aus dem Amte.

1) Gestorben:

Dr. Ackermann, Geheimer Medizinalrath, ordentlicher Professor in der Medizinischen Fakultät der Universität Halle,

Herrmann, Seminarlehrer zu Reichenbach,

Dr. Lewin, Geheimer Medizinalrath, außerordentlicher Professor in der Medizinischen Fakultät der Königlichen Friedrich-Wilhelms-Universität zu Berlin,

Dr. Pabst, Oberlehrer an der Lateinischen Hauptschule der Franckeschen Stiftungen zu Halle a. S.,

Sieg, Progymnasial-Direktor zu Pelplin,

Wendt, Professor, Realprogymnasial-Oberlehrer zu Lennep und

Woitylak, Schulrath, Kreis-Schulinspektor zu Tarnowitz.

2) In den Ruhestand getreten:

Hansel, Gymnasial-Direktor zu Leobschütz, unter Verleihung des Rothen Adler-Ordens dritter Klasse mit der Schleife,

Kleineidam, Professor, Gymnasial-Oberlehrer zu Neustadt, unter Verleihung des Rothen Adler-Ordens vierter Klasse,

Metzdorf, Professor, Realschul-Oberlehrer zu Görlitz, unter Verleihung des Rothen Adler-Ordens vierter Klasse,

Müller, Professor, Gymnasial-Oberlehrer zu Breslau, unter Verleihung des Rothen Adler-Ordens vierter Klasse,
Reuß, Professor, Gymnasial-Oberlehrer zu Rössel,
Plew, Professor, Gymnasial-Oberlehrer zu Tilsit, unter Verleihung des Rothen Adler-Ordens vierter Klasse,
Simon, Kreis-Schulinspektor zu Wittlich,
Uber, Professor, Gymnasial-Oberlehrer zu Waldenburg, unter Verleihung des Rothen Adler-Ordens vierter Klasse,
Dr. Wieszner, Professor, Gymnasial-Oberlehrer zu Breslau, unter Verleihung des Rothen Adler-Ordens vierter Klasse,
Wolf, ordentlicher Seminarlehrer zu Petershagen und
Wölke, Seminar-Oberlehrer zu Berent, unter Verleihung des Rothen Adler-Ordens vierter Klasse.

3) Ausgeschieden wegen Eintritts in ein anderes Amt im Inlande:

Dr. Schotten, Gymnasial-Oberlehrer zu Cassel.

4) Ausgeschieden, Anlaß nicht angezeigt:

Dr. Haustein, Oberlehrer am Pädagogium zum Kloster Unser Lieben Frauen zu Magdeburg.

Inhalts-Verzeichnis des Dezember-Heftes.

Druck von J. F. Starcke in Berlin.

Chronologisches Register
zum Centralblatt für den Jahrgang 1896.

Abkürzungen:

A. Ordre — A. Erl. — A. Verordn. = Allerhöchste Ordre — Allerhöchster Erlaß — Allerhöchste Verordnung.
Bek. d. Reichsk. A. = Bekanntmachung des Herrn Reichskanzlers, bezw. des Reichskanzler-Amtes.
St. M. Beschl. — St. M. Verordn. = Staats-Ministerial-Beschluß — desgl. Verordnung.
M. V. — M. Bek. — M. Besch. — M. Bestät. — M. Genehm. = Ministerial-Verfügung, — -Bekanntmachung, — -Bescheid, — -Bestätigung, — -Genehmigung.
Sch. K. V. — Sch. K. Bek. = Verfügung — Bekanntmachung eines Königl. Provinzial-Schulkollegiums.
R. V. — R. Bek. = desgl. einer Königl. Regierung.
Der Buchstabe C. zugesetzt = Cirkular.
Erk. d. Reichs-Ger. = Erkenntnis des Reichsgerichts.
Erk. d. Ob. Verw. Ger. = Erkenntnis des Königl. Oberverwaltungsgerichts.
Bek. d. Akad. d. K. = Bekanntmachung der Königl. Akademie der Künste zu Berlin.
Bek. d. R. u. S. d. Univ. = Bekanntmachung des Rektors und Senates der Universität.

Sach-Register zum Centralblatt für den Jahrgang 1896.

(Die Zahlen geben die Seitenzahlen an.)

Bemerkung: Zur leichteren Orientirung wird bemerkt, daß in erster Linie alle das Dienstalter, die Gehälter, die Zulagen der Beamten und Lehrer betreffenden Verfügungen unter Besoldungen, alle die Elementar- und Volksschullehrer betr. Verf. unter Volksschulwesen, alle das höh. Schulwesen betr. Verf. unter Lehranstalten (höhere), alle die Universitäten betr. Verf. unter Universitäten und alle Entscheidungen, Rechtsgrundsätze u. Erkenntnisse des Oberverwaltungsgericht's unter letzterem Worte vermerkt sind.

A.

C.

D.

F.

G.

L.

eitelt wird? 302. Heranziehung mit Pension zur Disposition gestellter Offiziere zu Kirchengemeinde- u. Schulsocietätslasten 305. Wirkungskreis der Regierungsabtheilungen für Kirchen- und Schulwesen in den neuen Provinzen 306. Fortdauernde Geltung des Nassauischen Gesetzes vom 10. März 1862 betr. Lehrerbesoldungen 307. Ein durch Observanz begründetes Rechtsverhältnis kann durch eine einseitige Willensäußerung nicht geändert werden 355. Das Verwaltungsstreitverfahren ist nur in den Fällen statthaft, wo es von dem Gesetze besonders zugelassen ist 355. Zulässigkeit des Verwaltungsstreitverfahrens zwischen den Mitgliedern und dem Vorstande eines Schulverbandes 677. Austragung des Streites über die Verpflichtung zur Schulunterhaltung zwischen Leistungsberechtigten und Leistungspflichtigen 355. Staatsbeitrag für die Stelle eines ersten ordentlichen Lehrers. An jeder Volksschule ist nur ein erster Lehrer vorhanden — Feststellung des Begriffs Hauptlehrer — 356. Der Austritt aus der jüdischen Religionsgemeinschaft befreit in der Provinz Hannover zwar von Leistungen für Religionsschulen, dagegen von Leistungen für Zwecke der öffentlichen jüdischen Schulen nur unter der Voraussetzung, daß der Ausgetretene von der Schulaufsichtsbehörde, einer öffentlichen nicht jüdischen Schule zugewiesen ist 422. Aufbringung der Kosten eines Brunnenbaues auf einem Küsterschuletablissement 423. Die Bestimmung der Lauenburgischen Landschulordnung vom 10. Oktober 1868, wonach über alle vorfallenden Bauten die Schulkommunen und bei Küsterschulhäusern auch die Kirchengemeinden vorgängig gutachtlich zu hören sind, die Entscheidung aber der Schulaufsichtsbehörde zusteht, hat in ihrem ersten Theile gegenüber den Vorschriften des Zuständigkeitsgesetzes vom 1. August 1883 nur noch instruktionelle Bedeutung 424. Entscheidung über die Nothwendigkeit einer Blitzableiteranlage auf Küster- und Schulhäusern 425. Die Blitzableiteranlage ein Theil des Gebäudes im Sinne der Schulbaupflicht 425. Aufbringung des Beitrages der Schulverbände zu den Ruhegehaltskassen. Die Kassenbeiträge sind von den Trägern der Pensionslast und in Ermangelung solcher von den bisher zur Unterhaltung des Lehrers während der Dienstzeit Verpflichteten aufzubringen 426. Ist ein früher zum Domanium gehöriges Gut aus diesem durch Erhebung zum selbständigen Gutsbezirke ausgeschieden, so ist damit die Verpflichtung des Fiskus, für das Gut einzutreten, erloschen. Gutsherr im Sinne des §. 46 der Schulordnung vom 11. Dezember 1845 427. Die Verpflichtung des Fiskus zur Zahlung der als Ersatz des fehlenden kulmischen Morgens dienenden Rente hat die rechtliche Natur einer unmittelbar aus dem Gesetze entspringenden Verbindlichkeit, zur Unterhaltung des Lehrers beizutragen 428. Zweck der Ruhegehaltskassen. Dieselben umfassen nur Schulverbände, ausgeschlossen sind Schulen, bei welchen die Pensionslast nicht einem Schulverbande obliegt 428. Unzulässigkeit der Heranziehung an Bord kommandirter Seeoffiziere ohne selbstgewählten wirklichen Wohnsitz an Land zu Schulunterhaltugskosten 521. Anfechtbarkeit der Abgabenregulirungspläne nach den Vorschriften der Gesetze vom 25. August 1876 und 8. Januar 1845 529. Auf Naturaldienste und ihre Kosten findet das Gesetz vom 18. Juni 1840 keine Anwendung 532. Wo das partikulare Ortsrecht mit der Vertheilung der Lasten nach Maßgabe der Staatssteuern lediglich das System der Zuschläge zu den vollen Staatssteuern eingeführt hat, ist die veranlagende Behörde nicht befugt, an Stelle solcher Zuschläge ihrerseits den Steuerpflichtigen zu einem fingirten Steuersatze einzuschätzen und dann von diesem einen Zuschlag zu fordern. Heran-

P.

Q.

R.

U.

B.

W.

3.

Namen-Verzeichnis
zum Centralblatt für den Jahrgang 1896.

(Die Zahlen geben die Seitenzahlen an.)

In dem nachfolgenden Verzeichnisse sind die in den Nachweisungen über die Behörden, Anstalten u. s. w. auf den Seiten 1 bis 168, 202 bis 206, 217, 231 bis 235, 252 bis 260, 282 bis 284, 405 bis 414, 509, 512, 562 bis 567, 569 bis 571, 579 und 580, 639, 661, 684 bis 687, 781 und 782 vorkommenden Namen nicht angegeben.

Druck von J. F. Starcke in Berlin.

Lightning Source UK Ltd.
Milton Keynes UK
UKHW022151030219
336684UK00004B/86/P

9 780266 292081